Praxiskommentar zum GmbH-Recht

herausgegeben von:

Prof. Dr. Hasso Heybrock,
Fachhochschule Flensburg, Fachbereich Wirtschaft

unter Mitarbeit von:

Kathrin Aigner, LL.M.
Rechtsanwältin, Lovells LLP,
Frankfurt am Main

**Tanja Aschenbeck-Florange, LL.M.
(San Diego)**
Rechtsanwältin, Fachanwältin für
Steuerrecht, Osborne Clarke, Köln

Klaus D. Bader
Rechtsanwalt, Steuerberater,
Bader & Kollegen, Augsburg

Walter Born
Rechtsanwalt, Fachanwalt für
Arbeitsrecht, Heymann & Partner,
Frankfurt am Main

Dr. Dagmar Boving
Rechtsanwältin, Boving Röllinghoff
Rechtsanwälte, Köln

Dr. Carsten Gerner-Beuerle, LL.M.
DAAD Lecturer in Law, School of
Law King's College, London

Prof. Dr. Oliver Haag
Rechtsanwalt, Geschäftsführender
Direktor Institut für Unternehmens-
recht, Hochschule Heilbronn,
of counsel Rechtsanwälte Uricher &
Coll., Konstanz

Helge Heindl
Rechtsanwalt, Frankfurt am Main

Dr. Eva Maria Huntemann
Rechtsanwältin, Fachanwältin für
Insolvenzrecht, Huntemann Rechts-
anwaltsgesellschaft mbH, Berlin

Prof. Dr. Joachim Löffler
Direktor Institut für Unternehmensrecht, Hochschule Heilbronn

Prof. Dr. Ronald Moeder
Rechtsanwalt, Curtis, Mallet-Prevost,
Colt & Mosle LLP, Frankfurt am Main

Heinrich Neurath
VRLG i.R., Münster

Kai Rabe, LL.M.
Justiziar, Deutsche Bahn AG, Berlin

Dr. Marc Rieker, LL.M. (San Diego)
Rechtsanwalt, Köln, Attorney-at-Law
(New York)

Prof. Dr. Volker Stadie
Rechtsanwalt, Berufsakademie Mosbach

Sabine Stamm, LL.B. (London)
Rechtsassessorin, Harmonisierungs-
amt für den Binnenmarkt, Alicante

Dr. Rüdiger Theiselmann, LL.M. oec.
Rechtsanwalt, Commerzbank AG (Cor-
porate Finance Advisory), Frankfurt am
Main

Dr. Johannes Thoma
Rechtsanwalt, Schwarz Kelwing
Wicke Westpfahl, Düsseldorf

Gisela Thoms
Rechtsanwältin, Finke & Thoms,
Solingen

Zitiervorschlag: Heybrock/*Bearbeiter*, PK-GmbHR, § Rn.

Bibliografische Information der Deutschen Bibliothek

Die Deutsche Bibliothek verzeichnet diese Publikation in der Deutschen Nationalbibliografie; detaillierte bibliografische Daten sind im Internet über <http://dnb.ddb.de> abrufbar.

ISBN 978-3-89655-268-6

© ZAP-Verlag

Lexis Nexis Deutschland GmbH, Münster 2009
Ein Unternehmen der Reed Elsevier Gruppe

Druck: Bercker, Kevelaer

Vorwort

Die Rechtsform der Gesellschaft mit beschränkter Haftung wurde bereits 1892 eingeführt und hat sich seitdem ohne grundlegende Änderungen im Wirtschaftsleben bewährt. Sie ist auch heute – mit fast einer Million eingetragenen Gesellschaften – gerade für kleine und mittlere Unternehmen weiterhin die bevorzugte Rechtsform in Deutschland.

Die nunmehr mit dem **Gesetz zur Modernisierung des GmbH-Rechts und zur Bekämpfung von Missbräuchen (MoMiG)** vorgenommene „Jahrhundertreform" des GmbH-Rechts soll die Attraktivität der GmbH als Gesellschaftsform weiter erhöhen und mithin wettbewerbliche Benachteiligungen ggü. ausländischen Gesellschaftsformen wie etwa der englischen Private Company (Ltd.) beseitigen. So wird z.B. Existenzgründern mit § 5a GmbHG eine neue Einstiegsvariante in der Form der Unternehmergesellschaft (haftungsbeschränkt) zur Verfügung gestellt, um das bei Gründung noch fehlende Stammkapital (nach wie vor mindestens 25.000 €) nach und nach anzusparen. Andere Erleichterungen erfolgen durch Flexibilisierungen der Regelungen zur Übertragbarkeit von Geschäftsanteilen und zur Kapitalaufbringung durch Sacheinlagen.

Weiteres Ziel der MoMiG-Reform ist, den Missbrauch zu bekämpfen, die Transparenz zu erhöhen und vorhandene Rechtsunsicherheiten zu beseitigen. Dies wird u.a. dadurch erreicht, dass die Verantwortung der Gesellschafter im Fall der Führungslosigkeit der Gesellschaft erhöht wird: Sie müssen nun bei Zahlungsunfähigkeit und Überschuldung einen Insolvenzantrag stellen, sodass die Insolvenzantragspflicht zukünftig nicht mehr so einfach durch ein „Abtauchen" der Geschäftsführer umgangen werden kann. Zudem wurde die strafrechtliche Verantwortung von Geschäftsführern und Gesellschaften verschärft. Zugleich wird die Transparenz hinsichtlich der Geschäftsanteile erhöht und der Gutglaubenserwerb erleichtert: Nur wer in der Gesellschafterliste auch eingetragen ist, gilt künftig als Gesellschafter. Darüber hinaus sind bisherige Rechtsunsicherheiten beseitigt worden, etwa im Bereich der Kapitalaufbringung und -erhaltung für die sog. Cash-Pools sowie beim Eigenkapitalersatzrecht. Ferner soll die Rechtsverfolgung ggü. Gesellschaften durch eine Veränderung der Zustellungsvorschriften (öffentliche Zustellung im Inland) beschleunigt und erleichtert werden.

Schließlich ist es jetzt deutschen Gesellschaften durch die Streichung des § 4a Abs. 2 GmbHG a.F. möglich, einen Verwaltungssitz zu wählen, der nicht notwendig mit dem Satzungssitz übereinstimmt. Deutsche Gesellschaften können nunmehr ihre Tochtergesellschaften im Ausland in der Rechtsform der GmbH führen; ein Wettbewerbsnachteil ggü. europäischen

Wettbewerbern wurde somit ausgeräumt. Ob sich die deutsche GmbH damit im europäischen Wettbewerb als echter „Verkaufsschlager" erweist, bleibt insbesondere vor dem Hintergrund, dass bereits die einheitliche europäische Gesellschaftsform SPE in den Startlöchern steht, allerdings abzuwarten. Innerhalb Deutschlands wird die GmbH ggü. der Limited und anderen Gesellschaftsformen zweifellos weiter an Attraktivität gewinnen.

Gründe genug also, um dem Rechtsanwender des modernisierten GmbH-Rechts und seinen Beratern einen modernen, konzeptionell vollständig neu gestalteten Kurzkommentar an die Hand zu geben, der dem Leser neben fundierten Erläuterungen zu den praxisrelevanten Problemstellungen auch gleich die notwendigen Arbeitshilfen für die tägliche Praxis liefert. Dabei ist teilweise auch Neuland beschritten und erstmalig versucht worden, alle in der Praxis relevanten Rechtsfragen zum GmbH-Recht komprimiert in einem einbändigen Fachkommentar zusammenzufassen, was das Werk zum täglichen Arbeitsmittel macht. Von daher konnten die Erläuterungen nicht allein auf das GmbHG beschränkt werden, sondern umfassen auch die relevanten Vorschriften aus anderen Gesetzen wie dem EGGmbHG, dem HGB, dem UmwG, der InsO und dem StGB. Um den vorgegebenen Rahmen nicht zu sprengen, mussten auf der anderen Seite das Umwandlungs-, das Insolvenz- und das Strafrecht in einer eigenständigen Struktur erläutert, die Kommentierungen zu den umfassten HGB-Normen auf die wesentlichen Praxisfragen im Bereich des GmbH-Rechts reduziert und die Darstellung insgesamt auf die Grundsatzfragen und praxisrelevanten Anwendungsfälle beschränkt werden. Dies auch vor dem Hintergrund, dass trotz der Themenvielfalt noch ausreichend Freiraum für die in der Praxis oftmals so hilfreichen Übersichten, Checklisten, Anwendungsbeispiele, Formularvorlagen und Praxistipps bleibt.

Abgerundet wird dieser Praxiskommentar durch die umfassende Materialsammlung auf der beiliegenden DVD, die über 40.000 Entscheidungen und mehr als 1.000 Gesetze zum Gesellschaftsrecht im Volltext bietet, eingebunden in eine moderne Recherchesoftware. So kann sich der Leser schnell informieren und umfassend vertiefen.

Es bleibt zu hoffen, dass das Zusammenspiel von praxisnahen Erläuterungen – ggf. unter Verweis auf vertiefende Informationsquellen zu weniger praxisrelevanten Detail- und Streitfragen – mit den vielen Arbeitshilfen sowie der DVD-Datenbank sich auch in der Praxis als optimaler Kompromiss bewährt, so wie es von Anfang an eine wesentliche Zielstellung dieses Kommentars war.

Eine besondere Herausforderung bei diesem Projekt war die zeitliche Komponente. Vor dem Hintergrund, dass nach dem Inkrafttreten des MoMiG zum 1.11.2008 unmittelbarer Handlungsbedarf in der Rechtsanwendungs- und Beratungspraxis besteht, mussten die ursprünglichen Manuskripte auf der Arbeitsgrundlage des damaligen Regierungsentwurfs nach einer hitzigen Diskussion während des Gesetzgebungsverfahrens letztlich anhand der Beschlussvorlage durch den Rechtsausschuss als Grundlage der anschließenden Verabschiedung durch Bundestag und Bundesrat sehr kurzfristig nochmals grundlegend überarbeitet werden, um so den weitreichenden Änderungen im Vergleich zum ursprünglichen Gesetzesentwurf der Bundesregierung noch rechtzeitig und zugleich fundiert Rechnung tragen zu können. Selbst die anstehenden Änderungen auf der Grundlage des Gesetzes zur Modernisierung des Bilanzrechts (BilMoG) konnten im Bereich des Bilanzrechts noch Berücksichtigung finden. Schließlich war ganz kurzfristig noch das Finanzmarktstabilisierungsgesetz (FMStG) v. 17.10.2008 einzuarbeiten, das insbes. durch die Änderung des Überschuldungsbegriffs in § 19 Abs. 2 InsO nicht unerhebliche Auswirkungen etwa auf das Insolvenz- und Haftungsrecht sowie auf die strafrechtliche Verantwortlichkeit der Geschäftsführer hat.

In diesem Zusammenhang möchte ich mich bei den Autoren, allesamt Praktiker und mit dem jeweiligen Kommentarthema sehr gut vertraut, sowie beim Verlag – hier insbes. bei Herrn Rechtsanwalt Jan Borowski und Herrn Rechtsanwalt Henning Braem – herzlich für das enorme Engagement bedanken, das es erst ermöglicht hat, diesen Kommentar quasi parallel zum Inkrafttreten des MoMiG den Lesern zur Verfügung zu stellen.

Anregungen, Lob und Kritik nehme ich gerne entgegen unter heybrock@fh-flensburg.de.

Flensburg, im November 2008   Prof. Dr. Hasso Heybrock

Hinweise zur Benutzung der DVD

A) Installation der Software

Legen Sie die DVD in Ihr Laufwerk ein. Sollte die Installation nicht automatisch starten, gehen Sie bitte folgendermaßen vor:

Alternative 1: Steuern Sie über den Windows-Explorer unter „Arbeitsplatz" Ihr DVD-Laufwerk (i.d.R. Laufwerk D) an. In diesem Ordner finden Sie eine Datei mit der Bezeichnung *setup.exe*. Öffnen Sie diese Datei mit einem Doppelklick.

Alternative 2: Klicken Sie mit der rechten Maustaste auf das Symbol „Arbeitsplatz", das sich auf Ihrem Desktop befindet, und wählen Sie „Öffnen" aus dem Kontextmenü (Klick auf das Symbol mit der rechten Maustaste). Öffnen Sie die Datei *setup.exe*.

Hinweis: Bei einigen Betriebssystemen wird Ihnen die Endung der Datei setup.exe nicht angezeigt. In diesem Fall sehen Sie drei Dateien mit der Bezeichnung „setup". Die gesuchte erkennen Sie an dem blauen, quadratischen Symbol mit den zwei Pfeilen.

Nun führt das Setup den Installationsvorgang durch. Folgen Sie den Anweisungen auf dem Bildschirm. Am Ende des Installationsvorgangs werden Sie gefragt, ob Sie eine Verknüpfung auf dem Desktop erstellen möchten. Durch diese können Sie das Programm zukünftig direkt von dort aus starten.

B) Erster Programmstart

Beim ersten Start von LEXsoft® öffnet sich das Fenster „Bibliothekenauswahl". Per Doppelklick oder per Klick auf die Schaltfläche „Öffnen" können Sie „Praxiskommentar zum GmbH-Recht" starten.

Beim ersten Aufruf der Datenbank werden Sie zudem zur Eingabe eines Freischaltcodes aufgefordert. Diesen Code finden Sie auf der Hülle der DVD. Geben Sie den Code ein und bestätigen Sie Ihre Eingabe anschließend durch Betätigen der Schaltfläche „Freischalten".

Hinweis:

Sollten Sie zu diesem Zeitpunkt noch nicht den Code eingeben (wollen), können Sie die Datenbank auch zunächst als „Testversion" nutzen und in den nächsten sechs Wochen über den Link „Produktfreischaltung" freischalten. Dieser ist Bestandteil des LEXsoft®-Servicemenüs oben rechts auf dem Bildschirm. Nach abgelaufenem Testzeitraum können Sie das Produkt nur noch über die Bibliothekenauswahl freischalten. Nachdem Sie auf die Schaltfläche „Freischalten" geklickt haben, werden Sie zur Eingabe des Freischaltcodes aufgefordert.

C) Nutzung der Datenbank

Sie haben unterschiedliche Möglichkeiten, die LEXsoft®-Datenbank aufzurufen:

- Starten Sie das Programm über das Startmenü: Start → Programme → LexisNexis → LEXsoft oder
- starten Sie das Programm durch einen Doppelklick auf die angelegte Verknüpfung auf Ihrem Desktop (roter Ball).

Das Programm ist intuitiv bedienbar, enthält neben der zentralen Suche auch eine Inhaltsgliederung und alle wichtigen Funktionen. Eine ausführliche Anleitung finden Sie im Menüpunkt „Hilfe".

D) Erforderliche EDV-Ausstattung

- Mindestvoraussetzung:
  PC ab 600 MHz, min. 128 MB frei verfügbarer Arbeitsspeicher (RAM).
- Empfohlene Konfiguration:
  PC ab 1 GHz, min. 512 MB frei verfügbarer Arbeitsspeicher (RAM).
- Festplattenkapazität:
  Bei Komplettinstallation 200 MB Platz auf der Festplatte erforderlich.
- Unterstützte Betriebssysteme:
  Windows 2000 / XP / 2003 Server / Vista (mindestens im XP-Modus).

Inhaltsverzeichnis

Seite

Bearbeiterverzeichnis

§§ 1–12 GmbHG	Heybrock
§§ 13–34 GmbHG	Haag
§ 35 GmbHG	Thoma
§§ 35a–37 GmbHG	Heindl
§§ 38–40 GmbHG	Born
§§ 41–43 GmbHG	Theiselmann/Moeder
§§ 43a–47 GmbHG	Theiselmann
§§ 48–51 GmbHG	Aschenbeck
§§ 51a–52 GmbHG	Rieker
§§ 53–58f GmbHG	Rabe
§§ 60–65 GmbHG	Stadie
§§ 66–77 GmbHG	Löffler
§§ 78–81a GmbHG	Stamm
§§ 82–87 GmbHG	Neurath
EGGmbHG	Heybrock
§§ 1–7 HGB	Boving
§§ 8–16 HGB	Thoms
§§ 17–37 HGB	Boving
§§ 238–263 HGB	Gerner-Beuerle
§§ 264–335 HGB	Aigner
Strafrecht	Neurath
Insolvenzrecht	Huntemann
Umwandlungsrecht	Bader

Literaturverzeichnis

Achenbach/Ransiek/Bente, Handbuch Wirtschaftsstrafrecht, 2. Aufl. 2007

Achilles/Ensthaler/Schmidt, Kommentar zum GmbH-Gesetz, 1. Aufl. 2005

Adler/Düring/Schmaltz, Rechnungslegung nach internationalen Standards, Loseblattwerk, Stand 2007

Anderson, Grundsätze ordnungsgemäßer Bilanzierung in der Rechtsprechung der Finanzgerichte, 1965

Anwaltkommentar BGB, Band 1: Allgemeiner Teil und EGBGB, Hrsg. von Dr. Thomas Heidel, Rainer Hüßtege, Prof. Dr. Heinz-Peter Mansel, Prof. Dr. Ulrich Noack, 1. Aufl., Bonn 2005

Bartl/Fichtelmann/Schlarb/Schulze, Heidelberger Kommentar zum GmbH-Recht, Handbuch und Kommentar, 5. Aufl. 2002, zitiert: HK-GmbHR

Bauer, Die GmbH in der Krise, Rechtsfragen der Unternehmenssanierung – dargestellt unter Berücksichtigung der Änderungen durch das MoMiG, 2. Aufl. 2008

ders., Arbeitsrechtliche Aufhebungsverträge, 8. Aufl. 2007

Bauer/Göpfert/Krieger, Allgemeines Gleichbehandlungsgesetz, 2. Aufl. 2008

Baumbach/Hopt, Handelsgesetzbuch, 33. Aufl. 2008

Baumbach/Hueck, GmbH-Gesetz, 18. Aufl. 2006

Baums, Der Geschäftsleitervertrag, 1987

Beck'scher Bilanz-Kommentar, Handels- und Steuerbilanz, §§ 238 bis 339, 342 bis 342e HGB, mit EGHGB und IAS/IFRS-Abweichungen, hrsg. v. Ellrott u.a., 6. Aufl. 2006

Beck'sches Handbuch der GmbH, Gesellschaftsrecht, Steuerrecht, 3. Aufl. 2002

Blaurock, Unterbeteiligung und Treuhand an Gesellschaftsanteilen, 1981

Bormann/Kauka/Ockelmann, Handbuch GmbH-Recht, 1. Aufl. 2008

Braun, Insolvenzordnung, 3. Aufl. 2007

ders., Discounted Cashflow-Verfahren und der Einfluss von Steuern – Der Unternehmenswert unter Beachtung von Bewertungsnormen, 2005

Bydlinski, Handels- oder Unternehmensrecht als Sonderprivatrecht, 1990

Canaris, Handelsrecht, 24. Aufl. 2006

Chmielewicz/Schweitzer, Handwörterbuch des Rechnungswesens, 3. Aufl. 1993

Däubler/Bertzbach, Allgemeines Gleichbehandlungsgesetz, 1. Aufl. 2007

Ebenroth/Boujong/Joost, Handelsgesetzbuch (HGB), Band 1, §§ 1 – 342a, 2. Aufl. 2008

Eichendorf, Die Praxis der Gesellschafterversammlung, 4. Aufl. 2006

Ensthaler, Gemeinschaftskommentar zum Handelsgesetzbuch mit UN-Kaufrecht, 7. Aufl. 2007

Erfurter Kommentar zum Arbeitsrecht, 8. Aufl. 2008

Erman, Handkommentar BGB, 11. Aufl. 2004

Ernst/Schneider/Thielen, Unternehmensbewertungen erstellen und verstehen – Ein Praxisleitfaden, 2. Aufl. 2006

Festschrift für Karlheinz Boujong zum 65. Geburtstag, 1996

Festschrift für Wolfgang Fikentscher zum 70. Geburtstag, 1998

Festschrift für Volker Röhricht zum 65. Geburtstag, 2007

Fezer, Kommentar zum UWG, 1. Aufl. 2005

Fischer/Schwarz/Dreher, Strafgesetzbuch und Nebengesetze, 55. Aufl. 2008

Flohr/Ring, Das neue Gleichbehandlungsgesetz, 1. Aufl. 2006

Gelhausen, Das Realisationsprinzip im Handels- und im Steuerbilanzrecht, 1985

Germelmann/Matthes/Müller-Glöge u.a., Arbeitsgerichtsgesetz, 6. Aufl. 2008

Großfeld/Luttermann, Bilanzrecht, 4. Auflage 2005

Glanegger/Kirnberger/Kusterer, Heidelberger Kommentar zum Handelsgesetzbuch, Handelsrecht – Bilanzrecht – Steuerrecht, 7. Aufl. 2007

Hachenburg, Gesetz betreffend die Gesellschaften mit beschränkter Haftung (GmbHG), Großkommentar, hrsg. v. Ulmer, 8. Aufl. 1997

Helmrich, Bilanzrichtlinien-Gesetz, München 1986

Henze, Handbuch zum GmbH-Recht, 2. Aufl. 1997

Hess, Insolvenzrecht, Großkommentar, 3. Aufl. 2007

Heymann, HGB, 2. Aufl. 1999

Hoffmann/Lehmann/Weinmann, Mitbestimmungsgesetz, 1995

Hüffer, Aktiengesetz, 7. Aufl. 2006

Kallmeyer, Umwandlungsgesetz, Verschmelzung, Spaltung und Formwechsel bei Handelsgesellschaften. Kommentar, 3. Aufl. 2006

Keidel/Kuntze/Winkler, Freiwillige Gerichtsbarkeit, 15. Aufl. 2003

Koller/Roth/Morck, Handelsgesetzbuch, Kommentar, 6. Aufl. 2007

Kolmhuber/Schreiner, Antidiskriminierung und Arbeitsrecht, Das neue Gleichbehandlungsgesetz in der Praxis, 1. Aufl. 2006

Kruschwitz/Löffler, Discounted Cash Flow – A Theory of the Valuation of Firms, 2006

Langenfeld, GmbH-Vertragspraxis, 5. Aufl. 2006

Leipziger Kommentar Strafgesetzbuch, Großkommentar, zitiert: LK-StGB, 12. Aufl. 2006

Liebscher, GmbH-Konzernrecht, 1. Aufl. 2006

Limmer, Handbuch der Unternehmensumwandlung, 3. Aufl. 2007

Lutter, Umwandlungsgesetz, 3. Aufl. 2004

Lutter/Hommelhoff, GmbH-Gesetz, 16. Aufl. 2004

Mai, Insolvenzplanverfahren, 1. Aufl. 2008

Mayer/Widmann, Umwandlungsrecht, Loseblattwerk, Stand 2008

Meyer-Landrut/Miller/Niehaus, GmbH-Gesetz, 1987

Michalski, GmbH-Gesetz, Kommentar. In 2 Bänden, 1. Aufl. 2002

Müller-Gugenberger/Bieneck, Wirtschaftsstrafrecht, Handbuch des Wirtschaftsstraf- und -ordnungswidrigkeitenrechts, 4. Aufl. 2006

Münchener Anwaltshandbuch GmbH-Recht, 2002, zitiert: MAH-GmbHR

Münchener Handbuch des Gesellschaftsrechts, Band 3, Gesellschaft mit beschränkter Haftung, 2. Aufl. 2003, zitiert: MüHdb. GesellschaftsR

Münchener Kommentar zum Aktiengesetz, 2. Aufl. 2006, zitiert: MüKo-AktG

Münchener Kommentar zum BGB, Großkommentar in 12 Bänden hrsg. von Rebmann/Rixecker/Säcker, 4./5. Aufl. 2000 – 2008, zitiert: MüKo-BGB

Münchener Kommentar zum Handelsgesetzbuch, 2. Aufl. 2005 – 2008, zitiert: MüKo-HGB

Münchener Vertragshandbuch, Band 1, Gesellschaftsrecht, hrsg. von Heidenhain/Meister, 6. Aufl. 2005, zitiert: MüVertragsHdb. GesellschaftsR

Nickert/Lamberti, Überschuldungs- und Zahlungsunfähigkeitsprüfung, 1. Aufl. 2007

Obermüller, Handbuch Insolvenzrecht für die Kreditwirtschaft, 4. Aufl., 1991

ders., Insolvenzrecht in der Bankpraxis, 7. Aufl. 2007

Oppenländer/Trölitzsch, Praxishandbuch der GmbH-Geschäftsführung, 1. Aufl. 2004

Pahlke/Koenig, Abgabenordnung (AO), 1. Aufl. 2004

Palandt, BGB, 67. Aufl. 2008

Pfeiffer, Handbuch der Handelsgeschäfte, 1. Aufl. 1999

Pujol, Die Sanierung der Schuldnergesellschaft vor dem Hintergrund der gesellschaftsrechtlichen Neutralität des Insolvenzrechts nach dem deutschen und französischen Recht, 2006

Raiser, Mitbestimmungsgesetz, 4. Aufl. 2002

Rengier, Strafrecht Besonderer Teil 1, 10. Aufl. 2008

ders., Strafrecht Besonderer Teil 2, 10. Aufl. 2008

Röhricht/Graf von Westphalen, HGB, Kommentar zu Handelsstand, Handelsgesellschaften, Handelsgeschäften und besonderen Handelsverträgen, 2. Aufl. 2002

Rowedder/Schmidt-Leithoff, Gesetz betreffend die Gesellschaften mit beschränkter Haftung (GmbHG), Kommentar, 4. Aufl. 2002

Rowedder/Fuhrmann/Koppensteiner, Gesetz betreffend die Gesellschaften mit beschränkter Haftung (GmbHG), 3. Aufl. 1997

Roth/Altmeppen, Gesetz betreffend die Gesellschaften mit beschränkter Haftung (GmbHG), Kommentar, 5. Aufl. 2005

Sagasser/Bula/Brünger, Umwandlungen, Verschmelzung, Spaltung, Formwechsel, Vermögensübertragung, 3. Aufl. 2002

Schlegelberger/Hildebrandt, HGB, 5. Aufl. 1973

Schmalenbach, Dynamische Bilanz, 13. Aufl. 1962

Schmidt, A., Hamburger Kommentar zum Insolvenzrecht, 2. Aufl., Münster 2007

Schmidt, K., Gesellschaftsrecht, 4. Aufl. 2002

ders., Handelsrecht, 5, Aufl. 1999

Schmidt/Uhlenbruck, Die GmbH in der Krise, Sanierung und Insolvenz, 3. Aufl. 2003

Schmitt/Hörtnagl/Stratz, Umwandlungsgesetz. Umwandlungssteuergesetz (UmwG/UmwStG), 4. Aufl. 2006

Scholz, GmbHG-Kommentar, Band 1, 10. Aufl. 2006; Band 2, 10. Aufl. 2007; Band 3, 9. Aufl. 2002

Semler/Stengel, Umwandlungsgesetz, Kommentar, 2. Aufl. 2008

Staub, Handelsgesetzbuch, Großkommentar, hrsg. v. Canaris/Schilling/Ulmer, 5. Aufl. 2007

Sudhoff, Rechte und Pflichten des Geschäftsführers, 14. Aufl. 1994

Thüsing, Arbeitsrechtlicher Diskriminierungsschutz, 2007

Tschöpe, Anwalts-Handbuch Arbeitsrecht, 5. Aufl. 2007,
zitiert: AnwHdb. ArbR

Uhlenbruck, Insolvenzordnung (InsO), Kommentar, 12. Aufl. 2002

Ulmer, HGB-Bilanzrecht, Großkommentar, 1. Aufl. 2002

Ulmer/Habersack/Winter, Großkommentar zum GmbH-Gesetz, Band 1: Einleitung, §§ 1-28, 1. Aufl. 2005

Wachter, Handbuch des Fachanwalts für Handels- und Gesellschaftsrecht, 1. Aufl. 2007

Weller/Reichert, Der Geschäftsanteil an einer GmbH – Übertragung und Vinkulierung, Kommentierung zu §§ 14 – 18 GmbHG, 1. Aufl. 2006

Wessels/Beulke, Strafrecht Allgemeiner Teil, Die Straftat und ihr Aufbau, 37. Aufl. 2007

Wessels/Hettinger, Strafrecht Besonderer Teil 1, 31. Aufl. 2007

Wessels/Hillenkamp, Strafrecht Besonderer Teil 2, Straftaten gegen Vermögenswerte, 30. Aufl. 2007

Weyand/Diversy, Insolvenzdelikte, Unternehmenszusammenbruch und Strafrecht, 7. Aufl. 2006

Wiedemann, Gesellschaftsrecht, Band 1, 1980

Wiedmann, Bilanzrecht, 2. Aufl. 2003

Wolf, Überschuldung – Entstehung, Bilanzierung, Auswege, 1998

Zöller, Zivilprozessordnung, 26. Aufl. 2007

Abkürzungsverzeichnis

A

a.A.	andere Ansicht
a.a.O.	am angegebenen Ort
a.E.	am Ende
a.F.	alte Fassung
abl.	ablehnend
Abs.	Absatz
abzgl.	abzüglich
AcP	Archiv für die civilistische Praxis
AG	Amtsgericht/Aktiengesellschaft
AGB	Allgemeine Geschäftsbedingungen
AGG	Allgemeines Gleichbehandlungsgesetz
ähnl.	ähnlich
AktG	Aktiengesetz
allg.	allgemein
allg. Mg.	allgemeine Meinung
Alt.	Alternative
amtl.	amtlich
Anm.	Anmerkung
AnwBl	Anwaltsblatt (Zs.)
AO	Abgabenordnung
ApothekenG	Apothekengesetz
Art.	Artikel
Aufl.	Auflage
ausführl.	ausführlich
Ausn.	Ausnahme
Az.	Aktenzeichen

B

BaFin	Bundesanstalt für Finanzdienstleistungsaufsicht
BAG	Bundesarbeitsgericht
BAKred	Bundesaufsichtsamt für das Kreditwesen

BauGB	Baugesetzbuch
BausparkG	Bausparkassengesetz
BAV	Bundesaufsichtsamt für das Versicherungswesen
BayObLG	Bayerisches Oberstes Landesgericht
BB	Betriebsberater (Zs.)
Bd.	Band
Begr.	Begründung
Beschl.	Beschluss
BetrVG	Betriebsverfassungsgesetz
BeurkG	Beurkundungsgesetz
BFH	Bundesfinanzhof
BFHE	Entscheidungen des Bundesfinanzhofs
BGB	Bürgerliches Gesetzbuch
BGBl.	Bundesgesetzblatt
BGH	Bundesgerichtshof
BGHSt	Sammlung der Entscheidungen des BGH in Strafsachen
BGHZ	Sammlung der Entscheidungen des BGH in Zivilsachen
BMF	Bundesministerium der Finanzen
BMJ	Bundesministerium der Justiz
BRAO	Bundesrechtsanwaltsordnung
BR-Drucks.	Bundesrats-Drucksache
Bsp.	Beispiel
bspw.	beispielsweise
BStBl.	Bundessteuerblatt
BT-Drucks.	Bundestags-Drucksache
Buchst.	Buchstabe
BVerfG	Bundesverfassungsgericht
BVerfGE	Sammlung der Entscheidungen des BVerfG
BVerwG	Bundesverwaltungsgericht
BVerwGE	Sammlung der Entscheidungen des BVerwG
bzgl.	bezüglich
bzw.	beziehungsweise

C

ca.	circa
CD	Compact-Disc
CD-ROM	Compact-Disc-Read-Only-Memory

D

d.h.	das heißt
DAV	Deutscher Anwaltverein
DB	Der Betrieb (Zs.)
demggü.	demgegenüber
ders.	derselbe
Diss.	Dissertation
DrittelbG	Drittelbeteiligungsgesetz
DStR	Deutsches Steuerrecht (Zs.)
DVD	Digital-Versatile-Disc
DZWiR	Deutsche Zeitschrift für Wirtschafts- und Insolvenzrecht

E

e.G.	eingetragene Genossenschaft
e.V.	eingetragener Verein
EGBGB	Einführungsgesetz zum Bürgerlichen Gesetzbuch
EGGmbHG	Einführungsgesetz zum GmbHG
EGInso	Einführungsgesetz zur Insolvenzordnung
EGV	Vertrag zur Gründung der Europäischen Gemeinschaft
EHUG	Gesetz über elektronische Handelsregister und Genossenschaftsregister sowie das Unternehmensregister
Einf.	Einführung
EMRK	Europäische Menschenrechtskonvention
EStG	Einkommensteuergesetz
etc.	et cetera
EU	Europäische Union
EuGH	Gerichtshof der Europäischen Gemeinschaften
EUZW	Europäische Zeitschrift für Wirtschaftsrecht
evtl.	eventuell

EWG	Europäische Wirtschaftsgemeinschaft
EWiR	Entscheidungen zum Wirtschaftsrecht
EWIV	Europäische wirtschaftliche Interessenvereinigung
EWR	Europäischer Wirtschaftsraum

F

f.	folgende
ff.	fortfolgende
FG	Finanzgericht
FGG	Gesetz über die Angelegenheiten der freiwilligen Gerichtsbarkeit
FGO	Finanzgerichtsordnung
FMStG	Finanzmarktstabilisierungsgesetz
Fn.	Fußnote
FS	Festschrift

G

GBA	Grundbuchamt
GBl.	Gesetzblatt
GBO	Grundbuchordnung
GbR	Gesellschaft bürgerlichen Rechts
gem.	gemäß
GenG	Genossenschaftsgesetz
genPrV	genossenschaftlicher Prüfungsverband
GesRKoDG	Gesetz zur Durchführung der Ersten Richtlinie des Rates der Europäischen Gemeinschaften zur Koordinierung des Gesellschaftsrechts
GewArch	Gewerbearchiv (Zs.)
GewO	Gewerbeordnung
GewStG	Gewerbesteuergesetz
GG	Grundgesetz
ggf.	gegebenenfalls
ggü.	gegenüber
GKG	Gerichtskostengesetz
GmbH	Gesellschaft mit beschränkter Haftung

GmbHG	Gesetz betreffend die Gesellschaften mit beschränkter Haftung
GmbHR	GmbH-Rundschau (Zs.)
GoA	Geschäftsführung ohne Auftrag
grds.	grundsätzlich
GuV	Gewinn- und Verlustrechnung
GVG	Gerichtsverfassungsgesetz

H

h.L.	herrschende Lehre
h.M.	herrschende Meinung
Halbs.	Halbsatz
Hdb.	Handbuch
HGB	Handelsgesetzbuch
hinsichtl.	hinsichtlich
HRefG	Handelsrechtsreformgesetz
Hrsg.	Herausgeber
HWO	Handwerksordnung
HypBankG	Hypothekenbankgesetz

I

i.d.F.	in der Fassung
i.d.R.	in der Regel
i.E.	im Einzelnen
i.H.	in Höhe
i.H.d.	in Höhe der
i.H.e.	in Höhe eines/einer
i.H.v.	in Höhe von
i.R.d.	im Rahmen des/r
i.S.d.	im Sinne des/r
i.S.e.	im Sinne eines/r
i.S.v.	im Sinne von
i.Ü.	im Übrigen
i.V.	in Vertretung

i.V.m.	in Verbindung mit
IDW	Institut der Wirtschaftsprüfer
IHK	Industrie- und Handelskammer
inkl.	inklusive
insbes.	insbesondere
InsO	Insolvenzordnung
IPR	Internationales Privatrecht
J	
JZ	Juristenzeitung
K	
KAGG	Gesetz über die Kapitalanlagegesellschaften
Kap.	Kapitel
KapGes	Kapitalgesellschaft
KG	Kammergericht/Kommanditgesellschaft
KGaA	Kommanditgesellschaft auf Aktien
krit.	kritisch
km	Kilometer
KO	Kostenordnung
Komm.	Kommentierung
KSchG	Kündigungsschutzgesetz
KStG	Körperschaftsteuergesetz
KTS	Zeitschrift für Insolvenzrecht
KWG	Kreditwesengesetz
L	
LAG	Landesarbeitsgericht
lfd.	laufend/e
Lfg.	Lieferung
LG	Landgericht
Lit.	Literatur
Ls.	Leitsatz

M

m.Anm.	mit Anmerkung
m.E.	meines Erachtens
max.	maximal
MDR	Monatsschrift des deutschen Rechts (Zs.)
Mio.	Millionen
MitbestErgG	Mitbestimmungsergänzungsgesetz
MitbestG	Mitbestimmungsgesetz
MontanMitbestG	Montan-Mitbestimmungsgesetz
MoMiG	Gesetz zur Modernisierung des GmbH-Rechts und zur Bekämpfung von Missbräuchen
Mrd.	Milliarden
MüKo	Münchener Kommentar
m.w.N.	mit weiteren Nachweisen

N

n.F.	neue Fassung
n.rkr.	nicht rechtskräftig
n.v.	nicht veröffentlicht
NJW	Neue Juristische Wochenschrift (Zs.)
NJW-RR	NJW-Rechtsprechungsreport (Zs.)
Nr.	Nummer
NStZ	Neue Zeitschrift für Strafrecht
NWB	Neue Wirtschafts-Briefe (Zs.)
NZG	Neue Zeitschrift für Gesellschaftsrecht
NZI	Neue Zeitschrift für Insolvenzrecht

O

o.	oder
o.a.	oben angeführt
o.Ä.	oder Ähnliches
o.g.	oben genannte/r
OHG	offene Handelsgesellschaft
OLG	Oberlandesgericht

OWiG	Gesetz über Ordnungswidrigkeiten

P

p.a.	per anno
PartG	Partnerschaftsgesetz
PartGG	Gesetz zur Schaffung von Partnerschaftsgesellschaften
PKH	Prozesskostenhilfe

R

RBerG	Rechtsberatungsgesetz
rd.	rund
RefE	Referentenentwurf
RegE	Regierungsentwurf
RG	Reichsgericht
RGBl.	Reichsgesetzblatt
rgm.	regelmäßig
RGZ	Sammlung der Entscheidungen des Reichsgerichts in Zivilsachen
RiAG	Richter am Amtsgericht
RiLG	Richter am Landgericht
RIW	Recht der Internationalen Wirtschaft (Zs.)
RL	Richtlinie
Rn.	Randnummer
RpflG	Rechtspflegergesetz
RR	Rechtsprechungsreport
Rspr.	Rechtsprechung

S

S.	Seite
s.	siehe
s.a.	siehe auch
s.o.	siehe oben
s.u.	siehe unten
ScheckG	Scheckgesetz
SE	Europäische Gesellschaft (Societas Europaea)

SG	Sozialgericht
SGB	Sozialgesetzbuch
sog.	sogenannte (r, s)
SpruchG	Gesetz über das gesellschaftsrechtliche Spruchverfahren
st. Rspr.	ständige Rechtsprechung
StBerG	Steuerberatungsgesetz
StGB	Strafgesetzbuch
str.	streitig
StPO	Strafprozessordnung

U

u.	und
u.a.	unter anderem/und andere
u.Ä.	und Ähnliches
u.U.	unter Umständen
UBGG	Gesetz über Unternehmensbeteiligungsgesellschaften
Überbl.	Überblick
UKlaG	Unterlassungsklagengesetz
UmwStG	Umwandlungssteuergesetz
UmwG	Umwandlungsgesetz
Unterabs.	Unterabsatz
UrhG	Urhebergesetz
Urt.	Urteil
USt	Umsatzsteuer
UStG	Umsatzsteuergesetz
usw.	und so weiter
UWG	Gesetz gegen den unlauteren Wettbewerb

V

v.	vom/vor
v.a.	vor allem
VAG	Versicherungsaufsichtsgesetz
Verw.	Verwaltung
VGH	Verwaltungsgerichtshof

vgl.	vergleiche
VO	Verordnung
Vorbem.	Vorbemerkung
vorl.	vorläufig/er
VVaG	Versicherungsverein auf Gegenseitigkeit
VwGO	Verwaltungsgerichtsordnung
VwVfG	Verwaltungsverfahrensgesetz

W

WEG	Wohnungseigentumsgesetz
WG	Wechselgesetz
wg.	wegen
WikG	Gesetz zur Bekämpfung der Wirtschaftskriminalität
wistra	Zeitschrift für Wirtschafts- und Steuerstrafrecht
WM	Wertpapiermitteilungen (Zs.)
WPg	Die Wirtschaftsprüfung (Zs.)
WPO	Wirtschaftsprüferordnung
WRP	Wettbewerb in Recht und Praxis (Zs.)

Z

z.B.	zum Beispiel
z.T.	zum Teil
z.Zt.	zur Zeit
ZEuP	Zeitschrift für Europäisches Privatrecht
ZGR	Zeitschrift für Unternehmens- und Gesellschaftsrecht
ZGS	Zeitschrift für das gesamte Schuldrecht
Ziff.	Ziffer
ZInsO	Zeitschrift für das gesamte Insolvenzrecht
ZIP	Zeitschrift für Wirtschaftsrecht
ZPO	Zivilprozessordnung
Zs.	Zeitschrift
zust.	zustimmend
ZVG	Gesetz über die Zwangsversteigerung und Zwangsverwaltung
zzgl.	zuzüglich

A. Gesetz betreffend die Gesellschaften mit beschränkter Haftung (GmbHG)

In der im Bundesgesetzblatt Teil III, Gliederungsnummer 4123-1, veröffentlichten bereinigten Fassung, zuletzt geändert durch das Gesetz zur Modernisierung des GmbH-Rechts und zur Bekämpfung von Missbräuchen vom 23.10.2008 (BGBl. I, S. 2026).

Einführung

I. Allgemeines

Das nachfolgend kommentierte Gesetz begründet und regelt die Rechtsform der GmbH. **1**

Diese ist zum einen dadurch gekennzeichnet, dass ihr **eigene Rechtspersönlichkeit** zukommt. Sie ist **juristische Person** (§ 13 Abs. 1) und **Handelsgesellschaft** (§ 13 Abs. 3). Zum anderen ist ihre **Haftung auf ihr eigenes Vermögen**, das Gesellschaftsvermögen (§ 13 Abs. 2), **beschränkt**, sodass eine Haftung der für die Gesellschaft handelnden Personen mit deren Vermögen grds. ausscheidet, wenn nicht besondere (seltene) Haftungstatbestände eingreifen. **2**

Weil die GmbH als juristische Person mit zwar von Gesellschaftern zugewandtem aber dennoch eigenem Vermögen am Rechtsverkehr teilnimmt, bedarf ihre **Gründung** bzw. **Errichtung** ebenso der rechtlichen Ordnung (§§ 1 bis 12) wie die Beziehungen und Verflechtungen der **Gesellschafter, Gesellschaft und Geschäftsführer** untereinander (§§ 13 bis 34). **3**

4   Zur Teilnahme am Rechtsverkehr benötigt sie letztlich natürliche Personen, die sie nach außen **vertreten** können. In welchem Umfang dies möglich und mit welchen Pflichten und Befugnissen nach innen dies zulässig ist, regeln die §§ 35 bis 52.

5   Mit der Aufnahme der Geschäftstätigkeit wird sich die GmbH möglicherweise verändern. Sie könnte eine andere finanzielle Ausstattung oder eine andere Gesellschafterstruktur zur Bewältigung ihrer Aufgaben benötigen. Daher ist eine Veränderung der Kapitalausstattung oder eine Neugestaltung der Geschäftsanteile i.R.d. §§ 53 bis 59 rechtlich möglich.

6   So wie die Entstehung der GmbH als Rechtspersönlichkeit durch das Gesetz fingiert wird, so muss auch die **Auflösung** bzw. die **Nichtigkeit** und die **Liquidation** der GmbH rechtlich geordnet sein. Dies geschieht durch die §§ 60 bis 77, die neben der Beschreibung von Auflösungs- und Nichtigkeitsgründen und deren Folgen hauptsächlich Regeln zur ordnungsgemäßen Liquidation der GmbH nennen.

7   Wegen der besonderen Vertrauensstellung sind für die für die Gesellschaft handelnden Personen besondere Pflichten durch das GmbHG festgeschrieben, deren Verletzung zur **strafrechtlichen Verfolgung** führen kann (§§ 78 bis 85).

II.   Wirtschaftliche Bedeutung

8   Die Rechtsform der GmbH wurde bereits durch Gesetz v. 20.04.1892 (RGBl. 477) etabliert und stellt insbes. **für kleine und mittlere Unternehmen** eine geeignete Rechtsform dar, wenn keiner der beteiligten Gesellschafter die unbeschränkte und persönliche Haftung übernehmen will. Insoweit wurde mit der Konstruktion einer Kapitalgesellschaft mit auf das Gesellschaftsvermögen beschränkter Haftung die Lücke zwischen OHG und KG einerseits und der AG anderseits geschlossen. Die GmbH hat sich in der Praxis seitdem ohne große Änderungen bewährt und die Zahl der Eintragungen steigt stetig. Zum 01.01.2007 wird eine Zahl von 986.172 eingetragenen GmbH genannt.[1] Auch in zahlreichen anderen Ländern hat die Konstruktion der haftungsbeschränkten Kapitalgesellschaft ähnlich der deutschen GmbH Verbreitung gefunden, so z.B. in Italien mit etwa 950.000 s.r.l. (Società a Responsabilità Limitata) im Jahre 2004.[2]

---

1   Kornblum, GmbHR 2008, 19, 20.

2   Lutter, GmbHR 2005, 1, 3.

3. Erhöhung der Attraktivität der GmbH

Wegen der Konkurrenz vergleichbarer Rechtsformen im Ausland und wegen der in diesem Zusammenhang für deutsche GmbH nachteiligen **Rspr. des EuGH**[3] wurde es durch Streichung des § 4a Abs. 2 GmbHG a.F. deutschen GmbH ermöglicht, einen Verwaltungssitz zu wählen, der nicht notwendigerweise mit dem Satzungssitz übereinstimmt. Somit ist auch ein **Verwaltungssitz** im Ausland möglich, wodurch deutsche GmbH auch im Ausland durch Auslandsgesellschaften in der Rechtsform der (vertrauten) GmbH geschäftlich tätig sein können.   15

Hinsichtlich der Geschäftsanteile wurde durch § 16 Abs. 1 zugunsten der Gläubiger und Geschäftspartner mehr **Transparenz** eingeführt, in dem nur derjenige als Gesellschafter gilt, der in die Gesellschafterliste eingetragen ist. Dies wirkt sich auch auf den gutgläubigen Erwerb von Geschäftsanteilen aus (§ 16 Abs. 3), sodass die Veräußerung von Anteilen älterer GmbH erleichtert ist.   16

Auch bei der **Finanzierung** der Gesellschaft wurden Vereinfachungen erzielt. Zum einen wurde das gebräuchliche und für sinnvoll erachtete Cash-Pooling gesichert (vgl. § 30 Abs. 1 Satz 2), zum anderen wurden die Regelungen zum Eigenkapitalersatzrecht dereguliert.   17

Schließlich ist die GmbH für Existenzgründer und kleine Unternehmen wegen der vorgenommenen Erleichterungen hinsichtlich der Geschäftsanteile bzw. der Mindestkapitalausstattung in §§ 5 und 5a besonders attraktiv. So kann auch ohne größere finanzielle Verpflichtungen ein Unternehmen in haftungsbeschränkter Rechtsform begonnen bzw. geführt werden. Bisher musste bei fehlendem Mindeststammkapital die uneingeschränkte persönliche Haftung auch mit dem Privatvermögen riskiert werden. Insofern ist die GmbH nunmehr gegenüber anderen Gesellschaftsformen, etwa wie der GbR, OHG aus haftungsrechtlicher Sicht deutlich bevorteilt. Auch eine Flucht in ausländische haftungsbeschränkte Gesellschaftsformen wie etwa der englischen Limited hat dadurch an Attraktivität verloren.   18

4. Verstärkung der Akzeptanz der GmbH im geschäftlichen Umfeld

Dieses Ziel soll dadurch erreicht werden, dass die **Rechtsverfolgung** ggü. säumigen GmbH **erleichtert** wurde. Für die GmbH ist im Handelsregister eine zustellungsfähige inländische Geschäftsanschrift einzutragen (§ 8 Abs. 4), um die Möglichkeit zu verbessern, bei Scheitern einer Zustellung eine öffentliche Zustellung im Inland herbeiführen zu können.   19

---

3   EuGH, 05.11.2002 – Rs. C-208/00 (Überseering), NJW 2002, 3614; EuGH, 30.09.2003 – Rs. C-167/01 (Inspire Art), NJW 2003, 3331.

20 Bei Zahlungsunfähigkeit und Überschuldung sind die Gesellschafter gem. § 35 Abs. 1 Satz 2 bei Führungslosigkeit der GmbH verpflichtet, einen **Insolvenzantrag** zu stellen. Eine Umgehung der insolvenzrechtlichen Verpflichtungen durch Abtauchen der Geschäftsführer wird so ausgeschlossen. Ferner trifft die Geschäftsführer gem. § 64 eine Rückzahlungspflicht, wenn durch Zahlungen an Gesellschafter die Zahlungsunfähigkeit ausgelöst wurde. Der Ausplünderung der Gesellschaft durch seine Gesellschafter wird damit vorgebeugt.

21 Schließlich sind die **Anforderungen an die Person des Geschäftsführers verschärft** worden, indem die Ausschlussgründe gem. § 6 Abs. 2 Nr. 3a ff. erweitert wurden. De facto kann nicht Geschäftsführer werden, wer gegen wichtige Vorschriften des Wirtschaftsstrafrechts verstoßen hat.

5. Übersicht: grundlegende Änderungen infolge des MoMiG

22

- Gründung	Musterprotokoll (§ 2 Abs. 1a)
	Anmeldung; Wegfall der Genehmigungsurkunde (§ 8 Abs. 1 Nr. 6) gestrichen
	Anmeldung; Vereinfachungen durch EHUG
- Kapital	Geschäftsanteil (§ 5)
	Unternehmergesellschaft (§ 5a)
	Leistung der Einlagen (§ 19)
	Cash-Pooling (§ 30 Abs. 1 Satz 2)
- Sitz der Gesellschaft	Sitz im Ausland (§ 4a)
- Geschäftsführer	Anforderungen (§ 6)
	Vertretung durch Geschäftsführer (§ 35)
	Insolvenzantragspflicht (§ 15a InsO)
- Haftung der Geschäftsführer	Insolvenz (§ 64)
- Gesellschafter	Rechtsstellung bei Wechsel der Gesellschafter oder Veränderung des Umfangs ihrer Beteiligung; Gesellschafterliste (§§ 16, 40)
	Vertretung der Gesellschaft bei Führungslosigkeit (§ 35 Abs. 1 Satz 2)
	Insolvenzantragsrecht, -pflicht (§§ 15 Abs. 1, 15a Abs. 3 InsO)

Erster Abschnitt. Errichtung der Gesellschaft

Vorbemerkung zu den §§ 1 bis 12 GmbHG

I. Überblick über den Gründungsvorgang

Die Vorschriften des ersten Abschnitts regeln den **Gründungsvorgang** der 1
GmbH. Die Formulierung „Errichtung der GmbH" lässt einen einphasigen
Gründungsakt – wie etwa durch Abschluss des Gesellschaftsvertrages bei
der Gesellschaft bürgerlichen Rechts (GbR) – vermuten. Der Gründungsvorgang zerfällt bei der GmbH jedoch in **fünf Phasen**:

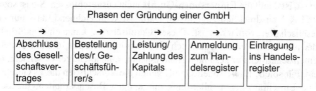

II. Phase 1: Abschluss des Gesellschaftsvertrags

Zunächst müssen der/die Gesellschafter einen rechtsgültigen **Gesellschafts-** 2
vertrag abschließen. Hierzu können sie auf das dem GmbHG als **Anlage 1**
beigefügte **amtliche Muster** zurückgreifen, da dieses die gesetzlichen
Mindestregelungen für einfache Standardfälle nebst Erläuterungen enthält.
Soll von den in den Musterprotokollen enthaltenen Regelungen abgewichen
werden, so sind die Bestimmungen dieses Abschnittes zu beachten.

Danach muss der Gesellschaftsvertrag auf einen gesetzlich **zulässigen** 3
Zweck zielen (§ 1) und in der gebotenen Form (§ 2) geschlossen worden
sein. Zur Bestimmung des zulässigen Gesellschaftszweckes enthält das
GmbHG selbst keine Regelungen. Die Zulässigkeitsgrenze wird durch die

Begrenzung der Vertragsfreiheit (§§ 134, 138 BGB) gezogen, sodass die Rechtsform der GmbH für bestimmte Bereiche durch gesetzliches Verbot ausgeschlossen ist, so z.B. für Versicherungsunternehmen. Hier ist auf die einschlägigen Gesetze zu achten, die nähere Regelungen enthalten. Dennoch ist der Zulässigkeitsrahmen weit gefasst. Üblicherweise wird zwischen erwerbswirtschaftlichen, sonstigen wirtschaftlichen und ideellen Zwecken unterschieden.

4 Der Gesellschaftsvertrag muss mit dem gesetzlich vorgeschriebenen **Mindestinhalt** (§§ 3 bis 5) geschlossen worden sein. Die Gesellschafter der zukünftigen GmbH müssen sich also zwingend mindestens über die Firma und den Sitz der Gesellschaft, den Unternehmensgegenstand, über den genauen Betrag des Stammkapitals sowie der von jedem einzelnen Gesellschafter zu leistenden Stammeinlage einigen (s. Muster eines Gesellschaftsvertrags § 3 Rn. 30). Über diesen Mindestinhalt hinaus sind weitere Vereinbarungen in Sonderfällen gesetzlich vorgeschrieben, bspw. dann, wenn auf das Stammkapital durch Sacheinlage geleistet werden soll (vgl. § 5 Abs. 4). Weitere Vereinbarungen sind durchaus möglich und ggf. auch sinnvoll, doch ist stets zu prüfen, ob diese Vereinbarungen dem Form- und Eintragungszwang unterliegen (s. § 3 Rn. 18 ff.).

5 Auch wenn für die Gründung einer GmbH ein Gesellschaftsvertrag notwendig ist, ist damit die **Einpersonen-GmbH** nicht ausgeschlossen. Sie ist sogar durch § 1 ausdrücklich zugelassen. Dafür ist kennzeichnend, dass nur ein Gesellschafter vorhanden ist. Dieser Gesellschafter kann eine natürliche oder juristische Person sein. Auch eine Personenmehrheit, die alle Anteile gemeinschaftlich zur gesamten Hand innehat, kann alleiniger Gesellschafter sein. Für solche Einpersonen-GmbH gelten die Vorschriften dieses Gesetzes ohne Einschränkungen, allerdings mit einigen Besonderheiten, die dem Schutz der GmbH selbst und dem Schutz der Gläubiger dienen. Ursprünglich existente z.B. Sonderregelungen zur zusätzlichen Sicherung der Kapitalaufbringung (vgl. §§ 7 Abs. 2 Satz 3, 8 Abs. 2 Satz 2) sind mit der Neuregelung zwar entfallen, jedoch kann das Registergericht besondere Nachweise (u.a. Einzahlungsbelege) verlangen, wenn an der Versicherung des Geschäftsführers erhebliche Zweifel bestehen (vgl. § 8 Abs. 2 Satz 2).

III.   Phase 2: Bestellung des/r Geschäftsführers/r

6 Es müssen der/die **Geschäftsführer** bestellt worden sein (§ 6); er/sie sind notwendiges Organ der GmbH. Da er/sie die GmbH nach außen vertreten, werden besondere Eignungen, insbes. hinsichtlich der Fähigkeit, über fremdes Vermögen zu verfügen, gefordert. Konsequenterweise sind wegen Vermögens- und Insolvenzdelikten vorbestrafte Personen für einen gewissen Zeitraum von der Geschäftsführung ausgeschlossen. Neben den Eignungs-

voraussetzungen ist entscheidend, in welchem Umfang der/die Geschäftsführer zur **Vertretung** nach außen berechtigt und nach innen befugt ist/sind. Hier sollte der Gesellschaftsvertrag eindeutige und adäquate Regelungen enthalten, da der/die Gesellschafter zumeist noch vor der Entstehung der GmbH, also vor der Eintragung in das Handelsregister, unternehmerisch für die spätere GmbH handeln wird. Hier ist insbes. § 11 Abs. 2 zu beachten.

IV.   Phase 3: Leistung/Zahlung des Kapitals

Es muss ferner in der erforderlichen Weise auf **jeden Geschäftsanteil** gem.   7
§ 7 Abs. 2 geleistet worden sein. Dies bedeutet, dass die Hälfte des **Mindeststammkapitals** – gem. § 5 Abs. 1 mindestens 12.500 € (gesetzliche Mindestgrenze) – durch Sach- oder Geldleistungen an die Vorgesellschaft tatsächlich erbracht sein müssen, also zur freien Verfügung der Geschäftsführer bewirkt sein müssen. Dabei müssen Geldzahlungen mindestens i.H.e. 1/4 des Nennbetrages auf jeden Geschäftsanteil erfolgen; Sacheinlagen sind vollständig an den Geschäftsführer zu verfügen (Eigentums- bzw. Rechtsübertragung). Über die gesetzliche Mindestgrenze hinaus besteht Gestaltungsfreiheit. Die Festlegung eines höheren Stammkapitals kann u.a. wegen der Steigerung der Kreditwürdigkeit der GmbH oder wegen ihres Ansehens im Geschäftsverkehr sinnvoll sein.

Besonderheiten gelten für die **haftungsbeschränkte Unternehmergesellschaft** (§ 5a). Hier handelt es sich um eine GmbH, die mit einem Stammkapital gegründet wurde, das den Betrag des Mindeststammkapitals nach § 5 Abs. 1 unterschreitet. Hier müssen die Stammeinlagen in voller Höhe eingezahlt worden sein. Sacheinlagen sind gem. § 5a Abs. 2 Satz 2 ausgeschlossen. Solange das Stammkapital nicht als Geldeinlage in voller Höhe eingezahlt ist, kann die Anmeldung zum Handelsregister nicht erfolgen (vgl. § 5a Abs. 2). Eine Regelung zur Mindesthöhe des Stammkapitals der Unternehmergesellschaft fehlt, sodass auch ein Stammkapital von 1 € möglich wäre. Dies widerspricht jedoch dem Gesetzeszweck. Durch die Begründung der Unternehmergesellschaft soll nur der Gründungsvorgang erleichtert werden, wenn das gesetzlich vorgeschriebene Mindeststammkapital noch nicht zur Verfügung steht. Ziel ist, durch gesetzliche Vorschriften zur Rücklagenbildung der Unternehmergesellschaft schließlich das vorgeschriebene Mindestkapital zu verschaffen. Ist die Eigenkapitalausstattung der Unternehmergesellschaft i.H.d. Betrages des gesetzlichen Mindeststammkapitals erreicht, so kann sich die Unternehmergesellschaft einfach umfirmieren. Da die Unternehmergesellschaft bereits GmbH ist, ist eine Umwandlung nicht erforderlich.[1]

---

1   RegE MoMiG, Stand Mai 2007, Begründung Besonderer Teil, S. 72 f.

V. Phase 4: Anmeldung zum Handelsregister

9   Die Gesellschaft muss beim zuständigen Gericht in der erforderlichen Art und Weise **zum Handelsregister angemeldet** worden sein (§§ 7 Abs. 1 und 8). Die erforderlichen Urkunden (u.a. Gesellschaftsvertrag, Legitimation der/des Geschäftsführers, Gesellschafterliste, Sachbewertungsunterlagen/-gutachten etc.) sind von dem/den Geschäftsführer/n vollständig vorzulegen. Er/sie muss/müssen ferner versichern, dass die Leistungen auf die Geschäftsanteile in der gesetzlich vorgeschriebenen Weise aufgebracht sind, und dass für ihn/sie selbst keine Bestellungshindernisse zu/m Geschäftsführer/n bestehen. Ferner ist für die Einreichung von Unterlagen § 12 Abs. 2 HGB zu beachten. Entgegen früherer Rechtslage muss eine etwaig für das Unternehmen notwendige staatliche Genehmigung nicht beigefügt sein. So soll der Gründungsvorgang der GmbH erleichtert und beschleunigt werden. Eine wesentliche Erleichterung der Anmeldung stellen die dem Gesetz als **Anlage beigefügten Musterprotokolle dar**.

VI. Phase 5: Eintragung ins Handelsregister

10   Nach der Anmeldung, also der Vorlage der vollständigen Unterlagen, findet die **registergerichtlicher Prüfung** statt. Dabei prüft das Registergericht in formeller Hinsicht die Vollständigkeit, Rechtzeitigkeit und Richtigkeit der eingereichten Unterlagen und wird gegebenenfalls bei Zweifeln weitere Informationen verlangen. In materieller Hinsicht prüft es, ob die zwingenden gesellschaftsrechtlichen Anforderungen an die Gründung der GmbH eingehalten wurden, genauer, ob wegen Verstoßes gegen zwingende Gesetze **Nichtigkeitsgründe** vorliegen (vgl. § 9c Abs. 2). In seiner Entscheidung trennt das Registergericht **behebbare Mängel** von **materiellen Eintragungshindernissen**. Es wird durch Zwischenverfügung an den/die Geschäftsführer auf Beseitigung der Mängel drängen. Bleibt die Anmeldung formell und materiell mangelhaft, so muss es die Eintragung ablehnen. Sollten zum Zweck der Errichtung der Gesellschaft falsche Angaben gemacht worden sein, so kann dies zur Haftung der Gesellschafter und der/des Geschäftsführer/s ggü. der Gesellschaft führen (vgl. § 9c).

11   War die Anmeldung ordnungsgemäß, erfolgt die **Eintragung in das Handelsregister**. Der einzutragende Inhalt bestimmt sich nach § 10 und beschränkt sich auf die für den Geschäftsverkehr wesentlichen Informationen. Die Bekanntmachung erfolgt nach § 12.

VII. Rechtsfolgen

Mit der Eintragung der Gesellschaft endet der Gründungsvorgang. Die 12
GmbH ist nun entstanden. Da die GmbH im Gründungsvorgang als solche
nicht existiert (vgl. § 11 Abs. 1), gleichwohl der/die Gesellschafter vor der
Eintragung regelmäßig rechtsgeschäftlich tätig sein werden, sieht § 11
Abs. 2 eine persönliche und solidarische Haftung der Handelnden vor (zum
Umfang der Handelndenhaftung s. § 11 Rn. 17 f.). Umfang und Gegenstand
der Haftung sind dabei je nach Sachverhalt und Gründungsphase verschieden und im Einzelnen in Literatur und Rechtsprechung umstritten. Ungeklärt
ist insbes., welchen rechtlichen Status der Zusammenschluss von Gesellschaftern zum Zweck der Gründung einer GmbH auslöst. Je nach Fortgang
des Gründungsprozesses ist das geschäftliche oder gesellschaftsrechtliche
Handeln der Beteiligten gesondert rechtlich zu würdigen (vgl. § 11 Rn. 6,
14, 17).

§ 1 GmbHG Zweck; Gründerzahl

**Gesellschaften mit beschränkter Haftung können nach Maßgabe der
Bestimmungen dieses Gesetzes zu jedem gesetzlich zulässigen Zweck
durch eine oder mehrere Personen errichtet werden.**

I. Einführung

Durch diese Vorschrift wird die Möglichkeit eröffnet, eine Rechtsform für 1
Gesellschaften zu wählen, bei der die Haftung auf einen Höchstbetrag, das
sogenannte Mindeststammkapital, beschränkt ist.[1] Eine Legaldefinition für
diese Rechtsform fehlt; ihr Charakter ergibt sich jedoch aus den Bestimmungen „dieses" Gesetzes (GmbHG). Ferner ist diese Rechtsform – obwohl

---

[1] Zum Normzweck s. Hueck/Fastrich in Baumbach/Hueck, GmbHG, § 1 Rn. 3;
Roth/Altmeppen, GmbHG, § 1 Rn. 1; Michalski in Michalski, GmbHG, § 1
Rn. 1 ff.

für jeden beliebigen Zweck zugelassen – an die gesetzlichen Zulässigkeitsgrenzen gebunden (Rn. 5 ff.). Als wesenstypisch lässt sich für die GmbH
Folgendes anführen:

- Die GmbH ist eine durch Organe handelnde Körperschaft des Privat-
  rechts. Kennzeichnend ist die den Gläubigern gegenüber nur auf das
  Gesellschaftsvermögen beschränkte Haftung der GmbH. Durch die von
  den Gesellschaftern zu leistende Stammeinlage sind diese am Gesellschaftsvermögen beteiligt. Die Summe der Stammeinlagen bildet das
  Stammkapital (§ 5), dessen Mindestsumme gesetzlich vorgeschrieben ist
  (Ausnahme: haftungsbeschränkte Unternehmergesellschaft gem. § 5a)
  und aus Gründen des Gläubigerschutzes erhalten bleiben muss.[2]
- Die GmbH ist juristische Person (§ 13 Abs. 1); sie gilt als Handelsgesellschaft (§ 13 Abs. 3) und ist Formkaufmann (§ 6 HGB).
- Die Gesellschaft kann gem. § 1 zu jedem zulässigen Zweck durch eine
  oder mehrere Personen errichtet werden.

II.   Gesellschaftszweck

2   Begrifflich ist der Gesellschaftszweck vom Unternehmensgegenstand zu trennen. Der **Gesellschaftszweck** beinhaltet die finale Ausrichtung der Gesellschaft. Er beschreibt das gemeinsame Ziel für den Zusammenschluss der
Gesellschafter und bestimmt so auch das Verhältnis der Gesellschafter untereinander. Der **Unternehmensgegenstand** bezeichnet dagegen die Art und
Weise der Betätigung der Gesellschaft. Er ist somit für das Verhältnis nach
außen ggü. Dritten von Bedeutung und ist daher im Gesellschaftsvertrag
anzugeben (§ 3 Abs. 1 Nr. 2) und im Handelsregister einzutragen.

3   Hinsichtlich des Gesellschaftszwecks bestehen kaum Schranken, da eine in
Deutschland ansässige und gegründete GmbH das Recht auf freie Berufs-
ausübung hat. Daher muss jede Beschränkung der möglichen Tätigkeits-
gebiete durch eine rechtliche Regelung erfolgt sein und diese Regelung muss
mit Art. 12 Abs. 1 GG vereinbar sein.[3] Die GmbH kann deshalb **grds. zu
allen gewerblichen, freiberuflichen, öffentlichen oder gemeinnützigen
Zielsetzungen** gegründet werden.

---

2   Zur Rechtsform der GmbH im internationalen Kontext s. Lutter,
        GmbHR 2005, 1; Westermann, GmbHR 2005, 4.

3   BGH, 25.11.1993 – I ZR 281/91, BGHZ 124, 224 = GmbHR 1994, 325; ausf.
        zur Vereinbarkeit des Gesellschaftszwecks mit Art. 12 GG s. Michalski in
        Michalski, GmbHG, § 1 Rn. 9 ff.

Verbreitet wird der Gesellschaftszweck nach erwerbswirtschaftlichen, sons-   4
tigen wirtschaftlichen, nicht wirtschaftlichen bzw. ideellen Zwecken differenziert. So soll bei der Vielzahl der Möglichkeiten eine gewisse – wenn
auch unscharfe – Systematisierung erreicht werden.

- **Erwerbswirtschaftliche Zwecke** werden mit dem Betrieb aller Arten von
  Gewerbe verfolgt. Auch Unternehmensverbindungen (Konzerne, Dach-
  gesellschaften, Holdings) dienen erwerbswirtschaftlichen Zwecken.

- Mit **sonstigen wirtschaftlichen Zwecken** sind nichtgewerbliche und
  gewöhnlich nicht unmittelbar gewinnorientierte Zwecke gemeint. Wirt-
  schaftsverbände sind hier zu nennen, die die Interessen ihrer Mitglieder
  wahren und fördern wollen.

- Die **nicht wirtschaftlichen bzw. ideellen Zwecke** werden zumeist in
  religiösen, karikativen, politischen, sportlichen, geselligen oder auch
  künstlerischen Bereichen verfolgt.

Unzulässig ist der Gesellschaftszweck dann, wenn er gegen ein Gesetz bzw.   5
die guten Sitten verstößt (§§ 134, 138 BGB).

Beispiele:

*Mit **gesetzlichen Verboten** sind **Rechtsvorschriften aller Art** gemeint, soweit diese
Schutzfunktionen gegenüber öffentlichen oder allgemeinen Interessen beinhalten.
Auch Einzelinteressen schützende Normen können ein gesetzliches Verbot darstellen.[4]*

*Von einem **Verstoß gegen die guten Sitten** ist etwa bei Bildung nicht erlaub-
nisfähiger Kartelle, bei Förderung unlauterer Geschäftspraktiken, Schmuggel
oder Steuerhinterziehung auszugehen.*

1.   Ausschluss bzw. Genehmigungsvorbehalt

Durch Gesetz kann die Ausübung bestimmter Tätigkeiten in der Rechtsform   6
einer GmbH ausgeschlossen bzw. weiteren Genehmigungen vorbehalten sein.[5]

Beispiele für Ausschluss kraft Gesetzes:

*Als juristische Person ist die GmbH durch Gesetz vom Betrieb einer **Apotheke** (§ 8
ApothekenG) und der Ausübung des **Versicherungsgewerbes** (§ 7 Abs. 1 VAG)
ausgeschlossen. **Private Bausparkassen** (§ 2 Abs. 1 BausparkG) dürfen nur in der
Rechtsform einer AG betrieben werden. Für **Hypothekenbanken** und **Schiffs-
pfandbriefbanken** sind die Rechtsformen AG und KG aA vorgeschrieben (§ 2
HypBankG; § 2 Abs. 1 SchiffpfandbriefbankenG). Unternehmensbeteiligungs-
gesellschaften können dagegen seit 1998 in der Rechtsform der GmbH betrieben*

---

4   Hueck/Fastrich in Baumbach/Hueck, GmbHG, § 1 Rn. 15.

5   Zum Ausschluss und Genehmigungsvorbehalt s.a. Michalski in Michalski,
     GmbHG, § 1 Rn. 14, 15; Hueck/Fastrich in Baumbach/Hueck, GmbHG, § 1
     Rn. 14; Roth/Altmeppen, GmbHG, § 1 Rn. 16 ff.

*werden (§ 2 Abs. 1 UBGG). Dies gilt auch für das **allgemeine Bankgeschäft**.*
Dazu bedarf es einer Erlaubnis des Bundesaufsichtsamtes (§ 32 Abs. 1 KWG).
*Deren Fehlen ist Eintragungshindernis (§ 43 KWG). Auch **Kapitalanlagegesell-**
schaften können als GmbH betrieben werden (§ 1 Abs. 3 KAGG).*

7   Für einige Betätigungsfelder ist die Rechtsform der GmbH nicht aus-
    geschlossen, doch gelten **gesetzliche Genehmigungsvorbehalte**, so etwa

    • beim **Betrieb einer Gaststätte** (§ 2 Abs. 1 GaststättenG),

    • für die **Arbeitsvermittlung** durch eine natürliche oder juristische Person
      (§ 291 SGB III a.F.),

    • für den **Betrieb einer Privatkrankenanstalt** (§ 30 GewO).

8   Gelegentlich sind **besondere Voraussetzungen** zu erfüllen, wie etwa im
    Handwerk. Hier verlangen die §§ 1 Abs. 1, 7 Abs. 1 HwO, dass ein
    Betriebsleiter vorhanden ist, der die Voraussetzungen für die Eintragung in
    die Handwerksrolle erfüllt.

2.   Zusammenschlüsse von Freiberuflern in einer GmbH

9   Hinsichtlich der freien Berufe[6] gilt: Zusammenschlüsse von **Architekten**
    und **Ingenieuren** in der Rechtsform der GmbH sind anerkannt.[7] Ebenso
    können **Steuerberatungsgesellschaften** als GmbH betrieben werden, wenn
    weitere Voraussetzungen vorliegen (vgl. §§ 49 Abs. 1, 50 StBerG). Dies
    gilt ähnlich für **Wirtschaftsprüfungsgesellschaften** (vgl. §§ 27
    Abs. 1, 28 WiPrO). Streitig ist, ob **Ärzte** und **Zahnärzte** sich in einer
    GmbH zusammenschließen können. Dies ist nach der Rspr. mit Blick auf
    Art. 12 GG zulässig;[8] jedoch gibt es Tendenzen, dies mittels Landesrechts
    einzuschränken. Als **Rechtsanwaltsgesellschaft** kann eine GmbH nur zuge-
    lassen werden, wenn sie die in §§ 59 ff. BRAO enthaltenen Zulassungs-
    voraussetzungen erfüllt.

---

6   Zu Zusammenschlüssen von Freiberuflern s.a. Michalski in Michalski,
    GmbHG, § 1 Rn. 21; Römermann in Michalski, GmbHG, Syst. Darst. 7.

7   Zu Zusammenschlüssen von Architekten und Ingenieuren s. Emmerich in Scholz,
    GmbHG, § 1 Rn. 13; Lutter/Bayer in Lutter/Hommelhoff, GmbHG, § 1 Rn. 8.

8   BGH, 25.11.1993 – I ZR 281/91, BGHZ 124, 224 = GmbHR 1994, 325 =
    NJW 1994, 786, 787.

III. Gesellschafter

1. Mögliche Gesellschafterstruktur

Die GmbH kann durch **eine oder mehrere** Personen errichtet werden. Gesellschafter können **natürliche Personen** (auch Ehegatten und Ausländer[9]), **juristische Personen** (wie AG, GmbH, e.V.) sowie **Personenhandelsgesellschaften** (OHG, KG, Partnergesellschaft) oder **Gesamthandsgemeinschaften** (wie GbR, Erbengemeinschaft) sein.[10] 10

> *Praxisbeispiel:*
>
> *Auch eine Partner(gesell)schaft von Freiberuflern kann Gesellschafter einer GmbH sein. Wie andere Personengesellschaften nimmt sie am Rechtsverkehr unter ihrer Firma teil (§ 7 Abs. 2 PartGG, § 124 HGB). Auch eine Einmanngründung durch eine Partner(gesell)schaft ist möglich.[11]*

2. Einmann-GmbH

Sind alle Gesellschaftsanteile der GmbH in der Hand **eines einzigen Gesellschafters** vereinigt, so liegt eine – zulässige – sog. Einmann-GmbH bzw. **Einpersonen-GmbH** vor. Hier galten nach früherer Gesetzeslage im Unterschied zur Mehrpersonen-GmbH einige Besonderheiten, da keine wechselseitige Kontrolle der Gesellschafter untereinander stattfinden kann und der GmbH statt der wechselseitigen Ausfallhaftung mehrerer Gesellschafter gem. § 24 GmbHG nur noch das Privatvermögen eines Gesellschafters als Haftungsmasse für ihre Einlagenforderungen offensteht. Daher hatte nach bisheriger Regelung der Einmanngründer zusätzlich zu den genannten gesetzlichen Voraussetzungen für die von ihm geschuldete Resteinlage Sicherheit gem. § 232 BGB zu leisten (§ 7 Abs. 2 Satz 3 GmbHG a.F.). Diese Regelung wurde gestrichen, da nach Auskunft der Praxis diese besonderen Sicherungen bei der Einmanngründung verzichtbar seien und somit nur eine unnötige Komplizierung der Gründung bedeute.[12] 11

IV. Abgrenzung gegenüber anderen Rechtsformen

Wesentliche Unterschiede zur GbR bestehen darin, dass die GbR keine juristische Person ist und eine Haftungsbeschränkung nicht vorgesehen ist, 12

---

9   Bei Verstößen gegen Ausländerrecht s. Opgenhoff in Bormann/Kauka/Ockelmann, Hdb. GmbH-Recht, Kap. 2 Rn. 58.

10 Zur möglichen Gesellschafterstruktur einer GmbH s.a. Bayer in Lutter/Hommelhoff, GmbHG, § 1 Rn. 24 ff.; Hueck/Fastrich in Baumbach/Hueck, GmbHG, § 1 Rn. 20 ff.; Roth/Altmeppen, GmbHG, § 1 Rn. 19 ff

11 Hueck/Fastrich in Baumbach/Hueck, GmbHG, § 1 Rn. 32.

12 RegE MoMiG, Stand Mai 2007, Begründung Besonderer Teil, S. 76.

sodass im Haftungsfall die Gesellschafter unbeschränkt (auch mit ihrem Privatvermögen) für das Handeln der GbR gesamtschuldnerisch einstehen müssen. Diese Abgrenzungsmerkmale gelten auch für die OHG. Die KG sieht zwar eine auf die Einlage beschränkte Haftung der Kommanditisten vor, jedoch trifft den Komplementär die uneingeschränkte Haftung. Die AG ist wie die GmbH juristische Person; auch hier wird den Gläubigern nur mit dem Gesellschaftsvermögen gehaftet. Die AG kann jedoch erst bei einem Mindestnennbetrag des Grundkapitals i.H.v. 50.000 € entstehen, sodass diese Gesellschaftsform den größeren Unternehmen vorbehalten ist. Die in jüngster Zeit für deutsche Unternehmen populär gewordene englische private limited company sieht kein Mindestkapital vor. Ihre rechtliche Beurteilung folgt englischem Recht.

13   Die Zulässigkeit des Unternehmensgegenstandes einer englischen **private limited company** richtet sich ausschließlich nach englischem Gesellschaftsrecht. Dem deutschen Handelsregister der Zweigniederlassung steht insoweit kein Prüfungsrecht zu. Der Gegenstand der inländischen Zweigniederlassung muss nicht mit dem Gegenstand der englischen private limited company identisch sein.[13]

V.   Prozessuales

14   Ist die Satzung einer GmbH wegen der Unzulässigkeit des verfolgten Gesellschaftszwecks nichtig – etwa weil verbotene oder sittenwidrige Zwecke[14] (§§ 134, 138 BGB) verfolgt werden –, muss der Registerrichter die **Eintragung** der GmbH in das Handelsregister **ablehnen.** Nach erfolgter Eintragung ist die GmbH trotz mangelhafter Satzung gleichwohl entstanden (§ 11 Abs. 1). Mängel des Gesellschaftsvertrags können im Wege der **Nichtigkeitsklage** gem. § 75 beanstandet werden. Ist nur der Gesellschaftszweck unzulässig und gleichwohl eine Eintragung erfolgt, so kommt eine **Auflösung durch Urteil** in Betracht (§ 61). Ausschließlich zuständig ist dafür das LG, in dessen Bezirk die Gesellschaft ihren Sitz hat (§ 61 Abs. 3). Statt der Beendigung der Gesellschaft durch Nichtigkeitsklage oder Auflösung können die Gesellschafter einen unzulässigen Gesellschaftszweck bzw. einen unzulässigen Unternehmensgegenstand durch einen zulässigen ersetzen und dadurch den Mangel der Satzung **heilen.**[15]

---

13   OLG Hamm, 28.06.2005 – 15 W 159/05, GmbHR 2005, 1130.

14   Emmerich in Scholz, GmbHG, § 1 Rn. 17 ff.

15   Bayer in Lutter/Hommelhoff, GmbHG, § 1 Rn. 23.

§ 2 GmbHG   Form des Gesellschaftsvertrags

(1) [1]Der Gesellschaftsvertrag bedarf notarieller Form. [2]Er ist von sämtlichen Gesellschaftern zu unterzeichnen.

(1a) [1]Die Gesellschaft kann in einem vereinfachten Verfahren gegründet werden, wenn sie höchstens drei Gesellschafter und einen Geschäftsführer hat. [2]Für die Gründung im vereinfachten Verfahren ist das in der Anlage bestimmte Musterprotokoll zu verwenden. [3]Darüber hinaus dürfen keine vom Gesetz abweichenden Bestimmungen getroffen werden. [4]Das Musterprotokoll gilt zugleich als Gesellschafterliste. [5]Im Übrigen finden auf das Musterprotokoll die Vorschriften dieses Gesetzes über den Gesellschaftsvertrag entsprechende Anwendung.

(2) Die Unterzeichnung durch Bevollmächtigte ist nur auf Grund einer notariell errichteten oder beglaubigten Vollmacht zulässig.

I.   Einführung

Die Vorschrift regelt die **formellen Voraussetzungen** für den **Abschluss**   1
des Gesellschaftsvertrags. Dieser bedarf nach Abs. 1 der notariellen Form und muss von sämtlichen Gesellschaftern unterzeichnet werden.

Als wesentliche Neuerung ist nunmehr gem. Abs. 1a eine Gründung in   2
einem **vereinfachten Verfahren** möglich, wenn die Gesellschaft höchstens drei Gesellschafter und einen Geschäftsführer hat. Die Vereinfachung besteht darin, dass der/die beurkundende Notar/in die als **Anlage 1** dem Gesetz beigefügten **Musterprotokolle** verwendet. Diese Protokolle sind für einfache Standardgründungen gedacht (Einpersonengründung; Mehrpersonengründungen mit bis zu drei Gesellschaftern) und halten im Wesentlichen nur die Mindestanforderungen des § 3 fest.

Stellvertretung beim Abschluss des Gesellschaftsvertrags ist zulässig, bedarf   3
dann jedoch gem. Abs. 2 einer Vollmacht in ebenfalls einer besonderen Form, um die ordnungsgemäße Legitimation des für einen Gesellschafter beim Abschluss des Gesellschaftsvertrages tätig gewordenen Vertreters sicherzustellen.

4 Wenngleich der Wortlaut durch die Formulierungen „Gesellschaftsvertrag" und „sämtliche Gesellschafter" die Vorschrift für eine **Einpersonen-GmbH** unanwendbar erscheinen lässt, so ist diese gleich wohl **mit erfasst**.[1]

5 Außer durch Erstgründung kann eine GmbH auch dadurch entstehen, dass eine andere Gesellschaftsform in die Rechtsform der GmbH **umgewandelt** wird. Hier ist § 2 regelmäßig sinngemäß zu beachten, da die besonderen Vorschriften nach dem Umwandlungsgesetz auf die Vorschrift verweisen, (vgl. §§ 36 Abs. 2, 135 Abs. 2, 197 UmwG).

II.   Gesellschaftsvertrag

6 Die GmbH entsteht als rechtsfähige Gesellschaft mit ihrer Eintragung im Handelsregister (§ 11 Abs. 1). Bis zur Eintragung werden **fünf Gründungsstadien** durchlaufen:

Übersicht: Gründungsstadien der GmbH:

1. Abschluss des Gesellschaftsvertrags (Entstehung der sog. Vorgesellschaft)

2. Bestellung der Geschäftsführer

3. Leistung der Einlagen

4. Anmeldung der Gesellschaft zum Handelsregister

5. Prüfung der Anmeldung und Eintragung ins Handelsregister (Entstehung der GmbH)

7 Der Gesellschaftsvertrag ist die **Grundlage der Gesellschaft**. Er schafft die Organisation, die grds. für alle gegenwärtigen und zukünftigen Mitglieder der Gesellschaft gleichermaßen verbindlich ist.

8 Die **Rechtsnatur** des Vertrags ist *streitig*, doch folgt die überwiegende Meinung der modifizierten Normentheorie.[2] Daraus folgt, dass für den Gesellschaftsvertrag grds. die Regeln des BGB über die Abgabe von Willenserklärungen und den Abschluss von Verträgen (§§ 104 ff., 116 ff., 145 ff. BGB) gelten. Obwohl der Gesellschaftsvertrag die Gesellschafter

---

1   Siehe Bericht des Rechtsausschusses des Bundestages zur GmbH-Novelle 1980, BT-Drucks. 8/3908, S. 68.

2   Zum Streitstand hinsichtlich der Rechtsnatur des Gesellschaftsvertrags: Hueck/ Fastrich in Baumbach/Hueck, GmbHG, § 2 Rn. 5; Roth/Altmeppen, GmbHG, § 2 Rn. 3; Emmerich in Scholz, GmbHG, § 2 Rn. 3 ff.; Michalski in Michalski, GmbHG, § 2 Rn. 5.

schuldrechtlich bindet, ist er rgm. nicht auf den Austausch von Leistungen gerichtet. Es handelt sich dann nicht um einen gegenseitigen Vertrag i.S.d. §§ 320 ff. BGB. Somit besteht kein Recht zur Leistungsverweigerung nach § 320 BGB, etwa wenn einer der Gesellschafter seine Einlage nicht zahlt. Auch ein Rücktritt vom Vertrag wegen Leistungsstörungen gem. §§ 323 ff. BGB ist dann nicht möglich. Insoweit enthält § 2 lediglich besondere Formvorschriften, die Rechtssicherheit, Rechtsklarheit und durch die Belehrungspflicht des Notars auch eine Richtigkeitsgewähr erreichen sollen.

Der **Mindestinhalt** des Gesellschaftsvertrags bestimmt sich nach § 3 (s. dort). Darüber hinaus gehend können in den Grenzen der Vertragsfreiheit weitere Regelungen getroffen werden, sodass die Gesellschafter den Gesellschaftsvertrag an ihre persönlichen Bedürfnisse anpassen können.[3]   9

III. Beurkundung

Die **Beurkundung im Inland** ist von einem Notar ohne örtliche Zuständigkeitsbegrenzung vorzunehmen.[4] Der Gesellschaftsvertrag muss in vollem Umfang **beurkundet** werden.[5] Dies gilt für den Mindestinhalt des Vertrags (§ 3) ebenso wie für die zusätzlich im Gesellschaftsvertrag getroffenen Regelungen. Die Beurkundung erfolgt nach **§ 128 BGB** und den **§§ 6 bis 35 BeurkG**.   10

Alle Gesellschafter müssen dem Gesellschaftsvertrag **zustimmen**, wobei sie dies nicht bei gleichzeitiger Anwesenheit vor dem Notar tun müssen. Es genügt, wenn die Gesellschafter ihre Willenserklärungen zeitlich unabhängig vor dem Notar abgeben. Dieser erstellt darüber ein einheitliches Protokoll. Bei **nicht gleichzeitiger Zustimmung** aller Gesellschafter kommt der Gesellschaftsvertrag gem. § 152 Satz 1 BGB mit der Beurkundung der letzten Willenserklärung zustande.   11

Die Willenserklärungen der Gesellschafter können, etwa wenn die Wohnsitze der Gesellschafter weit voneinander entfernt sind, auch **bei unterschiedlichen Notaren** beurkundet werden, wobei dann die Urkunden inhaltlich aufeinander verweisen müssen. Der Gesellschaftsvertrag kann auch in   12

---

3   Zu den Grenzen der Vertragsfreiheit s. Emmerich in Scholz, GmbHG, § 2 Rn. 11.

4   Zur Belehrung des Notars über den Hergang der Gründung und Haftungsgefahren s. das Muster einer Belehrung bei Heckschen in Wachter, FA Handels- und GesellschaftsR, Teil 2, 2. Kap. Rn. 8.

5   Eingehende Darstellung zur Beurkundung: Michalski in Michalski, GmbHG, § 2 Rn. 16; Emmerich in Scholz, GmbHG, § 2 Rn. 15.

einer fremden Sprache abgefasst und notariell beurkundet werden, soweit bei der Anmeldung zur Eintragung in das Handelsregister eine deutsche Übersetzung vorgelegt wird.[6]

13 Für eine **Beurkundung im Ausland** ist der deutsche Konsul zuständig, § 10 KonsularG (Gesetz v. 11.09.1974; BGBl. I, S. 2317). Ob **ausländische Notare** die Errichtung einer GmbH deutschen Rechts beurkunden können, ist *streitig*.[7] Dies soll dann möglich sein, „wenn die ausländische Urkundsperson nach Vorbildung und Stellung im Rechtsleben eine der Tätigkeit des deutschen Notars entsprechende Funktion ausübt und für die Errichtung der Urkunde ein Verfahrensrecht zu beachten hat, das den tragenden Grundsätzen des deutschen Beurkundungsrechts entspricht".[8] Hinsichtlich der ggü. den Geschäftsführern bei der Anmeldung zum Handelsregister vorzunehmenden **Belehrung über deren unbeschränkte Auskunftspflicht** ist die Neuregelung durch § 8 Abs. 3 Satz 2 zu beachten. Diese kann auch durch einen Notar oder einen im Ausland bestellten Notar, durch einen Vertreter eines vergleichbaren rechtsberatenden Berufs oder einen Konsularbeamten erfolgen.

IV.   Sonderfall: Verwendung der Musterprotokolle gem. Anlage 1

14 Während bisher der Gesellschaftsvertrag ausnahmslos der Beurkundung bedurfte, sieht der eingeführte Abs. 1a vor, dass eine **notarielle Protokollierung** der Gesellschaftsgründung genügen soll. Dies gilt jedoch *nur* für den Fall, dass die/der Gesellschafter eines der in Anlage 1 enthaltenen **Musterprotokolle ohne Abweichungen** als ihr Gesellschaftsstatut verwenden/t (s. dazu im Einzelnen § 3 Rn. 26 ff.). Diese Protokolle enthalten nur Bestimmungen zu Firma, Sitz, Gegenstand, Stammkapital der Gesellschaft sowie zu den Geschäftsanteilen, Vertretung und Gründungsaufwand. Wegen der Einfachheit der Bestimmungen kann auf umfassende notarielle Belehrung verzichtet werden.

15 Soll das Musterprotokoll **ergänzt** oder sonst wie in veränderter Form verwandt werden, so ist weiterhin die **Beurkundungspflicht** gem. § 2 Abs. 1 gegeben.[9]

---

6   LG Düsseldorf, 16.03.1999 – 36 T 3/99, GmbHR 1999, 609.

7   Zum Streitstand s. Roth/Altmeppen, GmbHG, § 2 Rn. 22.

8   BGH, 16.02.1981 – II ZB 8/80, BGHZ 80, 76, 78 = GmbHR 1981, 238, 239.

9   Muster zu diversen Gründungsprotokollen und Handelsregisteranmeldungen s. Opgenhoff in Bormann/Kauka/Ockelmann, Hdb. GmbH-Recht, Kap. 2 Rn. 156 ff.

Von der im vereinfachten Verfahren errichteten Urkunde erhält/erhalten der/ 16
die Gesellschafter eine Ausfertigung, die Gesellschaft und das Registergericht
erhalten beglaubigte Ablichtungen und das FA erhält eine einfache Abschrift.

Das Musterprotokoll gilt zugleich als Gesellschafterliste. 17

V. Formmängel

Gem. § 125 Satz 1 BGB führen Formmängel zur **Nichtigkeit** des Gesell- 18
schaftsvertrags, sofern die Gesellschaft **noch nicht eingetragen** ist. Das Registergericht muss in diesem Fall die Eintragung gem. § 9c GmbHG ablehnen.

Nach der Eintragung der Gesellschaft ins Handelsregister werden Form- 19
mängel **geheilt**, so dass der Gesellschaftsvertrag wirksam bleibt. Der Formmangel stellt entgegen früherer Auffassung keinen Nichtigkeitsgrund i.S.d.
§ 75 dar, da diese Norm Nichtigkeitsgründe ausdrücklich und abschließend
im Sinn inhaltlicher Satzungsmängel aufzählt.[10]

VI. Vertretung

Bei der Unterzeichnung des Gesellschaftsvertrags ist Stellvertretung 20
(§§ 164 ff. BGB) möglich. Abweichend von § 167 Abs. 2 BGB muss in
diesem Fall gem. § 2 Abs. 2 GmbHG die **Vollmacht** entweder **notariell
errichtet** oder **notariell beglaubigt** sein. Dadurch sollen spätere Zweifel
und Streitigkeiten über die Legitimation des Vertreters verhindert werden.
Die Wahrung dieser Form ist Wirksamkeitserfordernis für die Vollmachtserteilung.

Ist die **Vollmachtserteilung** wegen **Formmangels** gem. § 125 Satz 1 BGB 21
nichtig, so liegt ein Handeln eines Vertreters ohne Vertretungsmacht vor, da
keine wirksame Vollmacht und somit auch keine wirksame Stellvertretung
besteht. Die vollmachtlos abgegebenen Willenserklärungen sind bei **Mehrpersonengründungen** gem. § 177 BGB schwebend unwirksam, können
jedoch noch genehmigt werden, wobei auch die Genehmigung der Form
des § 2 Abs. 2 genügen muss.[11] Eine erfolgte Eintragung heilt den Formmangel der Vollmacht, jedoch nur den Formmangel; der Vertretene wird
Gesellschafter. Die Vollmacht selbst muss natürlich vorhanden sein. War

---

10 BGH, 09.10.1956 – II ZR 11/56, BGHZ 21, 378, 381; Hueck/Fastrich in
    Baumbach/Hueck, GmbHG, § 2 Rn. 15; Roth/Altmeppen, GmbHG, § 2
    Rn. 33.
11 Roth/Altmeppen, GmbHG, § 2 Rn. 28, 30.

Vollmacht nicht erteilt, so ist der Vertretene nicht gebunden; er wird nicht Gesellschafter, da die für ihn abgegebene Beitrittserklärung unwirksam ist. Er kann jedoch noch genehmigen.[12]

22 Vollmachtloses Vertreterhandeln bei **Einmann-GmbH** im Gründungsstadium ist *unzulässig*. Eine Neuvornahme unter Wahrung der formellen Voraussetzungen ist jedoch möglich.[13]

23 Inhaltlich muss die Vollmacht **zum Abschluss** eines Gesellschaftsvertrags ermächtigen. Ob dies – etwa bei einer **Generalvollmacht** – der Fall ist, ist durch Auslegung zu ermitteln.

VII. Weitere Mängel des Gesellschaftsvertrags

24 Wie bei jedem anderen Vertrag können sich auch beim Gesellschaftsvertrag neben Formmängeln weitere Fehler einschleichen, auch solche, die gewöhnlich zur Nichtigkeit des Vertrags führen (vgl. §§ 134, 138 BGB).[14] Dies entspricht nicht immer der Interessenlage bei Gesellschaftsverträgen, denn diese zielen auf eine auf Dauer angelegte Organisation, die vielfältige Rechtsbeziehungen zwischen ihren Mitgliedern im Innenverhältnis und zwischen der Gesellschaft und ihren Vertragspartnern im Außenverhältnis begründet. Daher ist eine **differenzierte Behandlung** von Mängeln durch das Gesellschaftsrecht notwendig, wobei weiterhin die Entwicklungsstadien bis hin zur Eintragung zu berücksichtigen sind. Im Einzelnen gilt:

1. Nach Abschluss des Gesellschaftsvertrags und **vor der Eintragung** ist die sog. Vorgesellschaft entstanden (vgl. dazu § 11 Rn. 10). Solange diese noch keine Geschäftstätigkeit aufgenommen hat, gelten die Bestimmungen des BGB uneingeschränkt.

2. Wurde bereits eine **Geschäftstätigkeit aufgenommen**, ist die Vorgesellschaft in Vollzug gesetzt worden. Nunmehr finden bei Mängeln des Gesellschaftsvertrags die Regeln über die fehlerhafte Gesellschaft Anwendung. Danach führen die meisten Mängel nur noch zur Auflösung der Vorgesellschaft mit der Folge ihrer Abwicklung. Hinreichend dafür ist eine Kündigungserklärung entsprechend § 723 Abs. 1 Satz 2 BGB.

---

12   Hueck/Fastrich in Baumbach/Hueck, GmbHG, § 2 Rn. 19.

13   OLG Frankfurt a.M., 24.02.2003 – 20 W 447/02, GmbHR 2003, 415 (hier jedoch mit der Klarstellung, dass bei einer Satzungsänderung die nachträgliche Genehmigung der Stimmabgabe eines vollmachtlosen Vertreters möglich ist).

14   Zu Folgen von Mängeln des Gesellschaftsvertrags s.a. Lutter/Bayer in Lutter/ Hommelhoff, GmbHG, § 2 Rn. 21 ff.; Emmerich in Scholz, GmbHG, § 2 Rn. 62 – 77; Michalski in Michalski, GmbHG, § 2 Rn. 51 – 71.

3. **Nach der Eintragung** der Gesellschaft werden Mängel des Gesellschaftsvertrags geheilt, sodass eine Nichtigkeit der Gesellschaft nur noch in den in § 75 GmbHG abschließend aufgezählten Fällen infrage kommt.

Besonderes gilt bei **mangelhafter Beitrittserklärung nach erfolgter Eintragung**. Als Beispiele für relevante Mängel gilt ihr völliges Fehlen, z.B. bei Beitrittserklärung durch Stellvertretung ohne Vertretungsmacht. Der Beitritt durch nicht voll Geschäftsfähige ohne Zustimmung zählt ebenso dazu, wie der Beitritt eines Betreuten bei Missachtung der Betreuungsvorschriften. In diesen Fällen kann die Beitrittserklärung dem Erklärenden rechtlich nicht zugerechnet werden. Dies gilt auch für den Fall, dass die Beitrittserklärung durch Drohung mit Gewalt erzwungen wurde.[15] 25

Anders liegt der Fall dann, wenn die Erklärung durch arglistige Täuschung oder sonstige Drohung herbeigeführt bzw. durch Irrtum vorgenommen wurde. Die Beitrittserklärung wird dem Erklärenden zugerechnet; dem Gesellschafter bleibt nur ein Austrittsrecht[16] oder, wie im Fall einer arglistigen Täuschung, ein Schadensersatzanspruch gegen den Täuschenden.[17] 26

Hinsichtlich der **Rechtsfolgen** ist bei einer mangelhafter Beitrittserklärung eines Gesellschafters (Erklärenden) zwischen diesem und der Gesellschaft zu unterscheiden. 27

Da eine mangelhafte Beitrittserklärung grds. **unwirksam** ist, ist der fehlerhaft Beigetretene nicht Gesellschafter geworden. Sein Geschäftsanteil ist nicht entstanden. Somit treffen ihn gesellschaftsrechtliche Pflichten (Einlagezahlung, Ausfallhaftung etc.) nicht. Ggf. kann er eine etwa gezahlte Einlage nach den §§ 812 ff. BGB zurückverlangen.[18] 28

Für die Gesellschaft bedeutet dies, dass Stammeinlagen und Stammkapital nicht übereinstimmen. Für den Fehlbetrag brauchen die übrigen Gesellschafter nicht gem. § 24 aufzukommen, da die Einlage nicht geschuldet war. Wenn auch die Unwirksamkeit des Beitritts kein Mangel i.S.d. § 75 ist und somit eine Amtslöschung gem. § 144 Abs. 1 FGG ausscheidet, so ist dennoch den Vor. des § 3 Abs. 1 Nr. 3 und 4 nicht genügt. Dem drohenden Amtsauflösungsverfahren gem. § 144 a FGG kann durch Satzungsänderung bzw. durch Herabsetzung des Stammkapitals begegnet werden.[19] Ebenso 29

---

15   Hueck/Fastrich in Baumbach/Hueck, GmbHG, § 2 Rn. 38.

16   Roth/Altmeppen, GmbHG, § 60 Rn. 100; Hülsmann, GmbHR 2003, 198.

17   Roth/Altmeppen, GmbHG, § 2 Rn. 37.

18   Hueck/Fastrich in Baumbach/Hueck, GmbHG, § 2 Rn. 39.

19   Hueck/Fastrich in Baumbach/Hueck, GmbHG, § 2 Rn. 39.

kann dem Mangel durch eine Neuvornahme des fehlerhaften Beitritts unter Wahrung der gesetzlichen Voraussetzungen abgeholfen werden.[20]

Sollten die Beitrittserklärungen sämtlicher Gesellschafter mangelhaft sein, so ist die GmbH nicht entstanden. Eine dennoch eingetragene Gesellschaft ist dann entsprechend §§ 142, 144 Abs. 1 FGG von Amts wegen zu löschen.[21]

VIII. Vorvertrag

30 Zukünftige Gesellschafter einer GmbH können vor Abschluss des Gesellschaftsvertrags rechtliche Beziehungen zur Gründung einer GmbH eingehen (sog. Vorvertrag).[22] Wegen des mit § 2 GmbHG verfolgten Schutzzwecks sind solche Vorverträge ebenso **formbedürftig** wie der Gesellschaftsvertrag selbst. Nach überwiegender Meinung bedarf daher auch ein Vorvertrag zu einem Gesellschaftsvertrag der notariellen Beurkundung.[23] Dies gilt auch für eine Vollmacht zum Abschluss eines Vorvertrags.

31 Wird die **Form nicht beachtet**, so begründet der Vorvertrag *keine* Pflicht zur anschließenden Beurkundung eines Gesellschaftsvertrags. Ferner scheitert mit Blick auf den Schutzcharakter der Formvorschriften eine Haftung wegen vorvertraglicher Pflichtverletzung.

32 **Formfrei** bleiben dagegen Nebenabreden, die nicht Bestandteil des geplanten Gesellschaftsvertrags werden sollen.

IX. Prozessuales

33 Für die Beurkundung des Gesellschaftsvertrags einer deutschen GmbH, d.h. einer GmbH mit Sitz in Deutschland, gilt deutsches Recht. Es sind die **Notare** ausschließlich **zuständig** (§ 20 Abs. 1 Satz 2 BNotO). Eine Überschreitung der Grenzen seines Amtsbezirks (§ 11 BNotO) macht die Beurkundung nicht unwirksam (§ 2 BeurkG), es sei denn, sie erfolgt im Ausland.

34 Zuständig für die **Beurkundung im Ausland** sind die deutschen Konsuln. Auch **ausländische Notare** können in begrenzten Ausnahmefällen die Errichtung einer GmbH deutschen Rechts beurkunden (s.o. Rn. 13).

35 Der Gesellschaftsvertrag kann gem. § 5 Abs. 2 BeurkG auch **in einer ausländischen Sprache** beurkundet werden. Der Anmeldung zum Handelsregister ist dann eine **Übersetzung** beizufügen.

---

20 Roth/Altmeppen, GmbHG, § 2 Rn. 40.

21 Herrschende Meinung: vgl. Hueck/Fastrich in Baumbach/Hueck, GmbHG, § 2 Rn. 40.

22 Zu den Rechtsproblemen des Vorvertrags s.a. Michalski in Michalski, GmbHG, § 2 Rn. 72 bis 81; Emmerich in Scholz, GmbHG, § 2 Rn. 78 ff.

23 BGH, 21.09.1987 – II ZR 16/87, GmbHR 1988, 98, 99.

Bei Formmängeln kann sich jedermann auf die nach § 125 Satz 1 BGB 36 folgende Nichtigkeit des Gesellschaftsvertrags berufen. Im Streitfall ist dies durch **Feststellungsklage** durchzusetzen.

§ 3 GmbHG   Inhalt des Gesellschaftsvertrags

(1) Der Gesellschaftsvertrag muss enthalten:

1. die Firma und den Sitz der Gesellschaft,

2. den Gegenstand des Unternehmens,

3. den Betrag des Stammkapitals,

4. die Zahl und die Nennbeträge der Geschäftsanteile, die jeder Gesellschafter gegen Einlage auf das Stammkapital (Stammeinlage) übernimmt.

(2) Soll das Unternehmen auf eine gewisse Zeit beschränkt sein oder sollen den Gesellschaftern außer der Leistung von Kapitaleinlagen noch andere Verpflichtungen gegenüber der Gesellschaft auferlegt werden, so bedürfen auch diese Bestimmungen der Aufnahme in den Gesellschaftsvertrag.

I.   Einführung

Abs. 1 regelt den **zwingenden** (obligatorischen) **Mindestinhalt** des Gesell- 1 schaftsvertrags. Ergänzend sind die §§ 4, 4a und 5 heranzuziehen, die genauere Regelungen zur Firma, zum Sitz der Gesellschaft und zum Stammkapital bzw. den Stammeinlagen enthalten.

Abs. 2 erfasst weitere Regelungsgegenstände des Gesellschaftsvertrags, 2 nämlich die zeitliche Befristung des Unternehmens sowie die Übernahme weiterer Verpflichtungen der Gesellschafter, ggü. der Gesellschaft. Diese **fakultativen Inhalte** müssen im Gesellschaftsvertrag aufgenommen sein, wenn sie Gültigkeit für die Gesellschaft haben sollen. Ähnliche Regelungen enthalten §§ 5 Abs. 4 Satz 1, 15 Abs. 5, 19 Abs. 3, 26 Abs. 1, 34 Abs. 1, 52 Abs. 1 und 60 Abs. 2, die weitere Vereinbarungen der Gesellschafter durch Aufnahme in den Gesellschaftsvertrag ermöglichen.

3   Über diese gesetzlich geregelten Fälle hinaus bedürfen solche Bestimmungen der Aufnahme in den Gesellschaftsvertrag, die die Verfassung des Unternehmens betreffen und daher nicht nur die Gründer, sondern auch spätere Mitglieder binden sollen. Somit ergibt sich für den Gesellschaftsvertrag der zwingende Satzungsinhalt i.S.d. § 3 Abs. 1, der fakultative formbedürftige Inhalt i.S.d. § 3 Abs. 2 sowie der **sonstige formbedürftige Satzungsinhalt**. Sonstige Nebenabreden außerhalb der Satzung sind zusätzlich möglich.[1]

II.   Zwingender Satzungsinhalt (Abs. 1)

4   Der Gesellschaftsvertrag muss gem. Abs. 1 die Firma und den Sitz, den Unternehmensgegenstand, den Betrag des Stammkapitals sowie der Stammeinlage der Gesellschaft bezeichnen.[2]

1.   Firma und Sitz der Gesellschaft (Abs. 1 Nr. 1)

5   Gem. Abs. 1 Nr. 1 muss der Gesellschaftsvertrag die Firma (§ 4) und den Sitz der Gesellschaft (§ 4a) enthalten. Die Firma kann als Sachfirma, als Personenfirma, als Mischfirma von Personen- und Sachfirma oder auch durch eine Phantasiebezeichnung gebildet werden (vgl. dazu § 4 Rn. 4, 20 ff.). Zwingend ist der Rechtsformzusatz (§ 4 Rn. 13).

2.   Unternehmensgegenstand (Abs. 1 Nr. 2)

6   Ferner muss gem. Abs. 1 Nr. 2 der Unternehmensgegenstand, also der **Tätigkeitsbereich der Gesellschaft**, bezeichnet sein.

7   Die stets auftauchende Frage, inwieweit der Unternehmensgegenstand zu **konkretisieren** ist, lässt sich mit dem Zweck der Pflichtangabe erfassen. Die Angabe des Unternehmensgegenstandes soll dem Registergericht die Überprüfung des Gesellschaftszwecks (§ 1 Rn. 2 ff.) ermöglichen sowie die Gesellschafter vor einer willkürlichen Änderung oder Ausweitung des Unternehmensgegenstandes durch den/die Geschäftsführer schützen.

---

1   Vor Abschluss des Gesellschaftsvertrags sollte der erwünschte Regelungsgehalt geprüft werden; vgl. dazu mit Checkliste *Opgenhoff* in Bormann/Kauka/Ockelmann, Hdb. GmbH-Recht, Kap. 2 Rn. 5 ff.

2   Zum zwingenden Satzungsinhalt s.a. *Michalski* in Michalski, GmbHG, § 3 Rn. 2 ff.; *Hueck/Fastrich* in Baumbach/Hueck, GmbHG, § 3 vor Rn. 5 und § 3 Rn. 5 ff. m.w.N.

Weiter dient die Pflichtangabe der **Unterrichtung der Öffentlichkeit.** 8
Daraus folgt, dass der Unternehmensgegenstand **hinreichend individuali-** 9
siert werden können muss, sodass pauschal- oder floskelartige Bezeichnungen nicht ausreichend sind. Durch die Angaben muss der Schwerpunkt der Geschäftstätigkeit ersichtlich werden. Die Angaben müssen daher so konkret sein, dass die interessierten Verkehrskreise aus der Satzung ablesen können, in welchem Geschäftszweig (Branche) und in welcher Weise sich die Gesellschaft betätigen will.

Praxisbeispiel:

Formulierungen wie: „Betreiben von Handelsgeschäften aller Art" oder „Betrieb eines Kaufmannsgeschäfts" oder „Produktion und Vertrieb von Waren aller Art" erreichen als bloße Leerformeln nicht den gewünschten Individualisierungsgrad.[3]

Eine Orientierung ergibt sich aus **§ 23 Abs. 3 Nr. 2 AktG**, der Ähnliches 10
für die AG regelt. In Anlehnung an diese Norm verlangt die h.M. eine weitgehende Konkretisierung, also grds. mindestens eine Bezeichnung, die den Geschäftszweig erkennen lässt.

Praxisbeispiel:

Bezeichnungen wie „Handel mit Webwaren" oder „Betrieb von Gaststätten" oder „Import von Wein und Südfrüchten" wurden anerkannt.[4] Eine allgemeine Angabe wie etwa „Export und Import" kann ausnahmsweise auch genügen, wenn als Unternehmensgegenstand von den Gesellschaftern tatsächlich eine nähere Konkretisierung nicht gewollt ist, da sie die sich ergebenden vielfältigen Möglichkeiten der unternehmerischen Betätigung nicht einschränken wollten.[5]

Auch die Gründung einer GmbH zur späteren eigenen Verwendung oder zur 11
Weiterveräußerung an einen Dritten (Vorratsgründung) ist grds. zulässig, wenn die Bestimmung der Gesellschaft, als sog. Mantel für die spätere Aufnahme eines Geschäftsbetriebs zu dienen, bei der Bezeichnung des Unternehmensgegenstandes deutlich klargestellt wird (**offene Vorratsgründung**).[6]

---

3   Hueck/Fastrich in Baumbach/Hueck, GmbHG, § 3 vor Rn. 8.
4   Hueck/Fastrich in Baumbach/Hueck, GmbHG, § 3 vor Rn. 8 mit einzelnen Rspr.-Beispielen.
5   Roth/Altmeppen, GmbHG, § 3 Rn. 6.
6   Herrschende Rechtsprechung: Vorratsgründung bei wahrheitsgemäßer Angabe des Unternehmensgegenstandes zulässig (betreffend die AktG), vgl. BGH, 16.03.1992 – II ZB 17/91, BGHZ 117, 323 = GmbHR 1992, 451; die für die im AktG entwickelten Grundsätze zur Vorratsgründung gelten auch für die GmbH vgl. BGH, 09.12.2002 – II ZB 12/02, BGHZ 153, 158 ff. = GmbHR 2003, 227.

12   Eine wegen der Angabe eines unzutreffenden Unternehmensgegenstandes
     unwirksame sog. **verdeckte Vorratsgründung** liegt dann vor, wenn der
     angegebene Unternehmensgegenstand nicht in absehbarer Zeit verwirklicht
     werden soll. Sie ist eine Scheinerklärung gem. § 117 BGB, mit der weiteren
     Folge der Nichtigkeit der Gesellschaft gem. §§ 75 und 144 FGG.[7]

3.   Stammkapital (Abs. 1 Nr. 3)

13   Gem. Abs. 1 Nr. 3 muss die Satzung den **Betrag** des Stammkapitals ent-
     halten. Das **Stammkapital** kennzeichnet das Vermögen der GmbH, welches
     durch die Gesellschafter durch ihre Einlagen aufzubringen ist. Mit der
     Nennung des Stammkapitals wird einerseits deutlich, mit welchem Ver-
     mögen die GmbH ursprünglich ausgestattet war, andererseits wird dadurch
     festgelegt, mit welchem Mindestbetrag die Gläubigern im Haftungsfall
     rechnen können (Garantieziffer).

14   Dieser Betrag muss ziffernmäßig in **bestimmter Höhe** angegeben werden.
     Ungenaue Angaben oder bloße Höchstbeträge für das Stammkapital sind
     unzulässig.

15   Bei einer **Änderung des Stammkapitalbetrags** ist zu differenzieren.
     Erfolgt sie **vor** der Eintragung der Gesellschaft ins Handelsregister, erfordert
     dies eine Satzungsänderung in der Form des § 2 unter Mitwirkung aller
     Gesellschafter. **Nach** der Eintragung sind die Regeln über die Abänderung
     des Gesellschaftsvertrags (§§ 53 ff.) zu beachten.

4.   Stammeinlage (Abs. 1 Nr. 4)

16   Schließlich verlangt Abs. 1 Nr. 4 die Angabe der **Zahl** und der **Nennbeträge**
     der Geschäftsanteile, die jeder Gesellschafter gegen Einlage auf das Stamm-
     kapital (Stammeinlage) übernimmt. Da ein Gesellschafter bei der Gründung
     gem. § 5 Abs. 2 mehrere Geschäftsanteile übernehmen kann, wurde die Auf-
     nahme der **Zahl** der Geschäftsanteile in den Gesellschaftsvertrag notwendig.[8]
     Mit der Aufnahme des **Nennbetrags** des Geschäftsanteils erfolgte eine sprach-
     liche Präzisierung und Anpassung an das Aktienrecht. Da sich im Verlauf der
     Gesellschaft der Nennbetrag der Geschäftsanteile – etwa durch eine nominelle
     Aufstockung im Zuge der Einziehung des Geschäftsanteils eines anderen
     Gesellschafters gem. § 34 – erhöhen kann, durch die Erhöhung aber keine
     neue Einlageverpflichtung des Gesellschafters begründet wird, entspricht die
     Einlageverpflichtung des Gesellschafters daher nicht immer dem Nennbetrag
     des Geschäftsanteils. Insofern wird die Verpflichtung des Gesellschafters

---

7   Lutter/Bayer in Lutter/Hommelhoff, GmbHG, § 3 Rn. 7.

8   RegE MoMiG, Stand Mai 2007, Begründung Besonderer Teil, S. 63.

präzisiert und identifiziert, wenn nunmehr nicht die übernommene Stammeinlage in den Gesellschaftsvertrag aufgenommen wird, sondern der Nennbetrag der Geschäftsanteile.

Nähere Regelungen enthalten hierzu die §§ 5, 7 Abs. 2, 14, und 15. Zusätzlich zum Betrag ist auch der Übernehmer (Gründer) namentlich zu bezeichnen, um die Parteien des Gesellschaftsvertrags zu kennzeichnen. Die Übernahme der Zahl und Nennbeträge der Geschäftsanteile (Stammeinlage) muss unbedingt und unbefristet erfolgen, da ansonsten bis zum Eintritt der bedungenen Tatsachen oder Erreichen der bedungenen Termine ein Eintragungshindernis vorliegt.[9]   17

III. Fakultativer formbedürftiger Inhalt (Abs. 2)

Die in Abs. 2 genannten Bestimmungen können von den Gesellschaftern getroffen werden, bedürfen aber zu ihrer Wirksamkeit der Aufnahme in den Gesellschaftsvertrag. Damit ist klargestellt, das z.B. eine Bezugnahme auf sonstige Schriftstücke den Anforderungen nicht genügt. Die Nennung fakultativer Inhalte durch Abs. 2 ist nicht abschließend. Das GmbHG selbst nennt weitere Möglichkeiten zusätzlicher Regelungen (z.B. §§ 5 Abs. 4, 15 Abs. 5).   18

1. Zeitbestimmung

Eine Beschränkung des Unternehmens auf eine gewisse Zeit bedarf nach Abs. 2 der Aufnahme in den Gesellschaftsvertrag. Mit Ablauf dieser Zeit wird die Gesellschaft von selbst aufgelöst (§ 60 Abs. 1 Nr. 1). Eine solche Befristung muss nicht ausdrücklich geschehen. Sie kann sich auch konkludent aus dem Gesellschaftsvertrag ergeben. Eine außerhalb des Gesellschaftsvertrags getroffene Vereinbarung der Gesellschafter über die Dauer der Gesellschaft führt nicht zur automatischen Auflösung der Gesellschaft, da der Auflösungsgrund nach § 60 Abs. 1 Nr. 1 nicht vorliegt. Hinsichtlich der Veränderung einer zunächst vorgenommenen Zeitbestimmung ist der Veränderungstermin ausschlaggebend. Soll eine Veränderung der Zeitbestimmung noch vor der erfolgten Eintragung der Gesellschaft vorgenommen werden, so kann dies im Wege der einvernehmlichen Vertragsänderung in der Form des § 2 geschehen. Eine nach erfolgter Eintragung gewollte Veränderung kann nur durch Satzungsänderung gem. §§ 53, 54 bewirkt werden.   19

---

9   Vertiefend zum Geschäftsanteil, insbes. zum Anteilswert und zur Bewertung vgl. Schulze-Steinen in Bormann/Kauka/Ockelmann, Hdb. GmbH-Recht, Kap 9. Rn. 5.

2.   Andere Verpflichtungen außer der Leistung von Kapitaleinlagen

20   Neben einer Zeitbestimmung bedürfen auch Bestimmungen, durch die den Gesellschaftern außer der Leistung von Kapitaleinlagen, d.h. zusätzlich zu der Stammeinlage noch andere Verpflichtungen ggü. der Gesellschaft auferlegt werden sollen, der Aufnahme in den Gesellschaftsvertrag. Eine spätere Vermehrung der Gesellschafterverpflichtungen ist i.R.d. § 53 Abs. 3 möglich. Solche andere Verpflichtungen können bestehen z.B. in Geldzahlungsverpflichtungen – wie etwa der Pflicht, unter bestimmten Voraussetzungen Schulden der Gesellschaft zu übernehmen. Sie können als Sachleistungen geschuldet sein, wie z.B. Leihe oder Vermietung beweglicher oder unbeweglicher Sachen. Es können Dienstleistungspflichten geschuldet sein, sofern es sich dabei nicht um abhängige Arbeitsleistungen handelt. Als Unterlassungspflichten kommen Wettbewerbsverbote in Betracht. Mitgliedschaftliche Sonderrechte (Vorrechte, Vorzugsrechte) sind nur als der Form des § 2 genügender Satzungsinhalt wirksam.[10]

IV.   Sonstiger formbedürftiger Inhalt

21   Sind von den Gesellschaftern zusätzliche Regelungen als Ergänzung zum Mindestinhalt mit Wirkung für und gegen die Gesellschaft gewollt, so bedarf dies außerhalb des § 3 Abs. 2 noch in weiteren gesetzlich vorgesehenen Fällen der Aufnahme in die Satzung. Als wichtige Bereiche sind zu nennen:[11]

* Sacheinlagen (§§ 5 Abs. 4, 19 Abs. 5),
* Vinkulierungen (§ 15 Abs. 5),
* Nachschusspflichten (§ 26 Abs. 1),
* Einziehung (§ 34 Abs. 1),
* Bestellung eines Aufsichtsrates (§ 52 Abs. 1) oder
* die Festlegung von Auflösungsgründen (§ 60 Abs. 2).

22   Über diese gesetzlich geregelten Fälle hinaus bedürfen solche Bestimmungen der Aufnahme in den Gesellschaftsvertrag, die die Verfassung des Unternehmens betreffen und daher nicht nur die Gründer, sondern auch spätere Mitglieder binden sollen.

---

10   Ausführlich zu Sonderpflichten der Gesellschafter: Hueck/Fastrich in Baumbach/Hueck, GmbHG, § 3 Rn. 31 ff.; Roth/Altmeppen, GmbHG, § 3 Rn. 26 ff.

11   Eingehend zum sonstigen formbedürftigen Vertragsinhalt s. Michalski in Michalski, GmbHG, § 3 Rn. 65 ff.

V. Sonstige Nebenabreden

Den Gesellschaftern steht es frei, außerhalb der Satzung beliebige weitere   23
Fragen zu regeln.[12] Solche Gesellschafterabsprachen unterliegen nicht der
Publizität des Handelsregisters. Sie bedürfen nicht der Form des § 2 und bei
Satzungsänderung gelten die §§ 53 ff. nicht. Sie entfalten daher Wirkung bloß
untereinander, also ohne automatische Verbindlichkeit ggü. etwaigen Rechts-
nachfolgern. Bei einer Veräußerung eines Anteils gehen die aus der Mitgliedschaft folgenden Verpflichtungen also nicht auf den Erwerber über, sondern
müssen durch besondere schuldrechtliche Verpflichtung, etwa durch Schuld-
übernahme oder Schuldbeitritt (§§ 414, 415 BGB) begründet werden.[13]

VI. Rechtsfolgen, Prozessuales

Sofern den Vorgaben zum Mindestinhalt nicht genügt ist, kann eine **Ein-**   24
tragung in das Handelsregister *nicht* erfolgen (§ 9c).

Sollte dennoch die Eintragung **erfolgt** sein, so ist hinsichtlich des Mangels   25
zu differenzieren.[14]

- Bei Fehlen oder Nichtigkeit der Bestimmungen über die Firma und den
  Sitz der Gesellschaft (Abs. 1 Nr. 1), über den Unternehmensgegenstand
  (Abs. 1 Nr. 2) oder über die auf die Gesellschafter entfallenden Stammeinlagen (Abs. 1 Nr. 4) kommt das **Amtsauflösungsverfahren** gem.
  § 144a Abs. 4 FGG, § 60 Abs. 1 Nr. 6 GmbHG in Betracht.

- Enthalten die Mängel einen Auflösungsgrund nach § 61 Abs. 1, so
  können die Gesellschafter **Auflösungsklage** erheben.

- Bei Fehlen der Angaben des Stammkapitalbetrags, § 3 Abs. 1 Nr. 3, oder
  bei Nichtigkeit der Angaben des Unternehmensgegenstands (Abs. 1
  Nr. 2) kann **Nichtigkeitsklage** gem. § 75 GmbHG erhoben bzw. das
  Amtslöschungsverfahren gem. § 144 Abs. 1 FGG eingeleitet werden.

VII. Muster

Bei Verwendung der **Musterprotokolle gem. Anlage 1 zum GmbHG** (s.a.   26
§ 2 Rn. 14 ff.) kann den in den Fußnoten dargestellten Hinweisen zur
Verwendung der Protokolle gefolgt werden. Für zwei Fälle sind dem Gesetz
Musterprotokolle beigefügt:

---

12   Lutter/Bayer in Lutter/Hommelhoff, GmbHG, § 3 Rn 59 ff. m.w.N.

13   Emmerich in Scholz, GmbHG, § 3 Rn. 65.

14   Zu den Rechtsfolgen bei Mängeln des Gesellschaftsvertrags s.a. Michalski in
      Michalski, GmbHG, § 3 Rn. 3 f.

27 **Anlage 1 a)** enthält ein **Musterprotokoll für die Gründung einer Einpersonengesellschaft**:

Heute, den ....., 	UR. Nr. .....

erschien vor mir, ..., Notar/in mit dem Amtssitz in ......

Herr/Frau[1] _____.

1. Der Erschienene errichtet hiermit nach § 2 Abs. 1a GmbHG eine Gesellschaft mit beschränkter Haftung unter der Firma ..... mit dem Sitz in .....

2. Gegenstand des Unternehmens ist..... .

3. Das Stammkapital der Gesellschaft beträgt ..... (i.W. ..... Euro) und wird vollständig von Herrn/Frau[1] ..... (Geschäftsanteil Nr. 1) übernommen. Die Einlage ist in Geld zu erbringen, und zwar sofort in voller Höhe/zu 50 % sofort, im Übrigen sobald die Gesellschafterversammlung ihre Einforderung beschließt[3].

4. Zum Geschäftsführer der Gesellschaft wird Herr/Frau[4] ..... , geboren am ..... , wohnhaft in ..... , bestellt. Der Geschäftsführer ist von den Beschränkungen des § 181 des Bürgerlichen Gesetzbuchs befreit.

5. Die Gesellschaft trägt die mit der Gründung verbundenen Kosten bis zu einem Gesamtbetrag von 300 €, höchstens jedoch bis zum Betrag ihres Stammkapitals. Darüber hinausgehende Kosten trägt der Gesellschafter.

6. Von dieser Urkunde erhält eine Ausfertigung der Gesellschafter, beglaubigte Ablichtungen die Gesellschaft und das Registergericht (in elektronischer Form) sowie eine einfache Abschrift das Finanzamt - Körperschaftsteuerstelle –.

7. Der Erschienene wurde vom Notar/von der Notarin insbesondere auf folgendes hingewiesen: ..... .

Hinweise:

[1] Nicht Zutreffendes streichen. Bei juristischen Personen ist die Anrede Herr/Frau wegzulassen.

[2] Hier sind neben der Bezeichnung des Gesellschafters und den Angaben zur notariellen Identitätsfeststellung ggf. der Güterstand und die Zustimmung des Ehegatten sowie die Angaben zu einer etwaigen Vertretung zu vermerken.

[3] Nicht Zutreffendes streichen. Bei der Unternehmergesellschaft muss die zweite Alternative gestrichen werden.

[4] Nicht Zutreffendes streichen.

Darin werden protokolliert:

- Identität des Gründers; Gründung einer Einpersonengesellschaft,
- Firma und Sitz,
- Gegenstand des Unternehmens,
- Stammkapital,
- Geschäftsführer,
- Kosten, Ablichtungen.

Anlage 1 b) enthält ein **Musterprotokoll für die Gründung einer Mehr-** 28 **personengesellschaft mit bis zu drei Gesellschaftern:**

Heute, den ..... ,   UR. Nr. .....

erschien vor mir, ... , Notar/in mit dem Amtssitz in .....

Herr/Frau [1]._____ [2],

Herr/Frau [1] _____ [2],

Herr/Frau [1] _____ [2].

1. Die Erschienenen errichten hiermit nach § 2 Abs. 1a GmbHG eine Gesellschaft mit beschränkter Haftung unter der Firma ..... mit dem Sitz in .....

2. Gegenstand des Unternehmens ist ..... .

3. Das Stammkapital der Gesellschaft beträgt ..... € (i.W. ..... Euro) und wird wie folgt übernommen:
   Herr/Frau[1]_____übernimmt einen Geschäftsanteil mit einem Nennbetrag in Höhe von ..... € (i.W. ..... Euro) (Geschäftsanteil Nr. 1),

   Herr/ Frau[1]_____ übernimmt einen Geschäftsanteil mit einem Nennbetrag in Höhe von ..... € (i.W. ..... Euro) (Geschäftsanteil Nr.2),

   Herr/ Frau[1]_____ übernimmt einen Geschäftsanteil mit einem Nennbetrag in Höhe von .....€ (i.W. ..... Euro) (Geschäftsanteil Nr.3).

Die Einlagen sind in Geld zu erbringen, und zwar sofort in voller Höhe/zu 50 % sofort, im Übrigen sobald die Gesellschafterversammlung ihre Einforderung beschließt[3].

4. Zum Geschäftsführer der Gesellschaft wird Herr/Frau[4] ..... , geboren am ..... , wohnhaft in ..... , bestellt. Der Geschäftsführer ist von den Beschränkungen des § 181 des Bürgerlichen Gesetzbuchs befreit.

5. Die Gesellschaft trägt die mit der Gründung verbundenen Kosten bis zu einem Gesamtbetrag von 300 €, höchstens jedoch bis zum Betrag ihres Stammkapitals. Darüber hinausgehende Kosten tragen die Gesellschafter im Verhältnis der Nennbeträge ihrer Geschäftsanteile.

6. Von dieser Urkunde erhält eine Ausfertigung jeder Gesellschafter, beglaubigte Ablichtungen die Gesellschaft und das Registergericht (in elektronischer Form) sowie eine einfache Abschrift das Finanzamt – Körperschaftsteuerstelle –.

7. Der Erschienene wurde vom Notar/von der Notarin insbesondere auf folgendes hingewiesen: ..... .

Hinweise:

[1] Nicht Zutreffendes streichen. Bei juristischen Personen ist die Anrede Herr/Frau wegzulassen.

[2] Hier sind neben der Bezeichnung des Gesellschafters und den Angaben zur notariellen Identitätsfeststellung ggf. der Güterstand und die Zustimmung des Ehegatten sowie die Angaben zu einer etwaigen Vertretung zu vermerken.

[3] Nicht Zutreffendes streichen. Bei der Unternehmergesellschaft muss die zweite Alternative gestrichen werden.

[4] Nicht Zutreffendes streichen.

Darin werden protokolliert:

- Identität der Gründer; vereinfachte Gründung einer Mehrpersonengesellschaft mit höchstens drei Gesellschaftern,
- Firma und Sitz,
- Gegenstand des Unternehmens,
- Stammkapital,
- Geschäftsführer,
- Kosten, Ablichtungen.

Die Musterprotokolle eignen sich für **einfache Standardfälle**. Sie enthalten die   29
zwingenden Satzungsbestandteile. Insofern sollte bedacht werden, ob nicht
besondere Regelungen in die Satzung aufgenommen werden sollen. Je nach
Inhalt der Regelung ist zu ihrer Wirksamkeit die Aufnahme in die Satzung
zwingend, s.o. Rn. 4 ff. Ob und ggf. welche Regelungen getroffen werden
sollen, ist nach der Interessenlage in jedem Einzelfall zu entscheiden. Insofern
können Muster für einen Gesellschaftsvertrag nur eine Anleitung sein.

Als ein **Beispiel für eine übliche Satzung** mag folgendes Muster einer   30
Regelungsstruktur[15] dienen:

I.   Allgemeine Bestimmungen

§ 1 Firma und Sitz

§ 2 Gegenstand des Unternehmens

§ 3 Bekanntmachung

II.   Stammkapital und Stammeinlagen

§ 4 Stammkapital

III.   Geschäftsanteile

§ 5 Verfügung über Geschäftsanteile

§ 6 Einziehung von Geschäftsanteilen; Ausschließung eines Gesellschafters

§ 7 Abfindung ausscheidender Gesellschafter

IV.   Geschäftsführung und Vertretung

§ 8 Geschäftsführung

§ 9 Vertretung

V.   Gesellschafterversammlung und Gesellschafterbeschlüsse

§ 10 Gesellschafterversammlung und Gesellschafterbeschlüsse

VI.   Dauer der Gesellschaft, Jahresabschluss

§ 11 Geschäftsjahr, Jahresabschluss, Gewinnverwendung

VII.   Wettbewerbsverbot

§ 12 Wettbewerbsverbot

---

15   Struktur entnommen aus: Heckschen in Wachter, FA Handels- u. Gesell-
      schaftsR, Teil 2, 2. Kap. Rn. 109; Muster im Volltext s. dort.

VIII. Kündigung der Gesellschaft

§ 13 Kündigung

IX. Schlussbestimmungen

§ 14 Gründungsaufwand

§ 4 GmbHG   Firma

Die Firma der Gesellschaft muss, auch wenn sie nach § 22 des Handelsgesetzbuchs oder anderen gesetzlichen Vorschriften fortgeführt wird, die Bezeichnung „Gesellschaft mit beschränkter Haftung" oder eine allgemein verständliche Abkürzung dieser Bezeichnung enthalten.

I.   Einführung

1   Die Vorschrift bestimmt, dass die Firma einer GmbH – bei ihrer Gründung oder Fortführung einer bereits existenten GmbH – stets die Haftungsbegrenzung durch **Nennung eines geeigneten Zusatzes** verdeutlichen muss. Weiter gehende tatbestandliche Voraussetzungen sieht das GmbHG nicht vor, um die Firmenbildung nicht zu erschweren.

2   Rechtliche Grundlagen zur Firmenbildung der GmbH finden sich daher überwiegend im HGB (insb. **§§ 17 ff. HGB** – s.a. dort), aber auch in Schutzvorschriften des Namens-, Wettbewerbs- und Markenrechts (vgl. § 12 BGB, § 16 UWG, § 15 MarkenG).

3   Die Firma ist der Name der GmbH, unter dem sie am Rechtsverkehr teilnimmt und ihre Geschäfte betreibt (§ 17 Abs. 1 HGB). Sie muss im Gesellschaftsvertrag enthalten sein (§ 3 Abs. 1 Satz 1). Sie hat den Zweck, die Gesellschaft zu identifizieren. Daher muss sie hinreichende **Unterscheidungskraft** haben, um die Gesellschaft von anderen Gesellschaften trennen

zu können. Somit kann eine Gesellschaft auch nur eine einzige Firma haben, selbst wenn sie verschiedene Unternehmen betreibt. Die Gestaltung der Firma einer GmbH richtet sich nach den allgemeinen firmenrechtlichen Vorschriften der §§ 17 ff. HGB.[1]

II. Grundsätze der Firmenbildung

1. Freiheit der Firmenbildung

Bei der Wahl bzw. Bildung der Firma der GmbH sind die Gesellschafter 4
grds. ungebunden. Die Firma kann als **Personenfirma**, als **Sachfirma**, als reine **Phantasiefirma** oder aber auch aus einer **Kombination** dieser Möglichkeiten gebildet werden (s.u. Rn. 19 ff.). Früher existente Restriktionen, etwa die Bindung der Sachfirma an den Unternehmensgegenstand oder die Bindung der Personenfirma an den Gesellschafterkreis, sind seit der Reform des HGB[2] entfallen. Daher schreibt § 4 nur noch zwingend die Bezeichnung des haftungsbeschränkenden Zusatzes vor. Dennoch sind bei der nach dem GmbHG grds. freien Firmenbildung die nachfolgend dargestellten ordnungsrechtlichen Firmengrundsätze zu beachten.

Checkliste Firmenrechtsprinzipien: Worauf sollte bei der Firmenbildung 5
geachtet werden?

☑

> ☐ **Kennzeichnungs- und Unterscheidungskraft** (vgl. § 18 Abs. 1 HGB): Die Firma muss geeignet sein, die Gesellschaft zu unverwechselbar zu kennzeichnen.
>
> ☐ **Firmenwahrheit** (vgl. § 18 Abs. 2 HGB): Jede Irreführung des Publikums sollte vermieden werden.
>
> ☐ **Firmenkontinuität** (vgl. §§ 21 bis 24 HGB): Die bisherige Firma kann trotz Erwerbs eines Unternehmens, trotz Namensänderung des Inhabers oder trotz Wechsel der Gesellschafter unter den Voraussetzungen der §§ 21 bis 24 HGB fortgeführt werden.
>
> ☐ **Firmenunterscheidbarkeit** (vgl. § 30 HGB): Die Firma muss sich von allen in demselben Ort oder derselben Gemeinde schon bestehenden eingetragenen Firmen unterscheiden.

---

1   Zu den Grundsätzen des Firmenrechts s.a. Schmidt, NJW 1998, 2161; Bokelmann, GmbHR 1998, 57; Emmerich in Scholz, GmbHG, § 4 Rn. 7 ff.; Lutter/ Bayer in Lutter/Hommelhoff, GmbHG, § 4 Rn. 3 ff.

2   HRefG v. 22.06.1998, BGBl. 1998 I, S. 1474.

☐ **Firmenöffentlichkeit** (vgl. § 29 HGB): Die Firma und ggf. Änderungen der Firma sind zur Eintragung ins Handelsregister anzumelden.

☐ **Firmeneinheit**: Für eine GmbH darf nur eine Firma geführt werden.

☐ **Firmenzusatz** (§ 4 GmbHG): GmbHs müssen den Firmenzusatz
„Gesellschaft mit beschränkter Haftung" oder eine allgemeine verständliche Abkürzung dieser Bezeichnung führen.

---

2. Hinreichende Kennzeichnung und Unterscheidungskraft (§§ 18 Abs. 1, 30 HGB)

6   Als Name der Gesellschaft muss die Firma geeignet sein, die Gesellschaft
eindeutig zu kennzeichnen und sie von anderen Gesellschaften zu **unterscheiden** (§§ 18 Abs. 1, 30 HGB).[3] Dabei hat sich die neuere Firma von
bereits eingetragenen Firmen abzugrenzen. Entscheidend dafür ist der
Gesamteindruck in Sinn, Wort und insbes. Klang, den die vollständige
Firmenbezeichnung im allgemeinen Verkehr erzeugt.

Praxistipp:

Um die Firma als Namen individualisieren zu können, muss sie aus
Worten bestehen. Neben Buchstaben sind auch andere Zeichen (z.B.
Interpunktionszeichen, Pluszeichen) zulässig, solange sie allgemein
verständlich sind. Eine Wortbildung durch Fremd- bzw. Phantasie-
sprache ist möglich, wenn dadurch eine verständliche Individualisie-
rung erreicht wird. Bloße Bildzeichen sind hingegen *nicht* zulässig.[4]
Das Zeichen „@" war nach früherer Auffassung mangels eindeutiger
Verwendung bei der Aussprache *nicht* zulässig.[5] Nach jüngerer Rechtsprechung ist das Zeichen dagegen zulässig.[6]

---

3   Zur Eignung der Firma hinsichtlich ihrer Individualisierbarkeit und Unterscheidbarkeit s. Hopt in Baumbach/Hopt, HGB, § 18 Rn. 4 ff.

4   BGH, 06.07.1954 – I ZR 167/52 (Farina/rote Blume), BGHZ 14, 155, 159 =
NJW 1954, 1604.

5   BayObLG, 04.04.2001 – 3 ZBR 84/01, NJW 2001, 2337, 2338.

6   LG Berlin, 13.01.2004 – 102 T 122/03, GmbHR 2004, 428, 429; wohl auch
Lutter/Bayer in Lutter/Hommelhoff, GmbHG, § 4 Rn. 19.

Zur bloßen Kennzeichnung der Gesellschaft ohne näheren Informations- 7
gehalt in Bezug auf Inhaber oder Unternehmensgegenstand sind Fantasien-
amen, Buchstabenkombinationen oder auch Zahlen und sonstige Zeichen
zwar geeignet, doch ist darauf zu achten, dass sie nicht auf eine Vielzahl
anderer Unternehmen der jeweiligen Branche zutreffen könnten. In solchen
Fällen ist ein **individualisierender Zusatz** nötig, wobei Rechtsformzusätze
i.S.d. § 19 HGB, § 4 GmbHG nicht genügen.

Neben der Individualisierbarkeit der Firma ist ihre **Unterscheidbarkeit** von 8
anderen Firmen wichtig. Sie muss so gefasst sein, dass bei Lesern und
Hörern eine ganz bestimmte, sich auf eben nur diese GmbH beziehende
Assoziation geweckt wird. Verwechselungsgefahr mit anderen Firmen kann
durch Gleichlaut, Ähnlichkeit in Klang- und Erscheinungsbild oder durch
die Ausstrahlung erfolgreicher Begriffe und Marken hervorgerufen werden.

Beispiele (nicht) zulässiger Kennzeichen:

Kennzeichen	zulässig	Quelle
„Müller GmbH"	*nein*	*Roth in Koller/Roth/Morck, HGB, § 18 Rn. 4*
„Transpobet GmbH"	*ja*	*Lutter/Bayer in Lutter/Hommelhoff, GmbHG, § 4 Rn. 13*
„Das Bad – GmbH"	*nein*	*BayObLG, 13.06.1997 – 3Z BR 61/97, NJW-RR 1998, 40*
„17 – GmbH"	*Ja, aber streitig*	*dafür: Lutter/Bayer in Lutter/Hommelhoff, GmbHG, § 4 Rn. 17; dagegen: Müther, GmbHR 1998, 1060*

3.   Irreführungsverbot

Dieses Verbot in **§ 18 Abs. 2 HGB** bezieht sich einerseits auf die mit der 9
Firma bezeichnete Gesellschaft selbst, Grundsatz der Firmenwahrheit.
Andererseits beschreibt es die Zulässigkeitsgrenzen im wettbewerblichen
und markenrechtlichen Kontext. Firmenrechtlich ist es danach *unzulässig*,
durch die Bildung der Firma über Art, Umfang oder sonstige Verhältnisse
der Gesellschaft und des Unternehmens irrezuführen.

In wettbewerblicher Hinsicht ist es gem. **§ 3 UWG** nicht zulässig, bei der 10
Bildung der Firma irreführende Angaben über geschäftliche Verhältnisse zu
Zwecken des Wettbewerbs zu machen.

Ebenso ist das Benutzen von Kennzeichen, die Verwechselungen mit 11
geschützten geschäftlichen Bezeichnungen hervorrufen könnten, gem. **§ 15
Abs. 2 MarkenG** unzulässig.

12 Die **Zulässigkeitsgrenze** wird dann überschritten, wenn die Firma **irreführende Angaben** enthält, die für die angesprochenen Verkehrskreise wesentlich sind. **Wesentlich** sind Angaben, die geeignet sind, jemanden zu einer bestimmten wirtschaftlichen Verhaltensweise zu veranlassen. Für die Beurteilung ist dabei die Sicht eines durchschnittlichen Angehörigen des Adressatenkreises bei verständiger Würdigung des Sachverhalts maßgeblich.[7] Die Rechtsprechung hat dazu eine umfangreiche Einzelfallkasuistik entwickelt.[8]

> *Praxisbeispiel:*
>
> *„INDROHAG": Hier wurde ein Fantasiename mit der Endung AG gebildet, was zur Verwechselung hinsichtlich der Rechtsform führte.[9]*

4. Rechtsformzusatz

13 Als **zwingender Bestandteil** der Firma ist gem. § 4 der Rechtsformzusatz „Gesellschaft mit beschränkter Haftung" oder eine allgemeinverständliche Abkürzung (etwa „GmbH" oder „Gesellschaft mbH") zu führen. Für die Unternehmergesellschaft gilt Besonderes. Gem. § 5a Abs. 1 muss in der Firma abweichend von § 4 die Bezeichnung „Unternehmergesellschaft (haftungsbeschränkt)" oder „UG (haftungsbeschränkt)" als Zusatz geführt werden.

14 Die **Platzierung** des Zusatzes im Namenszug ist generell *nicht* vorgeschrieben, solange dies nicht zu Missverständnissen führt, z.B.: „Dialog GmbH EDV- und Textsysteme". Jedoch darf die vom Gesetzestext vorgegebene Wortverbindung nicht auseinander gerissen werden (also nicht: „Gesellschaft für Textsysteme m.b.H.").[10]

15 Die Firma darf in Bezug auf den Rechtsformzusatz **keine täuschenden Angaben** enthalten (§ 18 Abs. 2 HGB). Dies wäre etwa der Fall, wenn über die Gesellschafterverhältnisse getäuscht würde, z.B. bei „Deponie- und Bauschuttrecycling N., Bauschutt – Beton – Stahlbeton Gesellschaft bürgerlichen Rechts mit beschränkter Haftung".[11]

---

7   Vgl. BGH, 10.11.1969 – II ZR 273/67, BGHZ 53, 65, 69 = NJW 1970, 704; BGH, 18.09.1975 – II ZB 5/74, BGHZ 65, 89, 92 = WM 1975, 1130; BGH, 09.12.1976 – II ZB 6/76, BGHZ 68, 12, 14 = GmbHR 1977, 60; BGH, 28.03.1977 – II ZB 8/76, BGHZ 68, 271, 273 = NJW 1977, 1291; BGH, 16.03.1981 – II ZB 9/80, BGHZ 80, 353, 355 = GmbHR 1981, 292.

8   Hopt in Baumbach/Hopt, HGB, § 18 Rn. 21 ff.; Roth in Koller/Roth/Morck, HGB, § 18 Rn. 11 ff.

9   BGH, 25.10.1956 – II ZB 18/56, BGHZ 22, 88 ff. = WM 1956, 1430.

10   Roth/Altmeppen, GmbHG, § 4 Rn. 47.

11   BGH, 27.09.1999 – II ZR 371/98, BGHZ 142, 315, 317 = GmbHR 1999, 1134.

Bei der häufigen gesellschaftsrechtlichen **Mischform** der **GmbH & Co. KG**   16
ist gem. § 19 Abs. 1 Ziff. 3 HGB die Bezeichnung „Kommanditgesellschaft" oder eine allgemeinverständliche Abkürzung dieser Bezeichnung zu
führen. Ferner ist gem. § 19 Abs. 2 HGB die die Haftungsbegrenzung
kennzeichnende Bezeichnung aufzuführen. Aus Gründen der Rechtsklarheit
sollte bei der Firmenbildung sowohl hinsichtlich der Komplementär-GmbH
wie auch der KG auf Doppelungen verzichtet werden. Unzulässig ist das
reine Aneinanderfügen zweier Rechtsformzusätze, da dadurch die maßgebliche Rechtsform nicht verdeutlicht wird. Dem kann durch Einfügen des
Zusatzes „& Co" begegnet werden.

> *Praxisbeispiel:*
> *Die Bezeichnung „H-GmbH Holzbau KG" wäre unzulässig,[12] da nicht deutlich*
> *wird, ob es sich um eine KG oder GmbH handelt. Anders ist dies bei „L-GmbH*
> *Filder & Co KG";[13] hier handelt es sich um eine KG.*

Der Gebrauch einer Firma ohne den vorgeschriebenen Zusatz kann eine   17
Rechtsscheinhaftung[14] auslösen, die sich grds. gegen den richtet, der den
Rechtsschein einer nicht haftungsbegrenzten Gesellschaft auslöst. Dies
dürfte regelmäßig der für die Gesellschaft Handelnde sein, zumeist also der
Geschäftsführer, wenn ihm der gesetzte Rechtsschein (dass eine natürliche
Person persönlich hafte) zuzurechnen ist.[15] Ein solcher Rechtsschein kann
bei solchen Formulierungen, die eine persönliche Haftung ausschließen,
nicht entstehen, z.B. bei Zeichnung als „Firmengruppe".[16]

5. Firma einer Zweigniederlassung

Soweit die GmbH eine Zweigniederlassung errichtet und dieser eine Firma   18
gibt, die mit der Firma der Hauptniederlassung übereinstimmt, ist ein Zusatz,
der das Vorliegen einer Zweigniederlassung deutlich macht, *nicht* erforderlich.[17] Soll die Zweigniederlassung eine besondere Firma führen, so ist dies
möglich, solange die Identität mit der Hauptniederlassung nicht verloren
geht und überdies den Grundsätzen zur Firmenbildung Genüge getan ist.[18]

---

12   BGH, 24.03.1980 – II ZB 8/79, NJW 1980, 2084.

13   OLG Stuttgart, 28.01.1975 – 8 W 246/74, BB 1976, 1575 f.

14   Hueck/Fastricht in Baumbach/Hueck, GmbHG, § 4 Rn. 15; Roth/Altmeppen,
      GmbHG, § 4 Rn. 49.

15   BGH, 03.02.1975 – II ZR 128/73, BGHZ 64, 11, 17 = NJW 1975, 1166; BGH,
      15.01.1990 – II ZR 311/88, NJW 1990, 2678, 2679.

16   OLG Hamm, 24.03.1998 – 19 U 175/97, GmbHR 1998, 890, 891.

17   RG, 30.03.1926 – II B 8/26, RGZ 113, 218.

18   Hueck/Fastricht in Baumbach/Hueck, GmbHG, § 4 Rn. 17 m.w.N.

III.   Einzelne Firmentypen

19   Auch nach der Liberalisierung des Firmenrechts lassen sich Firmen in die
Grundtypen Personen-, Sach- und Phantasiefirma einteilen, wobei die Grenzen zwischen diesen Grundtypen fließend sind. Auch Kombinationen sind
möglich, sog. gemischte Firma.[19]

1.   Personenfirma

20   Wird der **Name einer Person** zur Bildung der Firma benutzt (Personenfirma), so reicht dies grds. für die geforderte Identifizierbarkeit und Unterscheidbarkeit.[20] Das gilt auch für ausländische Namen.[21]

21   Bei **Allerweltsnamen** (Schmidt, Müller, Meier etc.) ist dies im Zweifel
jedoch ohne jeden weiteren Zusatz *nicht* gegeben, sodass ein individualisierender Zusatz – etwa in Form eines Vornamens (evtl. abgekürzt) oder in
Form einer Ortsbezeichnung – notwendig ist.[22]

22   Dies gilt auch für den Fall, dass Namen von Personen **Alltagsbegriffe** zum
Gegenstand haben (z.B.: Baum, Fliege etc.).

> **Praxistipp:**
>
> Benutzt man den Namen (am besten: Vor- und Nachnamen) einer
> Person, so genügt dies für die Namensfähigkeit der Firma, da damit
> regelmäßig eine hinreichende Identifizierbarkeit gegeben ist. So lässt
> sich der Name eines Gesellschafters wie auch die Firma einer betei-
> ligten Gesellschaft verwenden. Ferner können **Künstlernamen, Pseu-
> donyme** oder reine **Fantasienamen** benutzt werden, wenn mit der
> Gestaltung keine Täuschung bezweckt wird. Soll der Name eines
> Gesellschafters in die Firma der GmbH aufgenommen werden, so ist
> dafür mit Blick auf § 12 BGB dessen (auch konkludent mögliche)
> Zustimmung erforderlich.

---

19   Michalski in Michalski, GmbHG, § 4 Rn. 13 ff.; Emmerich in Scholz, GmbHG,
      § 4 Rn 15 ff.; Hueck/Fastricht in Baumbach/Hueck, GmbHG, § 4 Rn. 5.

20   Roth/Altmeppen, GmbHG, § 4 Rn. 6.

21   Herrschende Meinung: vgl. Müther, GmbHR 1998, 1058.

22   Hueck/Fastricht in Baumbach/Hueck, GmbHG, § 4 Rn. 6; Lutter/Welp,
      ZIP 1999, 1073.

2.   Sachfirma

Eine Sachfirma beschreibt den **Unternehmensgegenstand**. Dafür ist ent-   23
scheidend, ob der Verkehr die Bezeichnung als Name oder als bloße
Gattungs- oder Branchenbeschreibung versteht oder ob dafür bereits der
Unternehmensgegenstand **individualisiert** wird. Ist dies nicht der Fall,
muss – wie auch bei rein geografischen Bezeichnungen – eine Individuali-
sierung durch Zusätze erreicht werden.[23] Dies gilt nicht, wenn statt der
Gattungs- oder Branchenbeschreibung **Kürzel** verwandt werden, die keinen
Bezug zum Unternehmensgegenstand herzustellen vermögen.[24]

Bei **fremdsprachigen Begriffen** ist entscheidend, ob die beteiligten Ver-   24
kehrskreise den Begriff für die Unterscheidbarkeit als hinreichend indivi-
dualisierend und als eine den Unternehmensgegenstand beschreibende
Bezeichnung verstehen. Im deutschen Sprachraum eingegliederte („**einge-
deutschte**") fremdsprachliche Begriffe (Fast Food, Hard-/Software, Internet
etc.) haben aufgrund ihrer beschreibenden umgangssprachlichen Inhalte
keinen individualisierenden Charakter und können daher ohne Zusatz *nicht*
verwandt werden.[25]

Werden sonstige in der **Alltagssprache** gebräuchliche Begriffe verwandt   25
(„Möbel GmbH" oder „Blume GmbH"), so *fehlt* es an Unterscheidungskraft;
es sei denn, diese Begriffe werden in einen besonderen Zusammenhang
gestellt oder durch Zusätze ergänzt.[26]

3.   Phantasiefirma

Die Bildung von Phantasiefirmen ist *zulässig*. Diese werden wegen ihrer   26
Einmaligkeit i.d.R. sogar besondere Unterscheidungskraft besitzen. Zur
Bildung einer Phantasiefirma können **Phantasiebegriffe** als Worte, reine
Buchstabenkombinationen, Zahlen oder auch Kombinationen von Zahlen
und Buchstaben genutzt werden. **Abkürzungen** sowie **Zahlen- und Buchstabenkombinationen** sind nur dann namensfähig, wenn sie mit einem
vollständigen Wort verbunden oder als (Phantasie-) Begriff aussprechbar
bzw. artikulierbar[27] sind und nicht jeden Sinngehalts entbehren. Bei Phanta-
siebegriffen besteht die Gefahr, dass mit ihnen unternehmensfremde Asso-
ziationen erzeugt werden, was dem Irreführungsverbot des § 18 Abs. 2 HGB
widerspräche.

---

23   Herrschende Meinung: vgl. Kögel, BB 1998, 1645.

24   Lutter/Bayer in Lutter/Hommelhoff, GmbHG, § 4 Rn. 13.

25   Lutter/Bayer in Lutter/Hommelhoff, GmbHG, § 4 Rn. 12.

26   Michalski in Michalski, GmbHG, § 4 Rn. 18.

27   OLG Hamm, 11.12.2007 – 15 W 85/07, GmbHR 2008, 707.

- *Beispiele für Phantasiefirma durch reine Buchstabenfolgen:*
  „AEG", „BASF", „BMW", „VW": Diese Buchstabenfolgen sind als Unternehmensnamen oder als Marken im Geschäftsverkehr anerkannt und sind daher eintragungsfähig. Auch ohne die bei diesen Beispielen vorhandene Verkehrsgeltung können Buchstabenfolgen zulässig sein, so z.B. „Bizzy", „Stax", „Pratta", wenn sie einprägsam und aussprechbar sind und so die Gesellschaft identifizieren können.[28] Dies ist bei Buchstabenreihungen wie „AA-AA" oder bei endlosen Buchstabenfolgen nicht der Fall und sie sind daher unzulässig.[29]

- *Beispiele für Phantasiefirma durch Zahlen/Zeichen und Buchstaben:*
  „3 mal 3", „3M", „Pik 7" sind Beispiele für zulässige Kombinationen aus Zahlen und Buchstaben. Sie sind zulässig, da sie besonders originell und einprägsam sind. Bildzeichen wie „*", „→" sind für sich nicht sprechbar und daher nicht eintragungsfähig.[30]

- *Beispiele für Phantasiefirma durch Schlagworte/Werbeslogans:*
  „Ruf' mal an", „nix wie hin", „up ?n' away" sind als originelle Bezeichnungen wegen ihres hohen Einprägungscharakters zulässig.[31] Maßgeblich ist auch hier, dass nach der Verkehrauffassung die Gesellschaft hinreichend identifiziert werden kann.

4. Sonderfälle

27 Die Bildung der Firma einer **Rechtsanwaltsgesellschaft** unterliegt den zusätzlichen Bestimmungen der BRAO. Sie muss den Namen mindestens eines als Rechtsanwalt tätigen Gesellschafters tragen und als Rechtsanwaltsgesellschaft bezeichnet sein, § 59k Abs. 1 BRAO. Sie muss ferner den Rechtsformzusatz gem. § 4 GmbHG enthalten. Gem. § 59k Abs. 1 Satz 3 BRAO sind sonstige Firmenbestandteile nur zulässig, wenn sie gesetzlich vorgeschrieben sind.

28 Für die **Einpersonen-GmbH** gelten die firmenrechtlichen Grundsätze ohne Einschränkungen. Insbes. ist der Zusatz „Gesellschaft" zu verwenden, denn die Einpersonen-GmbH ist als juristische Person selbstständige Gesellschaft und wird daher vom Gesetz wie jede andere Gesellschaft als solche behandelt. Wird für die Einpersonen-GmbH eine Personenfirma verwendet, so

---

28   Roth/Altmeppen, GmbHG, § 4 Rn. 24.

29   BGH, 26.06.1997 – I ZR 14/95, BB 1997, 2611.

30   KG Berlin, 23.05.2000 – 1 W 247/99, BB 2000, 1957.

31   Lutter/Bayer in Lutter/Hommelhoff, GmbHG, § 4 Rn. 17; dagegen krit. Roth/Altmeppen, GmbHG, § 4 Rn. 27.

dürfen nicht mehrere Namen (z.B. „A und B GmbH") verwandt werden, da dadurch eine größere Kompetenz und Kapazität vorgetäuscht würde.[32]

Hat eine in **Gründung befindliche Gesellschaft** ihre Geschäftstätigkeit in einem Handelsgewerbe aufgenommen, so kann sie nach den Regeln des HGB eine Firma führen. Dies kann auch die im Gesellschaftsvertrag vorgesehene GmbH-Firma sein.[33] Es sollte jedoch auf den Gründungsvorgang durch den Zusatz „in Gründung" oder „i.G." hingewiesen werden, um Täuschungen des Rechtsverkehrs zu vermeiden. 29

IV. Veräußerung und Fortführung der Firma

Die Firma kann zusammen mit dem Handelsgeschäft veräußert und dann von einem Dritten fortgeführt werden (vgl. §§ 22, 23 HGB).[34] Wird eine schon bestehende Firma gem. § 22 HGB fortgeführt, bestimmt § 4 GmbHG für diesen Fall, dass der Rechtsformzusatz der Firma beigefügt werden muss (sog. **abgeleitete Firma**). 30

V. Änderung der Firma

Eine Änderung der Firma ist **jederzeit möglich**.[35] Die Gesellschafter können dabei die bisherige Firma lediglich **modifizieren** oder eine völlig **neue** Firma wählen. Auch hierbei sind die handelsrechtlichen Grundsätze der Firmenbildung (insbes. § 18 HGB) zu beachten. 31

Bei der **Umwandlung** einer Personen- oder Kapitalgesellschaft in eine GmbH kann gem. § 200 Abs. 1 UmwG die bisherige Firma beibehalten werden, doch ist gem. § 200 Abs. 2 UmwG i.V.m. § 4 GmbHG unter Wegfall des alten Rechtsformzusatzes der GmbH-Zusatz zu führen. Ferner kann ein Einwilligungserfordernis gem. § 200 Abs. 3 UmwG dann bestehen, wenn an dem formwechselnden Rechtsträger eine natürliche Person beteiligt war, deren Beteiligung an dem Rechtsträger neuer Rechtsform entfällt. Dies gilt gem. § 18 Abs. 2 UmwG auch bei Verschmelzung auf eine GmbH. Wird das gesamte Unternehmen eines Einzelkaufmanns durch Ausgliederung auf eine GmbH übertragen, so gilt gem. § 125 Satz 1 UmwG die Vorschrift des 32

---

32 Michalski in Michalski, GmbHG, § 4 Rn. 66.

33 BGH, 08.07.1996 – II ZR 258/95, NJW 1996, 2645.

34 Zur Fortführung der Firma durch den Erwerber s. Hopt in Baumbach/Hopt, HGB, § 22 Rn. 14 ff.

35 Herrschende Rechtsprechung: vgl. BGH, 12.07.1965 – II ZB 12/64, BGHZ 44, 116 = NJW 1965, 1915; BGH, 14.06.1993 – II ZR 252/92, ZIP 1993, 1072, 1073 = GmbHR 1993, 503.

§ 18 UmwG nicht, doch kann die übernehmende GmbH die Firma unter den Voraussetzungen des § 22 HGB fortführen.

VI.   Erlöschen der Firma

33   Das Erlöschen der Firma folgt dem Auflösungsgeschehen der Gesellschaft. Bei Auflösung der Gesellschaft erlischt die Firma nicht sofort, sondern erst mit der endgültigen Auseinandersetzung der Gesellschaft. Bis zum endgültigen Erlöschen ist der Zusatz „in Liquidation" oder Ähnliches anzufügen. Die bloße Betriebseinstellung führt nicht zum Erlöschen der Firma, kann aber den Fortfall des Firmenschutzes zur Folge haben, wenn die Einstellung nicht nur vorübergehend erfolgt.[36]

VII.   Rechtsfolgen unzulässiger Firmenbildung

34   Ein Verstoß gegen firmenrechtliche Vorschriften führt zur Nichtigkeit der Firma (§ 134 BGB). **Vor Eintragung in das Handelsregister** bedeutet ein solcher Verstoß ein **Eintragungshindernis** (§ 9c Abs. 2 Nr. 1 GmbHG). Hierbei ist der vom Registerrichter anzulegende Prüfungsmaßstab gem. § 18 Abs. 2 Satz 2 HGB hinsichtlich der Irreführungsgefahr auf das Kriterium der Ersichtlichkeit begrenzt.

35   Wird eine unzulässige Firma **gleichwohl eingetragen,** so ist die Gesellschaft damit **wirksam** entstanden. Die Unzulässigkeit der Firma ist kein Nichtigkeitsgrund nach § 75. Vielmehr ist ein **Amtsauflösungsverfahren gem. § 144a Abs. 4 FGG** durchzuführen, um den Mangel zu beheben. Gelingt dies nicht, kommt es zu einer **Auflösung der Gesellschaft gem. § 60 Abs. 1** mit der Folge, dass auch die unzulässige Firma erlischt. Neben dem Amtslöschungsverfahren ist das Firmenmissbrauchsverfahren gem. § 37 Abs. 1 HGB i.V.m. § 140 FGG denkbar. Ziel dieses Verfahrens ist, die Gesellschaft zur Firmenänderung durch Zwangsgeldandrohung zu bewegen.

§ 4a GmbHG   Sitz der Gesellschaft

Sitz der Gesellschaft ist der Ort im Inland, den der Gesellschaftsvertrag bestimmt.

---

36   BGH, 15.06.1956 – I ZR 71/54, BGHZ 21, 66, 75.

I.   Einführung

§ 4a wurde durch das Gesetz zur Modernisierung des GmbH-Rechts und zur   1
Bekämpfung von Missbräuchen (MoMiG)[1] neu gefasst und ermöglicht nunmehr die freie Wahl des Gesellschaftssitzes im Inland. Nach wie vor ist Zweck
der Norm, der Gesellschaft eine postalische Heimat zu geben, die registergerichtliche Zuständigkeit zu klären und somit die Gesellschaft identifizierbar
und auffindbar zu machen. Im Unterschied zur früheren – stärker gläubigerschützenden – Regelung müssen nunmehr der Verwaltungs- und der statutarische Sitz der Gesellschaft nicht mehr übereinstimmen. Damit soll der Spielraum deutscher Gesellschaften erhöht werden, ihre Geschäftstätigkeit auch
ausschließlich im Rahmen einer (Zweig-) Niederlassung, die alle Geschäftsaktivitäten erfasst, außerhalb des deutschen Hoheitsgebietes zu entfalten.[2] Es
soll für die Rechtsform der GmbH durch die Möglichkeit, sich mit der Hauptverwaltung an einem Ort unabhängig von dem in der Satzung oder im Gesellschaftsvertrag gewählten Sitz niederzulassen, ein level playing field, also
gleiche Ausgangsbedingungen gegenüber vergleichbaren Auslandsgesellschaften geschaffen werden. Dennoch müssen die Gesellschaften eine Geschäftsanschrift im Inland im Register eintragen und aufrechterhalten.[3]

II.   Sitz der Gesellschaft

Der Gesellschaftsvertrag bestimmt den Sitz der Gesellschaft. Er muss **im**   2
Inland liegen. Es ist eine Gemeinde anzugeben, wobei bei großen Gemeinden mit mehreren Amtsgerichtsbezirken auch der Gerichtsbezirk zu nennen
ist, um das zuständige Handelsregister zu kennzeichnen.

Nach der Regelung des § 4a Abs. 2 GmbHG a.F. hatte der Gesellschafts-   3
vertrag als Sitz der Gesellschaft i.d.R. den Ort, an dem die Gesellschaft einen
Betrieb hat, oder den Ort zu bestimmen, an dem sich die Geschäftsleitung
befindet oder die Verwaltung geführt wird. Zweck der Vorschrift war, die
registergerichtliche Zuständigkeit i.S.d. § 7 zu bestimmen sowie die Zustän-

---

1   BGBl. I 2008, S. 2026.

2   RegE MoMiG, Stand Mai 2007, Begründung Besonderer Teil, S. 65.

3   RegE MoMiG, Stand Mai 2007, Begründung Besonderer Teil, S. 65 unten.

digkeit von Prozess- und Insolvenzgericht[4] (§ 17 ZPO, §§ 3, 4 InsO) zu
begründen. Ferner hatte diese Art der Sitzbestimmung Bedeutung für den
Ort, an dem die Gesellschafterversammlung stattzufinden hatte. Ohne
anderweitige gesellschaftsvertragliche Regelung war dies entsprechend
§ 121 Abs. 4 Satz1 AktG[5] der Ort, an dem die Gesellschaft ihren Sitz hat.
Durch die Neuregelung des § 4a ist Abs. 2 des § 4a GmbHG a.F. entfallen.
Die Begründung für die Neuregelung zielt im Wesentlichen darauf ab, dass
den deutschen Gesellschaften im Vergleich zu Auslandsgesellschaften vergleichbare Ausgangsbedingungen geschaffen werden sollen.[6] Wenn es auch
durch die Neuregelung für den im Gesellschaftsvertrag festzulegenden
inländischen Sitz der Gesellschaft an konkreten gesetzlichen Vorgaben fehlt,
so hat sich am Zweck der Sitzbestimmung gleichwohl nichts geändert. Um
der register-, prozess- sowie insolvenzrechtlichen Bedeutung der Sitzbestimmung gerecht zu werden, sollte m.E. auf die bisher geltenden Anknüpfungen
entsprechend § 4a Abs 2 GmbHG a.F. zurückgegriffen werden.

4   **Praxistipp:**

Wenngleich der Sitz frei gewählt werden kann, empfiehlt sich dennoch
eine Anknüpfung an den **Ort des Betriebs**, den der **Geschäftsleitung**
oder den der **Verwaltung**, um von vornehereinen dem Vorwurf einer
rechtsmissbräuchlichen Sitzwahl zu begegnen.

5   Grundsätzlich ist es aus Gründen der Rechtssicherheit unzulässig, dass die
Gesellschaft einen zweiten oder mehrere Sitze wählt (Doppelsitz).[7]
Geschäftsstellen der Gesellschaft an anderen Orten sind somit unter den
Voraussetzungen der §§ 13 ff. HGB Zweigniederlassungen.[8]

---

4   Zur Bestimmung des zuständigen Insolvenzgerichts s. OLG Köln, 03.01.2000
        – 2 W 278/99, ZIP 2000, 672, 673; OLG Braunschweig, 13.04.2000 – 1 W
        29/00, ZIP 2000, 1118 f.

5   BGH, 28.01.1985 – II ZR 79/84, WM 1985, 567, 568.

6   RegE MoMiG, Stand Mai 2007, Begründung Besonderer Teil, S. 65.

7   Heute h.M.: vgl. Hueck/Fastrich in Baumbach/Hueck, GmbHG, § 4a Rn. 7
        m.w.N.; a.A. Borsch, GmbHR 2003, 258; Pluskat, WM 2004, 601.

8   Emmerich in Scholz, GmbHG, § 4a Rn. 18.

III. Wahl des Sitzes

Die Bestimmung des Sitzes muss **hinreichend konkret** sein. 6

Praxisbeispiel:

Ungenügend wäre:

- *Nennung eines bloßen Postfaches oder Nennung eines bloßen Briefkastens der GmbH,*
- *die Angabe des Wohnsitzes von Gesellschaftern oder Angestellten,*
- *die Angabe von Massendomiziladressen.*

Die Wahl des Sitzes kann sich entspr. der alten Regelung nach folgenden Kriterien richten:

1. Betrieb der Gesellschaft

Die GmbH hat dort einen **Betrieb**, wo sich die zur Verfolgung des Unter- 7
nehmensgegenstandes erforderliche Tätigkeit derart räumlich konkretisiert,
dass er sich als repräsentatives Abbild des ganzen Unternehmens darstellt.[9]

Auch ein **Betriebsteil** kann genügen, wenn die dort ablaufenden Prozesse 8
und Tätigkeiten nicht unbedeutend für das Unternehmensgepräge sind.
Weniger geeignet sind solche Orte, an denen sich untergeordnete Teile des
Unternehmens, wie z.B. Lager oder sonstige Hilfseinrichtungen befinden.

2. Ort der Geschäftsleitung

Als Ort der Geschäftsleitung ist der Ort anzusehen, wo die **Geschäftsleitung** 9
i.S.d. § 35 erfolgt. Dieser Ort dürfte häufig mit dem Verwaltungssitz des
Unternehmens identisch sein. Wie die Orte präzise voneinander abzugren-
zen sind, ist ungeklärt.[10] Überwiegend wird mit Blick auf das AktG ange-
nommen, dass mit dem Ort der Geschäftsleitung der Ort gemeint ist, wo die
Vorstandsmitglieder den Schwerpunkt ihrer Tätigkeit entfalten, bei einer
Mehrzahl von Vorstandsmitgliedern also der Ort, wo die meisten Leitungs-
entscheidungen der Vorstandsmitglieder i.S.d. §§ 76 und 77 AktG fallen.
Für die GmbH ist diese Abgrenzung nicht ausschlaggebend, da nach § 4a
Abs. 2 a.F. sowohl der Ort der Geschäftsleitung wie der Verwaltungssitz
Anknüpfungspunkt sein kann.[11]

---

9   Zum Betriebsort als Sitz der Gesellschaft s.a. Kögel, GmbHR 1998, 1108.

10 Zur Abgrenzung des Ortes der Geschäftsleitung/Verwaltungssitz s.a. Emme-
    rich in Scholz, GmbHG, § 4a Rn. 12 f.

11 Kögel, GmbHR 1998, 1108, 1110.

3.   Verwaltungssitz

10   Dagegen ist Verwaltungssitz[12] der Ort, an dem sich die Haupt- oder Zentral-
verwaltung der Gesellschaft befindet. Entscheidend ist, dass die **rechtliche
Erreichbarkeit** sichergestellt ist. Es ist auf die eigene Verwaltung der
GmbH abzustellen. Daher kann bei konzernverbundenen Gesellschaften
nicht der Ort des herrschenden Unternehmens als Sitz auch einer abhängigen
GmbH angegeben werden, wenn diese ihre eigene Verwaltung nicht dort
führt. Im Fall des Outsourcing von Verwaltungsaufgaben kann der Ort des
Dienstleisters als Gesellschaftssitz dienen.

IV.   Rechtsfolgen unzulässiger Sitzbestimmung

11   Gem. § 3 Abs.1 Nr. 1 hat die Gesellschaft einen zulässigen Sitz zu bestimmen. Die Wahl eines unzulässigen Sitzes stellt ein Eintragungshindernis
gem. § 9c Abs. 2 Nr. 1 dar, sodass die Eintragung abzulehnen ist. Ist
gleichwohl die Eintragung erfolgt, so stellt dies **keinen Nichtigkeitsgrund
i.S.d. § 75 GmbHG** dar. Vielmehr ist das **Amtsauflösungsverfahren** nach
§ 144a Abs. 4 FGG i.V.m. § 60 Abs. 1 Nr. 6 GmbHG zu betreiben.[13]

V.   Sitzverlegung

12   Da gem. § 3 Abs. 1 der Gesellschaftsvertrag den Sitz der Gesellschaft
enthalten muss und dieser gem. § 4a im Inland liegen muss, wirken sich
Sitzverlegungen im Inland oder ins Ausland unterschiedlich aus.

1.   Sitzverlegung im Inland

13   Sitzverlegung im Inland bedeutet **Satzungsänderung** gem. § 53. Sie ist
gem. § 54 zum Handelsregister des alten Sitzes anzumelden (§ 54 Rn. 27).
Das Registergericht teilt die Änderung dem Gericht des neuen Sitzes mit,
welches die Änderung prüft und ggf. einträgt.

2.   Sitzverlegung ins Ausland

14   Da die Gesellschaft nur einen inländischen Sitz haben kann, bedeutet eine
Verlegung dieses durch Gesellschaftsvertrag festgelegten inländischen Sitzes
ins Ausland nach h.M. Verlust der Rechtsfähigkeit nach deutschem Recht. Dies

---

12   Zum Verwaltungssitz als Gesellschaftssitz s.a. Kögel, GmbHR 1998,
      1108, 1110.

13   Zu den Rechtsfolgen bei Mängeln hinsichtlich des Gesellschaftssitzes s.a.
      Michalski/Michalski, GmbHG, § 4a Rn. 3, 12 und 14; Emmerich in Scholz,
      GmbHG, § 4a Rn. 19 ff.

entspricht einem Auflösungsbeschluss und führt zur Liquidation.[14] Etwas anders gilt, wenn nicht der inländische Gesellschaftssitz, sondern nur der Sitz der effektiven Verwaltung ins Ausland verlegt werden soll.

Nach bisheriger Rechtslage konnte der Sitz der Gesellschaft nur nach den Vorgaben des § 4a Abs. 2 GmbHG a.F. bestimmt werden. Für deutsche Gesellschaften war dies von Nachteil, wenn sie trotz Beibehaltung des statutarischen Gesellschaftssitzes den Sitz der (Haupt-) Verwaltung ins Ausland verlegen wollten, da sich nach der Sitztheorie[15] die für die Gesellschaft geltende Rechtsordnung nach dem tatsächlichen Sitz der Verwaltung richtete.[16]   15

Auch die zwischenzeitlich ergangene Rspr. zur Niederlassungsfreiheit innerhalb der EU änderte diese Rechtslage nicht, da davon nur EU-Auslandsgesellschaften betroffen waren, die ihren effektiven Verwaltungssitz in einem anderen Staat – also auch in Deutschland – wählen wollten.[17]   16

Um die dadurch bedingte Unterlegenheit der nach deutschem Recht gegründeten Gesellschaften abzuschaffen,[18] ist der Wortlaut des Gesetzes im Unterschied zur alten Regelung nun offen. Danach ist es möglich, dass der Gesellschaftssitz *nicht* mit dem effektiven Verwaltungssitz übereinstimmt, also dieser auch ohne Verlust des Rechtsstatus ins EU-Ausland verlagert werden kann, solange die Gesellschaft ihren inländischen Gesellschaftssitz beibehält.   17

Wird der **Standort der effektiven Verwaltung** ins Ausland verlegt, jedoch der im Gesellschaftsvertrag bestimmte inländische Sitz der Gesellschaft nicht verändert, so entsteht das **kollisionsrechtliche** Problem, welche nationale Rechtsordnung für die Gesellschaft maßgeblich ist.[19]   18

Beispiel:

Sitz der GmbH ist eine inländische Betriebsstätte. Nur der Sitz der effektiven Verwaltung, also der Ort, wo die grundlegenden Entscheidungen der Unternehmensleitung effektiv in laufende Geschäftsführungsakte umgesetzt werden, soll ins Ausland verlegt werden. Gilt für die GmbH inländisches oder ausländisches Recht?

---

14 OLG Hamm, 01.02.2001 – 15 W 390/00, NJW 2001, 2183 f.; Ebert, NZG 2002, 937, 938.

15 Bis zur Neuregelung h.M. vgl. Hueck/Fastrich in Baumbach/Hueck, GmbHG, Einl. Rn. 37 m.w.N.

16 Roth/Altmeppen, GmbHG, § 4a Rn. 4.

17 EuGH, 30.09.2003 – C-167/01 (Inspire Art), NJW 2003, 3331; EuGH, 05.11.2002 – C 208/00 (Überseering), NJW 2002, 3614.

18 RegE MoMiG, Stand Mai 2007, Begründung Besonderer Teil, S. 65.

19 Zur kollisionsrechtlichen Problematik s. Preuß, GmbHR 2007, 57.

19   Diese Rechtsfrage ist mit der Neufassung des § 4a nicht geklärt, da sie keine kollisionsrechtliche Regelung enthält. Nach bisherigem Meinungsstand[20] ist entscheidend, ob in einen Gründungstheoriestaat oder in einen Sitztheoriestaat verlegt wird. Nach der Gründungstheorie ist Gesellschaftsstatut die Rechtsordnung, nach der die Gesellschaft gegründet wurde, während nach der Sitztheorie Gesellschaftsstatut die Rechtsordnung ist, wo sich effektiv die Verwaltung der Gesellschaft befindet.[21] Nach überwiegender Meinung führt eine Verlegung des effektiven Verwaltungssitzes in Gründungstheoriestaaten sowie in Staaten der EU und des EWR zu keiner Veränderung hinsichtlich der anzuwendenden Rechtsordnung, solange die den Sitz der Gesellschaft bestimmende Betriebsstätte unverändert im Inland verbleibt. Die Verlegung der effektiven Verwaltung in einen Sitztheoriestaat außerhalb der EU und des EWR führt jedoch zu einem Statutenwechsel. Das Recht des Sitztheoriestaates wäre maßgeblich und folglich müsste die Gesellschaft aufgelöst werden.

§ 5 GmbHG   Stammkapital; Geschäftsanteil

(1) Das Stammkapital der Gesellschaft muss mindestens fünfundzwanzigtausend Euro betragen.

(2) [1]Der Nennbetrag jedes Geschäftsanteils muss auf volle Euro lauten. [2]Ein Gesellschafter kann bei Errichtung der Gesellschaft mehrere Geschäftsanteile übernehmen.

(3) [1]Die Höhe der Nennbeträge der einzelnen Geschäftsanteile kann verschieden bestimmt werden. [2]Die Summe der Nennbeträge aller Geschäftsanteile muss mit dem Stammkapital übereinstimmen.

(4) [1]Sollen Sacheinlagen geleistet werden, so müssen der Gegenstand der Sacheinlage und der Nennbetrag des Geschäftsanteils, auf den sich die Sacheinlage bezieht, im Gesellschaftsvertrag festgesetzt werden. [2]Die Gesellschafter haben in einem Sachgründungsbericht die für die Angemessenheit der Leistungen für Sacheinlagen wesentlichen Umstände darzulegen und beim Übergang eines Unternehmens auf die Gesellschaft die Jahresergebnisse der beiden letzten Geschäftsjahre anzugeben.

---

20   Preuß, GmbHR, 2007, 57, 60 f.; Peters, GmbHR 2008, 245, 246.

21   Vgl. Roth/Altmeppen, GmbHG, § 4a Rn. 12.

I.   Einführung

Als juristische Person benötigt die GmbH eigenes Kapital, um handeln zu   1
können. Sie erhält es, indem die Gesellschafter ihrer eingegangenen Verpflichtung zur Leistung von Beträgen auf den jeweiligen Geschäftsanteil nachkommen. Die **Summe der Nennbeträge aller Geschäftsanteile** bildet sodann das **Stammkapital** der GmbH. Da ihre Haftung auf das Gesellschaftsvermögen beschränkt ist, sind durch das Gesetz zahlreiche Sicherungen vorgesehen, damit den Gläubigern der GmbH stets ein Mindesthaftungsbetrag für ihre Ansprüche zur Verfügung steht. Daher muss der GmbH Vermögen mindestens in Höhe ihres Stammkapitals auch tatsächlich zufließen.

Durch die vorgenommene Reform des GmbHG bleibt das bisherige Haf-   2
tungssystem der GmbH erhalten. Die Neuerungen bestehen darin, dass die Aufbringung und Erhaltung des Kapitals vereinfacht wurden. Hinsichtlich der Kapitalaufbringung sollte nach dem Regierungsentwurf das Mindeststammkapital von mindestens 25.000 € auf 10.000 € herabgesetzt werden, um die Kapitalaufbringung bei der Gründung einer GmbH zu erleichtern. Damit sollte dem Wandel des Wirtschaftslebens seit der Schaffung des GmbHG Rechnung getragen werden, da heute die Mehrzahl der Neugründungen nicht mehr Produktionsunternehmen, sondern Unternehmen aus dem Dienstleistungssektor (über 85 %) sind.[1] Dieser Gedanke hat sich im Verlauf des Gesetzgebungsverfahrens nicht durchgesetzt, da durch die Unternehmergesellschaft gem. § 5a hinreichende Flexibilität geschaffen sei.[2] Um es den Gesellschaftern zu erleichtern, künftig individueller über die jeweilige Höhe ihrer Stammeinlagen zu bestimmen muss nunmehr der Nennbetrag jedes Geschäftsanteils (früher der Betrag der Stammeinlage) nur noch auf volle Euro (früher mindestens 100 €) lauten. Ferner kann ein Gesellschafter heute mehrere Geschäftsanteile (Stammeinlagen) übernehmen, was früher ausdrücklich untersagt war (§ 5 Abs. 2 GmbHG a.F.).

---

1   RegE MoMiG, Stand Mai 2007, Begründung Besonderer Teil, S. 66.
2   BMJ, Pressemitteilung v. 26.06.2008.

II. Stammkapital

3 Das Stammkapital ist eine auf volle Euro lautende Ziffer (Abs. 2 Satz 1 und Abs. 3) und bestimmt die Summe von Geld oder geldwerten Einlagen, die von den Gesellschaftern mindestens zu erbringen sind. Es beträgt **mindestens 25.000 €** (Abs. 1) und kann darüber hinaus jede beliebige Summe betragen, deren Höhe die Gesellschafter frei bestimmen können.

4 Als Ziffer gibt das Stammkapital lediglich Auskunft darüber, **was die Gesellschafter** der GmbH **schulden**. Als eine den Gläubigern in jedem Fall zur Verfügung stehende **Garantiesumme** ist das Stammkapital *nicht* anzusehen, da diese Ziffer über das augenblickliche **tatsächlich zur Verfügung stehende Vermögen** nichts aussagt. Ein Schutz der Gläubiger wird durch das Zusammenwirken mit weiteren Vorschriften, z.B. §§ 7 Abs. 2 und 3, 9 ff. erreicht.

5 Mit dem „Stammkapital" ist *nicht* das Kapital im kredit- oder betriebswirtschaftlichen Sinne gemeint. Er ist insbes. *nicht* identisch mit dem betriebswirtschaftlichen Begriff des Eigenkapitals der Gesellschaft, das schon bei der Gründung vom Stammkapital abweichen und sich danach anders als dieses ständig verhalten kann. In der Bilanz ist gem. § 42 Abs. 1 das Stammkapital der GmbH als **gezeichnetes Kapital** auszuweisen. Gezeichnetes Kapital ist als Oberbegriff für das nominale Haftungskapital der GmbH zu verstehen. Neben gezeichnetem Kapital bilden Kapital-/Gewinnrücklagen, Gewinn-/Verlustvortrag sowie Jahresüberschuss/-fehlbetrag das **Eigenkapital** der Gesellschaft.

6 Insofern kann § 5 eine ökonomisch ungenügende Ausstattung der Gesellschaft mit Eigenkapital *nicht* verhindern. Dieses Problem der sog. Unterkapitalisierung[3] versuchen Gesellschafter dadurch zu beheben, dass sie als Gesellschafter der GmbH Darlehen gewähren („**nominelle Unterkapitalisierung**"). Oder die Finanzierungsverantwortlichen versuchen, die mangelnde Kapitalausstattung der Gesellschaft mit Fremdkapital zu kompensieren („**materielle Unterkapitalisierung**"). In beiden Fällen kann es zur zivilrechtlichen Haftung der Verantwortlichen (bei Falschangaben auch zur strafrechtlichen Haftung gem. § 82) kommen. Bei der nominellen Unterkapitalisierung fallen die Darlehen **im Insolvenzfall** i.d.R. der Gesellschaft zu, mit der Neufassung wurde die Regelungen zu Gesellschafterdarlehen in das Insolvenzrecht verlagert (vgl. § 39

---

3   Zu den Problemen der Unterkapitalisierung nach alter Regelung gem. §§ 32a, 32b GmbHG a.F. s. Lutter/Bayer in Lutter/Hommelhoff, GmbHG, § 5 Rn. 5; Zeidler in Michalski, GmbHG, § 5 Rn. 26 ff.; insbes. § 13 Rn. 358 ff.

InsO),[4] während bei der materiellen Unterkapitalisierung eine Haftung der Gesellschafter eintreten soll. Hier ist unklar, durch welche Grundlage die Haftung ausgelöst wird. Wird die Gesellschaft mit zu wenig Eigenkapital versorgt, so kommt eine persönliche Haftung der Gesellschafter gem. § 823 Abs. 2 BGB, § 64 GmbHG; § 826 BGB[5] oder ein Haftungsdurchgriff wegen Rechtsformmissbrauchs[6] in Betracht. Ein allgemeiner Haftungstatbestand der materiellen Unterkapitalisierung ist bisher nicht anerkannt.[7]

III. Geschäftsanteil

Jeder Gesellschafter muss einen Geschäftsanteil übernehmen. Eine Min-   7
desteinlage ist entgegen früherer Regelung *nicht* mehr vorgeschrieben. Ebenso gibt es keine Obergrenze. Der Betrag des gezeichneten Nennbetrags des Geschäftsanteiles muss jedoch auf volle Euro lauten, Abs. 2 Satz 1. Sinn der **Neuregelung** ist es, den Gesellschaftern zu erleichtern, die Größe des von ihnen zu übernehmenden Geschäftsanteils individueller als bisher gestalten zu können. Nach der Gesetzesbegründung wird der mit dem gesetzlichen Mindestbetrag ursprünglich angestrebte Gläubigerschutz nicht erreicht, da dieser sich an dem zur Erhaltung des Stammkapitals als Ganzem erforderlichen Vermögen orientiert. Zudem ist die Größe des Nennbetrags des jeweiligen Geschäftsanteils nur für die Ausfallhaftung der Mitgesellschafter von Belang und dient letztlich nur als Rechengröße. Insofern ist eine Mindestsumme überflüssig und zu streichen.[8]

Jeder Gesellschafter kann **einen oder mehrere Geschäftsanteile** überneh-   8
men, Abs. 2 Satz 2. Insoweit sieht Abs. 2 Satz 1 nur die Einschränkung vor, dass die Höhe des Nennbetrags des einzelnen Geschäftsanteils auf volle Euro lauten muss. Die mit der ursprünglichen Verbotsregelung, dass ein Gesellschafter nur eine Stammeinlage übernehmen könne, verfolgte Zielsetzung, eine Handelbarkeit von GmbH-Geschäftsanteilen ähnlich der von Aktien zu verhindern, wird durch das Erfordernis der notariellen Beur-

---

4   Zur Neuregelung s. RegE MoMiG, Stand Mai 2007, Begründung Besonderer Teil, S. 66.

5   Zur vorsätzlichen sittenwidrigen Schädigung: Anm. Altmeppen zu BGH, 10.02.1999 – 5 AZR 677/97, ZIP 1999, 878, 881 ff.; zur Haftung gem. § 826 BGB: BAG, 03.09.1998 – 8 AZR 189/97, GmbHR 1998, 1221, 1223; BGH, 20.09.2004 – II ZR 302/02, GmbHR 2004, 1528, 1529.

6   Emmerich in Scholz, GmbHG, § 13 Rn. 91.

7   Siehe Roth/Altmeppen, GmbHG, § 5 Rn. 12.

8   RegE MoMiG, Stand Mai 2007, Begründung Besonderer Teil, S. 67.

kundung gem. § 15 Abs. 3 hinreichend gewährleistet.[9] Ferner wird durch die Stärkung der Gesellschafterliste einer Unübersichtlichkeit der Beteiligungsverhältnisse wirksam begegnet.[10] Das ursprüngliche Verbot der Übernahme mehrerer Stammeinlagen ist damit entbehrlich geworden.

9 Hinsichtlich der **Teilbarkeit** des Betrags der Einlage wird durch die Neuregelung auf eine gesetzliche Regelung verzichtet. Da nach der Eintragung ins Handelsregister ohnehin der Erwerb weiterer Geschäftsanteile gem. § 15 Abs. 2 möglich ist, ist der Verzicht auf eine gesetzliche Begrenzung der Teilbarkeit zum Zweck der Erleichterung der Übertragbarkeit vertretbar.[11] Mit der Fixierung eines auf volle Euro lautenden Betrags wird zudem erreicht, Teilungen eines Geschäftsanteiles exakt zu berechnen, ohne dass es zu zahlreichen Nachkommastellen kommt.[12]

10 Die **Höhe der Nennbeträge** der einzelnen Geschäftsanteile kann für die einzelnen Gesellschafter gem. Abs. 3 Satz 1 **verschieden** bestimmt werden. Doch muss die Summe der Nennbeträge aller Geschäftsanteile genau der Ziffer des Stammkapitals entsprechen (Abs. 3 Satz 2).

11 Mit dem im Gesellschaftsvertrag übernommenen Nennbetrag des Geschäftsanteils (§ 3 Abs. 1 Nr. 4) ist die vom Gesellschafter geschuldete **Leistungspflicht** der Höhe nach gekennzeichnet. Diese hat er durch **Einzahlung** (§ 19) oder durch **Sacheinlage** (Abs. 4 i.V.m. § 9) zu erfüllen. **Keine Erfüllung** tritt ein bei sog. bloßem Hin- und Herzahlen oder bei Zahlung aus Mitteln der GmbH.[13]

12 Wird eine **Unternehmergesellschaft** gem. § 5a gegründet, so kann die Leistungspflicht nur durch **Zahlung in bar** erfolgen, da gem. § 5a Abs. 2 Satz 2 Sacheinlagen ausgeschlossen sind. Der Grund liegt darin, dass das Stammkapital der Unternehmergesellschaft das Mindeststammkapital der GmbH nicht erreicht und in seiner Höhe von den Gesellschaftern frei bestimmt werden kann, sodass eine Halbeinzahlung nicht für erforderlich betrachtet wurde. Da die Unternehmergesellschaft wie jede GmbH nach der Gründung gewisse Barmittel für die Anfangszeit benötigt, können diese von den Gründern als Mindeststammkapital gewählt werden, müssen dann aber auch in bar eingezahlt werden.[14]

---

9   Zur Übertragbarkeit von Geschäftsanteilen s. Schulze-Steinen in Bormann/Kauka/Ockelmann, Hdb. GmbH-Recht, Kap. 9 Rn. 63 ff., 98 ff.

10   RegE MoMiG, Stand Mai 2007, Begründung Besonderer Teil, S. 67.

11   RegE MoMiG, Stand Mai 2007, Begründung Besonderer Teil, S. 68.

12   RegE MoMiG, Stand Mai 2007, Begründung Besonderer Teil, S. 69.

13   BGH, 22.03.2004 – II ZR 7/02, GmbHR 2004, 896.

14   RegE MoMiG, Stand Mai 2007, Begründung Besonderer Teil, S. 71.

Bei **Bar-Gründungen** muss die Hälfte des Mindeststammkapitals (12.500 €)   13
eingezahlt werden, wobei auf jeden Geschäftsanteil mindestens 1/4 des Nennbetrags einzuzahlen ist (§ 7 Abs. 2). Der Gesellschaftsvertrag kann auch die
volle Einzahlung vorsehen oder eine Bestimmung enthalten, wonach die
Anforderung des Restbetrags der Geschäftsführung übertragen wird. Der Geldbetrag muss bei der Anmeldung zur freien Verfügung der Geschäftsführer
stehen (§ 8 Abs. 2). Eine Leistung zur freien Verfügung der Geschäftsführer
liegt nicht vor, wenn der gezahlte Betrag absprachegemäß umgehend als
Darlehen an den Interferenten oder ein mit ihm verbundenes Unternehmen
zurückfließt (Hin- und Herzahlen, s.o.).[15] Der Geldbetrag muss tatsächlich und
rechtlich endgültig in das Gesellschaftsvermögen übergegangen sein.[16]

IV.   Sacheinlagen

Statt Einzahlung von Geld kann ein Gesellschafter seine Einlageverpflich-   14
tung auch durch sog. Sacheinlagen erfüllen. Darunter ist jede befreiende
Leistung auf das Stammkapital, die **nicht in Geld** besteht, zu verstehen. Die
konkrete Einlagepflicht bezieht sich dann auf die Einbringung von Sachen
oder sonstigen Vermögenswerten. In diesem Fall besteht die Gefahr, dass
z.B. mangelhafte oder wertlose Gegenstände/Vermögenswerte eingebracht
werden und so den Anschein einer solventen Gesellschaft begründen, jedoch
damit den Geschäftsverkehr und Gläubiger der Gesellschaft täuschen. Daher
sind für die Leistung von Sacheinlagen strenge Vorschriften hinsichtlich
ihrer Geeignetheit, Einbringung und Bewertung zu beachten (siehe unten
Rn. 15 ff.). Gegenstand einer Sacheinlage können Sachen, Rechte und sonstige vermögenswerte Rechtspositionen dann sein, wenn sie zur Bildung einer
Kapitalgrundlage für die Gesellschaft geeignet sind. Unter dieser Voraussetzung kommen bspw. als Sacheinlage in Betracht:[17]

1. bewegliche/ unbewegliche Sachen		z.B. Firmenfahrzeug, Privat- grundstück
2. Rechte	Immaterialgüterrechte	z.B. Urheber-, Geschmacks- muster-, Markenrechte, Paten- te, Lizenzen
	Nutzungsrechte	z.B. Gebrauchsüberlassung an Grundstücken oder Gebäuden

15   BGH, 02.12.2002 – II ZR 101/02, NJW 2003, 825.

16   BGH, 18.02.1991 – II ZR 104/90, BGHZ 113, 335, 348 f. = GmbHR 1991,
     255; BGH, 17.09.2001 – II ZR 275/99, NJW 2001, 3781.

17   Zur nachfolgenden beispielhaften Auflistung s. Hueck/Fastrich in Baumbach/
     Hueck, GmbHG, § 5 Rn. 25 ff.

	Mitgliedschaftsrechte	z.B. Gesellschaftsanteile, Aktien, Erbteile
	Öffentlich-rechtliche Positionen	z.B. übertragbare Konzessionen
	Forderungen	z.B. Ansprüche gegenüber Dritten
	Beschränkt dingliche Rechte	z.B. Erbbaurechte, Grundpfandrechte
3. Sach- und Rechtsgesamtheiten		z.B. Warenlager, Produktionsanlage, Fuhrpark, Handelsgeschäft, Unternehmen

1.   Festsetzung

15   Eine solche Leistung befreit nur, wenn sie gem. Abs. 4 Satz 1 festgesetzt wurde. Ferner sind Gläubigerschutzvorschriften zu beachten, wie etwa gem. §§ 7, 8, 9, 9c, 10, 19 und 82 GmbHG. Entsprechend § 27 Abs. 2, 1. Halbs. AktG sind solche Vermögensgegenstände **einlagefähig**, deren wirtschaftlicher Wert feststellbar ist und auf die Gesellschaft zur freien Verfügung übertragen werden kann.[18]

2.   Sachen

16   Grds. sind Sachen (bewegliche und nicht bewegliche) einlagefähig.[19] Bei **übertragbaren Sachen** ist dies unproblematisch.

17   **Künftige Sachen** sind nur einlagefähig, wenn sie im Zeitpunkt der Anmeldung existent sind (vgl. § 7 Abs. 3). Ist dies nicht der Fall, so könnte eine Forderungseinlage in Betracht kommen, wenn ein Herstellungsanspruch wegen der künftigen Sache gegenüber einem Dritten besteht.[20]

3.   Forderungen und sonstige Rechte

18   Hier ist zunächst zu differenzieren: **Forderungen** und Ansprüche des Gesellschafters **gegen Dritte** sind grds. einlagefähig, wenn sie übertragbar sind (§ 399 BGB). Dagegen sind **bedingte und künftige Forderungen** *nicht* einlagefähig. Dies gilt auch für Ansprüche auf Dienstleistungen und für stark personenbezogene Verpflichtungen aus Werkverträgen.

---

18   Herrschende Meinung vgl. BGH, 14.06.2004 – II ZR 121/02, GmbHR 2004, 1219, 1220; Hueck/Fastrich in Baumbach/Hueck, GmbHG, § 5 Rn. 23.

19   Zur Einlagefähigkeit von Sachen s.a. Lutter/Bayer in Lutter/Hommelhoff, GmbHG, § 5 Rn. 12 ff. (mit umfangreichen Literaturhinweisen); Winter/Westermann in Scholz, GmbHG, § 5 Rn. 37 ff.; Zeidler in Michalski, GmbHG, § 5 Rn. 64 ff.

20   Hueck/Fastrich in Baumbach/Hueck, GmbHG, § 5 Rn. 25.

Sonstige Rechte – etwa beschränkt dingliche Rechte, Immaterialgüterrechte, Urheberrechte usw. – sind dann einlagefähig, wenn sie einen **Vermögenswert** haben. Obligatorische Nutzungsrechte haben jedenfalls dann einen i.S.d. Sacheinlagefähigkeit feststellbaren wirtschaftlichen Wert, wenn ihre Nutzungsdauer in Form einer festen Laufzeit oder als konkret bestimmte Mindestdauer feststeht.[21]   **19**

Auch **Mitgliedschaftsrechte** sind grds. einlagefähig, ebenso wie **Sachgesamtheiten** (Handelsgeschäfte, Unternehmen).[22]   **20**

4. Bewertung

Die **Sacheinlagen** sind nach **objektiven Kriterien zum Zeitpunkt der Anmeldung der Gesellschaft** zu bewerten. Als Obergrenze ist der **Zeitwert**[23] der Sache anzusetzen. Dies kann – sofern vorhanden – der **Marktpreis** sein, sonst derjenige Betrag, den die GmbH bei anderweitiger Beschaffung aufwenden müsste.[24] Dieser Betrag darf jedoch nicht höher sein als der Wert, den die Gesellschaft bei der Veräußerung der Sache erzielen würde. Dies gilt auch für die Bewertung von Forderungen.   **21**

Bei **Forderungen** ist nicht der Nennwert, sondern der **realisierbare Erlös** maßgeblich.[25]   **22**

Problematisch ist die Bewertung von **immateriellen Vermögensgütern**. Existiert kein Marktpreis, so muss sich die Bewertung daran orientieren, was durch die immateriellen Vermögensgüter an marktwerten Gütern erzeugt werden kann. Um einer Überbewertung vorzubeugen, sollte hier besonders vorsichtig und zurückhaltend geschätzt werden.[26]   **23**

5. Sachgründungsbericht

In formeller Hinsicht muss bei Sacheinlagen der Gesellschaftsvertrag den Erfordernissen des Abs. 4 genügen, insbes. ist in einem Sachgründungsbericht die **angemessene Bewertung der Sacheinlagen** darzulegen. Hier ist **plausibel darzulegen**, welche Überlegungen für den angegebenen Einlagewert sprechen. In Betracht können kommen z.B. Markt- und Börsenpreise, bei Grundstücken die Unterlagen des gemeindlichen Gutachterausschusses, Sachverständigenbe-   **24**

---

21   BGH, 14.06.2004 – II ZR 121/02, GmbHR 2004, 1219, 1220.

22   Hueck/Fastrich in Baumbach/Hueck, GmbHG, § 5 Rn. 30.

23   OLG Köln, 25.04.1997 – 19 U 167/96, GmbHR 1998, 42, 43.

24   OLG Düsseldorf, 28.03.1991 – 6 U 234/90, WM 1991, 1669, 1670 f.

25   Hannemann, DB 1995, 2055 f.; Lutter/Bayer in Lutter/Hommelhoff, GmbHG, § 5 Rn. 24.

26   BGH, 18.09.2000 – II ZR 365/98, BGHZ 145, 157 f. = GmbHR 2000, 1198.

wertungen, nachweisbare Kosten. Soll ein Unternehmen als Sacheinlage geleistet werden, so müssen die beiden letzten Jahresergebnisse angegeben werden. Existiert das Unternehmen noch nicht über diesen Zeitraum, so ist über den bisherigen Geschäftsgang zu berichten.[27]

25 Ist der Sachgründungsbericht **mangelhaft**, so kann nicht eingetragen werden (vgl. § 9c Abs. 1 Satz 2). Unvollständigkeiten oder Ungenauigkeiten können jedoch nachgebessert werden. Erfolgt trotz Mangelhaftigkeit eine Eintragung, so hat dies keine weiteren Folgen. Jedoch ist auf die Haftung der Gesellschafter gem. § 9a und die Strafbarkeit gem. § 82 Abs. 1 Nr. 2 zu verweisen.[28]

6. Umgehungsgeschäfte

26 Die Vorschriften über Sacheinlagen zwingen die Gesellschafter zur Offenlegung ggü. dem Registergericht. Fehlende Angaben führen zu Eintragungshindernissen bzw. zur Differenzhaftung des Gesellschafters. Daher wird versucht, in anderer als der vorgeschriebenen Weise „zu leisten", ohne dass letztlich der Gesellschaft die gezeichnete Einlage zur Verfügung steht. So könnte z.B. der die Einlage schuldende Gesellschafter der Gesellschaft im Rahmen einer kaufvertraglichen Beziehung Waren liefern und der Kaufpreis wird mit der Bareinlageschuld verrechnet. Die Rechtsfolge derartiger Umgehungsgeschäfte („**verdeckte Sacheinlagen**")[29] trifft den so handelnden Gesellschafter. Er bleibt zur Leistung seiner Einlage in jedem Fall verpflichtet.

V. Rechtsfolgen

27 Erfolgt in der Satzung eine dem § 5 zuwider laufende Festsetzung des Stammkapitals, so ist diese nichtig. Es besteht dann ein Eintragungshindernis (§ 9c Abs. 2).

Auch eine Überbewertung einer Sacheinlage ist Eintragungshindernis; den Gesellschafter trifft dann eine Bareinlagepflicht i.H.d. Fehlbetrags (Differenzhaftung, § 9 Abs. 1). Darüber hinaus besteht für Geschäftsführer und Gesellschafter die Gefahr, bei Überbewertung gem. § 9a Schadensersatz leisten zu müssen. Die Haftung nach allgemeinen Grundsätzen, insbes. nach §§ 826, 823 Abs. 2 BGB i.V.m. § 263 StGB bleibt davon unberührt.

---

27 Hueck/Fastrich in Baumbach/Hueck, GmbHG, § 5 Rn. 55.

28 Westermann in Scholz, GmbHG, § 5 Rn. 98; BGH, 14.06.2004 – II ZR 121/02, BB 2004, 1925.

29 Zur Problematik der verdeckten Sacheinlagen s. Lutter/Bayer in Lutter/Hommelhoff, GmbHG, § 5 Rn. 41 ff. m.w.N.; Hueck/Fastrich in Baumbach/Hueck, GmbHG, § 5 Rn. 55.

VI.   Prozessuales

Wird die Gesellschaft trotz Eintragungshindernisses gem. § 9c Abs. 2 einge-   28
tragen, muss das **Amtsauflösungsverfahren** gem. § 144a FGG betrieben
werden. Enthält der Gesellschaftsvertrag keinerlei oder unklare Bestimmungen über die Höhe des Stammkapitals, ist die **Nichtigkeitsklage** gem. § 75
Abs. 1 GmbHG bzw. das **Amtslöschungsverfahren** gem. § 144 Abs. 1
Satz 2 FGG zu wählen.

§ 5a GmbHG   Unternehmergesellschaft

**(1) Eine Gesellschaft, die mit einem Stammkapital gegründet wird, das den
Betrag des Mindeststammkapitals nach § 5 Abs. 1 unterschreitet, muss in
der Firma abweichend von § 4 den Rechtsformzusatz „Unternehmergesellschaft (haftungsbeschränkt)" oder „UG (haftungsbeschränkt)" führen.**

**(2) [1]Abweichend von § 7 Abs. 2 darf die Anmeldung erst erfolgen, wenn
das Stammkapital in voller Höhe eingezahlt ist. [2]Sacheinlagen sind
ausgeschlossen.**

**(3) [1]In der Bilanz des nach den §§ 242, 264 des Handelsgesetzbuches
aufzustellenden Jahresabschlusses ist eine gesetzliche Rücklage zu bilden, in die ein Viertel des um einen Verlustvortrag aus dem Vorjahr
geminderten Jahresüberschusses einzustellen ist. [2]Die Rücklage darf
nur verwandt werden**

1. für Zwecke des § 57c;

**2. zum Ausgleich eines Jahresfehlbetrags, soweit er nicht durch einen
Gewinnvortrag aus dem Vorjahr gedeckt ist;**

**3. zum Ausgleich eines Verlustvortrags aus dem Vorjahr, soweit er nicht
durch einen Jahresüberschuss gedeckt ist.**

**(4) Abweichend von § 49 Abs. 3 muss die Versammlung der Gesellschaf-
ter bei drohender Zahlungsunfähigkeit unverzüglich einberufen werden.**

**(5) Erhöht die Gesellschaft ihr Stammkapital so, dass es den Betrag des
Mindeststammkapitals nach § 5 Abs. 1 erreicht oder übersteigt, finden
die Absätze 1 bis 4 keine Anwendung mehr; die Firma nach Abs. 1 darf
beibehalten werden.**

I.   Einführung

1   Durch die Vorschrift wird ermöglicht, eine GmbH in modifizierter Form zu gründen, sog. Unternehmergesellschaft. Damit wird **keine neue Rechtsform** geschaffen, sondern die Unternehmergesellschaft ist eine GmbH, bei der lediglich auf das Erfordernis des Mindeststammkapitals gem. § 5 verzichtet wurde. Die Gesellschafter können somit die Höhe des Stammkapitals frei bestimmen; es sollte angemessen sein, jedoch muss es nicht den Mindestbetrag erreichen. Zur Wahrung der Seriosität der Rechtsform der GmbH ist durch Abs. 3 die Bildung einer gesetzlichen Rücklage vorgeschrieben, mit der durch Thesaurierung innerhalb einiger Jahre eine höhere Eigenkapitalausstattung erreicht werden soll.[1]

2   Zweck der Vorschrift ist, Unternehmensgründungen durch Vereinfachung der Gründungsmodalitäten zu fördern.[2] Durch Verwendung der Musterprotokolle (Anlage 1 zu diesem Gesetz) ist damit ein der GmbH bisher unbekanntes Maß an Flexibilität, Schnelligkeit, Einfachheit und Kostengünstigkeit erreicht.[3] Dabei ist festzuhalten, dass diese Vereinfachungen nur unkomplizierte Standardgründungen betreffen.[4] Als unkomplizierte Standardgründung kann gelten: Bargründung, drei Gesellschafter max., ein Geschäftsführer, simple Vertretungsregelung, Unternehmensgegenstand i.S.d. multiple choice-Vorgaben.[5] Bei Verwendung der Mustersatzung dürfte sich der Anwendungsfall auf Einpersonengründungen beschränken, da sie wesentliche Regelungskomplexe einer Mehrpersonengründung, wie z.B. Kündigung eines Gesellschafters oder Einziehung von Geschäftsanteilen, ungeregelt lässt.[6] Die Verwendung der Musterprotokolle führt schließlich dazu, dass ein maßgeschneidertes Austarieren des Gesellschaftsgefüges, z.B. im Hinblick auf die Machtbalance der Organe oder die Abschottung von fremden Gesellschaftern, innerhalb der Standardsatzung nicht möglich ist.[7]

---

1   RegE MoMiG, Stand Mai 2007, Begründung Besonderer Teil, S. 71 f.

2   Genauer zur Abgrenzung gegenüber anderen Rechtsformen im europäischen Kontext, insbes. gegenüber der englischen Ltd. Friedel in Bormann/Kauka/Ockelmann, Hdb. GmbH-Recht, Kap. 3 Rn. 3 ff.

3   RegE MoMiG, Stand Mai 2007, Begründung Besonderer Teil, S. 70.

4   Karsten, GmbHR 2007, 958, 960.

5   Seibert, GmbHR 2007, 673, 674.

6   Freitag/Riemenschneider, ZIP 2007, 1485, 1487.

7   Bayer/Hoffmann/Schmidt, GmbHR 2007, 953, 954; Näheres zur Verwendung der Musterprotokolle bei Friedel in Bormann/Kauka/Ockelmann, Hdb. GmbH-Recht, Kap. 3 Rn. 61 ff.

II. Rechtsrahmen

Für die Unternehmergesellschaft gelten die Sonderregelungen dieser Vor-   3
schrift und alle Vorschriften dieses Gesetzes sowie des gesamten deutschen
Rechts, die die GmbH betreffen.[8] Wie jede GmbH entsteht die Unternehmergesellschaft mit der Eintragung ins Handelsregister, doch dürfte die Zeit
bis zur Eintragung wesentlich verkürzt und somit das Risiko der Haftung vor
der Eintragung gem. § 11 gemindert werden.

Als Ausgleich für die Vereinfachung bei der Gründung durch Verzicht auf das   4
Mindeststammkapital sieht das Gesetz die Bildung der gesetzlichen Rücklage
vor, um letztlich doch ein Eigenkapital zu erreichen, das dem Mindeststammkapital des § 5 entspricht. Der dem gesamten GmbHG innewohnende Gedanke
des Gläubigerschutzes wird dadurch erreicht, dass durch die Firmierung auf die
Haftungsbeschränkung ausdrücklich hingewiesen wird. Insofern fügt sich die
Unternehmergesellschaft nahtlos in das GmbHG ein.

III. Rechtsformzusatz

Die Unternehmergesellschaft kann ihre Firma i.R.d. § 4 frei wählen (zu den   5
Grundsätzen des Firmenrechts s.o. § 4 Rn. 5). Sie muss jedoch in ihrer Firma
einen anderen Rechtsformzusatz als die normale GmbH führen. Durch Abs. 1
ist zwingend vorgeschrieben, den Zusatz „**Unternehmergesellschaft (haftungsbeschränkt)**" oder die Abkürzung „**UG (haftungsbeschränkt)**" zu
führen. Unzulässig ist es, eine Abkürzung des Zusatzes „(haftungsbeschränkt)"
zu benutzen. Durch diese Vorgaben soll erreicht werden, dass beim Auftreten
der Unternehmergesellschaft im Geschäftsverkehr nicht falsche Vorstellungen
über ihre nur sehr geringe Kapitalausstattung im Haftungsfall entstehen. Jede
Täuschung über die Haftungsbeschränkung und das möglicherweise noch sehr
geringe Vermögen der Gesellschaft soll vermieden werden.[9] Ob dieses Ziel mit
der verwandten Bezeichnung des Rechtsformzusatzes hinreichend sicher
erreicht werden kann, bleibt abzuwarten.

Was für die GmbH hinsichtlich eines fehlenden oder falschen Rechtsform-   6
zusatzes gilt, dürfte zur Frage der **Rechtsscheinhaftung** [10] für die Unternehmergesellschaft erst recht gelten. Der Gebrauch einer Firma ohne den
vorgeschriebenen Zusatz kann eine Rechtsscheinhaftung auslösen, die sich
grds. gegen den richtet, der den Rechtsschein einer nicht haftungsbegrenzten
Gesellschaft auslöst. Dies dürfte regelmäßig der für die Gesellschaft Handelnde sein, zumeist also der Geschäftsführer.

---

8   RegE MoMiG, Stand Mai 2007, Begründung Besonderer Teil, S. 71.

9   RegE MoMiG, Stand Mai 2007, Begründung Besonderer Teil, S. 71.

10   Ausführlich zur Rechtsscheinhaftung s. Roth/Altmeppen, GmbHG, § 4 Rn. 49.

IV. Zahlung des Stammkapitals

7   Die Unternehmergesellschaft ist gem. § 7 zur Eintragung ins Handelsregister anzumelden. Im Unterschied zur normalen GmbH und in Abweichung
von § 7 Abs. 2 muss das **Stammkapital voll in bar eingezahlt werden**.
Sacheinlagen können nicht geleistet werden. Der Grund liegt darin, dass das
Stammkapital der Unternehmergesellschaft das Mindeststammkapital der
GmbH nicht erreicht und in seiner Höhe von den Gesellschaftern frei
bestimmt werden kann, sodass eine Halbeinzahlung nicht für erforderlich
betrachtet wurde. Da die Unternehmergesellschaft wie jede GmbH nach der
Gründung gewisse Barmittel für die Anfangszeit benötigt, können diese von
den Gründern als Mindeststammkapital gewählt werden, müssen dann aber
auch in bar eingezahlt werden.[11]

V. Gesetzliche Rücklage

8   Da die Unternehmergesellschaft das Mindeststammkapital der GmbH zu
Anfang nicht erreicht, soll durch die gesetzliche Rücklage innerhalb einiger
Jahre nach der Gründung eine höhere Eigenkapitalausstattung erreicht
werden. Zu diesem Zweck hat die Gesellschaft in der Bilanz des nach den
§§ 242, 264 HGB aufzustellenden Jahresabschlusses eine gesetzliche Rücklage zu bilden, in die 1/4 des um einen Verlustvortrag aus dem Vorjahr
geminderten Jahresüberschusses einzustellen ist. Mit dieser Vorschrift wird
die Gewinnausschüttung beschränkt. Dies wird für vertretbar gehalten, da
für die Praxis sehr häufig eine Identität von Gesellschafter und Geschäftsführer angenommen wird, und dieser seinen notwendigen Lebensunterhalt
von seinem Geschäftsführergehalt bestreiten könne und ein Bedarf für eine
weitere Gewinnausschüttung nicht bestehe.[12]

9   Die Rücklage darf gem. Abs. 3 Nr. 1 nur für die Zwecke des § 57c verwandt
werden, d.h. sie darf nur zur Erhöhung des Stammkapitals in Stammkapital
umgewandelt werden. Ferner darf die Rücklage gem. Abs. 3 Satz 2 Nr. 2
zum Ausgleich eines Jahresfehlbetrags nur dann und insoweit verwandt
werden, als er nicht durch einen Gewinnvortrag aus dem Vorjahr gedeckt
ist. Ebenso darf die Rücklage zum Ausgleich eines Verlustvortrages aus dem
Vorjahr nur verwandt werden, soweit dieser nicht durch einen Jahresüberschuss gedeckt ist, vgl. Abs. 3 Satz 2 Nr. 3. Diese Bestimmungen hinsichtlich der Verwendbarkeit der Rücklage ist vom Zweck der Einführung der
Unternehmergesellschaft gedeckt. Sie soll durch Ansparen der Gewinne
letztlich zur *„Voll-GmbH"* heranwachsen. Eine zu starke Beschränkung der

---

11   RegE MoMiG, Stand Mai 2007, Begründung Besonderer Teil, S. 71.

12   RegE MoMiG, Stand Mai 2007, Begründung Besonderer Teil, S. 72.

Gesellschafterrechte dürfte dies nicht bedeuten, da mit dem Erreichen des Mindeststammkapitals des § 5 die Vorschrift über die gesetzliche Rücklage nicht mehr anzuwenden ist (vgl. Abs. 5).

VI. Berufung der Gesellschafterversammlung

Gem. § 49 Abs. 3 muss die Gesellschafterversammlung unverzüglich ein-   10
berufen werden, wenn sich aus der Jahresbilanz oder aus einer im Laufe des Geschäftsjahres aufgestellten Bilanz ergibt, dass die Hälfte des Stammkapitals verloren ist. Hieran können die Gesellschafter der Unternehmergesellschafter nicht anknüpfen, da es kein Mindeststammkapital gibt. Da das Stammkapital ohnehin recht gering sein wird, bietet sich als Anknüpfungspunkt für die Einberufungspflicht die **drohende Zahlungsunfähigkeit**[13] an. Der Begriff der Zahlungsunfähigkeit ist dem Insolvenzrecht entlehnt. Nach **§ 18 Abs. 2 InsO** liegt drohende Zahlungsunfähigkeit vor, wenn die Gesellschaft voraussichtlich nicht in der Lage ist, die bestehenden fälligen Zahlungspflichten im Zeitpunkt der Fälligkeit zu erfüllen. Um dies beurteilen zu können, muss der Geschäftsführer eine Prognose unter Einbeziehung aller noch nicht fälligen Geldverbindlichkeiten und unter Berücksichtigung der zu erwartenden Zahlungseingänge erstellen.

VII. Kapitalaufholung

Die Unternehmergesellschaft hat gem. Abs. 3 die **Pflicht zur Bildung der**   11
gesetzlichen Rücklage, um im Verlauf der weiteren Jahre ihr Eigenkapital zu erhöhen. Für diese Beschränkung der Gesellschafterrechte besteht nur solange Anlass, wie das gesetzliche Mindeststammkapital des § 5 nicht erreicht wird. Hat die Gesellschaft genügend Eigenmittel, um eine Kapitalerhöhung aus Gesellschaftsmitteln durchzuführen und führt sie diese durch, oder wird eine Kapitalerhöhung durch Einlage der Gesellschafter durchgeführt und wird dadurch im Ergebnis das Mindeststammkapital des § 5 erreicht, so besteht kein Bedürfnis mehr für die Kapitalaufholung, sodass die Anwendbarkeit der Abs. 1 bis 4 entfällt.[14] Die bis zu diesem Fall gebildete Rücklage hat ihre Funktion verloren und kann somit, soweit sie nicht für die Erhöhung des Stammkapitals verwendet wurde, aufgelöst werden. In dieser Situation haben die Gesellschafter die Möglichkeit, die Gesellschaft gem. § 4 **umzufirmieren**. Einer **Umwandlung** bedarf es *nicht*, denn die Unternehmergesellschaft nach § 5a ist eine GmbH.

---

13   Vertiefend zur drohenden Zahlungsunfähigkeit: Schulze-Osterloh in Baumbach/Hueck, GmbHG, § 64 Rn. 10 ff.

14   RegE MoMiG, Stand Mai 2007, Begründung Besonderer Teil, S. 72.

VIII. Rechtsfolgen

12   Sollten die Geschäftsführer/Gesellschafter gegen die Vorschriften über die Bildung und Verwendung der gesetzlichen Rücklage verstoßen, hat dies gem. § 256 AktG analog die Nichtigkeit der Feststellung des Jahresabschlusses und gem. § 253 AktG analog die Nichtigkeit des Gewinnverwendungsbeschlusses zur Folge. Hat der Geschäftsführer gehandelt, so kommt eine Haftung nach § 43 Abs. 2 GmbHG in Betracht. Ferner folgen aus der Nichtigkeit des Feststellungs- und Gewinnverwendungsbeschlusses bürgerlich-rechtliche Rückzahlungsansprüche gem. § 812 BGB[15] gegen die Gesellschafter.[16]

§ 6 GmbHG   Geschäftsführer

(1) Die Gesellschaft muss einen oder mehrere Geschäftsführer haben.

(2) [1]**Geschäftsführer kann nur eine natürliche, unbeschränkt geschäftsfähige Person sein.** [2]**Geschäftsführer kann nicht sein wer,**

1. **als Betreuter bei der Besorgung seiner Vermögensangelegenheiten ganz oder teilweise einem Einwilligungsvorbehalt (§ 1903 des Bürgerlichen Gesetzbuchs) unterliegt,**

2. **aufgrund eines gerichtlichen Urteils oder einer vollziehbaren Entscheidung einer Verwaltungsbehörde einen Beruf, Berufszweig, ein Gewerbe oder Gewerbezweig nicht ausüben darf, sofern der Unternehmensgegenstand ganz oder teilweise mit dem Gegenstand des Verbots übereinstimmt,**

3. **wegen einer oder mehrerer vorsätzlich begangener Straftaten**

    a)   **des Unterlassens der Stellung des Antrags auf Eröffnung des Insolvenzverfahrens (Insolvenzverschleppung),**

    b)   **nach den §§ 283 bis 283d des Strafgesetzbuches (Insolvenzstraftaten),**

    c)   **der falschen Angaben nach § 82 dieses Gesetzes oder § 399 des Aktiengesetzes,**

    d)   **der unrichtigen Darstellung nach § 400 des Aktiengesetzes, § 331 des Handelsgesetzbuches, § 313 des Umwandlungsgesetzes oder § 17 des Publizitätsgesetzes oder**

---

15   Hueck/Fastrich in Baumbach/Hueck, GmbHG, § 29 Rn. 43.

16   RegE MoMiG, Stand Mai 2007, Begründung Besonderer Teil, S. 72.

e) nach den §§ 263 bis 264a oder den §§ 265b bis 266a des Strafgesetzbuches zu einer Freiheitsstrafe von mindestens einem Jahr verurteilt worden ist;

dieser Ausschluss gilt für die Dauer von fünf Jahren seit der Rechtskraft des Urteils, wobei die Zeit nicht eingerechnet wird, in welcher der Täter auf behördliche Anordnung in einer Anstalt verwahrt worden ist.
[3]Satz 2 Nr. 3 gilt entsprechend bei einer Verurteilung im Ausland wegen einer Tat, die mit den in Satz 2 Nr. 3 genannten Taten vergleichbar ist.

(3) [1]Zu Geschäftsführern können Gesellschafter oder andere Personen bestellt werden. [2]Die Bestellung erfolgt entweder im Gesellschaftsvertrag oder nach Maßgabe der Bestimmungen des dritten Abschnitts.

(4) Ist im Gesellschaftsvertrag bestimmt, dass sämtliche Gesellschafter zur Geschäftsführung berechtigt sein sollen, so gelten nur die der Gesellschaft bei Festsetzung dieser Bestimmung angehörenden Personen als die bestellten Geschäftsführer.

(5) Gesellschafter, die vorsätzlich oder grob fahrlässig einer Person, die nicht Geschäftsführer sein kann, die Führung der Geschäfte überlassen, haften der Gesellschaft solidarisch für den Schaden, der dadurch entsteht, dass diese Person die ihr gegenüber der Gesellschaft bestehenden Obliegenheiten verletzt.

I. Einführung

1   Durch die GmbH-Reform ist Abs. 2 der Vorschrift verändert worden. § 6
    Abs. 2 Sätze 2 bis 4 GmbHG a.F. wurden zu einem Satz zusammengefasst
    und formal angepasst. Eine Erweiterung der Regelung erfolgte durch § 6
    Abs. 2 Nr. 3, wonach strafrechtliche Verurteilungen wegen Insolvenzver-
    schleppung, wegen Falschangaben i.S.d. § 82 bzw. § 399 AktG oder wegen
    unrichtiger Darstellung nach § 400 AktG, § 331 HGB, § 313 UmwG oder
    § 17 PublG eine Tätigkeit als Geschäftsführer ausschließen.

2   Der oder die Geschäftsführer (§ 6 Abs. 1) sind notwendiges Organ der
    GmbH. Die persönlichen Eignungsvoraussetzungen und wie die Geschäfts-
    führer zu bestellen sind, regeln die Abs. 2 und 3; Abs. 4 enthält eine Regel
    zur Interpretation des Gesellschaftsvertrags.

3   Die Gesellschaft muss Geschäftsführer auch schon vor der Eintragung der
    GmbH haben, um insbes. die in der Gründungsphase notwendigen Rechts-
    geschäfte für die GmbH zu tätigen (vgl. §§ 7, 8, 78). Nach außen vertreten die
    Geschäftsführer die GmbH gerichtlich und außergerichtlich (§ 35 ff.). Sie
    haben sich dabei an die Vorgaben der Gesellschafter zu halten, wobei Dritten
    gegenüber eine Beschränkung der Befugnis keine Wirkung hat (vgl. § 37
    Abs. 1 und 2). Nach innen besorgen die Geschäftsführer die Geschäfte der
    GmbH. Die ihnen durch Gesellschaftsvertrag, Gesellschafterversammlung
    oder Aufsichtsrat eingeräumte Geschäftsführungsbefugnis bestimmt, in wel-
    chem Umfang Maßnahmen zur Verfolgung des Unternehmenszweckes den
    Gesellschaftern gegenüber zulässig sind. Weitere Vorschriften des GmbHG
    regeln die besonderen Aufgaben der Geschäftsführer (vgl. §§ 41 ff.).

II. Anzahl der Geschäftsführer (Abs. 1)

4   Hinsichtlich der Zahl der Geschäftsführer ist in Abs. 1 bestimmt, dass
    mindestens ein Geschäftsführer bestellt wird. Nach oben ist diese Zahl nicht
    begrenzt, sodass die Satzung jede höhere Zahl festlegen kann. Eine Beson-
    derheit gilt im Anwendungsbereich des Mitbestimmungsgesetzes und der
    Montanmitbestimmung. Hier müssen mindestens zwei Personen die

Geschäfte führen, da neben dem Geschäftsführer ein Arbeitsdirektor als weiterer gleichberechtigter Geschäftsführer zu bestellen ist (vgl. § 33 MitbestG, § 13 MontanMitbestG, § 13 MitbestErgG).[1]

III. Eignungsvoraussetzungen (Abs. 2)

1. Natürliche, unbeschränkt geschäftsfähige Personen (Abs. 2 Satz 1)

Geschäftsführer können nur natürliche und unbeschränkt geschäftsfähige 5 Personen werden. Minderjährige sind auch trotz einer vorliegenden Zustimmung des gesetzlichen Vertreters nicht geeignet, ebenso wenig wie juristische Personen oder sonstige Personenvereinigungen.[2] Ob darüber hinaus gehend ein Mindestalter erreicht oder eine bestimmte Ausbildung vorhanden sein muss, ist gesetzlich nicht geregelt; solche besonderen Anforderungen können sich jedoch aus dem Gesellschaftsvertrag ergeben.[3]

Auch **Ausländer** können Geschäftsführer werden.[4] Begrenzungen durch das 6 GmbHG gibt es insoweit nicht. Doch sollte es dem ausländischen Geschäftsführer möglich sein, seine gesetzlichen Pflichten zu erfüllen (§§ 41, 43 Abs. 3, 64), ohne dass dafür Kenntnis der deutschen Sprache zu fordern wäre. Ein inländischer Wohnsitz oder ein ständiger Aufenthalt im Inland ist ebenso wenig notwendig.[5] Für das Anstellungsverhältnis sind jedoch die üblichen ausländerrechtlichen Bestimmungen zu beachten (z.B. § 3 AuslG). Ob es einem ausländischen Geschäftsführer jederzeit möglich sein muss, ins Inland einreisen zu können, um so seinen hier geforderten Pflichten – etwa der Auskunftserteilung oder der Einsichtsgewährung – nachkommen zu können, ist wegen einer möglichen Ungleichbehandlung von EU-Ausländern und Nicht-EU-Ausländern streitig.[6] Auf die Fähigkeit, jederzeit zur Erfüllung der Pflichten einreisen zu können, kann es m.E. jedoch nicht ankommen. Maßgeblich ist allein, dass in Kenntnis aller Umstände und in Kenntnis der mit der Organstellung verbundenen Verpflichtungen durch Vertrag die Aufgabe übernommen wurde. Hinsichtlich der Anforderungen an die Pflichterfüllung ist

---

1   Hueck/Fastrich in Baumbach/Hueck, GmbHG, § 6 Rn. 5 m.w.N.

2   Zu den Eignungsvoraussetzungen eines Geschäftsführers: s.a. Schneider in Scholz, GmbHG, § 6 Rn. 11 ff.; Heyder in Michalski, GmbHG, § 6 Rn. 18 ff.; Hueck/Fastrich in Baumbach/Hueck, GmbHG, § 6 Rn. 9.

3   Heckschen in Wachter, FA Handels- und GesellschaftsR, Teil 2, 2. Kap. Rn. 170.

4   Hommelhoff/Kleindiek in Lutter/Hommelhoff, GmbHG, § 6 Rn. 14 f.; OLG Hamm, 09.08.1999 – 15 W 81/99, ZIP 1999, 1919, 1920.

5   Herrschende Meinung: vgl. OLG Dresden, 05.11.2002 – 2 U 1433/02, GmbHR 2003, 537, 538.

6   Zum Streitstand s. Roth/Altmeppen, GmbHG, § 6 Rn. 14.

insofern kein Unterschied zwischen EU-Ausländern und Nicht-EU-Ausländern und ebenso zwischen ausländischen und deutschen Geschäftsführern vorhanden.[7] Wie sie ihre Pflichten erfüllen, ist allein ihnen überlassen. Die Folgen von Pflichtverletzungen treffen alle gleich.

2. Absolute Ausschlussgründe (Abs. 2 Satz 2 und 3)

7 Da die Geschäftsführer die Gesellschaft nach außen vertreten und u.a. ihre Vermögensinteressen wahrnehmen, müssen sie über bestimmte Qualifikationen verfügen, um den daraus folgenden Befugnissen und Pflichten gerecht werden zu können. Zum Schutz der Gesellschaft, der Gesellschafter und der Gläubiger der Gesellschaft können daher Personen, die diese Qualifikationen nicht haben bzw. denen man diese Qualifikation nicht (mehr) zutraut, nicht Geschäftsführer werden.

a) Betreute Personen (Abs. 2 Satz 2 Nr. 1)

8 Nach Abs. 2 Satz 2 Nr. 1 dürfen Betreute, die ihre eigenen Vermögensangelegenheiten nicht ohne Einwilligung eines Betreuers vornehmen können (vgl. § 1903 BGB), nicht als Geschäftsführer bestellt werden.

b) Ausschluss wegen des Verbots, einen Beruf, Berufszweig, ein Gewerbe oder Gewerbezweig auszuüben (Abs. 2 Satz 2 Nr. 2)

9 Ausschlussgründe können in Berufs- oder Gewerbeausübungsverboten bestehen, die durch gerichtliches Urteil oder vollziehbare Entscheidung einer Verwaltungsbehörde verhängt wurden, Abs. 2 Satz 2 Nr. 2.[8] Der Ausschluss vom Geschäftsführeramt ist jedoch auf die Gesellschaften beschränkt, deren Unternehmensgegenstand ganz oder teilweise mit dem Gegenstand des Verbots übereinstimmt. Eine bei vorliegendem Ausschlussgrund dennoch vorgenommene Bestellung ist unwirksam. Sofern ein zivilrechtliches rechtskräftiges Verbot (z.B. Wettbewerbsverbot) besteht, ist eine Bestellung ebenfalls nicht möglich. Die Dauer des Ausschlusses richtet sich nach der Dauer des Verbots und kann ggf. auch unbefristet sein. Eine Übertragbarkeit der in Abs. 2 Satz 2 letzter Halbs. genannten Fünfjahresfrist ist nicht gegeben.[9]

---

7 So auch im Ergebnis: Roth/Altmeppen, GmbHG, § 6 Rn. 15 a.E.

8 Zu gesetzlichem Bestellungsverbot wegen berufsrechtlicher Qualifikationsanforderungen: s.a. Erdmann, NZG 2002, 503.

9 Hueck/Fastrich in Baumbach/Hueck, GmbHG, § 6 Rn. 11.

Für den Ausschluss wegen Insolvenzstraftaten (dazu nachfolgend unter 10
Rn. 13) kommt es auf ein etwa ausgesprochenes gerichtliches Berufsverbot
nicht an. Ein gerichtliches Berufsverbot kann jedoch einen Ausschlussgrund
darstellen, wenn jemand wegen anderer Vermögensstraftaten (Diebstahl,
Hehlerei, Betrug, Untreue etc.) verurteilt ist. Bei Verstoß gegen Abs. 2
Satz 2 Nr. 3. Buchst. c) i.V.m. § 8 Abs. 3 ist eine gleichwohl vorgenommene Bestellung nichtig.

c) Ausschluss wegen begangener Straftaten (Abs. 2 Satz 2 Nr. 3 und Satz 3)

Gem. Abs. 2 Satz 2 Nr. 3 können der Bestellung **absolute Ausschluss-** 11
gründe infolge strafbarer Handlungen entgegenstehen. Aus Gründen des
Gläubigerschutzes sind für die Dauer von fünf Jahren solche Personen von
der Geschäftsführung ausgeschlossen, die wegen Verstoßes gegen insol-
venz- bzw. gesellschaftsrechtliche Vorschriften und insbes. wegen Vermögensstraftaten verurteilt worden sind.

Gegenüber der bisherigen Regelung wurden die Ausschlusstatbestände 12
einerseits durch die Aufnahme weitere Straftaten in Abs. 2 Satz 2 Nr. 3
erweitert, andererseits aber auch eingeschränkt, indem nur noch die Verurteilung wegen **vorsätzlich** begangener Straftaten für den Ausschluss von
Bedeutung ist.

aa) Insolvenzstraftaten (Satz 2 Nr. 3 Buchst. a) und b)

Gemäß Abs. 2 Nr. 3 Buchst. a) ist nunmehr auch eine Verurteilung wegen 13
Insolvenzverschleppung gem. § 15a Abs. 4 InsO[10] Ausschlusstatbestand. In
diesem Fall hat es der Geschäftsführer unterlassen, bei Zahlungsunfähigkeit
oder Überschuldung die Eröffnung des Insolvenzverfahrens zu beantragen.

Wer wegen **Bankrotts, Verletzung der Buchführungspflicht, Gläubiger-** 14
begünstigung, Schuldnerbegünstigung (Straftaten gem. §§ 283 bis
283d StGB) in vorsätzlicher Begehungsform verurteilt worden ist, kann
nicht Geschäftsführer sein.

bb) Falsche Angaben, unrichtige Darstellung (Satz 2 Nr. 3 Buchst. c) und d)

Ausgeschlossen ist auch, wer als Gesellschafter oder Geschäftsführer im 15
Zusammenhang mit der Gründung einer Gesellschaft, der Erhöhung oder der
Herabsetzung des Stammkapitals oder in öffentlichen Mitteilungen vorsätz-
lich falsche Angaben gemacht hat und deswegen nach § 82 GmbHG oder

---

10   Nach dem Stand der Neuregelung seit dem 01.11.2008.

§ 399 AktG verurteilt wurde. Ebenfalls ausgeschlossen ist, wer wegen unrichtiger Darstellung nach § 400 AktG, § 331 HGB, § 313 UmwG, § 17 PublG verurteilt wurde.

cc)   Vermögensstraftaten (Satz 2 Nr. 3 Buchst. e)

16   Wer wegen einer oder mehrerer vorsätzlich begangener Vermögensstraftaten des Strafgesetzbuches verurteilt worden ist, ist zur Geschäftsführung ungeeignet. Die relevanten Straftatbestände werden ausdrücklich genannt, sodass eine Verurteilung wegen Verwirklichung von **allgemeinen Vermögensdelikten** – wie etwa §§ 263, 263a, 264, 264a StGB – als Ausschlussgrund gilt. Für einen Ausschluss sind ferner Verurteilungen wegen **Kreditbetrugs** (§ 265b StGB), wegen **Untreue** (§ 266 StGB) sowie wegen **Vorenthalten und Veruntreuen von Arbeitsentgelt** (§ 266a StGB) maßgeblich.

dd)   Verurteilung im Ausland (Satz 3)

17   Das zuvor Dargestellte gilt bei einer Verurteilung wegen ähnlicher Delikte durch ein ausländisches Gericht. Was ohne entsprechende Regelung früher bereits anerkannt war, ist nunmehr ausdrücklich in das Gesetz aufgenommen. Damit soll ein einheitlicher Schutzstandard vor ungeeigneten Personen als Geschäftsführer gewährleistet werden.[11]

d)   Wegfall der Geschäftsfähigkeit

18   Eine Bestellung ohne Beachtung des Abs. 2 Satz 1 oder 2 ist unwirksam. **Entfällt** die Geschäftsfähigkeit **nach der Bestellung,** verliert der Geschäftsführer sein Amt, ohne dass es eines weiteren gesellschaftsrechtlichen Aktes oder Kenntnis der Gesellschafter (auch des vermeintlichen Geschäftsführers) davon bedarf.

19   Erlangt er seine **Geschäftsfähigkeit zurück,** so bedarf es einer neuerlichen Bestellung zum Geschäftsführer.

3.   Sonstige persönliche Voraussetzungen

20   **Berufs- oder gewerberechtliche Vorschriften** berühren die Bestellung zum Geschäftsführer *nicht,* jedoch ergeben sich Rechtsfolgen aus den jeweiligen **Sondergesetzen,** so z.B. für Rechtsanwälte gem. § 59f Abs. 2 BRAO i.V.m. § 59e Abs. 1 Satz 1 BRAO; für Steuerberater gem. §§ 49 Abs 1, 50 Abs. 1 StBerG; für Wirtschaftsprüfer gem. §§ 27 Abs. 1, 28 Abs. 1 WiPrO. Die

---

11   RegE MoMiG, Stand Mai 2007, Begründung Besonderer Teil, S. 74.

Bestellung ist allerdings bei Verstößen gegen solche Vorschriften wirksam, sodass eine Eintragung nicht abgelehnt werden darf. Etwas anderes gilt, wenn Berufs- oder Gewerbeausübungsverbote bestehen (s.o. Rn. 9).

Auch **durch Satzung** können Eignungsvoraussetzungen bestimmt werden, 21 etwa dass nur Personen mit besonderen Qualifikationen oder Merkmalen zu Geschäftsführern bestellt werden können, z.B.: Gesellschaftereigenschaft, Mindestalter, Qualifikation durch bestimmte Ausbildung.[12] Sollten derartige statutarische Qualifikationsmerkmale nach schon erfolgter Bestellung fehlen, so bleibt die Bestellung gültig, jedoch dürfte regelmäßig dadurch ein wichtiger Grund zur Abberufung des Geschäftsführers gegeben sein. Ebenso ist eine Anfechtung des Bestellungsbeschlusses möglich.[13]

IV. Haftung der Gesellschafter bei Bestellung eines ungeeigneten Geschäftsführers

Bisher sah das GmbHG eine Haftungsregelung zulasten der Gesellschafter, 22 die eine ungeeignete Person als Geschäftsführer bestellen oder handeln lassen, nicht vor. Begründet wurde dies damit, dass eine solche Binnenhaftung der GmbH-Systematik und dem GmbH-Grundsatz, dass der Alleingesellschafter oder die einverständlich handelnden Gesellschafter für einen Schaden nicht verantwortlich sind, die sie selbst oder die mit ihrem Einverständnis handelnden Geschäftsführer ihrer eigenen Gesellschaft zufügen, widerspreche. Ferner könne eine solche Gesellschafterhaftung nicht das Ziel erreichen, ungeeignete Personen von der Geschäftsführung gänzlich auszuschließen, da Strohmannkonstruktionen nicht zu verhindern seien. Der notwendige Gläubigerschutz werde schon durch die Kapitalerhaltungsvorschriften dieses Gesetzes erreicht.

Mit Abs. 5 ist nunmehr eine solche gesellschaftsrechtliche Binnenhaftung 23 vorgesehen, wenn Gesellschafter vorsätzlich oder fahrlässig einer Person, die nicht Geschäftsführer sein kann, die Führung der Geschäfte überlassen. Damit wird der bisherigen Rechtsprechung Rechnung getragen, die Gesellschafter zivilrechtlich gem. § 311 Abs. 2 BGB oder § 826 BGB haften ließ, wenn sie einen geschäftsunfähigen Geschäftsführer für die GmbH handeln ließen und die fehlende Geschäftsfähigkeit kannten oder hätten kennen müssen.[14]

---

12 Heckschen in Wachter, FA Handels- und GesellschaftsR, Teil 2, 2. Kap. Rn. 170 a.E.

13 Roth/Altmeppen, GmbHG, § 6 Rn. 17.

14 BGH, 01.07.1991 – II ZR 292/90, BGHZ 115, 78, 83 = NJW 1991, 2566, 2567; RegE MoMiG, Stand Mai 2007, Begründung Besonderer Teil, S. 75.

V.   Gesellschaftergeschäftsführer, Fremdgeschäftsführer (Abs. 3 Satz 1)

24   Im Unterschied zum Personengesellschaftsrecht ist bei der GmbH keine Selbstorganschaft vorgeschrieben sondern **Drittorganschaft** möglich, denn es können Gesellschafter und andere Personen zum Geschäftsführer berufen werden, vgl. Abs. 3 Satz 1. Dennoch ist faktisch Selbstorganschaft dann gegeben, wenn bei kleinen oder Einmann-GmbH die oder der Gesellschafter gleichzeitig auch Geschäftsführer sind.

25   **Fremdgeschäftsführer** und Gesellschaftergeschäftsführer werden vom Gesetz **unterschiedlich behandelt**, z.B. hinsichtlich des Selbstkontrahierungsverbots gem. § 181 BGB, s. § 35 Abs. 3 Satz 1.

VI.   Bestellung (Abs. 3 Satz 2)

26   Gem. Abs. 3 Satz 2 erfolgt die Bestellung entweder im Gesellschaftsvertrag oder nach Maßgabe der §§ 35 ff., insbes. §§ 46 Nr. 5, 47 GmbHG. Von dem Akt der Bestellung zum Geschäftsführer ist das die persönliche Rechtsstellung des Betroffenen regelnde Anstellungsverhältnis zu unterscheiden. Organ- und Anstellungsverhältnis sind rechtlich getrennt, woraus folgt, dass beide Rechtsverhältnisse rechtlich selbstständig nebeneinander stehen und demgemäß auch rechtlich unabhängig voneinander nach den jeweiligen dafür geltenden Vorschriften beendet werden können.[15] Wie ein Geschäftsführer in Bezug auf sein Anstellungsverhältnis aus arbeitsrechtlicher bzw. sozial- und rentenversicherungsrechtlicher Sicht einzustufen ist, ist Einzelfallfrage.[16]

27   Die Bestellung kann **befristet** oder unbefristet sein, sie kann auch mit einer Bedingung verbunden werden. Die Bestellung eines Geschäftsführers unter einer auflösenden Bedingung ist zulässig,[17] doch ist die auflösende Bedingung nicht eintragungsfähig.[18]

28   Der wirksame Bestellungsbeschluss der Gesellschafter bewirkt zunächst nur, dass die Bestellung als solche schwebend unwirksam ist. Es bedarf zur Wirksamkeit der Bestellung der Annahme der Bestellung durch den Kandidaten, da diesem das Amt nicht ohne sein Zutun aufgedrängt werden kann.[19] Für diese

---

15   BGH, 28.10.2002 – II ZR 146/02, GmbHR 2003, 100.

16   Zur arbeits- und sozialrechtlichen Stellung des Geschäftsführers s. Hecksehen in Wachter, FA Handels- und GesellschaftsR, Teil 2, 2. Kap. Rn. 173; Ockelmann/Pieperjohanns/Hölck in Bormann/Kauka/Ockelmann, Hdb. GmbH-Recht, Kap. 7 Rn. 24 ff.

17   BGH, 24.10.2005 – II ZR 55/04, GmbHR 2006, 46, 47.

18   OLG Stuttgart, 11.02.2004 – 14 U 58/03, ZIP 2004, 951, 953.

19   Hueck/Fastrich in Baumbach/Hueck, GmbHG, § 6 Rn. 14.

Annahmeerklärung ist die Einhaltung einer bestimmten Form nicht vorgeschrieben. Regelmäßig wird ein zum Geschäftsführer vorgeschlagener Gesellschafter durch Abschluss des Gesellschaftsvertrags das angetragene Amt annehmen. Von einer konkludent erklärten Annahme wird man in den Fällen ausgehen können, in denen der bestellte Geschäftsführer Amtshandlungen vornimmt, z.B. die Gesellschaft zur Eintragung anmeldet.

VII. Notgeschäftsführer

Die Bestellung eines Notgeschäftsführers kann entsprechend § 29 BGB erfolgen, wenn ein erforderlicher Geschäftsführer fehlt oder die zur Vertretung der GmbH erforderliche Zahl der Geschäftsführer nicht erreicht wird,[20] da der Gesellschaft ohne Geschäftsführer das notwendige Handlungsorgan fehlt.   29

Auch im Gründungsstadium bedarf es eines Geschäftsführers, da ansonsten die Vorgesellschaft nicht handeln könnte. Ohne einen Geschäftsführer kann die GmbH nicht angemeldet und nicht eingetragen werden und damit nicht entstehen.[21]   30

Die Bestellung des Geschäftsführers ist gem. § 38 Abs. 1 jederzeit widerruflich, wobei der Gesellschaftsvertrag hier Beschränkungen vorsehen kann (§ 38 Abs. 2).   31

VIII. Rechtsfolgen, Prozessuales

Wird bei der Bestellung des Geschäftsführers gegen zwingende Bestimmungen verstoßen, so ist die Bestellung ohne dass es auf die Kenntnis der Handelnden ankäme nichtig. Falls sich ein der Bestellung entgegenstehender Mangel erst nach der Bestellung zeigt, endet das Amt mit diesem Zeitpunkt ohne weiteren Rechtsakt.[22] Ein bei Bestellung unentdeckt gebliebener Mangel wird nicht durch Eintragung oder späteren Wegfall der Ursache geheilt. Im Verhältnis zur Gesellschaft gelten die Grundsätze der fehlenden Organstellung. Dritte werden durch den öffentlichen Glauben des Handelsregisters gem. § 15 HGB geschützt.[23]   32

Eine Anmeldung der Gesellschaft durch einen Nichtgeschäftsführer ist vom Registergericht zurückzuweisen. War bei der Anmeldung der GmbH kein wirksam bestellter Geschäftsführer vorhanden, darf ebenfalls nicht eingetragen werden. Erfolgt die Eintragung trotzdem, so kann die eingetragene   33

---

20   Hueck/Fastrich in Baumbach/Hueck, GmbHG, § 6 Rn. 21.

21   Hueck/Fastrich in Baumbach/Hueck, GmbHG, § 6 Rn. 3.

22   OLG Düsseldorf, 02.06.1993 – 11 W 37/93, GmbHR 1994, 114.

23   Hueck/Fastrich in Baumbach/Hueck, GmbHG, § 6 Rn. 13.

GmbH als Scheingesellschaft gem. § 142 FGG gelöscht werden. Fallen die Geschäftsführer nach der Anmeldung und nach der Versicherung gem. § 8 Abs. 2 und 3 aber noch vor der Eintragung weg, darf auch nicht eingetragen werden. Geschah dies trotzdem, ist die GmbH wirksam entstanden. Für eine auf den Mangel gestützte Nichtigkeitsklage gem. § 144 FGG fehlen die Voraussetzungen und eine Amtslöschung wäre nur zulässig, wenn die Eintragung nicht vom Willen der Gesellschafter getragen wäre. Der Registerrichter hat auf eine baldige Geschäftsführerbestellung hinzuwirken.

34   Ist ein geschäftsunfähiger Geschäftsführer im Handelsregister eingetragen, so können sich Dritte nicht unter Hinweis auf § 15 HGB auf angenommene Geschäftsfähigkeit des Geschäftsführers berufen, denn das Erlöschen der Geschäftsfähigkeit ist keine im Handelsregister einzutragende Tatsache.[24]

§ 7 GmbHG   Anmeldung der Gesellschaft

(1) Die Gesellschaft ist bei dem Gericht, in dessen Bezirk sie ihren Sitz hat, zur Eintragung in das Handelsregister anzumelden.

(2) [1]Die Anmeldung darf erst erfolgen, wenn auf jeden Geschäftsanteil, soweit nicht Sacheinlagen vereinbart sind, ein Viertel des Nennbetrages eingezahlt ist. [2]Insgesamt muss auf das Stammkapital mindestens so viel eingezahlt sein, dass der Gesamtbetrag der eingezahlten Geldeinlagen zuzüglich des Gesamtnennbetrags der Geschäftsanteile, für die Sacheinlagen zu leisten sind, die Hälfte des Mindeststammkapitals gemäß § 5 Abs. 1 erreicht.

(3) Die Sacheinlagen sind vor der Anmeldung der Gesellschaft zur Eintragung in das Handelsregister so an die Gesellschaft zu bewirken, dass sie endgültig zur freien Verfügung der Geschäftsführer stehen.

---

24   Hueck/Fastrich in Baumbach/Hueck, GmbHG, § 6 Rn. 13.

I. Einführung

Um rechtswirksam zu entstehen, bedarf die GmbH der **Eintragung ins** 1
Handelsregister. Sie ist daher nach den Bestimmungen des § 7 durch die
Geschäftsführer (§ 78) zur Eintragung anzumelden. Eine Vertretung bei der
Anmeldung ist mit Blick auf § 8 Abs. 2 und 3 unzulässig.

Neben der Anmeldepflicht enthält die Vorschrift Regelungen zur Sicherung 2
der Kapitalaufbringung, indem Mindesteinzahlungen auf die gezeichneten
Geschäftsanteile zu leisten sind. Dabei sind Geldeinzahlungen und Leistung
von Sacheinlagen möglich. In welcher Höhe und wie sie zu leisten sind,
regeln Abs. 2 und 3.

Die Vorschrift ist ggü. der ursprünglichen Fassung in Abs. 2 modifiziert 3
worden. Statt des Begriffes der Stammeinlage steht nun der des Geschäftsanteils im Vordergrund. Insofern ist die sprachliche Fassung darauf und auf
die Nennbeträge der Geschäftsanteile angepasst worden. Hinsichtlich einer
Einpersonengründung verzichtet die Neuregelung auf die noch in § 7 Abs. 2
Satz 3 GmbHG a.F. vorgesehen besonderen Sicherungen.

II. Leistung der Einlagen
1. Mindestgrenze

Durch Abs. 2 und 3 ist zwingend vorgeschrieben, dass auf die übernomme- 4
nen Geschäftsanteile bestimmte Einlageleistungen bereits erbracht sein
müssen.[1] Die Neuregelung knüpft an die übernommenen Geschäftsanteile
(früher: Stammeinlage) an, da der Gesellschaftsvertrag gem. § 3 Abs. 1
Nr. 4 die Zahl und die Nennbeträge der Geschäftsanteile, die jeder Gesellschafter gegen Einlage auf das Stammkapital übernimmt, enthalten muss.
Mit der Aufnahme des Nennbetrags des Geschäftsanteils erfolgte eine
sprachliche Präzisierung und Anpassung an das Aktienrecht.

Durch Abs. 2 Satz 1 ist die Mindestgrenze beschrieben; der Gesellschafts- 5
vertrag kann höhere Einzahlungen bereits vor oder bis zur Anmeldung
vorsehen. Über die erbrachten Einlageleistungen hat der Geschäftsführer
bei der Anmeldung eine Versicherung[2] abzugeben (vgl. § 8 Abs. 2).

---

1   Zur Leistung der Einlage s.a. Heckschen in Wachter, FA Handels- und Gesell-
    schaftsR, Teil 2, 2. Kap. Rn. 68; Winter/Veil in Scholz, GmbHG, § 7 Rn. 18;
    Heyder in Michalski, GmbHG, § 7 Rn. 18 ff.; Lutter/Bayer in Lutter/Hom-
    melhoff, GmbHG, § 7 Rn. 3 f.

2   Muster zur vollständigen Versicherung des Geschäftsführers s. bei Heckschen
    in Wachter, FA Handels- und GesellschaftsR, Teil 2, 2. Kap. Rn. 74.

2.   Geldeinlagen

6   Auf jeden in Geld aufzubringenden Geschäftsanteil ist gem. Abs. 2 Satz 1 mindestens 1/4 des Nennbetrags einzuzahlen. Insgesamt muss auf das Stammkapital mindestens so viel eingezahlt sein, dass der Gesamtbetrag der eingezahlten Geldeinlagen zuzüglich des Gesamtnennbetrags der Geschäftsanteile, für die Sacheinlagen zu leisten sind, die Hälfte des Mindeststammkapitals gem. § 5 Abs. 1 (also 12.500 €) erreicht.

7   Diese Pflicht wird erfüllt, indem die vorgeschriebenen Geldbeträge durch Zahlung an die Vorgesellschaft zur freien Verfügung ihrer Geschäftsführer bewirkt werden. Dies ist dann gegeben, wenn die Geldeinlagen so erbracht werden, dass die Geschäftsführer tatsächlich und rechtlich in der Lage sind, die eingezahlten Beträge uneingeschränkt für die Gesellschaft verwenden zu können.[3] An der freien Verfügbarkeit fehlt es dann, wenn der Einlagebetrag aus dem Vermögen der Gesellschaft erbracht wird[4] oder an den Gesellschafter binnen weniger Tage zurückgezahlt wird.[5] Eine für die Erfüllung der Einlageschuld (§ 19 Abs. 1) erforderliche Leistung zu freier Verfügung der Geschäftsführung liegt auch dann nicht vor, wenn der eingezahlte Einlagebetrag absprachegemäß umgehend als Darlehen an den Interferenten oder an ein mit ihm verbundenes Unternehmen zurückfließt.[6] Frühere Einzahlungen, etwa an die Vorgründungsgesellschaft, erfüllen die Einlagepflicht ebenfalls nicht. Den Anforderungen an die gesetzlichen Mindesteinzahlungen ist in diesen Fällen erst Genüge getan, wenn der geschuldete Geldbetrag ungeschmälert an die Vorgesellschaft zur freien Verfügung bewirkt wird.[7]

3.   Sacheinlagen

8   Sacheinlagen sind gem. Abs. 3 vor der Anmeldung an die Gesellschaft vollständig zu bewirken, sodass sie endgültig zur freien Verfügung der Geschäftsführer stehen. Für die konkreten Anforderungen kommt es auf den Inhalt der übernommenen Leistungspflicht an. Bewegliche Sachen sind rechtswirksam gem. § 929 ff. BGB zu übereignen, Forderungen sind wirksam gem. § 398 BGB abzutreten, weitere Rechte sind nach den jeweils dafür

---

3   BGH, 18.02.1991 – II ZR 104/90, BGHZ 113, 335, 348 f. = NJW 1991, 1754, 1755; BGH, 17.09.2001 – II ZR 275/99, NJW 2001, 3781, 3782.

4   BGH, 22.03.2004 – II ZR 7/02, GmbHR 2004, 896.

5   BGH, 17.09.2001 – II ZR 275/99, WM 2001, 2120, 2121.

6   BGH, 02.12.2002, BGHZ 153, 107 = ZIP 2003, 211 = NJW 2003, 825.

7   Hueck/Fastrich in Baumbach/Hueck, GmbHG, § 7 Rn. 6.

geltenden Vorschriften zu übertragen. Auch Grundstücke sind grds. zu übereignen, §§ 873, 925 BGB, die Eintragung einer Vormerkung ist nicht ausreichend.[8]

Neben dem dinglichen Übertragungsakt müssen solche Unterlage oder   9 Dokumente, die zur Ausübung von Rechten praktisch erforderlich sind, wie z.B. der Kfz-Brief, ebenfalls dem Geschäftsführer übergeben werden.[9]

III.   Sicherheiten bei Einmanngründung

Bei einer Einmanngründung kann es zu einer Ausfallhaftung gem. § 24 nicht   10 kommen. Daher hatte nach bisheriger Regelung der Einmanngründer zusätzlich zu den genannten gesetzlichen Voraussetzungen für die von ihm geschuldete Resteinlage Sicherheit gem. § 232 BGB zu leisten, § 7 Abs. 2 Satz 3 GmbHG a.F. Diese Regelung wurde gestrichen, da nach Auskunft der Praxis diese besonderen Sicherungen bei der Einmanngründung verzichtbar seien und somit nur eine unnötige Komplizierung der Gründung bedeute.[10]

Diese Streichung der Sicherung der Einlagerestforderung ist mit Blick auf die Schutzinteressen der Gesellschaft und der Gläubiger der Gesellschaft bedenklich, da so eine GmbH im rechtsgeschäftlichen Verkehr mit einem gezeichneten Stammkapital auftreten kann, welches bei der Gründung real nur zur Hälfte vorhanden sein muss und im schlimmsten Fall in Bezug auf die Einlagerestforderung nicht beigetrieben werden kann. Ob diese Vereinfachung der Einpersonengründung die hierdurch gegebenen Missbrauchsmöglichkeiten aufwiegt, bleibt abzuwarten.

IV.   Prozessuales, Rechtsfolgen

Abs. 1 regelt die Erforderlichkeit der Anmeldung und bestimmt das dafür   11 zuständige Gericht. Die Anmeldung soll unverzüglich geschehen, sofern keine Eintragungshindernisse vorliegen oder gegenteilige Weisungen der Gründungsgesellschafter bestehen. Bei einer schuldhaften Verzögerung kommt eine Haftung der Geschäftsführer auf Schadensersatz gem. § 43 wie auch eine Abberufung aus wichtigem Grund durch die Gesellschafterversammlung in Betracht.

---

8   Winter/Veil in Scholz, GmbHG, § 7 Rn. 40.

9   Hueck/Fastrich in Baumbach/Hueck, GmbHG, § 7 Rn. 13.

10   RegE MoMiG, Stand Mai 2007, Begründung Besonderer Teil, S. 76.

12   Durch die Anmeldung wird das registergerichtliche Verfahren eingeleitet.[11]
Der Prüfungsumfang ergibt sich aus § 9c. Die Anmeldung ist Antrag, also
Prozesserklärung nach FGG, und bedarf notwendig der notariellen Beglaubi-
gung, vgl. § 12 Abs. 1 HGB, § 129 Abs. 1 Satz 1 BGB i.V.m. § 40 BeurkG.

13   Zuständig ist das Amtsgericht, in dessen Bezirk die GmbH ihren Sitz hat,
vgl. Abs. 1 i.V.m. § 8 HGB, § 125 Abs. 1 FGG. Der Gesellschaftssitz ergibt
sich aus dem Gesellschaftsvertrag (§ 3 Abs. 1 Satz 1 GmbHG). Eine Eintragung durch das örtlich unzuständige Registergericht ist unschädlich, § 7
FGG, ebenso wie Mängel im Verfahren die Wirkung der Eintragung nach
§ 11 GmbHG nicht hindern. Ferner scheidet wegen solcher Mängel eine
Amtslöschung gem. § 142 FGG aus, es sei denn, die Eintragung erfolgte
ohne den Willen aller Gesellschafter.[12] Das Registergericht gibt dem Antrag
entweder statt oder lehnt ihn ab; bei leicht behebbaren Eintragungshindernissen kann es Zwischenverfügungen zu deren Beseitigung erlassen.

§ 8 GmbHG   Inhalt der Anmeldung

(1) Der Anmeldung müssen beigefügt sein:

1. **der Gesellschaftsvertrag und im Fall des § 2 Abs. 2 die Vollmachten
der Vertreter, welche den Gesellschaftsvertrag unterzeichnet haben,
oder eine beglaubigte Abschrift dieser Urkunden,**

2. **die Legitimation der Geschäftsführer, sofern dieselben nicht im
Gesellschaftsvertrag bestellt sind,**

3. **eine von den Anmeldenden unterschriebene Liste der Gesellschafter,
aus welcher Name, Vorname, Geburtsdatum und Wohnort der letzteren sowie die Nennbeträge und die laufenden Nummern der von einem
jeden derselben übernommenen Geschäftsanteile ersichtlich sind,**

4. **im Fall des § 5 Abs. 4 die Verträge, die den Festsetzungen zu Grunde
liegen oder zu ihrer Ausführung geschlossen worden sind, und der
Sachgründungsbericht,**

5. **wenn Sacheinlagen vereinbart sind, Unterlagen darüber, dass der
Wert der Sacheinlagen den Nennbetrag der dafür übernommenen
Geschäftsanteile erreicht.**

---

11   Zum Anmeldeverfahren s. Winter/Veil in Scholz, GmbHG, § 7 Rn. 5 ff.;
Heyder in Michalski, GmbHG, § 7 Rn. 11 ff.; Lutter/Bayer in Lutter/Hom-
melhoff, GmbHG, § 7 Rn. 1 f.

12   Roth/Altmeppen, GmbHG, § 7 Rn. 14.

(2) ¹In der Anmeldung ist die Versicherung abzugeben, dass die in § 7 Abs. 2 und 3 bezeichneten Leistungen auf die Geschäftsanteile bewirkt sind und dass der Gegenstand der Leistungen sich endgültig in der freien Verfügung der Geschäftsführer befindet. ²Das Gericht kann bei erheblichen Zweifeln an der Richtigkeit der Versicherung Nachweise (unter anderem Einzahlungsbelege) verlangen.

(3) ¹In der Anmeldung haben die Geschäftsführer zu versichern, dass keine Umstände vorliegen, die ihrer Bestellung nach § 6 Abs. 2 Satz 2 Nr. 2 und 3 sowie Satz 3 entgegenstehen, und dass sie über ihre unbeschränkte Auskunftspflicht gegenüber dem Gericht belehrt worden sind. ²Die Belehrung nach § 53 Abs. 2 des Bundeszentralregistergesetzes kann schriftlich vorgenommen werden; sie kann durch einen Notar oder einen im Ausland bestellten Notar, durch einen Vertreter eines vergleichbaren rechtsberatenden Berufs oder einen Konsularbeamten erfolgen.

(4) In der Anmeldung ist ferner anzugeben

1. eine inländische Geschäftsanschrift

2. Art und Umfang der Vertretungsbefugnis der Geschäftsführer.

(5) Für die Einreichung von Unterlagen nach diesem Gesetz gilt § 12 Abs. 2 des Handelsgesetzbuchs entsprechend.

I.   Einführung

1   Die zur Anmeldung einzureichenden Anlagen sollen es dem Registergericht ermöglichen, die in § 9c vorgesehene Prüfung vorzunehmen. Sie sind ferner Grundlage für die nach § 10 vorzunehmende Eintragung.

2   Eine wesentliche Änderung ist dadurch erfolgt, dass entgegen der früheren Regelung nunmehr nicht eine Genehmigungsurkunde vorgelegt werden muss, wenn der Gegenstand des Unternehmens einer staatlichen Genehmigung bedarf. Um Unternehmensgründungen nicht unnötig zu erschweren, wurde auf dieses Erfordernis verzichtet, also das Eintragungsverfahren vom verwaltungsrechtlichen Genehmigungsverfahren abgekoppelt (s.u. Rn. 13 f.).

II.   Einzureichende Unterlagen (Abs. 1)

1.   Gesellschaftsvertrag (Nr. 1)

3   Einzureichen ist gem. Abs. 1 Nr. 1 der Gesellschaftsvertrag. Er ist inklusive erforderlicher Vollmachten oder Genehmigungen vollständig in einer Urkunde in Ausfertigung oder beglaubigter Abschrift und grds. in deutscher Sprache, bei Beurkundung eines ausländischen Textes in deutscher Übersetzung, vorzulegen. Bei einer Änderung des Vertrags zwischen Anmeldung und Eintragung ist erneut eine vollständige Urkunde vorzulegen, arg. § 54 Abs. 1 Satz 2, wodurch alter und neuer Vertragsinhalt deutlich wird. Im Fall rechtsgeschäftlicher Stellvertretung bei Abschluss des Vertrags, vgl. § 2 Abs. 2, ist die Vollmacht in Urschrift bzw. in einer Ausfertigung oder in beglaubigter Abschrift beizufügen (s.o. § 2 Rn. 20 ff.). Entsprechendes gilt bei vollmachtlosem Handeln für die Genehmigungserklärung. Bei gesetzlicher Vertretung ist die Legitimation z.B. durch Handelsregisterauszug, Bestallungsurkunde etc. zu belegen.

2.   Unterlagen zur Legitimation der Geschäftsführer (Nr. 2)

4   Sind die Geschäftsführer nicht im Gesellschaftsvertrag bestellt worden, sind gem. Abs. 1 Nr. 2 Unterlagen zur Legitimation der Geschäftsführer vorzulegen. Einzureichen sind die Urkunden über den Bestellungsakt des zuständigen Gesellschaftsorgans. Eine besondere Form ist gesetzlich nicht vorgeschrieben, sodass Schriftform genügt. Erfolgte die Bestellung – zulässigerweise – mündlich, so ist sie durch die nach dem Gesellschaftsvertrag zuständige Person schriftlich zu bestätigen (z.B. durch den Versammlungsleiter).[1]

---

1   Herrschende Meinung: vgl. Hueck/Fastrich in Baumbach/Hueck, GmbHG, § 8 Rn. 5.

3.   Liste der Gesellschafter (Nr. 3)

Ferner ist gem. Abs. 1 Nr. 3 eine Liste der Gesellschafter vorzulegen. Sie   5
muss den Mitgliederstand zur Zeit der Anmeldung enthalten. Bei späteren
Veränderungen ist § 40 zu beachten. Die Gesellschafter müssen mit Namen,
Vornamen, Geburtsdatum und Wohnort sowie mit den Nennbeträgen und
den laufenden Nummern der von einem jeden Gesellschafter übernommenen Geschäftsanteile bezeichnet sein. Bei juristischen Personen, bei OHG
und KG genügen Firma und Sitz. Bei GbR ist jedes Mitglied aufzuführen;[2]
dies gilt ebenso für Erbengemeinschaften.

Entgegen früherer Regelung müssen nunmehr in der Gesellschafterliste die   6
Geschäftsanteile durchgehend nummeriert werden. Damit wird die eindeu-
tige Bezeichnung des Geschäftsanteils (insbes. mit Blick auf die mögliche
Teilung von Anteilen) sowie die Übertragung von Anteilen erleichtert.[3]

Da zu Zwecken der Identifizierung die Geschäftsanteile jeweils mit einem   7
Nennwert bezeichnet werden sollen, sieht die Neuregelung vor, dass die
Nennbeträge der von jedem Gesellschafter übernommenen Geschäftsanteile
aus der mit der Anmeldung eingereichten Liste hervorgehen muss.

4.   Einzureichende Unterlagen für Sacheinlagen (Nr. 4, 5)

Bei Sacheinlagen sind gem. Abs. 1 Nr. 4 alle schuldrechtlichen oder ding-   8
lichen **Verträge** vorzulegen, die zur Erbringung der jeweiligen Sacheinlage
abgeschlossen wurden.

Außerdem ist der von allen Gesellschaftern unterzeichnete **Sachgründungs-**   9
bericht (§ 5 Abs. 4) einzureichen. Eine besondere Form ist nur dann zu
wahren, wenn die Verträge über Sacheinlagen aufgrund einer gesetzlichen
Bestimmung oder freiwillig schriftlich oder in notarieller Form abgeschlossen worden sind. Wenn schriftliche Verträge nicht vorliegen, ist in der
Anmeldung darauf hinzuweisen.[4]

Zur Bemessung des Wertes der übernommenen Sacheinlage sind gem.   10
Abs. 1 Nr. 5 entsprechende Unterlagen einzureichen, die die Vollwertigkeit
der Einlage nachweisen, also belegen, dass der Wert der Sacheinlagen den
Nennbetrag der dafür übernommenen Geschäftsanteile erreicht. Welche
Urkunden vorgelegt werden müssen, ergibt sich aus der Art des Vermögens-
gegenstandes. Es kommen z.B. in Betracht:

---

2   Str. vgl. zum Streitstand Roth/Altmeppen, GmbHG, § 8 Rn. 4.

3   RegE MoMiG, Stand Mai 2007, Begründung Besonderer Teil, S. 76.

4   Herrschende Meinung: vgl. Hueck/Fastrich in Baumbach/Hueck, GmbHG, § 8
      Rn. 7 m.w.N.

Beispiele:

- *Kaufverträge,*
- *Rechnungen,*
- *Nachweise der Herstellungskosten,*
- *Preislisten,*
- *Kurszettel,*
- *Tarife etc.*

11 Bei **Forderungen** ist der Nachweis mit Blick auf ihre Existenz und ihre Vollwertigkeit problematisch. Dies gilt ebenso für **Lizenzen, Urheberrechte** o.ä. In solchen Fällen kann ein **Sachverständigengutachten** den Nachweis erbringen.

12 Ähnlich problematisch ist der Fall, dass **Handelsgeschäfte** oder (Teil-) Betriebe eingebracht werden sollen. Hier schafft die Vorlage einer **aktuelle Bilanz** Klarheit.

5.   Genehmigungspflichtiger Gegenstand des Unternehmens; Genehmigungsurkunde

13 In den Fällen, dass der Gegenstand des Unternehmens der staatlichen Genehmigung bedarf, war bisher die Genehmigungsurkunde vorzulegen. Durch die Neuregelung wurde auf die Vorlage der Genehmigungsurkunde bei der Anmeldung zum Handelsregister verzichtet. Die Genehmigung selbst ist nach wie vor einzuholen.

Beispiel:

Staatliche Genehmigungen werden verlangt z.B. gem. § 30 GewO für u.a. Privatkrankenanstalten, Spielhallen, Glücksspiel, Pfandleihgewerbe, Bewachungsgewerbe, Versteigerungsgewerbe, Makler, Bauträger und Baubetreuer oder gem. §§ 1, 7 Abs. 4 HwO im Handwerk. Weitere Genehmigungsvorbehalte finden sich u.a. in: §§ 8, 37, 80 GüKG; § 3 Abs. 1 EinzelhG; § 2 PBefG; § 2 KAGG; § 10 FahrlG; § 11 TierschutzG; § 59c BRAO; § 32 KWG.

14 Der Verzicht auf die Vorlage ist dadurch begründet, dass das verwaltungsrechtliche Genehmigungsverfahren unnötige und zumeist kostenträchtige Erschwerungen des Gründungsprozesses verursachten. Durch den Verzicht werden Konstrukte wie etwa verwaltungsrechtliche Vorbescheide oder Beschränkungen des Unternehmensgegenstandes im Gründungsstadium vermieden. Dadurch verursachte teils erhebliche Verzögerungen der Eintragung können so vermieden werden, sodass der Zweck der Vereinfachung und Beschleunigung der Unternehmensgründung erreicht wird.[5]

---

5   RegE MoMiG, Stand Mai 2007, Begründung Besonderer Teil, S. 77.

6.   Urkunden über die Bestellung eines Aufsichtsrats

Wurde vor der Anmeldung ein **Aufsichtsrat** gebildet, so müssen gem. § 52   15
Abs. 2 GmbHG i.V.m. § 37 Abs. 4 Nr. 3 AktG die Urkunden über seine
Bestellung eingereicht werden.

**III.   Versicherungen der Geschäftsführer zur Leistung der Einlage
(Abs. 2 Satz 1)**

Unter „**Versicherung**" i.S.d. Abs. 2 ist die Abgabe der rechtsverbindlichen   16
Erklärung zu verstehen, dass die Leistungen auf die Stammeinlage bewirkt
sind und dass der Gegenstand der Leistung sich endgültig in der freien
Verfügung der Geschäftsführer befindet. Die Versicherung muss von sämtlichen, auch den stellvertretenden Geschäftsführern persönlich in der
Anmeldung abgegeben werden, wobei die Abgabe der Erklärung in einem
gesonderten Schriftstück in öffentlich beglaubigter Form (§ 12 Abs. 1 HGB,
§ 126 BGB) zulässig ist. Pauschale Angaben genügen nicht, vielmehr muss
erkennbar werden, was jeder Gesellschafter als Einzahlung geleistet hat, und
dass alle Leistungen für die Geschäftsführer frei verfügbar sind.[6]

Bei Einpersonen-Gründung war früher für den Fall, dass die Einlage nicht   17
voll erbracht ist, zusätzlich zu versichern, dass und wie Sicherheit für die
Resteinlage geleistet wurde. Diese Vorschrift ist durch die Neuregelungen
als Folgeänderung zu § 7 Abs. 2 entfallen, da sich diese zusätzlichen
Sicherungen als praxisuntauglich erwiesen (vgl. § 7 Rn. 10).

IV.   Nachweise der Einzahlung (Abs. 2 Satz 2)

Das Gericht kann bei erheblichen Zweifeln an der Richtigkeit der Versiche-   18
rung Nachweise (u.a. Einzahlungsbelege) verlangen. Durch die Beschränkung auf solche Fälle, in denen erhebliche Zweifel bestehen, wird deutlich,
dass weitere Nachweise neben der Versicherung des Geschäftsführers grds.
nicht erforderlich sind. Die Versicherung des Geschäftsführers ist regelmäßig ausreichend, da Falschangaben für ihn strafrechtliche Konsequenzen
haben. Zudem kann die Leistung der Einlagen auf unterschiedliche Weise
erfolgen, sodass eine Forderung eines regelmäßigen Nachweises durch
Einzahlungsbelege oder Ähnliches zweckfremd erscheint.[7]

---

6   Zum Inhalt der Versicherungen s.a. Lutter/Bayer in Lutter/Hommelhoff,
GmbHG, § 8 Rn. 9 ff.; Winter/Veil in Scholz, GmbHG, § 8 Rn. 19 ff.;
Heyder in Michalski, GmbHG, § 8 Rn. 23 ff.; Muster zur vollständigen Ver-
sicherung des Geschäftsführers s. bei Heckschen in Wachter, FA Handels- und
GesellschaftsR, Teil 2, 2. Kap. Rn. 74.

7   RegE MoMiG, Stand Mai 2007, Begründung Besonderer Teil, S. 79.

V. Versicherungen der Geschäftsführer zu Ausschlussgründen (Abs. 3)

19   Weiter haben die Geschäftsführer – jeder für seine Person – gem. Abs. 3 zu versichern, dass Ausschlussgründe gem. § 6 Abs. 2 Satz 2 Nr. 2 und 3 nicht vorliegen (s.o. § 6 Rn. 7 ff.). Pauschale Angaben genügen nicht, sondern es muss unter Bezugnahme auf den Unternehmensgegenstand jeder Ausschlussgrund einzeln aufgeführt und verneint werden.

20   Die Geschäftsführer sind über ihre unbeschränkte Auskunftspflicht gegenüber dem Gericht zu belehren. Nach Abs. 3 Satz 2 kann die Belehrung nach § 53 Abs. 2 des Bundeszentralregisters schriftlich vorgenommen werden; sie kann durch einen Notar oder einen im Ausland bestellten Notar, durch einen Vertreter eines vergleichbaren rechtsberatenden Berufs oder einen Konsularbeamten erfolgen. Durch die Neuregelung werden bisherige Unsicherheiten im Zusammenhang mit der Belehrung von Geschäftsführern, die sich im Ausland befinden, ausgeräumt. In Konsequenz zu § 4a kann nunmehr der Geschäftsführer im Ausland belehrt werden. Durch den Verweis auf „vergleichbare rechtsberatende Berufe" kann die Belehrung auch durch Rechtsanwälte erfolgen.

VI. Angabe einer inländischen Geschäftsanschrift (Abs. 4 Nr. 1)

21   Die Vorschrift trägt dem bisherigen unbefriedigenden Rechtszustand Rechnung, der Zustellungsprobleme zum Nachteil der Gläubiger der GmbH mit sich brachte. Zwar war es auch bisher möglich, Gesellschaften zur Mitteilung ihrer Geschäftsanschrift und ggf. von Änderungen unter Androhung von Zwangsgeld anzuhalten (vgl. § 125 Abs. 3 FGG i.V.m. § 14 HGB, § 24 HRV). Doch wurden Registergerichte bisher nur tätig, wenn sich Anhaltspunkte für eine Verletzung der Mitteilungspflicht durch die Gesellschaft ergaben, sodass die Richtigkeit der Anschrift nicht ausreichend sichergestellt war. Durch die Vorschrift und im Zusammenwirken mit § 31 HGB, der die Gesellschaft verpflichtet, Änderungen der inländischen Geschäftsanschrift anzumelden, wird erreicht, dass es Gesellschaften erschwert wird, z.B. durch Unterlassen von Änderungsmitteilungen

• bei Verlegung der Geschäftsräume,

• durch Schließung des Geschäftslokals,

• durch Umzug des Geschäftsführers ins Ausland,

• durch Zulassen der Führungslosigkeit oder Ähnlichem

sich den Gläubigern zu entziehen.[8]

---

8   RegE MoMiG, Stand Mai 2007, Begründung Besonderer Teil, S. 81.

VII.   Angabe von Art und Umfang der Vertretungsbefugnis (Abs. 4 Nr. 2)

Die nach Abs. 4 Nr. 2 erforderliche Angabe hat für jeden Geschäftsführer zu   22
ergeben, ob er einzel- oder gesamtvertretungsbefugt (hier in welcher Form)
ist. Die Angabe der Vertretungsbefugnis hat ausdrücklich und vollständig zu
erfolgen; pauschale Angaben sowie Verweise auf Gesetze oder Satzung
genügen nicht.[9] Ist ein – insbes. der alleinige – Geschäftsführer von den
Beschränkungen des § 181 BGB befreit, ist dies in einer auch für Ausländer
verständlichen Weise anzugeben.[10]

VIII.   Einreichung von Unterlagen (Abs. 5)

Sind nach diesem Gesetz Unterlagen einzureichen, so ist § 12 Abs. 2 HGB   23
zu beachten. Weil das Handelsregister elektronisch geführt wird, müssen
auch die für das Handelsregister bestimmten Dokumente elektronisch eingereicht werden. Wie dies zu geschehen hat, bestimmt sich nach der für das
Dokument vorgeschriebenen Form. Ist eine Urschrift oder eine einfache
Abschrift einzureichen, genügt die Übermittlung einer einfachen elektronischen Aufzeichnung. Nach dem Wortlaut der Vorschrift gilt dies auch
dann, wenn Schriftform für das Dokument bestimmt ist. Somit ist für diese
Fälle eine zusätzliche qualifizierte elektronische Signatur nicht notwendig,[11]
kann aber freiwillig beigefügt werden. Ist ein notariell beurkundetes Dokument oder eine beglaubigte Abschrift einzureichen, so ist ein mit einem
einfachen elektronischen Zeugnis (§ 39a BeurkG) versehenes Dokument zu
übermitteln.

IX.   Rechtsfolgen, Prozessuales

Eine Eintragung kann nur erfolgen, wenn den Anforderungen des § 8 genügt   24
ist. Fehlen Unterlagen bzw. sind sie nicht vollständig, soll durch Zwischenverfügung das Registergericht Nachbesserung verlangen.[12] Gelingt auch
diese nicht, ist die Eintragung abzulehnen. Wird trotz mangelhafter Unterlagen eine GmbH eingetragen, so hat das Registergericht die fehlenden
Unterlagen nachzufordern, wobei auch Zwangsgeld gem. § 14 HGB angedroht werden kann. Gelingt es nicht, die erforderlichen Unterlagen nachträglich einzufordern, kann Auflösungsklage gem. § 61 erhoben werden

---

9   Hueck/Fastrich in Baumbach/Hueck, GmbHG, § 8 Rn. 17.

10   OLG Hamm, 28.10.1986 – 15 W 319/86, WM 1987, 405, 406; Lutter/Bayer
     in Lutter/Hommelhoff, GmbHG, § 8 Rn. 15.

11   Krit. Noack, NZG 2006, 801, 802.

12   Heider in Michalski, GmbHG, § 8 Rn. 44 ff.

oder eine Auflösung gem. § 62 erfolgen. Eine Nichtigkeitsklage oder Amtslöschung der eingetragenen GmbH kommt jedoch nicht in Betracht. Für die Gesellschafter und die Geschäftsführer sind strafrechtliche Konsequenzen gem. § 82 Abs. 1 denkbar.

X.　Muster Anmeldung einer GmbH

1.　Muster für die Anmeldung einer GmbH zum Handelsregister (Bargründung)

25

Absender/Adresse

An das

Amtsgericht

– Registergericht –

Anmeldung einer GmbH zum Handelsregister

Unterlagen:

Als Geschäftsführer überreiche ich:

> elektronisch beglaubigte Abschrift des Gesellschaftsvertrags,
>
> elektronische Aufzeichnung des Gesellschafterbeschlusses über die Bestellung zum Geschäftsführer,
>
> elektronische Aufzeichnung der Liste der Gesellschafter mit den Nennbeträgen der übernommenen Geschäftsanteile.

Inländische Geschäftsanschrift:

Die Geschäftsanschrift der Gesellschaft lautet:

＿＿＿＿＿＿＿＿＿＿＿

＿＿＿＿＿＿＿＿＿＿＿

＿＿＿＿＿＿＿＿＿＿＿

＿＿＿＿＿＿＿＿＿＿＿

Vertretung der Gesellschaft:

Die Gesellschaft hat einen Geschäftsführer. Dieser vertritt stets einzeln und ist berechtigt, die Gesellschaft bei Vornahme von Rechtsgeschäften mit sich selbst oder als Vertreter eines Dritten uneingeschränkt zu vertreten.

Geschäftsführung:

Ich wurde zum Geschäftsführer bestellt.

Anmeldung:

Die Gesellschaft wird zur Eintragung in das Handelsregister angemeldet.

Versicherung:

Ich versichere was folgt:

1. Auf die Einlageverpflichtungen sind folgende Beträge einbezahlt worden:

Gesellschafter (Vor- und Zunamen aller Gesellschafter)	Nennbetrag des vom jeweiligen Gesellschafter übernommenen Geschäftsanteils in €	Einzahlungsbetrag in €

2. Der Gegenstand der Leistungen befindet sich endgültig in der freien Verfügung der Geschäftsführung. Das Stammkapital ist insbes. nicht durch Verbindlichkeiten vorbelastet, mit Ausnahme des in der Satzung übernommenen Gründungsaufwands.

3. Ich bin weder wegen einer oder mehrerer vorsätzlich begangener Straftaten nach § 15a der Insolvenzordnung (Insolvenzverschleppung), den §§ 263 bis 264a oder den §§ 265b bis 266a des Strafgesetzbuches (Betrug, Computerbetrug, Subventionsbetrug, Kapitalanlagebetrug, Kreditbetrug, Untreue, Vorenthalten und Veruntreuen von Arbeitsentgelt), nach den §§ 283 bis 283d des Strafgesetzbuches (Bankrott, Verletzung der Buchführungspflicht, Gläubigerbegünstigung, Schuldnerbegünstigung), der falschen Angaben nach § 82 des Gesetzes betreffend die Gesellschaften mit beschränkter Haftung oder § 399 des Aktiengesetzes, der unrichtigen Darstellung nach § 400 des Aktiengesetzes, § 331 des Handelsgesetzbuches, § 313 des Umwandlungsgesetzes oder § 17 des Publizitätsgesetzes oder im Ausland wegen einer mit den genannten Taten vergleichbaren Straftat zu einer Freiheitsstrafe von mindestens einem Jahr verurteilt worden, noch ist mir durch gerichtliches Urteil oder vollziehbare Entscheidung einer Verwaltungsbehörde die Ausübung des Berufs, Berufszweiges, Gewerbes oder Gewerbezweiges untersagt worden.

> Ich bin über meine unbeschränkte Auskunftpflicht gegenüber dem Registergericht belehrt worden, ebenso darüber, dass falsche Versicherungen strafbar sind.
>
> Ort _____
>
> Datum _____
>
> Unterschrift des Geschäftsführers
>
>
> Beglaubigung der Unterschrift durch einen Notar
>
> _____

26   Diesem ausgefüllten Muster ist die **Legitimation des Geschäftsführers** sowie die **Liste der Gesellschafter** beizufügen. Hier können die dem Gesetz als Anlage 1 beigefügten Musterprotokolle (Niederschrift über eine Gesellschafterversammlung; Liste der Gesellschafter) verwandt werden.

2.   Anmeldung einer GmbH zum Handelsregister bei kombinierter Bargründung/Sachgründung

27   In den Fällen, dass Sacheinlagen geleistet werden sollen (s.o. Erläuterungen ab Rn. 8 ff.), müssen gem. § 5 Abs. 4 der Gegenstand der Sacheinlage und der Nennbetrag des Geschäftsanteils, auf den sich die Sacheinlage bezieht, im Gesellschaftsvertrag festgesetzt werden. Die Gesellschafter haben in einem **Sachgründungsbericht** die für die Angemessenheit der Leistungen für Sacheinlagen wesentlichen Umstände darzulegen und beim Übergang eines Unternehmens auf die Gesellschaft die **Jahresergebnisse** der beiden letzten Geschäftsjahre anzugeben.

28   Somit kann die oben angegebene Musteranmeldung (Bargründung) auch in diesem Fall (kombinierte Bar-/Sachgründung) benutzt werden, doch sind der Anmeldung die Verträge, die den Festsetzungen zugrunde liegen oder zu ihrer Ausführung geschlossen worden sind, und der Sachgründungsbericht, wenn Sacheinlagen vereinbart sind, sowie Unterlagen darüber, dass der Wert der Sacheinlagen den Nennbetrag der dafür übernommenen Geschäftsanteile erreicht, beizufügen.[13]

---

13   Checkliste für die Anmeldung einer GmbH bei Bargründung/Sachgründung: Heckschen in Wachter, FA Handels- und GesellschaftsR, Teil 2, 2. Kap. Rn. 19; weitere Muster bei Opgenhoff in Bormann/Kauka/Ockelmann, Hdb. GmbH-Recht, Kap. 2 Rn. 156 ff.

§ 9 GmbHG   Überbewertung der Sacheinlage

(1) ¹Erreicht der Wert einer Sacheinlage im Zeitpunkt der Anmeldung der Gesellschaft zur Eintragung in das Handelsregister nicht den Nennbetrag des dafür übernommenen Geschäftsanteils, hat der Gesellschafter in Höhe des Fehlbetrags eine Einlage in Geld zu leisten. ²Sonstige Ansprüche bleiben unberührt.

(2) Der Anspruch der Gesellschaft nach Abs. 1 Satz 1 verjährt in zehn Jahren seit der Eintragung der Gesellschaft in das Handelsregister.

I.   Einführung

Erreicht der tatsächliche Wert einer zulässigen Sacheinlage nicht den Nennbetrag des dafür übernommenen Geschäftsanteils, welcher durch diese Sacheinlage erbracht werden soll, so ist der Gesellschafter, für dessen Anteil am Stammkapital die entsprechende Sacheinlage erbracht wurde, zur Leistung eines Geldbetrags i.H.d. Überbewertung verpflichtet; **Differenzhaftung**. Maßgeblicher Zeitpunkt zur Bewertung der Sacheinlage ist nach dem Gesetzeswortlaut der Zeitpunkt der Anmeldung der Gesellschaft. Abs. 2 regelt die Verjährung des Anspruchs. Seit der Modernisierung des Schuldrechts des BGB[1] beträgt die Frist zehn Jahre.   1

Damit bezweckt § 9 neben den §§ 5 Abs. 4, 7 Abs. 3, 8 Abs. 1 Nr. 4, 8 Abs. 2, 9c Abs. 1 Satz 2 die **Sicherung der Kapitalaufbringung** bei Leistung von Sacheinlagen. Bei Überbewertung der Sacheinlage begründet die Vorschrift eine unabdingbare ergänzende Geldeinlageverpflichtung des Gesellschafters. Bei Kapitalerhöhungen gegen Einlagen (§ 56) ist § 9 entsprechend anzuwenden (§ 56 Abs. 2). Ferner kommt eine entsprechende Anwendung bei Verschmelzung, Spaltung oder Rechtsformwechsel in Betracht (vgl. §§ 125 Satz 1, 135 Abs. 2, 197 Satz 1 UmwG).   2

---

[1]   Gesetz zur Modernisierung des Schuldrechts vom 09.12.2004, BGBl. I, S. 3214.

II.   Anspruch der Gesellschaft auf Geldeinlage

3   Da § 9 der Gesellschaft gegen den Sacheinleger einen gesetzlichen Geld-
einlageanspruch gewährt, sind auf diesen Anspruch grds. die allgemeinen
Vorschriften über Geldeinlagen anwendbar. Er kann nicht gestundet, erlassen oder durch Aufrechnung getilgt werden (§ 19 Abs. 2, 3, und 5). Ist eine
Geldeinlage eines Gesellschafters bei wirtschaftlicher Betrachtungsweise
und aufgrund einer im Zusammenhang mit der Übernahme der Geldeinlage
getroffenen Abrede vollständig oder teilweise als Sacheinlage zu bewerten
(sog. **verdeckte Sacheinlage**)[2] ist § 9 entsprechend anzuwenden, wenn der
Wert des Vermögensgegenstandes im Zeitpunkt der Anmeldung der Gesellschaft zur Eintragung in das Handelsregister oder im Zeitpunkt seiner Überlassung an die Gesellschaft, falls diese später erfolgt, nicht den entsprechenden Betrag der übernommenen Stammeinlage erreicht, vgl. § 19 Abs. 4. Bei
Säumnis des Gesellschafters sind Verzugszinsen zu zahlen (§ 20). Der
Geschäftsanteil könnte unter den Voraussetzungen des § 21 kaduziert werden. Ferner kommt eine Ausfallhaftung der Mitgesellschafter in Betracht.

1.   Anspruchsvoraussetzungen

4   Der Anspruch setzt voraus, dass eine Sacheinlage **wirksam** statutarisch
vereinbart war und sich zum Anmeldezeitpunkt eine Unterdeckung des
Nennbetrags des übernommenen Geschäftsanteils ergibt. Im Unterschied zu
§ 9 Abs. 1 a.F. ist nicht mehr der Betrag der übernommenen Stammeinlage
maßgeblich, sondern die Neufassung stellt auf den Nennbetrag des übernommenen Geschäftsanteils als Bezugsgröße ab.[3] Ist die Sacheinlage rechts-
unwirksam vereinbart worden, so schuldet der Gesellschafter den gesamten
Nennbetrag in Geld.[4]

5   Ob eine **Überbewertung** der Sacheinlage vorliegt, ist nach allgemeinen
Grundsätzen, ggf. durch Sachverständigengutachten, festzustellen. Zu ver-
gleichen ist im Zeitpunkt der Anmeldung der Nominalwert des zu decken-
den Nennbetrags und der objektive Wert des hierauf erbrachten Gegenstandes. Ein Bewertungs- oder Beurteilungsspielraum ist für die
Vertragsparteien nicht zulässig. Auch marginale Abweichungen sind beacht-
lich. Ist der Einlagegegenstand mangelhaft, so ist dies bei der Bewertung zu
berücksichtigen. Dies gilt auch dann, wenn zugunsten der Gesellschaft

---

2   Zur verdeckten Sacheinlage und zur Heilung verdeckter Sacheinlagen durch
     Umwidmung der gescheiterten Bargründung (Checkliste) s. Heckschen in
     Wachter, FA Handels- und GesellschaftsR, Teil 2, 2. Kap. Rn. 60.

3   Vgl. RegE MoMiG, Stand Mai 2007, Begründung Besonderer Teil, S. 81.

4   BGH, 11.09.2000 – II ZR 370/99, NZG 2000, 1222, 1226; Hueck/Fastrich in
     Baumbach/Hueck, GmbHG, § 9 Rn. 2.

wegen des Mangels Gewährleistungsansprüche bestehen.[5] Ist der objektive Wert nur durch Schätzung bzw. Prognose feststellbar, so ist dieser Bewertungsvorgang gerichtlich voll nachprüfbar.

Maßgeblicher **Bewertungszeitpunkt** ist der Eingang der Anmeldung beim Registergericht. Bei einer Wiederholung der Anmeldung ist der Wiederholungstermin maßgeblich.[6] Nach diesem Bewertungszeitpunkt eintretende Werterhöhungen oder Wertminderungen sind unbeachtlich.[7] Die Festlegung dieses Bewertungszeitpunktes ist dadurch begründet, dass damit das Risiko einer Wertminderung der Sacheinlage zwischen Vertragsschluss und Eintragung ins Handelsregister zugunsten der Gläubiger der Gesellschaft verringert wird.

2. Unternehmen als Sacheinlage

Bei Unternehmen als Sacheinlage ist der Ertrags-, nicht der Substanzwert maßgeblich.[8] Zu erwartende Synergieeffekte können berücksichtigt werden, da es für den Wert auf die konkrete Gesellschaft ankommt.[9] Entscheidend ist, was der Gesellschaft *tatsächlich* an Wert zugeflossen ist. Der objektive Wert ist unabhängig von den der statutarischen Festsetzungen des Anrechnungsbetrags zugrunde gelegten Wertvorstellungen der Gründungsgesellschafter durch das Prozessgericht nach den maßgeblichen Bewertungsgrundsätzen (vgl. § 5 Rn. 21 ff.) festzustellen.[10] Ist das Unternehmen überschuldet und wird so ein negativer Wert geleistet, ist hinsichtlich der Differenz zu haften.[11] Die Ursache für die Wertabweichung oder ein Verschulden ist nach dem Zweck des § 9 völlig unerheblich. Insoweit entfaltet auch die nach § 9c registergerichtlich vorzunehmende Prüfung keine präjudizielle Wirkung.[12]

---

5   Zur Anwendbarkeit kaufrechtlicher Gewährleistungsvorschriften s. Hueck/Fastrich in Baumbach/Hueck, GmbHG, § 5 Rn. 38 f.

6   OLG Köln, 25.04.1997 – 19 U 167/96, GmbHR 1998, 42, 43; OLG Köln, 02.12.1998 – 27 U 18/98, GmbHR 1999, 288, 293; Roth/Altmeppen, GmbHG, § 9 Rn. 4.

7   Hueck/Fastrich in Baumbach/Hueck, GmbHG, § 9 Rn. 4.

8   KG Berlin, 26.10.2004 – 1 W 21/04, GmbHR 2005, 95, 96.

9   Lutter/Bayer in Lutter/Hommelhoff, GmbHG, § 9 Rn. 4.

10   Winter/Veil in Scholz, GmbHG, § 9 Rn. 9.

11   Zu den Einzelheiten der Bewertung: Heyder in Michalski, GmbHG, § 9 Rn. 5; Winter/Veil in Scholz, GmbHG, § 9 Rn. 14.

12   Hueck/Fastrich in Baumbach/Hueck, GmbHG, § 9 Rn. 4; Heyder in Michalski, GmbHG, § 9 Rn. 6.

III.   Verhältnis zu anderen Ansprüchen

8   Durch Abs. 1 Satz 2 ist klargestellt, dass die **Differenzhaftung** nach dieser
Vorschrift andere denkbare Ansprüche aus anderen Rechtsgründen nicht
ausschließt.[13] So hat die Gesellschaft bspw. in Fällen der Schlechtleistung
hinsichtlich der Sacheinlage (z.B. Sach- oder Rechtsmängel) die Wahl,
entweder die Nachzahlung wegen Überbewertung oder die Mängelgewähr-
leistung gemäß kaufrechtlicher Vorschriften zu verlangen. Ebenso sind
Schadensersatzansprüche gegenüber den Geschäftsführern, Gesellschaftern
und Hintermännern gem. § 9a möglich.

IV.   Verjährung

9   Abs. 2 regelt die Verjährung der Nachzahlungsansprüche und bestimmt die
Verjährungsfrist auf zehn Jahre. Die Verjährungsfrist beginnt mit der Ein-
tragung der Gesellschaft in das Handelsregister zu laufen. Da die zehnjährige
Frist erst seit 2004 gilt,[14] ist für früher entstandene Ansprüche die Übergangs-
regelung gem. Art. 229 § 12 Abs. 1 EGBGB i.V.m. Art. 229 § 6 Abs. 3
EGBGB zu beachten; sie unterliegen einer 5-jährigen Verjährungsfrist.

10   Die Verjährungsfrist kann aus Gründen des Gläubigerschutzes vertraglich
nicht verkürzt werden;[15] eine Verlängerung ist jedoch gem. § 202 Abs. 2
BGB möglich.

V.   Prozessuales

11   Der Zahlungsanspruch gem. § 9 Abs. 1 ist mit der Anmeldung, also grds.
schon vor der Eintragung fällig. Dies ergibt sich aus dem Wortlaut und aus
der systematischen Stellung der Vorschrift vor § 9c. Regelmäßig wird
jedoch eine Überbewertung der Sacheinlage nach der Eintragung festgestellt. Dies berührt die Fälligkeit des Anspruchs zwar nicht, doch ist eine
Verzinsungspflicht erst nach der Zahlungsaufforderung durch den
Geschäftsführer begründet (§ 20).

12   Die Gesellschaft trägt die **Beweislast** für die Unterdeckung der Sacheinlage,
d.h. der Geschäftsführer muss die fehlende Vollwertigkeit und die Wertdifferenz belegen. Die Darlegung von begründeten Zweifeln am Anrech-

---

13   RegE MoMiG, Stand Mai 2007, Begründung Besonderer Teil, S. 81.

14   Gesetz zur Modernisierung des Schuldrechts v. 09.12.2004, BGBl. I, S. 3214.

15   Hueck/Fastrich in Baumbach/Hueck, GmbHG, § 9 Rn. 10.

nungswert kann daher keine Beweislastumkehr rechtfertigen.[16] Eine Umkehr der Beweislast zugunsten der Gesellschaft kommt dann in Betracht, wenn an der Vollwertigkeit der Sacheinlage begründete Zweifel bestehen.[17] In Sonderfällen sind Beweiserleichterungen möglich, z.B. wenn unzureichende oder falsche Berechnungsunterlagen durch den Sacheinleger vorgelegt wurden.[18]

Wird eine Überbewertung der Sacheinlage bekannt, so kann der Sacheinleger seinerseits die Auflösung der Vorgesellschaft betreiben und die Eintragung der Gesellschaft zu verhindern suchen.[19]

13

§ 9a GmbHG   Ersatzansprüche der Gesellschaft

(1) Werden zum Zweck der Errichtung der Gesellschaft falsche Angaben gemacht, so haben die Gesellschafter und Geschäftsführer der Gesellschaft als Gesamtschuldner fehlende Einzahlungen zu leisten, eine Vergütung, die nicht unter den Gründungsaufwand aufgenommen ist, zu ersetzen und für den sonst entstehenden Schaden Ersatz zu leisten.

(2) Wird die Gesellschaft von Gesellschaftern durch Einlagen oder Gründungsaufwand vorsätzlich oder aus grober Fahrlässigkeit geschädigt, so sind ihr alle Gesellschafter als Gesamtschuldner zum Ersatz verpflichtet.

(3) Von diesen Verpflichtungen ist ein Gesellschafter oder ein Geschäftsführer befreit, wenn er die die Ersatzpflicht begründenden Tatsachen weder kannte noch bei Anwendung der Sorgfalt eines ordentlichen Geschäftsmannes kennen musste.

(4) [1]Neben den Gesellschaftern sind in gleicher Weise Personen verantwortlich, für deren Rechnung die Gesellschafter Geschäftsanteile übernommen haben. [2]Sie können sich auf ihre eigene Unkenntnis nicht wegen solcher Umstände berufen, die ein für ihre Rechnung handelnder Gesellschafter kannte oder bei Anwendung der Sorgfalt eines ordentlichen Geschäftsmannes kennen musste.

---

16   Winter/Veil in Scholz, GmbHG, § 9 Rn. 15.

17   OLG Köln, 25.04.1997 – 19 U 167/96, GmbHR 1998, 42, 44; OLG Naumburg, 23.01.1997 – 7 U 89/96, DB 1998, 125; Hueck/Fastrich in Baumbach/Hueck, GmbHG, § 9 Rn. 8; Roth/Altmeppen, GmbHG, § 9 Rn. 4.

18   OLG München, 03.12.1993 – 23 U 4300/89, GmbHR 1994, 712; Winter/Veil in Scholz, GmbHG, § 9 Rn. 15.

19   Winter/Veil in Scholz, GmbHG, § 9 Rn. 17 und 19.

I.   Einführung

1   Die Vorschrift begründet eine Haftung der Gesellschafter und der Geschäftsführer sowie etwaiger Hintermänner ggü. der GmbH dafür, dass bei der
Anmeldung und Errichtung der GmbH schuldhaft falsche Angaben gemacht
wurden und so die GmbH nicht über das geschuldete Kapital verfügt oder
sonst geschädigt wurde. Damit soll die Ordnungsmäßigkeit der Gründung
gesichert werden, sodass § 9a überwiegend dem Schutz der GmbH und nur
indirekt dem Schutz der Gesellschaftsgläubiger dient.

II.   Haftung für falsche Angaben (Abs. 1)

1.   Haftende Personen

2   **Gesellschafter** und **Geschäftsführer** haften nach Abs. 1, wenn zum Zweck
der Errichtung falsche Angaben gemacht wurden. Zum haftenden Personenkreis zählen die Gründer und solche Personen, die noch vor der Eintragung
der Gesellschaft durch Eintritt oder Gesellschafterwechsel hinzukommen.
Personen, die vor der Eintragung ausgeschieden sind, gehören nicht zum
haftenden Personenkreis, da die Haftung an die Verantwortung für eine
ordnungsgemäße Gründung zum Zeitpunkt der Eintragung anknüpft.[1] Zum
haftenden Personenkreis zählen ebenfalls Personen, für deren Rechnung die
Gesellschafter Geschäftsanteile übernommen haben, sog. Hintermänner (s.u.
Rn. 14). Die genannten Personen haften als Gesamtschuldner i.S.d.
§§ 421 ff. BGB, sodass es bei einer Haftung gem. Abs. 1 unerheblich ist,
wer die falschen Angaben gemacht hat.

---

[1]   OLG Rostock, 02.02.1995 – 1 U 191/94, GmbHR 1995, 658, 660; Hueck/
Fastrich in Baumbach/Hueck, GmbHG, § 9a Rn. 2.

2. Errichtung der Gesellschaft

Unter „**Errichtung**" ist nicht nur der Abschluss des Gesellschaftsvertrags, 3
sondern der gesamte Gründungsvorgang bis hin zur Eintragung zu verstehen. Nach der Eintragung gemachte Angaben sind für § 9a unbeachtlich,
selbst dann, wenn es sich um nachzureichende Unterlagen nach § 8 handelt.
Die Angaben müssen einen sachlichen Zusammenhang mit dem Gründungsvorgang haben. Dieser Zusammenhang ist bereits gegeben, wenn die Angaben für die Ordnungsmäßigkeit der Gründung erheblich sein können, auch
wenn die Angaben nicht gesetzlich vorgeschrieben oder für die Eintragung
zwingend erforderlich sein sollten. Andererseits ist eine uferlose Interpretation zu vermeiden. Unbestritten sind Angaben im Zusammenhang mit der
Übernahme des Geschäftsanteils sowie über den Gegenstand der Einlage
und seine Verfügbarkeit haftungsrelevant.

3. Falschangaben

Falsch ist eine Angabe i.S.d. § 9a, wenn die ausdrückliche oder konkludente 4
Erklärung objektiv unrichtig oder unvollständig ist. Ferner dann, wenn durch
das Verschweigen von Einzelumständen insgesamt ein mit der Wirklichkeit
objektiv nicht übereinstimmender Sinn vermittelt wird.[2]

Relevante Angaben sind alle mit der Anmeldung zusammenhängende Erklä- 5
rungen. Insbes. Erklärungen zu den Einlagen und deren Übernahme, zu Sacheinlagen und deren Wert, im Sachgründungsbericht, zur freien Verfügbarkeit
der geleisteten Einlagen oder zu Vorbelastungen müssen richtig sein.

Zur Beurteilung der gemachten Angaben ist auf den Zeitpunkt der Abgabe 6
der Erklärung, also regelmäßig den **Zeitpunkt der Anmeldung** abzustellen.[3] Werden ursprünglich falsche Angaben noch bis zur Eintragung berich-
tigt, so wird nicht gehaftet. Bei nachträglicher Veränderung der Verhältnisse
werden ehemals richtige Angaben nicht unrichtig, denn das Registergericht
prüft die Richtigkeit zum Zeitpunkt der Anmeldung. Nach der Anmeldung
erfolgte Veränderungen überprüft es nicht. In solchen Fällen ist die Gesellschaft durch die Vorbelastungshaftung (§ 11) hinreichend geschützt. Eine
generelle Berichtigungspflicht besteht nicht.[4]

---

2   Roth/Altmeppen, GmbHG, § 9a Rn. 5.

3   OLG Bremen, 06.05.1997 – 2 U 135/96, GmbHR 1998, 41, 42.

4   OLG Bremen, 06.05.1997 – 2 U 135/96, GmbHR 1998, 41, 42; Hueck/Fastrich
    in Baumbach/Hueck, GmbHG, § 9a Rn. 12.

7   Wer die Angabe macht, ist unerheblich.[5] Ein Gesellschafter oder Geschäfts-
    führer ist nicht nur für die Richtigkeit seiner eigenen Angaben, sondern auch
    für die aller anderen Gesellschafter oder Geschäftsführer oder auch Dritter
    verantwortlich. Damit soll das verantwortliche Handeln aller Beteiligten bei
    der Gründung gesichert werden.

   Beispiele:

   • *nicht alle Geschäftsanteile sind übernommen worden,*
   • *Unrichtige Beschreibung des Unternehmensgegenstandes,*
   • *Unrichtige Angaben zum Gegenstand von Sacheinlagen,*
   • *Fehlerhafte Unterlagen über den Wert von Sacheinlagen.*

4.   Verschulden

8   Der haftende Personenkreis wird jedoch durch das vorausgesetzte **Verschul-
    den** eingegrenzt. Das Verschulden der Gesellschafter bzw. Geschäftsführer
    wird bei Vorliegen der objektiven Voraussetzungen des Abs. 3 vermutet,
    sodass diese sich exkulpieren müssen (s.u. Rn. 13).

5.   Rechtsfolge bei Falschangaben

9   Rechtsfolge des Abs. 1 ist, dass die haftenden Personen als Gesamtschuldner
    (§§ 421, 426 BGB) nicht nur die fehlenden Einzahlungen zu leisten und die
    Vergütungen, die nicht unter den Gründungsaufwand genommen sind, zu
    ersetzen haben, sondern auch darüber hinausgehende Schäden zu erstatten
    haben. Die GmbH ist so zu stellen, als ob die falschen Angaben zutreffend
    gewesen wären. Es gilt das Prinzip der Naturalrestitution, §§ 249 ff. BGB.[6]

III.   Haftung bei Schädigung (Abs. 2)

10 Als weitere Anspruchsgrundlage verpflichtet Abs. 2 die **Gesellschafter**
    dann zu Schadensersatz, wenn sie die GmbH durch ihre Einlage oder durch
    den Gründungsaufwand schädigen. Da nach dem Gesetzeszweck diese
    Haftung nur in den Fällen bestehen soll, in denen die Gesellschaft durch
    Einlagen oder durch Gründungsaufwand geschädigt wird, die nicht durch
    diesbezügliche falsche Angaben verursacht worden sind, ist die Haftung
    nach Abs. 2 gegenüber der nach Abs. 1 subsidiär. Die praktische Bedeutung
    ist daher gering.

---

5   Hueck/Fastrich in Baumbach/Hueck, GmbHG, § 9a Rn. 2 m.w.N.
6   Roth/Altmeppen, GmbHG, § 9a Rn. 16.

Beispiel:

Denkbar sind Fälle, in denen z.B. Sacheinlagen ordnungsgemäß angegeben und bewertet werden, aber für die GmbH unbrauchbar sind.

Erforderlich ist eine Schädigung der Gesellschaft durch Einlagen oder 11 Gründungsaufwand. Sie muss auf anderen Ursachen als auf falschen Angaben beruhen. Eine zeitliche Beschränkung auf einen Zeitraum vor der Eintragung ist dem Wortlaut nach nicht vorgesehen, sodass Schädigungshandlungen auch nach der Eintragung haftungsbegründend sein können. Im Unterschied zu Abs. 1 wird das Verschulden nicht vermutet. Voraussetzung für die gesamtschuldnerische Haftung ist, dass mindestens ein Gesellschafter (bzw. Hintermann) vorsätzlich oder grob fahrlässig gehandelt hat.[7]

Als **Rechtsfolge** ist die GmbH so zu stellen, wie sie ohne die schädigende 12 Handlung gestanden hätte (vgl. §§ 249 ff. BGB).

IV.   Exkulpationsmöglichkeit (Abs. 3)

Das Verschulden der Gesellschafter bzw. Geschäftsführer (Abs. 1) wird bei 13 Vorliegen der objektiven Voraussetzungen des Abs. 3 vermutet, sodass diese sich exkulpieren müssen. Dieser Entlastungsbeweis gelingt, wenn nachgewiesen werden kann, dass die betreffende Person den Mangel in den Angaben nicht kannte (kein Vorsatz) und auch nicht kennen musste (keine Fahrlässigkeit). Als Maßstab der Fahrlässigkeit gilt der Sorgfaltsmaßstab eines ordentlichen Geschäftsmannes; er entspricht dem des § 43 Abs. 1 GmbHG.[8] Somit genügt für die Haftung bereits leichte Fahrlässigkeit. Auch leicht fahrlässige Unkenntnis einer haftungsbegründenden Handlung eines anderen führt zur Haftung. Auf mangelnde Vorbildung oder fehlende Gewandtheit kann sich der Gesellschafter nicht berufen. Der zu beachtende Sorgfaltsmaßstab entspricht dem einer Person in der verantwortlichen leitenden Stellung des Verwalters eines fremden Vermögens.[9]

V.   Hintermännerhaftung (Abs. 4)

Gem. Abs. 4 sind neben den Gesellschaftern solche Personen in gleicher 14 Weise verantwortlich, für deren Rechnung die Gesellschafter Geschäftsanteile übernommen haben. Hier ist offene und verdeckte Stellvertretung

---

7   Zu den tatbestandlichen Haftungsvoraussetzungen s.a. Winter/Veil in Scholz, GmbHG, § 9a Rn. 35 ff.; Heyder in Michalski, GmbHG, § 9a Rn. 4 ff.; Lutter/Bayer in Lutter/Hommelhoff, GmbHG, § 9a Rn. 3 ff.; Hueck/Fastrich in Baumbach/Hueck, GmbHG, § 9a Rn. 18.

8   Roth/Altmeppen, GmbHG, § 9a Rn. 14.

9   Hueck/Fastrich in Baumbach/Hueck, GmbHG, § 43 Rn. 9.

zu unterscheiden.[10] Offene Stellvertreter haften nicht; sie sind nicht Gesellschafter. Ihre Haftung bestimmt sich nach § 823 Abs. 2 BGB i.V.m. § 5 Abs. 4 GmbHG, § 826 BGB. Der Vertretene ist Gesellschafter und haftet nach § 9a Abs. 1 und 2. Er muss sich das Verschulden des Vertreters im Umfang des Abs. 2 und 3 wie eigenes Verschulden anrechnen lassen. Entsprechend Abs. 4 Satz 2 muss er den Nachweis erbringen, dass sein Vertreter nicht schuldhaft gehandelt hat. Bei verdeckter Stellvertretung (Strohmann-Gründung) ist der Strohmann Gesellschafter und haftet daher gem. Abs. 1 bis 3. Der Abs. 4 erstreckt die Haftung auch auf den Hintermann, sodass zwei Personen für eine Mitgliedschaft haften. Für eine Exkulpation hat der Hintermann das fehlende Verschulden des Strohmannes und fehlendes Eigenverschulden nachzuweisen.

VI. Weitere Schadensersatzansprüche

15   Die Vorschrift ist lex specialis zu § 43.[11] Weitere Ansprüche können sich aus § 82 Abs.1 Nr. 1 i.V.m. § 823 Abs. 2 BGB und gem. § 826 BGB ergeben.

VII. Prozessuales

16   Anspruchsinhaber ist die GmbH.[12] Der Anspruch setzt eine durch Eintragung ins Handelsregister wirksam entstandene GmbH voraus, weil dadurch die Eintragung der GmbH aufgrund zutreffender Angaben gesichert werden soll. Für die Geltendmachung der Ansprüche gegen Geschäftsführer und/oder Gesellschafter bedarf es eines Beschlusses gem. § 46 Nr. 8. Betroffene Gesellschafter haben dabei kein Stimmrecht (§ 47 Abs. 4). Bei einem Anspruch gegen die Hintermänner, ebenso wie im Insolvenzfall, ist kein Beschluss erforderlich. Da die Ansprüche aus § 9a deliktischer Natur sind, bestimmt sich der Gerichtsstand nach § 32 ZPO.

§ 9b GmbHG   Verzicht auf Ersatzansprüche

(1) [1]Ein Verzicht der Gesellschaft auf Ersatzansprüche nach § 9a oder ein Vergleich der Gesellschaft über diese Ansprüche ist unwirksam, soweit der Ersatz zur Befriedigung der Gläubiger der Gesellschaft erforderlich ist. [2]Dies gilt nicht, wenn der Ersatzpflichtige zahlungs-

---

10   Zur Haftung bei offener oder verdeckter Stellvertretung s.a. Lutter/Bayer in Lutter/Hommelhoff, GmbHG, § 9a Rn. 12 f.

11   OLG Celle, 15.03.2000 – 9 U 209/99, GmbHR 2001, 243 (LS); OLG Rostock, 02.02.1995 – 1 U 191/94, GmbHR 1995, 659, 660; Roth/Altmeppen, GmbHG, § 9a Rn. 17.

12   Zur Anspruchsberechtigung s.a. Heyder in Michalski, GmbHG, § 9a Rn. 23 f.

unfähig ist und sich zur Abwendung des Insolvenzverfahrens mit seinen Gläubigern vergleicht oder wenn die Ersatzpflicht in einem Insolvenzplan geregelt wird.

(2) [1] **Ersatzansprüche der Gesellschaft nach § 9a verjähren in fünf Jahren.**[2] **Die Verjährung beginnt mit der Eintragung der Gesellschaft in das Handelsregister oder, wenn die zum Ersatz verpflichtende Handlung später begangen worden ist, mit der Vornahme der Handlung.**

I.   Einführung

§ 9b soll die Durchsetzbarkeit der Ansprüche aus § 9a sichern. Insoweit   1
schränkt Abs. 1 die Möglichkeit eines Verzichts und eines Vergleichs im Hinblick auf nach § 9a begründete Ersatzansprüche ein, allerdings nur soweit, als der Ersatz zur Befriedigung der Gläubiger der Gesellschaft erforderlich ist. Abs. 2 regelt die Verjährung der Ersatzansprüche. Die Verjährung nach Abs. 2 blieb von dem Gesetz zur Anpassung der Verjährungsvorschriften[1] unberührt.

Der Schutzbereich des § 9b ist über den Gesetzeswortlaut hinaus zu ver-   2
stehen. Vom Schutzbereich sind alle Rechtsgeschäfte erfasst, durch die über Ansprüche aus § 9a verfügt und dadurch die GmbH benachteiligt wird.[2] Bei Kapitalerhöhungen gem. § 57 Abs. 4 und bei Verschmelzungen bzw. Spaltungen zur Neugründung (§ 36 Abs. 2 Satz 1 UmwG bzw. § 135 Abs. 2 Satz 1 UmwG) sowie bei formwechselnden Umwandlungen (§ 197 Satz 1 UmwG) gilt die Vorschrift entsprechend.[3]

II.   Erfasste Rechtsgeschäfte, insbes. Verzicht und Vergleich

Unter den Begriff des **Verzichts** i.S.d. § 9b lassen sich der Erlassvertrag,   3
§ 397 Abs. 1 BGB, ebenso wie das negative Schuldanerkenntnis, § 397 Abs. 2 BGB fassen.[4] Auch eine Entlastung zugunsten des Geschäftsführers

---

1   Gesetz zur Anpassung der Verjährungsvorschriften, BGBl. I 2004, S. 3214.

2   Zum Schutzbereich der Norm s.a. Lutter/Bayer in Lutter/Hommelhoff, GmbHG, § 9b Rn. 5; Winter/Veil in Scholz, GmbHG, § 9b Rn. 3.

3   Heyder in Michalski, GmbHG, § 9b Rn. 1.

4   Hueck/Fastrich in Baumbach/Hueck, GmbHG, § 9b Rn. 2.

gem. § 46 Nr. 5 GmbHG kann verzichtende Wirkung entfalten. Ferner unterfallen der Prozessverzicht (§ 306 ZPO) und der Verzicht durch Prozessanerkenntnis (§ 307 ZPO) der Regelung des § 9b. Entsprechende Anwendung findet § 9b dann, wenn Vereinbarungen getroffen werden, die eine mit dem Verzicht vergleichbare Wirkung entfalten, so z.B. bei Annahme unzureichender Leistungen an Erfüllungs Statt.[5] In Betracht kommen hier Vereinbarungen, die die Geltendmachung des Anspruchs verhindern, wie etwa ein pactum de non petendo oder eine Stundungsabrede.

4   Unter **Vergleich** i.S.d. § 9b ist ein gegenseitiger Vertrag nach § 779 BGB über das Bestehen, den Umfang oder sonstige Umstände des Anspruchs nach § 9a GmbHG zu verstehen. Ausgenommen sind jedoch solche Vereinbarungen, bei denen der Schuldner ohne jede Einschränkung das Bestehen des Anspruchs nach § 9a anerkennt.

III.   Voraussetzungen

5   Für die Unwirksamkeit der erfassten Rechtsgeschäfte ist in allen Fällen Voraussetzung, dass die Ansprüche aus § 9a zur Befriedigung der Gläubiger erforderlich sind. Dies ist regelmäßig dann der Fall, wenn die GmbH ohne diese Ansprüche zahlungsunfähig oder überschuldet ist, wobei bereits ernsthafte, nicht nur vorübergehende Zahlungsschwierigkeiten genügen. Gem. § 9b Abs. 1 Satz 2 gilt dies nicht in dem Sonderfall, dass der Ersatzpflichtige zahlungsunfähig ist und einen Vergleich zur Abwendung eines Insolvenzverfahrens mit seinen Gläubigern schließen muss. Die erfassten Rechtsgeschäfte bleiben weiter dann wirksam, wenn die Ersatzpflicht des Schuldners in einem Insolvenzplan gem. §§ 217 ff. InsO geregelt wird.

IV.   Verjährung

6   Die Verjährungsfrist für die Ersatzansprüche der Gesellschaft beträgt gem. § 9b Abs. 2 im Unterschied zu § 9a nur fünf Jahre. Ob die hier bestimmte kürzere Verjährungsfrist sinnvoll ist, ist streitig. Sie stimmt immerhin mit den Fällen einer verschuldensabhängigen Haftung der Geschäftsführer überein (vgl. § 43 Abs. 4).[6]

7   Die Frist beginnt mit der Eintragung der Gesellschaft zu laufen. Etwas anderes gilt, wenn Schädigungshandlungen nach der Eintragung vorgenommen werden. Hier beginnt der Lauf der Verjährungsfrist mit der Vornahme der Handlung. Hinsichtlich der allgemeinen Fragen zu Hemmung, Ablauf-

---

5   Winter/Veil in Scholz, GmbHG, § 9b Rn. 5; OLG Hamm, 13.06.2001 – 8 U 130/00, NZG 2001, 1144, 1145; Roth/Altmeppen, GmbHG, § 9b Rn. 2.

6   Roth/Altmeppen, GmbHG, § 9b Rn. 5.

hemmung, Neubeginn und Wirkung der Verjährung gelten die allgemeinen Verjährungsbestimmungen (vgl. §§ 203 ff. BGB). Eine vertragliche Verkürzung der Verjährung ist mit Blick auf den gläubigerschützenden Charakter der Norm nicht zulässig.[7]

V. Rechtsfolgen

Liegen die Voraussetzungen des Abs. 1 Satz 1 vor und besteht auch keine Ausnahme gem. Abs. 1 Satz 2, ist der abgeschlossene Verzicht bzw. der Vergleich entsprechend § 158 Abs. 2 BGB unwirksam. Abs. 1 Satz 1 letzter Halbs. hat die Bedeutung einer auflösenden Bedingung,[8] sodass eine Feststellung der Unwirksamkeit durch Urteil oder durch Erklärung des Geschäftsführers nicht erforderlich ist. Es handelt sich um eine relative Unwirksamkeit, sodass die jeweiligen Rechtsgeschäfte nur insoweit unwirksam sind, als es zur Befriedigung der Gläubiger erforderlich ist.[9]   8

§ 9c GmbHG   Ablehnung der Eintragung

(1) ¹Ist die Gesellschaft nicht ordnungsgemäß errichtet und angemeldet, so hat das Gericht die Eintragung abzulehnen. ²Dies gilt auch, wenn Sacheinlagen nicht unwesentlich überbewertet worden sind.

(2) Wegen einer mangelhaften, fehlenden oder nichtigen Bestimmung des Gesellschaftsvertrages darf das Gericht die Eintragung nach Absatz 1 nur ablehnen, soweit diese Bestimmung, ihr Fehlen oder ihre Nichtigkeit

1. Tatsachen oder Rechtsverhältnisse betrifft, die nach § 3 Abs. 1 oder auf Grund anderer zwingender gesetzlicher Vorschriften in dem Gesellschaftsvertrag bestimmt sein müssen oder die in das Handelsregister einzutragen oder von dem Gericht bekannt zu machen sind,

2. Vorschriften verletzt, die ausschließlich oder überwiegend zum Schutze der Gläubiger der Gesellschaft oder sonst im öffentlichen Interesse gegeben sind, oder

3. die Nichtigkeit des Gesellschaftsvertrages zur Folge hat.

---

7   Hueck/Fastrich in Baumbach/Hueck, GmbHG, § 9b Rn. 4 m.w.N.

8   Hueck/Fastrich in Baumbach/Hueck, GmbHG, § 9b Rn. 2 m.w.N.

9   Heyder in Michalski, GmbHG, § 9b Rn. 12 f.

I. Einführung

1   Um nur solche Gesellschaften als GmbH zur Entstehung kommen zu lassen, die den zwingenden gesetzlichen Voraussetzungen bei der Gründung entsprechen, normiert § 9c eine formelle und materielle Prüfungspflicht des Registergerichts vor der Eintragung ins Handelsregister. Der materielle Prüfungsumfang wird durch Abs. 2 der Vorschrift beschrieben, um so das Eintragungsverfahren zu vereinfachen. Die Vorschrift betrifft nicht nur die Gründung einer GmbH. Sie findet ferner Anwendung bei Verschmelzung und Spaltung eines Rechtsträgers auf eine neu zu gründende GmbH (§ 135 Abs. 2 Satz 2 UmwG) sowie bei Formwechsel eines Rechtsträgers anderer Rechtsform in eine GmbH, § 197 Satz 1 UmwG. Eine entsprechende Anwendung der Vorschrift ist bei der Ablehnung der Eintragung einer beschlossenen Stammkapitalerhöhung vorgesehen (§ 57a).[1]

II. Umfang der Prüfung

1. Formell

2   In formeller Hinsicht prüft das Registergericht nach Feststellung seiner örtlichen Zuständigkeit die Ordnungsgemäßheit der Anmeldung durch alle Geschäftsführer in puncto Vollständigkeit, Rechtzeitigkeit und Formrichtigkeit, so wie es § 8 vorschreibt. Bestehen Zweifel an der Richtigkeit der eingereichten Unterlagen, kann das Gericht nähere Informationen verlangen.[2] Da Verzögerungen und weitere Kostenbelastungen durch das Eintragungsverfahren nicht erwünscht sind, sind weitere Ermittlungen und die Anforderungen von zusätzlichen über § 8 hinausgehenden Nachweisen nur im Einzelfall und bei begründeten Zweifeln an der ordnungsgemäßen Errichtung zulässig.[3] Dies könnte z.B. dann der Fall sein, wenn die eingereichten Anmeldeunterlagen unklar, widersprüchlich oder inhaltlich für die zu belegende Tatsache unzureichend sind.[4]

---

[1]   Zum Anwendungsbereich des § 9c GmbHG s.a. Winter/Veil in Scholz, GmbHG, § 9c Rn. 3 ff.

[2]   BGH, 18.02.1991 – II ZR 104/90, BGHZ 113, 336, 352 = GmbHR 1991, 255, 259; KG Berlin, 19.05.1998 – 1 W 5328/97, GmbHR 1998, 786, 787 f.; OLG Düsseldorf, 03.12.1997 – 3 Wx 454/97, DB 1998, 250.

[3]   Hueck/Fastrich in Baumbach/Hueck, GmbHG, § 9c Rn. 2.

[4]   Winter/Veil in Scholz, GmbHG, § 9c Rn. 12.

Sollen weitere Ermittlungen die ordnungsgemäße Errichtung belegen, so 3
wird das Registergericht durch Zwischenverfügung bei behebbaren Mängeln
weitere Unterlagen und Nachweise anfordern. Dieser Beschluss des Registergerichts (gem. § 26 Satz 2 HRV) ist anfechtbar. Bei nicht behebbaren
Mängeln kann das Registergericht aus Gründen der Kostenersparnis eine
Rücknahme der Anmeldung empfehlen.[5]

2. Materiell

In materieller Hinsicht prüft das Registergericht, ob die zwingenden gesell- 4
schaftsrechtlichen Anforderungen an die Gründung der GmbH eingehalten
worden sind und die notwendigen Gründungsakte nicht wegen Gesetzes-
verstoßes unwirksam sind. Gem. Abs. 2 Nr. 1 hat das Registergericht die
Satzung auf den durch § 3 Abs. 1 vorgeschriebenen Mindestinhalt zu überprüfen.[6] Unternehmensgegenstand (§ 3 Abs. 1 Nr. 2), Stammkapital und
Stammeinlagen (§ 3 Abs. 1 Nr. 3 und 4), Anzahl, Namen und Vertretungsbefugnis der Geschäftsführer (§ 10) unterliegen der vollen Inhaltskontrolle
ebenso wie die ordnungsgemäße Sitzbestimmung (§§ 3 Abs. 1 Nr. 1, 4a)
und die Bildung der Firma (§ 4).

Das Registergericht ist hinsichtlich der inhaltlichen Prüfung des Gesell- 5
schaftsvertrags auf die abschließende Aufzählung von Mängeln in Abs. 2
Nr. 1 bis 3 beschränkt. Darüber hinaus gehende Beanstandungen darf es
nicht vornehmen.[7]

3. Ablehnung der Eintragung

Zeigen sich formelle und/oder materielle Mängel, so hat das Registergericht die 6
Eintragung abzulehnen. Dies gilt gem. Abs. 2 Nr. 2 auch, wenn Vorschriften
des Gläubigerschutzes oder andere Normen, die im öffentlichen Interesse
gegeben sind, durch Satzungsbestimmungen verletzt werden. Als Gläubiger-
schutzvorschriften sind insbes. zu nennen: §§ 5 Abs. 1, 9, 9b, 16 Abs. 3, 19
Abs. 2, 21 ff., 30 ff., 58 GmbHG. Als eine im öffentlichen Interesse liegende
Verbotsnorm kommt z.B. § 6 Abs. 2 in Betracht, ferner Vorschriften des
Ordnungswidrigkeiten- und des Strafrechts. Schließlich muss eine Eintragung
abgelehnt werden, wenn die Unwirksamkeit einer Satzungsbestimmung zur
Nichtigkeit des Gesellschaftsvertrags führt (Abs. 2 Nr. 3).

---

5   Hueck/Fastrich in Baumbach/Hueck, GmbHG, § 9c Rn. 3.

6   Zu den einzelnen Prüfungsgegenständen s.a. Heyder in Michalski, GmbHG,
     § 9c Rn. 11 ff.; Winter/Veil in Scholz, GmbHG, § 9c Rn. 15 ff.

7   Winter/Veil in Scholz, GmbHG, § 9c Rn. 19.

III. Entscheidung des Registergerichts

7 Hier ist zwischen behebbaren Mängeln und dem Fehlen von materiellen Eintragungsvoraussetzungen zu unterscheiden.[8] Bei behebbaren Mängeln ist zunächst dem Geschäftsführer per Zwischenverfügung die Gelegenheit zur Nachbesserung bzw. zur Beseitigung des Mangels zu geben. Dies gilt auch, wenn das Gericht begründete Zweifel an dem angemeldeten Sachverhalt hat und es daher weiterer Auskunft oder der Vorlage weiterer Unterlagen bedarf. Der Eintragungsantrag ist – nach Gewährung rechtlichen Gehörs und unter Nennung der Gründe – abzulehnen, wenn die Anmeldung formell mangelhaft ist oder wenn die materiellen Eintragungsvoraussetzungen nicht erfüllt sind (s.o. Rn. 4 f.). Als Ablehnungsgrund erwähnt Abs. 1 Satz 2 die Überbewertung von Sacheinlagen ausdrücklich. Eine solche Überbewertung liegt vor, wenn der Zeitwert der Sacheinlage bei der Anmeldung nicht zur Deckung des Nominalbetrags der durch sie zu tilgenden Stammeinlage ausreicht, s.o. § 9 Rn. 5 ff.

8 Durch die Neuregelung in Abs. 1 Satz 2, dass Sacheinlagen *„nicht wesentlich"* überbewertet worden sind, ist die Werthaltigkeitskontrolle des Registergerichts bei Sacheinlagen beschränkt worden. Durch diese Beschränkung sollen Kosten und Zeitverzögerungen vermieden werden, da diese wegen der den Registergerichten nur unzureichend zur Verfügung stehenden Kapazitäten in keinem Verhältnis zum Nutzen, eine Überbewertung durch umfassende Prüfung wirklich ausschließen zu können, stehen.[9]

IV. Prozessuales

9 Kommt es zwischen den Beteiligten vor der Eintragung oder vor der Ablehnung der Eintragung zu einem Rechtsstreit, kann das Gericht die Entscheidung bis zur Erledigung des Rechtsstreits gem. § 127 Satz 1 FGG aussetzen. Bei drohendem Rechtsstreit kann es einem Beteiligten gem. § 127 Satz 2 FGG eine Frist zur Klageerhebung setzen. Eine solche, nach pflichtgemäßem Ermessen zu treffende Aussetzungsentscheidung kommt z.B. in Betracht, wenn ein Gründungsgesellschafter hinreichend glaubhaft macht, dass er den Gesellschaftsvertrag oder seine Beteiligungserklärung angefochten habe.

---

8   Zu den Entscheidungsmöglichkeiten des Registergerichts s.a. Winter/Veil in Scholz, GmbHG, § 9c Rn. 37 ff.

9   RegE MoMiG, Stand Mai 2007, Begründung Besonderer Teil, S. 82.

Lehnt das Gericht die Eintragung ab oder erlässt es eine Zwischenverfügung, 10
so ist dagegen die Beschwerde an das LG (§ 19 FGG) und gegen dessen
Entscheidung bei Rechtsverletzungen die weitere Beschwerde (§ 27 FGG)
statthaft.

Wurde die Gesellschaft eingetragen, so kann wegen eines Mangels hinsicht- 11
lich einer wesentlichen Voraussetzung das Amtslöschungsverfahren gem.
§§ 142, 144 FGG betrieben werden; zu den bei der Anmeldung zu beachtenden Voraussetzungen (s.o. § 7 Rn. 4 ff.).[10]

§ 10 GmbHG   Inhalt der Eintragung

**(1) ¹Bei der Eintragung in das Handelsregister sind die Firma und der
Sitz der Gesellschaft, eine inländische Geschäftsanschrift, der Gegenstand des Unternehmens, die Höhe des Stammkapitals, der Tag des
Abschlusses des Gesellschaftsvertrags und die Personen der Geschäftsführer anzugeben. ²Ferner ist einzutragen, welche Vertretungsbefugnis
die Geschäftsführer haben.**

**(2) ¹Enthält der Gesellschaftsvertrag eine Bestimmung über die Zeit-
dauer der Gesellschaft, so ist auch diese Bestimmung einzutragen.
²Wenn eine Person, die für Willenserklärungen und Zustellungen an
die Gesellschaft empfangsberechtigt ist, mit einer inländischen
Anschrift zur Eintragung ins Handelsregister angemeldet wird, sind
auch diese Angaben einzutragen; Dritten gegenüber gilt die Empfangsberechtigung als fortbestehend, bis sie im Handelsregister gelöscht und
die Löschung bekannt gemacht worden ist, es sei denn, dass die fehlende
Empfangsberechtigung dem Dritten bekannt war.**

---

10   Zum Verfahren s.a. Hueck/Fastrich in Baumbach/Hueck, GmbHG, § 9 Rn. 3;
      Heyder in Michalski, GmbHG, § 9c Rn. 46 ff.

I.   Einführung

1   § 10 Abs. 1 bestimmt den notwendigen Inhalt der Handelsregistereintragung, während Abs. 2 die Eintragung bei einer gesellschaftsvertraglich vorgesehenen Befristung der Gesellschaft und bei Anmeldung einer für Zustellungen empfangsberechtigten Person regelt. Die ursprünglich in § 10 Abs. 3 a.F. für die Veröffentlichung vorhandene Bestimmung wurde durch das seit dem 01.01.2007 in Kraft befindliche EHUG[1] (Gesetz über elektronische Handelsregister und Genossenschaftsregister sowie Unternehmensregister) gestrichen. Durch die Reform des GmbHG wurde Abs. 2 erweitert. Zusätzlich zu der zwingenden Eintragung einer inländischen Geschäftsanschrift können die Gesellschaften nunmehr eine Person ins Register eintragen lassen, die den Gläubigern als zusätzlicher Zustellungsempfänger neben den Vertretern der Gesellschaft dienen.[2]

2   Bereits mit der Eintragung entsteht die GmbH (§ 11 GmbHG)[3] die Bekanntmachung der Eintragung ist dafür nicht erforderlich.[4] Somit hat die Eintragung konstitutive Wirkung und dient nicht lediglich deklaratorischen oder Publizitätszwecken (§ 15 HGB).

3   Durch das vorgeschaltete Prüfungsverfahren nach § 9c soll gesichert werden, dass nur ordnungsgemäß errichtete Gesellschaften eingetragen werden. Hier erkennbare Schreibfehler oder offenkundige Versehen werden von Amts wegen korrigiert, sonstige Unrichtigkeiten auf Antrag der Anmelder.[5] Wegen des insoweit begründeten Vertrauens des Rechtsverkehrs sind nachträgliche Korrekturen wegen etwaiger Gründungsmängel hinsichtlich des Entstehens der GmbH nur eingeschränkt möglich. Zu den Rechtsfolgen unrichtiger Eintragungen (s.u. Rn. 17 ff.).

4   § 10 gilt für Neugründungen, ist jedoch auch in den Fällen anwendbar, in denen GmbH durch Verschmelzung, Spaltung und Rechtsformwechsel entstehen (§§ 135 Abs. 2 Satz 1, 197 Satz 1 UmwG).[6]

---

1   BGBl. I 2006, S. 2553.

2   RegE MoMiG, Stand Mai 2007, Begründung Besonderer Teil, S. 82.

3   Zur Wirkung der Eintragung: s.a. Heyder in Michalski, GmbHG, § 10 Rn. 19 ff.

4   Herrschende Meinung: vgl. Hueck/Fastrich in Baumbach/Hueck, GmbHG, § 10 Rn. 4 m.w.N.

5   Hueck/Fastrich in Baumbach/Hueck, GmbHG, § 10 Rn. 4 Fn. 6.

6   Zum sachlichen Geltungsbereich: s. Winter/Veil in Scholz, GmbHG, § 10 Rn. 3.

Die Eintragung der GmbH erfolgt unter Angabe des Datums in Abteilung B   5
des Handelsregisters, §§ 3 Abs. 3, 43 HRV, und ist vom Registerbeamten
zu unterschreiben. Sie ist den Anmeldenden bekannt zu machen, § 130
FGG, § 28 HRV. Das Datum bestimmt den Zeitpunkt der Entstehung der
GmbH als juristische Person (§ 11) und ist hinsichtlich des Verjährungs-
beginns nach §§ 9 Abs. 2, 9b Abs. 2 GmbHG von Bedeutung.[7]

II.   Notwendiger Eintragungsinhalt (Abs. 1, 2)

Der notwendige Eintragungsinhalt[8] ergibt sich ausdrücklich aus dem Wort-   6
laut von Abs. 1:

- **Firma und Sitz (§ 3 Abs. 1 Nr. 1):**

Sie sind wie in der Satzung festgelegt aufzunehmen.

- **Unternehmensgegenstand (§ 3 Abs. 1 Nr. 2):**

Beim Unternehmensgegenstand ist der exakte Wortlaut der Satzungsbestimmung wiederzugeben.

- **Die bei der Anmeldung anzugebende inländische Geschäftsanschrift
  (§ 10 Abs. 1):**

Diese Verpflichtung ist durch das MoMiG[9] begründet worden. Die Angabe
der inländischen Geschäftsanschrift soll Zustellungsprobleme vereinfachen.
Damit soll auch für juristische Personen eine in einem öffentlichen Register
einsehbare Anschrift fixiert werden.[10]

- **Das Stammkapital als Gesamtsumme (§ 3 Abs. 1 Nr. 3):**

Es ist ohne seine Aufteilung auf die einzelnen Gesellschafter einzutragen.

Ferner ist der **Tag des Abschlusses des Gesellschaftsvertrags** einzutragen.   7
Das Datum ergibt sich aus dem (ggf. notariellen) Gründungsprotokoll. Ist der
Gründungsakt in mehreren getrennten Urkunden erfolgt, so ist die zeitlich
letzte Urkunde maßgeblich. Ist in der Satzung eine Zeitdauer für die Gesellschaft vereinbart, so ist diese Bestimmung einzutragen (§ 10 Abs. 2).

---

7   Hueck/Fastrich in Baumbach/Hueck, GmbHG, § 10 Rn. 4, § 11 Rn. 2.

8   Zum notwendigen Eintragungsinhalt: s.a. Lutter/Bayer in Lutter/Hommelhoff,
    GmbHG, § 10 Rn. 2 ff.; Heyder in Michalski, GmbHG, § 10 Rn. 4 ff.; Hueck/
    Fastrich in Baumbach/Hueck, GmbHG, § 10 Rn. 4, 2.

9   Eingefügt als redaktionelle Folgeänderung zu § 8 Abs. 4 GmbHG durch RegE
    MoMiG, Stand Mai 2007, Nummer 9 Buchst. d.

10   RegE MoMiG, Stand Mai 2007, Begründung Besonderer Teil, S. 80.

8 Weiter sind einzutragen
   - **die Personen der Geschäftsführer,**

   einschließlich der Stellvertreter, mit Vornamen, Familiennamen, Beruf und Wohnort (§ 43 Nr. 4 HRV) sowie

   - **die Vertretungsbefugnis der Geschäftsführer**

   gem. § 10 Abs. 1 Satz 2. Damit ist die sich nach dem GmbHG ergebende Befugnis wie auch die sich bei Abweichung durch den Gesellschaftsvertrag ergebende Vertretungsbefugnis gemeint. Es ist anzugeben, ob Einzel- oder Gesamtvertretungsmacht besteht und wie diese im Einzelnen ausgestaltet ist. Sind Geschäftsführer von den Beschränkungen des § 181 BGB befreit, so muss dies eingetragen werden.

9 **Nicht einzutragen** sind:
   - die Personen der Gesellschafter sowie
   - die von ihnen geleisteten Einlagen ebenso wie
   - die Vereinbarung von Sacheinlagen.

   diese Informationen können durch Einsicht in die Anmeldungsunterlagen erlangt werden.

10 Die in § 10 Abs. 1 und 2 enthaltene Aufzählung ist abschließend, soweit nicht in besonderen Normen eine Eintragung weiterer Angaben ausdrücklich vorgeschrieben ist, so z.B. betreffend eine
   - Satzungsänderung (§ 54 Abs. 1 GmbHG),
   - Verschmelzung durch Aufnahme (§ 19 Abs. 1 UmwG),
   - Verschmelzung durch Neugründung (§ 36 Abs. 1 UmwG),
   - Spaltung zur Aufnahme (§ 130 Abs. 1 UmwG),
   - Spaltung zur Neugründung (§ 135 Abs. 1 UmwG),
   - Spaltung zur Neugründung (§ 137 Abs. 3 Satz 3 UmwG),
   - Formwechsel (§ 198 UmwG).

III. Zeitdauer der Gesellschaft (Abs. 2)

11 Sieht der Gesellschaftsvertrag eine zeitliche Begrenzung der Gesellschaft vor, so ist diese gem. Abs. 2 einzutragen, wobei die Eintragung hier nicht Wirksamkeitsvoraussetzung ist.[11] Fehlt eine Zeitbestimmung, so ist eine GmbH auf unbestimmte Zeit gegründet. Diese kann dann durch Kündigung beendet werden.

---

11 Hueck/Fastrich in Baumbach/Hueck, GmbHG, § 3 Rn. 27 und § 10 Rn. 3.

IV. Eintragung der inländischen Anschrift von empfangsberechtigten Personen (Abs. 2 Satz 2)

Wenn eine Person, die für Zustellungen an die Gesellschaft empfangs- 12
berechtigt ist, mit einer inländischen Anschrift zur Eintragung ins Handelsregister angemeldet wird, sind auch diese Angaben einzutragen. Dadurch
wird den Gesellschaftern die Möglichkeit eröffnet, eine Person ins Handelsregister eintragen zu lassen, die den Gläubigern als zusätzlicher Zustellungsempfänger neben den Vertretern der Gesellschaft dient.

Die Vorschrift eröffnet lediglich eine Option. Ob die Gesellschafter davon 13
Gebrauch machen, mag davon abhängen, ob die eingetragene Geschäftsanschrift tatsächlich ununterbrochen für Zustellungen geeignet ist und so
ansonsten drohende Risiken einer öffentlichen Zustellung vermieden werden sollen.

Dritten gegenüber gilt die Empfangsberechtigung als fortbestehend, bis sie 14
im Handelsregister gelöscht und die Löschung bekannt gemacht worden ist,
es sei denn, dass die fehlende Empfangsberechtigung dem Dritten bekannt
war (Abs. 2 Satz 2). Hierdurch wird die Registerpublizität auf die eingetragene Empfangsberechtigung erstreckt, sodass die Gesellschaften dazu
angehalten werden, die Angaben zur Person stets aktuell zu halten.[12]

V. Bekanntmachung (§ 10 Abs. 3 GmbHG a.F.)

§ 10 Abs. 3 GmbHG a.F. ist durch das Gesetz über das elektronische 15
Handelsregister und Genossenschaftsregister sowie das Unternehmensregis-
ter (EHUG) mit Wirkung zum 01.01.2007 aufgehoben worden. Die Auf-
hebung folgt dem Grundsatz des Verzichts auf Zusatzbekanntmachungen.[13]
Danach soll künftig nur der im Handelsregister eingetragene Text bekannt-
gemacht werden. Die bislang verschiedentlich angeordneten zusätzlichen
Bekanntmachungen sind eine Fehlerquelle, v.a. sind sie bei einem Online-
Zugang nicht mehr notwendig.[14]

---

12   Vgl. RegE MoMiG, Stand Mai 2007, Begründung Besonderer Teil, S. 83; zur
      Möglichkeit der öffentlichen Zustellung s. Opgenhoff in Bormann/Kauka/
      Ockelmann in HdB. GmbH-Recht, Kap. 2 Rn. 52 f.

13   Begründung zum Gesetz über das elektronische Handelsregister und Genossen-
      schaftsregister sowie das Unternehmensregister (EHUG), S. 140

14   Begründung zum Gesetz über das elektronische Handelsregister und Genossen-
      schaftsregister sowie das Unternehmensregister (EHUG), S. 74.

VI.   Rechtsfolgen

16   Mit der Eintragung in das Handelsregister entsteht die GmbH als juristische
Person, vgl. § 11. Fraglich ist, welche Rechtsfolgen bei unrichtiger Eintragung eintreten und wie auf Fehler hinsichtlich der Eintragung reagiert
werden kann.

1.   Rechtsfolgen unrichtiger Eintragungen

17   Hier ist zwischen unrichtigen Eintragungen, Verfahrensmängeln und nicht
ordnungsgemäßer Gesellschaftserrichtung zu unterscheiden.[15] Eine gesetzliche Regelung über die rechtlichen Folgen unrichtiger Eintragungen ist
nicht vorhanden. Aus der durch § 9c festgelegten Prüfungspflicht und der
davon abhängigen Eintragung lässt sich der Rechtsgedanke ableiten, dass
auch bei unrichtigen Eintragungen die GmbH als solche entsteht. Etwas
anderes gilt jedoch dann, wenn ernsthafte Zweifel an der Identität der
Gesellschaft bestehen. Dies ist regelmäßig der Fall, wenn sich nach objektiver Auslegung des Eintragungsinhalts im Einzelfall ergibt, dass z.B. die
Firma der Gesellschaft überhaupt nicht oder in einer ihre Identifizierung
ausschließenden Weise entstellt eingetragen ist.[16]

18   Verfahrensmängel bei der Eintragung verhindern die Entstehung der GmbH
nicht. Dies gilt auch in dem Fall, dass die Gesellschaft materiell-rechtlich
nicht ordnungsgemäß errichtet war, aber dennoch eingetragen wurde.

2.   Reaktionsmöglichkeiten bei Eintragungsfehlern

19   Wie auf Fehler im Zusammenhang mit der Eintragung reagiert werden kann,
ist von der Art des Fehlers abhängig.[17] Hier sind Eintragungsmängel[18] und
Mängel des Gesellschaftsvertrags[19] zu unterscheiden. Eintragungsmängel
liegen vor, wenn die GmbH wegen Fehlens der Voraussetzungen nicht hätte
eingetragen werden dürfen. Diese Mängel werden durch die Eintragung
regelmäßig geheilt und können je nach Art des Mangels durch Nichtigkeitsklage gem. § 75 HGB, Amtslöschungsverfahren gem. §§ 142, 144 FGG

---

15   Zur Wirkung von Eintragungsmängeln: s.a. Winter/Veil in Scholz, GmbHG,
§ 10 Rn. 18 ff.

16   Roth/Altmeppen, GmbHG, § 10 Rn. 8.

17   Zum Verfahren der Eintragung, Rechtsmittel s. Lutter/Bayer in Lutter/Hom-
melhoff, GmbHG, § 10 Rn. 1.

18   Zu Rechtsfolgen unrichtiger Eintragungen s.a. Winter/Veil in Scholz, GmbHG,
§ 10 Rn. 20 ff.

19   Zu Rechtsfolgen bei Mängeln des Gesellschaftsvertrags s. Lutter/Kleindiek in
Lutter/Hommelhoff, GmbHG, § 75 Rn. 2 ff.

oder Amtsauflösungsverfahren korrigiert werden. Die heilende Wirkung tritt jedoch nicht ein, wenn der Eintragungsmangel ernsthafte Zweifel an der Identität der Gesellschaft entstehen lässt. Davon kann regelmäßig dann ausgegangen werden, wenn die Firma der Gesellschaft überhaupt nicht oder in einer ihre Identifizierung ausschließenden Weise entstellt und eingetragen ist (s.o. Rn. 17).

Besonders schwerwiegende Mängel des Gesellschaftsvertrags, die das Gesetz abschließend bestimmt, führen nach § 75 GmbHG zur Vernichtbarkeit und zur Amtslöschung, § 144 Abs. 1 Satz 2 FGG. Ferner kann das Registergericht gem. § 144a Abs. 4 FGG das Amtslöschungsverfahren betreiben. Sonstige Errichtungsmängel bleiben regelmäßig ohne Einfluss auf den Bestand der GmbH. **20**

§ 11 GmbHG   Rechtszustand vor der Eintragung

(1) Vor der Eintragung in das Handelsregister des Sitzes der Gesellschaft besteht die Gesellschaft mit beschränkter Haftung als solche nicht.

(2) Ist vor der Eintragung im Namen der Gesellschaft gehandelt worden, so haften die Handelnden persönlich und solidarisch.

I.   Einführung

§ 11 beschreibt den Rechtszustand vor der Eintragung und legt die persönliche Haftung der für die Gesellschaft in diesem Stadium Handelnden fest. Durch Abs. 1 wird deutlich, dass die GmbH als solche vor der Eintragung nicht existiert. Damit entsteht die Frage, wie sich die vor der Entstehung vorgenommenen Rechtsgeschäfte auf die später entstandene GmbH auswirken und wer in diesem Stadium für die eingegangenen Pflichten einzustehen **1** hat. Da das GmbHG ungeregelt lässt, um welche Rechtsform es sich bei dem Zusammenschluss von Gesellschaftern in den Stadien vor der Eintragung handelt, sind dementsprechend vielfältige Meinungen in Literatur und Rechtsprechung festzustellen, auf die hier im Einzelnen nicht eingegangen werden kann, vgl. dazu die Literaturverweise unten.[1] Nach der h.M.[2] ist für die Beantwortung der aufgeworfenen Fragen zwischen Vorgründungs- und Vorgesellschaft zu unterscheiden (s.u. Rn. 3 ff., 10 ff.).

II. Wirkung der Eintragung

2 Die Eintragung der Gesellschaft ins Handelsregister lässt die GmbH als solche entstehen. Somit hat die Eintragung konstitutive Wirkung. Die GmbH entsteht mit diesem Termin – die Eintragung und nicht die Bekanntmachung ist maßgeblich – als juristische Person mit dem Status einer Handelsgesellschaft (vgl. § 13 Abs. 1 und 3). Die mit der Eintragung existente GmbH genießt hohe Bestandskraft, denn sie bleibt grds. auch trotz Fehlern im Gründungsprozess bestehen und kann nur in seltenen Fällen mit ex nunc Wirkung durch Nichtigkeitsklage oder Amtslöschungsverfahren gem. § 144 FGG (ggf. § 144a FGG) vernichtet werden.[3]

III. Vorgründungsgesellschaft

1. Rechtsnatur

3 Eine Vorgründungsgesellschaft entsteht, wenn sich mehrere Personen zum Zweck der Gründung einer GmbH (vor-)vertraglich binden. Sie dauert im Normalfall bis zur Festsetzung der (notariell beurkundeten) GmbH-Satzung an.[4] Als Rechtsform für die Gesellschaft kommt regelmäßig eine GbR[5] (§§ 705 ff. BGB) oder bei Betrieb eines Handelsgewerbes eine OHG[6] (§§ 105 ff. HGB) in Betracht, sofern es sich bei der vertraglichen Bindung der Gesellschafter nicht um eine reine Innengesellschaft (keine Geschäftsaufnahme nach außen) handelt.

---

1   Zum Rechtszustand vor der Eintragung: s. Schmidt in Scholz, GmbHG, § 11 Rn. 4 f.; Lutter/Bayer in Lutter/Hommelhoff, GmbHG, § 11 Rn. 1 ff.; Michalski in Michalski, GmbHG, § 11 Rn. 1 ff.

2   Hueck/Fastrich in Baumbach/Hueck, GmbHG, § 11 Rn. 3.

3   Roth/Altmeppen, GmbHG, § 11 Rn. 2.

4   Zu Beginn, Wirksamkeit und Ende des Vorgründungsvertragsverhältnisses s. Schmidt in Scholz, GmbHG, § 11 Rn. 7 – 13.

5   Zur Vorgründungsgesellschaft als GbR (BGB-Innengesellschaft) s. Michalski in Michalski, GmbHG, § 11 Rn. 14.

6   Zur Vorgründungsgesellschaft als OHG s. BGH, 07.05.1984 – II ZR 276/83, BGHZ 91, 148, 151 = GmbHR 1984, 316; BGH, 09.03.1998 – II ZR 366/96, NJW 1998, 1645 = GmbHR 1998, 633, 634.

2. Rechtsgeschäftliches Handeln

Ein rechtsgeschäftliches Handeln durch die Gesellschafter ist in diesem Stadium möglich. Es kommt für die weiteren Rechtsfolgen darauf an, ob das rechtsgeschäftliche Handeln für die Geschäftspartner erkennbar für die künftige GmbH stattfindet und ob bei dem Handeln haftungsbeschränkende Vereinbarungen mit den Geschäftspartnern getroffen wurden.

Wird während des Vorgründungsstadiums ohne Offenlegung für die künftige GmbH gehandelt, so wird weder die Vorgesellschaft noch die später entstehende GmbH verpflichtet, sondern nach den Grundsätzen des betriebsbezogenen Geschäfts (d.h., wenn im Vorgründungsstadium im Namen der noch nicht existenten Gesellschaft rechtsgeschäftlich gehandelt wird[7]) der wahre Unternehmensträger, also die Vorgründungsgesellschaft oder bei Einmann-Gründung der einzelne Gründer.[8] Dies gilt auch bei Offenlegung des Handelns für die künftige GmbH, sofern nicht besondere rechtsgeschäftliche Gestaltungen vorgenommen werden, die eine Wirkung für die noch entstehende GmbH vorsehen, z.B. Handeln in Stellvertretung mit vorgesehener späterer Genehmigung oder Handeln unter aufschiebender Bedingung.[9]

3. Haftung der Gesellschafter

Da die Vorgründungsgesellschaft weder mit der Vorgesellschaft noch mit der GmbH identisch ist, richtet sich die persönliche Haftung der Gesellschafter nach den allgemeinen Regeln des BGB bzw. des HGB und nicht nach Abs. 2.[10]

Daraus folgt, dass für die Verbindlichkeiten der Vorgründungsgesellschaft die Gesellschafter grds. persönlich haften, es sei denn, sie haben beim rechtsgeschäftlichen Handeln zulässige haftungsbeschränkende Vereinbarungen mit den Geschäftspartnern getroffen (s.o. Rn. 4). Dafür ist jedoch erforderlich, dass den Geschäftspartnern hinreichend deutlich wird, dass die versprochenen Leistungen für und gegen die spätere GmbH geschuldet sein sollen. Ein bloßer Hinweis auf die „GmbH in Gründung" reicht für eine

4

5

6

7

---

7   BGH, 09.03.1998 – II ZR 366/96, NJW 1998, 1645.

8   BGH, 09.03.1998 – II ZR 366/96, NJW 1998, 1645; K. Schmidt, GmbHR 1998, 613, 615 f.

9   Vgl. dazu BGH, 09.03.1998 – II ZR 366/96, NJW 1998, 1645; BGH, 18.05.1998 – II ZR 355/95, ZIP 1998, 1223; Hueck/Fastrich in Baumbach/Hueck, GmbHG, § 11 Rn. 36.

10   OLG Stuttgart, 27.02.2002 – 9 U 205/01, GmbHR 2002, 1067 (LS); Roth/Altmeppen, GmbHG, § 11 Rn. 71.

Haftungsbeschränkung *nicht* aus.[11] Als weitere Gestaltungsmöglichkeiten bieten sich der Abschluss der Geschäfte unter aufschiebender Bedingung des Entstehens der GmbH gem. § 158 Abs. 1 BGB oder der Abschluss der Geschäfte unter dem Vorbehalt ihrer späteren Genehmigung durch die GmbH (§ 177 BGB) an.[12] Das rechtsgeschäftliche Handeln berechtigt oder verpflichtet bei späterer Eintragung die dann existente GmbH (außer im Fall der Vereinbarung einer aufschiebenden Bedingung) nicht.

4.   Beziehung zur Vorgesellschaft

8   Die Vorgründungsgesellschaft ist von der Vorgesellschaft und der späteren GmbH rechtlich zu trennen. Sie geht somit nicht automatisch im Verlauf des weiteren Gründungsverfahren auf die Vorgesellschaft und dann auf die GmbH über.[13] Daher findet auch kein Vermögensübergang statt. Aktiva und Passiva sind dementsprechend von der Vorgründungsgesellschaft auf die Vorgesellschaft oder die GmbH durch entsprechende Rechtsakte zu übertragen. Dabei sind evtl. Genehmigungsvorbehalte (z.B. gem. § 415 Satz 2 BGB) zu beachten.

5.   Beendigung

9   Wird der Gesellschaftsvertrag durch die Gesellschafter geschlossen, so endet die Vorgründungsgesellschaft, da sie ihren Zweck erreicht hat. Eine vorherige Beendigung durch ordentliche Kündigung ist unter den Voraussetzungen des § 723 BGB möglich, dürfte jedoch wegen der zeitlichen Begrenztheit durch den Gründungszweck nur selten in Betracht kommen. Eine außerordentliche Kündigung erfordert einen wichtigen Grund, vgl. § 723 Abs. 1 Satz 2 BGB. Ob der Tod eines Gesellschafters die Auflösung der Vorgründungsgesellschaft zur Folge hat, ist durch Auslegung des Vorvertrags zu ermitteln (vgl. § 727 BGB).

IV.   Vorgesellschaft

1.   Rechtsnatur

10   Unter Vorgesellschaft versteht man den Zusammenschluss der Gründungsgesellschafter nach Errichtung der Gesellschaft, d.h. nach Abschluss des

---

11   BGH, 20.06.1983 – II ZR 200/82, NJW 1983, 2822; BGH, 13.01.1992 – II ZR 63/91, GmbHR 1992, 164; Hueck/Fastrich in Baumbach/Hueck, GmbHG, § 11 Rn. 36.

12   OLG Stuttgart, 20.09.2000 – 20 U 87/99, GmbHR 2001, 200 (LS); Hueck/Fastrich in Baumbach/Hueck, GmbHG, § 11 Rn. 37.

13   BGH, 07.05.1984 – II ZR 276/83, BGHZ 91, 149, 151 = NJW 1984, 2164; Hueck/Fastrich in Baumbach/Hueck, GmbHG, § 11 Rn. 38.

Gesellschaftsvertrags und vor der Eintragung der GmbH in das Handels-register. Dieses Gebilde ist als Vorstufe und notwendige Durchgangsstation auf dem Weg zur GmbH nach h.M. ein **Rechtsträger sui generis**, der sich mit der Erlangung der Rechtsfähigkeit mit allen Aktiva und Passiva in die GmbH umwandelt und mit dieser identisch ist. Die Vorgesellschaft ist rechtsfähig[14] und unterliegt keinen Beschränkungen; das diesbezüglich früher vertretene Vorbelastungsverbot widerspricht heutiger Auffassung.[15]

Die geleisteten Einlagen werden Vermögen der Vorgesellschaft, über das 11 verfügt werden kann, allerdings mit der Folge, dass die Gesellschafter für eine Unterdeckung zum Zeitpunkt der Eintragung einstehen und gegebenen-falls nach Abs. 2 haften müssen (zur Haftung s.u. Rn. 17 ff.). Auf die Vorgesellschaft sind bereits jetzt die Regeln des GmbH-Rechts anwendbar, soweit diese Vorschriften nicht die Eintragung voraussetzen.

2. Rechtsgeschäftliches Handeln

Für ihr rechtsgeschäftliches Handeln benötigt die Vorgesellschaft eine 12 Kennzeichnung, d.h. sie hat eine Firma oder zumindest dann einen Namen, wenn sie kein kaufmännisches Unternehmen betreibt.[16] Diese Firma oder der Name ist identisch mit der im Gesellschaftsvertrag enthaltenen Bezeich-nung und wird so zur Eintragung ins Handelsregister angemeldet und bei Vorliegen der Voraussetzungen eingetragen werden. Für die Zeit vor der Eintragung wird üblicherweise der Zusatz „in Gründung" benutzt, um den derzeitigen Rechtszustand zu verdeutlichen.

Betreibt die Vorgesellschaft ein Handelsgewerbe, sind die entsprechenden 13 Vorschriften des HGB (z.B. §§ 48 ff., 238 ff., 343 ff. HGB) zu beachten. Das rechtsgeschäftliche Handeln für die Vorgesellschaft wird regelmäßig durch den Geschäftsführer erfolgen, der für die Vorgesellschaft notwendiges Handlungsorgan ist und im Gründungsstadium bereits zu bestellen ist. Durch sein Handeln verpflichtet der Geschäftsführer die Vorgesellschaft nach den Regeln über unternehmensbezogenen Rechtsgeschäfte, auch wenn er die

---

14   Rechtsfähigkeit der Vorgesellschaft: zustimmend: Lutter/Bayer in Lutter/Hom-melhoff, GmbHG, § 11 Rn. 4; Scholz/Schmidt, GmbHG, § 11 Rn. 27 f.

15   BGH, 09.03.1981 – II ZR 45/80, BGHZ 80, 129 = NJW 1981, 1373, 1375; BGH, 07.05.1984 – II ZR 276/83, BGHZ 91, 148, 151 = GmbHR 1984, 316; BGH, 27.01.1997 – II ZR 123/94, BGHZ 134, 333, 338 f. = GmbHR 1997, 405.

16   Herrschende Rechtsprechung: vgl. BGH, 29.10.1992 – I ZR 264/90, BGHZ 120, 103; 106 = GmbHR 1993, 103; BGH, 28.11.1997 – V ZR 178/96, NJW 1998, 1079, 1080.

Firma der künftigen GmbH ohne Zusatz verwendet.[17] Ob die Vertretungsmacht des Geschäftsführers entsprechend § 37 Abs. 2 unbeschränkt ist oder
sich nur auf die im Gründungsstadium notwendigen Geschäfte beschränkt,
ist umstritten. Im Ergebnis werden hier die Verhältnisse der Vorgesellschaft,
also die gesetzlichen Bestimmungen, Bestimmungen des Gesellschaftsvertrags oder zusätzliche Ermächtigungen durch die Gesellschafter zur Bemessung des Umfangs der Vertretungsmacht herangezogen werden können.[18]

3. Haftung (in) der Vorgesellschaft

14 Die Vorgesellschaft haftet vertraglich wie gesetzlich mit ihrem Vermögen
für die in ihrem Namen oder im Namen der künftigen GmbH begründeten
Verbindlichkeiten. Ebenso ist der Vorgesellschaft ein Organverschulden
entsprechend § 31 BGB zuzurechnen. Zur Zwangsvollstreckung ist ein
gegen sie gerichteter Titel nach § 735 ZPO analog ausreichend.[19]

15 Inwieweit die Gesellschafter in diesem Stadium haften müssen, ist strittig.[20]
Nach heute überwiegender Meinung in der Rechtsprechung[21] sollen die
Gründungsgesellschafter gegenüber der Gesellschaft nach dem Verhältnis
ihrer Geschäftsanteile (früher: Stammeinlagen) für alle vom Gesellschafts-
vermögen nicht abgedeckten Verluste haften (proratarische Innenhaftung,
Verlustdeckungshaftung).[22] Dies gilt unabhängig davon, ob sie ihre Ein-
lagen erbracht haben oder nicht. Gläubiger können nicht unmittelbar gegen
Gründer vorgehen, sondern müssen zunächst die Vorgesellschaft in
Anspruch nehmen. Dagegen bevorzugen gewichtige Meinungen in der
Literatur eine unbeschränkte Außenhaftung entsprechend § 128 HGB oder
§ 54 BGB.[23]

16 Die Haftungsmodelle unterscheiden sich in ihren Auswirkungen erheblich,
da die proratarische Innenhaftung nur bei eingetretenen Verlusten eingreift,
während die unbeschränkte Außenhaftung alle Verbindlichkeiten der Vor-

---

17 Hueck/Fastrich in Baumbach/Hueck, GmbHG, § 11 Rn. 18.

18 Hueck/Fastrich in Baumbach/Hueck, GmbHG, § 11 Rn. 19 f. m.w.N.

19 Lutter/Bayer in Lutter/Hommelhoff, GmbHG, § 11 Rn. 12.

20 Ausführlich zum Meinungsstreit: Michalski in Michalski, GmbHG, § 11
Rn. 60 ff.; Lutter/Bayer in Lutter/Hommelhoff, GmbHG, § 11 Rn. 15 f.

21 BGH, 27.01.1997 – II ZR 123/94, BGHZ 134, 333 = NJW 1997, 1507, 1508.

22 BGH, 27.01.1997 – II ZR 123/94, BGHZ 134, 333, 339 ff. = NJW 1997,
1507, 1508; BGH, 10.12.2001 – II ZR 89/01, BGHZ 149, 273, 274 = ZInsO
9002, 188; BAG, 27.05.1997 – 9 AZR 483/96, NJW 1998, 628, 629; m. krit.
Anm.: Hueck/Fastrich in Baumbach/Hueck, GmbHG, § 11 Rn. 25, 28 f.

23 K. Schmidt, ZIP 1996, 353; ders., ZIP 1997, 671.

gesellschaft erfasst. Da die unbeschränkte Außenhaftung der Haftung beim Handeln für eine OHG ähnelt, widerspricht sie dem Verständnis der Vorgesellschaft als quasi-GmbH und ist m.E. wegen ihrer weitreichenden Folgen – gerade für nur geringfügig beteiligte Gesellschafter – unzumutbar[24] und daher abzulehnen.

4. Handelndenhaftung gem. Abs. 2

Die ursprünglichen Funktionen der Handelndenhaftung nach Abs. 2 (Straf-, Sicherungs- und Druckfunktion) sind mit dem heutigen Verständnis der Vorgesellschaft entwertet. Spätestens seit der Überwindung des Vorbelastungsverbots ist die Straffunktion sinnentleert. Dies gilt angesichts der grds. unbeschränkten Gesellschafterhaftung ebenso für die Sicherungsfunktion. Auch die Druckfunktion verfehlt ihren Sinn, da die Gründer mit Blick auf die Verlustdeckungshaftung auf eine baldmögliche Eintragung drängen werden. Nach heute herrschender Auffassung besteht die **Funktion der Handelndenhaftung**[25] v.a. darin, dem Gläubiger einen Ausgleich dafür zu geben, dass die Kapitalgrundlage der dem Gläubiger zunächst haftenden Vorgesellschaft noch nicht in gleichem Maße wie bei der eingetragenen GmbH gerichtlich kontrolliert und gesichert ist. Demzufolge ist die Vorschrift **restriktiv anzuwenden**; sie begründet eine reine Organhaftung. | 17

Eine Handelndenhaftung kommt nur im Stadium der Vorgesellschaft in Betracht. Als Handelnde gelten die Geschäftsführer bzw. solche Personen, die ohne Geschäftsführer zu sein, nach Art von Geschäftsführern im Rechtsverkehr auftreten (faktische Geschäftsführer). Gründer bzw. sonstige Vertreter, die nicht Organe der Vorgesellschaft sind, trifft die Handelndenhaftung nicht.[26] Hinsichtlich des Haftungsumfanges gilt, dass die Haftung der Handelnden nicht weiter geht als die Haftung der GmbH ginge, wenn sie bei Vertragsschluss eingetragen wäre, sog. unbeschränkte akzessorische Haftung. Mit der Eintragung der GmbH entfällt die Handelndenhaftung. Soweit ein Geschäftsführer für die Vorgesellschaft im Rahmen seiner Befugnisse gehandelt hat, kommt nach erfolgter Inanspruchnahme durch einen Gläubiger nach Abs. 2 zugunsten des Geschäftsführers ein Regressanspruch gegen die Gesellschaft in Form eines Aufwendungsersatzanspruchs gem. §§ 675 | 18

---

24 Siehe auch Monhemius, GmbHR 1997, 384, 391.

25 Zur Handelndenhaftung: s.a. Lutter/Bayer in Lutter/Hommelhoff, GmbHG, § 11 Rn. 21; Michalski in Michalski, GmbHG, § 11 Rn. 86 ff.

26 Keine Handelndenhaftung des Geschäftsführers einer englischen private limited company: zustimmend: BGH, 14.03.2005 – II ZR 5/03, GmbHR 2005, 630 ff.

Abs. 1, 670 BGB in Betracht. Ferner kann ein Freistellungsanspruch gem. § 257 BGB gegeben sein.

5.   Beendigung der Vorgesellschaft

19   Die Vorgesellschaft endet im Normalfall automatisch durch Eintragung der angemeldeten GmbH ins Handelsregister. Wird die Eintragung endgültig abgelehnt, weil die Erreichung des vereinbarten Zwecks unmöglich ist, so endet die Vorgesellschaft ebenso wie bei Eröffnung des Insolvenzverfahrens über das Vermögen der Vorgesellschaft oder dessen Ablehnung mangels Masse. Weitere Beendigungstatbestände:

- zulässige außerordentliche Kündigung durch einen Gesellschafter aus wichtigem Grund,
- Auflösungsbeschluss durch Gesellschafter.

20   Die Vorgesellschaft endet nicht durch:

- Tod eines Gesellschafters,
- Insolvenz eines Gesellschafters,
- Ausschluss eines Gesellschafters,
- Änderung der Gesellschafterstruktur der Vorgesellschaft.

V.   Rechtslage nach Eintragung

21   Durch die Eintragung entsteht die GmbH als juristische Person. Für ihre Rechtsverhältnisse sind der Gesellschaftsvertrag und das Gesetz bestimmend. Mit der Eintragung endet die Vorgesellschaft und ihr Gesellschaftsvermögen geht durch Gesamtrechtsnachfolge mit allen für sie begründeten Rechten und Pflichten auf die GmbH automatisch, also ohne jeden weiteren Übertragungsakt, über. Da nicht nur Aktiva, sondern auch Passiva übertragen werden, muss die Kapitalausstattung der GmbH gesichert sein, **Unversehrtheitsgrundsatz**. D.h., dass die Gesellschafter der GmbH gegenüber etwaige Fehlbeträge (Differenz zwischen Stammkapital und Gesellschaftsvermögen) auszugleichen haben, sog. **Vorbelastungshaftung**.[27]

VI.   Einmann-Vorgesellschaft

22   Bei Einmann-Gründungen besteht das Problem, dass ein aus mehreren Personen bestehender Personenverband als Gesamthandgemeinschaft fehlt und somit hinsichtlich des Vermögens und einer Haftung für in diesem

---

27   BGH, 09.03.1981 – II ZR 54/80, BGHZ 80, 129, 140 ff. = GmbHR 1981, 114; BGH, 27.01.1997 – II ZR 123/94, BGHZ 134, 333, 339 ff. = GmbHR 1997, 405.

Stadium vorgenommene Rechtsgeschäfte nur eine Person zur Verfügung steht. Die hiermit einhergehenden dogmatischen Probleme sucht die Rechtsprechung dadurch zu vermeiden, dass sie die Einmann-Vorgesellschaft als solche als Zuordnungsobjekt anerkennt, also ihr weitestgehend Rechtsfähigkeit zugesteht.[28]

VII. GmbH & Co. KG-Gründungen

Probleme entstehen, wenn bei dieser Rechtsform weder die GmbH noch die KG oder jeweils nur eine von beiden Gesellschaften im Handelsregister eingetragen ist. **23**

Falls nur die Eintragung der GmbH fehlt, so können die Regeln über die Vorgesellschaft angewandt werden, d.h. sie kann der KG als persönlich haftende Gesellschafterin beitreten. Handelt ein Geschäftsführer mit entsprechender Vertretungsmacht für die KG, so haftet dafür die Vorgesellschaft gem. § 128 HGB. Die Gläubigerinteressen werden dadurch nicht vernachlässigt, da im Fall des Scheiterns der Vorgesellschaft (Nichteintragung der GmbH) die Gläubiger durch die Verlustdeckungshaftung (s.o. Rn. 14) geschützt wären. Bei Eintragung der GmbH würde die Vorbelastungshaftung (s.o. Rn. 21) diese Funktion erfüllen.

Falls nur die Eintragung der KG fehlt und sie dennoch bereits Geschäfte getätigt hat, so gilt für die Haftung der Kommanditisten § 176 HGB, sofern die KG ein Handelsgewerbe mit kaufmännischem Umfang betreibt. Von der unbeschränkten Haftung der Kommanditisten kann ausnahmsweise abgesehen werden, wenn die KG im Rechtsverkehr schon als GmbH & Co. KG aufgetreten ist, vgl. § 176 Abs. 1 Satz 1 letzter Halbs. HGB. **24**

Falls beide Gesellschaften noch nicht eingetragen sind, wird für die Betroffenen nach der jeweiligen Haftungslage (GmbHG oder HGB) eingestanden. Bei Personenidentität kann Haftung nach beiden Haftungslagen in Betracht kommen.[29] **25**

§ 12 GmbHG Bekanntmachungen der Gesellschaft

[1]**Bestimmt das Gesetz oder der Gesellschaftsvertrag, dass von der Gesellschaft etwas bekannt zu machen ist, so erfolgt die Bekanntmachung im elektronischen Bundesanzeiger (Gesellschaftsblatt).** [2]**Daneben kann der Gesellschaftsvertrag andere öffentliche Blätter oder elektronische Informationsmedien als Gesellschaftsblätter bezeichnen.**

---

28   Hueck/Fastrich in Baumbach/Hueck, GmbHG, § 11 Rn. 42.

29   Hueck/Fastrich in Baumbach/Hueck, GmbHG, § 11 Rn. 70 ff.

³**Sieht der Gesellschaftsvertrag vor, dass Bekanntmachungen der Gesellschaft im Bundesanzeiger erfolgen, so ist die Bekanntmachung im elektronischen Bundesanzeiger ausreichend.**

I.   Einführung

1   Durch Art. 12 des Justizkommunikationsgesetzes (BGBl. 2005 I, S. 837) wurde § 12 mit Wirkung zum 01.04.2005 neu in das GmbHG eingefügt. Die Vorschrift regelt, dass durch gesellschaftsvertragliche Bestimmung neben den Fällen der gesetzlichen Pflichtbekanntmachungen (vgl. §§ 30, 52, 58, 65 Abs. 2) weitere Pflichten zur Bekanntmachung bestehen können. Sowohl die gesetzlichen wie auch die gesellschaftsvertraglich begründeten Pflichtbekanntmachungen müssen gem. Satz 1 im **elektronischen Bundesanzeiger** als „Basis-Gesellschaftsblatt"[1] erfolgen.

2   Der elektronische Bundesanzeiger (*www.bundesanzeiger.de*) wird vom BMJ herausgegeben und von der „Bundesanzeiger Verlagsgesellschaft mbH" mit Sitz in Köln betrieben. Die Einsichtnahme und Recherche sind unentgeltlich. Die Veröffentlichung erfolgt nach den Verlags-AGB.[2]

3   Nach Satz 2 der Vorschrift kann durch Gesellschaftsvertrag zusätzlich bestimmt werden, dass Veröffentlichungen in anderen öffentlichen Blättern oder elektronischen Informationsmedien zu erfolgen haben.

4   Die Neuregelung wurde notwendig, da es auf der Grundlage des geltenden Verfahrensrechtes möglich ist, im Zivilprozess und in den Fachgerichtsbarkeiten elektronische Dokumente bei den Gerichten einzureichen und Dokumente an einen bestimmten Personenkreis elektronisch zuzustellen. Eine elektronische Aktenbearbeitung innerhalb der Gerichte war und ist

---

1   Regierungsbegründung BT-Drucks. 15/4067, S. 56; Roth/Altmeppen, GmbHG, § 12 Rn. 1.

2   Fastrich in Baumbach/Hueck, GmbHG, § 12 Rn. 3; AGB als Download: *https://wwww.Bundesanzeiger.de/download/agb-eBanz.pdf* (Stand Januar 2005).

bisher nicht möglich. Daher soll durch das verabschiedete Justizkommunikationsgesetz der Zivilprozess, die Fachgerichtsbarkeit und das Bußgeldverfahren für die elektronische Aktenbearbeitung geöffnet werden. Die Verfahrensbeteiligten sollen so die Möglichkeit erhalten, elektronische Kommunikationsformen gleichberechtigt neben der herkömmlich papiergebundenen Schriftform oder der mündlichen Form rechtswirksam verwenden zu können.[3]

II. Auswirkungen für bestehende GmbH-Satzungen

1. Satzungen ohne Bekanntmachungsregelungen

Sieht der Gesellschaftsvertrag keine Regelungen über Pflichtbekanntmachungen vor, so gilt ausschließlich die gesetzliche Regelung des § 12. Da die Neuregelung keine Übergangsvorschrift enthält, ist § 12 seit dem Inkrafttreten zum 01.04.2005 zu beachten. Somit ist in diesen Fällen der elektronische Bundesanzeiger zwingend einziges gesetzlich vorgeschriebenes Publikationsorgan.[4]   5

2. Satzungsregelung: „Veröffentlichung im Bundesanzeiger"

Sieht die Satzung für die Pflichtbekanntmachungen die Veröffentlichung im (gedruckten) Bundesanzeiger vor, so muss nach der zwingenden Regelung des § 12 unabhängig von dieser Satzungsregelung im **elektronischen** Bundesanzeiger veröffentlicht werden. Ob neben der Veröffentlichung im elektronischen Bundesanzeiger zusätzlich auch noch im gedruckten Bundesanzeiger zu veröffentlichen ist, ergibt die Auslegung der Satzung. Überwiegend dürfte eine doppelte Veröffentlichungspflicht nicht begründet worden sein, es sei denn, die Interpretation der Satzung ergibt, dass die Veröffentlichung in einem anderen öffentlichen Blatt gem. § 12 Satz 2 gewollt war. Dies dürfte bei Alt-Satzungen (vor dem 01.04.2005 begründete Satzungen) wohl eher nicht der Fall sein.[5] Zudem stellt Satz 3 klar, dass die Veröffentlichung im elektronischen Bundesanzeiger *ausreichend* in dem Fall ist, dass der Gesellschaftsvertrag die Bekanntmachungen der Gesellschaft im Bundesanzeiger vorsieht. Dies entspricht dem Vorhaben, den elektronischen Bundesanzeiger zum Quellmedium für alle gesellschafts- und kapitalmarktrechtlichen Veröffentlichungen auszubauen.[6]   6

---

3   Begründung zur Gesetzesinitiative: BT-Drucks. 15/4952, S. 1.

4   Stuppi, GmbHR 2006, 138.

5   Satzungsregelung „Veröffentlichung im Bundesanzeiger" als dynamische Verweisung: Noack, DB 2005, 599, 600.

6   Begründung zu dem Gesetz über das elektronische Handelsregister und Genossenschaftsregister sowie das Unternehmensregister, S. 74.

3.   Satzungsregelung: „zusätzliche Veröffentlichung in anderen Zeitungen"

7   Ist durch die Satzung neben der Veröffentlichung im Bundesanzeiger vorgesehen, dass auch in anderen Printmedien (Tages-, Lokal- oder überörtlichen Zeitungen) zu veröffentlichen ist, so ist nach § 12 zwingend im elektronischen Bundesanzeiger zu veröffentlichen. Ob daneben weitere Veröffentlichungspflichten bestehen, ist wiederum durch Auslegung der Satzung zu ermitteln. In diesem Fall dürfte die Auslegung überwiegend ergeben, dass die Gesellschafter über den Mindeststandard hinaus zusätzliche Informationsquellen schaffen wollten. Somit wird auch nach der Neuregelung auf diese zusätzlichen Veröffentlichungspflichten aus Gründen des Gesellschafter- und Gläubigerschutzes nicht verzichtet werden können.[7]

4.   Satzungsregelung: „allein Veröffentlichung in anderer Zeitung"

8   Sieht die Satzung allein eine Veröffentlichungspflicht in einer anderen Zeitung (z.B. nur in der lokalen Zeitung) vor, so muss nunmehr zwingend im elektronischen Bundesanzeiger veröffentlicht werden. Ob daneben eine Pflicht zur Veröffentlichung in der anderen Zeitung besteht, ist noch unklar. Nach der Regierungsbegründung (BR-Drucks. 609/04) sind entgegen stehende Bestimmungen in den Gesellschaftsverträgen gegenstandslos, sofern nicht angenommen werden müsste, dass der Gesellschaftsvertrag gem. § 12 Satz 2 neben dem Bundesanzeiger ein anderes öffentliches Blatt oder elektronische Informationsmedien als zusätzliches Gesellschaftsblatt bezeichnen wollte. Mit dieser Begründung wäre für die hier geschilderte Fallgruppe von einer dem zwingenden Gesetz entgegen stehenden Regelung auszugehen, die daher durch die gesetzliche Regelung ersetzt würde. Eine zusätzliche Veröffentlichungspflicht bestünde nicht. Dagegen spricht, dass die Verkehrskreise sich für diese GmbH auf Veröffentlichungen in der anderen Zeitung eingestellt haben und weiter auf Veröffentlichungen dieser Art vertrauen dürfen. Als pragmatische Lösung bietet sich an, zusätzlich in der andere Zeitung zu veröffentlichen, um dem Interesse der beteiligten Verkehrskreise gerecht zu werden.

III.   Folgen für nach dem 01.04.2005 eingetragene Gesellschaften

9   Wurde die Satzung vor dem 01.04.2005 beurkundet, aber erst nach diesem Termin ins Handelsregister eingetragen, so gilt das unter Rn. 3 ff. Gesagte, da die Willensbildung noch unter Geltung alten Rechts erfolgte. Wurde bei Neugründungen nach dem 01.04.2005 lediglich die Formulierung „Bundesanzeiger" gewählt, so dürfte davon auszugehen sein, dass eine Veröffent-

---

7   Stuppi, GmbHR 2006, 138, 139.

lichung im elektronischen Bundesanzeiger gemeint ist und keine zusätzliche Pflicht zur Veröffentlichung im gedruckten Bundesanzeiger begründet werden sollte. Jedoch kann in solchen Fällen das Registergericht diese Satzungsbestimmung als unklar beanstanden. Wurden neben der Veröffentlichung im elektronischen Bundesanzeiger weitere Medien zur Veröffentlichung benannt, so ist mit Blick auf § 12 Satz 2 auch dort zu veröffentlichen.[8]

---

8 In der Satzung bestimmtes Veröffentlichungsorgan „Bundesanzeiger" kann unklare Satzungsbestimmung sein: OLG Minden, 10.10.2005 – 31 Wx 65/05, GmbHR 2005, 1492.

Zweiter Abschnitt. Rechtsverhältnisse der Gesellschaft und der Gesellschafter

Vorbemerkung zu den §§ 13 bis 34 GmbHG

I.   Einführung

1   Die Vorschriften des zweiten Abschnitts regeln unter der Überschrift Rechtsverhältnisse der Gesellschaft und der Gesellschafter verschiedene **grundlegende Charakteristika der GmbH,** die für das Verständnis der Rechtsnatur der Gesellschaft und das Zusammenspiel mit den Gesellschaftern von Bedeutung sind.

2   Die im zweiten Abschnitt dargestellten Regelungen stellen kein in sich geschlossenes System dar, sondern unterfallen in unterschiedliche Teilbereiche, die für sich betrachtet ganz unterschiedliche Praxisrelevanz haben.

3   Die folgende Darstellung unternimmt zunächst den Versuch, den zweiten Abschnitt in Teilabschnitte zu gliedern und deren wesentlichen Inhalte abzubilden. Die sich anschließende Kommentierung greift die unterschiedliche Praxisbedeutung auf und legt ihre Schwerpunkte auf die für die Beratungs- und Gestaltungspraxis bedeutenden Punkte.

II. Rechtsnatur der Gesellschaft (§ 13)

Der Abschnitt beginnt zunächst mit § 13 (Rechtsnatur der Gesellschaft), welcher in Abs. 2 das für die GmbH charakterisierende Trennungsprinzip enthält: Den Gläubigern der GmbH haftet grds. nur das Gesellschaftsvermögen; auf das Privatvermögen der Gesellschafter können sie nicht zugreifen.   4

Die Vorschrift enthält als weitere wesentliche Kernaussage des Abs. 1, dass die GmbH eigene Rechtspersönlichkeit besitzt, welche mit der Eintragung im Handelsregister gem. § 11 Abs. 1 – konstitutive Wirkung der Eintragung – beginnt.   5

In Abs. 3 ist die Eigenschaft der GmbH als Handelsgesellschaft und folglich als Formkaufmann gem. § 6 HGB geregelt. Dies gilt unabhängig vom verfolgten Gesellschaftszweck.   6

III. Geschäftsanteil und dessen Übertragung (§§ 14, 15)

§ 14 (Geschäftsanteil) und § 15 (Übertragung des Geschäftsanteils) enthalten Regelungen über die **Mitgliedschaft der Gesellschafter**, welche durch den damit korrespondierenden Geschäftsanteil vermittelt wird.   7

Nach **§ 14** hat jeder Gesellschafter für die Übernahme eines Geschäftsanteils eine **Einlage** zu übernehmen. Die Summe der Geschäftsanteile muss gem. § 5 Abs. 3 Satz 2 mit dem Stammkapital der GmbH übereinstimmen. Die durch den Geschäftsanteil verkörperte Mitgliedschaft umfasst vielfältige Rechte und Pflichten, die im Einzelnen durch den Gesellschaftsvertrag näher ausgestaltbar sind.   8

§ 15 normiert den **Grundsatz der freien Übertragbarkeit** (Veräußerung und Vererbung) des Geschäftsanteils. Für die Übertragung gilt allerdings sowohl hinsichtlich des Verpflichtungs- als auch des Verfügungsgeschäftes (Abtretung) die strenge Formvorschrift der notariellen Beurkundung.   9

Einzelne Geschäftsanteile bleiben auch dann **selbstständig**, wenn sie von demselben Gesellschafter gehalten werden.   10

Hohe Praxisrelevanz kommt der in Abs. 5 vorgesehenen Möglichkeit zu, die grds. freie Übertragung der Geschäftsanteile durch Satzungsregelungen im Gesellschaftsvertrag zu modifizieren und bis zum völligen Ausschluss der Übertragbarkeit zu erschweren. Eine solche sog. **Vinkulierung** bietet sich insbes. bei personalistisch strukturierten Gesellschaften an, wenn es den Gesellschaftern nicht „gleichgültig" ist, mit wem sie die Geschicke der Gesellschaft leiten. Weit verbreitet ist, die Veräußerung oder Belastung eines Geschäftsanteils von der Zustimmung der übrigen Gesellschafter abhängig zu machen.   11

IV.   **Rechtsstellung bei Wechsel der Gesellschafter oder Veränderung des Umfangs ihrer Beteiligung; Erwerb vom Nichtberechtigten (§ 16)**

12   Die sich anschließende Vorschrift des § 16 (Rechtsstellung bei Wechsel der Gesellschafter oder Veränderung des Umfangs ihrer Beteiligung; Erwerb vom Nichtberechtigten) wurde im Zuge der jüngsten GmbHG-Reform **weitestgehend neu** gefasst und versucht insbes. die Transparenz für die Frage, wer jeweils Gesellschafter ist, zu sichern. Mit der neu geregelten Gesellschafterliste soll der Gesellschafterbestand stets aktuell, lückenlos und unproblematisch nachvollziehbar sein.

13   Der neue Abs. 3 regelt die Möglichkeit des gutgläubigen Erwerbs von Geschäftsanteilen und stellt diesen für die bisherige Praxis aufgrund der häufigen Intransparenz der Gesellschafterstrukturen problematischen Fall auf eine rechtliche Grundlage. Die ins Handelsregister aufgenommene Gesellschafterliste entfaltet einen Gutglaubensschutz an die Verfügungsberechtigung des dort Eingetragenen.

14   Für etwaige Einlagenrückstände haften nach Abs. 2 Veräußerer und Erwerber des Geschäftsanteils als Gesamtschuldner gem. §§ 421 ff. BGB.

V.   **Veräußerung und Teilung des Geschäftsanteils (17 a.F.)**

15   Die Vorschrift des bisherigen § 17 wurde durch das **MoMiG** vollständig **aufgehoben.** Denn die Thematik der Mindeststückelung von Geschäftsanteilen ist in der Neufassung des § 5 Abs. 2 wesentlich erleichtert und die Gesamtthematik im neu gefassten § 46 zusammenfassend geregelt.

VI.   **Ungeteilte Mitberechtigung am Geschäftsanteil (§ 18)**

16   § 18 regelt den Sonderfall, dass ein Geschäftsanteil **mehreren Berechtigten** in Form einer **Bruchteils- oder Gesamthandsgemeinschaft** zusteht. Durch eine solche Konstellation soll nach dem gesetzgeberischen Willen die Handlungsfähigkeit der GmbH nicht verschlechtert oder erschwert werden. Folglich können die Mitberechtigten ihre Mitgliedsrechte, v.a. das Stimmrecht, nur gemeinschaftlich ausüben.

VII.   **Einzahlung auf die Stammeinlage (§ 19)**

17   Die i.R.d. jüngsten GmbHG-Reform ebenfalls in weiten Teilen neu gefasste und für die Praxis bedeutende Vorschrift des § 19 (Einzahlung auf die Stammeinlage) regelt u.a. die Aufbringung des Stammkapitals, indem sie die tatsächliche Kapitalaufbringung sichert.

Jede Befreiung von der Einzahlungspflicht sowie jede andere Vereinbarung, die zum selben wirtschaftlichen Ergebnis führen soll, ist unzulässig und folglich unwirksam. Daher kann die Gesellschaft ihren Gesellschaftern die Erbringung der übernommenen Einlage weder erlassen, noch darauf verzichten. Auch eine Aufrechnung durch den Gesellschafter mit einer (vermeintlichen) Gegenforderung ist unzulässig. 18

Damit wird die Sicherung der Aufbringung der Stammkapitals und damit der Schutz der Gesellschaftsgläubiger gegen diese benachteiligende Vereinbarungen der Gesellschafter gewährleistet. 19

VIII. Verspätete Einzahlung auf die Stammeinlage (§ 20)

§ 20 regelt die Rechtsfolgen versäumter Zahlungen von Stammeinlagen. Erbringt der Gesellschafter die eingeforderte fällige Barleistung nicht, so ist er auch ohne das Erfordernis einer Mahnung zur Entrichtung von Zinsen verpflichtet. 20

IX. Kaduzierungsverfahren (§§ 21 bis 25)

Die §§ 21 bis 25 regeln das sog. Kaduzierungsverfahren, also den zwangsweisen **Ausschluss eines Gesellschafters** wegen Nichterbringung der eingeforderten Einzahlungen auf die Stammeinlage. 21

Die Vorschriften sind zwingend, spielen aber in der Praxis eine nur untergeordnete Rolle. Dies liegt zum einen an dem harten Sanktionscharakter, nämlich dem ersatzlosen Verlust der Mitgliedschaft und zum anderen an dem stark formalisierten gestaffelten Verfahren, welches von der Gesellschaft die fehlerfreie und strikte Befolgung der Regelungen fordert. 22

X. Nachschüsse (§§ 26 bis 28)

Eine durch den Gesellschaftsvertrag vorsehbare Pflicht zur Erbringung von Nachschüssen wird von den §§ 26 bis 28 (Einzahlung von Nachschüssen, Befreiung von der Nachschusspflicht, Verzögerte Einzahlung von Nachschüssen) aufgegriffen. **Nachschüsse** sind Gesellschafterbeiträge, die über die Stammeinlagen hinaus kraft ausdrücklicher Satzungsregelung und entsprechendem Gesellschafterbeschluss zu erbringen sind. Die praktische Bedeutung dieser Regelungen liegt nahezu bei Null, da die Praxis die Möglichkeit der gesellschaftsvertraglich zu vereinbarenden Nachschusspflicht nicht aufgegriffen hat. 23

XI. Anspruch auf den Jahresüberschuss (§ 29)

24 Die Vorschrift des § 29 regelt die Verwendung des Jahresergebnisses. Grds. bestehen die Möglichkeiten der (teilweisen) Gewinnausschüttung an die Gesellschafter entsprechend ihrer Beteiligungsquote oder der (teilweisen) Thesaurierung, d.h. der Einbehaltung des Gewinns in der Gesellschaft.

25 Die Verwendung basiert auf einem von den Gesellschaftern zu fassenden Gewinnverwendungsbeschluss, wobei aufgrund des weitestgehend dispositiven Charakters der Regelung im Gesellschaftsvertrag beliebig anderweitige Regelungen bzgl. der Gewinnverwendung und -verteilung erfolgen können.

XII. Kapitalerhaltung (§§ 30 bis 32)

26 Die §§ 30 bis 32 (Rückzahlungen, Erstattungsanspruch bei vorschriftswidrigen Zahlungen, Rückzahlung von Gewinnanteilen) stellen die zentralen Regeln zum Schutz der Kapitalerhaltung zugunsten der Gesellschaftsgläubiger dar.

27 § 30 regelt die Erhaltung des Stammkapitals im Interesse der Gesellschaftsgläubiger sowie der Gesellschaft, indem Auszahlungen, die zu einer Unterbilanz oder Unterkapitalisierung führen oder diese weiter vertiefen, zwingend verboten sind. Das Stammkapital hat der Gesellschaft durchgängig zur Verfügung zu stehen; Versuche, das Stammkapital zugunsten der Gesellschafter und damit zulasten der Gesellschaftsgläubiger zu schmälern sind unzulässig.

28 Von diesem strengen Auszahlungsverbot bestehen eng umrissene Ausnahmen für Cash-Pool-Management-Systeme und andere vollwertige Gegenleistungsansprüche sowie Gesellschafterdarlehen.

29 Mit diesen durch die im Zuge der jüngsten GmbHG-Reform eingeführten Ausnahmen ist das Gesetz zum bilanziellen Denken zurückgekehrt: Das Stammkapital bildet eine bilanzielle Ausschüttungssperre. Damit ist die nahezu unüberschaubare und kasuistische Rechtsprechung zur alten Rechtslage überholt. Die Neuregelung verfolgt den gesetzgeberischen Anspruch, das Recht der GmbH gerade auch für klein- und mittelständische Unternehmen (wieder) überschaubar und attraktiver zu gestalten.

30 § 31 regelt die Rechtsfolgen eines Verstoßes gegen das Auszahlungsverbot des § 30, indem zwingend angeordnet wird, dass Auszahlungen, die das Haftungskapital der Gesellschaft verringern, zurück in das Gesellschaftsvermögen zu führen sind.

Die Regelung des § 32 schließlich schützt das Vertrauen des gutgläubigen 31
Gesellschafters hinsichtlich erhaltener Gewinnanteile, deren Auszahlung
nicht gegen das Verbot zur Erhaltung des Stammkapitals verstößt. Dieser
soll dauerhaft sicher sein, sodass Rückforderungsansprüche ausbleiben.

XIII. Rückgewähr von Darlehen und Haftung für zurückgezahlte Darlehen (32a, 32b a.F.)

Die bisherigen Regelungen zu den sog. kapitalersetzenden Darlehen wurden 32
durch das MoMiG vollständig aufgehoben und – soweit noch erforderlich –
systematisch korrekt in der Insolvenzordnung verortet (vgl. §§ 39, 44a,
135, 143 Abs. 3 InsO).

XIV. Erwerb eigener Anteile (§ 33)

§ 33 verbietet aus Gründen des Kapitalschutzes und der Sicherung der 33
Kapitalaufbringung zwingend den originären Erwerb eigener Gesellschaftsanteile durch die Gesellschaft bei Gründung und Kapitalerhöhung, indem
jeglicher – auch unentgeltlicher oder sonst wirtschaftlich vorteilhafter –
Erwerb eigener Geschäftsanteile durch die Gesellschaft der Nichtigkeitsfolge des § 134 unterworfen wird solange die Stammeinlage – gleich aus
welchen Gründen – noch nicht vollständig erbracht ist.

XV. Amortisation von Geschäftsanteilen (§ 34)

Die den zweiten Abschnitt abschließende Vorschrift des § 34 regelt schließ- 34
lich die Einziehung (Amortisation) von Geschäftsanteilen mit oder ohne
Zustimmung des Geschäftsanteilsinhabers.

Die Amortisation ist nur möglich, wenn dies im Gesellschaftsvertrag vor- 35
gesehen ist. Fehlt eine die Amortisation vorsehende Satzungsregelung, so
kann diese auch nicht erfolgen.

Die Regelung hat eine hohe Praxisbedeutung, da sie der Gesellschaftermehr- 36
heit neben dem Ausschluss aus wichtigem Grund die Möglichkeit gibt, sich
von unliebsamen Mitgesellschaftern zu trennen.

Das damit verbundene Hauptproblem ist die Frage, inwieweit und in welcher 37
Höhe ein Gesellschafter für seinen eingezogenen Anteil zu entschädigen ist.
Einigkeit besteht, dass eine entschädigungslose Einziehung ebenso unzulässig ist wie die Regelung einer Abfindungshöhe, die „wesentlich" hinter dem
objektiven Anteilswert zurückbleibt. Aufgrund der Rechtsprechung sind
Regelungen, die zu einer Wertdifferenz von 1/3 oder mehr führen regelmäßig nicht zu empfehlen. Denn eine unwirksame Satzungsregelung führt
immer dazu, dass der objektive Verkehrswert anzusetzen ist.

§ 13 GmbHG   Juristische Person; Handelsgesellschaft

(1) Die Gesellschaft mit beschränkter Haftung als solche hat selbst-ständig ihre Rechte und Pflichten; sie kann Eigentum und andere ding-liche Rechte an Grundstücken erwerben, vor Gericht klagen und ver-klagt werden.

(2) Für die Verbindlichkeiten der Gesellschaft haftet den Gläubigern derselben nur das Gesellschaftsvermögen.

(3) Die Gesellschaft gilt als Handelsgesellschaft im Sinne des Handels-gesetzbuches.

I.   Einführung

1   Die Vorschrift enthält als wesentliche Kernaussage des Abs. 1, dass die GmbH eigene **Rechtspersönlichkeit** besitzt, welche mit der Eintragung im Handelsregister gem. § 11 Abs. 1 – konstitutive Wirkung der Eintragung – beginnt.

2   Des Weiteren enthält die Norm in Abs. 2 das sog. **Trennungsprinzip**, nach welchem den Gesellschaftsgläubigern nur das Gesellschaftsvermögen haf-tet.

3   In Abs. 3 ist die Eigenschaft der GmbH als **Handelsgesellschaft** und folg-lich als **Formkaufmann** gem. § 6 HGB geregelt.

II.   Rechtsfähigkeit (Abs. 1)

4   Die Rechtsfähigkeit der GmbH gem. Abs. 1 ist umfassend:[1]

---

1   Allgemeine Meinung vgl. nur Lutter/Hommelhoff in Lutter/Hommelhoff, GmbHG, § 13 Rn. 2 m.w.N.

Neben der Fähigkeit, **Verträge** jeglicher Art abzuschließen, kann die GmbH 5
wie eine natürliche Person bspw. auch Erbin, Vermächtnisnehmerin, Testamentsvollstreckerin, Gesellschafterin anderer (Personen- und Kapital-) Gesellschaften und Vereinsmitglied sein.

Sie kann **Eigentum** und andere dingliche Rechte an Grundstücken erwerben 6
und ist folglich grundbuchfähig.

Sie ist Trägerin des **Namensrechts** nach § 12 BGB, kann Inhaberin von 7
Marken nach dem MarkenG sein und sich auf das i.R.d. § 823 Abs. 1 BGB
anerkannte Recht am eingerichteten und ausgeübten Gewerbebetrieb berufen.

Die Rechtsprechung erkennt die GmbH zu Recht auch als Trägerin des 8
allgemeinen Persönlichkeitsrechts an, wobei eine Rechtsverletzung nur
dann in Betracht kommt, wenn sie in ihrer sozialen Geltung als Wirtschaftsunternehmen betroffen ist, was im konkreten Einzelfall dargelegt und
geprüft werden muss.[2] Daher lösen bloße Verballhornungen i.d.R. keinen
Anspruch aus.

> *Beispiele:*
> * *Lufthansa / Lusthansa[3]*
> * *BMW Bayerische Motoren Werke / BMW Bums mal wieder[4]*

Nicht möglich ist es, der GmbH **natürlichen Personen vorbehaltene** 9
Funktionen zu übertragen. So kann die GmbH nicht zum Geschäftsführer,
Vorstand oder Prokuristen der eigenen oder einer anderen Gesellschaft
ernannt werden und kann auch nicht zum Insolvenzverwalter, zum Vormund
oder zum Betreuer bestellt werden.

Auch fehlt ihr die den natürlichen Personen vorbehaltene **Deliktsfähigkeit**, 10
wobei sie für deliktisches Handeln ihrer Geschäftsführer nach § 31 BGB
analog haftet.

III. Trennungsprinzip (Abs. 2)

1. Grundsatz: Keine persönliche Haftung der Gesellschafter

Den Gläubigern der Gesellschaft **haftet** gem. Abs. 2 **ausschließlich** das 11
(gesamte) **Gesellschaftsvermögen**. Die Gesellschafter haften für die Gesellschaftsschulden also *nicht* mit ihrem Privatvermögen. Dieses sog. Tren-

---

2   BGH, 08.02.1994 – VI ZR 286/93, NJW 1994, 1281; zum Streitstand s. Raiser
     in Ulmer/Habersack/Winter, GmbHG, § 13 Rn. 16.

3   OLG Frankfurt a.M., 17.12.1981 – 6 U 49/81, NJW 1982, 648.

4   BGH, 03.06.1986 – VI ZR 102/85, NJW 1986, 2951; OLG Frankfurt a.M.,
     28.02.1985 – 6 U 89/84, NJW 1985, 1649.

nungsprinzip verkörpert den grds. Charakter der GmbH als „Haftungs-schott", indem die Gesellschafter von den Verbindlichkeiten der Gesellschaft freigestellt sind.

2.   Ausnahmefall: Durchgriff auf das Privatvermögen

12   Eine persönliche Haftung der Gesellschafter kommt nur in Betracht, wenn ein Durchgriff auf das Privatvermögen ausnahmsweise aufgrund eines **rechtsmissbräuchlichen Verhaltens** der Gesellschafter gerechtfertigt ist. Dabei haben sich in Rechtsprechung und Rechtslehre folgende Fallgruppen entwickelt, welche zwar dogmatisch im Einzelnen umstritten, ausgehend von der insoweit gefestigten Rechtsprechung des BGH aber wie folgt darzustellen sind:[5]

a)   Durchgriff auf das Privatvermögen bei Unterkapitalisierung

13   Soweit die Gesellschafter die GmbH **absichtlich mit völlig unzureichenden Mitteln ausstatten,** haften sie entsprechend § 128 HGB auch mit Ihrem Privatvermögen.[6] Die Höhe des der GmbH zur Verfügung zu stellenden Kapitals muss zu dem wirtschaftlichen Risiko der GmbH wenigstens in einem „vertretbaren" Verhältnis stehen, wobei auch auf den Umfang der angestrebten Geschäfte, die Branche sowie den Umfang der ggf. zusätzlich gestellten Sicherheiten abzustellen ist.

14   Klare Abgrenzungskriterien existieren allerdings nicht und im Hinblick auf die Zulassung der jedenfalls zu Beginn „nullkapitalisierten" Unternehmergesellschaft ist diese Fallgruppe nach der **MoMiG-Reform** noch weniger konkretisierbar. Es ist daher zu erwarten, dass die Rechtsprechung wie zur alten Rechtslage[7] einen Durchgriff auf die Privatvermögen der Gesellschafter aufgrund **Unterkapitalisierung** nur dann bejaht, wenn diesen auch

---

5   Zur unterschiedlichen dogmatischen Einordnung sowie der Zahl der Fallgruppen vgl. nur Raiser in Ulmer/Habersack/Winter, GmbHG, § 13 Rn. 51 ff. m.w.N. Die Rspr. des BGH, die letztlich § 826 BGB heranzieht, kann jedoch als hinreichend gefestigt bezeichnet werden, sodass dieser bei der hier erfolgten praxisorientierten Fallgruppenbildung gefolgt wird; vgl. auch Lutter/Hommelhoff in Lutter/Hommelhoff, GmbHG, § 13 Rn. 6 ff.

6   Allgemeine Meinung vgl. nur Roth/Altmeppen, GmbHG, § 13 Rn. 116 m.w.N. sowie Wachter in Wachter, FA Handels- und GesellschaftsR, Teil 2, 2. Kap. Rn. 229; vgl. hierzu auch Bormann in Bormann/Kauka/Ockelmann, Hdb. GmbH-Recht, Kap. 4 Rn. 7.

7   BGH, 26.03.1984 – II ZR 171/83, NJW 1984, 1893; BAG, 03.09.1998 – 8 AZR 189/97, NJW 1999, 740; BAG, 10.02.1999 – 5 AZR 677/97 = NJW 1999, 2299.

„subjektiv" i.S.e. vorsätzlichen und sittenwidrigen Verhaltens i.S.d. § 826 BGB ein Vorwurf zu machen ist. Das **Erfordernis der Vorsätzlichkeit und Sittenwidrigkeit** hat der BGH insbes. in seinen jüngeren Urteilen vor der MoMiG-Reform ausdrücklich betont.[8]

Beispiele:[9]

Auf das Stammkapital der GmbH i.H.v. 30.000 € hatten die Gründungsgesellschafter „nur" 15.000 € einbezahlt. In der Folgezeit hatte die GmbH etliche Schulden angehäuft; insbes. bestanden offene Forderungen von Warenlieferanten über ca. 190.000 €. Im Prozess hat der Kläger versucht, den verbliebenen Gründungsgesellschafter persönlich in Anspruch zu nehmen, da aufgrund der nicht vollständig eingezahlten Stammeinlagen die Kapitalausstattung im Hinblick auf Art und Umfang des Geschäftsbetriebs von vornherein unzureichend gewesen sei.

Das BAG hat eine Durchgriffshaftung aufgrund von Unterkapitalisierung abgelehnt und festgehalten, dass alleine die Unterkapitalisierung ohne das Hinzutreten weiterer Umstände nicht zum Verlust des Haftungsprivilegs des § 13 Abs. 2 führt. Für eine Haftung nach § 826 BGB fehlte es bereits an der Vorsätzlichkeit.

b)   Durchgriff auf das Privatvermögen bei ununterscheidbarer Vermögens- oder Sphärenvermischung

Eine ununterscheidbare Vermögensvermischung kann ebenfalls zu einer Inanspruchnahme mit dem Privatvermögen führen. Denn wenn die Gesellschafter das Trennungsprinzip verletzen sollen sie auch nicht in den Genuss der Haftungsbeschränkung kommen. Eine den Haftungsdurchgriff rechtfertigende „**Vermögensvermischung**" liegt vor, wenn die Gesellschafter ihr Gesellschaftsvermögen nicht getrennt vom sonstigen (Privat-) Vermögen führen. Dies kann sich aus einer undurchsichtigen Buchführung oder sonstigen organisatorischen Unzulänglichkeiten wie das Führen aller Geschäfte in denselben Geschäftsräumen mit demselben Personal ergeben.[10] Der BGH führt dazu in st. Rspr. aus, dass wenn die Abgrenzung von Gesellschafts- und Privatvermögen durch eine undurchsichtige Buchführung oder auf andere Weise verschleiert wird und deshalb die Kapitalerhaltungsvorschriften, deren Einhaltung unverzichtbarer Ausgleich für das Haftungsprivileg des § 13 Abs. 2 ist, nicht funktionieren können, ein Haftungsdurchgriff zu bejahen ist.[11]

15

---

8   BGH, 24.06.2002 – II ZR 300/00, NJW 2002, 3024.

9   Nach BAG, 10.02.1999 – 5 AZR 677/97, NJW 1999, 2299.

10   Allgemeine Meinung: vgl. nur BGH, 16.09.1985 – II ZR 275/84, NJW 1986, 188; BGH, 13.04.1994 – II ZR 16/93, NJW 1994, 1801; Lutter/Hommelhoff in Lutter/Hommelhoff, GmbHG, § 13 Rn. 13.

11   So ausdrücklich jüngst wieder BGH, 14.11.2005 – II ZR 178/03, NJW 2006, 1344.

16   Auch wenn bei Führung mehrerer Gesellschaften nicht mehr erkennbar wird, welcher bestimmte Vermögensgegenstände, Leitungsmaßnahmen oder Rechtsbeziehungen mit außenstehenden Dritten zuzuordnen sind, liegt eine das Haftungsprivileg vernichtende **Sphärenvermischung** vor.[12]

   c)   **Durchgriff auf das Privatvermögen bei Entziehung von Gesellschaftsvermögen – existenzvernichtender Eingriff**

17   Schließlich findet ein Haftungsdurchgriff statt, wenn die Gesellschafter der Gesellschaft ohne Rücksicht auf bestehende Gesellschaftsverbindlichkeiten Vermögen entziehen, sog. „existenzvernichtender Eingriff".[13] Diese erst in jüngerer Zeit anerkannte Fallgruppe hat die früher vertretene Haftung aus qualifiziertem faktischen Konzern abgelöst.[14]

18   Ein **existenzvernichtender Eingriff** ist nicht bereits dann zu bejahen, wenn bloße Managementfehler vorliegen. Erforderlich ist vielmehr ein gezielter, betriebsfremden Zwecken dienender Eingriff des Gesellschafters in das Gesellschaftsvermögen, der einen Verstoß gegen „den Mindeststandard ordnungsgemäßen unternehmerischen Verhaltens" darstellt.[15]

19   Auch wenn bei dieser Fallgruppe noch viele Fragen offen und in der Entwicklung sind lassen sich die Tatbestandvoraussetzungen wie folgt fassen:

   • Zahlungsunfähigkeit der Gesellschaft,

   • verursacht durch Zugriff eines oder mehrerer Gesellschafter,

   • ohne Rücksichtnahme auf die Eigenbelange der Gesellschaft.

20   Rechtsfolge ist der Entfall des Trennungsprinzips und damit die Haftung der eingreifenden Gesellschafter mit ihrem Privatvermögen (analog § 128 HGB).

21   Der BGH hat in seiner Leitentscheidung vom 16.07.2007 („**Trihotel**")[16] klar gestellt, dass auch die Haftung aufgrund eines existenzvernichtenden Eingriffs auf § 826 BGB beruht und keine eigenständige Haftungsfigur (mehr) darstellt.

---

12   Raiser in Ulmer/Habersack/Winter, GmbHG § 13 Rn. 131.

13   BGH, 17.09.2001 – II ZR 178/99, NJW 2001, 3622 (Bremer Vulkan); BGH, 24.06.2002 – II ZR 300/00, NJW 2002, 3024; BGH, 13.12.2004 – II ZR 206/02, NJW RR 2005, 681; BGH, 13.12.2004 – II ZR 206/02, NJW RR 2005, 335.

14   Zur Entwicklung vertiefend: Raiser in Ulmer/Habersack/Winter, GmbHG, § 13 Rn. 134 ff; eingehend auch Wachter in Wachter, FA Handels- und GesellschaftsR, Teil 2, 2. Kap. Rn. 230; Hollstein in Bormann/Kauka/Ockelmann, Hdb. GmbH-Recht, Kap. 5 Rn. 31 ff.

15   BGH, 13.12.2004 – II ZR 256/02, NJW RR 2005, 681; Roth/Altmeppen, GmbHG, § 13 Rn. 72.

16   BGH, 16.07.2007 – II ZR 3/04, GmbHR 2007, 927 = NJW 2007, 2689.

Übersicht: Wichtige Urteile zur Existenzvernichtungshaftung   22

- BGH, 17.09.2001 – II ZR 178/99, NJW 2001, 3622 (Bremer Vulkan):
  Keine hinreichende Rücksichtnahme, wenn der Alleingesellschafter derart eingreift, dass die abhängige GmbH ihren Verbindlichkeiten nicht mehr nachkommen kann; Veranlasst der Alleingesellschafter die abhängige GmbH zur Einbringung der liquiden Mittel in einen Liquiditätsverbund, so hat er die Pflicht zur Rücksichtnahme auf die Fähigkeit der GmbH, ihren Verbindlichkeiten nachzukommen und ihre Existenz nicht zu gefährden.

- BGH, 24.06.2002 – II ZR 300/00, NJW 2002, 3024:
  Zugriffe der Gesellschafter auf das Gesellschaftsvermögen, welche keine hinreichende Rücksicht auf die Erhaltung der Fähigkeit der Gesellschaft zur Bedienung ihrer Verbindlichkeiten nehmen, stellen einen Missbrauch der Rechtsform GmbH dar und führen zum Verlust des Haftungsprivilegs des § 13 Abs. 2 GmbHG.

- BGH, 16.07.2007 – II ZR 3/04, NJW 2007, 2689 (Trihotel):
  Der BGH hält an dem Erfordernis einer als Existenzvernichtungshaftung bezeichneten Haftung des Gesellschafters für missbräuchliche, zur Insolvenz der GmbH führende oder diese vertiefende kompensationslose Eingriffe in das der Zweckbindung zur vorrangigen Befriedigung der Gesellschaftsgläubiger dienende Gesellschaftsvermögen fest. Der BGH gibt das bisherige Konzept einer eigenständigen Haftungsfigur, die an den Missbrauch der Rechtsform anknüpft und als Durchgriffs(außen)haftung des Gesellschafters ggü. den Gesellschaftsgläubigern ausgestaltet, aber mit einer Subsidiaritätsklausel im Verhältnis zu den §§ 30, 31 GmbHG versehen ist, auf und knüpft stattdessen die Existenzvernichtungshaftung an die missbräuchliche Schädigung des im Gläubigerinteresse zweckgebundenen Gesellschaftsvermögens an, welche allein in § 826 BGB als besondere Fallgruppe der sittenwidrigen vorsätzlichen Schädigung einzuordnen ist. Schadensersatzansprüche aus Existenzvernichtungshaftung gem. § 826 BGB sind ggü. Erstattungsansprüchen aus §§ 30, 31 GmbHG nicht subsidiär sondern es besteht – soweit sie sich überschneiden – Anspruchsgrundlagenkonkurrenz.

Für die Problematik des **Cash-Poolings** wurde durch das MoMiG eine   23
Sonderregung in § 30 GmbHG eingeführt, sodass die hierzu ergangene Rechtsprechung *nicht* mehr heranzuziehen ist (s. dort Rn. 18 ff.).

IV. Formkaufmann (Abs. 3)

24   Jede GmbH ist in jedem Fall und unabhängig vom verfolgten Gesellschaftszweck gem. Abs. 3 Handelsgesellschaft und als solche Formkaufmann nach
§ 6 HGB. Alle ihre Geschäfte sind Handelsgeschäfte i.S.d. § 343 HGB und
unterliegen als solche den handelsrechtlichen Vorschriften für Kaufleute.

V. Prozessuales

25   Die GmbH ist als juristische Person umfassend **partei- und prozessfähig**
und daher sowohl aktiv- als auch passivlegitimiert, kann also gem. Abs. 1
„vor Gericht klagen und verklagt werden".

26   Die **Gewährung von PKH** ist gem. § 116 Nr. 2 ZPO möglich, wenn weder
die GmbH, noch die am Gegenstand des Rechtsstreits wirtschaftlich beteiligten Personen in der Lage sind, die Prozesskosten aufzubringen.

§ 14 GmbHG   Einlagepflicht

[1]Auf jeden Geschäftsanteil ist eine Einlage zu leisten. [2]Die Höhe der zu
leistenden Einlage richtet sich nach dem bei der Errichtung der Gesellschaft im Gesellschaftsvertrag festgesetzten Nennbetrag des Geschäftsanteils. [3]Im Fall der Kapitalerhöhung bestimmt sich die Höhe der zu
leistenden Einlage nach dem in der Übernahmeerklärung festgesetzten
Nennbetrag des Geschäftsanteils.

I. Einführung

1   Die Vorschrift wurde durch das MoMiG mit Wirkung zum 01.11.2008
sprachlich vollständig neu gefasst, wobei die Neufassung vorherige sprachliche Unzulänglichkeiten beseitigt, inhaltlich aber keine nennenswerten
Änderungen mit sich gebracht hat.

Jeder Gesellschafter hat für die Übernahme eines Geschäftsanteils eine **2** Einlage zu übernehmen (§ 3 Rn. 16 f.). Die Summe der Geschäftsanteile muss gem. § 5 Abs. 3 Satz 2 mit dem Stammkapital der GmbH übereinstimmen.

II. Geschäftsanteil und Einlage

Die **Einlageverpflichtung** des Gesellschafters entsteht in der Höhe, in **3** welcher der **Nennbetrag** des jeweiligen Geschäftsanteils festgelegt wird. Der Nennbetrag des Geschäftsanteils und der Nennbetrag der Stammeinlage müssen sich entsprechen.

Der Geschäftsanteil begründet und verbrieft die Mitgliedschaft des einzel- **4** nen Gesellschafters, spiegelt also seine aus der Mitgliedschaft resultierenden Rechte und Pflichten wieder. Er ist als Verkörperung der Mitgliedschaft ein „sonstiges Recht" i.S.d. § 823 Abs. 1 BGB und als solches gegen Eingriffe durch Dritte geschützt.[1]

1. Festsetzung im Gesellschaftsvertrag (Satz 2)

Das Beteiligungsverhältnis der Gesellschafter bestimmt sich nach dem **5** **Nennwert** (Nennbetrag) ihres Geschäftsanteils, welcher gem. § 3 Abs. 1 Nr. 4 im Gesellschaftsvertrag festzuschreiben ist und das Beteiligungsverhältnis am Stammkapital der Gesellschaft wiedergibt.

2. Festsetzung durch spätere Kapitalerhöhung (Satz 3)

Im Fall einer späteren Kapitalerhöhung ist die Höhe der Einlage in der **6** Übernahmeerklärung zu bestimmen.

3. Wert des Geschäftsanteils

Jeder Geschäftsanteil hat einen **Nennwert** (Nennbetrag), welcher wirtschaft- **7** lich und rechtlich einen bestimmten rechnerischen Anteil am Gesellschaftsvermögen repräsentiert. Die Summe aller Nennwerte muss dem Stammkapital entsprechen.

Der Nennwert ist mit dem „wahren" wirtschaftlichen Wert des Anteils grds. **8** nicht identisch, da sich dieser im Laufe des Bestehens der GmbH regelmäßig ständig verändert, wogegen der Nennbetrag unverändert bleibt.

---

1   Allgemeine Meinung: vgl. nur Roth/Altmeppen, GmbHG, § 14 Rn. 4 m.w.N.

9

> **Hinweis:**
>
> In der Praxis ist die Berechnung und Kenntnis des „wahren" Werts von
> großer Bedeutung nicht nur für den Gesellschafter sondern u.a. auch für
> die Fälle des Unternehmenskaufs, der Erbauseinandersetzung, der
> Berechnung des Zugewinnausgleichs oder einer Abfindung eines aus-
> scheidenden Gesellschafters.[2]

10   Allerdings ist auch ein „echter wahrer" Wert des Anteils allenfalls annähe-
rungsweise feststellbar. Die Berechnung hat anhand der anerkannten
betriebswirtschaftlichen Bewertungsmethoden zu erfolgen, wobei zwischen
folgenden wesentlichen Werten zu unterscheiden ist:[3]

- **Buchwert** – der Wert, mit dem der Geschäftsanteil in den Büchern der
  Gesellschaft und damit in der Handelsbilanz oder der Steuerbilanz aufgeführt wird,
- **Substanzwert** – der Wert des Geschäftsanteils am Netto-Gesamtver-
  mögen der Gesellschaft, welches sich nach Abzug aller Verbindlichkeiten
  und Einzug aller Forderungen (bspw. nach der Liquidation) ergibt,
- **Verkehrswert** – der Wert, den der Geschäftsanteil unter Berücksichtigung der bisherigen und auch der künftigen Entwicklung der Gesellschaft
  sowie etwaiger Vorrechte oder Nachteile „objektiv" verkörpert.

11   Da Buchwert und Substanzwert den „wahren" Wert häufig nur unzureichend
abbilden, legt die jüngere Rechtsprechung[4] insbes. bei Auseinandersetzungen
über die Höhe der Abfindung des ausscheidenden Gesellschafters regelmäßig
den Verkehrswert zugrunde. Dieser ist nach der betriebswirtschaftlichen
Ertragswertmethode zu berechnen, welche neben einer Vergangenheits-
und Gegenwartsanalyse auch die künftigen Gewinnerwartungen prognosti-
ziert und abgezinst in die Bewertung einfließen lässt. Ebenso ist der „innere
Firmenwert", häufig auch als „Goodwill" oder Geschäftswert bezeichnet, bei
dieser Methode zu berücksichtigen.

12   Das im Steuerrecht nach wie vor verbreitete sog. „**Stuttgarter Verfahren**"
wird dagegen von den Zivilgerichten zu Recht grds. nicht mehr als geeignete

---

2   Eingehend hierzu Raiser in Ulmer/Habersack/Winter, GmbHG, § 14 Rn. 7.

3   Eine vollständige Darstellung aller denkbaren Bewertungsmethoden findet sich
     bei Weller/Reichert, Der GmbH-Geschäftsanteil, § 14 Rn. 28 ff.

4   BGH, 18.04.2002 – IX ZR 72/99, NJW 2002, 2787; BGH, 09.11.1998 – II ZR
     190/97, NJW 1999, 283.

Bewertungsgrundlage akzeptiert, da es zu keiner objektiven Bewertung des Unternehmens führt.[5]

In der Praxis sind Satzungsregeln mit Bewertungsvorgaben weit verbreitet, insbes. für die Fälle des Austritts, der Kündigung oder der Entziehung eines Geschäftsanteils. Diese Regelungen sind zulässig, unterliegen aber der vollen richterlichen Kontrolle.[6] Als Faustregel hat sich dabei herausgebildet, dass Klauseln, die zu einem Wert führen, der um mehr als ein Drittel unter dem Verkehrswert liegt, im Zweifel die Wirksamkeit versagt wird. Konsequenz der Unwirksamkeit ist i.d.R. die (Neu-) Bewertung nach der Ertragswertmethode.   13

III. Mitgliedschaftliche Rechte und Pflichten

Die **Mitgliedschaft** verkörpert die Rechtsposition des Gesellschafters in der GmbH und umfasst Rechte und Pflichten. Sie ist ein auf Dauer angelegtes Rechtsverhältnis eigener Art und als sonstiges Recht i.S.d. § 823 Abs. 1 BGB anerkannt und geschützt.   14

1. Rechte der Gesellschafter

Die Rechte der Gesellschafter einer GmbH umfassen Vermögensrechte (Gewinnanteil, Gewinnbezugsrecht), Verwaltungsrechte (Stimmrecht, Beschlussanfechtungsrecht) und sog. sonstige Rechte wie bspw. das Einsichts- und Auskunftsrecht des § 51a.[7]   15

Die Entziehung und Änderung von Mitgliedschaftsrechten bedürfen einer entsprechenden gesellschaftsvertraglichen Grundlage, sofern sie nicht nach dem Gesetz zwingend sind (z.B. § 51a Abs. 3).[8]   16

Einzelnen Gesellschaftern können durch den Gesellschaftsvertrag Sonderrechte zugesprochen werden, wie bspw. das Recht zur Geschäftsführung oder das Recht, ein Mitglied in den (fakultativen oder obligatorischen) Aufsichtsrat oder Beirat zu entsenden.   17

a) Abspaltungsverbot

Die aus der Mitgliedschaft resultierenden Rechte sind in weitem Umfang durch die Satzung regel- und einschränkbar, können aber vom Geschäfts-   18

---

5   Vgl. auch Raiser in Ulmer/Habersack/Winter, GmbHG, § 14 Rn. 14 m.w.N.

6   BGH, 24.05.1993 – II ZR 36/92, NJW 1993, 2101; BGH, 16.12.1991 – II ZE 58/91, NJW 1992, 892.

7   Eingehend hierzu Koch in Bormann/Kauka/Ockelmann, Hdb. GmbH-Recht, Kap. 6 Rn. 12 ff.

8   Allgemeine Meinung: vgl. nur Roth/Altmeppen, GmbHG, § 14 Rn. 16.

anteil grds. nicht gelöst und verselbstständigt einzeln übertragen werden (sog. Abspaltungsverbot).[9]

19 Dies gilt insbes. für das Stimmrecht in der Gesellschafterversammlung, welches weder an Mitgesellschafter noch an außenstehende Dritte isoliert übertragen werden kann. Zulässig bleibt jedoch die widerrufliche Bevollmächtigung eines Vertreters.

b) Treuhand

20 Zulässig ist die Treuhand am Geschäftsanteil. Der Treuhänder ist Inhaber aller Rechte und Pflichten aus der Gesellschafterstellung.

c) Gleichbehandlungsgebot

21 Sofern einzelne Gesellschaftsanteile nicht explizit mit Sonderrechten ausgestattet sind, sind alle Gesellschafter aufgrund des gesellschaftsrechtlichen Gleichbehandlungsgebot entsprechend ihrer Beteiligung gleich zu behandeln.

2. Pflichten der Gesellschafter

22 Den Rechten stehen Pflichten ggü., die in **Vermögenspflichten** (Erbringung der Einlage, Differenz- und Ausfallhaftung), sowie gesellschafterliche **Treuepflichten** unterteilt werden können. Die aus der Stellung als Gesellschafter resultierenden Pflichten sind zwingend.[10]

23 Die **gesellschafterliche Treuepflicht** fordert von jedem Gesellschafter, auf die Belange der Gesellschaft Rücksicht zu nehmen und diese aktiv zu fördern.

24 Eine besondere Ausprägung dieser Unterlassungs- und Loyalitätspflichten ist das gesellschafterliche **Wettbewerbsverbot**, welches analog § 112 HGB jedenfalls den beherrschenden Gesellschafter treffen kann.

25 Die **allgemeine Treuepflicht** verlangt von jedem Gesellschafter, die Interessen der Gesellschaft und die Interessen seiner Mitgesellschafter zu wahren und bei etwaigen Konflikten auf diese Rücksicht zu nehmen. Daher muss bspw. auch ein Mehrheitsgesellschafter ggü. den Minderheitsgesellschaftern bei Beschlussfassungen oder gesellschaftsexternen Interessen das Wohl der Gesellschaft bei seinem Abstimmungsverhalten berücksichtigen.[11]

---

9   Vgl. nur Lutter/Bayer in Lutter/Hommelhoff, GmbHG, § 14 Rn. 10.

10   Allgemeine Meinung: vgl. nur Lutter/Bayer in Lutter/Hommelhoff, GmbHG, § 14 Rn. 10.

11   Allgemeine Meinung: vgl. nur Roth/Altmeppen, GmbHG, § 13 Rn. 64 ff. m.w.N.

§ 15 GmbHG   Übertragung von Geschäftsanteilen

(1) Die Geschäftsanteile sind veräußerlich und vererblich.

(2) Erwirbt ein Gesellschafter zu seinem ursprünglichen Geschäftsanteil weitere Geschäftsanteile, so behalten dieselben ihre Selbstständigkeit.

(3) Zur Abtretung von Geschäftsanteilen durch Gesellschafter bedarf es eines in notarieller Form geschlossenen Vertrages.

(4) [1]Der notariellen Form bedarf auch eine Vereinbarung, durch welche die Verpflichtung eines Gesellschafters zur Abtretung eines Geschäftsanteils begründet wird. [2]Eine ohne diese Form getroffene Vereinbarung wird jedoch durch den nach Maßgabe des vorigen Absatzes geschlossenen Abtretungsvertrag gültig.

(5) Durch den Gesellschaftsvertrag kann die Abtretung der Geschäftsanteile an weitere Voraussetzungen geknüpft, insbesondere von der Genehmigung der Gesellschaft abhängig gemacht werden.

I.   Einführung

1   Die Vorschrift normiert in Abs. 1 den **Grundsatz der freien Übertrag-
    barkeit** (Veräußerung und Vererbung) von Geschäftsanteilen. Die Über-
    tragung unterliegt gem. Abs. 3 und 4 allerdings sowohl hinsichtlich des
    Verpflichtungs- als auch des Verfügungsgeschäftes (Abtretung) der Form-
    vorschrift der notariellen Beurkundung. Den diesbezüglichen während der
    MoMiG-Diskussion vertretenen Erleichterungsvorschlägen ist der Gesetz-
    geber nicht gefolgt.

2   Abs. 2 statuiert die Selbstständigkeit einzelner Geschäftsanteile auch dann,
    wenn diese von ein und demselben Gesellschafter gehalten werden.

3   Die grds. freie Übertragung der Geschäftsanteile kann gem. Abs. 5 durch
    Satzungsregelungen im Gesellschaftsvertrag modifiziert und bis zum völ-
    ligen Ausschluss der Übertragbarkeit erschwert werden (sog. Vinkulierung).

II.   Veräußerlichkeit und Vererblichkeit (Abs. 1)

1.   Grundsatz der freien Übertragbarkeit

4   Geschäftsanteile der GmbH können grds. frei veräußert und vererbt werden.

5   Bei Freiberufler-GmbHs können die jeweiligen berufsrechtlichen Regelun-
    gen vorsehen, dass der Gesellschafterkreis auf die Angehörigen der jeweili-
    gen Berufsgruppe begrenzt wird. Dann ist die Übertragung insoweit einge-
    schränkt, dass sie nur an entsprechende Berufsträger erfolgen kann.

> *Beispiel:*
>
> *Gem. § 59e Abs. 1 BRAO kann Gesellschafter einer Rechtsanwalts-GmbH nur
> sein, wer Rechtsanwalt ist oder einen der weiteren dort explizit genannten Berufe
> ausübt. Gleiches gilt gem. § 59e Abs. 1 StBerG für die Steuerberater-GmbH und
> gem. § 28 Abs. 4 WPO für die Wirtschaftsprüfer-GmbH.*

2.   Veräußerung von Geschäftsanteilen

6   Bei der Veräußerung ist aufgrund des Abstraktionsprinzips strikt zwischen
    dem Kausalgeschäft (regelmäßig ein Kaufvertrag gem. §§ 433 ff. BGB) und
    der Abtretung als Verfügungsgeschäft zu unterscheiden.

7   Der Grundsatz der freien Veräußerbarkeit bezieht sich auf den Geschäfts-
    anteil als Ganzes. Die Veräußerung von Teilen eines Geschäftsanteils regelt
    der i.R.d. MoMiG-Novelle neu gefasste § 46.

3. Vererblichkeit von Geschäftsanteilen

Im Erbfall geht der Geschäftsanteil mit allen Rechten und Pflichten auf den 8
oder die Erben über. Dies gilt sowohl für den testamentarischen als auch für
den gesetzlichen Erbfall.[1]

Die **Vererblichkeit** des Geschäftsanteils kann durch den Gesellschaftsver- 9
trag nicht ausgeschlossen werden; die Regelung des Abs. 5 gilt insoweit
nicht. Folglich ist auch eine Satzungsregelung, welche im Fall des Todes
eines Gesellschafters die „**automatische**" Einziehung des Geschäftsanteils
anordnet, unwirksam.[2]

Da viele klein- und mittelständischen GmbHs personalistisch strukturiert 10
sind, ist der gesetzlich angeordnete automatische Gesellschaftsbeitritt des
oder der Erben oftmals nicht gewünscht und/oder nicht sinnvoll. Da die
konkrete Ausgestaltung der Gesellschafterrechte weitgehend dem Gestal-
tungsspielraum der Gesellschafter obliegt ist es möglich, den Geschäftsanteil durch Satzungsregelung für den Erbfall mit Einschränkungen zu
versehen.

a) Nachfolgeregelungen in der Satzung

In der Praxis haben sich verschiedene **Fallgruppen von Satzungsregelun-** 11
gen herausgebildet, die je nach konkreter Ausgestaltung des Einzelfalles
eine sinnvolle Abweichung vom Gesetz darstellen können.

Mittels **Nachfolgeklauseln**, **Einziehungsklauseln** und/oder **Erwerbs-** 12
regelungen kann durch den Gesellschaftsvertrag somit geregelt werden,
was konkret beim Tode eines Gesellschafters mit dessen Geschäftsanteil
passiert. Ebenso kann Vor- und Nacherbschaft sowie Testamentsvollstre-
ckung für einen Geschäftsanteil angeordnet werden.[3]

aa) Nachfolgeklausel/Eintrittsklausel

Für eine im Personengesellschaftsrecht verbreitete und zulässige sog. echte 13
qualifizierte Nachfolgeklausel

> *Beispiele:*
> * *Beim Tod eines Gesellschafters geht sein Anteil auf dessen ältestes leibliches*
>   *Kind über.*

---

1   Allgemeine Meinung: vgl. nur Lutter/Bayer in Lutter/Hommelhoff, GmbHG,
      § 15 Rn. 8; vertiefend Wachter in Wachter, FA Handels- und GesellschaftsR,
      Teil 2, 2. Kap. Rn. 138.

2   Ganz h.M.: vgl. Winter/Löbbe in Ulmer/Habersack/Winter, GmbHG, § 15
      Rn. 10.

3   Musterformulierungen s. Rn. 55 ff.

- *Beim Tod des Gesellschafters Müller geht dessen Anteil auf den Gesellschafter Maier über.*

und damit quasi die Statuierung einer Sondererbfolge in den Gesellschaftsanteil am Nachlass vorbei ist bei der GmbH kein Platz. Denn dies würde dem Grundsatz der Erbfolge in den Gesellschaftsanteil widersprechen und kann nur wirksam gestaltet werden, wenn noch zu Lebzeiten des Erblassers und unter Mitwirkung der in der Satzung bestimmten Person eine nach Abs. 3 formgerechte Abtretung vorgenommen wird. Diese Abtretung wäre zum einen aufschiebend bedingt auf den Tod des verfügenden Gesellschafters und zum anderen auflösend bedingt auf das Überleben der zum Nachfolger bestimmten Person.[4] Sich auf derart unsicheres Terrain zu begeben ist allenfalls in begründeten Ausnahmefällen denkbar.

14   Nach herrschender richtiger Ansicht[5] kann eine **Nachfolgeklausel** aber dahin umgedeutet werden, dass der oder die Erben verpflichtet sind, den Geschäftsanteil an die in der Satzung bestimmte Person abzutreten. Damit ist die Regelung dann wie eine Abtretungsklausel zu behandeln (s.u. Rn. 15 ff.).

bb)   Abtretungsklausel

15   In der Satzung kann wirksam vereinbart werden, dass der oder die Erben verpflichtet sind, den Geschäftsanteil an eine andere Person abzutreten. Diese in der Satzung bestimmte Person kann ein Gesellschafter, ein bislang nicht an der Gesellschaft beteiligter Dritter oder auch die Gesellschaft selbst sein.

> *Beispiel:*
>
> *Beim Tod eines Gesellschafters sind seine Erben verpflichtet, dessen Anteil an die Gesellschaft abzutreten.*

16   Die Gesellschaft hat dann einen entsprechenden Anspruch gegen den oder die Erben auf die Übertragung des Geschäftsanteils mittels nach Abs. 3 formgerechter Abtretung. Der oder die Erben erlangen den Geschäftsanteil also von vornherein mit der inhaltlichen Verpflichtung, diesen an die benannte Person abzutreten.

---

4   Eingehend zur Problematik und den damit verbundenen Risiken Winter/Löbbe in Ulmer/Habersack/Winter, GmbHG, § 15 Rn. 12.

5   Zum Streitstand s. Lutter/Bayer in Lutter/Hommelhoff, GmbHG, § 15 Rn. 9; Winter/Löbbe in Ulmer/Habersack/Winter, GmbHG, § 15 Rn. 13 m.w.N.

cc)   Eintrittsklausel

Enthält die Satzung nicht nur einer Abtretungsverpflichtung sondern eine   17
konkrete Benennung des Berechtigten i.S.e. eigenen Anspruchs, so liegt eine
Eintrittsklausel vor.

> *Beispiel:*
>
> *„Beim Tod des Gesellschafters Müller kann Herr Maximilian Mustermann die*
> *Übertragung von dessen Anteil verlangen und in die Gesellschaft eintreten."*

Diese gibt dem Begünstigten i.S.e. echten Vertrags zugunsten Dritter ein   18
obligatorisches Eintrittsrecht in die Gesellschaft.

dd)   Einziehung und Kaduzierung

Die Satzung kann für den Fall des Todes eines Gesellschafters auch die   19
Einziehung des Geschäftsanteils nach § 34 oder dessen Kaduzierung analog
§ 21 vorsehen.

> *Beispiel:*
>
> *„Beim Tod eines Gesellschafters sind seine Erben verpflichtet, die Einziehung*
> *dessen Anteils zu dulden."*

Bei der Einziehung wird der betroffenen Geschäftsanteil vernichtet; bei der
Kaduzierung bleibt er erhalten (s. dazu § 34 Rn. 11 ff. und zu § 21 Rn. 6 ff.).

b)   Abfindungsregelungen

Da in den Fällen der Satzungsklauseln dem oder den Erben der Geschäfts-   20
anteil nicht verbleibt kommt der Frage nach dem wirtschaftlichen Ausgleich
für diesen Verlust besondere Praxisbedeutung zu.

Enthält die Satzung keine Regelungen zur **Abfindung**, so ist regelmäßig von   21
einer Abfindung i.H.d. vollen Verkehrswerts des Geschäftsanteils auszugehen, welche mit dem Verlust des Anteils sofort in voller Höhe fällig wird.[6]

Da dies regelmäßig nicht dem Interesse der Gesellschaft und der verbleiben-   22
den Gesellschafter entspricht, sind Abfindungsregelungen, welche die
Ansprüche des oder der Erben summenmäßig und/oder in den Auszahlungs-
modalitäten regeln, weit verbreitet.

> *Beispiel:*
>
> *Im Fall der Abtretung oder Einziehung eines Geschäftsanteils kann der Erbe eine*
> *Abfindung nur nach Maßgabe der folgenden Regelungen beanspruchen.*

---

6   Allgemeine Meinung: vgl. nur BGH, 13.06.1994 – II ZR 38/93, NJW
      1994, 2536; BGH, 20.09.1993 – II ZR 104/92, NJW 1993, 3193; BGH,
      24.05.1993 – II ZR 36/92, NJW 1993, 2101; vertiefend auch Winter/Löbbe in
      Ulmer/Habersack/Winter, GmbHG, § 15 Rn. 16.

23   Eine **Beschränkung der Abfindungshöhe** ist grds. zulässig. Die Rechtspre-
     chung[7] überprüft die Satzungsregelung jedoch anhand § 138 BGB, sodass
     die Abfindungsklausel nichtig ist, wenn sie außer Verhältnis zum „wahren"
     Wert des Geschäftsanteils steht. Folge der Nichtigkeit ist wiederum die
     Abfindung zum Verkehrswert.

24   Auch eine zunächst gültige Abfindungsregelung ist nach der Rechtspre-
     chung im Wege der ergänzenden Vertragsauslegung anzupassen, wenn sich
     im zeitlichen Verlauf der „wahre" Wert des Anteils erheblich von der
     satzungsgemäßen Abfindungshöhe weg entwickelt hat.[8]

III.   Selbstständigkeit jedes Geschäftsanteils (Abs. 2)

25   Erwirbt ein Gesellschafter zu seinem ursprünglichen Anteil weitere
     Geschäftsanteile hinzu, so behalten diese gem. Abs. 2 ihre Selbstständigkeit.
     Dies gilt sowohl für den Erwerb mittels Abtretung als auch mittels erbrecht-
     licher Übertragung.

26   Soll eine Zusammenlegung erfolgen, so ist hierfür ein entsprechender
     Beschluss der Gesellschafterversammlung erforderlich. Eine automatische
     Vereinigung findet nicht statt.

27   Zusätzlich zu einem entsprechenden Gesellschafterbeschluss muss der Inha-
     ber der betroffenen Geschäftsanteile der Anteilsvereinigung zustimmen.[9]

IV.   Formbedürftigkeit (Abs. 3 und 4)

28   Sowohl der Abschluss des Verpflichtungsvertrags zur Übertragung des
     Geschäftsanteils als auch die Abtretung selbst unterliegen zu ihrer Wirk-
     samkeit zwingend der notariellen Beurkundung gem. § 128 BGB und
     §§ 8 ff. BeurkG. Für den Verpflichtungsvertrag besteht allerdings die Mög-
     lichkeit der Heilung.

1.   Notarielle Beurkundung der Abtretung (Abs. 3)

29   Zu beurkunden sind i.R.d. Abtretung von Geschäftsanteilen gem. Abs. 3
     sowohl die **Abtretungs-** als auch die **Annahmeerklärung**,[10] wobei gem.

---

7   BGH, 13.06.1994 – II ZR 38/93, NJW 1994, 2536; BGH, 16.12.1991 – II ZR
     58/91, NJW 1992, 892; BGH, 24.05.1993 – II ZR 36/92, NJW 1993, 2101.

8   Vgl. zur Abfindungsproblematik die Kommentierung sowie die Muster bei
     § 34 Rn. 52.

9   Ganz h.M.: vgl. Lutter/Bayer in Lutter/Hommelhoff, GmbHG, Rn. 14; Ebbing
     in Michalski, GmbHG, § 15 Rn. 174 jeweils m.w.N. zum Streitstand.

10   Vgl. jüngst BGH, 08.05.2007 – VIII ZR 235/06, NJW 2007, 2117.

§ 128 BGB auch eine getrennte Beurkundung möglich und wirksam ist. Über den Wortlaut hinaus ist auch die Abtretung des Anspruchs auf Übertragung des Geschäftsanteils formbedürftig.[11]

Die Vollmacht und die Genehmigung einer durch einen vollmachtlosen 30 Vertreter abgegebenen Erklärung bedürfen dagegen gem. §§ 167 Abs. 2, 182 Abs. 2 BGB nicht der notariellen Form.

Nicht formbedürftig ist weiterhin die Begründung einer **Unterbeteiligung,** 31 also die stille Beteiligung an einem Gesellschaftsanteil. Die Unterbeteiligung wird durch eine entsprechende vertragliche Vereinbarung (sog. Unterbeteiligungsvertrag) zwischen dem GmbH-Gesellschafter (Hauptbeteiligter) und dem an diesem dann Unterbeteiligten begründet. Hierdurch entsteht zwischen diesen beiden Personen eine BGB-Innengesellschaft, wobei allein der Hauptbeteiligte Gesellschafter der GmbH ist und bleibt. Die Formerfordernisse der Abs. 3 und 4 gelten für den Unterbeteiligungsvertrag nicht.[12]

2. Notarielle Beurkundung des Verpflichtungsvertrages (Abs. 4)

Die Formbedürftigkeit gem. Abs. 3 umfasst den gesamten Vertrag inklusive 32 etwaiger Nebenabreden und nachträglicher Vertragsänderungen.

Eine Verletzung der Form führt zur Nichtigkeitsfolge des § 125 BGB. 33 Allerdings kann durch eine formgerechte Abtretung nach Abs. 3 eine Heilung mit Wirkung für die Zukunft, also *ex nunc*, erfolgen.[13] Die Heilung erfasst dabei den gesamten Verpflichtungsvertrag.

3. Treuhandverhältnisse und notarieller Formzwang

Im Rahmen der rechtlich zulässigen sog. „Mitarbeitermodelle" werden in 34 der Praxis regelmäßig **Treuhandverhältnisse** über GmbH-Anteile begründet.[14] Damit wird dem Treugeber im Innenverhältnis die wirtschaftliche Gesellschafterstellung eingeräumt wobei aber der Treuhänder die Vollrechts-Inhaberschaft behält oder erhält. Der Treuhänder verpflichtet sich, alles an den Treugeber herauszugeben, was er aufgrund der treuhänderischen

---

11   BGH, 19.04.1999 – II ZR 365/97, NJW 1999, 2594; Roth/Altmeppen, GmbHG, § 15 Rn. 79.

12   Allgemeine Meinung: vgl. nur Ebbing in Michalski, GmbHG, § 15 Rn. 187; Lutter/Bayer in Lutter/Hommelhoff, GmbHG, § 15 Rn. 65.

13   Allgemeine Meinung: vgl. nur Lutter/Bayer in Lutter/Hommelhoff, GmbHG, § 15 Rn. 37; BGH, 29.01.1992 – VIII ZR 92/91 (n.v.).

14   BGH, 19.09.2005 – II ZR 173/04, NJW 2005, 3641; BGH, 19.04.2005 – II ZR 342/03, NJW 1999, 2594.

Beteiligung erlangt. Auch der GmbH-Geschäftsanteil ist dann an den Treugeber herauszugeben, wenn der Treuhänder ihn „zur Durchführung der Treuhand" erworben hat (sog. **Erwerbstreuhand**).

35 Nach ständiger Rechtsprechung des zuständigen Gesellschaftsrechtssenats[15] und herrschender Literatur[16] wird bei diesen Konstellationen zu Recht von einer Formbedürftigkeit der Treuhandgestaltungen gem. Abs. 4 ausgegangen.

V. Satzungsregelungen (Abs. 5)

36 Die grds. freie Übertragbarkeit von Geschäftsanteilen kann nach Abs. 5 durch die Satzung beschränkt und sogar vollständig ausgeschlossen werden.

37 Von dieser **Vinkulierungsmöglichkeit** wird in der Praxis regelmäßig Gebrauch gemacht; gerade bei klein- und mittelständischen GmbHs steht häufig die personalistische Verbindung der Gesellschafter derart im Vordergrund, dass eine Fortsetzung der unternehmerischen Aktivität mit einer beliebigen anderen Person nicht gewünscht ist.

1. Vinkulierung

38 Durch die **Vinkulierung** (= Fesselung der Geschäftsanteile) wird sichergestellt, dass dem Gesellschafterkreis ohne entsprechende Beschlussfassung keine neuen Gesellschafter hinzutreten können.

39 Die Vinkulierung muss in der Satzung angeordnet und klar und verständlich formuliert sein.

Beispiel:

Geschäftsanteile können nur mit vorheriger schriftlicher Zustimmung aller Gesellschafter abgetreten werden.

40 Die Vinkulierung bezieht sich ausschließlich auf die Abtretung, also das Verfügungsgeschäft. Die Fähigkeit eines Gesellschafters einen Verpflichtungsvertrag abzuschließen, kann nicht beschränkt werden.

41 Im Übrigen sind die Gesellschafter in der konkreten Ausgestaltung der Vinkulierungsregelung in der Satzung frei. Soll eine Vinkulierung nachträglich in die Satzung eingeführt werden, so ist hierfür ein einstimmiger Gesellschafterbeschluss erforderlich.[17]

---

15 BGH, 12.12.2005 – II ZR 330/04, NJW-RR 2006, 1415; BGH, 19.04.1999 – II ZR 365/97, NJW 1999, 2594.

16 Vgl. Hueck/Fastrich in Baumbach/Hueck, GmbHG, § 15 Rn. 55 m.w.N.

17 Allgemeine Meinung: vgl. nur Lutter/Bayer in Lutter/Hommelhoff, GmbHG, § 15 Rn. 43; vertiefend Wachter in Wachter, FA Handels- und GesellschaftsR, Teil 2, 2. Kap. Rn. 133 ff.

2. Genehmigung

Die Genehmigung i.S.d. Abs. 5 umfasst sowohl die vorherige Einwilligung 42
gem. § 183 BGB als auch die nachträgliche Genehmigung gem. § 184 BGB.
Die Genehmigung wirkt zurück auf den Zeitpunkt der Abtretung, also *ex tunc*.

Im Außenverhältnis ist die Genehmigungserklärung durch den oder die 43
Geschäftsführer abzugeben.

Im Innenverhältnis ist ein entsprechender, grds. mit einfacher Mehrheit zu 44
fassender Gesellschafterbeschluss erforderlich, für welchen die Satzung
allerdings auch andere Mehrheitserfordernisse festlegen kann. Die Satzung
kann die Entscheidungsbefugnis auch auf ein anderes Organ wie bspw. einen
Aufsichtsrat oder Beirat übertragen.[18]

VI. Der Geschäftsanteil als Kreditsicherungsmittel

Praktisch hohe Relevanz hat die Verwendung von Geschäftsanteilen als 45
Kreditsicherungsmittel.

Verpfändung und Nießbrauch sind zulässig, unterliegen aber den nach 46
Abs. 5 ggf. vereinbarten Beschränkungen des Gesellschaftsvertrags. Die
Mitgliedschaftsrechte, einschließlich des Stimmrechts, verbleiben beim
Gesellschafter.

1. Anteilsverpfändung

Die Verpfändung eines Geschäftsanteils ist gem. § 1274 BGB zulässig, 47
soweit dessen Abtretung zulässig ist. Es gilt die Formvorschrift des Abs. 3
und zwar für den gesamten Verpfändungsvertrag.

Enthält die Satzung über Abs. 5 Abtretungsbeschränkungen so gelten diese 48
auch für die Verpfändung.

Die Satzung kann für Abtretung und Verpfändung auch unterschiedliche 49
Regelungen treffen.

Durch die Verpfändung bleiben die Mitgliedschaftsrechte des Gesellschaf- 50
ters grds. unberührt.[19]

---

18 Allgemeine Meinung: vgl. nur Lutter/Bayer in Lutter/Hommelhoff, GmbHG,
§ 15 Rn. 47 m.w.N.

19 Eingehend hierzu Winter/Löbbe in Ulmer/Habersack/Winter, GmbHG, § 15
Rn. 159; Wachter in Wachter, FA Handels- und GesellschaftsR, Teil 2, 2. Kap.
Rn. 221.

2.   Nießbrauch

51 Die Einräumung eines Nießbrauchs an einem Geschäftsanteil ist gem.
§ 1068 BGB zulässig. Dem Nießbraucher stehen die Nutzungen des Anteils
zu, wobei der Besteller nach wie vor Gesellschafter bleibt.

VII.   Der Geschäftsanteil im Prozess und bei Insolvenz eines Gesellschafters

52 Der Gesellschaftsanteil kann gem. §§ 857, 829 ZPO gepfändet werden,
wobei trotz Pfändung das Verfügungsrecht des Gesellschafters über „seinen" Anteil vorerst bestehen bleibt und der Gesellschafter weiterhin seine
Mitgliedschaftsrechte ausüben kann.

53 Erst durch die Verwertung, welche gem. § 844 ZPO durch Veräußerung
(öffentliche Versteigerung oder freihändiger Verkauf) auf Anordnung des
Gerichts erfolgt, endet das Verfügungsrecht.

54 Bei einer Insolvenz des Gesellschafters fällt sein Geschäftsanteil in die
Insolvenzmasse. Die Ausübung der Mitgliedschaftsrechte geht gem. § 80
InsO auf den Insolvenzverwalter über. Auch eine Vinkulierung des
Geschäftsanteils nach Abs. 5 steht dem nicht entgegen.[20]

VIII.   Muster[21]

1.   Nachfolgeregelungen

55 § ..... Erbfolge

> Im Falle des Todes eines Gesellschafters wird die Gesellschaft mit
> dessen Erben fortgesetzt.

56 § ..... Erbfolge

> Im Falle des Todes eines Gesellschafters wird die Gesellschaft mit
> dessen ältestem leiblichen Abkömmling fortgesetzt.

---

20   Vgl. nur Roth/Altmeppen, GmbHG, § 15 Rn. 67.
21   Bei allen Musterformulierungen gilt, dass diese nicht schematisch zu über-
     nehmen sondern unter Berücksichtigung der jeweiligen konkreten Umstände
     anzupassen sind.

§ ..... Erbfolge 57

(1) Die Gesellschaft kann beim Tode eines Gesellschafters dessen Geschäftsanteil einziehen oder verlangen, dass dieser an die Gesellschaft oder an eine von der Gesellschaft bestimmte Person abgetreten wird.

(2) Der oder die Erben des verstorbenen Gesellschafters erhalten hierfür eine Abfindung nach Maßgabe von § ..... dieses Vertrages.

§ ..... Erbfolge 58

(1) Geht beim Tode eines Gesellschafters dessen Anteil auf eine Person über, die nicht Gesellschafter oder Abkömmling eines Gesellschafters ist, kann die Gesellschaft innerhalb von drei Monaten nach Kenntnis des Erbfalls die Einziehung oder Übertragung des Geschäftsanteils beschließen.

(2) Der oder die Erben des verstorbenen Gesellschafters erhalten hierfür eine Abfindung nach Maßgabe von § ..... dieses Vertrages.

2. Abfindungsregelungen

§ ..... Abfindung 59

(1) Bei einer Einziehung oder Übertragung eines Geschäftsanteils ist eine Abfindung in Höhe des anteiligen Unternehmenswertes nach folgender Regelung zu bezahlen.

(2) Sofern sich die Parteien nicht auf einen Wert einigen, erfolgt die Ermittlung des Unternehmenswerts anhand einer Unternehmensbewertung durch einen Sachverständigen nach den geltenden Bewertungsgrundsätzen des Instituts der Wirtschaftsprüfer.

(3) Sofern sich die Beteiligten nicht auf einen Sachverständigen einigen können, ist dieser auf Antrag einer Partei von der örtlichen Industrie- und Handelskammer zu bestimmen. Die Kosten der Unternehmensbewertung tragen die Parteien jeweils zur Hälfte.

(4) Die Abfindung ist in fünf gleichen Jahresraten, jeweils fällig zum 01.01. zu bezahlen; die erste Rate ist zum 01.01. des auf die Einziehung bzw. Übertragung folgenden Jahres fällig. Die Raten sind mit 5 % über dem jeweiligen Diskontzinssatz zu verzinsen.

60   § ..... **Abfindung**

(1) Dem Gesellschafter bzw. dessen Erbe(n) steht eine Abfindung in Höhe des seinem Anteil entsprechenden anteiligen Unternehmenswert zu.

(2) Der Unternehmenswert ist durch ein Sachverständigengutachten zu ermitteln, welches den Verkehrswert des Unternehmens nach den allgemein anerkannten Grundsätzen der Unternehmensbewertung festlegt. Die Bestellung des Sachverständigen erfolgt durch den Präsidenten der Industrie- und Handelskammer Heilbronn. Die Kosten des Sachverständigengutachtens tragen die Gesellschaft und der Gesellschafter bzw. dessen Erbe(n) je zur Hälfte.

(3) Von dem ermittelten anteiligen Verkehrswert ist zur Sicherung des Bestands der Gesellschaft ein Abschlag in Höhe von 10 % zu machen. Der sich danach ergebende Abfindungsbetrag ist sofort fällig, wobei die Gesellschaft berechtigt ist, diesen in vier gleichen Raten, jeweils zum 30.06. und zum 31.12. zu bezahlen. Die Verzinsung erfolgt ab Fälligkeit mit 5 % über dem Basiszinssatz.

3.   Vinkulierung

61   § ..... **Verfügung über Geschäftsanteile**

Die Verfügung von Geschäftsanteilen oder Teilen von Geschäftsanteilen kann nur mit vorheriger schriftlicher Zustimmung der Gesellschafterversammlung erfolgen, welche hierüber mit einfacher Mehrheit zu beschließen hat.

62   § ..... **Verfügung über Geschäftsanteile**

Über Geschäftsanteile kann nur mit vorheriger schriftlicher Zustimmung aller Gesellschafter verfügt werden.

63   § ..... **Verfügung über Geschäftsanteile**

(1) Die Verfügung über Geschäftsanteile oder Teile von Geschäftsanteilen ist ausgeschlossen.

(2) Dies gilt nicht für die Verfügung an Gesellschafter oder Abkömmlinge von Gesellschaftern.

4. Veräußerung eines Geschäftsanteils (ohne Vinkulierung)

64

Verhandelt zu X-Stadt, am .....

Vor dem Notar Manfred Maier, Maiergasse 11, X-Stadt

sind erschienen, die durch Personalausweis ausgewiesenen und voll geschäftsfähigen Personen:

Herr Armin Arm, wohnhaft ..... – im Folgenden: Veräußerer

Herr Bernd Bedarf, wohnhaft ..... – im Folgenden: Erwerber

Die Erschienenen erklären zur öffentlichen Urkunde folgende

Veräußerung und Abtretung eines Geschäftsanteils

1. Der Veräußerer hält an der AB-GmbH mit Sitz in X-Stadt, HRB-Nummer ..... einen Geschäftsanteil von 5.000 €. Der Veräußerer garantiert, dass der Geschäftsanteil vollständig erbracht ist und an diesem keine Rechte Dritter bestehen und er alleine über diesen verfügen kann.

2. Der Veräußerer verkauft den vorbezeichneten Geschäftsanteil an den Käufer zum Preis von 20.000 € (in Worten: zwanzigtausend Euro). Der Kaufpreis ist sofort fällig. Der Erwerber unterwirft sich hinsichtlich der Zahlungsverpflichtung der sofortigen Zwangsvollstreckung in sein gesamtes Vermögen.

3. Der vorbezeichnete Geschäftsanteil wird hiermit an den Erwerber abgetreten; der Erwerber nimmt hiermit die Abtretung an.

4. Der Gewinn für das laufende Geschäftsjahr steht dem Erwerber zu.

5. Der Notar ist beauftragt, gegenüber der Gesellschaft unverzüglich die erfolgte Anteilsveräußerung anzuzeigen und gemäß § 16 GmbHG die aktualisierte Gesellschafterliste zum Handelsregister einzureichen sowie im Übrigen die insbesondere nach § 40 GmbHG erforderlichen weiteren Schritte einzuleiten.

6. Die Kosten dieses Vertrages trägt der Erwerber.

7. Beglaubigte Abschriften dieses Vertrages erhalten:

   – die Beteiligten

   – die Gesellschaft

5.   Verpfändung eines Geschäftsanteils (mit Zustimmungserfordernis der Gesellschaft)

65

Verhandelt zu X-Stadt, am .....

Vor dem Notar Manfred Maier, Maiergasse 11, X-Stadt

sind erschienen, die durch Personalausweis ausgewiesen und voll geschäftsfähigen Personen:

Herr Armin Arm, wohnhaft ..... – im Folgenden: Schuldner

Herr Bernd Bedarf, wohnhaft ..... – im Folgenden: Gläubiger

Die Erschienenen erklären zur öffentlichen Urkunde folgenden

Verpfändungsvertrag

1. Der Schuldner hält an der AB-GmbH mit Sitz in X-Stadt, HRB-Nummer ..... einen Geschäftsanteil von 5.000 €. Der Veräußerer garantiert, dass der Geschäftsanteil vollständig erbracht ist und an diesem keine Rechte Dritter bestehen.

2. Die gemäß § x der Satzung der AB-GmbH erforderliche schriftliche Zustimmung der Gesellschaft zur Verpfändung des Geschäftsanteils liegt vor und ist dieser Urkunde beigefügt.

3. Der Schuldner verpfändet hiermit seinen vorbezeichneten Geschäftsanteil an den Gläubiger.

4. Die Verpfändung dient zur Sicherung der Rückzahlungsforderung des Gläubigers, aus dem zwischen den Parteien abgeschlossenen Darlehensvertrag vom ....., welcher dieser Urkunde beigefügt und dessen Inhalt den Parteien bekannt ist ......

5. Alle Mitgliedschaftsrechte aus der Gesellschafterstellung verbleiben beim Schuldner. Der Schuldner verpflichtet sich aber, alles zu unterlassen, was für den Wert des Geschäftsanteils nachteilig sein könnte.

6. Das Pfandrecht erlischt, sobald der Schuldner das Darlehen vollständig an den Gläubiger zurück bezahlt hat.

7. Falls der Schuldner mit der Rückzahlung des Darlehens in Verzug gerät kann der Gläubiger den verpfändeten Geschäftsanteil nach fruchtlosem Ablauf einer Frist von ..... Kalendertagen öffentlich versteigern lassen.

8. Die Kosten dieses Vertrages trägt der Schuldner.

§ 16 GmbHG   Rechtsstellung bei Wechsel der Gesellschafter oder Veränderung des Umfangs ihrer Beteiligung; Erwerb vom Nichtberechtigten

(1) [1]Im Verhältnis zur Gesellschaft gilt im Fall einer Veränderung in den Personen der Gesellschafter oder des Umfangs ihrer Beteiligung als Inhaber eines Geschäftsanteils nur, wer als solcher in der im Handelsregister aufgenommenen Gesellschafterliste (§ 40) eingetragen ist. [2]Eine vom Erwerber in Bezug auf das Gesellschaftsverhältnis vorgenommene Rechtshandlung gilt als von Anfang an wirksam, wenn die Liste unverzüglich nach Vornahme der Rechtshandlung in das Handelsregister aufgenommen wird.

(2) Für Einlageverpflichtungen, die in dem Zeitpunkt rückständig sind, ab dem der Erwerber gemäß Absatz 1 Satz 1 im Verhältnis zur Gesellschaft als Inhaber des Geschäftsanteils gilt, haftet der Erwerber neben dem Veräußerer.

(3) [1]Der Erwerber kann einen Geschäftsanteil oder ein Recht daran durch Rechtsgeschäft wirksam vom Nichtberechtigten erwerben, wenn der Veräußerer als Inhaber des Geschäftsanteils in der im Handelsregister aufgenommenen Gesellschafterliste eingetragen ist. [2]Dies gilt nicht, wenn die Liste zum Zeitpunkt des Erwerbs hinsichtlich des Geschäftsanteils weniger als drei Jahre unrichtig und die Unrichtigkeit dem Berechtigten nicht zuzurechnen ist. [3]Ein gutgläubiger Erwerb ist ferner nicht möglich, wenn dem Erwerber die mangelnde Berechtigung bekannt oder infolge grober Fahrlässigkeit unbekannt ist oder der Liste ein Widerspruch zugeordnet ist. [4]Die Zuordnung eines Widerspruchs erfolgt aufgrund einer einstweiligen Verfügung oder aufgrund einer Bewilligung desjenigen, gegen dessen Berechtigung sich der Widerspruch richtet. [5]Eine Gefährdung des Rechts des Widersprechenden muss nicht glaubhaft gemacht werden.

I. Einführung

1   Die Vorschrift wurde durch das MoMiG mit Wirkung zum 01.11.2008 vollständig neu gefasst. Der Gesetzgeber hat damit auf die Problematik der in der Praxis verbreiteten Intransparenz der Gesellschafterstrukturen reagiert und diese in Abs. 1 dahin gehend geregelt, dass der im Handelsregister aufgenommenen **Gesellschafterliste** ausschlaggebende Bedeutung zukommt. Mit der stets aktuellen Gesellschafterliste soll der Gesellschafterbestand stets lückenlos und unproblematisch nachvollziehbar sein.

2   Abs. 2 regelt die **Haftung für Einlagenrückstände** und greift die bisherige Regelung des § 16 Abs. 3 GmbHG a.F. auf – allerdings konsequent auf den Zeitpunkt der Aufnahme der aktualisierten Gesellschafterliste im Handelsregister bezogen.

3   Der neue Abs. 3 regelt die Möglichkeit des **gutgläubigen Erwerbs von Geschäftsanteilen** und stellt diesen für die bisherige Praxis aufgrund der häufigen Intransparenz der Gesellschafterstrukturen problematischen Fall auf eine rechtliche Grundlage.

4   Die insbes. für den Fall des gutgläubigen Erwerbs gem. Abs. 3 wichtige Übergangsregelung ist § 3 Abs. 3 EGGmbHG zu entnehmen (s. dort Rn. 5). Zur Gesellschafterliste siehe die Muster i.R.d. sog. Gründungs-Sets im Anhang zu § 7.

II. Wechsel von Gesellschaftern, Änderung des Beteiligungsumfangs, Gesellschafterliste (Abs. 1)

1. Gesellschafterstellung aufgrund Aufnahme in die Gesellschafterliste (Abs. 1 Satz 1)

5   Im Verhältnis zur GmbH gilt nur derjenige als Gesellschafter, der in der im Handelsregister aufgenommenen **Gesellschafterliste** eingetragen ist. Damit folgt die Vorschrift dem im Aktiengesellschaftsrecht bewährten Regelungsmuster des § 67 Abs. 2 AktG.

Die Gesellschafterliste ist dann in das Handelsregister „aufgenommen", 6
wenn sie in den für das entsprechende Registerblatt bestimmten Register-
ordner bzw. i.R.d. Übergangsregelungen des EHUG in den sog. Sonderband
der Papierregister aufgenommen ist.

Regelmäßig wird die Einreichung der geänderten Gesellschafterliste vom 7
beurkundenden Notar veranlasst werden, da dieser gem. dem ebenfalls neu
gefassten § 40 Abs. 2 hierzu gesetzlich verpflichtet ist.

Die Aufnahme in die Gesellschafterliste ist keine Wirksamkeitsvorausset- 8
zung für den Erwerb eines Geschäftsanteils – dieser richtet sich nach § 15.
Daraus folgt, dass der Erwerber mit der Abtretung zwar gegenüber allen
Dritten Inhaber des Geschäftsanteils wird und damit auch grds. über diesen
verfügen kann, ihm allerdings gegenüber der Gesellschaft die Ausübung
seiner Mitgliedschaftsrechte solange verwehrt bleibt, bis er in die Gesellschafterliste aufgenommen ist, da er erst damit dieser gegenüber die Gesellschafterstellung erlangt.

Im Rahmen des § 43 ist es Teil der allgemeinen Sorgfaltspflicht der 9
Geschäftsführer, bei einer fehlerhaften Liste für eine Berichtigung gegenüber dem Handelsregister Sorge zu tragen.

**2. Rechtshandlungen des Erwerbers vor Aufnahme in die
Gesellschafterliste (Abs. 1 Satz 2)**

Der Erwerber kann bereits vor seiner Aufnahme in die Gesellschafterliste 10
Rechtshandlungen in Bezug auf das Gesellschaftsverhältnis vornehmen.

Beispiel:

*Mitwirkung an Gesellschafterbeschlüssen zur Bestellung eines neuen Geschäfts-
führers, zur Gewinnverwendung, zur Satzungsänderung.*

Derartige Rechtshandlungen sind zunächst schwebend unwirksam. Sie wer- 11
den wirksam, wenn die (neue) Gesellschafterliste unverzüglich nach Vornahme der Rechtshandlung in das Handelsregister aufgenommen wird.

Findet keine i.S.d. § 121 BGB unverzügliche, also ohne schuldhaftes Zögern 12
erfolgte, Aufnahme statt, so werden die Rechtshandlungen endgültig
unwirksam.

3. Durchsetzung der Aufnahme in die Gesellschafterliste

Mit dem Anteilserwerb entsteht zwischen dem erwerbenden Gesellschafter 13
und der Gesellschaft ein gesetzliches Schuldverhältnis, aufgrund dessen
sowohl der veräußernde als auch der erwerbende Gesellschafter einen
Anspruch auf unverzügliche Aktualisierung der Gesellschafterliste erlangt.

14 Der eintretende Gesellschafter kann diesen Anspruch klageweise, auch mittels einer einstweiligen Verfügung, durchsetzen. Die Gesetzesbegründung verweist diesbezüglich ausdrücklich auf die Vorschrift des § 67 Abs. 2 AktG, bei welcher eine entsprechende gerichtliche Durchsetzung anerkannt ist.

15 Kommt die Gesellschaft dem Anspruch auf Aktualisierung der Gesellschafterliste nicht unverzüglich nach, so steht zudem sowohl dem Alt- als auch dem Neugesellschafter gem. § 40 Abs. 3 ein Schadensersatzanspruch zu.

III.   Haftung für Rückstände (Abs. 2)

16 Abs. 2 regelt die Haftung für **Einlagenrückstände** und entspricht bis auf den maßgeblichen Zeitpunkt der Aufnahme der aktualisierten Gesellschafterliste im Handelsregister der bisherigen Regelung des § 16 Abs. 3 a.F.

17 Für alle z.Zt. der Aufnahme der geänderten Gesellschafterliste rückständigen Gesellschafterleistungen haften Veräußerer und Erwerber als Gesamtschuldner gem. §§ 421 ff. BGB.

18 Der Erwerber muss sich anhand der vorhanden Unterlagen selbst von der ordnungsgemäßen Aufbringung der Stammeinlage überzeugen, da seine Haftung unabhängig von seiner konkreten Kenntnis besteht. Dabei ist aufgrund der strengen Rechtsprechung[1] zu prüfen, ob die Einlage geleistet wurde und nach Abschluss des Gesellschaftsvertrags auch unversehrt auf die GmbH übergegangen ist. Wurde nämlich mit dem vorab eingezahlten Geld bereits der Geschäftsbetrieb im Gründungsstadium eröffnet und ging dieser dann mit Aktiva und Passiva auf die GmbH über, so ist die Stammeinlagepflicht nicht erfüllt.

IV.   Gutgläubiger Erwerb vom Nichtberechtigten (Abs. 3)

1.   Gutgläubiger Erwerb vom in der Gesellschafterliste Eingetragenen (Abs. 3 Satz 1)

19 Der im Zuge des MoMiG neu eingeführte Abs. 3 ermöglicht den **gutgläubigen Erwerb** von Geschäftsanteilen auch vom Nichtberechtigten.

20 Während unter der alten Rechtslage der Erwerber eines Geschäftsanteils dem Risiko ausgesetzt war, dass der Veräußerer nicht der wahre berechtigte Inhaber war und dies nur unter erheblichen Schwierigkeiten und mit hohem Aufwand prüfen konnte, ist mit der Neufassung gewährleistet, dass der in der **Gesellschafterliste Eingetragene** grds. als berechtigter Inhaber und damit als berechtigter Veräußerer gilt. Wer einen Geschäftsanteil (oder ein

---

1   BGH, 02.12.2004 – II ZR 101/02, GmbHR 2004, 896.

Recht an diesem) erwirbt, soll darauf vertrauen dürfen, dass die in der Gesellschafterliste eingetragene Person auch wirklicher Gesellschafter ist.

Daher sieht Abs. 3 in seinem Grundsatz vor, dass der gute Glaube an die 21 Verfügungsberechtigung des in die im Handelsregister aufgenommene Gesellschafterliste Eingetragenen geschützt ist.

2. Ausschluss des gutgläubigen Erwerbs bei Nichtzurechnung und 3-Jahres-Frist (Abs. 3 Satz 2)

Ausnahmen von der Möglichkeit des gutgläubigen Erwerbs ordnet Abs. 3 22 zunächst dann an, wenn dem wahren Inhaber des Geschäftsanteils die Unrichtigkeit der im Handelsregister aufgenommenen Gesellschafterliste nicht zuzurechnen ist und die Liste weniger als **drei Jahre** unrichtig ist.

Zuzurechnen ist dem wahren Gesellschafter die Unrichtigkeit problemlos 23 immer dann, wenn er sich nach dem eigenen Erwerb des Geschäftsanteils nicht darum gekümmert hat, dass die Gesellschafterliste entsprechend geändert wird. Gleiches dürfte anzunehmen sein, wenn der wahre Gesellschafter trotz Kenntnis über Änderungen der Gesellschafterliste es unterlässt, die Richtigkeit der Liste zu überprüfen. Denn seitdem die online-Einsicht in das Handelsregister eröffnet ist, ist auch die Einsichtnahme in die Gesellschafterliste ohne nennenswerten Aufwand möglich.

Nicht zuzurechnen sein sollen nach der Gesetzesbegründung nur die Fälle, in 24 denen dem wahren Gesellschafter die Unrichtigkeit „in keiner Weise" zuzurechnen ist, wobei als Beispiel der Fall genannt wird, dass der Geschäftsführer ohne Wissen des Gesellschafters eine hinsichtlich seiner Gesellschafterstellung falsche Liste einreicht.

Selbst bei einer in der Praxis im Hinblick auf die Möglichkeit der online- 25 Einsicht wohl nur selten vorkommenden „Nicht-Zurechnung" muss als zweite Voraussetzung das zeitliche Element einer 3-jährigen ununterbrochenen Fehlerhaftigkeit bezüglich der Gesellschafterstellung hinzu treten.

Die 3-Jahres-Frist beginnt mit dem Zeitpunkt, in dem die Aufnahme der 26 Liste mit der Nennung eines Nichtberechtigten als Inhaber des Geschäftsanteils erfolgt.

3. Ausschluss des gutgläubigen Erwerbs bei Bösgläubigkeit oder zugeordnetem Widerspruch (Abs. 3 Satz 3 bis 5)

Ist dem Erwerber positiv bekannt oder aufgrund grob fahrlässiger Unkennt- 27 nis unbekannt, dass der in der Gesellschafterliste benannte Inhaber Nichtberechtigter ist, kommt ein gutgläubiger Erwerb nicht in Betracht.

Die Beurteilung der positiven Kenntnis und grob fahrlässigen Unkenntnis 28 bemisst sich nach den zu den §§ 932 ff. BGB entwickelten Grundsätzen.

29 Ein gutgläubiger Erwerb ist auch dann ausgeschlossen, wenn der Gesellschafterliste ein die Berechtigung des dort genannten Geschäftsteilinhabers negierender Widerspruch zugeordnet ist.

30 Mit der Möglichkeit, einen Widerspruch eintragen zu lassen orientiert sich das Gesetz an der insoweit als Vorbild dienenden Vorschrift des § 892 BGB. Allerdings zerstört der Widerspruch nach Abs. 3 „nur" die dortige Gutglaubenswirkung und nicht die relative Gesellschafterstellung nach Abs. 1. Folglich ist trotz eines Widerspruchs der wahre Berechtigte zivilrechtlich nicht gehindert, seinen Anteil wirksam zu veräußern oder zu belasten.

> **Praxistipp:**
>
> Gleichwohl ist es aus Sicht eines Erwerbers oder Belastungsnehmers nicht ratsam, trotz Widerspruchs zu kontrahieren.

31 Durchzusetzen ist der Widerspruch in Anlehnung an § 899 Abs. 2 BGB entweder mittels Zustimmung desjenigen, gegen dessen Gesellschafterstellung er sich richtet oder mittels einstweiliger Verfügung. Dabei ist nach den allgemeinen Grundsätzen der Anspruch auf Einreichung einer korrigierten Liste glaubhaft zu machen, wobei ausweislich Satz 5 eine Glaubhaftmachung der Gefährdung des Rechts des Widersprechenden nicht erforderlich ist.

32 Um Altgesellschaften ein allmähliches Hineinwachsen in die Pflicht zur stetigen Aktualisierung der Gesellschafterliste zu ermöglichen, enthält § 3 Abs. 3 EGGmbHG eine Übergangsregelung, welche einen Zeitraum von bis zu sechs Monaten, in Ausnahmefällen sogar bis zu 36 Monaten, nach Inkrafttreten der Änderung vorsieht (s. dort Rn. 5).

§ 17 GmbHG [weggefallen]

1 Der Regelungsgegenstand wurde – deutlich verändert – in § 46 übernommen (s. dort), sodass § 17 aufgehoben werden konnte.

§ 18 GmbHG   Mitberechtigung am Geschäftsanteil

(1) Steht ein Geschäftsanteil mehreren Mitberechtigten ungeteilt zu, so können sie die Rechte aus demselben nur gemeinschaftlich ausüben.

(2) Für die auf den Geschäftsanteil zu bewirkenden Leistungen haften sie der Gesellschaft solidarisch.

(3) [1]Rechtshandlungen, welche die Gesellschaft gegenüber dem Inhaber des Anteils vorzunehmen hat, sind, sofern nicht ein gemeinsamer Vertreter der Mitberechtigten vorhanden ist, wirksam, wenn sie auch nur gegenüber einem Mitberechtigten vorgenommen werden. [2]Gegenüber mehreren Erben eines Gesellschafters findet diese Bestimmung nur in bezug auf Rechtshandlungen Anwendung, welche nach Ablauf eines Monats seit dem Anfall der Erbschaft vorgenommen werden.

I. Einführung

Die Vorschrift regelt den Fall, dass ein Geschäftsanteil mehreren Berechtigten in Form einer **Bruchteils-** oder **Gesamthandsgemeinschaft** (Erbengemeinschaft, Gütergemeinschaft) zusteht. Durch eine solche Konstellation soll nach dem gesetzgeberischen Willen die Handlungsfähigkeit der GmbH nicht verschlechtert oder erschwert werden.   **1**

Folglich können die Mitberechtigten ihre Mitgliedsrechte, v.a. das Stimmrecht, nur gemeinschaftlich ausüben (Abs. 1).   **2**

Für den umgekehrten Fall der Vornahme von Rechtshandlungen der Gesellschaft gegenüber den Mitberechtigten ist nach Abs. 3 grds. jeder einzelne Mitberechtigte passiv legitimiert sofern von diesen kein gemeinsamer Vertreter benannt worden ist.   **3**

Für mitgliedschaftlich begründete Verbindlichkeiten haften die Mitberechtigten als Gesamtschuldner (§§ 421 ff. BGB) gem. Abs. 2.   **4**

II. Anwendungsbereich

Eine Mitberechtigung setzt voraus, dass ein Geschäftsanteil mehreren Personen dinglich in Form einer **Bruchteils-** oder einer **Gesamthandsgemeinschaft** zugeordnet ist.   **5**

1.   Bruchteilsgemeinschaft

6   Eine Bruchteilsgemeinschaft entsteht regelmäßig durch Rechtsgeschäft, in dem eine bestimmte Quote des Geschäftsanteils vom bisherigen alleinigen Geschäftsanteilinhaber an mehrere Berechtigte abgetreten wird. Diese Abtretung unterliegt denselben Formvorschriften wie die Abtretung eines Geschäftsanteils als Ganzes gem. § 15 Abs. 3 und Abs. 4. Auch etwaige Abtretungserschwerungen durch Vinkulierungsklauseln in der Satzung gelten uneingeschränkt (§ 15 Rn. 38 ff.).

Unterbeteiligung, Verpfändung und Nießbrauch sind keine Bruchteilsgemeinschaft, da diese die dingliche Zuordnung unberührt lassen und der Geschäftsanteilinhaber gegenüber der Gesellschaft allein berechtigter Gesellschafter bleibt (§ 15 Rn. 47 ff.).

2.   Gesamthandsgemeinschaft

7   Mitberechtigung entsteht bei der (seltenen) ehelichen Gütergemeinschaft und bei der (häufigeren) Erbengemeinschaft.

8   Ein Geschäftsanteil, der einem im Güterstand der Gütergemeinschaft lebenden Ehegatten gehört oder von diesem erworben wird, fällt in das gem. § 1419 BGB gesamthänderisch gebundene Gesamtgut der Ehegatten.

9   Hinterlässt ein Gesellschafter bei seinem Tod mehrere Erben, geht sein Geschäftsanteil mit dem Erbfall automatisch an die Erbengemeinschaft. Eine Sondererbfolge in den Geschäftsanteil ist ausgeschlossen (§ 15 Rn. 8 ff.).

3.   Personenhandelsgesellschaften und (Außen-) GbR

10   Auf die Personenhandelsgesellschaften findet die Vorschrift keine Anwendung.

11   Auch eine (analoge) Anwendung auf die Gesellschaft bürgerlichen Rechts (GbR) ist abzulehnen. Im Hinblick auf die heute durch die gefestigte Rechtsprechung des BGH[1] erfolgte grds. Anerkennung der Rechts- und Parteifähigkeit der (Außen-) GbR ist hierfür kein Raum.[2]

---

1   Grundlegend BGH, 27.09.1999 – II ZR 371/98, NJW 1999, 3483; BGH, 29.01.2001 – II ZR 331/00, NJW 2001, 1056; ebenso BGH, 23.10.2001 – XI ZR 63/01, NJW 2002, 368.

2   Ebenso Winter/Löbbe in Ulmer/Habersack/Winter, GmbHG, § 18 Rn. 6; Roth/Altmeppen, GmbHG, § 18 Rn. 6; Hueck/Fastrich in Baumbach/Hueck, GmbHG; § 18 Rn. 2; anderslautend noch Lutter/Bayer in Lutter/Hommelhoff, GmbHG, § 18 Rn. 2.

III. Gemeinschaftliche Ausübung der Mitgliedschaftsrechte (Abs. 1)

Die Ausübung der Mitgliedschaftsrechte kann gem. Abs. 1 nur durch alle   12
Mitberechtigten **gemeinsam** erfolgen.

Beispiele für Mitgliedschaftsrechte:

*Stimmrecht, Informationsrechte (§§ 51a, b), Anfechtung von Gesellschafter-
beschlüssen, Einberufung von Gesellschafterversammlungen, Einbringen von
Beschlussanträgen, Auszahlung des Gewinnanteils, Auszahlung des Auseinander-
setzungsguthabens.[3]*

Die gemeinschaftliche Ausübung geschieht entweder durch Mitwirkung   13
aller Mitberechtigten oder durch Bestellung eines gemeinsamen Vertreters
und betrifft die Ausübung der Rechte aus dem Geschäftsanteil gegenüber der
Gesellschaft. Das Rechtsverhältnis der Mitberechtigten untereinander bleibt
von § 18 unberührt.

Die Mitberechtigten können jederzeit entsprechend ihrer inneren Ordnung   14
einen gemeinsamen Vertreter bestellen, sind hierzu aber nicht gezwungen.
Vertreter kann grds. jede auch gesellschaftsfremde Person sein, soweit die
Satzung hierzu keine Einschränkungen (z.B. ein Mitberechtigter, kein
Angestellter der Gesellschaft) enthält.

Praxistipp: 15

Da Abs. 1 dispositiv ist, kann seine Wirkung durch die Satzung auch
vollständig ausgeschlossen werden, wovon aber grds. abzuraten ist. Um
das Agieren mit der Gesellschaft nicht zu verkomplizieren ist es i.d.R.
ratsam, einen gemeinsamen Vertreter zu bestellen.

IV. Solidarische Haftung der Mitberechtigten gegenüber der Gesellschaft (Abs. 2)

Nach der zwingenden Regelung des Abs. 2 haften alle Mitberechtigten der   16
Gesellschaft solidarisch, d.h. als **Gesamtschuldner** gem. §§ 421 ff. BGB.
Die gesamtschuldnerische Haftung umfasst sämtliche Verbindlichkeiten, die
aus der Gesellschafterstellung resultieren.

V. Wirksamkeit von Rechtshandlungen der GmbH (Abs. 3)

Die Regelung des Abs. 3 soll die von der GmbH gegenüber den Gesell-   17
schaftern vorzunehmenden Rechtshandlungen erleichtern.

---

3   Winter/Löbbe in Ulmer/Habersack/Winter, GmbHG, § 18 Rn. 19.

18   Einseitige Rechtsgeschäfte der Gesellschaft wie bspw. Einladungen zur Gesellschafterversammlung, Aufforderungen und Mahnungen können gegenüber einem Mitberechtigten mit Wirkung gegenüber allen vorgenommen werden.

19   Die Mitberechtigten können dies nur durch Bestellung eines gemeinsamen Vertreters verhindern. Die Bestellung des Vertreters folgt den Regeln der Rechtsgemeinschaft, aus der sich die Mitberechtigung ergibt (Bruchteilsgemeinschaft, Gesamthandsgemeinschaft). Der gemeinsame Vertreter hat sich gegenüber der Gesellschaft durch Nachweis seiner Vertreterbestellung zu legitimieren.

§ 19 GmbHG   Leistung der Einlagen

(1) Die Einzahlungen auf die Geschäftsanteile sind nach dem Verhältnis der Geldeinlagen zu leisten.

(2) [1]Von der Verpflichtung zur Leistung der Einlagen können die Gesellschafter nicht befreit werden. [2]Gegen den Anspruch der Gesellschaft ist die Aufrechnung nur zulässig mit einer Forderung aus der Überlassung von Vermögensgegenständen, deren Anrechnung auf die Einlageverpflichtung nach § 5 Abs. 4 Satz 1 vereinbart worden ist. [3]An dem Gegenstand einer Sacheinlage kann wegen Forderungen, welche sich nicht auf den Gegenstand beziehen, kein Zurückbehaltungsrecht geltend gemacht werden.

(3) Durch eine Kapitalherabsetzung können die Gesellschafter von der Verpflichtung zur Leistung von Einlagen höchstens in Höhe des Betrags befreit werden, um den das Stammkapital herabgesetzt worden ist.

(4) [1]Ist eine Geldeinlage eines Gesellschafters bei wirtschaftlicher Betrachtung und aufgrund einer im Zusammenhang mit der Übernahme der Geldeinlage getroffenen Abrede vollständig oder teilweise als Sacheinlage zu bewerten (verdeckte Sacheinlage), so befreit dies den Gesellschafter nicht von seiner Einlageverpflichtung. [2]Jedoch sind die Verträge über die Sacheinlage und die Rechtshandlungen zu ihrer Ausführung nicht unwirksam. [3]Auf die fortbestehende Geldeinlagepflicht des Gesellschafters wird der Wert des Vermögensgegenstandes im Zeitpunkt der Anmeldung der Gesellschaft zur Eintragung in das Handelsregister oder im Zeitpunkt seiner Überlassung an die Gesellschaft, falls diese später erfolgt, angerechnet. [4]Die Anrechnung erfolgt nicht vor Eintragung der Gesellschaft in das Handelsregister. [5]Die Beweislast für die Werthaltigkeit des Vermögensgegenstandes trägt der Gesellschafter.

(5) ¹Ist vor der Einlage eine Leistung an die Gesellschafter vereinbart worden, die wirtschaftlich einer Rückzahlung der Einlage entspricht und die nicht als verdeckte Sacheinlage im Sinne von Absatz 4 zu beurteilen ist, so befreit dies den Gesellschafter von seiner Einlageverpflichtung nur dann, wenn die Leistung durch einen vollwertigen Rückgewähranspruch gedeckt ist, der jederzeit fällig ist oder durch fristlose Kündigung durch die Gesellschaft fällig werden kann. ²Eine solche Leistung oder die Vereinbarung einer solchen Leistung ist in der Anmeldung nach § 8 anzugeben.

(6) ¹Der Anspruch der Gesellschaft auf Leistung der Einlagen verjährt in zehn Jahren von seiner Entstehung an. ²Wird das Insolvenzverfahren über das Vermögen der Gesellschaft eröffnet, so tritt die Verjährung nicht vor Ablauf von sechs Monaten ab dem Zeitpunkt der Eröffnung ein.

I. Einführung

Die Vorschrift regelt die Aufbringung des **Stammkapitals** der Gesellschaft. Sie wurde durch das MoMiG in den Abs. 2, 4 und 5 neu gefasst, wogegen die Abs. 1, 3 und 6 nur sprachlich und nicht inhaltlich geändert worden sind. Zur Vereinbarung einer Sacheinlage im Gesellschaftsvertrag vgl. § 7 Rn. 8.   1

Zweck der Vorschrift ist es, die tatsächliche Kapitalaufbringung zu sichern.   2

3   Abs. 1 statuiert den Grundsatz der **Gleichbehandlung der Gesellschafter** im Hinblick auf deren Pflicht zur Einzahlung der Stammeinlagen in Form der Barleistung. Die Vorschrift ist dispositiv, sodass im Gesellschaftsvertrag abweichende Regelungen getroffen werden können.[1]

Die Abs. 2 bis 5 sind zwingendes Recht,[2] von welchem nicht – auch nicht durch den Insolvenzverwalter – abgewichen werden kann. Sie dienen der Sicherung der **Aufbringung des Stammkapitals** und damit dem Schutz der Gesellschaftsgläubiger gegen diese benachteiligende Vereinbarungen der Gesellschafter.

4   Abs. 6 regelt die **Verjährung** des Einlagenanspruchs der Gesellschaft.

5   Die Übergangsvorschrift für den neuen Abs. 4 ist § 3 Abs. 4 EGGmbHG zu entnehmen (s. dort Rn. 6 f.).

II. Einzahlungen auf die Stammeinlage (Abs. 1)

1. Einzahlung

a) Gleichbehandlungsgrundsatz

6   Abs. 1 regelt den Grundsatz, dass – aufgrund des dispositiven Charakters vorbehaltlich einer möglichen anderweitigen Satzungsregelung – jeder Gesellschafter entsprechend seinem Beteiligungsverhältnis in gleicher Weise zur Aufbringung des Stammkapitals beitragen soll.

7   Die Einforderung der Einzahlungen hat aufgrund des **Gleichbehandlungsgrundsatzes** gegenüber allen Gesellschaftern in Zeitpunkt und Höhe gleich zu erfolgen. Maßstab ist grds. das Verhältnis der Nennbeträge.

8   Die Zahlungsunfähigkeit einzelner Gesellschafter steht der Heranziehung der übrigen Gesellschafter ebenso wenig entgegen wie die bei einzelnen Gesellschaftern ggf. vorhandene Zahlungsunwilligkeit.[3]

9   Die Darlegungs- und Beweislast für die tatsächliche und ordnungsgemäße Erbringung der Stammeinlage obliegt demjenigen Gesellschafter, der sich zu seinen Gunsten auf die Zahlungen beruft.[4]

---

1   Allgemeine Meinung: vgl. nur Ulmer in Ulmer/Habersack/Winter, GmbHG, § 19 Rn. 37 mit zahlreichen Nachweisen.

2   Allgemeine Meinung: vgl. nur Roth/Altmeppen, GmbHG, § 19 Rn. 3.

3   Allgemeine Meinung: vgl. nur Lutter/Bayer in Lutter/Hommelhoff, GmbHG, § 19 Rn. 5.

4   Allgemeine Meinung: vgl. nur OLG Brandenburg, 08.06.2005 – I U 200/04, ZInsO 2005, 1217; Ulmer in Ulmer/Habersack/Winter, GmbHG, § 19 Rn. 80.

b) Fälligkeitszeitpunkt

Die Einzahlung wird fällig mit der entsprechenden Aufforderung durch die 10
Gesellschaft, wenn nicht bereits in der Satzung oder im Kapitalerhöhungsbeschluss die Fälligkeit festgelegt wurde.

Bei der Einforderung darf nach dem Gebot der gleichmäßigen Behandlung
in Zeitpunkt und Höhe (entsprechend dem jeweiligen Geschäftsanteil)
zwischen den Gesellschaftern nicht unterschieden werden.

Schuldner der Einzahlung ist der Inhaber des Geschäftsanteils im Fällig- 11
keitszeitpunkt.

c) Nachweis der Zahlungsaufforderung

Jeder zur Zahlung aufgeforderte Gesellschafter kann verlangen, dass ihm die 12
Gesellschaft nachweist, dass auch die anderen Gesellschafter zur Einzahlung
aufgefordert wurden.

Wird ein geforderter Nachweis von der GmbH nicht erbracht, so treten die 13
Verzögerungsfolgen der §§ 20, 21 nicht ein.

2. Erfüllungswirkung

Die Einzahlung muss vollständig und uneingeschränkt in das Vermögen der 14
GmbH übergehen.[5]

Daher tritt keine **Erfüllung** ein, wenn die Zahlung unter Vorbehalt oder 15
einer Bedingung erfolgt.

Ebenso darf die Zahlung nicht mit Mitteln der GmbH erfolgen oder gar aus 16
einem vom Gesellschafter aufgenommenen Darlehen, für welches auch die
GmbH haftet. Auch eine Abrede, dass die Zahlung zeitnah an den Gesellschafter (bspw. als Darlehen) zurückfließen soll, führt nicht zur Erfüllungswirkung. Dies gilt auch dann, wenn ein mit einer Treuhandabrede verbundener Bareinlagebetrag „hin- und her" gezahlt wird.[6]

---

5   Allgemeine Meinung: vgl. nur Wachter in Wachter, FA Handels- und Gesell-
     schaftsR, Teil 2, 2. Kap. Rn. 51; Roth/Altmeppen, GmbHG, § 19 Rn. 18;
     Lutter/Bayer in Lutter/Hommelhoff, GmbHG, § 19 Rn. 10; Bormann in Bor-
     mann/Kauka/Ockelmann, Hdb. GmbH-Recht, Kap. 4 Rn. 33.

6   Ganz h.M.: vgl. aus der Rspr. zuletzt BGH, 09.01.2006 – II ZR 72/05,
     NJW 2006, 906 sowie BGH, 02.12.2002 – II ZR 101/02, NJW 2003, 825.

Beispiele:[7]

Die vom Gesellschafter A erbrachte Stammeinlage wird unmittelbar nach Eingang auf dem Gesellschaftskonto an A als „Darlehen" zurückbezahlt.

Die vom Gesellschafter B eingezahlte Stammeinlage wird am nächsten Tag zum Zweck einer „treuhänderischen Anlage" an B zurücküberwiesen.

III. Befreiungsverbot (Abs. 2 Satz 1, Abs. 3)

17 Jede Befreiung von der **Einzahlungspflicht** sowie jede andere Vereinbarung, die zum selben wirtschaftlichen Ergebnis führen soll, ist unzulässig und folglich unwirksam.

18 Diese die Kapitalaufbringung im Interesse des Gläubigerschutzes sichernde Regelung ist zwingend und gilt sowohl für die Einlagepflicht bei der Errichtung der Gesellschaft (Abs. 2 Satz 1) als auch für im Wege der Kapitalerhöhung begründete Einlagepflichten und für Geld- wie Sachleistungen.

19 Unter einer unzulässigen Befreiung ist jede Vereinbarung zu fassen, die wirtschaftlich zu dem Ergebnis führt, dass der Gesellschaft die Einlage nicht zukommt.[8]

Beispiele:

Erlassvertrag, negatives Schuldanerkenntnis, Verzicht, Novation.

20 Von der zwingenden Regelung ebenfalls erfasst und damit unzulässig sind auch Stundungsabreden[9] und jedenfalls nach richtiger und überwiegender Meinung der Abschluss eines Vergleichs,[10] mit dem die Gesellschaft auf einen Teil der Einlageforderung verzichtet.

IV. Aufrechnungsverbot und Ausnahme (Abs. 2 Satz 2)

21 Abs. 2 Satz 2 enthält das grds. **Verbot der Aufrechnung** gegen die Einlageforderung. Damit wird sicher gestellt, dass die von den Gesellschaftern geschuldeten Einlagen vollständig und in der vorgesehenen Form an die Gesellschaft gehen.

---

7   Nach BGH, 12.02.2002 – II ZR 101/02, NJW 2003, 825 und BGH, 09.01.2006 – II ZR 72/05, NJW 2006, 906.

8   Vgl. BGH, 12.06.2006 – II ZR 334/04, NJW-RR 2006, 1630.

9   Allgemeine Meinung: vgl. nur Ulmer in Ulmer/Habersack/Winter, GmbHG, § 19 Rn. 57 m.w.N.

10 Herrschende Meinung: vgl. Lutter/Bayer in Lutter/Hommelhoff, GmbHG, § 19 Rn. 16; Ebbing in Michalski, GmbHG, § 19 Rn. 44; differenzierend Ulmer in Ulmer/Habersack/Winter, GmbHG, § 19 Rn. 53.

Im durch das MoMiG neu gefassten Satz 2 wird die unter der früheren **22** Rechtslage in Abs. 5 geregelte Ausnahme vom Aufrechnungsverbot geregelt.

1. Aufrechnung durch einen Gesellschafter

Eine Aufrechnung durch den die Einlage schuldenden Gesellschafter ist in **23** jedem Fall unzulässig.[11] Dies gilt auch dann, wenn dem Gesellschafter unbestritten Gegenansprüche gegen die Gesellschaft zustehen.

Eine trotzdem erklärte Aufrechnung ist unbeachtlich und wirkungslos. Eine **24** Verrechnung mit Ansprüchen auf Rückzahlung eines zuvor an die Gesellschaft gegebenen Darlehens ist ebenfalls unzulässig.[12]

2. Aufrechnung durch die Gesellschaft

Eine Aufrechnung durch die Gesellschaft ist dagegen grds. zulässig. **25**

Allerdings unterliegt die Aufrechnung durch die Gesellschaft der Voraus- **26** setzung, dass die Gesellschaft durch eine von ihr erklärte Aufrechnung den vollen wirtschaftlichen Wert der Einlagenschuld erhält.[13] Hierfür ist erforderlich, dass dem Gesellschafter ein vollwertiger, fälliger und liquider Gegenanspruch gegen die GmbH zusteht, welchen diese ohne Aufrechnung jedenfalls begleichen müsste.[14]

Ob diese Voraussetzungen vorliegen, ist nach objektiven Kriterien zu **27** bestimmen, sodass es auf die subjektive Sicht der Beteiligten nicht ankommt. Maßgeblicher Zeitpunkt für das Vorliegen der objektiven Kriterien ist der Eintritt der Aufrechnungswirkung, mithin also der Zugang der Aufrechnungserklärung.[15]

3. Ausnahme bei Sachleistungen

Satz 2 erlaubt eine **Aufrechnung bei Sacheinlagen** ausnahmsweise und nur **28** dann, wenn bereits im Gesellschaftsvertrag eine entsprechende Abrede getroffen wurde.[16]

---

11 Allgemeine Meinung: vgl. nur Lutter/Bayer in Lutter/Hommelhoff, GmbHG; § 19 Rn. 20.

12 OLG Celle, 16.11.2005 – 9 U 69/05, DB 2006, 40.

13 Allgemeine Meinung: vgl. nur BGH, 21.02.1994 – II ZR 60/93, NJW 1994, 1477; Lutter/Bayer in Lutter/Hommelhoff, GmbHG, § 19 Rn. 22.

14 Vertiefend Ulmer in Ulmer/Habersack/Winter, GmbHG, § 19 Rn. 70.

15 Ebenso Ulmer in Ulmer/Habersack/Winter, GmbHG, § 19 Rn. 79.

16 Allgemeine Meinung: vgl. nur BGH, 04.03.1996 – II ZR 8/95, NJW 1996, 1473; Lutter/Bayer in Lutter/Hommelhoff, GmbHG, § 19 Rn. 47.

29 Diese Regelung dient dem Zweck, eine Umgehung der Publizität und Wert-
    kontrolle bei Sacheinlagen gem. § 5 Abs. 4 zu verhindern.

30 Ausweislich der Gesetzesbegründung zur Überführung des alten Abs. 5 in
    den neu gefassten Abs. 2 Satz 2 wird von der Ausnahmeregelung (wie auch
    bisher nur) der Fall einer im Gesellschaftsvertrag ordnungsgemäß verein-
    barten und damit der Prüfung durch das Registergericht unterworfenen
    Sachübernahme erfasst, bei welcher vereinbart wird, dass die Gesellschaft
    einen Vermögensgegenstand übernimmt und die Vergütung auf die Einlage-
    schuld des Gesellschafters angerechnet wird.

V.   Zurückbehaltung (Abs. 2 Satz 3)

31 Auch ein Zurückbehaltungsrecht (gem. § 273 BGB und gem.
    §§ 369, 370 HGB) gegen die Einlagepflicht kann der Gesellschafter grds.
    nicht geltend machen.

32 Dies gilt auch ohne explizite Nennung generell für Bareinlagen.[17]

33 Für Sacheinlagen erfährt der grds. Ausschluss eines Zurückbehaltungsrechts
    eine Ausnahme, soweit der Gesellschafter einen fälligen Verwendungs-
    ersatzanspruch gem. §§ 273 Abs. 2, 1000 BGB hat. (Nur) dann kann er ein
    Zurückbehaltungsrecht geltend machen.[18]

VI.   Verfügungen über die Einlageforderung

34 Die Abtretung, Verpfändung und Pfändung von Einlageforderungen ist
    zulässig.

35 Voraussetzung ist in jedem Fall, dass der Gesellschaft eine **vollwertige
    Gegenforderung** bzw. ein **vollwertiger Erlös** zufließt.

36 Daher wirkt auch die Zahlung der Einlageforderung direkt an einen Gläubi-
    ger der Gesellschaft mit Ermächtigung der Gesellschaft schuldbefreiend,
    wenn der Gesellschaft hierdurch der volle wirtschaftliche Wert der Ein-
    lageforderung zufließt und es sich hierbei nicht um die Mindesteinlage
    handelt.[19]

---

[17] Vertiefend Ulmer in Ulmer/Habersack/Winter, GmbHG, § 19 Rn. 83 f.

[18] Allgemeine Meinung: vgl. nur Lutter/Bayer in Lutter/Hommelhoff, GmbHG,
      § 19 Rn. 31.

[19] Allgemeine Meinung: vgl. nur BGH, 25.11.1985 – II ZR 48/85, NJW 1986,
      989; Lutter/Bayer in Lutter/Hommelhoff, GmbHG, § 19 Rn. 35 sowie ver-
      tiefend Ulmer in Ulmer/Habersack/Winter, GmbHG, § 19 Rn. 140 ff.

VII. Verdeckte Sacheinlage (Abs. 4)

1. Neufassung der verdeckten Sacheinlage durch das MoMiG

Durch die im Zuge des MoMiG neu gefasste Vorschrift des Abs. 4 werden 37
die Rechtsfolgen der **verdeckten Sacheinlage** auf eine Haftung des Gesellschafters für die Differenz zwischen Bareinlagepflicht und Wert der (verdeckten) Sacheinlage beschränkt.

Damit hat der Gesetzgeber eine in der Praxis zum früheren Recht weit 38
verbreitete Situation aufgegriffen, die aufgrund extremer und kasuistischer
Rechtsprechung für weite Teile der Rechtsanwender unüberschaubar und
nicht mehr nachvollziehbar gewesen ist und in der Literatur zunehmend auf
scharfe Kritik gestoßen war.[20]

Eine verdeckte Sacheinlage liegt vor, wenn zwar formell eine Bareinlage 39
vereinbart wird, der Gesellschaft aber aufgrund einer entsprechenden
Absprache der Beteiligten bei wirtschaftlicher Betrachtungsweise eine Sacheinlage zufließen soll.

2. Differenzhaftung

Erreicht nun der Wert der verdeckten Sacheinlage nicht den Wert der 40
Bareinlage, so haftet der Gesellschafter für die fehlende **Differenz**. Damit
ist sicher gestellt, dass der Gesellschafter die Einlage wertmäßig vollständig
erbringt. Erreicht wird dies durch die sog. **Anrechnungslösung**, d.h. der
Wert der (verdeckt) erbrachten Sacheinlage wird per Gesetz auf die Geldeinlagepflicht des Gesellschafters angerechnet. Diese Anrechnung erfolgt
automatisch, ohne dass es entsprechender Willenserklärungen des Gesellschafters und/oder der Gesellschaft bedarf.

Maßgeblicher Zeitpunkt für die Bewertung der verdeckten Sacheinlage ist 41
die Anmeldung der Gesellschaft zum Handelsregister bzw. die Überlassung
der Sacheinlage an die Gesellschaft, sofern diese zeitlich später erfolgt. Die
Anrechnung erfolgt in jedem Fall erst nach der Eintragung der Gesellschaft
in das Handelsregister. Hierdurch wird klar gestellt, dass der Geschäftsführer in der Handelsregisteranmeldung nach § 8 die von ihm geforderte
Versicherung, die Geldeinlage sei zumindest durch Anrechnung erfüllt,
nicht abgeben kann und darf und folglich das Registergericht die Eintragung
nach § 9c ablehnen kann.

Die Begrenzung auf die Differenzhaftung gilt ausweislich der Gesetzes- 42
begründung auch dann, wenn die Gesellschafter vorsätzlich eine verdeckte

---

20 Eingehend zur alten Rechtslage: Ulmer in Ulmer/Habersack/Winter, GmbHG,
    § 19 Rn. 85 ff.

Sacheinlage verabreden. Denn eine Gläubigerbenachteiligung kann aufgrund der Differenzhaftung nicht eintreten.[21]

3.   Beweislast und Verjährung der Differenzhaftung

43   Der Gesellschafter trägt gem. Satz 5 in jedem Fall der verdeckten Sacheinlage die **Beweislast** für die Vollwertigkeit seiner Leistung. Unklarheiten über die Werthaltigkeit gehen zu seinen Lasten.[22]

44   Hinsichtlich der **Verjährung** der Differenzhaftung stellt Satz 4 klar, dass diese für den Fall der Überlassung der Sacheinlage erst nach Anmeldung zum Handelsregister auch erst dann beginnt.

4.   Übergangsregelung

45   Die Neufassung des Abs. 4 gilt ausweislich der Übergangsregelung in § 3 Abs. 4 EGGmbHG auch für Einlagenleistungen, welche vor dem Inkrafttreten am 01.11.2008 bewirkt wurden und keine Erfüllungswirkung hatten. Anderes gilt nur, wenn bereits vor dem 01.11.2008 ein rechtskräftiges Urteil oder eine wirksame Vereinbarung der Gesellschafter vorliegt, welche die aus der Unwirksamkeit resultierenden Ansprüche regelt (hierzu eingehend § 3 Abs. 4 EGGmbHG Rn. 6 f.).

VIII.   Fälle des „Hin- und Her-Zahlens" (Abs. 5)

46   Mit Abs. 5 hat der Bundestag abweichend vom Regierungsentwurf des MoMiG eine Anregung des Rechtsausschusses aufgegriffen, die in der Praxis „beliebte" Praxis des „Hin- und Her-Zahlens" systemgerecht in § 19 zu verorten.

47   Bei den Fällen des „Hin- und Her-Zahlens" wird zwischen der Gesellschaft und dem Gesellschafter eine Vereinbarung getroffen, dass dem Gesellschafter seine Einlage (sofort oder zeitnah) zurückgewährt wird.

48   Um den Bedürfnissen nach derartigem Kapital(rück)fluss zwischen Gesellschaft und Gesellschaftern Rechnung zu tragen stellt Abs. 5 klar, dass durch eine Rückzahlung an den Gesellschafter dessen Einlagepflicht nicht verletzt und daher Erfüllungswirkung dann erreicht wird, wenn die Zahlung an den Gesellschafter durch einen vollwertigen Rückzahlungsanspruch gedeckt ist. Dieser Rückzahlungsanspruch muss liquide sein, d.h. jederzeit fällig oder durch einseitige Kündigung der Gesellschaft fällig zu stellen.

49   Zudem ist eine derartige Vereinbarung des „Hin- und Her-Zahlens" nach § 8 in der Anmeldung zum Handelsregister anzugeben, sodass das Registergericht die Voraussetzungen der Erfüllungswirkung prüfen kann.

---

21   Bormann in Bormann/Kauka/Ockelmann, Hdb. GmbH-Recht, Kap. 4 Rn. 202 ff.

22   Bormann in Bormann/Kauka/Ockelmann, Hdb. GmbH-Recht, Kap. 4 Rn. 231.

IX. Verjährung (Abs. 6)

Die 10-jährige Verjährungsfrist beginnt mit der Entstehung, d.h. der Fällig- 50
keit des Einlageanspruchs.[23]

Für den Fall der Insolvenz bewirkt Satz 2 eine Ablaufhemmung der Verjährung von sechs Monaten ab dem Zeitpunkt der Eröffnung des Insolvenzverfahrens.

§ 20 GmbHG   Verzugszinsen

**Ein Gesellschafter, welcher den auf die Stammeinlage eingeforderten
Betrag nicht zur rechten Zeit einzahlt, ist zur Entrichtung von Verzugszinsen von Rechts wegen verpflichtet.**

I.   Einführung

Die Vorschrift regelt im Zusammenspiel mit den §§ 21 bis 24 die Rechtsfolgen 1
versäumter Zahlungen von Stammeinlagen. Durch Erleichterung der Verzinsungspflicht soll die Rechtzeitigkeit der Einlageleistung sichergestellt werden.

Die allgemeinen Verzugsregelungen des BGB sind neben § 20 anwendbar. 2
Entsteht durch die verspätete Einlagenleistung also ein weiterer Schaden, so
kann dieser über §§ 286 ff. BGB daneben geltend gemacht werden.[1]

Nach umstrittener aber richtiger h.M. ist die Vorschrift zwingend, sodass die
Gesellschafter die Verzinsungspflicht durch Satzungsregelung nicht herab-
setzen oder vollständig abbedingen können.[2]

---

23   Roth/Altmeppen, GmbHG, § 19 Rn. 70.

1   Allgemeine Meinung: vgl. nur Altmeppen in Roth/Altmeppen, GmbHG, § 20
Rn. 13.

2   Ebenso die h.M.: vgl. Lutter/Bayer in Lutter/Hommelhoff, GmbHG; § 20
Rn. 5; Ebbing in Michalski, GmbHG, § 20 Rn. 32; vertiefend und anderer
Ansicht aber Müller in Ulmer/Habersack/Winter, GmbHG, § 20 Rn. 6; jeweils
m.w.N.

II.   Voraussetzungen des Zinsanspruchs

1.   Bareinlagepflicht

3   Die Vorschrift regelt den Normalfall der Gründung (oder Kapitalerhöhung) durch Bareinlagen, sodass die Vorschrift bei Sacheinlagen nicht eingreift.

4   Bei gemischten Einlagen ist (nur) der Geldanteil zu verzinsen.

2.   Fälligkeit

5   Legt der Gesellschaftsvertrag die Zahlungstermine fest, so tritt die Fälligkeit automatisch zu diesen Terminen ein.

6   Ansonsten ist zur Fälligkeit die Einforderung der Einlage durch die Gesellschaft erforderlich. Die Einforderung ist ein Beschluss der Gesellschafterversammlung nach § 46 Nr. 2, für welchen – vorbehaltlich anderer Satzungsregelung – eine einfache Mehrheit erforderlich ist und bei welchem sämtliche Gesellschafter stimmberechtigt sind.

7   Auf Basis des Beschlusses hat dann der Geschäftsführer die Einlage anzufordern.

3.   Nichtzahlung bei Ablauf der „rechten" Zeit

8   Auf die Einforderung hat der Gesellschafter i.S.v. § 271 Abs. 1 BGB so schnell wie objektiv möglich zu leisten. Eine Mahnung ist nicht zusätzlich erforderlich.

9   Auf ein Verschulden des Gesellschafters kommt es nicht an.

4.   Kein Annahmeverzug der Gesellschaft

10   Ungeschriebene Tatbestandsvoraussetzung ist, dass sich die Gesellschaft ihrerseits nicht im Annahmeverzug befindet und zur Entgegennahme der Leistung bereit ist.[3]

11   Übersicht: Voraussetzungen des Zinsanspruchs nach § 20

> - Bareinlagepflicht auf das Stammkapital (bei Gründung oder Kapitalerhöhung),
> - Fälligkeit der Leistung,
> - Nichtzahlung bei Ablauf der „rechten" Zeit,
> - Kein Annahmeverzug der Gesellschaft.

---

3   Allgemeine Meinung: vgl. nur Müller in Ulmer/Habersack/Winter, GmbHG, § 20 Rn. 23.

III.   Rechtsfolge Verzinsungspflicht

Die Verzinsungspflicht tritt ohne das Erfordernis einer Mahnung nach § 286   12
BGB ein, wenn der Gesellschafter auf die Einforderung nicht leistet.

Entgegen dem irreführenden Wortlaut verweist die Vorschrift nicht auf den   13
Verzugszinssatz nach § 288 BGB sondern nach allgemeiner Meinung auf
§ 246 BGB, sodass die Höhe der Zinsen 4 % p.a. beträgt.[4]

Die h.M.[5] hält die Anwendung des erhöhten Zinssatzes des § 352 HGB auch   14
dann für ausgeschlossen, wenn der Abschluss des Gesellschaftsvertrages für
alle Beteiligten ein Handelsgeschäft ist. Dies wird damit begründet, dass die
Gesellschaft selbst am Abschluss des Gesellschaftsvertrags nicht beteiligt ist
und die Einlageanforderung für sie kein Handelsgeschäft darstelle. Dabei
wird übersehen, dass für die GmbH als Formkaufmann zwangsläufig jedes
Geschäft ein Handelsgeschäft darstellt, sodass der erhöhte Zinssatz des
Handelsrechts anwendbar sein kann.[6]

Durch den Gesellschaftsvertrag kann der Zinssatz erhöht, nicht aber herab-   15
gesetzt oder ganz ausgeschlossen werden, da die Regelung nicht dispositiv
ist.[7]

IV.   Festlegung einer Vertragsstrafe in der Satzung

Durch den Gesellschaftsvertrag kann für den Fall der Verzögerung der   16
Einlageleistung eine **Vertragsstrafe** vereinbart werden. Diese tritt dann
neben die Einlagepflicht, kann diese also nicht verdrängen.

Für eine in der Satzung vereinbarte Vertragsstrafe gelten die allgemeinen   17
Regeln, sodass die Vertragsstrafe im Prozess nach § 343 BGB herabgesetzt
werden, sofern dem nicht § 348 HGB entgegensteht.

§ 21 GmbHG   Kaduzierung

**(1) ¹Im Fall verzögerter Einzahlung kann an den säumigen Gesellschaf-
ter eine erneute Aufforderung zur Zahlung binnen einer zu bestimmenden Nachfrist unter Androhung seines Ausschlusses mit dem
Geschäftsanteil, auf welchen die Zahlung zu erfolgen hat, erlassen**

---

4   Lutter/Bayer in Lutter/Hommelhoff, GmbHG, § 20 Rn. 5; Altmeppen in Roth/
Altmeppen, GmbHG, § 20 Rn. 11.

5   Lutter/Bayer in Lutter/Hommelhoff, GmbHG, § 20 Rn. 5; ebenso Ebbing in
Michalski, GmbHG, § 20 Rn. 31; jeweils m.w.N. auf die h.M.

6   Im Ergebnis ebenso Müller in Ulmer/Habersack/Winter, GmbHG, § 20 Rn. 45.

7   Herrschende Meinung: vgl. die Nachweise oben in Fn. 2.

werden. [2]Die Aufforderung erfolgt mittels eingeschriebenen Briefes.
[3]Die Nachfrist muss mindestens einen Monat betragen.

(2) [1]Nach fruchtlosem Ablauf der Frist ist der säumige Gesellschafter
seines Geschäftsanteils und der geleisteten Teilzahlungen zugunsten der
Gesellschaft verlustig zu erklären. [2]Die Erklärung erfolgt mittels eingeschriebenen Briefes.

(3) Wegen des Ausfalls, welchen die Gesellschaft an dem rückständigen
Betrag oder den später auf den Geschäftsanteil eingeforderten Beträgen
der Stammeinlage erleidet, bleibt ihr der ausgeschlossene Gesellschafter
verhaftet.

I.   Einführung

1   Die Vorschrift regelt im Verbund mit den §§ 22 bis 25 den zwangsweisen
Ausschluss eines Gesellschafters wegen Nichterbringung der eingeforderten
Einzahlungen auf die Stammeinlage (sog. Kaduzierung).

2   Anwendung findet die **Kaduzierung** nur auf rückständige Geldeinlagen,
nicht aber auf Sacheinlagen. Sie spielt in der Praxis nur eine untergeordnete
Rolle.

3   Eine verzögerte Einzahlung liegt entsprechend der Ausführungen zu § 20
vor, wenn der Gesellschafter trotz Fälligkeit die Einzahlung nicht so schnell
wie objektiv möglich vornimmt.

4   Die Regelung ist gem. § 25 **zwingend.** Daher kann im Gesellschaftsvertrag
das Kaduzierungsverfahren und dessen Voraussetzungen nicht zugunsten
der Gesellschafter abgemildert werden. Eine Verschärfung ist dagegen
möglich.[1]

5   Allerdings muss eine Kaduzierung nicht in jedem Fall erfolgen, sondern
liegt im pflichtgemäßen Ermessen der Gesellschaft.

---

1   Allgemeine Meinung: vgl. nur Müller in Ulmer/Habersack/Winter, GmbHG,
      § 21 Rn. 4.

II. Ablauf der Kaduzierung (Abs. 1)

Ist trotz Fälligkeit keine Zahlung erfolgt, so muss das weitere Vorgehen   6
genau den gesetzlichen Vorgaben entsprechen, um eine Kaduzierung zu
erreichen.

Praxistipp:

Da bereits geringe Verfahrensfehler genügen, um den Ausschluss
unwirksam zu machen, ist es in der Praxis empfehlenswert, sich exakt
an die Gesetzesvorgaben zu halten und die einzelnen Voraussetzungen
der Kaduzierung dezidiert zu prüfen.[2]

Beispiel:[3]

*Wenn nicht nachgewiesen werden kann, dass sowohl die Aufforderung nach Abs. 1
als auch die Verlustigerklärung nach Abs. 2 mit eingeschriebenem Brief erfolgten,
fehlt es an einer notwendigen formellen Voraussetzung für eine wirksame Kaduzierung.*

1. Fälligkeit der Einlagenzahlung

Zunächst muss die Einlage des säumigen Gesellschafters zur Zahlung fällig   7
sein.

Der Zeitpunkt der Fälligkeit ist gleichbedeutend mit der Nichtzahlung zur   8
„rechten Zeit" gem. § 20. Erforderlich ist also entweder die Festlegung des
Zahlungstermins im Gesellschaftsvertrag oder ein zur Zahlung auffordern-
der Beschluss der Gesellschafterversammlung (§ 20 Rn. 5 ff.).

2. Nachfristsetzung

Sodann ist eine erneute Zahlungsaufforderung mit **Nachfrist** und mittels   9
eingeschriebenem Brief an den säumigen Gesellschafter zu richten, welche
im Einzelnen folgende Voraussetzungen erfüllen muss:

1. Setzen einer Nachfrist von mindestens einem Monat ab Zugang der
   erneuten Zahlungsaufforderung.

2. Eine exakt bezifferte Zahlungsaufforderung, wobei eine irrtümlich zu
   niedrige Bezifferung unschädlich ist. Erfolgt irrtümlich eine zu hohe
   Bezifferung, so ist dies ebenfalls unschädlich.[4]

---

2   OLG Dresden, 06.07.1998 – 2 U 959/98, GmbHR 1998, 884.

3   Nach OLG Hamburg, 20.07.2005 – 11 W 3/05, GmbHR 2005, 1490.

4   Streitig; wie hier die h.M.: vgl. nur Lutter/Bayer in Lutter/Hommelhoff,
    GmbHG, § 21 Rn. 9; Müller in Ulmer/Habersack/Winter, GmbHG, § 21
    Rn. 31; a.A. Altmeppen in Roth/Altmeppen, GmbHG, § 21 Rn. 11.

3. Deutliche Androhung des Ausschlusses aus der Gesellschaft unter Verlust des Geschäftsanteils bei fruchtlosem Ablauf der Nachfrist, wofür Hinweise auf die „Wahrung aller Rechte" oder „bei Gefahr der gesetzlichen Nachteile" nicht genügen.[5] Es ist vielmehr deutlich zum Ausdruck zu bringen, dass bei fruchtlosem Fristablauf der Gesellschafter ausgeschlossen bzw. der Geschäftsanteil verloren sein wird.

Beispiel:

Sollten Sie innerhalb der genannten Frist den rückständigen Betrag i.H.v. 5.000 € nicht vollständig bezahlen, so werden wir Sie gemäß § 21 GmbHG unter Verlust Ihres Geschäftsanteils aus der Gesellschaft ausschließen.

4. Versand mittels eingeschriebenem Brief oder strengerer Form wie Zustellung durch Gerichtsvollzieher bzw. öffentliche Zustellung gem. § 132 BGB; eine Veröffentlichung in den Gesellschaftsblättern genügt dagegen nicht.

3.   Ausschlusserklärung (Abs. 2)

10   Ist die den genannten Anforderungen entsprechende Nachfrist fruchtlos abgelaufen, so ist mittels erneuten eingeschriebenen Briefs der Verlust der Mitgliedschaft auszusprechen.

> **Praxistipp:**
>
> Die genaue Wiedergabe des Gesetzeswortlauts ist empfehlenswert („*Verlust des Geschäftsanteils und der gegebenenfalls geleisteten Teilzahlungen*").

11   Jedenfalls muss aus der Erklärung deutlich werden, dass der Gesellschafter ausgeschlossen und aller Ansprüche verlustig ist.

Formulierungsbeispiel:

> Gemäß § 21 GmbHG erklären wir Ihren Geschäftsanteil und die geleisteten Teilzahlungen zugunsten der Gesellschaft verlustig.

12   Bis zum Zugang der Ausschlusserklärung kann der Gesellschafter noch mit Erfüllungswirkung zahlen und damit den Ausschluss abwenden. Dies gilt auch dann, wenn die gesetzte Nachfrist bereits fruchtlos verstrichen ist.

---

5   Vgl. Lutter/Bayer in Lutter/Hommelhoff, GmbHG, § 21 Rn. 11.

III. Wirkung der Kaduzierung

Mit dem Zugang der Ausschlusserklärung tritt der Verlust der Mitglied- 13
schaft mit Wirkung für die Zukunft, also *ex nunc*, ein.

Bereits erbrachte Leistungen verbleiben bei der Gesellschaft. 14

Dem Ausgeschlossenen stehen keinerlei Ersatzansprüche zu. Vielmehr fällt 15
der Geschäftsanteil „entschädigungslos" an die GmbH, diese wird selbst
Inhaberin des kaduzierten Geschäftsanteils. Die GmbH kann über den
Geschäftsanteil nicht frei verfügen, sondern muss diesen nach den zwingenden Regeln der §§ 22, 23 verwerten.

Auch Rechte Dritter an dem kaduzierten Geschäftsanteil, die bspw. durch 16
eine Verpfändung oder die Einräumung eines Nießbrauchs bestehen, gehen
mit der Kaduzierung unter.

IV. Ausfallhaftung (Abs. 3)

Der ausgeschlossene Gesellschafter schuldet keine Einlage mehr, haftet aber 17
für alle noch offenen Einlageverbindlichkeiten.

Gelingt es der GmbH nicht, die offenen Einlageverbindlichkeiten durch das 18
zwingende Verfahren der §§ 22, 23 vollständig abzudecken, so ist hierfür
der ausgeschlossene Gesellschafter verhaftet.

Sollte er aufgrund seiner Ausfallhaftung Zahlungen an die Gesellschaft 19
erbringen, so wird er dadurch weder wieder Inhaber des Geschäftsanteils
noch stehen ihm sonstige Ansprüche gegen die Gesellschaft oder gegen den
Erwerber des Anteils zu; er bleibt ausgeschlossen.

V. Mängel im Kaduzierungsverfahren

Liegen die einzelnen Voraussetzungen für eine Kaduzierung nicht vor, so ist 20
ein dennoch erfolgter Ausschluss nichtig.[6]

Ein spezieller Rechtsbehelf gegen eine unzulässige oder fehlerhafte Kadu- 21
zierung existiert nicht. Der betroffene Gesellschafter kann dies im Wege der
Feststellungsklage geltend machen mit dem Antrag, das Fortbestehen seiner
Mitgliedschaft festzustellen.

Der Insolvenzverwalter ist im Insolvenzverfahren zur Durchführung des 22
Kaduzierungsverfahrens berechtigt.[7] Dabei ist er für die Nichterfüllung der
Einlagepflicht darlegungs- und beweispflichtig.[8]

---

6   OLG Hamburg, 20.07.2005 – 11 W 3/05, GmbHR 2005, 1490.

7   BGH, 08.11.2004 – II ZR 362/02, NJW-RR 2005, 338.

8   So jüngst OLG Brandenburg, 08.06.2005 – 7 U 200/04, GmbHR 2005, 1608;
     BGH, 17.02.2003 – II ZR 281/00, BB 2003, 704.

§ 22 GmbHG   Haftung der Rechtsvorgänger

(1) Für eine von dem ausgeschlossenen Gesellschafter nicht erfüllte Einlageverpflichtung haftet der Gesellschafter auch der letzte und jeder frühere Rechtsvorgänger des Ausgeschlossenen, der im Verhältnis zu ihr als Inhaber des Geschäftsanteils gilt.

(2) Ein früherer Rechtsvorgänger haftet nur, soweit die Zahlung von dessen Rechtsnachfolger nicht zu erlangen ist; dies ist bis zum Beweis des Gegenteils anzunehmen, wenn der letztere die Zahlung nicht bis zum Ablauf eines Monats geleistet hat, nachdem an ihn die Zahlungsaufforderung und an den Rechtsvorgänger die Benachrichtigung von derselben erfolgt ist.

(3) [1]Die Haftung des Rechtsvorgängers ist auf die innerhalb der Frist von fünf Jahren auf die Einlageverpflichtung eingeforderten Einzahlungen beschränkt. [2]Die Frist beginnt mit dem Tag, ab welchem der Rechtsnachfolger im Verhältnis zur Gesellschaft als Inhaber des Geschäftsanteils gilt.

(4) Der Rechtsvorgänger erwirbt gegen Zahlung des rückständigen Betrages den Geschäftsanteil des ausgeschlossenen Gesellschafters.

I.   Einführung

1   Nach der wirksamen Kaduzierung des Geschäftsanteils nach § 21 regelt diese Vorschrift die notwendige erste Stufe der Verwertung des kaduzierten Anteils durch eine In-Regress-Nahme der Rechtsvorgänger des ausgeschlossenen Gesellschafters.

2   Erst nach vollständiger Erschöpfung der Regresskette kann zur zweiten Verwertungsstufe, nämlich der öffentlichen Versteigerung des Geschäftsanteils gem. § 23 übergegangen werden.

3   Die Vorschrift ist zwingend gem. § 25, wobei eine Verschärfung, nicht aber eine Abschwächung durch Satzungsregelung zulässig ist (vgl. § 21 Rn. 4).

4   Im Zuge des MoMiG wurden die Abs. 1 und 3 sprachlich neu gefasst und an die Neuregelung des § 16 angepasst. Über die Anpassung hinausgehende inhaltliche Änderungen des Regelungsgehalts sind damit nicht erfolgt.

II.   Regressverfahren (Abs. 1 bis 3)

1.   Regressschuldner

Erster Regressschuldner ist der unmittelbare Rechtsvorgänger des aus-   5
geschlossenen Gesellschafters.

Dabei ist die Bestimmung des Rechtsvorgängers nach § 16 vorzunehmen,   6
sodass gegenüber der Gesellschaft als Gesellschafter (und damit als Rechtsvorgänger) nur derjenige gilt, der in der im Handelsregister aufgenommenen
Gesellschafterliste eingetragen ist (vgl. dazu § 16 Rn. 5 ff.).

Ist beim ersten Regressschuldner keine Befriedigung möglich, so hat die   7
Gesellschaft die Kette der jeweiligen Rechtsvorgänger weiter abzuschreiten
und sukzessiv bei jedem ehemaligen Inhaber des Geschäftsanteils die Einziehung der Einlageschuld zu versuchen, sog. **Staffelregress**.

Erbringt ein Regressschuldner eine Teilzahlung, so kommt diese allen nach-   8
folgenden Regressschuldnern zugute.

2.   Regressschuld

Die Regressschuld entspricht genau der noch fälligen und rückständigen   9
Einlage, die der Ausgeschlossene hätte bezahlen müssen. Gegebenenfalls
erhaltene Teilleistungen sind zu berücksichtigen.

Hinzu treten seit der Kaduzierung ggf. weitere fällig gewordene Einlagera-   10
ten, nicht aber Zinsen oder rückständige Nebenleistungen

3.   Vermutungsregelung (Abs. 2)

Da keine Gesamtschuldnerhaftung der ehemaligen Inhaber besteht, muss die   11
Gesellschaft in der Regresskette die Reihenfolge „Schritt für Schritt" ein-
halten.

Um einen Rechtsvorgänger in Anspruch nehmen zu können, muss die   12
Gesellschaft daher darlegen und beweisen, dass der in der Regresskette
Vorgehende zahlungsunfähig ist.

Dabei kommt der Gesellschaft die (widerlegbare) Vermutungsregel des   13
Abs. 2 zugute. Hiernach ist die Zahlungsunfähigkeit des Rechtsvorgängers
unter folgenden Voraussetzungen anzunehmen:

* Zugang der Aufforderung des Vorgängers zur Zahlung,
* Zugang der Benachrichtigung des jetzt in Anspruch Genommenen von
  dieser Aufforderung des Vorgängers,
* Ablauf von einem Monat seit Zugang der Aufforderung und der Benachrichtigung,

- Keine (vollständige) Zahlung der Einlagenschuld durch den Vorgänger innerhalb dieses Monats.

4.   Haftungszeitraum (Abs. 3)

14   Die Haftung des Rechtsvorgängers ist auf die Bareinlagen beschränkt, die innerhalb von fünf Jahren nach seinem Ausscheiden fällig werden.

15   Die Berechnung der 5-Jahres-Frist folgt den allgemeinen Regeln des § 187 BGB, sodass die Frist am Tag nach der § 16 zu entnehmenden Geltung der Gesellschafterstellung beginnt.

III.   Übergang des Geschäftsanteils (Abs. 4)

16   Durch die Zahlung der gesamten rückständigen Einlage erwirbt der zu Recht zahlende Regressschuldner mit Wirkung für die Zukunft, also *ex nunc*, den Geschäftsanteil.

17   Zu Recht und mit der Wirkung des Abs. 4 kann nur der Regressschuldner zahlen, der nach Abs. 2 „an der Reihe" ist.

18   Der Erwerb vollzieht sich kraft Gesetzes, ohne dass es weiterer Maßnahmen bedarf.

§ 23 GmbHG   Versteigerung des Geschäftsanteils

[1]Ist die Zahlung des rückständigen Betrages von Rechtsvorgängern nicht zu erlangen, so kann die Gesellschaft den Geschäftsanteil im Wege öffentlicher Versteigerung verkaufen lassen. [2]Eine andere Art des Verkaufs ist nur mit Zustimmung des ausgeschlossenen Gesellschafters zulässig.

I.   Einführung

1   Die öffentliche Versteigerung als zweite Verwertungsstufe des kaduzierten Geschäftsanteils setzt voraus, dass die Kaduzierung gem. § 21 rechtlich wirksam erfolgt ist und die erste Verwertungsstufe nach § 22, d.h. die Erschöpfung der Regresskette, erfolglos durchlaufen wurde.

Die Gesellschaft kann also nur und erst dann den Weg der öffentlichen 2
Versteigerung einschlagen, wenn es ihr nicht gelungen ist, von dem säumigen Gesellschafter und dessen Rechtsvorgängern den rückständigen Ein-
lagenbetrag zu erlangen.

Übersicht: Voraussetzungen der Verwertung nach § 23 3

1. wirksame Kaduzierung,
2. versuchte Inanspruchnahme jedes Regressschuldners,
3. Nichtleistung der vollen rückständigen Einlage durch einen/mehrere
   Regressschuldner bis zum Abschluss der Verwertung.

Die Vorschrift ist gem. § 25 zwingend, sodass aufgrund einer gesellschafts- 4
vertraglichen Regelung die Verwertung allenfalls erleichtert, nicht aber
erschwert werden kann.

Die Versteigerung kann nur unterbleiben, wenn ein Verkaufsversuch von 5
vornherein aussichtslos ist, wofür die GmbH die volle Beweislast trägt.[1]

II. Verwertung im Wege der öffentlichen Versteigerung

Der Verkauf des Geschäftsanteils erfolgt in der Praxis regelmäßig im Wege 6
der öffentlichen Versteigerung gem. §§ 383 Abs. 3, 156 BGB durch den
Gerichtsvollzieher oder eine andere zur Versteigerung befugte Person.

Bieten kann jedermann, also auch der ausgeschlossene, frühere Anteils- 7
inhaber und jetzige Gesellschafter; aufgrund des Erwerbsverbots des § 33
Abs. 1 nicht aber die GmbH selbst.

Die Formvorschrift des § 15 Abs. 3 und Abs. 4 gilt in der öffentlichen 8
Versteigerung nicht.

Sollte der Gesellschaftsvertrag über § 15 Abs. 5 eine Vinkulierung oder 9
sonstige Erschwerung des Erwerbs enthalten, so ist auch diese beim Erwerb
durch öffentliche Versteigerung unbeachtlich.[2]

III. Rechtsfolgen der Verwertung

1. Erfolgreiche Versteigerung

Der den Zuschlag erhaltende Bieter wird als Erwerber Inhaber des kaduzier- 10
ten Geschäftsanteils und damit Gesellschafter mit allen Rechten und Pflichten mit Wirkung für die Zukunft, also *ex nunc*.

---

1   Allgemeine Meinung: vgl. nur Müller in Ulmer/Habersack/Winter, GmbHG,
    § 23 Rn. 9 ff.
2   Unstreitig; Müller in Ulmer/Habersack/Winter, GmbHG, § 23 Rn. 23.

11 Sofern der Geschäftsanteil mit Pfandrechten oder anderen dinglichen Rechten Dritter belastet ist, erlöschen diese. Der Erwerber erhält den Geschäftsanteil frei von derartigen Rechten.

12 Mit dem Zuschlag erlischt für den Erwerber die rückständige Einlageschuld. Diese Wirkung tritt unabhängig davon ein, ob durch die Höhe des Erwerbszuschlags die Regressschuld vollständig abgedeckt wird oder nicht.

13 Verbleibt aufgrund eines zu niedrigen Betrags eine Deckungslücke, so greift hierfür die Ausfallhaftung des Ausgeschlossenen gem. § 21 Abs. 3 bzw. der Mitgesellschafter gem. § 24.

14 Entsteht dagegen ein Mehrerlös, so steht dieser allein der GmbH zu und ist nicht an den Ausgeschlossenen herauszugeben.[3]

2. Erfolglose Versteigerung

15 Ist der Geschäftsanteil mangels Gebot in der öffentlichen Versteigerung nicht verwertbar, so greifen hinsichtlich der fehlenden Einlage die Ausfallhaftung der §§ 21 Abs. 3 bzw. 24.

16 Der Geschäftsanteil selbst geht an die Gesellschaft über, da in diesem Fall das Erwerbsverbot des § 33 Abs. 1 nicht gilt.[4]

IV. Freihändiger Verkauf (Satz 2)

17 Nach Satz 2 ist auch ein in der Praxis freilich seltener freihändiger Verkauf des Geschäftsanteils möglich.

18 Dieser setzt als zwingende Wirksamkeitsvoraussetzung die Zustimmung des Ausgeschlossenen nach §§ 182 ff. BGB voraus.

19 Ist die Zustimmung durch entsprechende Satzungsregelung bereits antizipiert erteilt, so ist sie wirksam.

20 Die Formvorschrift des § 15 Abs. 3 und Abs. 4 gilt beim freihändigen Verkauf ebenso wie etwaige aus der Satzung resultierende Erwerbserschwerungen oder Vinkulierungen über § 15 Abs. 5.

---

3   Wie hier die ganz h.M.: vgl. Lutter/Bayer in Lutter/Hommelhoff, GmbHG, § 23 Rn. 8; Müller in Ulmer/Habersack/Winter, GmbHG, § 23 Rn. 39; a.A. dagegen Altmeppen in Roth/Altmeppen, GmbHG, § 23 Rn. 16.

4   Allgemeine Meinung: vertiefend Müller in Ulmer/Habersack/Winter, GmbHG, § 23 Rn. 47; Ebbing in Michalski, GmbHG, § 23 Rn. 71 f.

§ 24 GmbHG   Aufbringung von Fehlbeträgen

[1]**Soweit eine Stammeinlage weder von den Zahlungspflichtigen eingezogen, noch durch Verkauf des Geschäftsanteils gedeckt werden kann, haben die übrigen Gesellschafter den Fehlbetrag nach Verhältnis ihrer Geschäftsanteile aufzubringen.** [2]**Beiträge, welche von einzelnen Gesellschaftern nicht zu erlangen sind, werden nach dem bezeichneten Verhältnis auf die übrigen verteilt.**

I.   Einführung

Die von dieser Vorschrift geregelte Ausfallhaftung der Mitgesellschafter stellt die letzte Stufe des Kaduzierungsverfahrens gem. §§ 21 ff. dar.   1

Nur wenn nach wirksamer Kaduzierung gem. § 21 die Inanspruchnahme der   2
Rechtsvorgänger des Ausgeschlossenen gem. § 22 fruchtlos verlaufen ist, zudem auch die Veräußerung des kaduzierten Geschäftsanteils nach § 23 erfolglos war und schließlich beim Ausgeschlossenen kein Ausfallregress nach § 21 Abs. 3 möglich war, sind die Mitgesellschafter für die ausstehende Einlage entsprechend ihrer Beteiligung, also *pro rata*, in Anspruch zu nehmen.

Hält die GmbH selbst einen Geschäftsanteil, so ist dieser bei der pro   3
rata-Verteilung nicht zu berücksichtigen.

Die Vorschrift ist gem. § 25 ebenso wie die §§ 21 bis 23 zwingendes Recht.   4

II.   Voraussetzungen der Ausfallhaftung der Mitgesellschafter

Die Ausfallhaftung tritt nur und erst dann ein, wenn zuvor alle übrigen   5
Stufen der Kaduzierung erfolglos durchlaufen wurden.

Übersicht: Voraussetzungen der Ausfallhaftung

- Kaduzierung des Geschäftsanteils beim säumigen Gesellschafters gem. § 21,
- Fruchtloser Verlauf der Inanspruchnahme der Rechtsvorgänger des Ausgeschlossenen gem. § 22,
- Erfolglose öffentliche Versteigerung gem. § 23,

- Erfolgloser Ausfallregress beim Ausgeschlossenen gem. § 21 Abs. 3.

6   Maßgeblicher Anknüpfungspunkt für die Ausfallhaftung ist die Stellung als Gesellschafter zum Zeitpunkt der Fälligkeit der das Kaduzierungsverfahren auslösenden Einlageschuld.[1]

III.   Umfang der Haftung

7   Der Haftungsumfang der Gesellschafter entspricht dem vollständigen Geldeinlagebetrag, der nach den §§ 21 bis 23 nicht beigetrieben werden konnte.

8   Etwaige zwischenzeitlich fällig gewordene zusätzliche Einlagebeträge werden ebenfalls erfasst.

9   Für die fehlende Einlagesumme haften die übrigen Gesellschafter im Verhältnis ihrer Nennbeträge, also pro rata und nicht als Gesamtschuldner.

> *Beispiel:*
>
> *Die fehlende Einlageschuld beträgt noch 21.000 €.*
>
> *Sind an der Gesellschaft noch die Gesellschafter A und B mit jeweils 20.000 € und die Gesellschafter C und D mit jeweils 10.000 € beteiligt, so haften A und B mit je 1/3 (also je 7.000 €) und B und C mit je 1/6 (also je 3.500 €) auf die fehlende Einlage.*

10   Kann von einem der übrigen Gesellschafter der geschuldete Betrag nicht erlangt werden, so bestimmt Satz 2, dass hierfür die anderen übrigen Gesellschafter wiederum entsprechend dem Verhältnis ihrer Anteile haftbar sind.

> *Beispiel:*
>
> *Kann der auf B entfallende Betrag von 7.000 € von diesem nicht erlangt werden, so haften hierfür A mit der Hälfte (3.500 €), C und D mit je einem Viertel (1.750 €).*

11   Hält die GmbH selbst einen Geschäftsanteil, so ist dieser bei der pro rata-Verteilung nicht zu berücksichtigen.

IV.   Rechtsfolge der Zahlung durch die übrigen Gesellschafter

12   Decken die Mitgesellschafter den Fehlbetrag, so erwerben sie dadurch nicht den Geschäftsanteil. Dieser verbleibt vielmehr endgültig bei der GmbH.

---

1   Vgl. BGH, 13.05.1996 – II ZR 275/94, NJW 1996, 2306; Altmeppen in Roth/Altmeppen, GmbHG, § 24 Rn. 13; differenzierend aber Müller in Ulmer/Habersack/Winter, GmbHG, § 24 Rn. 29.

Vom ausgeschlossenen Gesellschafter können die im Wege der Ausfall- 13
haftung in Anspruch genommenen übrigen Gesellschafter den Ausgleich
ihrer Zahlungen einfordern. Anspruchsgrundlage für diesen Ausgleichs-
anspruch ist der Gesellschaftsvertrag.[2]

Soweit eine Zahlung gem. Satz 2 erfolgte, können die zahlenden Gesell- 14
schafter von ihrem Mitgesellschafter Ausgleich verlangen.

§ 25 GmbHG   Zwingende Vorschriften

**Von den in den §§ 21 bis 24 bezeichneten Rechtsfolgen können die
Gesellschafter nicht befreit werden.**

Durch den Gesellschaftsvertrag können die Regelungen zur Kaduzierung 1
gem. § 21, zur Regresshaftung gem. § 22, zur Verwertung durch Zwangs-
verkauf gem. § 23 sowie zur Ausfallhaftung des Ausgeschlossenen gem.
§ 21 Abs. 3 und der Mitgesellschafter gem. § 24 nicht aufgehoben oder für
die Gesellschafter erleichtert werden.

Eine entsprechende Regelung im Gesellschaftsvertrag ist nichtig. 2

Zulässig bleibt aber eine Verschärfung der Regelungen und Rechtsfolgen 3
der Kaduzierung durch die Satzung.

§ 26 GmbHG   Nachschusspflicht

**(1) Im Gesellschaftsvertrag kann bestimmt werden, dass die Gesell-
schafter über die Nennbeträge der Geschäftsanteile hinaus die Hinfor-
derung von weiteren Einzahlungen (Nachschüssen) beschließen können.**

**(2) Die Einzahlung der Nachschüsse hat nach Verhältnis der Geschäfts-
anteile zu erfolgen.**

**(3) Die Nachschusspflicht kann im Gesellschaftsvertrag auf einen
bestimmten, nach Verhältnis der Geschäftsanteile festzusetzenden
Betrag beschränkt werden.**

---

2   Müller in Ulmer/Habersack/Winter, GmbHG, § 24 Rn. 62.

I.   Einführung

1   Die Vorschrift regelt im Verbund mit den §§ 27 und 28 die Nachschusspflicht.

2   Im Zuge des MoMiG wurde Abs. 1 an die sprachliche Neufassung des § 3
Abs. 1 Nr. 4 angepasst.

3   Die **praktische Bedeutung** dieser Regelungen liegt **nahezu bei Null**, da die
Praxis die Möglichkeit der gesellschaftsvertraglich zu vereinbarenden Nachschusspflicht nicht aufgegriffen hat.

II.   Arten von Nachschüssen

4   Unter Nachschüssen sind über die Stammeinlagen hinausgehende Geldeinlagen zu verstehen, die aufgrund entsprechender gesellschaftsvertraglicher Regelung zur Vermehrung des Gesellschaftsvermögens zu erbringen
sind. Sie sind in die Kapitalrücklage nach § 272 HGB einzustellen.[1]

5   Aufgrund des Zusammenspiels der Norm mit den §§ 27 und 28 ist zwischen
folgenden Nachschussarten zu unterscheiden:

* **Unbeschränkte Nachschusspflicht** ohne Obergrenze gem. § 27 Abs. 1
  mit unbeschränktem oder gem. §§ 27 Abs. 4, 28 Abs. 1 Satz 2
  beschränktem Preisgaberecht (sog. Abandon),

* **Beschränkte Nachschusspflicht** mit gesellschaftsvertraglich festgelegter
  Obergrenze ohne Preisgaberecht gem. §§ 26 Abs. 3, 28,

* **Gemischte Nachschusspflicht**, die bis zu einer Obergrenze den Regeln in
  §§ 26 Abs. 3, 28 folgt und oberhalb dieser Obergrenze nach §§ 27
  Abs. 4, 28 Abs. 1 Satz 2 und Abs. 2 behandelt wird.

---

[1]   Vgl. OLG Brandenburg, 28.03.2006 – 6 U 107/05, NZG 2006, 756.

III. Abgrenzung von sonstigen Gesellschafterleistungen

Spätere Leistungen der Gesellschafter können anstatt von Nachschüssen 6
auch Gesellschafterdarlehen, Nebenleistungen nach § 3 Abs. 2 oder freiwillige Leistungen sein.

Die Abgrenzung hat anhand der gesellschaftsvertraglichen Regelung und 7
deren Auslegung nach den allgemeinen Grundsätzen zu erfolgen.[2] Nachschüsse nach §§ 26 bis 28 können nur aus Geld bestehen und setzen immer eine entsprechende Satzungsregelung sowie einen entsprechenden Gesellschafterbeschluss voraus.

IV. Bestimmung einer Nachschusspflicht durch Gesellschaftsvertrag (Abs. 1)

Eine Nachschusspflicht kann nur durch den Gesellschaftsvertrag begründet 8
werden, da die Regelung des Abs. 1 zwingendes Recht ist.

Bei einer nachträglichen Satzungsänderung zur Einführung von Nach- 9
schusspflichten ist gem. § 53 Abs. 3 Einstimmigkeit erforderlich.

Der Anspruch der GmbH auf den Nachschuss erfordert einen entsprechen- 10
den Beschluss der Gesellschafterversammlung, welcher vorbehaltlich anderweitiger Satzungsregelung der einfachen Mehrheit bedarf.

Es ist zulässig, kumulativ nicht aber alternativ durch Satzungsregelung die 11
zusätzliche Beschlussfassung durch ein anderes Gesellschaftsorgan (bspw. Aufsichtsrat, Beirat) vorzusehen.

V. Einzahlung der Nachschüsse (Abs. 2)

Die Einzahlung der Nachschüsse hat nach dem Verhältnis der Geschäfts- 12
anteile zu erfolgen.

Schuldner der Nachschüsse sind diejenigen Personen, die gem. § 16 gegen- 13
über der Gesellschaft als Gesellschafter gelten (vgl. § 16 Rn. 5 ff.).

VI. Beschränkung der Nachschusspflicht (Abs. 3)

Eine gem. Abs. 3 – auch betragsmäßig – mögliche Beschränkung der Nach- 14
schusspflicht folgt den Regelungen des § 28.

---

2   Vertiefend Müller in Ulmer/Habersack/Winter, GmbHG, § 26 Rn. 21 ff.

VII.   Muster

1.   Nachschusspflicht im Gesellschaftsvertrag

15

§ ..... **Nachschusspflicht**

Die Gesellschafter sind auf entsprechenden Mehrheitsbeschluss der Gesellschafterversammlung verpflichtet, Nachschüsse in max. 3-facher Höhe ihres jeweiligen Geschäftsanteils zu erbringen.

§ ..... **Nachschusspflicht**

Auf entsprechenden Beschluss der Gesellschafterversammlung sind die Gesellschafter jederzeit verpflichtet, Nachschüsse zu erbringen. Der Beschluss bedarf einer qualifizierten Mehrheit von 3/4 der abgegebenen Stimmen.

§ ..... **Nachschusspflicht**

Die Einzahlung von Nachschüssen kann nur gefordert werden, wenn alle Gesellschafter zustimmen.

2.   Beschluss über die Einzahlung von Nachschüssen[3]

16

Die Gesellschafterversammlung beschließt aufgrund § ..... der Satzung, einen Nachschuss in Höhe von 50.000 €. Dieser ist sofort fällig und von den Gesellschaftern entsprechend ihrer Beteiligungsquote auf das Gesellschaftskonto einzuzahlen.

§ 27 GmbHG   Unbeschränkte Nachschusspflicht

(1) [1]Ist die Nachschußpflicht nicht auf einen bestimmten Betrag beschränkt, so hat jeder Gesellschafter, falls er die Stammeinlage vollständig eingezahlt hat, das Recht, sich von der Zahlung des auf den Geschäftsanteil eingeforderten Nachschusses dadurch zu befreien, dass er innerhalb eines Monats nach der Aufforderung zur Einzahlung den Geschäftsanteil der Gesellschaft zur Befriedigung aus demselben zur Verfügung stellt. [2]Ebenso kann die Gesellschaft, wenn der Gesellschafter binnen der angegebenen Frist weder von der bezeichneten Befugnis

---

3   Vgl. auch die Muster zu § 46 Beschlüsse der Gesellschafterversammlung; inbes. § 46 Nr. 3, s. § 46 Rn. 34.

Gebrauch macht, noch die Einzahlung leistet, demselben mittels eingeschriebenen Briefes erklären, dass sie den Geschäftsanteil als zur Verfügung gestellt betrachte.

(2) ¹Die Gesellschaft hat den Geschäftsanteil innerhalb eines Monats nach der Erklärung des Gesellschafters oder die Gesellschaft im Wege öffentlicher Versteigerung verkaufen zu lassen. ²Eine andere Art des Verkaufs ist nur mit Zustimmung des Gesellschafters zulässig. ³Ein nach Deckung der Verkaufskosten und des rückständigen Nachschusses verbleibender Überschuss gebührt dem Gesellschafter.

(3) ¹Ist die Befriedigung der Gesellschaft durch den Verkauf nicht zu erlangen, so fällt der Geschäftsanteil der Gesellschaft zu. ²Dieselbe ist befugt, den Anteil für eigene Rechnung zu veräußern.

(4) Im Gesellschaftsvertrag kann die Anwendung der vorstehenden Bestimmungen auf den Fall beschränkt werden, dass die auf den Geschäftsanteil eingeforderten Nachschüsse einen bestimmten Betrag überschreiten.

I. Einführung

Im Anschluss an die gesellschaftsvertragliche Vereinbarung einer **Nach-** 1
schusspflicht gem. § 26 regelt die Vorschrift die Folgen, wenn die Nachschusspflicht betragsmäßig unbeschränkt ist.

Die unbeschränkte Nachschusspflicht führt zwingend zu einem **Preisgabe-** 2
recht (sog. Abandon), das durch die Satzung nicht beseitigt, wohl aber beschränkt werden kann und eröffnet dem mit einer unbegrenzten Nachschussverpflichtung belasteten Gesellschafter die Möglichkeit, sich von seinem Geschäftsanteil durch Aufgabe desselben zu trennen.

Die Vorschrift ist zwingendes Recht, sodass die Satzung das Preisgaberecht 3
an sich weder erschweren noch (ganz oder teilweise) ausschließen kann.

4   Zulässig ist die Erleichterung des Verfahrens und der Voraussetzungen zugunsten der Gesellschafter.[1]

5   Für eine betragsmäßig begrenzte Nachschusspflicht gilt § 27 nicht, sondern ausschließlich § 28.

II.   Preisgaberecht/Abandon (Abs. 1)

6   Die unbeschränkte Nachschusspflicht führt zwingend zu einem Preisgaberecht (sog. Abandon).

7   Eine unbeschränkte Nachschusspflicht liegt vor, wenn die Satzung eine entsprechende unbeschränkte Regelung enthält.

> **Beispiel:**
>
> *Die Gesellschafterversammlung kann jederzeit die Einforderung unbeschränkter Einzahlungen (Nachschüsse) beschließen.*

8   Wird auf Basis einer entsprechenden Satzungsregelung ein entsprechender Gesellschafterbeschluss gefasst, so kann der zum Nachschuss aufgeforderte Gesellschafter von seinem Preisgaberecht (Wahlrecht) Gebrauch machen. Die Preisgabe kann aber nur erfolgen, wenn der Gesellschafter seine Stammeinlage vollständig einbezahlt hat. Die Stammeinlagepflicht muss daher spätestens bis zum Ablauf der Monatsfrist des 27 Abs. 1 Satz 1 vollständig erfüllt sein.

1.   Ausübung des Abandon (Abs. 1 Satz 1)

9   Erklärt der Gesellschafter binnen der Monatsfrist die Preisgabe seines Geschäftsanteils, so kann sich die GmbH hinsichtlich der Nachschussforderung (nur noch) aus dem preisgegebenen Geschäftsanteil befriedigen.

10 Die Preisgabe erfolgt durch formlose, empfangsbedürftige Willenserklärung gegenüber der GmbH.

2.   Fingiertes Abandon (Abs. 1 Satz 2)

11 Macht der Gesellschafter binnen der Monatsfrist von seinem Preisgaberecht keinen Gebrauch und leistet trotzdem den Nachschuss nicht, so wechselt das Preisgaberecht gem. Abs. 1 Satz 2 auf die Gesellschaft über.

12 Die Gesellschaft entscheidet dann nach freien Ermessen über die fingierte Freigabe.

---

1   Allgemeine Meinung: vertiefend Müller in Ulmer/Habersack/Winter, GmbHG, § 27 Rn. 3 m.w.N.

3.   Wirkungen des Abandon

Allein die (fingierte) Preisgabe durch den Gesellschafter führt noch nicht zur   13
Beendigung der Gesellschafterstellung, da erst mit dem Zuschlag in der
öffentlichen Versteigerung oder einem freihändigen Verkauf gem. Abs. 2,
bzw. Anfall des Geschäftsanteils an die GmbH nach Abs. 3, die Mitgliedschaft endet.

Folglich kann auch noch bis zur dinglichen Übertragung des Geschäfts-   14
anteils durch Zahlung des vollständigen rückständigen Nachschusses die
Wirkung der Preisgabe beseitigt werden.

Allerdings kann der Gesellschafter über den preisgegebenen Geschäftsanteil   15
nicht mehr verfügen, diesen also insbes. nicht mehr veräußern oder belasten.

III.   Verwertung (Abs. 2)

Die Gesellschaft muss den preisgegebenen Anteil innerhalb einer Frist von   16
einem Monat nach der (fingierten) Preisgabe verwerten.

Sofern der Gesellschafter einer anderen Art der Verwertung nicht zustimmt,   17
kommt nur die **Verwertung durch öffentliche Versteigerung** gem. §§ 383
Abs. 3, 156 BGB in Betracht (vgl. hierzu § 23 Rn. 6 ff.).

Als andere Verwertungsart kommt insbes. ein freihändiger Verkauf des   18
Geschäftsanteils in Betracht.

In jedem Fall gebührt ein etwaig erzielter Überschuss dem Gesellschafter.   19

IV.   Entbehrlichkeit des Verkaufs (Abs. 3)

Kann der in einer Versteigerung oder einer anderen Art des Verkaufs zu   20
erzielende Preis die Befriedigung der Gesellschaft nicht gewährleisten, geht
der Anteil frei von Rechten Dritter auf die Gesellschaft über.

Gelingt dann anschließend die Veräußerung des Anteils, so steht der Erlös   21
vollständig und ausschließlich der Gesellschaft zu.

V.   Modifikationen durch den Gesellschaftsvertrag (Abs. 4)

Im Gesellschaftsvertrag kann durch ausdrückliche Regelung bestimmt wer-   22
den, dass erst ein bestimmter Mindestbetrag überschritten werden muss,
damit die Vorschriften Anwendung finden.

§ 28 GmbHG   Beschränkte Nachschusspflichten

**(1) [1]Ist die Nachschußpflicht auf einen bestimmten Betrag beschränkt,
so finden, wenn im Gesellschaftsvertrag nicht ein anderes festgesetzt ist,
im Fall verzögerter Einzahlung von Nachschüssen die auf die Einzah-**

lung der Stammeinlagen bezüglichen Vorschriften der §§ 21 bis 23 entsprechende Anwendung. [2]Das Gleiche gilt im Fall des § 27 Abs. 4 auch bei unbeschränkter Nachschußpflicht, soweit die Nachschüsse den im Gesellschaftsvertrag festgesetzten Betrag nicht überschreiten.

(2) Im Gesellschaftsvertrag kann bestimmt werden, dass die Einforderung von Nachschüssen, auf deren Zahlung die Vorschriften der §§ 21 bis 23 Anwendung finden, schon vor vollständiger Einforderung der Stammeinlagen zulässig ist.

I.   Einführung

1   Während § 27 die Folgen einer gesellschaftsvertraglich vereinbarten unbeschränkten Nachschusspflicht regelt, enthält die Vorschrift die Folgen für eine gem. § 26 Abs. 3 vereinbarte beschränkte Nachschusspflicht.

2   Im Wesentlichen sind – vorbehaltlich einer anderen Vereinbarung im Gesellschaftsvertrag – die Regelungen über die Kaduzierung von Geschäftsanteilen der §§ 21 bis 23 anwendbar.

II.   Beschränkte Nachschusspflicht führt zur Kaduzierung (Abs. 1)

3   Die Vorschrift des § 28 findet nur dann Anwendung, wenn die Satzung eine beschränkte Nachschusspflicht enthält.

Beispiel:

Die Gesellschafterversammlung kann jederzeit die Einforderung einer auf max. 20.000 € beschränkten Einzahlung (Nachschuss) beschließen.

4   Die Verweisung auf die Kaduzierungsregelungen ist als Rechtsgrundverweisung zu verstehen, sodass alle dort genannten Voraussetzungen und Verfahrensschritte einzuhalten sind (vgl. § 21 Rn. 6 ff.).

5   Ein Preisgaberecht nach § 27 kommt bei beschränkter Nachschusspflicht also nicht in Betracht, es sei denn, dies ist auch für diesen Fall ausdrücklich in der Satzung vorgesehen. Letzteres ist aufgrund der Dispositivität des Abs. 1 zulässig.

III. Nachschüsse vor vollständiger Einforderung der Stammeinlage (Abs. 2)

Abs. 2 eröffnet die Möglichkeit, Nachschüsse bereits vor vollständiger 6
Einforderung der Stammeinlage einzufordern.

Macht der Gesellschaftsvertrag von dieser Möglichkeit Gebrauch, so muss 7
im Gesellschaftsvertrag zwingend die uneingeschränkte Anwendung der
Kaduzierungsregeln sichergestellt sein.

§ 29 GmbHG   Ergebnisverwendung

(1) [1]**Die Gesellschafter haben Anspruch auf den Jahresüberschuß
zuzüglich eines Gewinnvortrags und abzüglich eines Verlustvortrags,
soweit der sich ergebende Betrag nicht nach Gesetz oder Gesellschaftsvertrag, durch Beschluss nach Absatz 2 oder als zusätzlicher Aufwand
auf Grund des Beschlusses über die Verwendung des Ergebnisses von
der Verteilung unter die Gesellschafter ausgeschlossen ist.** [2]**Wird die
Bilanz unter Berücksichtigung der teilweisen Ergebnisverwendung aufgestellt oder werden Rücklagen aufgelöst, so haben die Gesellschafter
abweichend von Satz 1 Anspruch auf den Bilanzgewinn.**

**(2) Im Beschluss über die Verwendung des Ergebnisses können die
Gesellschafter, wenn der Gesellschaftsvertrag nichts anderes bestimmt,
Beträge in Gewinnrücklagen einstellen oder als Gewinn vortragen.**

**(3) Die Verteilung erfolgt nach Verhältnis der Geschäftsanteile. Im
Gesellschaftsvertrag kann ein anderer Maßstab der Verteilung festgesetzt werden.**

(4) [1]**Unbeschadet der Absätze 1 und 2 und abweichender Gewinnver-
teilungsabreden nach Absatz 3 Satz 2 können die Geschäftsführer mit
Zustimmung des Aufsichtsrats oder der Gesellschafter den Eigenkapi-
talanteil von Wertaufholungen bei Vermögensgegenständen des Anlage-
und Umlaufvermögens und von bei der steuerrechtlichen Gewinn-
ermittlung gebildeten Passivposten, die nicht im Sonderposten mit
Rücklageanteil ausgewiesen werden dürfen, in andere Gewinnrücklagen einstellen.** [2]**Der Betrag dieser Rücklagen ist entweder in der
Bilanz gesondert auszuweisen oder im Anhang anzugeben.**

I. Einführung

1   Die Vorschrift regelt für alle nach dem 01.01.1986 in das Handelsregister eingetragenen Gesellschaften die **Verwendung des Jahresergebnisses**. Dabei regelt Abs. 1 Satz 1 den im Jahresabschluss ausgewiesenen Jahresüberschuss; Abs. 1 Satz 2 den ausgewiesenen Bilanzgewinn.

2   Für bereits vor dem 01.01.1986 eingetragene Gesellschaften (sog. Altgesellschaften) gilt gem. § 7 GmbHÄndG dagegen nach wie vor das **Prinzip der Vollausschüttung**, soweit hiervon nicht durch Satzungsregelung abgewichen wird.

3   Der nach Abs. 2 zu fassende Gewinnverwendungsbeschluss bedarf grds. der einfachen Mehrheit und erfolgt nach Abs. 3 i.d.R. nach dem Verhältnis der Geschäftsanteile.

4   Die Regelung ist weitestgehend dispositiv, sodass im Gesellschaftsvertrag beliebig anderweitige Regelungen bezüglich der Gewinnverwendung und -verteilung erfolgen können.[1]

5   Ist die Gesellschaft aufgrund handelsrechtlicher Vorschriften zur Wertaufholung oder zur Auflösung steuerfreier Rücklagen verpflichtet, so kann die Gesellschaft die Ergebnisverwendung nach Maßgabe von Abs. 4 vornehmen.

II. Ergebnisverwendung (Abs. 1 und Abs. 2)

6   Vorbehaltlich einer anderweitigen Regelung durch die Satzung haben die Gesellschafter Anspruch auf ihren Anteil am **Jahresüberschuss oder Bilanzgewinn** des abgelaufenen Geschäftsjahres.

7   Hierzu ist zunächst der **Jahresabschluss** aufzustellen, welcher einen Jahresüberschuss oder Bilanzgewinn ausweist. Sodann ist der Jahresabschluss durch Beschluss festzustellen und dann ein weiterer Beschluss zur Ergebnisverwendung zu fassen.

---

1   Allgemeine Ansicht: vgl. nur Salje in Michalski, GmbHG, § 29 Rn. 26 ff.

1. Jahresüberschuss und Bilanzgewinn

Der **Jahresüberschuss** ergibt sich als Saldo der Gewinn- und Verlustrech- 8
nung gem. §§ 275 Abs. 2 Nr. 20 und Abs. 3 Nr. 19 HGB und als Überschuss der bilanziellen Aktiva über die Passiva gem. § 266 Abs. 3 Buchst. A
V. HGB. Ggf. aus Vorjahren stammende Gewinn- oder Verlustvorträge sind
zu berücksichtigen.

Wird der Jahresabschluss unter teilweiser Verwendung des Jahresergeb- 9
nisses aufgestellt oder wurden Rücklagen aufgelöst, so haben die Gesellschafter Anspruch auf den **Bilanzgewinn**. Der Bilanzgewinn ergibt sich
gem. § 268 HGB aus der Summe des Jahresergebnisses abzüglich Rück-
lagenzufuhr und zzgl. möglicher Rücklagenauflösung.[2]

2. Feststellung des Jahresabschlusses

Der Jahresabschluss ist durch Beschluss der Gesellschafter festzustellen und 10
dient dann als Basis für den weiteren Gesellschafterbeschluss zur Gewinnverwendung.

Zuständig ist – vorbehaltlich einer anderen Satzungsregelung – gem. § 46 Nr. 1 11
die Gesellschafterversammlung, welche mit einfacher Mehrheit beschließt.

Der Beschluss hat innerhalb der Fristen des § 267 HGB zu erfolgen, also bei 12
kleinen Gesellschaften innerhalb der ersten elf Monate nach Ende des
Geschäftsjahres, bei mittelgroßen und großen Gesellschaften bis zum Ablauf
von acht Monaten nach Ende des Geschäftsjahres (vgl. § 42a Rn. 10).

3. Gewinnverwendungsbeschluss (Abs. 2)

Der Gewinnverwendungsbeschluss ist – vorbehaltlich einer anderen Sat- 13
zungsregelung – durch die Gesellschafterversammlung mit einfacher Mehrheit zu fassen.

Dabei können gem. Abs. 2 beliebig Rücklagen gebildet oder Gewinne in das 14
nächste Jahr vorgetragen werden.

Eine durch den Gesellschaftsvertrag angeordnete Übertragung der Zustän- 15
digkeit zur Beschlussfassung auf ein anderes Organ ist zulässig.

> *Beispiel:*
> *Über die Gewinnverwendung entscheidet der Aufsichtsrat.*

Erst mit diesem Gewinnverwendungsbeschluss entsteht der Auszahlungs- 16
anspruch des einzelnen Gesellschafters gegen die Gesellschaft.[3]

---

2   Vertiefend Müller in Ulmer/Habersack/Winter, GmbHG, § 29 Rn. 55 ff.
3   Unstreitig; vgl. BGH, 30.06.2004 – VIII ZR 349/03, NJW-RR 2004, 1343;
     ebenso BGH, 14.09.1998 – II ZR 172/97, NJW 1998, 3646.

17 Daher ist die Fassung des Ergebnisverwendungsbeschlusses durch die Gesellschafter erzwingbar.

18 Der Anspruch auf Fassung des als Basis der Gewinnausschüttung erforderlichen Gewinnverwendungsbeschlusses kann im Wege der Leistungsklage gegen die sich der Beschlussfassung verweigernden Mitgesellschafter geltend gemacht und nach richtiger Meinung gem. § 888 ZPO vollstreckt werden. Gegen die Gesellschaft ist eine auf einen gerichtlichen Gewinnverwendungsbeschluss gerichtete Gestaltungsklage zu erheben, sodass die Vollstreckung gem. § 894 ZPO erfolgt.[4]

4. Gewinnverwendung und Minderheitenschutz

19 Sind Gesellschafter mit unterschiedlichen Anteilsquoten an der Gesellschaft beteiligt, so ist die Interessenlage hinsichtlich der Gewinnverwendung häufig uneinheitlich.

> *Beispiel:*
>
> *Der „nur" mit 15 % beteiligte Gesellschafter A hat ein primär finanzielles Interesse an einer möglichst kurzfristigen und hohen Gewinnausschüttung; der mit 85 % beteiligte Gesellschafter B hat dagegen das Interesse, die operative Geschäftstätigkeit durch Rücklagenbildung abzusichern.*

20 Dies führt in der Praxis dazu, dass Minderheitsgesellschafter keine (oder nur eine geringe) Gewinnausschüttung erhalten, wenn der oder die Mehrheitsgesellschafter die vollständige (oder teilweise) Einbehaltung des Jahresüberschusses beschließen.

21 Diese sog. Thesaurierung der Gewinne ist von den Minderheitsgesellschaftern grds. hinzunehmen, es sei denn, dass im Verhalten des oder der Mehrheitsgesellschafter ausnahmsweise eine gesellschafterliche Treuepflichtverletzung zu sehen ist.[5]

22 Wird mit der Thesaurierung ein „Aushungern" der Minderheitsgesellschafter bezweckt oder bezieht der Mehrheitsgesellschafter sonstige Leistungen wie bspw. Geschäftsführer-Gehalt oder Beratervergütungen, so kann dies für einen Verstoß gegen die gesellschafterlichen Treuepflichten sprechen (zu den Folgen bei Verstößen gegen eine ordnungsgemäße Beschlussfassung s. § 47 Rn. 28 ff.).

---

4   Ebenso Lutter/Bayer in Lutter/Hommelhoff, GmbHG, § 29 Rn. 33; differenzierend Müller in Ulmer/Habersack/Winter, GmbHG, § 29 Rn. 71 ff.

5   Allgemeine Meinung vertiefend Müller in Ulmer/Habersack/Winter, GmbHG, § 29 Rn. 82 ff.; Roth in Roth/Altmeppen, GmbHG, § 29 Rn. 20.

III.   Gewinnverteilung (Abs. 3)

Der Maßstab für die Gewinnverteilung kann im Gesellschaftsvertrag belie-   23
big festgelegt werden.

Mangels anderweitiger gesellschaftsvertraglicher Regelung erfolgt die Ver-   24
teilung nach dem Nennbetrag der Gesellschaftsanteile.

Eigene Anteile der Gesellschaft werden nicht mitgerechnet.   25

Sollten unterjährig durch entsprechenden Gesellschafterbeschluss bereits   26
Gewinnvorschüsse unter Beachtung der Grenze des § 30 ausgezahlt worden
sein, so sind diese anzurechnen. Deckt der erwirtschaftete Gewinn die
Gewinnvorschüsse nicht, so sind diese durch die Gesellschaft zurückzufordern.

Verdeckte Gewinnausschüttungen sind ohne Gesellschafterbeschluss man-   27
gels Kontrollierbarkeit unzulässig.

IV.   Wertaufholung (Abs. 4)

Ist die Gesellschaft gem. § 280 HGB zur Wertaufholung verpflichtet, so ist   28
die Ergebnisverwendung gem. Abs. 4 vorzunehmen.

Gleiches gilt, wenn steuerrechtlich eine Rückstellung oder Rücklage gebil-   29
det werden kann, ohne einen entsprechenden Passivposten in der Handelsbilanz auszuweisen.[6]

Der missglückte Wortlaut der Vorschrift lässt die Kompetenz der Gesell-   30
schafterversammlung für die Entscheidung unberührt.[7]

V.   Altgesellschaften

Für die bereits vor dem 01.01.1986 in das Handelsregister eingetragenen   31
sog. Altgesellschaften gilt gem. Art. 12 § 7 GmbHÄndG die frühere Fassung des § 29 GmbHG und damit das grds. Vollausschüttungsgebot fort.[8]

Auch die Altgesellschaften können durch eine gesellschaftsvertragliche   32
Gestaltung ihre Gewinnverwendung frei regeln. Fehlt es aber an einer
Regelung, so gilt das Vollausschüttungsgebot.

---

6   Vertiefend: Roth in Roth/Altmeppen, GmbHG, § 29 Rn. 42.

7   Allgemeine Meinung: vgl. nur vertiefend Müller in Ulmer/Habersack/Winter,
   GmbHG, § 29 Rn. 180.

8   Eingehend Lutter/Hommelhoff in Lutter/Hommelhoff, GmbHG, § 29 Rn. 59;
   Salje in Michalski, GmbHG, § 29 Rn. 138 ff. jeweils m.w.N.

§ 30 GmbHG   Kapitalerhaltung

(1) [1]Das zur Erhaltung des Stammkapitals erforderliche Vermögen der Gesellschaft darf an die Gesellschafter nicht ausgezahlt werden. [2]Satz 1 gilt nicht bei Leistungen, die bei Bestehen eines Beherrschungs- und Gewinnabführungsvertrags (§ 291 des Aktiengesetzes) erfolgen, oder durch einen vollwertigen Gegenleistungs- oder Rückgewähranspruch gegen den Gesellschafter gedeckt sind. [3]Satz 1 ist zudem nicht anzuwenden auf die Rückgewähr eines Gesellschafterdarlehens und Leistungen auf Forderungen aus Rechtshandlungen, die einem Gesellschafterdarlehen wirtschaftlich entsprechen.

(2) [1]Eingezahlte Nachschüsse können, soweit sie nicht zur Deckung eines Verlustes am Stammkapital erforderlich sind, an die Gesellschafter zurückgezahlt werden. [2]Die Zurückzahlung darf nicht vor Ablauf von drei Monaten erfolgen, nachdem der Rückzahlungsbeschluss durch die im Gesellschaftsvertrag für die Bekanntmachungen der Gesellschaft bestimmten öffentlichen Blätter und in Ermangelung solcher durch die für die Bekanntmachungen aus dem Handelsregister bestimmten öffentlichen Blätter bekannt gemacht ist. [3]Im Fall des § 28 Abs. 2 ist die Zurückzahlung von Nachschüssen vor der Volleinzahlung des Stammkapitals unzulässig. [4]Zurückgezahlte Nachschüsse gelten als nicht eingezogen.

I.   Einführung

1   Die Vorschrift regelt als die zentrale Gläubigerschutzbestimmung die **Erhaltung des Stammkapitals** im Interesse der Gesellschaftsgläubiger sowie der Gesellschaft, indem sie Auszahlungen, die zu einer Unterbilanz oder Unterkapitalisierung führen oder diese weiter vertiefen, verbietet.

Die Regelung ist zwingend und umfasst über ihren Wortlaut hinaus grds. alle 2
denkbaren Versuche, das Stammkapital zugunsten der Gesellschafter und
damit zulasten der Gesellschaftsgläubiger zu schmälern.

Aufgrund der ausgeuferten und nahezu unüberschaubaren Problematik der 3
Behandlung der dem Auszahlungsverbot ggf. widersprechenden Zahlungen
wurde Abs. 1 der Vorschrift im Zuge des **MoMiG** um die **Sätze 2 und 3
ergänzt**.

Damit ist die gesetzliche Regelung zum bilanziellen Denken zurückgekehrt: 4
Das Stammkapital bildet eine bilanzielle Ausschüttungssperre.

Im Zusammenhang mit der Neufassung des Abs. 1 wurden auch die Recht- 5
sprechungsregeln zur analogen Anwendung des § 30 sowie die §§ 32a und
32b aufgehoben und soweit noch erforderlich in der InsO verortet.

Der Zweck der Regelung erfordert im Hinblick auf die Erhaltung des 6
Stammkapitals vertrauenden Gläubiger eine weite Auslegung. Dennoch
stellt die Vorschrift kein Schutzgesetz i.S.d. § 823 Abs. 1 BGB dar, da die
Rechtsfolgen eines Verstoßes gegen das Auszahlungsverbot § 31 zu entnehmen sind.

**II.   Auszahlungsverbot zur Erhaltung des Stammkapitals
(Abs. 1 Satz 1)**

1.   Allgemeines

Das Auszahlungsverbot verbietet dem bzw. den Geschäftsführer(n), Zahlun- 7
gen an Gesellschafter vorzunehmen, wenn und soweit diese zu einer Unterbilanz oder Unterkapitalisierung führen oder eine bereits bestehende Unterbilanz oder Unterkapitalisierung vertiefen würden.

Dabei darf der Begriff Auszahlungsverbot nicht allein auf Geldleistungen 8
bezogen werden, sondern erfasst auch alle sonstigen Leistungen, denen
keine gleichwertige Gegenleistung gegenübersteht.

> *Beispiele:*
>
> *Abtretung einer Gesellschaftsforderung, Erfüllung von Gesellschafterschulden
> durch die Gesellschaft, Verzicht auf Forderungsdurchsetzung gegen Gesellschaf-
> ter etc.*

Ebenfalls werden alle zwischen Gesellschaft und Gesellschaftern abgeschlosse- 9
nen Austauschverträge erfasst, bei denen über sog. „verdeckte Ausschüttungen"
keine marktgerechte, adäquate Gegenleistung des Gesellschafters erfolgt.[1]

---

1   Eingehend zur alten Rechtslage und Rspr. Wachter in Wachter, FA Handels-
und GesellschaftsR, Teil 2, 2. Kap. Rn. 361 ff.

10   Empfänger der Auszahlung muss ein Gesellschafter sein, wobei hierunter auch Leistungen an Dritte fallen, die dem Gesellschafter zugutekommen.

11   Gleiches gilt, wenn der Dritte aufgrund verwandtschaftlicher oder wirtschaftlicher Verhältnisse in so „qualifizierter Nähe" zu einem Gesellschafter steht, dass die Auszahlung diesem zugerechnet werden muss.

12   Auch ein an der GmbH beteiligter stiller Gesellschafter ist auch unter der Neufassung wie ein GmbH-Gesellschafter zu behandeln, wenn er aufgrund der vertraglichen Gestaltung des stillen Gesellschaftsverhältnisses hinsichtlich seiner vermögensmäßigen Beteiligung und seines Einflusses auf die Geschicke der Gesellschaft weitgehend wie ein GmbH-Gesellschafter bestimmen kann.[2] Hier gilt § 30 jedenfalls analog.

2.   Unterbilanz

13   Ob die Auszahlung zu einer Unterbilanz führt bzw. diese weiter vertieft, ist durch eine bilanzmäßige Gegenüberstellung von Aktiva und Passiva zu ermitteln.[3]

14   Dabei sind die Aktiva dem letzten Jahresabschluss zu entnehmen und nach den allgemeinen Bilanzierungsgrundsätzen zeitlich fortzuschreiben. Stille Reserven dürfen nicht in Anrechnung gebracht werden.

15   Die Passiva sind nach den handelsrechtlichen Vorschriften mit ihrem aktuellen Nennwert anzusetzen. Maßgeblicher Zeitpunkt für die Frage der Unterbilanzierung ist der Auszahlungszeitpunkt an den Gesellschafter.

3.   Unterkapitalisierung

16   Führt die Auszahlung an einen Gesellschafter dazu, dass nicht nur das Stammkapital der Gesellschaft mangels Reinvermögen (weiter) aufgezehrt wird, sondern Überschuldung eintritt, so liegt hierin ebenfalls ein Verstoß gegen das Auszahlungsverbot.

III.   Ausnahmen vom Auszahlungsverbot (Abs. 1 Satz 2 und Satz 3)

17   Die Sätze 2 und 3 sind im Zuge des MoMiG mit Wirkung zum 01.11.2008 eingeführt worden.

18   Der Gesetzgeber hat damit zum einen die Problematik der insbes. in Konzernunternehmen weit verbreiteten **Cash-Pool-Systeme** einer rechtssicheren Regelung zugeführt, zum anderen die Problematik von **Gesell-**

---

2   So zur alten Rechtslage ausdrücklich BGH, 13.06.2006 – II ZR 62/04, BB 2006, 792; dies gilt m.E. auch unter der Neufassung.

3   Allgemeine Meinung: vertiefend Heidinger in Michalski, GmbHG, § 30 Rn. 14 ff.; Lutter/Hommelhoff in Lutter/Hommelhoff, GmbHG, § 30 Rn. 13.

schafterdarlehen und die insbes. zu den sog. **eigenkapitalersetzenden Darlehen** ausgeuferte Rechtsprechung übersichtlich gestaltet.[4]

1.   Ausnahme: Cash-Pooling (Satz 2, 1. Alt.)

Cash-Pool-Management-Systeme ermöglichen das „Verschieben" von Vermögensmassen zwischen einzelnen Konzerngesellschaften und sind betriebswirtschaftlich anerkannt, ökonomisch sinnvoll, international verbreitet und dienen nicht zuletzt auch dem Interesse der abhängigen Konzerngesellschaften, indem jederzeit ausreichende Liquidität in einem „Cash-Pool" gesichert vorhanden ist.   19

Nachdem die Rechtsprechung des BGH unter der früheren Rechtslage[5] ein „Sonderrecht" für das Cash-Pool-Management abgelehnt und auch in diesen Systemen die Grundsätze der Kapitalaufbringung und -erhaltung eingefordert hat, war in der Praxis eine erhebliche Rechtsunsicherheit im Umgang mit Cash-Pool-Systemen eingetreten.   20

Dieser Unsicherheit begegnet die Neufassung, indem sie ein strikt bilanzielles Verständnis des Kapitalschutzes festschreibt. Das Stammkapital der Gesellschaft ist eine bilanzielle Ausschüttungssperre.   21

Daher besteht bei durch einen Beherrschungs- und Gewinnabführungsvertrag i.S.d. § 291 AktG gedeckten Zahlungen auch keine Gefahr einer der Kapitalerhaltung entgegen laufenden Auszahlung.   22

Denn im Rahmen eines zwischen Obergesellschaft und Untergesellschaft bestehenden Beherrschungs- und Gewinnabführungsvertrags i.S.d. § 291 AktG ist die Untergesellschaft verpflichtet, Ihren Gewinn vollständig an die Obergesellschaft abzuführen. Im Gegenzug verpflichtet sich aber die Obergesellschaft entsprechend § 302 AktG, etwaige Verluste der Untergesellschaft auszugleichen.[6]   23

Die Formulierung „bei Bestehen" stellt zudem sicher, dass auch Leistungen, die die Untergesellschaft auf Veranlassung der Obergesellschaft nicht direkt an diese, sondern an Dritte erbringt, vom Verbot der Einlagenrückgewähr freigestellt sind.   24

---

4   Vertiefend zu den Ausnahmen Hollstein in Bormann/Kauka/Ockelmann, Hdb. GmbH-Recht, Kap. 5 Rn. 16 ff.

5   So ausdrücklich BGH, 16.01.2006 – II ZR 75/04, Der Konzern 2006, 382 und BGH, 16.01.2006 – II ZR 76/04, ZIP 2006, 665; ebenso BGH, 24.11.2003 – II ZR 171/01, ZIP 2004, 263.

6   Allgemeine Meinung: vgl. nur Liebscher, GmbH-Konzernrecht, Rn. 595 ff.

> *Beispiel:*
>
> *Unternehmen A-GmbH (Obergesellschaft) und B-GmbH (Untergesellschaft) sind mittels eines Beherrschungs- und Gewinnabführungsvertrages miteinander verbunden. Die A-GmbH veranlasst die B-GmbH, einlagenübersteigende Leistungen an das Unternehmen C-GmbH zu erbringen.*

2.   Ausnahme: Vollwertiger Gegenleistungsanspruch (Satz 2, 2. Alt.)

25   Eine weitere Ausnahme vom Auszahlungsverbot gilt, wenn die Gesellschaft für ihre Leistung an den Gesellschafter einen vollwertigen Gegenleistungs- oder Rückerstattungsanspruch erhält.

26   In diesem Fall wird bilanziell betrachtet ein Aktivtausch vorgenommen, sodass das Stammkapital nicht verringert ist.

> *Beispiel:*
>
> *Die Gesellschaft gewährt dem Gesellschafter A ein Darlehen über 50.000 €, welches durch die Eintragung einer Grundschuld auf dem mindestens gleichwertigen Privatgrundstück des A gesichert wird.*

27   Die Durchsetzbarkeit der Forderung gegen den Gesellschafter ist dabei Teil der Vollwertigkeit, wobei nach der Gesetzesbegründung nachträgliche nicht vorhersehbare negative Entwicklungen und eine daraus resultierende bilanzielle Abwertung der Forderung die ursprüngliche Leistung nicht zu einer verbotenen Auszahlung machen.

28   Das gesetzliche Gebot der vollwertigen Deckung des Gegenleistungsanspruchs soll dagegen nicht gewahrt sein, wenn der Zahlungsanspruch gegen den Gesellschafter wertmäßig zu gering ist oder die Durchsetzbarkeit der Forderung unsicher ist.

29   **Praxistipp:**

Im Hinblick auf die hier nur ungenaue Gesetzesbegründung ist dem die Zahlung veranlassenden Geschäftsführer im Hinblick auf seine Haftungsrisiken nach § 43 anzuraten, nur Zahlungen vorzunehmen, bei denen die Vollwertigkeit des Gegenanspruchs unproblematisch festzustellen und nachzuweisen ist.

3.   Ausnahme: Gesellschafterdarlehen (Satz 3)

30   Die Neuregelung des Satz 3 stellt sicher, dass die unter der alten Rechtslage von der Rechtsprechung vertretene Fortgeltung der sogenannten Rechtsprechungsregeln zu den eigenkapitalersetzenden Darlehen aufgegeben wird.[7]

---

7   Vgl. BGH, 30.01.2006 – II ZR 357/03, ZIP 2006, 466.

Als eigenkapitalersetzend werden die Darlehen bezeichnet, die ein Gesell- 31
schafter seiner Gesellschaft zu einem Zeitpunkt gewährt, in dem eigentlich
die Zufuhr frischen Eigenkapitals geboten wäre. Die Zuführung frischen
Eigenkapitals ist dann geboten, wenn sich der Gesellschafter trotz einer
Krise der Gesellschaft entscheidet, diese nicht zu liquidieren, sondern durch
Zuführung frischen Kapitals am Leben zu erhalten.[8]

Mit der Neufassung sind Gesellschafterdarlehen und diesen wirtschaftlich 32
entsprechende Leistungen generell nicht (mehr) wie haftendes Eigenkapital
zu behandeln.

Die Rückzahlung eines durch einen Gesellschafter an die Gesellschaft 33
gereichten Darlehens kann nicht mehr unter Berufung auf § 30 analog
verweigert werden. Dies ist auch nicht erforderlich, denn außerhalb der
Insolvenz und der dieser vorgelagerten Jahresfrist ist eine Gläubigerbenachteiligung nicht zu erwarten.

Etwaige benachteiligte Gläubiger werden durch die Neuregelungen des 34
§ 135 InsO sowie des § 6 AnfG und § 64 Satz 3 ausreichend geschützt.

IV.   Eingezahlte Nachschüsse (Abs. 2)

Das Auszahlungsverbot erfasst alle Zahlungen an Gesellschafter, die das zur 35
Erhaltung des Stammkapitals erforderliche Gesellschaftsvermögen angrei-
fen.

Für die Rückzahlung von Nachschüssen gem. §§ 26 bis 28 enthält Abs. 2 36
eine Erleichterung, wenn die dort genannten formellen und materiellen
Voraussetzungen gegeben sind:

• Gesellschafterbeschluss,

• Publikation,

• Fristablauf,

• Nachrangigkeit der Nachschüsse.

V.   Rechtsfolgen verbotener Auszahlungen

Verbotene Auszahlungen sind grds. gem. § 31 zu erstatten; zu den Rechts- 37
folgen von Verstößen gegen das Auszahlungsgebot s. § 31 Rn. 3 ff.

Adressat des Auszahlungsverbots ist primär der Geschäftsführer, der bei 38
Zuwiderhandlung gem. § 43 Abs. 1 und Abs. 3 haftet (vgl. dazu § 43
Rn. 22 ff.).

---

8   Eingehend zur alten Rechtslage Wachter in Wachter, FA Handels- und Gesell-
     schaftsR, Teil 2, 2. Kap. Rn. 361 ff.

VI.   Prozessuales

39   Dass eine Auszahlung gegen das Kapitalerhaltungsgebot verstößt, ist im Prozess von der Gesellschaft darzulegen und zu beweisen.[9] Den Gesellschafter trifft keine Beweislast dahin gehend, dass eine Auszahlung an ihn unter allen erdenklichen Gesichtspunkten erlaubt ist.

§ 31 GmbHG   Erstattung verbotener Rückzahlungen

(1) Zahlungen, welche den Vorschriften des § 30 zuwider geleistet sind, müssen der Gesellschaft erstattet werden.

(2) War der Empfänger in gutem Glauben, so kann die Erstattung nur insoweit verlangt werden, als sie zur Befriedigung der Gesellschaftsgläubiger erforderlich ist.

(3) [1]Ist die Erstattung von dem Empfänger nicht zu erlangen, so haften für den zu erstattenden Betrag, soweit er zur Befriedigung der Gesellschaftsgläubiger erforderlich ist, die übrigen Gesellschafter nach Verhältnis ihrer Geschäftsanteile. [2]Beiträge, welche von einzelnen Gesellschaftern nicht zu erlangen sind, werden nach dem bezeichneten Verhältnis auf die übrigen verteilt.

(4) Zahlungen, welche auf Grund der vorstehenden Bestimmungen zu leisten sind, können den Verpflichteten nicht erlassen werden.

(5) [1]Die Ansprüche der Gesellschaft verjähren in den Fällen des Absatzes 1 in zehn Jahren sowie in den Fällen des Absatzes 3 in fünf Jahren. [2]Die Verjährung beginnt mit dem Ablauf des Tages, an welchem die Zahlung, deren Erstattung beansprucht wird, geleistet ist. [3]In den Fällen des Absatzes 1 findet § 19 Abs. 6 Satz 2 entsprechende Anwendung.

(6) [1]Für die in den Fällen des Absatzes 3 geleistete Erstattung einer Zahlung sind den Gesellschaftern die Geschäftsführer, welchen in betreff der geleisteten Zahlung ein Verschulden zur Last fällt, solidarisch zum Ersatz verpflichtet. [2]Die Bestimmungen in § 43 Abs. 1 und 4 finden entsprechende Anwendung.

---

9   Vgl. BGH, 07.03.2005 – II ZR 138/03, ZIP 2005, 807.

I. Einführung

§ 31 regelt die **Rechtsfolgen eines Verstoßes gegen das Auszahlungs-**   1
verbot des § 30, indem angeordnet wird, dass Auszahlungen, die das
Haftungskapital der Gesellschaft verringern, zurück in das Gesellschaftsvermögen zu führen sind.

Die Vorschrift ist **zwingendes Recht**, die Regelung kann also durch die   2
Satzung nicht abbedungen werden. **Abs. 1** enthält zugunsten der Gesellschaft einen verschuldensunabhängigen Rückzahlungsanspruch gegen den
Gesellschafter, der eine nach § 30 verbotswidrige Zahlung erhalten hat.
Abs. 2 sieht zugunsten eines gutgläubigen Empfängers eine Haftungs-
erleichterung vor, welche aber hinter dem Gläubigerschutz zurücksteht.
Abs. 3 regelt im Zusammenspiel mit Abs. 6 die Ausfallhaftung der Mitgesellschafter sowie die Haftung des Geschäftsführers, wogegen **Abs. 4**
ähnlich wie § 19 Abs. 2 Satz 1 (s. § 19 Rn. 17 ff.) ein Befreiungsverbot für
die Zahlungsverpflichteten enthält. **Abs. 5** regelt die Verjährung der in den
vorstehenden Absätzen genannten Ansprüche; durch das MoMiG wurde die
Verweisung in den geänderten § 19 sprachlich übernommen, ohne dass
damit eine inhaltlich Veränderung verbunden ist.

II. Erstattungspflicht (Abs. 1)

Der Erstattungsanspruch steht der Gesellschaft gegen denjenigen Gesell-   3
schafter zu, der die verbotene Auszahlung erhalten hat bzw. dem die
Auszahlung an einen Dritten zuzurechnen ist.

Der Anspruch entsteht sofort mit der verbotswidrigen Auszahlung, ohne   4
dass es eines Gesellschafterbeschlusses bedarf.[1] Der Geschäftsführer hat
also zur Vermeidung eigener Haftung den Erstattungsanspruch sofort geltend zu machen und dessen Erfüllung zu betreiben.

Inhaltlich richtet sich der Anspruch auf die vollständige Rückgewähr der   5
verbotenen Auszahlung, wobei als „Zahlungen" nicht nur Geldleistungen
sondern alle Leistungen der Gesellschaft an die Gesellschafter erfasst sind.

---

1   Ständige Rspr., vgl. BGH, 08.12.1986 – II ZR 55/86, NJW 1987, 779.

Beispiel:

Auch die Leistung von Sachen, Diensten oder die Überlassung zur Nutzung (z.B. eines Pkw) sind „Zahlungen" i.S.d. § 31, wenn diese aus dem nach § 30 gebundenen Vermögen stammen.

6   Der zur Erstattung verpflichtete Gesellschafter hat das Auszahlungsgeschäft rückgängig zu machen, also grds. exakt die erhaltene Zahlung zurückzuerstatten bzw. erhaltene Gegenstände zurück zu übertragen. Ist dies – wie etwa bei erhaltenen Dienstleistungen – nicht möglich, so hat der Gesellschafter Wertersatz zu leisten.[2]

7   In der Höhe ist dabei der volle Wertverlust auszugleichen, auch wenn das Stammkapital mittlerweile aus anderen Gründen nicht mehr gemindert ist. Dies ist seit der diesbezüglichen Rechtsprechungsänderung des BGH im Jahre 2000 heute zu Recht unstreitig.[3]

III.   Gutgläubigkeit (Abs. 2)

8   Vom Grundsatz der vollständigen Erstattung macht Abs. 2 eine – allerdings zugunsten des Gläubigerschutzes beschränkte – Ausnahme: Ist der die verbotswidrige Zahlung erhaltende Gesellschafter gutgläubig davon ausgegangen, dass die Auszahlung das Stammkapital nicht beeinträchtigt, so ist seine Erstattungspflicht auf die zur Gläubigerbefriedigung erforderliche Höhe beschränkt.

9   Die Gutgläubigkeit des Gesellschafters richtet sich nach § 932 BGB. Er darf zum Zeitpunkt der Auszahlung weder positiv wissen noch aufgrund grober Fahrlässigkeit verkennen, dass die Auszahlung eine Unterbilanz oder Unterkapitalisierung hervorruft oder vertieft.

10 Für die Gutgläubigkeit trägt der Gesellschafter die Beweislast.

11 Liegt Gutgläubigkeit vor, so besteht der Erstattungsanspruch nur insoweit, wie dies zur Befriedigung der Gesellschaftsgläubiger erforderlich ist.

IV.   Solidarhaftung (Abs. 3)

12 Fällt der zur Rückzahlung der verbotswidrigen Auszahlung verpflichtete Gesellschafter aus, so haften dessen Mitgesellschafter nach Maßgabe des Abs. 3 für den zu erstattenden Betrag soweit dieser zur Gläubigerbefriedigung erforderlich ist.

---

2   Vgl. BGH, 10.05.1993 – II ZR 74/92, NJW 1993, 1922.

3   Allgemeine Meinung: vgl. nur BGH, 29.05.2000 – II ZR 118/98, NJW 2000, 2577; Lutter/Hommelhoff in Lutter/Hommelhoff, GmbHG, § 31 Rn. 11; vertiefend Habersack in Ulmer/Habersack/Winter, GmbHG, § 31 Rn. 28 ff.

Für den Ausfall des Primärschuldners ist die Gesellschaft darlegungs- und 13
beweispflichtig. Es ist erforderlich aber auch ausreichend, dass die Gesellschaft nachweisen kann, dass der Erstattungsanspruch mit zumutbaren Mitteln nicht in angemessener Zeit realisierbar ist.

> **Beispiel:[4]**
>
> *Gesellschafter G hat das Land unter Vermögensmitnahme mit unbekanntem Ziel verlassen; über das Privatvermögen des G wurde das Insolvenzverfahren beantragt oder eröffnet; die Gesellschaft hat bereits erfolglos versucht, den Erstattungsanspruch zu vollstrecken.*

Die verschuldensunabhängige Ausfallhaftung trifft die Mitgesellschafter *pro* 14
rata ihrer Geschäftsanteile und nicht gesamtschuldnerisch. Fällt ein weiterer Mitgesellschafter aus, so haben die verbleibenden Mitgesellschafter den Ausfall ebenfalls pro rata zu tragen.

Wer Mitgesellschafter zum maßgeblichen Auszahlungszeitpunkt ist, folgt 15
aus § 16 (s. dort Rn. 5 ff.).

Grds. sind die Mitgesellschafter zum vollen Ausgleich der entgegen § 30 16
erfolgten Auszahlung verpflichtet. Im Gegensatz zur Haftung des ausgefallenen Primärschuldners ist die Ausfallhaftung der Mitgesellschafter aber auf Wertausgleich bis zur max. Wiederherstellung des Stammkapitals begrenzt.[5]

V. Erlassverbot (Abs. 4)

Der Erstattungsanspruch kann weder dem Auszahlungsempfänger des 17
Abs. 1 bzw. Abs. 2 noch den nach Abs. 3 ausfallhaftenden Mitgesellschaftern erlassen werden.

Dieses Erlassverbot umfasst wie das insoweit gleichlaufende des § 19 18
Abs. 2 Satz 1 den Erlassvertrag gem. § 397 Abs. 1 BGB und alle sonstigen Rechtsgeschäfte, welche den Erstattungsanspruch ganz oder teilweise entfallen lassen.[6]

---

4   Vgl. auch Lutter/Hommelhoff, GmbHG, § 31 Rn. 19; Habersack in Ulmer/
      Habersack/Winter, GmbHG, § 31 Rn. 53.

5   Allgemeine Meinung: vgl. nur BGH, 25.02.2002 – II ZR 196/00, NJW 2002,
      1803; Lutter/Hommelhoff, GmbHG, § 31 Rn. 23 f.; vertiefend Habersack in
      Ulmer/Habersack/Winter, GmbHG, § 31 Rn. 55.

6   Vgl. § 19 Rn. 17 ff.; vertiefend Habersack in Ulmer/Habersack/Winter,
      GmbHG, § 31 Rn. 61 ff.

19 Auch das in § 19 Abs. 2 Satz 2 enthaltene Aufrechnungsverbot gilt, vgl. hierzu die Kommentierung bei § 19 Rn. 21 ff.[7] Dies wird teilweise zwar abgelehnt,[8] folgt letztlich aber aus dem systematischen Zusammenhang zwischen Kapitalaufbringung und Kapitalerhaltung, sodass eine Aufrechnung durch den zur Erstattung verpflichteten Gesellschafter unzulässig ist.

20 Auch eine Stundungsabrede ist unwirksam. Denn die Geltendmachung des mit der Auszahlung sofort fälligen Erstattungsanspruchs des Abs. 1 liegt im Interesse des Gläubigerschutzes und duldet keinen Aufschub.[9]

VI.   Verjährung (Abs. 5)

21 Der Erstattungsanspruch gegen den Gesellschafter nach Abs. 1 und Abs. 2 verjährt in zehn Jahren; der Ausfallanspruch gegen die Mitgesellschafter in fünf Jahren.

22 Die Verjährungsfrist beginnt gem. Abs. 5 Satz 2 mit Ablauf des Tages, an welchem die verbotswidrige Auszahlung geleistet wird.

23 Der Lauf der Verjährung richtet sich nach den allgemeinen Vorschriften der §§ 194 ff. BGB. Abs. 5 Satz 3 verweist auf § 19 Abs. 6 Satz 2 und ordnet damit für den Fall der Eröffnung des Insolvenzverfahrens eine besondere Ablaufhemmung von sechs Monaten an (vgl. § 19 Rn. 49).

VII.   Haftung der Geschäftsführer (Abs. 6)

24 Adressat des Auszahlungsverbotes nach § 30 ist der bzw. sind die Geschäftsführer. Diese haften der Gesellschaft aus § 43 Abs. 1 und § 43 Abs. 3 (vgl. § 43 Rn. 22 ff.) .

25 Zudem haftet der schuldhaft gegen das Auszahlungsverbot handelnde Geschäftsführer über Abs. 6 den in die Solidarhaftung des Abs. 3 genommenen Mitgesellschaftern auf Ersatz.

26 Der Verschuldensmaßstab des Geschäftsführerhandelns einschließlich der Darlegungs- und Beweislast folgt aus § 43 (s. dort § 43 Rn. 14, 30 ff.).

27 Mehrere schuldhaft handelnde Geschäftsführer haften als Gesamtschuldner gem. §§ 421 ff. BGB.

---

7   Ebenso die h.M.: vgl. BGH, 27.11.2000 – II ZR 83/00, NJW 2001, 830; Lutter/Hommelhoff in Lutter/Hommelhoff, GmbHG, § 31 Rn. 23 f.; Habersack in Ulmer/Habersack/Winter, GmbHG, § 31 Rn. 64.

8   Roth/Altmeppen, GmbHG, § 31 Rn. 25 ff.

9   Allgemeine Ansicht: vgl. nur Habersack in Ulmer/Habersack/Winter, GmbHG, § 31 Rn. 63.

Die Verjährungsfrist des Ersatzanspruchs gegen den Geschäftsführer beträgt 28
durch den Verweis auf § 43 Abs. 4 fünf Jahre; die Verjährung beginnt mit
der Zahlung durch den nach Abs. 3 in Anspruch genommenen Mitgesellschafter.[10]

VIII. Prozessuales

Die Darlegungs- und Beweislast dafür, dass eine dem Auszahlungsverbot 29
des § 30 zuwider laufende Auszahlung erfolgte, obliegt der Gesellschaft.
Gleiches gilt für den Ausfall des Primärschuldners gem. Abs. 3. Die
Beweislast für die Gutgläubigkeit nach Abs. 2 liegt dagegen beim Leis-
tungsempfänger.

§ 32 GmbHG   Rückzahlung von Gewinnen

**Liegt die in § 31 Abs. 1 bezeichnete Voraussetzung nicht vor, so sind die
Gesellschafter in keinem Fall verpflichtet, Beträge, welche sie in gutem
Glauben als Gewinnanteile bezogen haben, zurückzuzahlen.**

I.   Einführung

Die Vorschrift schützt das Vertrauen des gutgläubigen Gesellschafters 1
hinsichtlich erhaltener Gewinnanteile, deren Auszahlung nicht gegen das
Verbot zur Erhaltung des Stammkapitals verstößt.

> *Beispiel:[1]*
>
> *Die Gesellschafterversammlung hat einen nichtigen oder anfechtbaren Beschluss
> zur Gewinnverwendung gefasst; dieser hatte allerdings keinen Einfluss auf die
> Unversehrtheit des Stammkapitals.*

Der gutgläubige Gesellschafter soll dauerhaft sicher sein, dass Rückforde- 2
rungsansprüche von nicht gegen § 30 verstoßenden Auszahlungen ausbleiben.

Maßgeblicher Zeitpunkt für die Gutgläubigkeit ist der Gewinnbezug; Gegen- 3
stand der Gutgläubigkeit ist die Ordnungsmäßigkeit des Gewinnverteilungsverfahrens. Die Gutgläubigkeit richtet sich nach § 932 BGB (§ 31 Rn. 9).

---

10   Allgemeine Ansicht: vgl. nur vertiefend Habersack in Ulmer/Habersack/Win-
    ter, GmbHG, § 31 Rn. 75.

1   Vgl. auch Lutter/Hommelhoff in Lutter/Hommelhoff, GmbHG, § 32 Rn. 1.

II. Gegenstand des Rückforderungsausschlusses

4 Der Rückforderungsausschluss umfasst ausschließlich bezogene Gewinnanteile, nicht dagegen andersartige Gewinnanteile wie Tantiemen sowie Zinsen, Vorschüsse oder eine versehentlich erfolgte 2-malige Gewinnauszahlung.

III. Rechtsfolgen

5 Liegen die Voraussetzungen des § 32 vor, so ist ein Rückforderungsanspruch ausgeschlossen. Der Gesellschafter ist nicht verpflichtet, die empfangenen Gewinnanteile an die Gesellschaft zurückzuerstatten.

6 Dies gilt nicht für Rückforderungsansprüche, die aus Mängeln außerhalb des Gewinnverteilungsverfahrens resultieren; diese Ansprüche – etwa aus den §§ 814, 818 Abs. 3 BGB – bleiben unberührt.

IV. Prozessuales

7 Die Beweislast für ihre Gutgläubigkeit tragen die Gesellschafter, wobei sie sich auf den formell ordnungsgemäßen Ablauf des Gewinnverteilungsverfahrens berufen können.[2]

§§ 32a, 32b GmbHG [weggefallen]

1 Die Thematik der kapitalersetzenden Darlehen wurden neu in §§ 39, 44a InsO verortet, sodass § 32a aufgehoben werden konnte.

2 Die frühere Regelung zur Haftung für zurückgezahlte Regelungen nach § 32b wurde aufgehoben und in §§ 135, 143 Abs. 3 InsO neu geregelt.

§ 33 GmbHG   Erwerb eigener Geschäftsanteile

(1) Die Gesellschaft kann eigene Geschäftsanteile, auf welche die Einlagen noch nicht vollständig geleistet sind, nicht erwerben oder als Pfand nehmen.

(2) [1]Eigene Geschäftsanteile, auf welche die Einlagen vollständig geleistet sind, darf sie nur erwerben, sofern der Erwerb aus dem über den Betrag des Stammkapitals hinaus vorhandenen Vermögen geschehen und die Gesellschaft die nach § 272 Abs. 4 des Handelsgesetzbuchs vorgeschriebene Rücklage für eigene Anteile bilden kann, ohne das Stammkapital oder eine nach dem Gesellschaftsvertrag zu bildende Rücklage zu mindern, die nicht zu Zahlungen an die Gesellschafter verwandt werden darf. [2]Als Pfand nehmen darf sie solche Geschäfts-

---

2   Lutter/Hommelhoff in Lutter/Hommelhoff, GmbHG, § 32 Rn. 8.

anteile nur, soweit der Gesamtbetrag der durch Inpfandnahme eigener Geschäftsanteile gesicherten Forderungen oder, wenn der Wert der als Pfand genommenen Geschäftsanteile niedriger ist, dieser Betrag nicht höher ist als das über das Stammkapital hinaus vorhandene Vermögen. ³Ein Verstoß gegen die Sätze 1 und 2 macht den Erwerb oder die Inpfandnahme der Geschäftsanteile nicht unwirksam; jedoch ist das schuldrechtliche Geschäft über einen verbotswidrigen Erwerb oder eine verbotswidrige Inpfandnahme nichtig.

(3) Der Erwerb eigener Geschäftsanteile ist ferner zulässig zur Abfindung von Gesellschaftern nach § 29 Abs. 1, § 122i Abs. 1 Satz 2, § 125 Satz 1 in Verbindung mit § 29 Abs. 1, § 207 Abs. 1 Satz 1 des Umwandlungsgesetzes, sofern der Erwerb binnen sechs Monaten nach dem Wirksamwerden der Umwandlung oder nach der Rechtskraft der gerichtlichen Entscheidung erfolgt und die Gesellschaft die nach § 272 Abs. 4 des Handelsgesetzbuchs vorgeschriebene Rücklage für eigene Anteile bilden kann, ohne das Stammkapital oder eine nach dem Gesellschaftsvertrag zu bildende Rücklage zu mindern, die nicht zu Zahlungen an die Gesellschafter verwandt werden darf.

I. Einführung

Die Vorschrift verbietet in Abs. 1 den originären Erwerb eigener Gesell- 1
schaftsanteile durch die Gesellschaft bei Gründung und Kapitalerhöhung und dient somit dem Kapitalschutz und der Sicherung der Kapitalaufbringung. Abs. 2 und 3 ermöglichen den derivativen Erwerb eigener Geschäftsanteile unter bestimmten Voraussetzungen.

Die Regelung ist **zwingendes Recht**, kann also im Gesellschaftsvertrag 2
weder ausgeschlossen noch abgeschwächt werden.

Die Regelungen der §§ 21 ff. über die Kaduzierung von Geschäftsanteilen 3
gehen § 33 als *leges speciales* vor.

II. Erwerbsverbot nicht voll eingezahlter Anteile (Abs. 1)

4   Jeglicher – auch unentgeltlicher oder sonst wirtschaftlich vorteilhafter – Erwerb eigener Geschäftsanteile durch die Gesellschaft ist gem. § 134 BGB nichtig, solange die Stammeinlage – gleich aus welchen Gründen – noch nicht vollständig erbracht ist.

5   Bei der Frage nach der vollständigen Erbringung der Stammeinlage kommt es allein auf die objektive Rechtslage und nicht auf die Kenntnis bzw. Unkenntnis der Beteiligten an.

6   Die Nichtigkeit erstreckt sich sowohl auf das schuldrechtliche Verpflichtungs- als auch auf das sachenrechtliche Verfügungsgeschäft. Der Gesellschafter bleibt Schuldner der fehlenden Einlage und hat einen von der Gesellschaft ggf. erhaltenen Kaufpreis über §§ 812 ff. BGB zurückzugewähren.[1]

> *Beispiel:*
>
> *Gesellschafter A hat die von ihm übernommene Einlage i.H.v. 10.000 € noch nicht erbracht. Wenn nun die Gesellschaft diese Einlage von A mittels Kaufvertrag erwirbt, so ist dieser aufgrund § 33 Abs. 1 gem. § 134 BGB nichtig. A hat den Kaufpreis gem. § 812 Abs. 1 Satz 1, 1. Alt. (Leistungskondiktion) an die Gesellschaft zurück zu erstatten.*

7   Leistet die Gesellschaft die Zahlung aus dem nach § 30 gebundenen Vermögen so greift neben den bereicherungsrechtlichen Vorschriften § 31 ein (s. dazu § 30 Rn. 7 ff.).

8   Auch ein gutgläubiger Erwerb durch einen Dritten ist nicht möglich, da die Gesellschaft bei Eingreifen des Erwerbsverbots nicht Inhaberin des Geschäftsanteils werden kann.

> *Beispiel:*
>
> *Hat die Gesellschaft im obigen Fall den Anteil an den Dritten D veräußert so hat dieser den Anteil nicht erworben – denn die Gesellschaft war nie Inhaberin des Geschäftsanteils. Auf den guten Glauben des D kommt es insoweit nicht an.*

III. Erwerb voll eingezahlter Anteile (Abs. 2)

9   Ist die Stammeinlage vollständig geleistet, so kann die Gesellschaft eigene Gesellschaftsanteile grundsätzlich wirksam erwerben, wenn die in Abs. 2 genannten beiden Voraussetzungen vorliegen:

- Die Gesellschaft darf für den Erwerb kein nach § 30 gebundenes Vermögen einsetzen,[2]

---

1   Vgl. BGH, 22.09.2003 – II ZR 74/01, NJW 2004, 365.

2   Hierzu zuletzt BGH, 19.06.2000 – II ZR 73/99, NJW 2000, 2819.

- Die Gesellschaft muss gem. § 272 Abs. 4 HGB im nächsten Jahresabschluss aus freien Mitteln eine bilanzielle Rücklage bilden und ausweisen.

Maßgeblicher Zeitpunkt für das Vorliegen beider Tatbestandsvoraussetzun- 10
gen ist der Zeitpunkt der Erbringung der Gegenleistung der Gesellschaft
(i.d.R. also die Zahlung des Erwerbspreises).[3]

> *Beispiel:*
>
> *Erwirbt die Gesellschaft von Gesellschafter A dessen Anteil zu einem Kaufpreis*
> *von 10.000 €, so darf zum Zeitpunkt der Erbringung der Gegenleistung (Zahlung)*
> *die Kaufpreiszahlung nicht aus dem Stammkapital erfolgen und die nach § 272*
> *Abs. 4 HGB zu bildende Rücklagenbildung muss möglich sein.*

1. Kein Einsatz gebundenen Vermögens

Die Gesellschaft darf für den Erwerb kein nach § 30 gebundenes Vermögen 11
einsetzen.[4]

Gebunden ist das Vermögen, das nicht ohne Herbeiführen oder Vertiefen 12
einer Unterbilanz oder Unterkapitalisierung ausgezahlt werden kann (§ 30
Rn. 7 ff.).

> *Beispiel:*
>
> *Die Gesellschaft verfügt über ein Stammkapital von 25.000 €. Das Gesellschafts-*
> *vermögen beträgt insgesamt 30.000 €. Zum Erwerb von eigenen Anteilen dürfen*
> *25.000 € keinesfalls eingesetzt werden. Die das Stammkapital übersteigenden*
> *5.000 € können eingesetzt werden, wenn sie „frei", d.h. ausschüttungsfähig sind.*

Handelt die Gesellschaft diesem Verbot zuwider treten die Folgen des § 31 13
ein, sodass die Zahlung zurückzufordern ist (s. dort Rn. 3 ff.).

2. Bilanzieller Ausweis

Die Gesellschaft muss zudem gem. § 272 Abs. 4 HGB in ihrem nächsten 14
Jahresabschluss aus freien Mitteln (Jahresüberschuss, Gewinnvortrag, freie
Rücklagen) auf der Passivseite eine besondere Rücklage für eigene Anteile
bilden.

Auf der Aktivseite ist der erworbene Anteil als eigene Bilanzposition gem. 15
§ 286 Abs. 2 Buchst. b) Nr. 3 Nr. 2 HGB auszuweisen.[5]

---

3   Allgemeine Meinung: vgl. nur BGH, 29.06.1998 – II ZR 353/97, NJW 1998,
     3121; BGH, 30.09.1996 – II ZR 51/95, NJW 1996, 196; vertiefend Hohner/
     Paura in Ulmer/Habersack/Winter, GmbHG, § 33 Rn. 47 f.

4   Vgl. BGH, 30.09.1996 – II ZR 51/95, NJW 1996, 196, 197.

5   Vertiefend Roth/Altmeppen, GmbHG, § 33 Rn. 16 ff.

3.   Rechtsfolgen

16   Ausweislich der Regelung des Abs. 2 Satz 3 führt der verbotene Einsatz gebundenen Vermögens oder das Fehlen des bilanziellen Ausweises „nur" zur Unwirksamkeit des schuldrechtlichen Verpflichtungsgeschäfts, wogegen die ggf. bereits erfolgte dingliche Übereignung wirksam ist.

17   Eine ggf. bereits vorgenommene Übereignung ist daher neben § 31 auch nach Bereicherungsrecht gem. §§ 812 ff. BGB rückabzuwickeln. Die Gesellschaft muss den verbotswidrig erworbenen Geschäftsanteil an den Gesellschafter zurückabtreten (und zwar Zug um Zug gegen Rückzahlung des rechtsgrundlos geleisteten Kaufpreises).[6]

IV.   Inpfandnahme voll eingezahlter Anteile (Abs. 2 Satz 2)

18   Auch für die Inpfandnahme voll eingezahlter Anteile gilt, dass das gebundene Vermögen nicht angetastet werden darf.

19   Ist freies Vermögen vorhanden, so ist die Inpfandnahme wirksam; ist kein oder kein ausreichendes freies Vermögen vorhanden so ist die Inpfandnahme dinglich wirksam aber schuldrechtlich nichtig und gem. §§ 812 ff. BGB rückabzuwickeln.

V.   Erwerb nach Abs. 3

20   Erfolgt der Erwerb im Rahmen einer gesellschaftsrechtlichen Umwandlung in der Form der Verschmelzung, der Spaltung oder des Formwechsels nach dem UmwG, so ermöglicht Abs. 3, dass innerhalb einer 6-monatigen Frist nach Umwandlung bzw. Rechtskraft der Entscheidung auch nicht voll eingezahlte Anteile durch die Gesellschaft erworben werden können.

21   Dazu ist erforderlich, dass im Umwandlungsfall die Gesellschaft zum Zeitpunkt der Erbringung ihrer Gegenleistung in der Lage ist, die bilanzielle Kapitalrücklage gem. § 272 Abs. 4 HGB zu bilden ohne das Stammkapital oder gesellschaftsvertraglich geschützte Rücklagen anzugreifen.

22   Die Zahlung darf entgegen einer in der Literatur vertretenen Ansicht[7] auch bei Abs. 3 nicht aus gebundenem Vermögen erfolgen. Dies folgt zum einen aus dem Sinn und Zweck der Kapitalerhaltungsregelungen und zum anderen aus dem Wortlaut des Abs. 3 letzter Halbs.[8]

---

6   Vertiefend zum Verhältnis § 31 zu §§ 812 ff. BGB Hohner/Paura in Ulmer/ Habersack/Winter, GmbHG, § 33 Rn. 56 ff.

7   Vgl. Lutter/Hommelhoff in Lutter/Hommelhoff, GmbHG, § 33 Rn. 12; ähnlich auch Sosnitza in Michalski, GmbHG, § 33 Rn. 42.

8   So auch die h.M.: vgl. Roth/Altmeppen, GmbHG, § 33 Rn. 42; Hohner/Paura in Ulmer/Habersack/Winter, GmbHG, § 33 Rn. 69.

VI.   Zuständigkeit und Wirkung

Der Erwerb eigener Anteile verändert die internen Machtstrukturen der   23
Gesellschaft. Denn die Mitgliedschaftsrechte aus gesellschaftseigenen
Anteilen „ruhen", sind also bspw. bei der Gewinnverteilung nicht mitzurech-
nen und geben auch kein Stimmrecht.[9] Folglich erhöhen sich die prozentua-
len Anteile der verbleibenden Gesellschafter.

Für den Erwerb zuständig sind der bzw. die Geschäftsführer. Diese müssen   24
nach einer verbreiteten Auffassung[10] keine vorherige Zustimmung der
Gesellschafterversammlung einholen, können von dieser aber jederzeit
durch einen mit einfacher Mehrheit zu fassenden Beschluss entsprechend
angewiesen werden, einen Erwerb vorzunehmen oder zu unterlassen.

Dieser Ansicht kann nicht gefolgt werden. Da der Erwerb eigener Anteile zu
einer Verschiebung der internen Machtstrukturen durch Erhöhung der pro-
zentualen Anteile der verbleibenden Gesellschafter führt, ist ein legitimierender Gesellschafterversammlungsbeschluss mit qualifizierter Mehrheit
von 3/4 der Stimmen einzuholen.[11]

> **Praxistipp:**
>
> Die Geschäftsführer sind zur Vermeidung von Haftungsrisiken und zur
> Vermeidung von Streitigkeiten mit den verbleibenden Gesellschaftern
> gut beraten, auf einen solchen Beschluss zu bestehen.

Der von der Gesellschaft erworbene Geschäftsanteil ist in der Bilanz der   25
Gesellschaft auszuweisen. Er kann jederzeit wieder veräußert werden, wobei
auch hierfür ein legitimierender Beschluss der Gesellschafterversammlung
einzuholen ist, welcher spiegelbildlich zum Erwerbsbeschluss einer qualifizierten Mehrheit von 3/4 bedarf.

§ 34 GmbHG   Einziehung von Geschäftsanteilen

**(1) Die Einziehung (Amortisation) von Geschäftsanteilen darf nur
erfolgen, soweit sie im Gesellschaftsvertrag zugelassen ist.**

---

9   Andere Ansicht BGH, 30.01.1995 – II ZR 45/94, NJW 1995, 1027; Hohner/
     Paura in Ulmer/Habersack/Winter, GmbHG, § 33 Rn. 74.

10   Vgl. Lutter/Hommelhoff in Lutter/Hommelhoff, GmbHG, § 33 Rn. 15; Sos-
     nitza in Michalski, GmbHG, § 33 Rn. 24.

11   Ebenso Hohner/Paura in Ulmer/Habersack/Winter, GmbHG, § 33 Rn. 41.

(2) Ohne die Zustimmung des Anteilsberechtigten findet die Einziehung nur statt, wenn die Voraussetzungen derselben vor dem Zeitpunkt, in welchem der Berechtigte den Geschäftsanteil erworben hat, im Gesellschaftsvertrag festgesetzt waren.

(3) Die Bestimmung in § 30 Abs. 1 bleibt unberührt.

I. Einführung

1 Die Vorschrift regelt die Einziehung (Amortisation) von Geschäftsanteilen mit (Abs. 1) oder ohne Zustimmung (Abs. 2) des Geschäftsanteilsinhabers.

2 Beide Arten der Einziehung setzen eine entsprechende gesellschaftsvertragliche Regelung zwingend voraus. Fehlt also eine die Einziehung vorsehende Satzungsregelung, so kann diese auch nicht erfolgen. § 34 ist **zwingendes Recht**, kann also im Gesellschaftsvertrag weder ausgeschlossen noch abgeschwächt werden.

3 Insbesondere die unfreiwillige „Zwangseinziehung" hat eine hohe Praxisrelevanz, da sie der Gesellschaftermehrheit neben dem Ausschluss aus wichtigem Grund die Möglichkeit gibt, sich von unliebsamen Mitgesellschaftern zu trennen.

4 Die Einziehung führt zum Untergang des Geschäftsanteils. Das Stammkapital bleibt hiervon unberührt.

5 Große praktische Bedeutung kommt der Abfindungshöhe im Fall der Einziehung oder des Ausschlusses zu, da die Rechtsprechung die hierzu vereinbarten Satzungsregelungen nicht per se anerkennt, sondern eine ergänzende Vertragsauslegung vornimmt.

II. Freiwillige Einziehung (Abs. 1 und 3)

6 Die freiwillige Einziehung bedarf als Voraussetzung in jedem Fall einer entsprechenden gesellschaftsvertraglichen Grundlage.

Soll die Satzung nachträglich um eine entsprechende Regelung ergänzt 7
werden, so ist dies nur durch entsprechenden Beschluss der Gesellschafterversammlung möglich.

Die wohl noch h.M.[1] verlangt für die nachträgliche Satzungsänderung 8
Einstimmigkeit. Eine in der Literatur stark vertretene Ansicht lässt hingegen
zu Recht 3/4-Mehrheit genügen, da diese qualifizierte Mehrheit gem. § 53
Abs. 2 grds. für Satzungsänderungen gilt und der Verweis auf § 53 Abs. 3
für den Fall der nachträglichen Satzungsänderung betreffend Einziehung
nicht überzeugt.[2] Schließlich ist eine freiwillige Einziehung ohne Zustimmung des betroffenen Gesellschafters per se undenkbar, sodass das Bestehen
auf einen einstimmigen Beschluss bloße „Förmelei" ist.

Das für den eingezogenen Anteil zu zahlende Entgelt (die „Abfindung" – 9
hierzu unten Rn. 27 ff.) muss gem. Abs. 3 aus dem gem. § 30 ungebunde-
nen Vermögen der Gesellschaft zahlbar sein. Andernfalls treten die strengen
Rechtsfolgen des § 31 ein (vgl. dazu § 31 Rn. 36 f.).

Der von der Einziehung betroffenen Gesellschafter muss der Einziehung 10
gem. §§ 182 ff. BGB zustimmen. Anderenfalls liegt kein Fall der freiwilligen Einziehung vor. Die Zustimmung ist grds. formlos möglich; die Formvorschriften des § 25 Abs. 3 und Abs. 4 gelten nicht.

III. Zwangseinziehung (Abs. 2)

Die Zwangseinziehung erfordert eine entsprechende gesellschaftsvertragli- 11
che Grundlage sowie einen auf dieser basierenden Gesellschafterbeschluss.

1. Satzungsgrundlage

Auch die unfreiwillige Zwangseinziehung erfordert in jedem Fall eine 12
entsprechende Satzungsregelung. Diese Regelung muss bereits zum Zeitpunkt des Erwerbs des nunmehr einzuziehenden Geschäftsanteils durch den
betroffenen Gesellschafter mit hinreichender Bestimmtheit in der Satzung
niedergelegt gewesen sein

Eine nachträgliche Änderung der Satzung zur Einführung einer Einzie- 13
hungsmöglichkeit gegen den Willen des betroffenen Gesellschafters bedarf
nach insoweit richtiger Ansicht der Zustimmung aller Gesellschafter.[3] Da

---

1   Vgl. Lutter/Hommelhoff in Lutter/Hommelhoff, GmbHG, § 34 Rn. 9 m.w.N.

2   Wie hier: Ulmer in Ulmer/Habersack/Winter, GmbHG, § 34 Rn. 16 ff.; Alt-
    meppen in Roth/Altmeppen, GmbHG, § 34 Rn. 8.

3   Vgl. Lutter/Hommelhoff, GmbHG, § 34 Rn. 16; Altmeppen in Roth/Altmep-
    pen, GmbHG, § 34 Rn. 9; Sosnitza in Michalski, GmbHG, § 34 Rn. 31.

der zwangsweise Ausschluss in den Kernbereich des gesellschaftsrechtlichen Mitgliedschaftsrechts eingreift ist die Gegenansicht,[4] die auch hier eine 3/4-Mehrheit genügen lässt, abzulehnen.

14   Die nachträgliche Satzungsänderung muss zudem in das Handelsregister eingetragen werden; anderenfalls ist sie (noch) nicht wirksam.[5]

15   Die Satzungsregelung muss so hinreichend konkret formuliert sein, dass das Vorliegen der zwangsweisen Einziehungsvoraussetzungen gerichtlich nachprüfbar ist.

> **Praxistipp:**
>
> Es empfiehlt sich daher, die Voraussetzungen in der Satzung exakt festzulegen und bloße plakative Umschreibungen zu vermeiden.[6]

Beispiele:

Die Einziehung des Geschäftsanteils eines Gesellschafters ist auch ohne Zustimmung des Betroffenen zulässig, wenn über dessen Vermögen ein Insolvenzverfahren eröffnet wird.

Die Einziehung des Geschäftsanteils eines Gesellschafters ist auch ohne Zustimmung des Betroffenen zulässig, wenn dieser gegen das in § xx geregelte Wettbewerbsverbot verstößt.

16   Im Zweifel sind Einziehungsklauseln eng auszulegen; eine ohne wirksame Satzungsregelung oder ohne Vorliegen der Voraussetzungen erfolgte Einziehung ist wirkungslos.

2.   Beschluss der Gesellschafterversammlung

17   Des Weiteren ist ein Beschluss der Gesellschafterversammlung erforderlich.

18   Enthält die Satzung keine Regelung über das Mehrheitserfordernis so genügt gem. § 47 Abs. 1 grds. die einfache Mehrheit der abgegebenen Stimmen.

19   Ob der betroffene Gesellschafter bei der Beschlussfassung stimmberechtigt ist, kann ebenfalls durch die Satzung bestimmt werden.

---

4   Vgl. etwa Ulmer in Ulmer/Habersack/Winter, GmbHG, § 34 Rn. 64 mit nicht überzeugendem Verweis auf BGH, 16.12.1991 – II ZR 58/91, NJW 1992, 892.

5   Vgl. BGH, 25.09.2006 – II ZR 235/05.

6   Vgl. die Muster in Rn. 51 ff.; instruktiv auch BGH, 20.09.1999 – II ZR 345/97, NJW 1999, 3779.

Fehlt eine einschlägige Satzungsregelung, so bemisst sich das Stimmrecht 20
des betroffenen Gesellschafters nach § 47 Abs. 4. Hiernach ist der Gesellschafter jedenfalls dann mit seinem Stimmrecht ausgeschlossen, wenn die
Einziehung aus einem wichtigen Grund in der Person des Gesellschafters
erfolgt.[7]

Beispiel:

*Der Gesellschafter hat entgegen dem Wettbewerbsverbot der Gesellschaft durch
„private" Geschäfte Konkurrenz gemacht.*

In anderen Fällen ist der Stimmrechtsausschluss dagegen zweifelhaft (s. 21
dazu § 47 Rn. 27).

In jedem Fall hat der betroffene Gesellschafter aber das Recht, an der 22
Gesellschafterversammlung teilzunehmen und vor der Beschlussfassung
Stellung zu nehmen.

IV. Rechtsfolge der Einziehung

Die Einziehung vernichtet den Geschäftsanteil mit allen seinen Rechten und 23
Pflichten inklusive etwaiger Rechte Dritter.

Dies führt allerdings nicht zu einer Änderung des Stammkapitals der Gesell- 24
schaft; dieses bleibt gleich. Es entsteht also zunächst eine Diskrepanz
zwischen Stammkapital und der Summe der verbliebenen Geschäftsanteile.

Beispiel:

*An der Gesellschaft sind die Gesellschafter A, B, C und D mit je 15.000 € beteiligt.
Das Stammkapital beträgt also 60.000 €; die Beteiligungsquote jedes Gesellschafters beträgt 25 %.*

*Wird der Anteil des D eingezogen, so beträgt das Stammkapital unverändert
60.000 €. Die Beteiligungsquote von A, B und C beträgt nunmehr je 33,33 %.*

Fraglich ist, wie nun diese Diskrepanz zwischen Nennbeträgen (im Beispiel 25
„nur" noch 45.000 €) und Stammkapital (unverändert 60.000 €) auszugleichen ist. Nach richtiger, allerdings nur minderheitlich vertretener Auffassung erhöhen sich die Anteile der verbliebenen Gesellschafter automatisch
pro rata ohne dass es weiterer Schritte bedarf.[8]

Beispiel:

*Im obigen Fall führt die Einziehung des Anteils des D dazu, dass sich die Anteile
von A, B und C um je 5.000 € auf dann 20.000 € erhöhen.*

---

7   Allgemeine Meinung vgl. nur Lutter/Hommelhoff in Lutter/Hommelhoff,
     GmbHG, § 34 Rn. 21; Ulmer in Ulmer/Habersack/Winter, GmbHG, § 34
     Rn. 52.

8   Wie hier Lutter/Hommelhoff in Lutter/Hommelhoff, GmbHG, § 34 Rn. 3.

26   Die herrschende Lehre[9] fordert dagegen einen mit einfacher Mehrheit zu fassenden förmlichen „Anpassungsbeschluss", dem aber nur deklaratorische Bedeutung zukommt, da es sich aufgrund des unveränderten Stammkapitals heute unstreitig nicht um eine Satzungsänderung handelt.[10] Auch einer Anmeldung dieses Beschlusses bedarf es nach der h.L. nicht.

V.   Abfindung

1.   Abfindungshöhe

27   Die Höhe der Abfindung ist primär der Satzung zu entnehmen.

28   Enthält der Gesellschaftsvertrag keine Regelung über die Abfindungshöhe, so ist grds. der Verkehrswert maßgeblich.[11] Dieser Grundsatz gilt auch, wenn die Satzungsregelung nichtig ist.

29   Der Verkehrswert ist i.d.R. durch ein Sachverständigengutachten nach der sog. Ertragswertmethode zu bestimmen (vgl. § 14 Rn. 11).[12]

30   Enthält die Satzung eine Beschränkung der Abfindungshöhe oder gar einen Abfindungsausschluss, so ist dies grds. zulässig.

31   Die Rechtsprechung[13] überprüft die Satzungsregelung jedoch anhand § 138 BGB, sodass die Abfindungsklausel nichtig ist, wenn sie außer Verhältnis zum „wahren" Wert des Geschäftsanteiles steht. Folge der Nichtigkeit ist dann wiederum die Abfindung zum Verkehrswert.[14]

---

9   Für die h.M. vgl. Ulmer in Ulmer/Habersack/Winter, GmbHG, § 34 Rn. 68 ff.; Sosnitza in Michalski, GmbHG, § 34 Rn. 115;.

10   Vgl. BGH, 06.06.1988 – II ZR 318/87, NJW 1989, 168.

11   Allgemeine Meinung vgl. nur BGH, 13.06.1994 – II ZR 38/93, NJW 1994, 2536; BGH, 20.09.1993 – II ZR 104/92, NJW 1993, 3193; BGH, 24.05.1993 – II ZR 36/92, NJW 1993, 2101; BGH, 16.12.1991 – II ZR 58/91, NJW 1992, 892; Wachter in Wachter, FA Handels- und Gesellschaftsrecht, Teil 2, 2. Kap. Rn. 395.

12   Vertiefend Ulmer in Ulmer/Habersack/Winter, GmbHG, § 34 Rn. 81 ff.

13   BGH, 13.06.1994 – II ZR 38/93, NJW 1994, 2536; BGH, 16.12.1991 – II ZR 58/91, NJW 1992, 892; BGH, 24.05.1993 – II ZR 36/92, NJW 1993, 2101; ebenso die h.L. vgl. Lutter/Hommelhoff in Lutter/Hommelhoff, GmbHG, § 34 Rn. 52 ff.

14   Vgl. Wachter in Wachter, FA Handels- und Gesellschaftsrecht, Teil 2, 2. Kap. Rn. 150.

Auch eine bei der Aufnahme in die Satzung zunächst gültige Abfindungs- 32
regelung ist nach der Rechtsprechung im Wege der ergänzenden Vertragsauslegung über § 242 BGB anzupassen, wenn im zeitlichen Verlauf der
„wahre" Wert des Anteils eine erhebliche Diskrepanz zu der satzungsgemä-
ßen Abfindungshöhe aufweist.[15]

Insgesamt führt die Rechtsprechung zur Wirksamkeit von Abfindungsklau- 33
seln in der Praxis zu der unerfreulichen Situation, dass sowohl Klauseln
unwirksam sind, die sich „zu weit" vom Verkehrswert entfernen als auch
Klauseln, die ursprünglich wirksam waren, im Laufe der Zeit unwirksam
werden können.

> **Praxistipp** 34
>
> Zu empfehlen sind daher zum einen Klauseln, die sich am Verkehrs-
> wert orientieren – diesen aber im Interesse des Fortbestands der Gesell-
> schaft mit einem prozentualen Abschlag versehen. Zum anderen dyna-
> mische Klauseln, die sich an die Wertentwicklung der Geschäftsanteile
> anpassen.

Beispiel:

*„Von dem gem. vorstehender Regelung zu ermittelnden Verkehrswert ist zur
Sicherung des Bestands der Gesellschaft ein Abschlag i.H.v. 10 % zu machen."*

2. Auszahlungsmodalitäten

Die strenge Rechtsprechung zur Wirksamkeit von Abfindungsklauseln führt 35
dazu, dass Regelungen, die sich (zu weit) vom Verkehrswert entfernen,
einem hohen Risiko der Nichtigkeit aufgrund § 138 BGB unterliegen.

Ist aber der Verkehrswert (aufgrund Satzungsregelung oder aufgrund Urteil) 36
maßgeblich, so führt der damit verbundene Liquiditätsabfluss in vielen
Fällen zu einer existenzbedrohenden Krise der Gesellschaft.

Dem kann durch die Regelung der Zahlungsmodalitäten zumindest teilweise 37
sinnvoll entgegengewirkt werden, indem die Abfindungszahlungen über
Stundungs- oder Ratenvereinbarungen gestaffelt werden (s.u. Muster
Rn. 52).

Beispiel:

*„Der sich nach oben genanntem § xx ergebende Abfindungsbetrag ist in fünf
gleichen Jahresraten, jeweils zum 31.12. eines Jahres zu bezahlen. Die Verzinsung
erfolgt ab Fälligkeit mit 5 % über dem Basiszinssatz."*

---

15   BGH, 20.09.1993 – II ZR 104/92, NJW 1993, 3193; BGH, 13.06.1994 – II ZR
      38/93, NJW 1994, 2536.

38   Der BGH hat einer Zahlungsstreckung über einen Zeitraum von 15 Jahren die Wirksamkeit versagt; die Wirksamkeit einer Zahlungsstreckung über zehn Jahre dagegen offen gelassen.[16]

39   In der Literatur wird zu Recht überwiegend eine Zahlungsstreckung über einen Zeitraum von bis zu fünf Jahren als unkritisch betrachtet. Dem ist aus Gründen der Rechtssicherheit zu folgen.

VI.   Ausschluss aus wichtigem Grund

40   Enthält die Satzung keine Regelung über die Einziehung, so bleibt dennoch der Ausschluss eines Gesellschafters aus wichtigem Grund zulässig.

41   Erforderlich ist hierfür, dass die Fortsetzung des Gesellschafterverhältnisses für die übrigen Gesellschafter unzumutbar ist. Ein Verschulden des auszuschließenden Gesellschafters ist dabei nicht erforderlich.

Beispiele:

Gesellschafter A belästigt wiederholt und uneinsichtig Mitarbeiterinnen in sexuell anzüglicher Art und Weise.

Gesellschafter B überzieht die Mitgesellschafter mehrfach grundlos mit Strafanzeigen. Hat der Gesellschafter dagegen vor Erhebung einer Strafanzeige vergeblich versucht, die Probleme innergesellschaftlich zu lösen sowie den Sachverhalt sorgfältig geprüft und weder leichtfertig noch wider besseres Wissen gehandelt, ist eine Einziehung nicht gerechtfertigt.[17]

Gesellschafter C hat einen Betrugsversuch zulasten der Gesellschaft begangen.

42   Sind mildere Mittel als der Ausschluss vorhanden, um den Missstand zu beseitigen so sind diese vorrangig; der Ausschluss ist immer ultima ratio.

43   Die Durchführung des Ausschlusses erfordert zunächst einen Beschluss der Gesellschafterversammlung, der vorbehaltlich einer anderen Satzungsregelung mit 3/4-Mehrheit gem. § 60 Abs. 1 Nr. 2 zu fassen ist.[18]

44   Der auszuschließende Gesellschafter hat bei der Beschlussfassung gem. § 47 Abs. 4 kein Stimmrecht.[19]

---

16   BGH, 09.01.1989 – II ZR 83/88, NJW 1989, 2685.

17   So ausdrücklich BGH, 24.02.2003 – II ZR 243/02, NJW-RR 2003, 897.

18   Vgl. BGH, 13.01.2003 – II ZR 227/00, NJW 2003, 2314.

19   Allgemeine Meinung nur vgl. BGH, 13.01.2003 – II ZR 227/00, NJW 2003, 2314.

Anschließend ist durch die Gesellschaft eine Ausschlussklage zu erheben.[20] 45
Im Urteil ist die Höhe der Abfindung nach den oben dargestellten Grundsätzen festzusetzen.

VII. Austritt eines Gesellschafters

Auch ohne Satzungsregelung ist der umgekehrte Fall des Ausschlusses, 46
nämlich der freiwillige Austritt eines Gesellschafters zulässig, wenn dieser
hierfür einen wichtigen Grund hat.

Das Aufrechterhalten der Gesellschafterstellung muss dem Gesellschafter 47
unzumutbar sein; eine andere Form der Beendigung weder zumutbar noch
möglich.

> *Beispiele:*
>
> *Gesellschafter A verlegt seinen Wohnsitz und regelmäßigen Aufenthaltsort nach Kanada.*
>
> *Gesellschafter B gerät unverschuldet derart in eine finanzielle Notlage, dass nur die Verwertung seines Geschäftsanteils zu einer Abwendung der Insolvenz führt.*
>
> *Die Mehrheitsgesellschafter C und D verhindern durch nicht gebotene Thesaurierungsbeschlüsse systematisch und dauerhaft eine Ausschüttung von Gewinnen, um den Minderheitsgesellschafter E finanziell auszuhungern.*

Die Durchführung des Austritts erfordert zunächst (nur) eine entsprechende 48
Erklärung des austrittswilligen Gesellschafters. Diese bewirkt – bei Vorliegen eines den Austritt rechtfertigenden wichtigen Grundes –, dass die
Gesellschaft zur Zahlung einer Abfindung verpflichtet ist.

Bestreitet die Gesellschaft das Vorliegen eines wichtigen Grundes bzw. 49
zahlt sie keine oder eine nach Ansicht des Gesellschafters zu niedrige
Abfindung, kann dieser Zahlungsklage erheben.

Das Gericht hat dann über das Vorliegen des den Austritt rechtfertigenden 50
Grundes sowie die Höhe der Abfindung nach den oben dargestellten Grundsätzen zu entscheiden.

---

20 Allgemeine Meinung nur vgl. BGH, 20.09.1999 – II ZR 345/97, NJW 1999,
    3779; vertiefend Ulmer in Ulmer/Habersack/Winter, GmbHG, Anh. § 34
    Rn. 21.

VIII. Muster

1.   Einziehungsregelung

51 § ..... Einziehung von Geschäftsanteilen

---

(1) Mit Zustimmung des betroffenen Gesellschafters ist die Einziehung von Geschäftsanteilen jederzeit zulässig.

(2) Der Zustimmung des betroffenen Gesellschafters bedarf es nicht, wenn:

    a. über dessen Vermögen das Insolvenzverfahren eröffnet ist und nicht innerhalb von drei Monaten wieder aufgehoben wird oder die Eröffnung wegen Masselosigkeit abgelehnt wird,

    b. ein Gläubiger des Gesellschafters Zwangsvollstreckungsmaßnahmen in den Geschäftsanteil vornimmt und diese nicht innerhalb von drei Monaten aufgehoben werden,

    c. der Gesellschafter seinen Austritt aus der Gesellschaft erklärt,

    d. in der Person des Gesellschafters ein wichtiger Grund vorliegt, welcher die Fortsetzung der Gesellschaft unzumutbar macht.

(3) Über die Einziehung nach Abs. 2 hat die Gesellschafterversammlung mit qualifizierter Mehrheit von 3/4 der abgegebenen Stimmen zu entscheiden; der betroffene Gesellschafter ist vom Stimmrecht ausgeschlossen.

(4) Dem betroffenen Gesellschafter steht eine Abfindung nach Maßgabe des nachfolgenden § ..... zu.

---

2.   Abfindungsregelung

52

---

§ ..... **Abfindung**

(1) Bei einer Einziehung oder Übertragung eines Geschäftsanteils ist eine Abfindung i.H.d. anteiligen Unternehmenswertes nach folgender Regelung zu bezahlen.

(2) Sofern sich die Parteien nicht auf einen Wert einigen erfolgt die Ermittlung des Unternehmenswerts anhand einer Unternehmensbewertung durch einen Sachverständigen nach den geltenden Bewertungsgrundsätzen des Instituts der Wirtschaftsprüfer.

(3) Sofern sich die Beteiligten nicht auf einen Sachverständigen einigen können ist dieser auf Antrag einer Partei von der örtlichen

---

Industrie- und Handelskammer zu bestimmen. Die Kosten der Unternehmensbewertung tragen die Parteien jeweils zur Hälfte.

(4) Die Abfindung ist in fünf gleichen Jahresraten, jeweils fällig zum 01.01. zu bezahlen; die erste Rate ist zum 01.01. des auf die Einziehung bzw. Übertragung folgenden Jahres fällig. Die Raten sind mit 5 % über dem jeweiligen Diskontzinssatz zu verzinsen.

§ ..... Abfindung

(1) Dem Gesellschafter bzw. dessen Erbe(n) steht eine Abfindung i.H.d. seinem Anteil entsprechenden anteiligen Unternehmenswert zu.

(2) Der Unternehmenswert ist durch ein Sachverständigengutachten zu ermitteln, welches den Verkehrswert des Unternehmens nach den allgemein anerkannten Grundsätzen der Unternehmensbewertung festlegt. Die Bestellung des Sachverständigen erfolgt durch den Präsidenten der Industrie- und Handelskammer Heilbronn. Die Kosten des Sachverständigengutachtens tragen die Gesellschaft und der Gesellschafter bzw. dessen Erbe(n) je zur Hälfte.

(3) Von dem ermittelten anteiligen Verkehrswert ist zur Sicherung des Bestands der Gesellschaft ein Abschlag i.H.v. 10 % zu machen. Der sich danach ergebende Abfindungsbetrag ist sofort fällig, wobei die Gesellschaft berechtigt ist, diesen in vier gleichen Raten, jeweils zum 30.06. und zum 31.12. zu bezahlen. Die Verzinsung erfolgt ab Fälligkeit mit 5 % über dem Basiszinssatz.

3.   Allgemeine Ausscheidens-Regelung

53

§ ..... Ausscheiden eines Gesellschafters

(1) Im Falle der Einziehung eines Geschäftsanteils sowie in allen anderen Fällen des Ausscheidens eines Gesellschafters (insbes. Ausschluss, Austritt, Kündigung) hat die Gesellschaft eine Abfindung nach folgender Maßgabe zu bezahlen.

(2) Zunächst ist der objektive Unternehmenswert zum Zeitpunkt des Ausscheidens zu ermitteln. Als Unternehmenswert gilt der nach den allgemeinen betriebswirtschaftlichen Grundsätzen zu ermittelnde Verkehrswert der Gesellschaft. Einigen sich die Parteien nicht auf den Verkehrswert so ist dieser durch einen auf Vermittlung des Präsidenten der örtlichen Industrie- und Handelskammer eingesetzten Sachverständigen zu ermitteln. Die Kosten des Sach-

verständigengutachtens tragen der ausscheidende Gesellschafter und die Gesellschaft jeweils zur Hälfte.

(3) Von dem ermittelten objektiven Unternehmenswert ist sodann zur Sicherung des Bestandes der Gesellschaft ein Abschlag i.H.v. 25 % vorzunehmen.

(4) Die sich nach diesem Abschlag entsprechend der Beteiligungsquote des Gesellschafters ergebende Abfindung ist sofort fällig und an den Gesellschafter in fünf gleichen Jahresraten, jeweils zum 31.12. eines Jahres, auszuzahlen. Ab Fälligkeit ist der Abfindungsbetrag mit 6 % Zinsen p.a. zu verzinsen.

Dritter Abschnitt. Vertretung und Geschäftsführung

§ 35 GmbHG   Vertretung der Gesellschaft

(1) [1]Die Gesellschaft wird durch die Geschäftsführer gerichtlich und außergerichtlich vertreten. [2]Hat eine Gesellschaft keinen Geschäftsführer (Führungslosigkeit), wird die Gesellschaft für den Fall, dass ihr gegenüber Willenserklärungen abgegeben oder Schriftstücke zugestellt werden, durch die Gesellschafter vertreten.

(2) [1]Sind mehrere Geschäftsführer bestellt, sind sie alle nur gemeinschaftlich zur Vertretung der Gesellschaft befugt, es sei denn, dass der Gesellschaftsvertrag etwas anderes bestimmt. [2]Ist der Gesellschaft gegenüber eine Willenserklärung abzugeben, genügt die Abgabe gegenüber einem Vertreter der Gesellschaft nach Absatz 1. [3]An die Vertreter der Gesellschaft nach Abs. 1 können unter der im Handelsregister eingetragenen Geschäftsanschrift Willenserklärungen abgegeben und Schriftstücke für die Gesellschaft zugestellt werden. [4]Unabhängig hiervon können die Abgabe und die Zustellung auch unter der eingetragenen Anschrift der empfangsberechtigten Person nach § 10 Absatz 2 Satz 2 erfolgen.

(3) [1]Befinden sich alle Geschäftsanteile der Gesellschaft in der Hand eines Gesellschafters oder daneben in der Hand der Gesellschaft und ist er zugleich deren alleiniger Geschäftsführer, so ist auf seine Rechtsgeschäfte mit der Gesellschaft § 181 des Bürgerlichen Gesetzbuchs anzuwenden. [2]Rechtsgeschäfte zwischen ihm und der von ihm vertretenen Gesellschaft sind, auch wenn er nicht alleiniger Geschäftsführer ist, unverzüglich nach ihrer Vornahme in eine Niederschrift aufzunehmen.

I. Einführung

1   Der 3. Abschnitt des GmbHG regelt die **organschaftliche und personale „Verfassung" der GmbH** und geht damit inhaltlich über die Überschrift „Vertretung und Geschäftsführung" hinaus. Geregelt wird in §§ 35 bis 44 die **Geschäftsführung**, in §§ 45 bis 51b die **Gesellschafterversammlung** als oberstes willensbildendes Organ der Gesellschaft und in § 52 der **Aufsichtsrat**. Die Bildung einer Geschäftsführung und die Bildung einer Gesellschafterversammlung sind zwingend.[1] Die Einsetzung eines Aufsichtsrats ist hingegen fakultativ und kann wie auch ein (als Gesellschaftsorgan) tätiges Schiedsgericht durch Satzung eingerichtet werden. Solch ein fakultativer Aufsichtsrat wird mitunter auch als Beirat bezeichnet. Nur im Anwendungs-bereich der Mitbestimmungsgesetze und des Drittbeteiligungsgesetzes[2] ist seine Einrichtung zwingend.[3]

2   Die **Bestimmungen** des 3. Abschnitts des GmbHG sind **nicht abschließend**. Im Bereich der Mitbestimmungsgesetze muss neben den Geschäftsführern als gleichberechtigtes Vertretungsorgan ein Arbeitsdirektor bestellt werden (§ 33 MitbestG; § 13 MontanMitbestG; § 13 MontanMitbErgG). Dem Arbeitsdirektor ist ein Kernbereich von Zuständigkeiten für Personal- und Sozialfragen zuzuweisen.[4]

---

1   Allgemeine Meinung: vgl. nur BGH, 25.02.1965 – II ZR 287/63, BGHZ 43, 261, 263 = GmbHR 1965, 555.

2   Mitbestimmungsgesetze: § 6 Abs. 1 MitbestG; § 3 Abs. 1 MontanMitbestG; § 3 MontanmitbErgG; Drittbeteiligungsgesetz: § 1 Abs. 1 Nr. 3 DrittelbG – seit 01.07.2004 insgesamt anstelle des BetrVG.

3   Zum obligatorischen Aufsichtsrat vgl. Brauer in Bormann/Kauka/Ockelmann, Hdb. GmbH-Recht, Kap. 8 Rn. 36 ff.

4   BVerfG, 01.03.1979 – 1 BvR 532/77, BVerfGE 50, 290, 378 = NJW 1979 833; BGH, 14.11.1983 – II ZR 33/83, BGHZ 89, 48, 59 = NJW 1984, 733.

§ 35 regelt in Abs. 1 die gerichtliche und außergerichtliche Vertretungs- **3**
befugnis. Abs. 2 ordnet als **Grundsatz** bei der Abgabe von Willenserklärungen für die Gesellschaft **Gesamtvertretung** („aktive Gesamtvertretung")
und bei der umgekehrten **Entgegennahme von Willenserklärungen Einzelvertretung** an („passive Einzelvertretung"). Abs. 3 bestimmt Näheres
zur Art und Weise der Zeichnung und Abs. 4 enthält Besonderheiten in
Bezug auf In-sich-Geschäfte nach § 181 BGB.

Die organschaftliche Vertretung durch die **Geschäftsführung** ist für die **4**
GmbH notwendige **Voraussetzung** für ihre **Handlungsfähigkeit** (vgl. § 6)
und die Wahrnehmung ihrer Rechte und Pflichten (vgl. § 13). Es handelt
sich hierbei um eine notwendige organschaftliche Vertretung. Im eigentli-
chen und engeren Sinne betrifft die Geschäftsführung den internen Bereich,
also die Entscheidungsebene bei der Verfolgung des Gesellschaftszwecks
und damit die internen rechtlichen Befugnisse der Geschäftsführung. Die
Vertretung ist dagegen das nach außen gerichtete Handeln der Geschäftsführung für die GmbH im Rechts- und Geschäftsverkehr, also die Abgabe
und die Entgegennahme von Willenserklärungen.[5] Entsprechend obliegt
auch die **prozessuale Vertretung** der GmbH den Geschäftsführern. Sie
können deshalb **nicht als Zeuge**, sondern **nur** als **Partei** geladen und
vernommen werden. Ehemalige Geschäftsführer können hingegen als Zeugen gehört werden.[6] Durch Abberufung kann ein Geschäftsführer als Zeuge
gehört werden.[7]

Praxistipp: **5**

Die Abberufung des Geschäftsführers zu dem Zweck, ihn als Zeugen zu
vernehmen, sollte dann erwogen werden, wenn sonst kein Beweis über
den betreffenden Sachverhalt angeboten werden kann. Wenn dieser
Schritt unterbleibt, begibt sich die betroffene Partei in die Gefahr, dass
ihr das Gericht einen „unsubstantiierten Vortrag" vorwirft. Auf die
Möglichkeit der Parteieinvernahme sollte man sich in einer solchen
Fallkonstellation nicht verlassen. Über die Frage, ob dieser von den
Gerichten bisweilen an den Tag gelegten „strengen Handhabung"
zuzustimmen ist, lässt sich sicher trefflich streiten. Der vorstehend
vorgeschlagene Weg hilft jedenfalls, eine non-liquet-Situation zu vermeiden, wobei der Beweiswert der Aussage des ehemaligen Geschäftsführers zugegebenermaßen Einschränkungen unterliegt.

---

5   K. Schmidt, GesellschaftsR, § 10 II. 1., S. 254 f.
6   Altmeppen in Roth/Altmeppen, GmbHG, § 35 Rn. 20.
7   Greger in Zöller, ZPO, § 373 Rn. 4

6   Die wesentlichen **Änderungen und Ergänzungen**, die § 35 durch das **MoMiG** erfahren hat, bezwecken die **Beseitigung** von in erster Linie missbräuchlich herbeigeführten Situationen der „**Führungslosigkeit**" einer GmbH. Die in § 35 Abs. 1 Satz 2 eingeführte Ergänzung soll insbes. dem Fall vorbeugen, dass die durch die Abberufung der Geschäftsführer bedingte Führungslosigkeit der Gesellschaft zu einer **Vereitelung von Zustellungen** und dem **Zugang von Erklärungen** an die Gesellschaft führt.[8] Im Fall einer solchen Führungslosigkeit der Gesellschaft wird nunmehr jeder einzelne **Gesellschafter** ersatzweise zum **Empfangsvertreter** für die Gesellschaft. Die im MoMiG zunächst vorgesehene Lösung einer weiteren Sicherung durch eine „Vertretungskaskade" hat man im Zuge des Gesetzgebungsverfahrens wieder aufgegeben. Die Gesellschaft sollte demnach durch den Aufsichtsrat vertreten werden, wenn ein Aufsichtsrat bestellt war. Durch die Gesellschafter sollte die Gesellschaft vertreten werden, wenn kein Aufsichtsrat bestellt war. Diese Lösung erwies sich aber nur auf den ersten Blick als praxisgerecht.[9] Bei näherem Hinsehen ergeben sich aber erhebliche Schwierigkeiten. Ob ein Aufsichtsrat tatsächlich gebildet ist und wer dessen Amt bekleidet, kann nicht ohne Weiteres – rechtssicher – bestimmt werden. Anders ist dies bei den Gesellschaftern der GmbH zu beurteilen. Bei der bei dem zuständigen Handelsregister hinterlegten Gesellschafterliste besteht zumindest eine gewisse Sicherheit, dass diese richtig geführt und aktuell ist.[10]

II.   Aktiv-Vertretung der GmbH

1.   Gesamtvertretung

7   Das gesetzliche Leitbild geht in § 35 Abs. 2 Satz 1 von einer Gesamtvertretung aus, d.h., wenn die Satzung nichts anderes bestimmt, müssen Erklärungen und Zeichnungen durch **sämtliche Geschäftsführer** der GmbH erfolgen.[11] Im Vergleich zu § 35 Abs. 2 Satz 2 a.F. hat das **MoMiG** an dieser Stelle – trotz differierender Formulierung – zu **keiner materiell-**

---

8   Vgl. Schulze in Bormann/Kauka/Ockelmann, Hdb. GmbH-Recht, Kap. 15 Rn. 27.

9   Begr. RegE MoMiG vom 23.05.2007, BR-Drucks. 354/07, S. 96 (zu Nr. 23, Buchst. a), Abs. 1).

10   Vgl. Beschlussempfehlung und Bericht des Rechtsausschusses, BT-Drucks. 16/9737, S. 98 f., dort wird nur lapidar auf die „dabei bestehenden Schwierigkeiten, auf die die Praxis hingewiesen hat" verwiesen.

11   Ockelmann/Pieperjohanns/Hölck in Bormann/Kauka/Ockelmann, Hdb. GmbH-Recht, Kap. 7 Rn 218 f.; Heckschen in Wachter, FA Handels- und Gesellschaftsrecht, Teil II, 2. Kap. Rn. 177.

rechtlichen Veränderung geführt. Hat bspw. eine GmbH vier Geschäftsführer, müssen diese vier ihre Erklärungen gemeinschaftlich abgeben, hat sie
zwei, müssen es diese beiden. Nur als **Erklärungsempfänger** (Passivver-
tretung) ist i.R.d. Gesamtvertretung jeder Geschäftsführer **einzeln** emp-
fangsvertretungsberechtigt (§ 35 Abs. 2 Satz 2). Diese Vorschrift dient
dem Interesse der Sicherheit des Rechtsverkehrs und ist unabdingbar.[12]

Eine im Rahmen einer Gesamtvertretung durch einen einzelnen Geschäfts-   8
führer (oder auch mehrere von ihnen) abgegebene Willenserklärung ist
schwebend unwirksam, solange nicht die Genehmigung sämtlicher Mit-
Geschäftsführer vorliegt (§ 177 Abs. 1 BGB). Mit dieser Genehmigung
wird die Erklärung auch dann wirksam, wenn der Geschäftsführer, der
ursprünglich die Erklärung abgegeben hat, diese später widerruft.[13]

Einseitige Rechtsgeschäfte – wie bspw. die Kündigung gegenüber einem   9
Arbeitnehmer – müssen i.R.d. **von allen Geschäftsführern** vorgenommen
werden. Werden sie von einem (oder mehreren) Gesamtvertreter(n) ohne
Ermächtigung der übrigen Mit-Geschäftsführer vorgenommen, sind diese
analog § 180 Satz 1 BGB unzulässig und **nicht genehmigungsfähig**, es sei
denn, dass die in § 180 Satz 2 und 3 BGB geregelten **Ausnahmen** eingreifen.[14]

Reduziert sich die Anzahl der Gesellschafter, gilt für die verbleibenden   10
Geschäftsführer das **Prinzip der Gesamtvertretung fort**. Wird von vier
Geschäftsführern einer abberufen oder verstirbt dieser, sind die drei übrigen
als gesamtvertretungsberechtigt anzusehen. Schwebend unwirksame
Geschäfte, die nur noch von dem weggefallenen Geschäftsführer zu geneh-
migen waren, werden mit dessen Ausscheiden wirksam.

2. Unechte Gesamtvertretung

Entsprechend §§ 125 Abs. 3 HGB, 78 Abs. 3 AktG analog kann der Gesell-   11
schaftsvertrag **einzelne Geschäftsführer i.V.m. Prokuristen** zur Vertretung berufen.[15] Die Satzung kann bspw. vorsehen, dass zwei Geschäfts-

---

12   Ockelmann/Pieperjohanns/Hölck in Bormann/Kauka/Ockelmann, Hdb.
      GmbH-Recht, Kap. 7 Rn 223 f.; Altmeppen in Roth/Altmeppen, GmbHG,
      § 35 Rn. 55.

13   Lutter/Hommelhoff in Lutter/Hommelhoff, GmbHG, § 35 Rn. 31.

14   BAG 18.12.1980 – 2 AZR 980/78, NJW 1981, 2374; Die Genehmigungs-
      fähigkeit besteht aber dann, wenn eine der Ausnahmen aus § 180 Satz 2 oder
      3 BGB eingreift: Schmidt in Achilles/Ensthaler/Schmidt, GmbHG, § 35
      Rn. 27.

15   Vgl. Ockelmann/Pieperjohanns/Hölck in Bormann/Kauka/Ockelmann, Hdb.
      GmbH-Recht, Kap. 7 Rn. 217.

führer gemeinsam oder einer der beiden Geschäftsführer jeweils mit einem Prokuristen zusammen vertretungsberechtigt sind. Wegen der organschaftlichen Stellung der Geschäftsführung muss allerdings **stets** eine **Variante eröffnet** sein, bei der eine **Vertretung durch** die **Geschäftsführer allein** möglich ist. Satzungsregelungen, die darauf hinauslaufen, dass Willenserklärungen von der Geschäftsführung ausschließlich in Zusammenwirkung mit einem Prokuristen abgegeben werden können, sind unzulässig.[16] Streitig, aber im Ergebnis zu bejahen ist die Frage, ob bei der Anordnung einer solchen unechten Gesamtvertretungsbefugnis in der Satzung eine Alleinvertretungsbefugnis entsteht, wenn (durch Tod oder Abberufung) nur noch ein Geschäftsführer übrigbleibt. Anderenfalls wäre die ausschließlich organschaftliche Vertretung der Gesellschaft (also allein durch die Geschäftsführung) nicht mehr möglich.[17]

12 Die unechte Gesamtvertretungsbefugnis ist in das Handelsregister einzutragen.

13 **Formulierungsbeispiel für die unechte Gesamtvertretungsbefugnis:**

> Sind mehrere Geschäftsführer bestellt, so wird die Gesellschaft von zwei Geschäftsführern gemeinsam oder von einem Geschäftsführer in Gemeinschaft mit einem Prokuristen vertreten.

3.   Bestimmung einer bestimmten Anzahl von Geschäftsführern

14 Die **Satzung** kann vorsehen, dass die Gesellschaft durch eine bestimmte Anzahl von Geschäftsführern vertreten wird oder dass eine **bestimmte Anzahl von Geschäftsführern** berufen sein muss, was **praktisch** jedoch **Probleme** bereiten kann. Denn wenn hier einer der Mit-Geschäftsführer wegfällt oder verhindert ist, ist die Gesellschaft anders als bei der gesetzlichen Gesamtvertretung **nicht** mehr **handlungsfähig**, sodass in diesem Fall neben der Möglichkeit der Bestellung eines **Notgeschäftsführers** (Rn. 21) entweder ein neuer Geschäftsführer bestellt oder eine Satzungsänderung vorgenommen werden muss.[18]

---

16   Vgl. Ockelmann/Pieperjohanns/Hölck in Bormann/Kauka/Ockelmann, Hdb. GmbH-Recht, Kap. 7 Rn. 248.

17   Altmeppen in Roth/Altmeppen, GmbHG, § 35 Rn. 57; Lutter/Hommelhoff in Lutter/Hommelhoff, GmbHG, § 35 Rn. 39; Schmidt in Achilles/Ensthaler/ Schmidt, GmbHG, § 35 Rn. 33.

18   Schmidt in Achilles/Ensthaler/Schmidt, GmbHG, § 35 Rn. 32; Lutter/Hommelhoff in Lutter/Hommelhoff, GmbHG, § 35 Rn. 38; Zöllner in Baumbach/ Hueck, GmbHG, § 35 Rn. 60; Buß, GmbHR 2002, 374, 376 m.w.N.

4. Alleinvertretungsbefugnis

Die Alleinvertretungsbefugnis erweist sich als die aus rechtstechnischer   15
Sicht am wenigsten problematische Form der organschaftlichen Vertretung,
da sie die vorstehend beschriebenen Probleme, die sich durch die Notwendigkeit des Zusammenwirkens entstehen, vermeidet. Die **Einzelvertretungsbefugnis** ist durch die **Satzung** ausdrücklich anzuordnen und in das
Handelsregister einzutragen (§ 10 Abs. 1 Satz 2). In der Praxis verbreitet
sind flexible Satzungsklauseln, die die Möglichkeit der Einzelvertretungsbefugnis vorsehen.

Formulierungsbeispiel: 16

> Die Gesellschaft hat einen oder mehrere Geschäftsführer. Ist nur ein
> Geschäftsführer bestellt, vertritt er die Gesellschaft allein. Im Fall der
> Bestellung von mehreren Geschäftsführern wird die Gesellschaft von
> zwei Geschäftsführern gemeinsam oder von einem Geschäftsführer
> gemeinsam mit einem Prokuristen vertreten. Jedem Gesellschafter
> kann auch in diesem Fall Einzelvertretungsbefugnis erteilt werden.

> **Praxistipp:**
>
> Auch bei dieser Klausel muss man zwingend die Frage nach dem
> Ausschluss von § 181 BGB im „Hinterkopf" haben!

5. Mischformen

Mischformen aus Einzelvertretungsbefugnis und echter und/oder unechter   17
Gesamtvertretungsbefugnis sind möglich und existieren in der **Praxis häu-
fig**. Es ist dann unumgänglich, die einzelnen Geschäftsführer bereits in der
Satzung festzulegen.

Formulierungsbeispiel: 18

> Die Geschäftsführung erfolgt durch alle Geschäftsführer gemeinschaftlich.
> Der Geschäftsführer A ist einzelgeschäftsführungsberechtigt. Der
> Geschäftsführer B nimmt die laufenden Geschäfte im kaufmännischen
> Bereich, der Geschäftsführer C im technischen Bereich wahr. Bei Maß-
> nahmen, die über den gewöhnlichen Geschäftsbetrieb hinausgehen oder die
> der Koordination bedürfen, haben sich die Geschäftsführer abzustimmen.[19]

---

19   Weitere Formulierungsbeispiele bei Langenfeld, GmbH-Vertragspraxis,
       Rn. 117.

6.　　Rechtsgeschäftliche Vertretung

19　Die **Geschäftsführung** kann **rechtsgeschäftliche Vertreter** im Wege der einfachen zivilrechtlichen **Bevollmächtigung** (§§ 164 ff. BGB) und v.a. in den Formen der handelsrechtlichen Bevollmächtigung als **Prokuristen** und **Handlungsbevollmächtigte** bestellen. Generell **unwirksam** ist hingegen die Erteilung einer „**organvertretenden**" **Generalvollmacht**. Dies folgt aus der Normsystematik des § 35, der die organschaftliche Vertretung der GmbH durch die Geschäftsführung abschließend regelt. Damit scheidet die Erteilung einer Generalvollmacht auch dann aus, wenn ihr alle Gesellschafter zustimmen und/oder diese in notarieller Form erteilt wird. **Unter Umständen** kann eine solche unwirksame Generalvollmacht in eine „**Generalhandlungsvollmacht**" umgedeutet werden, die sämtliche Rechtsgeschäfte außer denen erfasst, die einem Organ vorbehalten sind.[20]

> **Praxistipp:**
>
> Besondere Vorsicht ist bei der Erteilung von Briefkopf- und Visitenkartentiteln in Form von Anglizismen wie „General Manager", „Chief Executive Officer" oder „Vice-President" geboten. Der Rechtsverkehr kann dies als umfassende Vertretungsbefugnis missverstehen, wodurch Rechtsscheintatbestände entstehen können.[21]

20　Analog §§ 125 Abs. 2 Satz 2 HGB, 78 Abs. 4 Satz 1 AktG können schließlich die **gesamtberechtigten** Geschäftsführer **einzelne von ihnen** zur **Vornahme bestimmter Geschäfte** und bestimmter Arten von Geschäften mit der **Folge** ermächtigen, dass insoweit die gesetzliche Vertretungsmacht zu einer **Alleinvertretungsmacht** erstarkt.[22] Eine **unbeschränkte Ermächtigung** einzelner oder mehrerer Geschäftsführer verletzt allerdings das Prinzip der Gesamtvertretung und ist **unzulässig**.[23]

20　BGH, 18.07.2002 – III ZR 124/01, ZIP 2002, 1895; OLG Naumburg, 16.12.1993 – 2 U 15/93, GmbHR 1994, 556; Altmeppen in Roth/Altmeppen, GmbHG, § 35 Rn. 10; Geizhaus, GmbHR 1989, 229; vgl. auch Ockelmann/Pieperjohanns/Hölck in Bormann/Kauka/Ockelmann, Hdb. GmbH-Recht, Kap. 7 Rn 134.

21　Bosch, GmbHR 2004, 1376; Altmeppen in Roth/Altmeppen, GmbHG, § 35 Rn. 11.

22　BGH, 06.03.1975 – II ZR 80/73, BGHZ 64, 72, 75, LNRB 1975, 12576.

23　Schmidt in Achilles/Ensthaler/Schmidt, GmbHG, § 35 Rn. 26; Altmeppen in Roth/Altmeppen, GmbHG, § 35 Rn. 51; Ockelmann/Pieperjohanns/Hölck in Bormann/Kauka/Ockelmann, Hdb. GmbH-Recht, Kap. 7 Rn. 220.

7.   Notgeschäftsführer[24]

Wird die **Position** der Geschäftsführung wegen der Abberufung, des Rück-   21
tritts oder des Todes des (letzten) alleinigen Geschäftsführers **vakant**, hat
das **Amtsgericht** am Sitz der GmbH in dringenden Fällen auf Antrag eines
Beteiligten einen **Notgeschäftsführer** zu bestellen. Rechtsgrundlage hierfür
ist **§ 29 BGB analog**.[25] Ein **dringender Fall** liegt vor, wenn die Gesellschaftsorgane selbst den Mangel nicht innerhalb einer angemessenen Frist
beseitigen können oder ohne die Notbestellung der Gesellschaft oder einem
Beteiligten ein Schaden droht oder eine alsbald erforderliche Handlung nicht
vorgenommen werden könnte. Sinngemäß gilt dies auch dann, wenn der
verbliebene alleinige Geschäftsführer wegen längerer Krankheit oder wegen
des Eintritts der Geschäftsunfähigkeit an seiner Amtsausübung gehindert
ist.[26] In gleicher Weise ist ein Notgeschäftsführer zu bestellen, wenn in der
Satzung eine bestimmte Anzahl von Geschäftsführern vorgesehen ist und
einer der Geschäftsführer infolge der zuvor angeführten Fälle ausfällt.[27]

III.   Passiv-Vertretung der GmbH

Wie bereits oben (Rn. 6) dargestellt wurde, war die **Beseitigung** von **Miss-**   22
brauchstatbeständen, die durch die aktive Herbeiführung der Führungslosigkeit der GmbH provoziert werden konnten, ein wesentlicher **Rege-**
lungszweck des **MoMiG**.

---

24   Vertiefend s. Schmidt in Achilles/Ensthaler/Schmidt, GmbHG, § 35 Rn. 8 (zu
      weiteren Bereichen der Notgeschäftsführung); BayObLG, 14.09.1999 – 3Z
      BR 158/99, NJW-RR 2000, 254, 255 (zur Auswahl des oder der Notgeschäfts-
      führer); BGH, 22.10.1984 – II ZR 31/84, NJW 1985, 637; OLG Frankfurt
      a.M., 09.01.2001 – 20 W 421/2000, DB 2001, 473, 474 (zu Fragen der Ver-
      gütung des oder der Notgeschäftsführer); BayObLG, 12.08.1998 – 3Z BR
      456/97, NJW-RR 1999, 1259, 1260; BayObLG, 06.12.1985 – BReg 3 Z
      116/85, NJW-RR 1986, 523; LG Frankenthal, 11.02.2003 – 1 HK T 3/02,
      GmbHR 2003, 586 (zu Beschränkungen der Geschäftsführerbefugnis des
      GmbH-Notgeschäftsführers); OLG Düsseldorf, 12.11.2001 – 3 Wx 157/00,
      GmbHR 2002, 158, 159 h.M.; OLG München, 30.06.1993 – 7 U 6945/92,
      GmbHR 1994, 259 (zu Abberufung und Beendigung der Notgeschäftsfüh-
      rung); BayObLG, 14.09.1999 – 3Z BR 158/99, NJW-RR 2000, 254, 255
      (zum Rechtsmittel gegen Bestellung und Abberufung des Notgeschäftsführers).
25   BGH, 14.07.2004 – VIII ZR 224/02, ZIP 2004, 1708, 1709; OLG Zweibrücken,
      12.04.2001 – 3 W 23/01, NJW-RR 2001, 1058; vgl. auch Ockelmann/Pieperjohanns/
      Hölck in Bormann/Kauka/Ockelmann, Hdb. GmbH-Recht, Kap. 7 Rn. 10, 207.
26   BayObLG, 29.09.1999 – 3Z BR 76/99, NJW-RR 2000, 409; OLG Frankfurt
      a.M., 09.01.2001 – 20 W 421/2000, DB 2001, 473.
27   Lutter/Hommelhoff in Lutter/Hommelhoff, GmbHG, § 35 Rn. 38.

1.   Bestimmung der Gesellschafter oder des Aufsichtsrats zu „Ersatzorganen"

23   In einem **ersten Schritt** bestimmt § 35 Abs. 1 Satz 2, dass die Gesellschaft in dem Fall, dass sie keinen Geschäftsführer hat (Führungslosigkeit) die **Gesellschafter** zu ihren („organschaftlichen") Vertretern werden, wenn gegenüber der Gesellschaft Willenserklärungen abzugeben sind.[28] Der Wortlaut von § 35 Abs. 1 Satz 2 umfasst also lediglich die Passiv-Vertretung der GmbH. Dies bedeutet, dass der Regelungsinhalt der Norm **nicht ohne Weiteres** auf die **Aktiv-Vertretung** der Gesellschaft übertragen werden kann. Wenn also die führungslose **Gesellschaft** – gerichtlich – zu der **Abgabe einer Erklärung** gezwungen werden soll, kann nach wie vor nur der dornenreiche Weg der Bestellung eines **Notgeschäftsführers** beschritten werden (vgl. dazu oben Rn. 21).

2.   Modalitäten der Zustellung

24   Die besondere Regelung von Zustellungsmodalitäten findet sich nach dem Inkrafttreten des MoMiG in § 35 Abs. 2 Satz 2, Satz 3 und Satz 4.

25   Ist der **Gesellschaft** gegenüber eine **Willenserklärung** abzugeben, **genügt** die Abgabe gegenüber **einem Vertreter** der Gesellschaft nach Abs. 1. Die Norm regelt damit zwei Dinge. Zunächst bestätigt sie den in § 35 Abs. 2 Satz 3 a.F. etwas kompliziert ausgedrückten Inhalt, wonach die Erklärung eben nur gegenüber einem der Vertretungsberechtigten abzugeben ist. Daran ändert auch eine etwaige in der Satzung angeordnete (echte oder unechte) Gesamtvertretung nichts. Zum anderen regelt § 35 Abs. 2 Satz 2 durch die Bezugnahme auf Abs. 1 der Vorschrift, dass die Abgabe der Willenserklärungen im Fall der **Führungslosigkeit** ebenfalls gegenüber **einer einzelnen der „Ersatzpersonen"** ausreicht. Dies bedeutet aber nicht, dass die Willenserklärung an eine bestimmte Person innerhalb der GmbH zu richten wäre. Ob der Vertreter der Gesellschaft zutreffend bezeichnet wird, ist ohne Bedeutung. Nach der Begründung des Regierungsentwurfs soll allein **entscheidend** sein, dass erkennbar zum Ausdruck kommt, dass die **Willenserklärung gegenüber der Gesellschaft** abgegeben wird. Daher sei es nicht erforderlich, dass der Erklärende von dem Fall der Führungslosigkeit seiner Erklärungsempfängerin weiß.[29] § 35 Abs. 2 Satz 2 ist insoweit eine einfache logische Konsequenz, die aus § 35 Abs. 1 Satz 2 folgt.

---

28   Zur Abgabe von Willenserklärungen gegenüber den im Handelsregister eingetragenen Aufsichtsratsmitgliedern vgl. Brauer in Bormann/Kauka/Ockelmann, Hdb. GmbH-Recht, Kap. 8 Rn. 2.

29   Begr. RegE MoMiG vom 23.05.2007, S. 97 (zu Nr. 23, Buchst. b), Abs. 5).

Weiter vereinfacht wird die Prozedur der Zustellung durch § 35 Abs. 2   **26**
Satz 3 und Satz 4. Gem. § 35 Abs. 2 Satz 3 sind **alle Vertreter der Gesellschaft unter der** nach § 10 Abs. 1 **im Handelsregister verzeichneten Geschäftsanschrift zu erreichen**. Unter dieser Geschäftsanschrift können Schriftstücke für die Gesellschaft ohne Weiteres an diese zugestellt werden. Ob sie dort nach der ordnungsgemäßen Zustellung von einem organschaftlichen Vertreter oder sonstigen gesetzlichen Vertretern (vgl. § 35 Abs. 1) zur Kenntnis genommen werden oder zur **Kenntnis** genommen werden können, spielt jetzt auch nach dem klaren und eindeutigen Wortlaut des Gesetzes **keine Rolle**. Selbstverständlich setzt dies aber voraus, dass sich an der im Handelsregister verzeichneten Geschäftsanschrift tatsächlich ein Geschäftslokal der GmbH befindet oder der zurechenbare Rechtsschein eines Geschäftsraums gesetzt worden ist. Sollte selbst unter diesen Voraussetzungen eine Zustellung **unmöglich** sein, droht der GmbH künftig die **Zustellung im Wege der öffentlichen Bekanntgabe** nach dem ebenfalls im Zuge des MoMiG eingeführten § 185 Nr. 2 ZPO.[30]

§ 35 Abs. 2 Satz 4 regelt, dass die Zustellung zusätzlich auch unter der   **27** Anschrift einer im **Handelsregister** eingetragenen **empfangsberechtigten Person** möglich ist.[31] Eine solche Eintragung ist nach § 10 Abs. 2 Satz 2 eröffnet. Auf diese Weise kann die **Gesellschaft** die zuvor angesprochene **öffentliche Zustellung** nach § 185 Nr. 2 ZPO und die sich daraus ergebenden negativen Folgen **vermeiden**. Die Vorschrift gilt nicht nur für die Zustellung von Schriftstücken, sondern ausdrücklich auch für die Abgabe von Willenserklärungen.

Es bleibt abzuwarten, ob eine normale durchschnittliche GmbH von dieser   **28** Möglichkeit der Eintragung einer empfangsberechtigten Person in das Handelsregister Gebrauch machen wird. Zunächst einmal erscheint dies nur unter besonderen Umständen angezeigt.[32]

Die durch das MoMiG eingeführten Zustellungsregeln bringen sicherlich   **29** zumindest auf den ersten Blick **praktische Erleichterungen** mit sich. Ihr **Leitbild** bleibt aber nach wie vor die Zustellung durch einen **Gerichtsvollzieher**. Die neuen Regelungen führen aber **keineswegs** dazu, dass man einer GmbH nunmehr Schriftstücke mit der letzten Sicherheit per **Einschreiben**

---

30   Begr. RegE MoMiG vom 23.05.2007, S. 97 (zu Nr. 23, Buchst. b), Abs. 3); Schulze in Bormann/Kauka/Ockelmann, Hdb. GmbH-Recht, Kap. 15 Rn. 35 f.

31   Schulze in Bormann/Kauka/Ockelmann, Hdb. GmbH-Recht, Kap. 15 Rn. 33 f.

32   Begr. RegE MoMiG vom 23.05.2007, S. 98 (zu Nr. 23, Buchst. b), Abs. 6 und 7).

mit Rückschein durch die Post zustellen kann. Wird an der Adresse des Geschäftslokals niemand angetroffen, wirft der Postzusteller lediglich eine **Benachrichtigung** über das Einschreiben in den Briefkasten des Adressaten ein. Damit wäre nur die Benachrichtigung, **nicht** aber das **Einschreiben** selbst der betreffenden GmbH **zugegangen**. Eine allgemeine Rechtspflicht, die den Empfänger anhielte, hinterlegte Sendungen auch abzuholen, existiert nicht. Etwas anderes mag gelten, wenn Umstände vorliegen, die auf eine Vereitelung des Zugangs durch den Empfänger hindeuten.[33] Der Versuch, diese Problematik durch die Wahl eines Einwurfeinschreibens zu lösen, kann auch nicht als sicherer Weg angesehen werden.[34] Es ist zumindest umstritten, ob der von der Post derzeit zur Verfügung gestellte Zustellungsnachweis ausreichend ist.

30 | **Praxistipp:**

Auch nach den nunmehr dezidierten Vorschriften des § 35 Abs. 2 ist nicht geklärt, wie man ein Schriftstück sicher zustellen kann, wenn man – insbes. mit Blick auf die zeitliche Dauer – eine Gerichtsvollzieherzustellung vermeiden will. Da weder das einfache Einschreiben noch das Einwurfeinschreiben noch das Einschreiben mit Rückschein eine sichere Zustellung gewährleisten, liegt der sicherste Weg wohl darin, die Zustellung parallel durch Einwurfeinschreiben und Einschreiben mit Rückschein zu betreiben. Zudem empfiehlt es sich, bei Absendung dieser Einschreiben dem Empfänger die Sendung vorab per Telefax zu übermitteln und das Sendeprotokoll aufzubewahren. Auf diese Weise wird Argumentationsspielraum für die Begründung einer aktiven Zugangsvereitelung seitens des Empfängers geschaffen. Wenn das Telefaxgerät zumindest die erste Seite der Sendung auf den Sendebericht kopiert, wird zudem der Spielraum für die Behauptung des Empfängers eingeengt, in dem verschlossenen Umschlag seines Einschreibens hätte sich etwas ganz anderes, als das fragliche Dokument oder die fragliche Erklärung befunden.

---

33   Putz, NJW 2007, 2450, 2451 (Ziffer 3).

34   AG Kempen, 22.08.2006 – 11 C 432/05, NJW 2007, 1215.

IV. Umfang der Vertretungsmacht

1. Allgemeiner Umfang der Vertretungsmacht

Im Außenverhältnis umfasst die in § 35 Abs. 1 geregelte Vertretungsmacht **31** den **gesamten Rahmen** einer **denkbaren Geschäftstätigkeit** der GmbH und der damit zusammenhängenden Rechtshandlungen.[35] Sie ist **nicht** auf den gegenständlichen Bereich des konkreten Unternehmens oder der konkreten **Zweckbestimmung** der GmbH **beschränkt** und reicht weiter als eine Prokura i.S.v. §§ 48 f. HGB.[36] Im Gegensatz dazu können sich im Innenverhältnis Einschränkungen ergeben (vgl. § 37 GmbHG). Ein Dritter muss keine Beschränkungen gegen sich gelten lassen, solange nicht ein evidenter Missbrauch der Vertretungsmacht durch die Geschäftsführung vorliegt.[37]

2. Grenzen der Vertretungsmacht

Nicht von der Vertretungsmacht der Geschäftsführung **umfasst** sind **32** **Rechtsgeschäfte**, die den **Status** der Gesellschaft **verändern**.[38]

Die Geschäftsführung kann aus ihrem Selbstverständnis heraus **keine Ände-** **33** **rungen der Satzung** oder Verpflichtungen hierzu, die **Aufnahme neuer Gesellschafter** oder die **Auflösung** der GmbH und/oder Verpflichtungserklärungen zu solchen Maßnahmen vornehmen. Geschäfte mit Gesellschaftern und Organen können grds. von der Geschäftsführung abgeschlossen werden.[39] **Nicht** erfasst von der Vertretungsmacht ist die **Bestellung** und **Abberufung** der **Geschäftsführer**. Ob dies auch für den Abschluss und die Kündigung des Anstellungsvertrags gilt, ist streitig.[40] Aus praktischen Erwägungen sollte dies aber von der Vertretungsmacht der Geschäftsführung erfasst sein. Ist der Satzung entsprechend ein **Aufsichtsrat** bestellt, gilt für die Geschäfte mit den Geschäftsführern **§ 112 AktG entsprechend**.[41]

---

35 Heckschen in Wachter, FA Handels- und Gesellschaftsrecht, Teil II, 2. Kap. Rn. 177.

36 Altmeppen in Roth/Altmeppen, GmbHG, § 35 Rn. 13.

37 Vgl. Ockelmann/Pieperjohanns/Hölck in Bormann/Kauka/Ockelmann, Hdb. GmbH-Recht, Kap. 7 Rn. 137 f.

38 Altmeppen in Roth/Altmeppen, GmbHG, § 35 Rn. 13; Wiedemann, Gesellschaftsrecht, Bd. 1, § 10 Abs. 2 Satz 1.

39 Altmeppen in Roth/Altmeppen, GmbHG, § 35 Rn. 15.

40 Altmeppen in Roth/Altmeppen, GmbHG, § 35 Rn. 16; BGH, 25.03.1991 – II ZR 169/90, NJW 1991, 1680 – fehlende Entscheidungskompetenz der Geschäftsführer; Baums, ZGR 1993, 141, 148 ff. m.w.N.; Stein, AG 1999, 28, 42.

41 Altmeppen in Roth/Altmeppen, GmbHG, § 35 Rn. 17.

34 Der **Beteiligungserwerb** und der **Abschluss von Unternehmensverträgen**
fallen aus der Sicht des übernehmenden oder beherrschenden Unternehmens
in die Vertretungsbefugnis i.S.v. § 35 Abs. 1. Beherrschungs- und Gewinn-
abführungsverträge werden jedoch nur mit **Zustimmung** der **Gesellschafterversammlung** der abhängigen Gesellschaft wirksam, weil es sich um
satzungsgleiche, den rechtlichen Status ändernde Verträge handelt. Zu
seiner Wirksamkeit bedarf der Unternehmensvertrag – trotz der oben darge-
legten Vertretungsbefugnis im Außenverhältnis – **auch** der **Zustimmung**
der **Gesellschafterversammlung** des **beherrschenden Unternehmens**, vgl.
§ 293 Abs. 2 Satz 2, Abs. 1 Satz 2 AktG.[42]

3.   Beschränkung im Innenrecht – Zustimmungskataloge

35 In der Praxis verbreitet sind Zustimmungskataloge, die den Abschluss von
Verträgen, die Abgabe von Willenserklärungen und die Vornahme von
Realakten an die **Zustimmung** der **Gesellschafterversammlung oder** (sofern vorhanden) eines **Aufsichtsrats** oder Beirats binden.[43] Für das **Außenverhältnis** sind solche Beschränkungen grds. **irrelevant**. Derartige Zustimmungskataloge und weitere Regelungen für die Geschäftsführung können in
die Satzung, den Anstellungsvertrag oder auch eine **Geschäftsordnung**[44]
für die Geschäftsführer aufgenommen werden. Letzteres empfiehlt sich auch
aus praktischen Gründen, da deren Änderung oder Erweiterung ohne förmliche Satzungsänderung und ohne Änderung des Geschäftsführer-Anstel-
lungsvertrags erfolgen kann.

Beispiele für Zustimmungstatbestände:

- *Die jährliche Aufstellung des Investitions- und Finanzplans,*

- *Investitionen und Kreditaufnahmen, die den Finanzplan übersteigen,*

- *Verfügungen über Tochterunternehmen und Unternehmensbeteiligungen,*

- *Verfügungen über Grundstücke und Verpflichtungen hierzu,*

- *Eingehung von Wechselverbindlichkeiten oder Bürgschaftsverbindlichkeiten im
  Einzelfall von z.B. 50.000 € oder insgesamt von z.B. 500.000 €,*

---

42   BGH, 24.10.1988 – II ZB 7/88, BGHZ 105, 324, 332 = ZIP 1989, 29;
     Schmidt in Achilles/Ensthaler/Schmidt, GmbHG, § 35 Rn. 15 m.w.N.;
     Zustimmungspflicht der Gesellschafterversammlung: Schmidt in Achilles/Ens-
     thaler/Schmidt, GmbHG, § 35 Rn. 15; Altmeppen in Roth/Altmeppen,
     GmbHG, § 35 Rn. 18.

43   Vgl. Ockelmann/Pieperjohanns/Hölck in Bormann/Kauka/Ockelmann, Hdb.
     GmbH-Recht, Kap. 7 Rn. 132.

44   Vgl. Ockelmann/Pieperjohanns/Hölck in Bormann/Kauka/Ockelmann, Hdb.
     GmbH-Recht, Kap. 7 Rn. 228.

- *Abschluss und Änderung von Anstellungsverträgen mit Mitarbeitern mit z.B. einem Bruttojahreseinkommen über 100.000 €,*
- *Abschluss von Dauerschuldverhältnissen mit einer Jahresbelastung von z.B. mehr als 50.000 €,*
- *Zusage von Altersversorgungen.*[45]

4. Missbrauch der Vertretungsmacht

Im Fall des Missbrauchs der Vertretungsmacht durch den oder die **36** Geschäftsführer kommt ein **Rechtsgeschäft nur dann nicht zustande, wenn** dieser **Missbrauch** für den anderen Teil **evident** ist.[46] **Etwas anderes** gilt allerdings, wenn der **andere Teil Gesellschafter oder** selbst **Organmitglied** ist. In diesem Fall kann und muss ihm die **Überprüfung** der **Vertretungsmacht** zugemutet werden. Das nicht zustande gekommene Rechtsgeschäft ist nicht nichtig, sondern nach § 177 BGB **schwebend unwirksam.**[47] Es kann also von den übrigen Geschäftsführern oder ggf. von den Gesellschaftern genehmigt werden. Der Tatbestand des Missbrauchs der Vertretungsmacht richtet sich nach **objektiven Kriterien.** Subjektive Kriterien, wie etwa ein bewusstes Handeln zum Nachteil der Gesellschaft sind nicht erforderlich.[48]

5. Wissens- und Willenszurechnung in Anfechtungsfällen

Nach § 166 Abs. 1 BGB ist auf die **Person des Geschäftsführers** abzustel- **37** len, wenn die rechtlichen Folgen einer Willenserklärung durch Willensmängel oder durch die Kenntnis oder das Kennenmüssen gewisser Umstände beeinflusst werden.[49] Der Gesellschaft ist aber nicht nur das Wissen ihrer amtierenden Geschäftsführer zuzurechnen, sondern **auch** das **Wissen** der sonst zuständigen **Mitarbeiter.**[50] Ebenso ist der Gesellschaft das Wissen zuzurechnen, welches **typischerweise** (d.h. im ordentlichen Rechtsverkehr)

45   Langenfeld, GmbH-Vertragspraxis, Rn. 119.

46   Ockelmann/Pieperjohanns/Hölck in Bormann/Kauka/Ockelmann, Hdb. GmbH-Recht, Kap. 7 Rn. 138; Altmeppen in Roth/Altmeppen, GmbHG, § 35 Rn. 14, § 37 Rn. 32; Lenz in Michalski, GmbHG, § 35 Rn. 31 m.w.N.

47   Lutter/Hommelhoff in Lutter/Hommelhoff, GmbHG, § 35 Rn. 12.

48   BGH, 13.11.1995 – II ZR 113/94, GmbHR 1996, 113; Lutter/Hommelhoff in Lutter/Hommelhoff, GmbHG, § 35 Rn. 13 m.w.N.; a.A.: OLG München, 26.04.1995 – U 3167/91, GmbHR 1996, 207.

49   BGH, 15.04.1997 – XI ZR 105/96, BGHZ 135, 202, 205 = NJW 1997, 1917; BGH, 24.01.1992 – V ZR 262/90, BGHZ 117, 104, 106 = NJW 1992, 1099.

50   BGH, 04.02.1997 – VI ZR 306/95, BGHZ 134, 343, 347 = NJW 1997, 1584.

aktenmäßig festgehaltenes Wissen ist.[51] Bei der Gesamtvertretung kommt es nicht etwa auf die Kenntnis aller Geschäftsführer an, auf die sich die Gesamtvertretung bezieht. Ausreichend ist vielmehr die **Kenntnis** von den rechtserheblichen Umständen **eines einzigen gesamtvertretungsberechtigten Geschäftsführers**.[52] Ein **kaufmännisches Bestätigungsschreiben** führt dementsprechend zur vertraglichen Bindung, wenn ein gesamtvertretungsberechtigter Geschäftsführer Kenntnis hiervon erlangt hat.[53]

38   In Bezug auf die **Anfechtung** gilt, dass der **Irrtum eines einzigen** an der Willenserklärung beteiligten Mit-**Geschäftsführers** zur irrtumsbedingten Anfechtung genügt, sofern die übrigen dessen **Aufklärung nicht treuwidrig unterlassen** haben.[54] Umgekehrt soll die Kenntnis eines Mit-Geschäftsführers ausreichen, um die Gutgläubigkeit i.S.d. §§ 892, 932 BGB, 366 HGB zu zerstören.[55]

V.   In-sich-Geschäfte gem. § 181 BGB

1.   Verbot und schwebende Unwirksamkeit

39   Im Rahmen der Vertretungsbefugnis der Geschäftsführung gilt das Verbot des Selbstkontrahierens nach § 181 BGB.[56] Der Geschäftsführer kann ein eigenes Geschäft mit der von ihm vertretenen Gesellschaft nur vornehmen, wenn dies der **Erfüllung** einer bereits bestehenden **Verbindlichkeit** dient (z.B. Gehaltsauszahlung des Geschäftsführers an sich selbst) oder wenn das Geschäft für die Gesellschaft **rechtlich** nur **vorteilhaft** ist.[57]

40   Ein **Schwerpunkt** der Anwendbarkeit von § 181 BGB liegt im Rahmen von § 35 bei Fällen der **Mehrfachvertretung** durch den betreffenden Geschäftsführer, wenn also ein und derselbe Geschäftsführer für **mehrere** Gesell-

---

51   BGH, 13.10.2000 – V ZR 349/99, NJW 2001, 359, 360; BGH, 15.04.1997 – XI ZR 105/96, BGHZ 135, 202, 205 = NJW 1997, 1917; BGH, 02.02.1996 – V ZR 239/94, BGHZ 132, 30, 38 = NJW 1996, 1339.

52   BGH, 08.12.1989 – V ZR 246/87, BGHZ 109, 327, 331 = NJW 1990, 975; BGH, 16.11.1987 – II ZR 92/87, NJW 1988, 1199, 1200; BGH, 14.02.1974 – II ZB 6/73, BGHZ 62, 166, 173 = WM 1974, 480.

53   BGH, 16.11.1987 – II ZR 92/87, NJW 1988, 1199, 1200.

54   RG, 19.02.1912 – Rep. VI. 291/11, RGZ 78, 347, 354; Lutter/Hommelhoff in Lutter/Hommelhoff, GmbHG, § 36 Rn. 9.

55   Schmidt in Achilles/Ensthaler/Schmidt, GmbHG, § 35 Rn. 91.

56   Heckschen in Wachter, FA Handels- und Gesellschaftsrecht, Teil II, 2. Kap. Rn. 178.

57   BGH, 27.09.1972 – IV ZR 225/69, BGHZ 59, 236 = NJW 1972, 2262; Lutter/Hommelhoff in Lutter/Hommelhoff, GmbHG, § 35 Rn. 19.

schaften bestellt ist und diese miteinander ein Geschäft abschließen. Dies wird bisweilen bei Vertragsschlüssen zwischen Konzerngesellschaften oder sonstigen verbundenen Strukturen übersehen.[58] Das unter Missachtung von § 181 BGB geschlossene Rechtsgeschäft ist **schwebend unwirksam** (§ 177 Abs. 1 BGB.)[59] Das Geschäft kann von der Gesellschafterversammlung nachträglich – auch stillschweigend – genehmigt werden. War der handelnde Geschäftsführer **gleichzeitig Gesellschafter**, so ist er gem. § 47 Abs. 4 von seinem **Stimmrecht ausgeschlossen**. Ebenso kann die Genehmigung auch durch einen anderen Geschäftsführer ausgesprochen werden, bei dem in Bezug auf das konkrete Geschäft die Voraussetzungen des § 181 BGB nicht vorliegen. Dies gilt auch dann, wenn dieser Geschäftsführer seine Vertretungsbefugnis erst nach Abschluss des Rechtsgeschäfts erlangt hat.[60] Schließlich kann auch eine entsprechende Satzungsänderung zu der die schwebende Unwirksamkeit beendenden Genehmigung führen.

Praxistipp: 41

Die Wirkungen von § 181 BGB sind bei der Gestaltung der Vertretungsbefugnis in der Satzung der GmbH stets im Auge zu behalten. Dies gilt v.a. für die Satzungen von gesellschaftsrechtlich miteinander verbundenen GmbHs. Eine Befreiungsklausel des Geschäftsführers ist in vielen (Muster-) Satzungen anzutreffen. Dennoch passiert es nicht selten, dass es an einer solchen Regelung fehlt, ein In-sich-Geschäft durchgeführt wird und dessen schwebende Unwirksamkeit erst viel später bemerkt wird. Die Folgen können fatal sein. Situationen, in denen die Herbeiführung der Zustimmung der Gesellschafterversammlung faktisch nicht möglich ist, sind ohne große Fantasie denkbar. Umgekehrt und im Interesse der Gesellschafter muss davor gewarnt werden, eine (generell) von den Wirkungen des § 181 BGB befreiende Klausel unreflektiert in jede GmbH-Satzung aufzunehmen.

---

58   Heckschen in Wachter, FA Handels- und Gesellschaftsrecht, Teil II, 2. Kap. Rn. 179.

59   BGH, 29.11.1993 – II ZR 107/92, GmbHR 1994, 122; BFH, 15.10.1997 – I R 19/97, GmbHR 1998, 546, 548; BFH, 13.03.1991 – I R 1/90, NJW 1991, 2039; Ockelmann/Pieperjohanns/Hölck in Bormann/Kauka/Ockelmann, Hdb. GmbH-Recht, Kap. 7 Rn. 142.

60   Schmidt in Achilles/Ensthaler/Schmidt, GmbHG, § 35 Rn. 44; Lutter/Hommelhoff in Lutter/Hommelhoff, GmbHG, § 35 Rn. 20.

2.   Ein-Mann-Gesellschaft

42   Besondere Probleme bereitet der **Abschluss** eines **In-sich-Geschäfts** durch
den Gesellschafter-Geschäftsführer einer **Ein-Mann-Gesellschaft**. Obwohl
bei der Ein-Mann-Gesellschaft der Interessenkonflikt zwischen den Gesellschaftern und dem das In-sich-Geschäft abschließenden Geschäftsführer
nicht bestehen kann, ordnet **§ 35 Abs. 3** die Wirkungen des § 181 BGB für
die Konstellation des Ein-Mann-Gesellschafter-Geschäftsführers ausdrücklich an. Mit dieser Regelung wollte der Gesetzgeber i.R.d. GmbH-Novelle
des Jahres 1980 den Gefahren für uninformierte Gläubiger begegnen.[61]

43   Das von dem Allein-Gesellschafter-Geschäftsführer nach § 181 BGB abgeschlossene Geschäft ist **schwebend unwirksam**. Es lässt sich allerdings nicht
außerhalb der Satzung genehmigen. Es bedarf also insoweit einer **grundsätzlichen Satzungsänderung**, die die Geschäftsführung von den Wirkungen
des § 181 BGB befreit.[62] Sieht die Satzung eine Befreiung von § 181 BGB vor,
sind Rechtsgeschäfte zwischen dem Geschäftsführer und der von ihm vertretenen Gesellschaft unverzüglich nach ihrer Vornahme in eine **Niederschrift**
aufzunehmen (§ 35 Abs. 3 Satz 2 GmbHG). Diese Vorschrift trägt Art. 5 der
12. EG-Richtlinie zur Angleichung des Gesellschaftsrechts Rechnung.

3.   Befreiung vom Verbot des § 181 BGB

44   Durch eine entsprechende **Gestattung** kann die Geschäftsführung von den
Wirkungen des § 181 BGB befreit werden.[63] Die Gestattung kann zum einen in
der **Satzung** erfolgen. Zum anderen durch einen entsprechenden **Gesellschafterbeschluss**, jedenfalls dann, wenn die **Satzung** eine entsprechende **Befrei-
ungsmöglichkeit** vorsieht.[64] Sofern kein Fall des § 35 Abs. 3 Satz 2 vorliegt,
kann die Gestattung durch Gesellschafterbeschluss auch ohne eine entsprechende Satzungsermächtigung vorgenommen werden. Die generelle (durch
Satzungsregelung) vorgenommene Befreiung von § 181 BGB ist nach der

---

61   Koppensteiner in Rowedder, GmbHG, § 35 Rn. 26.

62   Heckschen in Wachter, FA Handels- und Gesellschaftsrecht, Teil II, 2. Kap.
Rn. 181; zu den weiteren Möglichkeiten des statutarischen Dispenses von
§ 181 BGB vgl. Lutter/Hommelhoff in Lutter/Hommelhoff, GmbHG, § 35
Rn. 23.

63   Heckschen in Wachter, FA Handels- und Gesellschaftsrecht, Teil II, 2. Kap.
Rn. 183.

64   BayObLG, 10.04.1981 – BReg 1 Z 26/81, NJW 1981, 1565; Lenz in Michalski, GmbHG, § 35 Rn. 83; Zöllner in Baumbach/Hueck, GmbHG, § 35 Rn. 80.

bislang grundsätzlichen Übung der Praxis in das **Handelsregister** einzutragen.[65] Wegen einer fehlerhaften Auslegung und Interpretation von § 10 Abs. 1 Satz 2 wird dies von einer – allerdings im Vordringen befindlichen – Gegenauffassung infrage gestellt und die Eintragungspflicht verneint.[66]

Neben der generellen Befreiung von den Wirkungen des § 181 BGB ist die 45
Aufnahme einer **Öffnungsklausel** in die Satzung weit verbreitet, wonach jedem Geschäftsführer die **Befreiung** von den Beschränkungen des § 181 BGB **erteilt** werden kann.

Formulierungsbeispiel: 46

> Jedem Geschäftsführer kann die generelle Befreiung von den Beschränkungen des § 181 BGB erteilt werden, sodass er die Gesellschaft bei Rechtsgeschäften mit sich selbst oder mit sich als Vertreter eines Dritten vertreten kann.
>
> Der dann von der Gesellschafterversammlung jeweils gefasste Befreiungsbeschluss ist eintragungspflichtig, anderenfalls gilt er als nicht wirksam erteilt.[67]

VI. Bestellung und Anstellungsverhältnis

1. Bestellung

Die **Bestellung** vermittelt dem zur Geschäftsführung Berufenen dessen 47
Rechte und **Pflichten**, die sich aus der **Organstellung** als Geschäftsführer ergeben (z.B. §§ 37, 43).[68] Im Regelfall wird die Berufung durch mehrheitlichen Gesellschafterbeschluss getroffen. Ausnahmsweise kann die Bestellung durch die Satzung auch anderen Organen oder sogar einem einzel-

---

65 Herrschende Meinung: vgl. BGH, 28.02.1983 – II ZB 8/82, BGHZ 87, 59, 61 = NJW 1983, 1676; BGH, 08.04,1991 – II ZB 3/91, BGHZ 114, 167, 170 = 1 NJW 1991, 1731; BFH, 23.101996 – I R 71/95, GmbHR 1997, 34; OLG Hamm, 15.01.1996 – 15 W 463/95, DNotZ 1996, 816; OLG Frankfurt a.M., 13.12.1996 – 10 U 8/96, GmbHR 1997, 349; OLG Köln, 02.10.1992 – 2 Wx 33/92, NJW 1993, 1018.

66 Altmeppen, NJW 1995, 1182, 1185; ders. in Roth/Altmeppen, GmbHG, § 35 Rn. 65; Lenz in Michalski, GmbHG, § 35 Rn. 83.

67 Langenfeld, GmbH-Vertragspraxis, Rn. 128.

68 Ockelmann/Pieperjohanns/Hölck in Bormann/Kauka/Ockelmann, Hdb. GmbH-Recht, Kap. 7 Rn. 3 ff.; Heckschen in Wachter, FA Handels- und Gesellschaftsrecht, Teil II, 2. Kap. Rn. 169.

nen Gesellschafter zugewiesen sein. In der Praxis wird bisweilen der Aufsichtsrat hierzu bestimmt.[69]

48   Die **Bestellung** erfolgt grds. **unbeschränkt**. Bei der **mitbestimmten GmbH** können Geschäftsführer lediglich auf höchstens **fünf Jahre** bestellt werden (§§ 31 Abs. 1 MitbestG, 12 MontanMitbestG, 13 MontanMitbestErgG) Nach Auffassung des OLG Stuttgart ist die **Bestellung zwingend** zu **protokollieren**, anderenfalls soll der Bestellungsakt unwirksam sein. Für die Abberufung gilt dem Sinn nach jeweils das Gleiche wie für die Bestellung.[70]

2.   Anstellungsverhältnis

49   Neben der Bestellung wird das Rechtsverhältnis zu dem einzelnen Geschäftsführer durch das Anstellungsverhältnis geprägt.[71] Der **Anstellungsvertrag** kann **formlos** und **konkludent** zustande kommen.[72] Aus Gründen der **Rechtsklarheit** und der **steuerlichen Absetzbarkeit** der Geschäftsführervergütung ist die **schriftliche Abfassung** jedoch angezeigt und in der Praxis durchgängig üblich.[73] Die Abschlusskompetenz für den **Anstellungsvertrag** liegt **grds.** bei den **Gesellschaftern**, soweit die Satzung keinen Beirat oder Aufsichtsrat bestimmt.[74]

50   Als Angestellten der Gesellschaft treffen den einzelnen Geschäftsführer grds. die **sozialen Schutzvorschriften**.[75] Dies gilt allerdings mit der **wesentlichen Einschränkung**, dass der Geschäftsführer eine **Arbeitgeberfunktion** wahrnimmt und deshalb **nicht durchgängig** mit den übrigen Arbeitnehmern gleichgesetzt werden kann. Er ist folglich aus dem **Anwendungsbereich bestimmter gesetzlicher Vorschriften ausdrücklich aus-**

---

69   Lutter/Hommelhoff, GmbHG, vor § 35 Rn. 3.

70   BGH, 23.03.1981 – II ZR 27/80, BGHZ 80, 212 = NJW 1981, 21, 25 = ZIP 1981, 609.

71   Ockelmann/Pieperjohanns/Hölck in Bormann/Kauka/Ockelmann, Hdb. GmbH-Recht, Kap. 7 Rn. 24 ff.; Heckschen in Wachter, FA Handels- und Gesellschaftsrecht, Teil II, 2. Kap. Rn. 172.

72   BGH, 27.01.1997 – II ZR 213/95, NJW-RR 1997, 669, 670; BGH, 20.12.1993 – II ZR 217/92, NJW-RR 1994, 357, 358.

73   Schmidt in Achilles/Ensthaler/Schmidt, GmbHG, § 35 Rn. 46.

74   BGH, 03.07.2000 – II ZR 282/98, NJW 2000, 2983; BGH, 21.06.1999 – II ZR 27/98, NJW 1999, 3263, 3264.

75   BGH, 26.03.1984 – II ZR 229/83, GmbHR 1984, 234 = BGHZ 91, 1, 3; ausführlich zu Einzelheiten: Ockelmann/Pieperjohanns/Hölck in Bormann/Kauka/Ockelmann, Hdb. GmbH-Recht, Kap. 7 Rn. 39 ff., 59 ff.

genommen (z.B. § 5 Abs. 1 Satz 3 ArbGG; § 14 Abs. 1 Nr. 1 KSchG, § 18 Abs. 1 Nr. 1 ArbZG; § 1 Abs. 3 Nr. 1 des 5. VermbG, § 5 Abs. 3 BetrVG; §§ 1, 2 BUrlG, § 613a BGB).[76]

3. Beendigung von Bestellung und Anstellungsverhältnis

Bestellung und Anstellungsvertrag sind grds. voneinander unabhängig.[77] In der Praxis ist deshalb darauf zu achten, dass das **Anstellungsverhältnis kongruent** mit der **Abberufung** oder dem **Rücktritt**[78] des Geschäftsführers beendet wird und umgekehrt. Zuständig für die Kündigung und die Abberufung ist die Gesellschafterversammlung als Bestellungsorgan, soweit kein Beirat oder Aufsichtsrat hierzu bestimmt ist.[79] Ein Gesellschafter-Geschäftsführer darf bei dem Beschluss über seine außerordentliche Kündigung nicht mitbestimmen.[80]   51

Die außerordentliche Kündigung des Geschäftsführers setzt das Vorliegen eines wichtigen Grundes i.S.v. § 626 Abs. 1 BGB voraus.[81] Für die diesbezügliche Darlegungs- und Beweislast gelten die üblichen Voraussetzungen.[82]   52

Einzelne wichtige Kündigungsgründe: 53

• Grober Verstoß gegen die Treuepflicht, schwerwiegender Vertrauensbruch, Weigerung der Erbringung der Dienstleistungen als Geschäftsführer (BGH, 09.02.1978 – II ZR 189/76, NJW 1978, 1435, 1437).

---

76 Schmidt in Achilles/Ensthaler/Schmidt, GmbHG, § 35 Rn. 45; BGH, 25.07.2002 – III ZR 207/01, NJW 2002, 3104; Ausführlich zu diesem Thema: Heckschen in Wachter, FA Handels- und Gesellschaftsrecht, Teil II, 2. Kap. Rn. 172.

77 BGH, 23.10.1995 – R 130/94, NJW-RR 1996, 156; Ockelmann/Pieperjohanns/Hölck in Bormann/Kauka/Ockelmann, Hdb. GmbH-Recht, Kap. 7 Rn. 95 ff.

78 Zu Rücktritt/Amtsniederlegung des Geschäftsführers ausführlich: Ockelmann/ Pieperjohanns/Hölck in Bormann/Kauka/Ockelmann, Hdb. GmbH-Recht, Kap. 7 Rn. 103 ff.

79 BGH, 26.03.1984 – II ZR 120/83, GmbHR 1984, 312 = BGHZ 91, 217, 218; BGH, 17.02.1997 – II ZR 278/95, NJW 1997, 2055; Ockelmann/Pieperjohanns/Hölck in Bormann/Kauka/Ockelmann, Hdb. GmbH-Recht, Kap. 7 Rn. 99; Heckschen in Wachter, FA Handels- und Gesellschaftsrecht, Teil II, 2. Kap Rn. 200.

80 Schmidt in Achilles/Ensthaler/Schmidt, GmbHG, § 35 Rn. 65; Koppensteiner in Rowedder, GmbHG, § 47 Rn. 71, 77.

81 Ockelmann/Pieperjohanns/Hölck in Bormann/Kauka/Ockelmann, Hdb. GmbH-Recht, Kap. 7 Rn. 116 ff.

82 BGH, 28.10.2002 – II ZR 353/00, NJW 2003, 431, 432; BGH, 20.02.1995 – II ZR 9/94, NJW-RR 1995, 669, 670.

- Laufendes geschäftliches Versagen über einen längeren Zeitraum (BGH, 29.01.1976 – II ZR 3/74, WM 1976, 379).

- Tiefgreifendes Zerwürfnis mit wesentlichem – nicht notwendig schuldhaftem – Beitrag des Geschäftsführers (BGH, 24.02.1992 – II ZR 79/91, NJW-RR 1992, 993, 994; BGH, 17.10.1983 – II ZR 31/83, WM 1984, 29).

- Verstöße gegen Weisungen und Beschlüsse der Gesellschafterversammlung (BGH, 13.02.1995 - II ZR 225/93, NJW 1995, 1358, 1359; OLG Frankfurt a.M., 07.02.1997 – 24 U 88/95, NJW-RR 1997, 736, 737).

- Übergehen der Gesellschafter oder anderweitiges Überspielen der Willensbildung von Gesellschaftern (OLG Frankfurt a.M., 18.09.1998 – 5 W 22/98, NJW-RR 1999, 257, 258 = GmbHR 1998, 1126).

- Loslösung von Grundlagen der von der Gesellschafterversammlung vorgegebenen Geschäftspolitik (BGH, 25.02.1991 – II ZR 76/90, NJW 1991, 1681, 1682 = GmbHR 1991, 197).

- Grobe Verletzung der Verschwiegenheitspflicht (OLG Hamm, 07.11.1984 – 8 U 8/84, GmbHR 1985, 157).

- Einsatz von Arbeitskräften und Materialien der Gesellschaft zum Bau des Privathauses ohne Wissen der Gesellschafter (BGH, 02.06.1997 – II ZR 101/96, GmbHR 1997, 998).

- Eigenmächtige Entnahmen vom Konto der Gesellschaft, sonstige Eigentums- und Vermögensdelikte, Annahme von persönlichen Zuwendungen i.R.d. Abschlusses geschäftlicher Verträge (BGH, 08.05.1967 – II ZR 126/65, BB 1967, 731).

- Missbräuchliches Ausnutzen von Erwerbschancen der Gesellschaft, grobe Nachlässigkeiten bei der Vorbereitung des Jahresabschlusses (OLG Bremen, 20.03.1997 – 2 U 110/96, NJW-RR 1998, 468, 469).

- Nachhaltige Weigerung, das Informationsrecht eines Gesellschafters gem. § 51a GmbHG zu erfüllen (OLG Frankfurt a.M., 24.11.1992 – 5 U 67/90, NJW-RR 1994, 498, 499 = GmbHR 1994, 114).

- Weigerung, mit dem Aufsichtsrat oder weiteren Geschäftsführern zusammenzuarbeiten (LG Berlin, 10.11.2003 – 95 O 139/02, GmbHR 2004, 741, 743).

- Unberechtigte Amtsniederlegung (BGH, 14.07.1980 – II ZR 161/79, BGHZ 78, 82, 85 = GmbHR 1980, 270; OLG Celle, 04.02.2004 – 9 U 203/03, GmbHR 2004, 425).

- Betriebseinstellung wegen wirtschaftlichem Niedergang des Unternehmens (BGH, 21.04.1975 – II ZR 2/73, WM 1975, 761, 762).

Nicht ausreichend für einen wichtigen Kündigungsgrund 54

* Gefahr der Insolvenz (OLG Naumburg, 16.04.2003 – 5 U 12/03, GmbHR 2004, 423).

* Bloße Eröffnung des Insolvenzverfahrens (BGH, 25.06.1979 – II ZR 219/78, GmbHR 1980, 27 = BGHZ 75, 209, 211).

* Unzureichende Arbeitsleistungen (OLG Düsseldorf, 15.01.1987 – 8 U 239/85, BB 1987, 567, 568).

* Vertrauensentzug durch die Gesellschafterversammlung ohne sachlichen Grund (BGH, 29.05.1989 – II ZR 220/88, NJW 1989, 2683 – GmbHR 1989, 415).

* Betriebsstilllegung aufgrund geänderter Geschäftspolitik des Allein-gesellschafters (BGH, 28.10.2002 – II ZR 353/00, NJW 2003, 431, 433 = GmbHR 2003, 33).[83]

Die **Kündigungsfrist** für die Aussprache der außerordentlichen Kündigung 55 beträgt nach § 626 Abs. 2 BGB **zwei Wochen.**[84] Die **Frist beginnt** mit der **sicheren** und **umfassenden Kenntnis** der Umstände, die den Kündigungs-grund bilden.[85] Die Kündigungsgründe können in der üblichen Form nach-geschoben werden.[86]

Für **Rechtsstreitigkeiten** zwischen der Gesellschaft und dem Geschäfts- 56 führer, die mit dem Anstellungsverhältnis in Zusammenhang stehen, sind nicht die Arbeitsgerichte, sondern die **ordentlichen Gerichte** zuständig, auch wenn diese dann ggf. materielles Arbeitsrecht anzuwenden haben.[87]

§ 35a GmbHG   Angaben auf Geschäftsbriefen

(1) ¹Auf allen Geschäftsbriefen gleichviel welcher Form, die an einen bestimmten Empfänger gerichtet werden, müssen die Rechtsform und der Sitz der Gesellschaft, das Registergericht des Sitzes der Gesellschaft und die Nummer, unter der die Gesellschaft in das Handelsregister

---

83   Zu diesem Katalog s.a. Schmidt in Achilles/Ensthaler/Schmidt, GmbHG, § 35 Rn. 75.

84   BGH, 25.02.1991 – II ZR 76/90, NJW 1991, 1681, 1682; Ockelmann/Pieper-johanns/Hölck in Bormann/Kauka/Ockelmann, Hdb. GmbH-Recht, Kap. 7 Rn. 119.

85   BGH, 02.06.1997 – II ZR 101/96, GmbHR 1997, 998, 999.

86   BAG, 18.01.1980 – 7 AZR 260/78, NJW 1980, 2486.

87   BAG, 06.05.1999 – 5 AZB 22/98, NJW 1999, 3069; Schmidt in Achilles/Ensthaler/Schmidt, GmbHG, § 35 Rn. 84.

eingetragen ist, sowie alle Geschäftsführer und, sofern die Gesellschaft einen Aufsichtsrat gebildet und dieser einen Vorsitzenden hat, der Vorsitzende des Aufsichtsrats mit dem Familiennamen und mindestens einem ausgeschriebenen Vornamen angegeben werden. [2]Werden Angaben über das Kapital der Gesellschaft gemacht, so müssen in jedem Falle das Stammkapital sowie, wenn nicht alle in Geld zu leistenden Einlagen eingezahlt sind, der Gesamtbetrag der ausstehenden Einlagen angegeben werden.

(2) Der Angaben nach Absatz 1 Satz 1 bedarf es nicht bei Mitteilungen oder Berichten, die im Rahmen einer bestehenden Geschäftsverbindung ergehen und für die üblicherweise Vordrucke verwendet werden, in denen lediglich die im Einzelfall erforderlichen besonderen Angaben eingefügt zu werden brauchen.

(3) [1]Bestellscheine gelten als Geschäftsbriefe im Sinne des Absatzes 1. [2]Absatz 2 ist auf sie nicht anzuwenden.

(4) [1]Auf allen Geschäftsbriefen und Bestellscheinen, die von einer Zweigniederlassung einer Gesellschaft mit beschränkter Haftung mit Sitz im Ausland verwendet werden, müssen das Register, bei dem die Zweigniederlassung geführt wird, und die Nummer des Registereintrags angegeben werden; im übrigen gelten die Vorschriften der Absätze 1 bis 3 für die Angabe bezüglich der Haupt- und der Zweigniederlassung, soweit nicht das ausländische Recht Abweichungen nötig macht. [2]Befindet sich die ausländische Gesellschaft in Liquidation, so sind auch diese Tatsache sowie alle Liquidatoren anzugeben.

I.   Einführung

1   Abs. 1 bis 3 wurden durch Art. 3 GesRKoDG (Gesetz zur Durchführung der Ersten Richtlinie des Rates der Europäischen Gemeinschaften zur Koordinierung des Gesellschaftsrechts vom 15.08.1969 – RL68/151/EWG) eingefügt. Abs. 4 des § 35a wurde eingefügt durch das Gesetz zur Umsetzung der Zweigniederlassungs-Richtlinie (RL 89/666/EWG – Elfte Richtlinie des Rates vom 21.12.1989 über die Offenlegung von Zweigniederlassungen, die

in einem Mitgliedstaat von Gesellschaften bestimmter Rechtsformen errichtet wurden, die dem Recht eines anderen Staates unterliegen) vom 22.07.1993. Durch das Gesetz über Elektronische Handelsregister und Genossenschaftsregister sowie das Unternehmensregister (EHUG) vom 10.11.2006 erfolgte eine weitere Änderung der Norm im Hinblick auf die Richtlinie des Rates vom 15.07.2003 zur Änderung der Richtlinie 68/151/EWG in Bezug auf Offenlegungspflichten von Gesellschaften bestimmter Rechtsform (Richtlinie 2003/58/EG). Im Rahmen des Gesetzes zur Modernisierung des GmbH-Rechts und zur Bekämpfung von Missbräuchen (MoMiG) wurde die Norm lediglich in Abs. 4 Satz 1 durch die Einfügung der Wörter „für die Angaben bezüglich der Haupt- und Zweigniederlassung" klarstellend ergänzt.

Zweck der Norm ist es, (potenziellen) Geschäftspartnern der Gesellschaft die Möglichkeit einzuräumen, sich über die grundlegenden Verhältnisse der Gesellschaft unterrichten zu können, ohne zuvor Einsicht in das Handelsregister nehmen zu müssen und es Dritten zu erleichtern, über die anzugebenden Registerdaten weiterreichende Informationen einzuholen. Die Norm entspricht ihrem Inhalt nach den Parallelvorschriften in § 80 AktG, § 37a HGB, 125a HGB und § 25a GenG.   2

Bei § 35a handelt es sich **nicht** um eine **Formvorschrift i.S.d. § 125 BGB** (allg. M.).[1]   3

II.   Angaben auf Geschäftsbriefen (Abs. 1)

1.   Geschäftsbrief

Entsprechend des Normzwecks ist der **Begriff des Geschäftsbriefs weit auszulegen**.[2] Er umfasst alle von der GmbH ausgehenden schriftlichen Mitteilungen, die an außenstehende Dritte gerichtet sind und im weitesten Sinn Bezug zur geschäftlichen Tätigkeit der Gesellschaft haben. Eine bereits bestehende Geschäftsverbindung zu dem Empfänger der Mitteilung ist nicht erforderlich, da auch schriftliche Mitteilungen, die i.R.d. Geschäftsanbahnung von der Gesellschaft ausgehen, erfasst werden.   4

---

1   Vgl. nur Lutter/Hommelhoff in Lutter/Hommelhoff, GmbHG, § 35a Rn. 6.

2   LG Detmold, 20.10.1989 – 9 O 402/89, NJW-RR 1990, 995; LG Heidelberg, 31.05.1996 – 8 O 2/96, NJW-RR 1997, 355; Lenz in Michalski, GmbHG, § 35a Rn. 4; Schneider in Scholz, GmbHG, § 35a Rn. 4; Schmidt in Achilles/Ensthaler/Schmidt, GmbHG, § 35a Rn. 2.

5   Von dem Anwendungsbereich werden u.a. erfasst:

- Geschäftsrundschreiben,[3]
- Angebotsschreiben,
- Bestellscheine,
- Lieferscheine,
- Quittungen,
- Rechnungen und
- Postschecks,[4]

soweit nicht die Ausnahmevorschrift des Abs. 2 eingreift.

6   Nicht vom Anwendungsbereich erfasst werden hingegen Schreiben ausschließlich privaten Inhalts, wie etwa Glückwunschreiben an Geschäftspartner[5] weil solche Schreiben regelmäßig nicht im unmittelbaren Zusammenhang mit dem Geschäftsverkehr der Gesellschaft stehen.[6]

7   Die Art und Weise der Übermittlung der schriftlichen Mitteilung spielt für die Anwendbarkeit der Norm keine Rolle, sodass neben **Telefaxschreiben** auch per **E-Mail** versandte Mitteilungen die Pflichtangaben enthalten müssen. Die zuvor streitige Frage, ob auch E-Mails als Geschäftsbriefe i.S.d. Norm anzusehen sind, ist spätestens seit der Ergänzung des Gesetzestextes in Abs. 1 durch die Worte „gleichviel welcher Form" mit Wirkung zum 01.01.2007 durch das Gesetz über Elektronische Handelsregister und Genossenschaftsregister sowie das Unternehmensregister (EHUG) entschieden. Zwar galt richtigerweise auch vor Inkrafttreten der Änderung des Abs. 1 nichts anderes,[7] jedoch ist die gesetzgeberische Klarstellung zu begrüßen. Entsprechende Klarstellungen wurden in § 80 AktG, § 37a, § 125a HGB und § 25a GenG aufgenommen.

8   Umstritten ist in der Literatur außerdem, ob § 35a GmbHG auch auf per SMS versandte Mitteilungen anzuwenden ist, soweit diese ihrem Inhalt nach als Geschäftsbrief anzusehen sind. Es erscheint sachgerecht, § 35a GmbHG

---

3   LG Heidelberg, 31.05.1996 – 8 O 2/96, NJW-RR 1997, 355.

4   LG Detmold, 20.10.1989 – 9 O 402/89, NJW-RR 1990, 995.

5   Hefermehl/Spindler in MüKo-AktG, § 80 Rn. 13; Schneider in Scholz, GmbHG, § 35a Rn. 4.

6   Paefgen in Ulmer/Habersack/Winter, GmbHG, § 35a Rn. 5.

7   Hefermehl/Spindler in MüKo-AktG, § 80 Rn. 12; Hoeren/Pfaff, MMR 2007, 207; Roth/Groß, KuR 2002, 127, 135; Schmittmann/Ahrens, DB 2002, 1038, 1041.

auch hier anzuwenden,[8] wobei es sich allerdings in der Praxis als kaum praktisch durchführbar erweisen dürfte, im Rahmen einer SMS die erforderlichen Angaben wiederzugeben.

2. Empfänger

Als Empfänger von Geschäftsbriefen kommen alle außerhalb der Gesellschaft stehenden Dritten infrage, wobei erforderlich ist, dass die Mitteilung **„an einen bestimmten Empfänger gerichtet ist"**. Postwurfsendungen, Werbebeilagen und Handzettel sind regelmäßig nicht als Geschäftsbriefe anzusehen, da entsprechendes Werbematerial nicht an einen bestimmten Empfänger, sondern an einen unbestimmten Personenkreis gerichtet ist. Anders ist dies bei an bestimmte Adressaten versandten Schreiben, auch wenn diese inhaltsgleich massenweise versandt werden. Ein individueller Inhalt der Schreiben ist nämlich nicht notwendig.[9]

9

Als Empfänger kommen auch **Arbeitnehmer der Gesellschaft** in Betracht, soweit es sich um Mitteilungen handelt, die den Arbeitnehmer als außen stehenden Dritten betreffen, also etwa im Fall von Mitteilungen, die den Bestand oder die Durchführung des Arbeitsverhältnisses betreffen, wie etwa im Fall von Abmahnungen oder Kündigungen.

10

Der rein **interne Schriftverkehr der Gesellschaft** fällt hingegen nicht in den Anwendungsbereich der Vorschrift.[10] Hierzu zählt neben dem Schriftverkehr zwischen den Gesellschaftern und dem Geschäftsführer einer Gesellschaft[11] auch der Schriftverkehr zwischen der Gesellschaft und ihren Filialen,[12] sowie an Arbeitnehmer gerichtete Dienstanweisungen. Ebenfalls nicht an außen stehende Dritte gerichtet sind schriftliche Mitteilungen der Gesellschaft an betriebsverfassungsrechtliche Organe.[13] Umstritten ist, ob auch an rechtlich selbstständige Konzernunternehmen adressierte schriftliche Mitteilungen zum nur internen Schriftverkehr der Gesellschaft zählen. Vor dem Hintergrund der rechtlichen Selbstständigkeit des jeweiligen Kon-

11

---

8   Maaßen/Orlikowski-Wolf, BB 2007, 561; a.A.: Schneider in Scholz, GmbHG, § 35a Rn. 6.

9   Paefgen in Ulmer/Habersack/Winter, GmbHG, § 35a Rn. 6; Schmidt in Achilles/Ensthaler/Schmidt, GmbHG, § 35a Rn. 3.

10 BGH, 27.01.1997 – II ZR 213/95, NJW-RR 1997, 669.

11 BGH, 27.01.1997 – II ZR 213/95, NJW-RR 1997, 669.

12 Paefgen in Ulmer/Habersack/Winter, GmbHG, 2006, § 35a Rn. 5.

13 Paefgen in Ulmer/Habersack/Winter, GmbHG, 2006, § 35a Rn. 5.

zernunternehmens ist dies zu verneinen.[14] Der Hinweis, es sei davon auszugehen, dass sämtliche Konzernunternehmen über die gebotenen Informationen der übrigen Unternehmen verfügen und deshalb die Beachtung von
Abs. 1 Satz 1 in ihrem Verhältnis untereinander zu verneinen sei überzeugt
nicht.[15]

3.   Pflichtangaben

12   Folgende Angaben sind auf Geschäftsbriefen der Gesellschaft anzugeben:

1. die Rechtsform der Gesellschaft (ausreichend ist die Angabe der Kurz-
   form „GmbH", § 4),

2. der Sitz der Gesellschaft (i.S.d. § 3 Abs. 1 bzw. § 17 Abs. 1 ZPO),

3. Registergericht und Registernummer (§§ 7, 10),

4. sämtliche Geschäftsführer der GmbH (§ 6) mit ihren Nachnamen und
   mindestens einem ausgeschriebenen Vornamen,

5. der Vorsitzende des Aufsichtsrates (soweit vorhanden, § 52 i.V.m. AktG)
   mit seinem Nachnamen und mindestens einem ausgeschriebenen Vornamen.

13   **Akademische Grade**, wie etwa Doktortitel, sind im Zusammenhang mit der
Pflicht zur Angabe des Vor- und Nachnamens *nicht* anzugeben, da es sich
bei akademischen Graden nicht um Bestandteile des Namens handelt.[16] Es
bestehen jedoch keine Bedenken gegen eine **freiwillige Angabe** akademi-
scher Grade.

14   **Angaben zum Stammkapital** (§ 5) oder den Vermögensverhältnissen der
Gesellschaft sind nicht zwingend vorgeschrieben. Sollen entsprechende
Angaben dennoch aufgenommen werden, so ist zu beachten, dass der Betrag
des Stammkapitals sowie der Gesamtbetrag ausstehender Einlagen anzugeben sind (Abs. 1 Satz 2). Weitere Angaben zum Kapital der Gesellschaft
verlangt das Gesetz nicht.

15   Eine Pflicht zur Angabe **sonstiger Umstände** besteht *nicht*. Es steht der
Gesellschaft frei, weitere Angaben aufzunehmen, wie etwa Hinweise auf eine
Konzernzugehörigkeit, Mitgliedschaften in Arbeitgeberverbänden. Insoweit
sind jedoch ggf. wettbewerbsrechtliche Schranken zu berücksichtigen.

---

14   Hefermehl/Spindler in MüKo-AktG, § 80 Rn. 22; Lutter/Hommelhoff in Lut-
      ter/Hommelhoff, GmbHG, § 35a Rn. 2; Schneider in Scholz, GmbHG, § 35a
      Rn. 8.

15   Lenz in Michalski, GmbHG, § 35a Rn. 5.

16   BVerwG, 24.10.1957 – I C 50/56, BVerwGE 5, 219.

4. Angaben in E-Mails

Im Zusammenhang mit der gesetzlichen Klarstellung zur Erstreckung der 16
Reichweite des § 35a GmbHG bzgl. der in geschäftliche E-Mails aufzuneh-
menden Pflichtangaben wird diskutiert, ob es ausreicht, wenn in der E-Mail
anstelle der Pflichtangaben ein auf die die Pflichtangaben enthaltende
Homepage der jeweiligen Gesellschaft verweisender Hyperlink enthalten
ist. Richtigerweise ist davon auszugehen, dass die Pflichtangaben vollständig in dem jeweiligen E-Mailtext selbst enthalten sein müssen und es nicht
ausreichend ist, wenn die Pflichtangaben nur über einen Hyperlink abrufbar
sind. Das Setzen nur eines Hyperlinks ist weder mit dem Wortlaut noch mit
dem Sinn und Zweck des § 35a GmbHG vereinbar,[17] sodass die Pflichtangaben in der Praxis stets in den E-Mailtext aufgenommen werden sollten,
um nachteilige Rechtsfolgen zu vermeiden.

III. Ausnahmen (Abs. 2)

Nach Abs. 2 sind die nach Abs. 1 vorgeschriebenen Pflichtangaben nicht in 17
Mitteilungen oder Berichte aufzunehmen, die im Rahmen einer **bestehenden Geschäftsverbindung** ergehen und für die **üblicherweise Vordrucke**
verwendet werden, in welche die im Einzelfall erforderlichen besonderen
Angaben lediglich eingefügt zu werden brauchen.

Zu den Mitteilungen oder Berichten, die in den Anwendungsbereich der 18
Vorschrift fallen, zählen etwa Kontoauszüge, Lieferscheine oder Mahn-
schreiben.[18]

Ausreichend für das Vorliegen einer Geschäftsverbindung ist es, wenn es 19
zuvor zwischen den beteiligten Parteien einen Erstkontakt gegeben hat und
im Rahmen dieses Erstkontaktes die nach Abs. 1 erforderlichen Angaben
der anderen Partei zugänglich gemacht worden sind. Insoweit wird teilweise
verlangt, dass der Erstkontakt nicht zu lange zurückliegen dürfe, um eine
bestehende Geschäftsverbindung annehmen zu können.[19] Jedenfalls dann,
wenn sich zwischen den Geschäftskontakten Änderungen in den angabe-
pflichtigen Umständen ergeben haben, ist der jeweilige Geschäftspartner
nach Abs. 1 zu informieren, soweit er nicht gesondert über die entspre-

---

17 Hoeren/Pfaff, MMR 2007, 207, 209; Rath/Hausen, KuR 2007, 113, 115;
    Schneider, ZAP 2007, 157, 158; Wild, DuD 2007, 374; a.A.: Glaus/Gabel,
    BB 2007, 1744, 1747.

18 Paefgen in Ulmer/Habersack/Winter, GmbHG, § 35a Rn. 7; Schneider in
    Scholz, GmbHG, § 35a Rn. 18.

19 So etwa Schneider in Scholz, GmbHG, § 35a Rn. 19; a.A.: Lenz in Michalski,
    GmbHG, § 35a Rn. 11.

chende Veränderung informiert wurde. Für die Praxis ist vor dem Hintergrund dieses Meinungsstreits zu empfehlen, dass die Pflichtangaben auf Geschäftsbriefen zumindest dann vorgenommen werden, wenn nicht ein regelmäßiger geschäftlicher Kontakt besteht.

IV.   Bestellscheine (Abs. 3)

20   Die Ausnahme nach Abs. 2 gilt nicht für Bestellscheine. Diese sind den Geschäftsbriefen gleichgestellt und unterfallen daher der Angabenpflicht.

V.   Inländische Zweigniederlassungen ausländischer Gesellschaften

21   Die auf die Zweigniederlassungs-Richtlinie (RL 89/666/EWG) zurückgehende Vorschrift findet nur dann Anwendung, wenn eine ausländische Gesellschaft, die der GmbH entspricht, über eine Zweigniederlassung im Inland tätig wird. Sie findet keine Anwendung, wenn die der GmbH entsprechende ausländische Gesellschaft unmittelbar über eine ausländische (Zweig-) Niederlassung geschäftliche Tätigkeiten im Inland entfaltet. Die im Inland tätig werdende Gesellschaft unterliegt insoweit den auf die Gesellschaft anwendbaren Vorschriften ihres Herkunftslands.

22   Ausländische Gesellschaften müssen das Register angeben, bei dem die inländische Zweigniederlassung registriert ist sowie die Registernummer unter der die Zweigniederlassung eingetragen ist. Im Übrigen gelten die Abs. 1 bis 3 entsprechend. Mit Inkrafttreten des MoMiG am 01.11.2008 wurden in Abs. 4 Satz 1, 2. Halbs. die Wörter „für die Angaben bezüglich der Haupt- und der Zweigniederlassung" eingefügt. In Deutschland über Zweigniederlassungen tätige Auslandsgesellschaften sind daher nun auch verpflichtet, entsprechende Angaben zu ihrer Hauptniederlassung zu machen. Durch diese Ergänzung des Gesetzestextes soll klargestellt werden, dass Zweigniederlassungen ausländischer Gesellschaften eine doppelte Angabeverpflichtung trifft und der bisherige Meinungsstreit über das Bestehen einer doppelten Angabeverpflichtung zugunsten einer Stärkung der Transparenz und des Gläubigerschutzes entscheiden werden (Begr. RegE MoMiG, BR-Drucks. 354/07, S. 99).

23   Im Fall der Liquidation der ausländischen Gesellschaft ist auch diese Tatsache anzugeben.

24   Abweichungen sind nur insoweit zulässig, als das ausländische Recht solche nötig macht.

25   Fraglich ist, inwieweit Auslandsgesellschaften ihren Pflichten nach § 35a genügen, wenn diese anstatt ihre Rechtsform vollständig anzugeben, lediglich (herkunfts-) landestypische Abkürzungen angeben, wie etwa „Ltd.". Nach Auffassung des LG Göttingen ist es zu beanstanden, wenn eine private

limited company lediglich unter der Abkürzung „Ltd." auftritt.[20] Insoweit erscheint – trotz der Neuregelung in Abs. 4, die eine zweifelsfreie Identifizierung der auftretenden Gesellschaft künftig regelmäßig ermöglicht – zumindest für die Praxis sinnvoll, vorübergehend auf die Verwendung von Abkürzungen zu verzichten.

VI. Rechtsfolgen

Wie bereits eingangs erwähnt (Rn. 3), handelt es sich bei § 35a *nicht* um eine Formvorschrift i.S.d. § 125 BGB.[21] Rechtsgeschäfte und geschäftsähnliche Handlungen sind daher auch bei nicht vollständigen Angaben **voll wirksam**. 26

Verstöße gegen § 35a durch die Geschäftsführung oder Liquidatoren einer Gesellschaft können zu einer **Zwangsgeldfestsetzung** durch das Registergericht führen (§ 79 Abs. 1). Das einzelne Zwangsgeld darf 5.000 € nicht überschreiten. 27

Die Nichtbefolgung des § 35a kann darüber hinaus eine zivilrechtliche **Rechtsscheinshaftung** nach sich ziehen.[22] Voraussetzung einer solchen Haftung ist, dass der Geschäftspartner der GmbH die wahren Verhältnisse der GmbH weder gekannt hat noch hätte kennen müssen und dass der Geschäftspartner außerdem im Vertrauen auf die vermeintlich unbeschränkte Haftung seines Gegenüber die Leistung erbracht hat.[23] 28

Nach h.M. handelt es sich bei § 35a außerdem um ein **Schutzgesetz i.S.d. § 823 Abs. 2 BGB**, dessen Verletzung Schadensersatzpflichten begründen kann.[24] Hierbei ist es unerheblich, ob gar keine Angaben oder fehlerhafte Angaben gemacht werden. Eine Schadensersatzverpflichtung kann sich in diesem Zusammenhang auch aus **c.i.c.** ergeben.[25] 29

---

20 LG Göttingen, 12.07.2005 – 3 T1/05, NotBZ 2006, 34.

21 Allgemeine Meinung: vgl. nur Lutter in Lutter/Hommelhoff, GmbHG, § 35a Rn. 6.

22 LG Heidelberg, 31.05.1996 – 8 O 2/96, GmbHR 1997, 446; Lutter/Hommelhoff in Lutter/Hommelhoff, GmbHG, § 35a Rn. 6; Altmeppen in Roth/Altmeppen, GmbHG, § 35a Rn. 8.

23 LG Heidelberg, 31.05.1996 – 8 O 2/96, GmbHR 1997, 446.

24 LG Detmold, 20.10.1989 – 9 O 402/89, NJR-RR 1990, 995; Schiemann in Ermann, BGB, 11. Aufl. 2004, § 823 Rn. 160; Altmeppen in Roth/Altmeppen, GmbHG, § 35a Rn. 8.

25 LG Frankfurt a.M., 26.04.2001 – 2/24 S 342/00, NJW-RR 2001, 1423; Hefermehl/Spindler in MüKo-AktG, § 80 Rn. 25; Lutter/Hommelhoff in Lutter/Hommelhoff, GmbHG, § 35a Rn. 6; Altmeppen in Roth/Altmeppen, GmbHG, § 35a Rn. 8; Schneider in Scholz, GmbHG, § 35a Rn. 26.

30 Zu beachten ist außerdem, dass ein Verstoß gegen § 35a ggf. auch nach **Treu und Glauben** der Einrede der Verjährung entgegengehalten werden kann.[26] Ist die Einrede der Verjährung entstanden, weil es infolge der fehlenden Angaben nach § 35a auf den Geschäftsbriefen zu länger dauernden Nachforschungen nach der Rechtsform der GmbH kam, in deren Folge eine gegen die GmbH gerichtete Klage nicht vor Ablauf der Verjährungsfrist eingereicht werden konnte, so kann dieser Umstand der Einrede der Verjährung ggf. entgegengehalten werden.[27]

31 Die Nichtbefolgung des § 35a kann ggf. einen **Verstoß gegen die wettbewerbsrechtlichen Vorschriften des UWG** darstellen und die erfolgreiche Geltendmachung wettbewerbsrechtlicher Ansprüche durch Wettbewerber bzw. Wettbewerbsverbände nach sich ziehen.[28]

§ 36 GmbHG (weggefallen)

1 Die Vorschrift wurde durch das Gesetz zur Modernisierung des GmbH-Rechts und zur Bekämpfung von Missbräuchen vom 23.10.2008 (MoMiG)[1] mit Wirkung vom 01.11.2008 aufgehoben.

Die bis zum 31.10.2008 geltende Fassung lautete wie folgt:

> *§ 36 GmbHG – Rechtsgeschäfte*
>
> *Die Gesellschaft wird durch die in ihrem Namen von den Geschäftsführern vorgenommenen Rechtsgeschäfte berechtigt und verpflichtet; es ist gleichgültig, ob das Geschäft ausdrücklich im Namen der Gesellschaft vorgenommen worden ist, oder ob die Umstände ergeben, dass es nach dem Willen der Beteiligten für die Gesellschaft vorgenommen werden sollte.*

2 § 36 GmbHG a.F. hatte seit Inkrafttreten des Bürgerlichen Gesetzbuches nur noch klarstellenden Charakter, da die Geschäftsführer der Gesellschaft als deren gesetzliche Vertreter die Gesellschaft vertreten. Dies ergibt sich aus § 164 Abs. 1 BGB i.V.m. § 35 Abs. 1 GmbHG, sodass die Norm keinen eigenständigen Bedeutungsgehalt mehr innehatte. Die Aufhebung der Norm erfolgte aufgrund dieser inhaltlichen Übereinstimmung mit § 164 BGB.

---

26   LG Frankfurt a.M., 26.04.2001 – 2/24 S 342/00, NJW-RR 2001, 1423; Schneider in Scholz, GmbHG, § 35a Rn. 26.

27   LG Frankfurt a.M., 26.04.2001 – 2/24 S 342/00, NJW-RR 2001, 1423.

28   KG Berlin, 26.02.1991 – 5 U 466/91 und 5 W 467/91, DB 1991, 1510; LG Bonn, 22.06.2006 – 14 O 50/06; Ernst, GRUR 2003, 759; Maaßen/Orlikowski-Wolf, BB 2007, 561, 565.

1   BGBl. I 2008, S. 2026.

§ 37 GmbHG   Beschränkungen der Vertretungsbefugnis

(1) Die Geschäftsführer sind der Gesellschaft gegenüber verpflichtet, die Beschränkungen einzuhalten, welche für den Umfang ihrer Befugnis, die Gesellschaft zu vertreten, durch den Gesellschaftsvertrag oder, soweit dieser nicht ein anderes bestimmt, durch die Beschlüsse der Gesellschafter festgesetzt sind.

(2) [1]Gegen dritte Personen hat eine Beschränkung der Befugnis der Geschäftsführer, die Gesellschaft zu vertreten, keine rechtliche Wirkung. [2]Dies gilt insbesondere für den Fall, dass die Vertretung sich nur auf gewisse Geschäfte oder Arten von Geschäften erstrecken oder nur unter gewissen Umständen oder für eine gewisse Zeit oder an einzelnen Orten stattfinden soll, oder dass die Zustimmung der Gesellschafter oder eines Organs der Gesellschaft für einzelne Geschäfte erforderlich ist.

I.   Einführung

§ 37 regelt den Umfang der Geschäftsführungsbefugnis der GmbH-Ge-   1
schäftsführer, nicht nur den der Vertretungsbefugnis der Geschäftsführer.
Die Norm macht deutlich, dass das Organisationsstatut der GmbH, anders
als das der AG, durch ein Weisungsrecht der Gesellschafter ggü. den
Geschäftsführern der GmbH gekennzeichnet ist,[1] welches es den Gesellschaftern erlaubt, Einfluss auf die grds. den Geschäftsführern zugeordnete
Geschäftsführung zu nehmen. Zwischen den Gesellschaftern der GmbH und
ihren Geschäftsführern besteht also ein hierarchisches Verhältnis. Während
der Vorstand der AG die Geschäfte nach § 76 Abs. 1 AktG eigenverantwort-

---

1   Mennicke, NZG 2000, 622.

lich führt und insoweit keinem Weisungsrecht der Aktionäre unterliegt, ist dies bei der GmbH grundlegend anders. § 37 Abs. 2 legt fest, dass Beschränkungen der Vertretungsmacht der Geschäftsführer nicht möglich sind.

II.   Geschäftsführungsbefugnis – gesetzliche Ausgangslage

2   Der Begriff der Geschäftsführungsbefugnis steht für den Umfang, in dem der GmbH-Geschäftsführer die Gesellschaft aufgrund des Innenverhältnisses verpflichten darf. Geregelt wird der Umfang des rechtlichen Dürfens der Geschäftsführer im Innenverhältnis ggü. dem nahezu unbeschränkten rechtlichen Können (Vertretungsmacht) der Geschäftsführer im Außenverhältnis.[2] Was genau alles von der Geschäftsführungsbefugnis umfasst ist, ergibt sich nicht unmittelbar aus dem Gesetz, das von einer Definition der Geschäftsführungsbefugnis abgesehen hat.

3   Originärer Gegenstand der Geschäftsführungsbefugnis der Geschäftsführer ist – soweit keine Beschränkungen bestehen – die Wahrnehmung sämtlicher Angelegenheiten, die zu den laufenden Geschäften der Gesellschaft zählen.[3] Hierzu zählen sämtliche Handlungen, die der gewöhnliche Betrieb des Handelsgewerbes der Gesellschaft mit sich bringt, sowie organisatorische Maßnahmen, die zur gewöhnlichen Geschäftsführung der Gesellschaft gehören, soweit sie nicht zu den Grundlagengeschäften gehören oder den Gesellschaftern zugewiesen sind.

4   Gesetzlich zugewiesen sind den Geschäftsführern der Gesellschaft neben den Buchführungspflichten (§ 41) v.a. die Einberufung der Gesellschafterversammlung nach § 49 Abs. 1, die Vornahme der erforderlichen Anmeldungen zum Handelsregister nach den Vorschriften des GmbHG (§ 78), die Verhinderung verbotener Auszahlungen des Stammkapitals §§ 30, 43 Abs. 3, die Verhinderung des Erwerbs eigener Anteile der Gesellschaft nach §§ 33, § 43 Abs. 3, die Pflicht zur Erfüllung der steuerlichen Pflichten der GmbH nach § 34 AO, die Aufstellung des Jahresabschlusses nach § 264 Abs. 1 HGB sowie die Stellung des Insolvenzantrages nach § 15a Abs. 1 GmbHG und die Abführung der Arbeitnehmeranteile zur Sozialversicherung.[4]

5   Begrenzt wird der Gegenstand der Geschäftsführungsbefugnis durch den satzungsmäßigen Gegenstand der Gesellschaft i.S.d. § 3 Abs. 1 Satz 2,[5]

---

2   Lenz in Michalski, GmbHG, § 37 Rn. 5; Oeckelmann/Pieperjohanns/Hölck in Bormann/Kauka/Ockelmann, Hdb. GmbH-Recht, Kap. 7 Rn. 129; Oppenländer/Trölitzsch, Praxishandbuch GmbH-Geschäftsführung, § 16 Rn. 1.

3   Altmeppen in Roth/Altmeppen, GmbHG, § 37 Rn. 20.

4   BGH, 21.01.1997 – VI ZR 338/95, BGHZ 134, 304 = GmbHR 1997, 305.

5   Lenz in Michalski, GmbHG, § 37 Rn. 5.

wobei diese Begrenzung nicht i.S.e. ultra-vires-Lehre dahin gehend zu verstehen ist, dass die Geschäftsführer die Gesellschaft nicht im Außenverhältnis wirksam verpflichten können, wenn das fragliche Geschäft nicht mehr vom Gegenstand der Gesellschaft gedeckt ist.[6] Im Hinblick auf die begrenzende Wirkung des Unternehmensgegenstands für die Geschäftsführungsbefugnis hat die Festlegung des Unternehmensgegenstands in der Satzung erhebliche Auswirkungen auf den Umfang der Geschäftsführungsbefugnis der Geschäftsführer.[7]

Nach § 46 ist der Gesellschafterversammlung die Zuständigkeit für bestimmte Angelegenheiten zugewiesen. Danach unterliegen der Bestimmung der Gesellschafter: 6

- die Feststellung des Jahresabschlusses und die Verwendung des Ergebnisses (§ 46 Nr. 1);

- die Entscheidung über die Offenlegung eines Einzelabschlusses nach internationalen Rechnungslegungsstandards (§ 325 Abs. 2a HGB) und über die Billigung des von den Geschäftsführern aufgestellten Abschlusses (§ 46 Nr. 1a);

- die Billigung eines von den Geschäftsführern aufgestellten Konzernabschlusses (§ 46 Nr. 1b);

- die Einforderung der Einlagen (§ 46 Nr. 2);

- die Rückzahlung von Nachschüssen (§ 46 Nr. 3);

- die Teilung, die Zusammenlegung sowie die Einziehung von Geschäftsanteilen (§ 46 Nr. 4);

- die Bestellung und die Abberufung von Geschäftsführern sowie die Entlastung derselben (§ 46 Nr. 5);

- die Maßregeln zur Prüfung und Überwachung der Geschäftsführung (§ 46 Nr. 6);

- die Bestellung von Prokuristen und von Handlungsbevollmächtigten zum gesamten Geschäftsbetrieb (§ 46 Nr. 7) sowie

- die Geltendmachung von Ersatzansprüchen, welche der Gesellschaft aus der Gründung oder Geschäftsführung gegen Geschäftsführer oder Gesellschafter zustehen, sowie die Vertretung der Gesellschaft in Prozessen, welche sie gegen die Geschäftsführer zu führen hat (§ 46 Nr. 8).

---

6   Altmeppen in Roth/Altmeppen, GmbHG, § 37 Rn. 26.
7   Altmeppen in Roth/Altmeppen, GmbHG, § 37 Rn. 26.

7   Aus der Gesamtschau der gesetzlichen Zuständigkeitsverteilung, insbes. aus § 46 Nr. 5, 6, 7 sowie § 49 Abs. 2, wonach die Geschäftsführer verpflichtet sind, die Gesellschafterversammlung einzuberufen, wenn es im Interesse der Gesellschaft erforderlich ist, leitet die h.M. ab, dass die Geschäftsführer nur dann zur Festlegung der künftigen Geschäfts- bzw. Unternehmenspolitik befugt sind, wenn ihnen eine entsprechende Befugnis durch die Gesellschafter übertragen wird.[8] Die Geschäftsführer sind danach nicht berechtigt, die von den Gesellschaftern festgelegte Geschäftspolitik abzuändern. Maßnahmen die zu einer umfassenden Neuorientierung der Geschäftspolitik führen und Entscheidungen, die den Rahmen des bisherigen Geschäftsbetriebs sprengen, gehören danach nicht zur Zuständigkeit der Geschäftsführer, sondern müssen von den Gesellschaftern getroffen werden.[9]

8   Aus § 49 Abs. 2 ist außerdem abzuleiten, dass die Geschäftsführer nicht für ungewöhnliche bzw. außergewöhnliche Maßnahmen zuständig sind.[10] Außergewöhnliche Maßnahmen können danach u.a. sein:

* die Vornahme von Geschäften, die nicht von dem festgelegten Unternehmensgegenstand gedeckt sind (satzungswidrige Maßnahmen);
* der Erwerb anderer Unternehmen oder Unternehmensteile;
* die Veräußerung wesentlicher Unternehmensteile;
* die Schließung oder Verlagerung von Betrieben;
* die Vornahme von Geschäften mit einem erheblichen Volumen.

III.   Beschränkungen der Geschäftsführungsbefugnis

9   Wie eingangs bereits erwähnt, sieht die Organisationsverfassung der GmbH, anders als die der AG, nicht zwingend vor, dass die GmbH-Geschäftsführer die Gesellschaft in eigener Verantwortung leiten. Die Gesellschafter sind daher befugt, die Geschäftsführungsbefugnis der Geschäftsführer zu beschränken und ihnen ggü. Weisungen zu erteilen.

10 Beschränkungen der Geschäftsführungsbefugnis aufgrund Gesellschaftsvertrages oder durch Gesellschafterbeschluss sind recht weitgehend möglich, wobei es allerdings nicht zulässig ist, den Geschäftsführern die ihnen

---

8   Lutter/Hommelhoff in Lutter/Hommelhoff, GmbHG, § 37 Rn. 8; Schneider in Scholz, GmbHG, § 37 Rn. 10; Altmeppen in Altmeppen/Roth, GmbHG, § 37 Rn. 23; Oeckelmann/Pieperjohanns/Hölck in Bormann/Kauka/Ockelmann, Hdb. GmbH-Recht, Kap. 7 Rn. 131.

9   BGH, 25.02.1991 – II ZR 76/90, NJW 1991, 1681.

10 Herrschende Meinung: vgl. Lenz in Michalski, GmbHG, § 37 Rn. 14; Lutter/Hommelhoff in Lutter/Hommelhoff, GmbHG, § 37 Rn. 10; Schneider in Scholz, GmbHG, § 37 Rn. 12.

gesetzlich zwingend zugewiesenen Aufgaben zu entziehen. Insoweit ist ein uneinschränkbarer Bereich eigenverantwortlicher Geschäftsführung anzuerkennen.[11] Hierzu gehören die oben unter Rn. 4 genannten Zuständigkeiten der Geschäftsführer.

Soweit diese den Geschäftsführern der GmbH zwingend zugewiesenen Aufgaben nicht berührt werden, sind weitgehende Einschränkungen der Geschäftsführungsbefugnis möglich. Nach der im Hinblick auf die Organisationsverfassung der GmbH zuzustimmenden h.M. sind insbes. auch Beschränkungen der Geschäftsführungsbefugnis dahin gehend möglich, dass einzelne Geschäftsführer sich sämtlicher Geschäftsführungstätigkeit zu enthalten haben.[12] Wird der Geschäftsführer zu einem reinen Exekutivorgan herabgestuft, ist zu beachten, dass ihm diejenigen Rechte verbleiben und gewährt werden müssen, die erforderlich sind, um die ihm nicht entziehbaren Verpflichtungen erfüllen zu können,[13] v.a. also Informations- und Einsichtsrechte.

1. Beschränkungen kraft Gesellschaftsvertrags

Der Gesellschaftsvertrag der GmbH kann Beschränkungen der Geschäftsführungsbefugnis vorsehen. Insbesondere zulässig und von erheblicher praktischer Bedeutung sind **Zustimmungsvorbehalte** zugunsten der Gesellschafterversammlung oder auch zugunsten von Aufsichts- oder Beiräten.[14] Bei der Gestaltung von Zustimmungskatalogen sollte darauf geachtet werden, dass die einem Zustimmungsvorbehalt unterliegenden Gegenstände klar definiert sind. Ist dies nicht der Fall, können sich hieraus vermeidbare Auslegungsfragen im Einzelfall ergeben.[15]

Formulierungsbeispiel Zustimmungskatalog:

„1. Die Vornahme der nachfolgend genannten Rechtsgeschäfte und Maßnahmen bedarf der vorherigen Zustimmung der Gesellschafterversammlung, [die mit einfacher Mehrheit/3/4-Mehrheit entscheidet]:

11

12

13

---

11 Mennicke, NZG 2000, 622, 623; Mertens in Hachenburg, GmbHG, § 37 Rn. 15.

12 Altmeppen in Roth/Altmeppen, GmbHG, § 37 Rn. 4 m.w.N.; eingehend Mennicke, NZG 2000, 622, 623, ebenfalls m.w.N.

13 Oeckelmann/Pieperjohanns/Hölck in Bormann/Kauka/Ockelmann, Hdb. GmbH-Recht, Kap. 7 Rn. 132; Mennicke, NZG 2000, 622, 624.

14 Paefgen in Ulmer/Habersack/Winter, GmbHG, § 37 Rn. 16.

15 Siehe hierzu das Beispiel bei Zöllner/Noack in Baumbach/Hueck, GmbH, § 37 Rn. 15.

> (i)　　die Errichtung oder Schließung von Zweigniederlassungen;
>
> (ii)　　der Erwerb, die Veräußerung oder die Belastung von an anderen Gesellschaften gehaltenen Geschäftsanteilen;
>
> (iii)　　der Erwerb oder die Veräußerung von (Teil-) Betrieben;
>
> (iv)　　die Aufnahme von Darlehen, soweit die Darlehenssumme ..... € übersteigt;
>
> (v)　　der Erwerb von Gegenständen, deren Wert ..... € übersteigt;
>
> (vi)　　die Veräußerung oder Belastung von Gegenständen des Anlagevermögens, deren Wert ..... € übersteigt;
>
> (vii)　　der Erwerb, die Veräußerung oder die Belastung von Grundstücken;
>
> (viii)　　die Gewährung von Sicherheiten zugunsten Dritter;
>
> (ix)　　der Abschluss von Anstellungsverträgen mit leitenden Angestellten [mit Arbeitnehmern, deren Gehalt..... € übersteigt];
>
> (x)　　die Vornahme sämtlicher Rechtsgeschäfte und Maßnahmen, die über den gewöhnlichen Geschäftsbetrieb hinausgehen;[16]
>
> 2. Darüber hinaus ist die Gesellschafterversammlung mit einfacher Mehrheit/3/4-Mehrheit berechtigt, die Vornahme weiterer Rechtsgeschäfte und Maßnahmen von ihrer vorherigen Zustimmung abhängig machen."

14　Entsprechende Zustimmungskataloge müssen nicht im Gesellschaftsvertrag enthalten sein, sondern können sich auch aus einer Geschäftsordnung für die Geschäftsführung sowie aus Gesellschafterbeschlüssen ergeben.

2.　Beschränkungen kraft Gesellschafterbeschlusses

15　Die Gesellschafter sind berechtigt, den Geschäftsführern der Gesellschaft ggü. auch ohne eine entsprechende Grundlage im Gesellschaftsvertrag Weisungen zu erteilen. Die Geschäftsführer sind verpflichtet, den ihnen erteilten Weisungen Folge zu leisten.[17] Weisungen können sowohl abstrakter Art sein, als auch sich auf konkrete Geschäfte der Gesellschaft beziehen. Das Weisungsrecht ist nicht durch die Interessen der Gesellschaft begrenzt.

16　Obwohl entsprechende Auffangregelungen zu Auslegungsproblemen führen können, sind sie häufig in Zustimmungskatalogen enthalten.

17　Altmeppen in Altmeppen/Roth, GmbHG, § 37 Rn. 3; Oeckelmann/Pieperjohanns/Hölck in Bormann/Kauka/Ockelmann, Hdb. GmbH-Recht, Kap. 7 Rn. 133.

Bindende Weisungen können nach entsprechendem Gesellschafterbeschluss 16
im gleichen Umfang wie durch den Gesellschaftsvertrag erfolgen, nicht
jedoch durch einzelne Gesellschafter.[18] Dies gilt auch dann, wenn der die
Weisung erteilende Mehrheitsgesellschafter den Gesellschafterbeschluss in
Folge entsprechender Stimmenmehrheit allein herbeiführen könnte. Handelt
es sich dagegen um eine Einmann-GmbH, bedarf es keines vorhergehenden
Gesellschafterbeschlusses.[19] Gleiches gilt, wenn der Alleingesellschafter
auch zugleich Geschäftsführer der Gesellschaft ist.[20]

Auch wirtschaftlich offensichtlich nachteilige Anweisungen sind von den 17
Geschäftsführern auszuführen,[21] soweit nicht rechtlich geschützte Drittinteressen verletzt werden. Dies ist etwa dann der Fall, wenn die Befolgung der
Weisung die Gesellschaft „sehenden Auges" in die Insolvenz führen würde.
Grund für dieses weitreichende Weisungsrecht der Gesellschafter ist der
Umstand, dass die GmbH zwar eine eigenständige juristische Person ist, sie
jedoch kein vom Willen ihrer Gesellschafter unabhängiges Eigenleben
führt.[22] Daraus folgt, dass der Geschäftsführer einer GmbH auch der Gesellschaft offensichtlich wirtschaftlich nachteilige Weisungen der Gesellschafter umsetzen muss, soweit Drittinteressen nicht verletzt werden.

Weisungen, deren Befolgung gesetz- oder sittenwidrig wäre, müssen und 18
dürfen von den Geschäftsführern nicht befolgt werden.[23] Entsprechende
Weisungen sind nichtig. Dies gilt auch für Weisungen, deren Befolgung
durch die Geschäftsführer zu einer Verletzung der ihnen obliegenden Treuepflicht führte.

Ist der einer Weisung zugrunde liegende Gesellschafterbeschluss anfechtbar, 19
so besteht für den angewiesenen Geschäftsführer zumindest dann eine
Folgepflicht, wenn der Gesellschafterbeschluss unanfechtbar geworden ist.
Läuft die Anfechtungsfrist noch, kann der Geschäftsführer nach pflicht-

18   Schneider in Scholz, GmbHG, § 37 Rn. 31; Lutter/Hommelhoff, § 37 Rn. 17;
      Oeckelmann/Pieperjohanns/Hölck in Bormann/Kauka/Ockelmann, Hdb. GmbH-
      Recht, Kap. 7 Rn. 133.

19   BGH, 28.09.1992 – II ZR 299/91, BGHZ 119, 257, 261 = GmbHR 1993, 38;
      Lenz in Michalski, GmbHG, § 37 Rn. 17; Oeckelmann/Pieperjohanns/Hölck
      in Bormann/Kauka/Ockelmann, Hdb. GmbH-Recht, Kap. 7 Rn. 133.

20   BGH, 28.09.1992 – II ZR 299/91, BGHZ 119, 257, 261; GmbHR 1993, 38.

21   OLG Frankfurt a.M., 07.02.1997 – 24 U 88/95, NJW-RR 1997, 736, 737;
      Oeckelmann/Pieperjohanns/Hölck in Bormann/Kauka/Ockelmann, Hdb. GmbH-
      Recht, Kap. 7 Rn. 133.

22   OLG Frankfurt a.M., 07.02.1997 – 24 U 88/95, NJW-RR 1997, 736, 737.

23   Lenz in Michalski, GmbHG, § 37 Rn. 19; Oeckelmann/Pieperjohanns/Hölck
      in Bormann/Kauka/Ockelmann, Hdb. GmbH-Recht, Kap. 7 Rn. 133.

gemäßem Ermessen abwarten, bis der Beschluss unanfechtbar geworden ist, soweit die Anfechtung nicht völlig unwahrscheinlich ist.[24] Bis zu diesem Zeitpunkt besteht also keine uneingeschränkte Folgepflicht.[25] Wird der Gesellschafterbeschluss rechtskräftig für nichtig erklärt, so ist er von den Geschäftsführern der Gesellschaft nicht zu befolgen.[26]

3. Übertragung der Weisungsbefugnis

20   Infolge des Grundsatzes der Satzungsfreiheit steht es den Gesellschaftern grds. frei, die ihnen gegenüber den Geschäftsführern zustehende Weisungsbefugnis zu übertragen. Denkbar ist insoweit die Übertragung der Weisungsbefugnis nicht nur auf gesellschaftsinterne Organe, sondern auch auf außen stehende Dritte.

21   Während die Übertragung des Weisungsrechts auf andere Organe der Gesellschaft, wie etwa einen Aufsichtsrat oder einen Beirat oder auch als Sonderrecht auf einen Gesellschafter, durch eine entsprechende Satzungsregelung möglich ist, steht einer Übertragung des Weisungsrechts auf außerhalb der Gesellschaft stehende Dritte das Selbstbestimmungsrecht der Gesellschafter entgegen.[27]

4. Die Weisungsbefugnis in der mitbestimmten Gesellschaft

22   Ist die Gesellschaft nach den Bestimmungen des DrittelbG mitbestimmt, so hat diese Mitbestimmung keinerlei Auswirkungen auf die Weisungsbefugnis der Gesellschafter. Diese sind in gleichem Umfang wie bei einer nicht der Mitbestimmung des DrittelbG unterfallenden Gesellschaft berechtigt, Weisungen zu erteilen und somit Einfluss auf die Geschäftsführung zu nehmen.

23   Bezüglich der den Vorschriften des MitbestG unterfallenden Gesellschaften ist die Rechtslage umstritten. Während teilweise die Auffassung vertreten wird, dass auch hier das Weisungsrecht der Gesellschafter keinen Einschränkungen unterliegt,[28] werden auch hiervon abweichende Auffassungen vertreten.[29]

---

24   Mennicke, NZG 2000, 622, 624; Oeckelmann/Pieperjohanns/Hölck in Bormann/Kauka/Ockelmann, Hdb. GmbH-Recht, Kap. 7 Rn. 133.

25   Ebert, GmbHR 2003, 444, 447; Mennicke, NZG 2000, 622, 624.

26   Ebert, GmbHR 2003, 444, 447.

27   Ebert, GmbHR 2003, 444; Schneider in Scholz, GmbHG, § 37 Rn. 34.

28   Zutreffend Altmeppen in Altmeppen/Roth, GmbHG § 37 Rn. 30; Schneider in Scholz, GmbHG, § 37 Rn. 42.

29   Siehe hierzu den Überblick bei Altmeppen/Roth, GmbHG, § 37 Rn. 30 ff.

IV.   Mehrheit von Geschäftsführern

1.   Grundsatz der Gesamtgeschäftsführungsbefugnis

Enthält die Satzung der Gesellschaft keine Regelung zur Geschäftsführung   24
bei mehreren Geschäftsführern, stellt sich die Frage, ob Einzel- oder
Gesamtgeschäftsführung gilt. Nach nahezu allgemeiner Auffassung ist insoweit davon auszugehen, dass die Geschäftsführer, entsprechend der Regelung des § 35 Abs. 2 Satz 2 für die Vertretung der Gesellschaft, auch bei
sonstigen Maßnahmen der Geschäftsführung gemeinschaftlich handeln müssen.[30] Hierfür spricht insbes. auch, dass § 77 Abs. 1 AktG Gesamtgeschäftsführung anordnet und für eine abweichende Regelung bei der GmbH keine
Gründe ersichtlich sind.[31] Im Rahmen der Gesamtgeschäftsführung gilt nach
nahezu allgemeiner Auffassung der Grundsatz der Einstimmigkeit, soweit
sich nicht aus dem Gesellschaftsvertrag etwas anderes ergibt.[32]

Ist in der Satzung keine ausdrückliche Regelung über die Frage der   25
Geschäftsführung enthalten, hinsichtlich der Vertretung der Gesellschaft
jedoch Einzelvertretung vorgesehen, so gilt im Zweifel auch Einzel-
geschäftsführungsbefugnis.[33]

**2.   Regelungen zur Geschäftsführungsbefugnis bei mehreren
       Geschäftsführern**

Es steht den Gesellschaftern frei, in der Satzung Regelungen zur Ge-   26
schäftsführung für den Fall zu treffen, dass die Gesellschaft mehrere
Geschäftsführer hat. Denkbar sind neben Regelungen, die explizit eine
Gesamtgeschäftsführung vorsehen, v.a. die Regelung einer Einzelgeschäfts-
führungsbefugnis oder z.B. Zwischenformen, wie die Geschäftsführung
durch zwei Geschäftsführer oder auch durch einen Geschäftsführer gemeinsam mit einem Prokuristen (unechte Gesamtgeschäftsführung). Es gilt
insoweit Gestaltungsfreiheit.[34]

---

30   Zöllner/Noack in Baumbach/Hueck GmbHG, § 37 Rn. 24; Altmeppen in
      Altmeppen/Roth, GmbHG, § 37 Rn. 33; Koppensteiner in Rowedder,
      GmbHG, § 37 Rn. 16.

31   Koppensteiner in Rowedder, GmbH, § 37 Rn. 16.

32   Zöllner/Noack in Baumbach/Hueck, GmbHG, § 37 Rn. 24; Koppensteiner in
      Rowedder, GmbHG, § 37 Rn. 17; Schneider in Scholz, GmbHG, § 37 Rn. 21;
      a.A. van Venrooy, GmbHR 1999, 685.

33   BGH, 12.10.1992 – II ZR 208/91, BGHZ 119, 379, 381 (zum Verein) =
      ZIP 1993, 35.

34   Schneider in Scholz, GmbHG, § 37 Rn. 24.

27   Folgende gesellschaftsvertragliche Klausel wäre geeignet, die Gesamt-geschäftsführungsbefugnis explizit festzulegen:

Formulierungsbeispiel:

> Die Geschäftsführer führen die Geschäfte gemeinschaftlich. Dies gilt unbe-schadet der Vertretungsmacht der Geschäftsführer im Außenverhältnis.

28   Das ohne anderslautende entsprechende gesellschaftsvertragliche Regelung nach h.M. geltende Einstimmigkeitsprinzip könnte etwa durch folgenden Zusatz abbedungen werden:

Formulierungsbeispiel:

> Die Geschäftsführer beschließen über die Angelegenheiten der Geschäftsführung mit einfacher Mehrheit.

29   Häufig wird auch eine ressortmäßige Zuweisung der Aufgaben an die einzelnen Geschäftsführer vorgenommen, in dem einzelnen Geschäftsfüh-rern bestimmte Aufgabenfelder zur ausschließlichen Betreuung zugewiesen werden (z.B. Technik, Personal und Recht, Finanzen).

30   Enthält der Gesellschaftsvertrag keine Regelungen zur Geschäftsführung bei mehreren Geschäftsführern, können die Gesellschafter eine Geschäftsord-nung beschließen und die Geschäftsführung auch außerhalb des Gesell-schaftsvertrages regeln.[35] Insoweit ist streitig, ob eine Beschlussfassung durch die Gesellschafter in diesem Fall nur einer einfachen[36] oder einer 3/4-Mehrheit[37] bedarf.

31   Geben sich die Geschäftsführer der Gesellschaft eine eigene Geschäfts-ordnung, so bedarf diese einer einstimmigen Entscheidung der Geschäfts-führer. Dieses Einstimmigkeiterfordernis ergibt sich aus dem unter Rn. 24 erwähnten Einstimmigkeitsprinzip.

3.   Informationsrechte

32   Die Geschäftsführer sind hinsichtlich der ihnen zwingend zugewiesenen Geschäfte (s. Rn. 4) nicht nur zur Geschäftsführung berechtigt, sondern auch verpflichtet. Dies gilt unabhängig davon, wie die Ressortverteilung

---

35   OLG Stuttgart, 24.07.1990 – 12 U 234/89, GmbHR 1992, 48.

36   So Altmeppen in Roth/Altmeppen, GmbHG, § 37 Rn. 33; so unter Verweis auf § 47 GmbHG: Lutter/Hommelhoff in Lutter/Hommelhoff, GmbHG, § 37 Rn. 36.

37   So unter Verweis auf § 53 Abs. 2: Schneider in Scholz, GmbHG, § 37 Rn. 59.

innerhalb der Geschäftsführung ausgestaltet ist. Um ihren Verpflichtungen nachkommen zu können, stehen den Geschäftsführern umfangreiche Informationsrechte zu. So hat jeder Geschäftsführer gegen die Gesellschaft einen Anspruch auf sachgerechte Unterrichtung über alle Angelegenheiten des Unternehmens einschließlich der Einsicht in die Buchführung und in andere Unterlagen der Gesellschaft.[38] Im Verhältnis der Geschäftsführer zueinander gilt der Grundsatz, dass jeder Geschäftsführer alles wissen darf, ohne dass es zwischen den Geschäftsführern ein Verschwiegenheitsgebot gibt.[39] Besteht eine ressortmäßige Aufteilung der Zuständigkeiten, so kann der jeweilige Geschäftsführer Informationen von seinen/m Mitgeschäftsführer/n verlangen. Er ist jedoch nicht hierauf beschränkt, sondern kann u.U. auch verpflichtet sein, erforderliche Informationen von Dritten einzuholen[40] sowie insbes. auch das Personal der Gesellschaft zu befragen, um die erforderlichen Informationen zu erhalten.[41]

V. Unbeschränkbarkeit der Vertretungsmacht (Abs. 2)

Beschränkungen der Vertretungsmacht der Geschäftsführer haben im Außenverhältnis der Gesellschaft ggü. Dritten keine Bedeutung (Abs. 2 Satz 1). Der redliche Rechtsverkehr soll regelmäßig keine Nachforschungen anstellen müssen, ob der Geschäftsführer Beschränkungen aus dem Innenverhältnis unterliegt. Die Norm dient damit dem Schutz des Rechtsverkehrs.[42] Die Gesellschaft wird also durch das Handeln des Geschäftsführers im Namen der Gesellschaft verpflichtet, unabhängig davon, ob dieser die ihm im Innenverhältnis ggü. vorgenommenen Beschränkungen seiner Vertretungsmacht einhält oder nicht. Abs. 2 Satz 2 nennt insoweit lediglich beispielhaft denkbare, den Geschäftsführern auferlegte Beschränkungen ihrer Vertretungsmacht. 33

Beschränkungen der Vertretungsmacht im Innenverhältnis können im Außenverhältnis ausnahmsweise nach den Grundsätzen über den Missbrauch der Vertretungsmacht Bedeutung erlangen.[43] 34

---

38 OLG Koblenz, 22.11.2007 – 6 U 1170/07, NZG 2008, 397, 398.

39 Schneider in Scholz, GmbHG, § 37 Rn. 25.

40 BGH, 09.01.2001 – VI ZR 407/99, NZG 2001, 320; OLG Koblenz, 22.11.2007 – 6 U 1170/07, NZG 2008, 397, 398.

41 OLG Koblenz, 22.11.2007 – 6 U 1170/07, NZG 2008, 397, 398.

42 BGH, 05.12.1983 – II ZR 56/82, WM 1984, 305, 306.

43 BGH, 10.04.2006 – II ZR 337/05, NZG 2006, 626; OLG Hamm, 22.08.2005 – 5 U 69/05, NZG 2006, 827.

35   Nach einhelliger Auffassung in Rechtsprechung und Literatur wird die Gesellschaft in den Fällen der Kollusion nicht wirksam verpflichtet. Handelt ein Geschäftsführer gemeinsam mit einem Dritten bewusst zum Nachteil der Gesellschaft, so ist das Rechtsgeschäft wegen eines Verstoßes gegen § 138 BGB nach h.M. nichtig[44] und nicht nur schwebend unwirksam.[45]

36   Nach h.M. gelangen die Grundsätze über den Missbrauch der Vertretungsmacht auch zur Anwendung, wenn der Geschäftsführer die Beschränkungen seiner Vertretungsmacht im Innenverhältnis objektiv überschreitet und der Erklärungsgegner Kenntnis von der Überschreitung der Vertretungsmacht hat oder sich ihm die Pflichtwidrigkeit des Handelns des Geschäftsführers geradezu aufdrängen (also evident sein) musste.[46]

37   Umstritten ist allerdings, ob für ein Eingreifen der Grundsätze über den Missbrauch der Vertretungsmacht ein zusätzliches subjektives Element auf Seiten des Geschäftsführers zu verlangen ist. Während die höchstrichterliche Rechtsprechung insbes. auf das Element einer Schädigungsabsicht und darüber hinausgehend auch auf jegliches sonstiges subjektives Element in der Person des Vertreters verzichtet,[47] wird in der Literatur hingegen auf Seiten des Vertreters verschiedentlich ein subjektives Element verlangt.[48]

38   Die vorgenannten Grundsätze sollen insbes. auch dann gelten, wenn das nicht von der Vertretungsmacht des Geschäftsführers gedeckte Rechtsgeschäft für die Gesellschaft nicht nachteilig ist.[49] Auch aus Sicht der Gesellschaft rechtlich vorteilhafte Geschäfte sind unwirksam, wenn der

---

44   BGH, 17.05.1988 – VI ZR 233/87, WM 1988, 1380, 1381; OLG Zweibrücken, 12.03.2001 – 8 U 91/00, NZG 2001, 763; Michalski, GmbHR 1991, 349, 350; Wegmann, DStR 1992, 866, 868.

45   So etwa Paefgen in Ulmer/Habersack/Winter, GmbHG, § 37 Rn. 38.

46   BGH, 10.04.2006 – II ZR 337/05, NZG 2006, 626, 627; BGH, 05.11.2003 – VIII ZR 218/01, NJW-RR 2004, 247; OLG Hamm, 22.08.2005 – 5 U 69/05, NZG 2006, 827, 828; OLG Koblenz, 09.08.1990 – 6 U 888/90, GmbHR 1991, 264, 268; OLG Stuttgart, 02.06.1999 – 9 U 246/98, NZG 1999, 1009, 1010; Lutter/Hommelhoff in Lutter/Hommelhoff, GmbHG, § 35 Rn. 13.

47   BGH, 10.04.2006 – II ZR 337/05, NZG 2006, 626; BGH, 14.03.1988 – II ZR 211/87, GmbHR 1988, 260; OLG Hamm, 22.08.2005 – 5 U 69/05, NZG 2006, 827, 828; OLG Stuttgart, 02.06.1999 – 9 U 246/98, NZG 1999, 1009, 1010; OLG Koblenz, 09.08.1990 – 6 U 888/90, GmbHR 1991, 264, 268; zustimmend: Lutter/Hommelhoff in Lutter/Hommelhoff, GmbHG, § 35 Rn. 13; Paefgen in Ulmer/Habersack/Winter, GmbHG, § 37 Rn. 34.

48   Mit guter Übersicht zu den Auffassungen in der Literatur: Michalski, GmbHR 1991, 349.

49   BGH, 10.04.2006 – II ZR 337/05, NZG 2006, 626.

Geschäftsgegner den Verstoß gegen die Treuepflicht erkennt oder hätte erkennen können. Insoweit spielt die Nachteiligkeit des Rechtsgeschäfts nur für die Frage eine Rolle, ob der Geschäftsgegner infolge eines entsprechenden Nachteils für die Gesellschaft hätte erkennen können, dass der Geschäftsführer bei Abschluss des Rechtsgeschäfts die Grenzen seiner Vertretungsmacht überschritt.

§ 37 Abs. 2 GmbHG findet keine Anwendung, wenn der Geschäftsführer **39** bei dem Abschluss des Rechtsgeschäfts den nur intern wirkenden Zustimmungsvorbehalt zugunsten eines anderen Gesellschaftsorgans (z.B. zugunsten eines Aufsichtsrates) zum Inhalt des Rechtsgeschäfts macht.[50] Dem ist zuzustimmen, da in diesem Fall der Zustimmungsvorbehalt zu einer Bedingung für die Wirksamkeit des Rechtsgeschäfts wird.

Die Rechtsfolgen des Missbrauchs der Vertretungsmacht sind streitig. Nach **40** Auffassung der höchstrichterlichen Rechtsprechung steht der Gesellschaft ggü. dem Erklärungsgegner der Einwand des Rechtsmissbrauchs aus § 242 BGB zu,[51] während nach Auffassung insbes. der Literatur die Regelungen der §§ 177 ff. BGB analog angewendet werden sollen, sodass das Rechtsgeschäft zunächst schwebend unwirksam ist.[52]

Zur Vermeidung unnötiger Risiken im Hinblick auf die nahezu unbe- **41** schränkte Vertretungsmacht der Geschäftsführer ist es in der Praxis durchaus erwägenswert, mehr als einen Geschäftsführer zu bestellen und keinem der Geschäftsführer Einzelvertretungsbefugnis einzuräumen, bzw. festzulegen, dass die Gesellschaft von jeweils zwei Geschäftsführern vertreten wird.

Formulierungsbeispiel:

Hat die Gesellschaft nur einen Geschäftsführer, so vertritt dieser die Gesellschaft allein. Hat die Gesellschaft mehr als einen Geschäftsführer, so wird die Gesellschaft von jeweils zwei Geschäftsführern gemeinschaftlich vertreten.

---

50 BGH, 23.06.1997 – II ZR 353/95, GmbHR 1997, 836.

51 BGH, 05.11.2003 – VIII ZR 218/01, NZG 2004, 139, 140; BGH, 19.05.1980 – II ZR 241/79, WM 1980, 953; BGH, 28.02.1966 – VII ZR 125/65, NJW 1966, 1911.

52 OLG Stuttgart, 02.06.1999 – 9 U 246/98, NZG 1999, 1009; Altmeppen in Altmeppen/Roth, GmbHG, § 37 Rn. 44; Lutter/Hommelhoff in Lutter/Hommelhoff, GmbHG, § 37 Rn. 12; Schneider in Scholz, GmbHG, § 37 Rn. 140; Zacher, GmbHR 1994, 842, 848 m.w.N.

VI.   Sanktionen

42   Hält der Geschäftsführer sich nicht an die Beschränkungen seiner Geschäftsführungsbefugnis, so stellt dies grds. einen Verstoß gegen die ihm obliegenden Pflichten dar. Je nach der Schwere des Verstoßes können sich unterschiedliche Rechtsfolgen ergeben.

43   Zu denken ist zunächst an einen Widerruf der Bestellung des handelnden
Geschäftsführers, ggf. aus wichtigem Grund nach § 38 Abs. 2 GmbHG,
sowie an eine Beendigung des Anstellungsverhältnisses mit dem jeweiligen
Geschäftsführer.

44   Ist eine jederzeitige Abberufung des Geschäftsführers entsprechend der
gesetzlichen Grundregelung des § 38 Abs. 1 GmbHG möglich, so steht es
den Gesellschaftern frei, den Geschäftsführer jederzeit abzuberufen, wenn
dieser gegen Beschränkungen seiner Geschäftsführungsbefugnis verstößt.
Die Abberufung des Geschäftsführers steht im Belieben der Gesellschafter,
die einen entsprechenden Beschluss insbes. auch nicht begründen müssen.[53]
Nach der Rechtsprechung des BGH können sich Ausnahmen von dem
Grundsatz der freien Abberufung ergeben, wenn der Geschäftsführer maßgebend an der Gesellschaft beteiligt ist oder seine Tätigkeit bereits längere
Zeit ausübt. Liegt ein solcher Fall vor, bedarf die Abberufung des Geschäftsführers eines sachlichen Grunds, dessen Voraussetzungen jedoch nicht
soweit gesteigert werden dürfen, dass ein wichtiger Grund vorliegen muss.[54]

45   Ist eine Abberufung des Geschäftsführers hingegen nur aus wichtigem
Grund möglich, so sind die Vorraussetzungen an die Rechtmäßigkeit eines
Widerrufs der Organstellung höher. Ob die dem Geschäftsführer zur Last
gelegten Vorwürfe für eine Abberufung aus wichtigem Grund ausreichen, ist
Frage des Einzelfalls und im Rahmen einer Gesamtabwägung unter Berück-
sichtigung aller für und gegen eine Abberufung Entlassung sprechenden
Umstände zu entscheiden.[55]

46   Von der möglichen Abberufung des Geschäftsführers ist die Kündigung des
zugrunde liegenden Dienstverhältnisses zu trennen. Dieses ist, da kündi-
gungsschutzrechtliche Vorschriften insbes. des KSchG auf den Geschäftsführer keine Anwendung finden, jederzeit kündbar. Ob parallel zu einer
Abberufung aus wichtigem Grund auch eine fristlose Kündigung des Anstellungsverhältnisses möglich ist, ist wiederum eine Frage des Einzelfalls.

---

53   Lutter/Hommelhoff in Lutter/Hommelhoff, GmbHG, § 38 Rn. 2.

54   OLG Zweibrücken, 05.06.2003 – 4 U 117/02, NZG 2003, 931, 932.

55   BGH, 14.10.1968 – II ZR 84/67, DB 1968, 2271.

Der Verstoß gegen die Beschränkungen der Geschäftsführungsbefugnis 47
kann unter den Voraussetzungen des § 43 Abs. 2 GmbHG außerdem Schadensersatzansprüche der Gesellschaft gegen ihren Gesellschafter auslösen.

VII. Prozessuales

Umstritten ist, ob die Gesellschaft ihre Geschäftsführer im Wege der einst- 48
weiligen Verfügung dazu zwingen kann, erteilten Weisungen Folge zu
leisten. In der Praxis dürfte dieses Problem allerdings von untergeordneter
Relevanz sein, da ein sich den ihm erteilten Weisungen widersetzender
Geschäftsführer entweder ausgetauscht werden oder ein weiterer Geschäftsführer berufen werden kann.[56]

Will sich die Gesellschaft gegenüber einem Dritten darauf berufen, dass ein 49
im Namen der Gesellschaft abgeschlossenes Rechtsgeschäft ausnahmsweise
unwirksam ist, weil der handelnde Geschäftsführer die ihm im Innenverhältnis auferlegten Beschränkungen nicht beachtet hat, so obliegt die prozessuale Darlegungs- und Beweislast für die Voraussetzungen der Unwirksamkeit des Rechtsgeschäfts der sich auf die Unwirksamkeit des
Rechtsgeschäfts berufenden Gesellschaft.

§ 38 GmbHG   Widerruf der Bestellung

**(1) Die Bestellung der Geschäftsführer ist zu jeder Zeit widerruflich,
unbeschadet der Entschädigungsansprüche aus bestehenden Verträgen.**

**(2) [1]Im Gesellschaftsvertrag kann die Zulässigkeit des Widerrufs auf
den Fall beschränkt werden, daß wichtige Gründe denselben notwendig
machen. [2]Als solche Gründe sind insbesondere grobe Pflichtverletzung
oder Unfähigkeit zur ordnungsmäßigen Geschäftsführung anzusehen.**

---

56   Lenz in Michalski, GmbHG, § 37 Rn. 23.

I. Einführung

1. Allgemeines

Die Vorschrift behandelt die **Beendigung der Organstellung** durch **Abberufung** (Wirkung ex nunc), verwendet aber fälschlicherweise den Begriff Widerruf (Beseitigung ex tunc).[1] In Abs. 1 wird der dispositive Grundsatz aufgestellt, dass die Abberufung eines Geschäftsführers zu jeder Zeit und frei von jeglichem Begründungszwang möglich ist. Abs. 2 sieht vor, dass die Abberufung im Gesellschaftsvertrag vom Vorliegen eines **wichtigen Grundes** abhängig gemacht werden kann. **1**

§ 38 regelt nur die Abberufung. **Andere Arten der Beendigung der Organstellung**, wie z.B. Beendigung durch Zeitablauf, vertragliche Aufhebung, Amtsniederlegung, Tod des Geschäftsführers, Wegfall der gesetzlichen Eignungsvoraussetzungen sowie die Umwandlung und Verschmelzung der Gesellschaft, bleiben ungeregelt. **2**

Die Vorschrift behandelt nicht die **Beendigung der schuldrechtlichen Rechtsbeziehung** (Anstellungsvertrag), die der Organstellung zugrunde liegt.[2] **3**

Geschäftsführer gelten nach § 5 Abs. 1 Satz 3 ArbGG nicht als Arbeitnehmer, sodass Rechtsstreitigkeiten zwischen dem Geschäftsführer und der Gesellschaft über die Wirksamkeit der Abberufung oder Kündigung des Anstellungsvertrages vor den **ordentlichen Gerichten** auszutragen sind. Nach § 2 Abs. 4 ArbGG besteht zwar die Möglichkeit, dass zwischen Geschäftsführer und Gesellschaft eine **Vereinbarung über den Rechtsweg** zu den Arbeitsgerichten getroffen wird. In der Praxis wird hiervon jedoch nur selten Gebrauch gemacht. **4**

Streitigkeiten über die Wirksamkeit einer Abberufung werden häufig im Wege **einstweiliger Verfügungsverfahren** durchgeführt. Im Einzelnen ist hier vieles streitig (vgl. unten Rn. 108 ff.). **5**

---

1   Schneider in Scholz, GmbHG, § 38 Rn. 14; Terlau/Schäfers in Michalski, GmbHG, § 38 Rn. 1.

2   Ockelmann/Pieperjohanns/Hölck in Bormann/Kauka/Ockelmann, Hdb. GmbH-Recht, Kap. 7 Rn. 2.

2. Auswirkungen des AGG auf Organstellung und Anstellungsverhältnis

6   Nach § 6 Abs. 3 AGG gelten die Vorschriften des 2. Abschnittes des AGG für Organmitglieder entsprechend, soweit es um die Bedingungen für den **Zugang zur Erwerbstätigkeit** sowie den **beruflichen Aufstieg** geht.

7   § 6 Abs. 3 AGG erfasst nicht ausschließlich Sachverhalte des innerbetrieblichen Aufstiegs eines Arbeitnehmers zum Geschäftsführer. Die Gesetzesmaterialien sprechen ausdrücklich auch von einem „Fortkommen in dieser Tätigkeit",[3] womit auch der fortgesetzte Zugang gemeint ist.[4] Wird der befristet abgeschlossene **Anstellungsvertrag** nicht verlängert oder der unbefristet abgeschlossene Anstellungsvertrag gekündigt, werden diese Sachverhalte an den Voraussetzungen des AGG gemessen werden können.[5]

8   Im Übrigen gelten nach § 6 Abs. 1 Nr. 1 AGG **Arbeitnehmer** als Beschäftigte i.S.d. AGG. Geschäftsführer, die die Kriterien des Arbeitnehmerbegriffs erfüllen,[6] können sich unmittelbar auf die Anwendbarkeit des AGG berufen.[7]

9   Es ist umstritten, ob mit § 6 Abs. 3 AGG nur das **Dienstverhältnis eines Organmitglieds** oder auch das **gesellschaftsrechtliche Organverhältnis**

---

3   Vgl. Entwurfsbegründung zum Allgemeinen Gleichbehandlungsgesetz, BR-Drucks. 329/06, S. 34; Schrader/Schubert in Däubler/Bertzbach, AGG, § 6 Rn. 33.

4   Thüsing, Arbeitsrechtlicher Diskriminierungsschutz, Rn. 96.

5   Umstritten: für die Anwendbarkeit des AGG im Fall der Nichtverlängerung des Dienstvertrages und der Kündigung des Anstellungsvertrages: Schrader/Schubert in Däubler/Bertzbach, AGG, § 6 Rn. 33; Schrader/Straube in Tschöpe, Anwaltshdb. ArbeitsR, Teil 1 F Rn. 22; Thüsing, Arbeitsrechtlicher Diskriminierungsschutz, Rn. 96; ablehnend: Bauer/Göpfert/Krieger, AGG, § 6 Rn. 31; Eßer/Baluch, NZG 2007, 321, 329.

6   Vgl. zum Geschäftsführer als Arbeitnehmer: Schrader/Schubert, DB 2005, 1457 sowie unten Rn. 99.

7   Schlachter in Erf-Komm ArbR, § 6 AGG Rn. 3; weitergehend: Thüsing, Arbeitsrechtlicher Diskriminierungsschutz, Rn. 97 m.w.N., unter Berufung auf den Arbeitnehmerbegriff des Gemeinschaftsrechts, wonach der Geschäftsführer einer deutschen GmbH regelmäßig auch Arbeitnehmer i.S.d. AGG sei, da er Weisungen der Gesellschaft unterworfen sei und das AGG für ihn daher nicht nur bei Zugang und beruflichem Aufstieg, sondern insgesamt gelte; der Wortlaut des § 6 Abs. 3 AGG sei insoweit erweiternd europarechtskonform auszulegen und habe nur Bedeutung für den Gesellschafter-Geschäftsführer mit beherrschender Stellung.

gemeint ist.[8] Sofern in der Rechtsliteratur die Auffassung vertreten wird, § 6 Abs. 3 AGG erfasse auch das gesellschaftsrechtliche Organverhältnis, ist umstritten, ob nur die Bestellung oder auch der Widerruf der Bestellung vom Anwendungsbereich dieser Vorschrift umfasst ist.[9] Ob der EuGH einer Anwendung des AGG nur auf das der Organstellung zugrunde liegende Dienstverhältnis folgen wird, ist zweifelhaft,[10] zumal die Bestellung des Geschäftsführers den Zugang zur Erwerbstätigkeit als Organmitglied erst eröffnet und zwingende Voraussetzung derselben ist.[11]

Praxistipp:

Die Praxis sollte sich bis zu einer Klarstellung durch den EuGH vorsorglich darauf einstellen, dass das AGG sowohl für die **Begründung** als auch für die **Beendigung** des Geschäftsführeranstellungsvertrages gilt und sowohl auf die **Bestellung** des Geschäftsführers als auch auf den **Widerruf der Bestellung** anwendbar ist und sich entsprechend wappnen, d.h. insbes.:

- Argumente sammeln und dokumentieren, die eine Diskriminierung aus den in § 1 AGG genannten Gründen von vornherein ausschließen,
- jedwedes Indiz (§ 22 AGG) für eine Diskriminierung vermeiden,
- und ggf. Argumente sammeln und dokumentieren, die eine zulässige unterschiedliche Behandlung wegen des Alters i.S.d. § 10 AGG

---

8   Vgl. zu dieser Streitfrage: Bauer/Göpfert/Krieger, AGG, § 6 Rn. 27, wonach das AGG nur das der Organstellung zugrunde liegende Rechtsverhältnis erfasse, da ein Geschäftsführer nur aus diesem Einkünfte erziele.

9   Vgl. Krause, AG 2007, 392, 394, nur anwendbar für das Dienstverhältnis und den Bestellungsvorgang, sowie Lutter, BB 2007, 725, 728, der darauf hinweist, dass der Gesetzgeber in § 2 Abs. 1 Nr. 1 den Zugang zur Beschäftigung und in Nr. 2 deren Beendigung definiert und daher nicht davon auszugehen sei, dass der Gesetzgeber in ein und demselben Gesetz den Begriff des „Zugangs" unterschiedlich verstanden wissen wollte; Lutter weist allerdings auch auf die hierdurch entstehenden widersprüchlichen Ergebnisse hin: ein Geschäftsführerkandidat müsse aus AGG-Gründen ggf. bestellt werden, könne jedoch sogleich wieder abberufen werden, müsse bei einer Neubewerbung wieder bestellt werden, könne sogleich wieder abberufen werden usw.; Horstmeier, GmbHR 2007, 125, 126: Geltung auch für die Abberufung, da es nicht allein um den Zugang zur Beschäftigung, sondern um die Bedingungen für den Zugang zur Beschäftigung gehe.

10   Bauer, Arbeitsrechtliche Aufhebungsverträge, Teil III Rn. 3b; Mankowski, RIW 2004, 167, 171.

11   Vgl. Lutter, BB 2007, 725, 726.

> erlauben (eine zulässige unterschiedliche Behandlung wegen beruf-
> licher Anforderungen i.S.d. § 8 AGG dürfte bei Geschäftsführer-
> tätigkeiten regelmäßig ausscheiden).

10   Das AGG birgt auf unabsehbare Zeit erheblichen Konfliktstoff, den die
     Rechtsprechung zu klären haben wird.[12]

II.   Abberufung des Geschäftsführers (Abs. 1)

1.   Grundsatz der freien Abberufbarkeit

11   Nach § 38 Abs. 1 kann ein Geschäftsführer[13] jederzeit frei, d.h. **ohne
     Vorliegen von Gründen** [14] **abberufen** werden.[15] Dies hängt damit zusam-
     men, dass die Tätigkeit des Geschäftsführers volles Vertrauen durch die
     Gesellschafter voraus setzt, da der Geschäftsführer unbeschränkte und unbe-
     schränkbare Vertretungsmacht hat.[16] Der Geschäftsführer ist i.Ü. an die
     Weisungen der Gesellschafter gebunden.[17]

12   Für die Abberufung müssen **keine besonderen**, sachlichen oder vernünfti-
     gen **Gründe** vorliegen.[18] Die Abberufung braucht auch nicht begründet zu
     werden.[19] Eine Abberufung aus „offenbar unsachlichen" Gründen ist ge-
     mäß nur unwirksam, wenn die Voraussetzungen der §§ 226, 826 BGB
     vorliegen, wofür der Geschäftsführer entsprechend § 84 Abs. 3 AktG die
     Beweislast trägt.[20] Fehlende Nachprüfbarkeit oder die bloße Möglichkeit
     sachfremder Motivation reichen hingegen nicht aus.[21]

---

12   Schrader/Schubert in Däubler/Bertzbach, AGG, § 6 Rn. 34.

13   Anders als ein Vorstandsmitglied einer AG (§ 84 Abs. 3 AktG).

14   OLG Zweibrücken, 08.06.1999 – 8 U 138/98, NZG 1999, 1011; Terlau/
     Schäfers in Michalski, GmbHG, § 38 Rn. 4.

15   Ockelmann/Pieperjohanns/Hölck in Bormann/Kauka/Ockelmann, Hdb. GmbH-
     Recht, Kap. 7 Rn. 95.

16   Schneider in Scholz, GmbHG, § 38 Rn. 12; Zöllner/Noack in Baumbach/
     Hueck, GmbHG, § 38 Rn. 3.

17   Roth/Altmeppen, GmbHG, § 38 Rn. 4; Terlau/Schäfers in Michalski, GmbHG,
     Rn. 3.

18   Terlau/Schäfers in Michalski, GmbHG, § 38 Rn. 4.

19   OLG Zweibrücken, 08.06.1999 – 8 U 138/98, NZG 1999, 1011; Roth/Alt-
     meppen, GmbHG, § 38 Rn. 4.

20   Terlau/Schäfers in Michalski, GmbHG, § 38 Rn. 4; ablehnend Roth/Altmep-
     pen, GmbHG, § 38 Rn. 4; Ockelmann/Pieperjohanns/Hölck in Bormann/Kau-
     ka/Ockelmann, Hdb. GmbH-Recht, Kap. 7 Rn. 96.

21   Zöllner/Noack in Baumbach/Hueck, GmbHG, § 38 Rn. 3.

Eine **Anhörung** des Geschäftsführers vor der Abberufung ist nicht erforder- 13
lich.[22]

Eine Abberufung ist auch dann statthaft, wenn **kein vertretungsberechtig-** 14
tes Organ mehr in der Gesellschaft verbleibt (Abberufung des einzigen
Geschäftsführers, Abberufung eines von zwei kraft Satzung nur gesamtvertretungsberechtigten Geschäftsführern).[23]

Die Abberufung kann mit einer **Frist für das Wirksamwerden** erfolgen, 15
eine aufschiebende Bedingung ist jedoch unzulässig.[24]

Beispiel:

Ein Abberufungsbeschluss erfolgt am 30.06. „mit Wirkung zum 01.10.".

Der Grundsatz der freien Abberufbarkeit gilt sowohl für den **Fremd-** 16
geschäftsführer als auch für den **Gesellschaftergeschäftsführer**.[25] Eine
analoge Anwendung der §§ 117, 127 HGB, wonach die Geschäftsführung
bzw. die Vertretungsmacht bei Vorliegen eines wichtigen Grundes entzogen
werden kann, kommt wegen der körperschaftlichen Struktur der GmbH und
der auf das Gesellschaftsvermögen beschränkten Haftung nicht in
Betracht.[26]

§ 38 Abs. 1 gilt nur für von Gesellschaftern bestellte Geschäftsführer, nicht 17
auch für den **Notgeschäftsführer**.[27] Zu dessen Amtsbeendigung vgl. unten
Rn. 147.

2. Beschränkung der freien Abberufbarkeit durch Treubindungen
bei Gesellschafter-Geschäftsführern

In der **Zweimann-GmbH** bestehen besondere Treuepflichten der Gesell- 18
schafter untereinander. Aus diesem Grund sind in der Zweimann-GmbH ggf.
Einschränkungen der freien Abberufbarkeit eines Gesellschaftergeschäfts-

---

22 Zöllner/Noack in Baumbach/Hueck, GmbHG, § 38 Rn. 3; Roth/Altmeppen,
GmbHG, § 38 Rn. 4.

23 Terlau/Schäfers in Michalski, GmbHG, § 38 Rn. 4; Zöllner/Noack in Baum-
bach/Hueck, GmbHG, § 38 Rn. 3.

24 Roth/Altmeppen, GmbHG, § 38 Rn. 9; Zöllner/Noack in Baumbach/Hueck,
GmbHG, § 38 Rn. 3.

25 Schneider in Scholz, GmbHG, § 38 Rn. 13; Terlau/Schäfers in Michalski,
GmbHG, § 38 Rn. 5; Stein in Hachenburg, GmbHG, § 38 Rn. 21; Immenga/
Werner, GmbHR 1976, 59 m.w.N.

26 Terlau/Schäfers in Michalski, GmbHG, § 38 Rn. 5; ablehnend: Limbach,
GmbHR 1968, 181.

27 OLG München, 30.06.1993 – 7 U 6945/92, GmbHR 1994, 259; Zöllner/
Noack in Baumbach/Hueck, GmbHG, § 38 Rn. 3.

führers unter dem Gesichtspunkt des Verstoßes gegen die **Treuepflicht der Gesellschafter untereinander** zu beachten. Derartige Einschränkungen werden aber nur ganz ausnahmsweise eingreifen,[28] etwa dann, wenn der abzuberufende Geschäftsführer als Gesellschafter seine Lebensplanung auf die Tätigkeit in der Gesellschaft ausgerichtet hat, was entsprechend nachzuweisen ist. In diesem Fall ist eine Abberufung ohne wichtigen Grund kaum zu rechtfertigen.[29] Es muss ein **sachlicher Grund** für die Abberufung vorliegen, der einen verständigen Entscheidungsträger zur Abberufung veranlassen würde.[30] Die Gesamtumstände sind bei der Entscheidung heranzuziehen, auch die Verdienste für die Gesellschaft, der Erfolg der bisherigen Geschäftsführung etc.[31]

3.   Voraussetzungen der Abberufung

19 Die Abberufung setzt einen **wirksamen Beschluss** (Abberufungsbeschluss) durch das zuständige Gesellschaftsorgan und eine **Mitteilung** gegenüber dem Geschäftsführer (Abberufungserklärung) voraus.

20 Der **Geschäftsführer** hat vor der Abberufung **keinen Anspruch auf rechtliches Gehör**, da der Grundsatz der freien Abberufbarkeit gilt.

21 Einer **Annahme** der Abberufung durch den Geschäftsführer bedarf es nicht.[32]

22 Der Abberufungsbeschluss und die Abberufungserklärung sind grds. **formfrei** gültig,[33] eine schriftliche Fassung ist jedoch aus Gründen der Dokumentation empfehlenswert.

4.   Zuständiges Organ

a)   Nicht mitbestimmte GmbH

23 In der nicht mitbestimmten GmbH ist für die Abberufung des Geschäftsführers nach § 46 Nr. 5 die **Gesellschafterversammlung** zuständig. Die Gesellschafterversammlung kann mit einfacher Mehrheit der abgegebenen

---

28 Zöllner/Noack in Baumbach/Hueck, GmbHG, § 38 Rn. 17.

29 Terlau/Schäfers in Michalski, GmbHG, § 38 Rn. 6; ablehnend Meilicke, DB 1994, 1761, 1763.

30 Zöllner/Noack in Baumbach/Hueck, GmbHG, § 38 Rn. 17.

31 BGH, 29.11.1993 – II ZR 61/93, DStR 1994, 214, 216 mit Anm. Götte; OLG Düsseldorf, 11.02.1993 – 6 U 43/92, GmbHR 1994, 245 (Vorinstanz); OLG Zweibrücken, 30.10.1997 – 4 U 11/97, GmbHR 1998, 373.

32 Terlau/Schäfers in Michalski, GmbHG, § 38 Rn. 8.

33 Schneider in Scholz, GmbHG, § 38 Rn. 15a; Terlau/Schäfers in Michalski, GmbHG, § 38 Rn. 8.

Stimmen entscheiden, sofern die Satzung keine abweichende Regelung enthält (§ 45 Abs. 2). Die **Kündigung** und die **Aufhebung von Anstellungsverträgen** fallen ebenfalls in die Kompetenz der Gesellschafterversammlung.[34]

Sofern eine **Gesellschaft einzige Gesellschafterin einer GmbH** ist, hat das Vertretungsorgan der Alleingesellschafterin den Beschluss zu fassen.[35]   24

Ein **einzelner Gesellschafter** einer GmbH kann selbst dann, wenn ein   25
wichtiger Grund vorliegt, keinen wirksamen Abberufungsbeschluss fassen.[36] Der Gesellschaft würde ansonsten die Möglichkeit genommen, trotz einer schwerwiegenden Pflichtverletzung des Geschäftsführers von dessen Abberufung abzusehen. Eine **Vertretung** der Gesellschafterversammlung durch einzelne Mitglieder anderer Organe oder durch (leitende) Angestellte ist lediglich bei der **Kündigung, nicht** aber bei der **Abberufung möglich**.[37]

Die **Kommanditisten der GmbH & Co. KG** können nicht die Abberufung   26
des Geschäftsführers der Komplementär-GmbH gerichtlich gem. §§ 117, 127 HGB erzwingen.[38]

Die **Kommanditisten** haben auch nicht das Recht gem. §§ 117, 127 HGB   27
analog, die Tätigkeit des GmbH-Geschäftsführers für die KG aus wichtigem Grund zu unterbinden, da dies in Widerspruch zur Unbeschränkbarkeit der Vertretungsmacht des Geschäftsführers nach § 37 Abs. 2 stünde.[39] Die Kommanditisten sind auf Schadenersatzansprüche gegen die GmbH und gegen den Geschäftsführer (§ 43)[40] und auf die Möglichkeit zu verweisen, nach § 127 HGB der GmbH die Geschäftsführungsbefugnis und die Vertretung für die KG zu entziehen.[41]

---

34 Koch in Bormann/Kauka/Ockelmann, Hdb. GmbH-Recht, Kap. 6 Rn. 76.

35 BGH, 19.06.1995 – II ZR 228/94, DStR 1995, 1359, 1360.

36 Schneider in Scholz, GmbHG, § 38 Rn. 20; Terlau/Schäfers in Michalski, GmbHG, § 38 Rn. 10.

37 BGH, 26.03.1984 – II ZR 120/83, BGHZ 91, 217, 218 f. = NJW 1984, 2528; Fleck, WM-Sonderbeilage 3/1981, 3, 10; Stein in Hachenburg, GmbHG, § 38 Rn. 82; Terlau/Schäfers in Michalski, GmbHG, Rn. 10.

38 Roth/Altmeppen, GmbHG, § 38 Rn. 17; Koppensteiner in Rowedder, GmbHG, § 38 Rn. 40; Hopt, ZGR 1979, 1, 2.

39 Baums, Geschäftsleitervertrag, S. 328; Hopt, ZGR 1979, 1, 16 ff.; diff. Hüffer, ZGR 1981, 348, 357 ff.

40 BGH, 12.11.1979 – II ZR 174/77, BGHZ 75, 321, 323 = NJW 1980, 589.

41 BGH, 25.04.1983 – II ZR 170/82, WM 1983, 750, 752.

b) **Mitbestimmte GmbH**

28 Im Anwendungsbereich des **MontanMitbestG** und des **MitbestG** verweisen § 12 MontanMitbestG und § 31 Abs. 1 MitbestG bzgl. der Abberufung von Geschäftsführern auf § 84 Abs. 3 AktG.[42] § 38 gilt im Anwendungsbereich dieser Gesetze nicht. Dies bedeutet, dass die Abberufung eines Geschäftsführers in einer mitbestimmten GmbH nur aus **wichtigem Grund** zulässig ist. Anders als nach § 38 Abs. 2 genügt der **Vertrauensentzug** durch die Gesellschafter grds. als wichtiger Grund.[43]

29 Für die Abberufung und die Kündigung des Anstellungsvertrages ist der **Aufsichtsrat** zuständig. Der Aufsichtsrat entscheidet durch Beschluss.[44] Die Entscheidung kann nicht gem. § 107 Abs. 3 AktG auf einen Aufsichtsratsausschuss delegiert werden.[45]

30 Nach den Vorschriften des **DrittelbG** verbleibt es – ebenso wie dies bereits nach den durch das DrittelbG abgelösten Regelungen des § 77 BetrVG 1952 der Fall gewesen ist – mangels Verweises auf die Vorschriften des AktG bei der Entscheidungskompetenz der **Gesellschafterversammlung**.

31 Sofern eine GmbH **nachträglich** die **Schwellenwerte des MitbestG erreicht**, bestimmt § 37 Abs. 3 Satz 5 MitbestG, dass vorher bestellte Geschäftsführer nach Ablauf von **fünf Jahren** ohne Vorliegen eines wichtigen Grundes abberufbar sind, sofern die Amtszeit fünf Jahre überschritten hat. Diese Regelung ist zwingend. Die Fünf-Jahres-Frist beginnt mit der Unanfechtbarkeit der Bekanntmachung nach § 97 Abs. 1 AktG bzw. Rechtskraft der gerichtlichen Entscheidung im Statusverfahren nach § 98 AktG.[46] Die Wirksamkeit der Beschlussfassung richtet sich nach § 37 Abs. 3 Satz 2 MitbestG. Fällt die Gesellschaft nachträglich aus dem Anwendungsbereich des MitbestG heraus, bleiben die vom mitbestimmten Aufsichtsrat bestellten Geschäftsführer bis zum Ende der Befristung im Amt. Die Amtszeit verlängert oder verkürzt sich nicht, § 31 Abs. 1 MitbestG,

---

42 Zöllner/Noack in Baumbach/Hueck, GmbHG, § 38 Rn. 4; Terlau/Schäfers in Michalski, GmbHG, § 38 Rn. 12.

43 OLG Stuttgart, 15.04.1985 – 2 U 57/85, ZIP 1985, 539, 540; Roth/Altmeppen, GmbHG, § 38 Rn. 15; Zöllner/Noack in Baumbach/Hueck, GmbHG, § 38 Rn. 4.

44 Schneider in Scholz, GmbHG, § 38 Rn. 28; Vollmer, GmbHR 1984, 5, 7.

45 BGH, 24.11.1980 – II ZR 182/79, BGHZ 79, 38, 42.

46 Hanau/Ulmer, MitbestG, § 37 Rn. 29; Terlau/Schäfers in Michalski, GmbHG, § 38 Rn. 13; ablehnend: Raiser, MitbestG, § 37 Rn. 12; Hoffmann/Lehmann/Weinmann, MitbestG, § 37 Rn. 68: Zeitpunkt, in dem die Voraussetzungen des MitbestG erstmals gegeben waren.

§ 84 Abs. 1 Satz 1 AktG. Nach Ablauf der Amtszeit kann das dann zuständige Organ (bei Fehlen einer Satzungsbestimmung die Gesellschafterversammlung) eine Neubestellung vornehmen.[47]

c) Abweichende Satzungsregelungen

Die **Zuständigkeit** für die Abberufung und die Kündigung kann in der Satzung in einem weiten Umfang **delegiert** werden, z.B. an den Aufsichtsrat oder Beirat, an einzelne Gesellschafter oder an Mitglieder anderer Organe.[48]   32

Die **Bestellungs- und Abberufungskompetenz** kann in der Satzung durch eine eindeutige Festlegung auch **aufgespalten** werden.[49] In der Regel ist davon auszugehen, dass beide Kompetenzen in der Hand eines Organs liegen sollen.[50]   33

Soweit das **mitgliedschaftliche Sonderrecht** der Bestellung des Geschäftsführers (sog. Bestimmungsrecht) oder der Benennung des Geschäftsführers (sog. Präsentationsrecht) einzelnen Gesellschaftern oder Gesellschaftergruppen zugewiesen ist (z.B. bei einem Familienstamm), so umfasst dieses Recht kraft Sachzusammenhang regelmäßig auch die **Abberufung**.[51] Zu beachten ist, dass die Benennung nur mit Zustimmung der Gesellschafterversammlung vorgenommen werden darf[52] und die Abberufung nur durch die Gesellschafterversammlung auf Verlangen der Berechtigten.[53]   34

Durch die Einräumung von Einzel- oder Gruppensonderrechten ändert sich an der Befugnis eines Gesellschaftsorgans zur Abberufung aus wichtigem Grund jedoch nichts.[54]   35

Streitig ist, ob die Satzung die Zuständigkeit für die Abberufung auf einen **gesellschaftsfremden Dritten** übertragen kann (z.B. auf eine Bank, einen stillen Gesellschafter, eine Konzernmuttergesellschaft, einen Kommanditis-   36

---

47   Zöllner/Noack in Baumbach/Hueck, GmbHG, § 38 Rn. 78.
48   OLG Düsseldorf, 08.06.1989 – 6 U 223/88, GmbHR 1990, 219, 220; Zöllner/Noack in Baumbach/Hueck, GmbHG, § 38 Rn. 21; Schneider in Scholz, GmbHG, § 38 Rn. 21; Terlau/Schäfers in Michalski, GmbHG, § 38 Rn. 14.
49   Stein in Hachenburg, GmbHG, § 38 Rn. 84.
50   BGH, 21.01.1991 – II ZR 144/90, BGHZ 113, 237, 241, 242; Lutter/Hommelhoff, GmbHG, § 38 Rn. 3; Terlau/Schäfer in Michalski, GmbHG, § 38 Rn. 15.
51   OLG Düsseldorf, 08.06.1989 – 6 U 223/88, NJW 1990, 1122, 1123.
52   OLG Hamm, 08.07.1986 – 8 U 295/83, GmbHR 1987, 268, 270; BGH, 25.09.1989 – II ZR 304/88, NJW-RR 1990, 99, 100; Lutter, ZIP 1986, 1195.
53   OLG Düsseldorf, 08.06.1989 – 6 U 223/88, WM 1990, 265, 267; Terlau/Schäfers in Michalski, GmbHG, § 38 Rn. 16.
54   Schneider in Scholz, GmbHG, § 38 Rn. 23; Zöllner/Noack in Baumbach/Hueck, GmbHG, § 38 Rn. 22; Terlau/Schäfers in Michalski, GmbHG, § 38 Rn. 16.

ten bei der GmbH & Co. KG).[55] Problematisch an einer Verlagerung einer so wesentlichen Kompetenz an gesellschaftsfremde Dritte ist, dass die **Selbstbestimmung der Gesellschafter** damit faktisch aufgegeben wird. Es widerspräche auch den Erwartungen des mit der Gesellschaft verkehrenden Publikums, könnten Dritte auf die Führung der Gesellschaft in einem der wesentlichsten Punkte Einfluss nehmen. Den Gesellschaftern bleibt es aber unbenommen, schuldrechtliche Verpflichtungen über ihr Abstimmungsverhalten Dritten gegenüber einzugehen.[56]

37   Sofern der Gesellschafterversammlung die Kompetenz zur Abberufung wirksam entzogen worden ist (z.B. bei Delegation an einen freiwilligen Aufsichts- oder Beirat, nicht jedoch bei mitgliedschaftlichen Sonderrechten einzelner Gesellschafter), kann sie selbst bei Vorliegen eines wichtigen Grundes die Abberufung nicht selbst beschließen.[57] Die **Gesellschafterversammlung** kann lediglich die **Abberufung** durch das zuständige Organ **erzwingen.**[58] Lediglich in den Fällen, in denen das kraft Satzung zuständige Abberufungsorgan funktionsunfähig ist, wird man eine **Auffangkompetenz** der Gesellschafterversammlung annehmen können.[59]

d)   Abberufung durch gerichtliche Entscheidung (Notgeschäftsführer)

38   Eine analoge Anwendung der §§ 117, 127 HGB kommt grds. nicht in Betracht.[60] Eine Abberufung durch eine gerichtliche Entscheidung scheidet daher aus. Sofern der Notgeschäftsführer allerdings durch eine gerichtliche

---

55   Dafür Schneider in Scholz, GmbHG, § 38 Rn. 28; Vollmer, GmbHR 1984, 5 7; dagegen Terlau/Schäfers in Michalski, GmbHG, § 38 Rn. 17.

56   Terlau/Schäfers in Michalski, GmbHG, § 38 Rn. 17.

57   Lutter/Hommelhoff, GmbHG, § 38 Rn. 16; Zöllner/Noack in Baumbach/Hueck, GmbHG, § 38 Rn. 22; Schneider in Scholz, GmbHG, § 38 Rn. 22; abweichend: Koppensteiner in Rowedder/Schmidt-Leithoff, GmbHG, § 38 Rn. 17; Roth/Altmeppen, GmbHG, § 38 Rn. 9, wonach das Selbstbestimmungsrecht der Gesellschafter gewahrt bleibe, da sie jederzeit ohne Zustimmung des Dritten die Satzung wieder ändern könnten und die Abberufung aus wichtigem Grund ein unverzichtbares Recht der Gesellschafter sei.

58   Zöllner/Noack in Baumbach/Hueck, GmbHG, § 38 Rn. 22.

59   BGH, 24.02.1954 – II ZR 88/53, BGHZ 12, 337, 339, 340 = NJW 1954, 799; BGH 01.12.1969 – II ZR 224/67, WM 1970, 249, 251; Schneider in Scholz, GmbHG, § 38 Rn. 26; Zöllner/Noack in Baumbach/Hueck, GmbHG, § 38 Rn. 22; Lutter/Hommelhoff, GmbHG, § 38 Rn. 3; Koppensteiner in Rowedder/Schmidt-Leithoff, GmbHG, § 38 Rn 17.

60   Terlau/Schäfers in Michalski, GmbHG, § 38 Rn. 19.

Entscheidung bestellt wurde, ist auch **ausschließlich** das **Gericht** zu seiner Abberufung – auch im Fall der Abberufung aus wichtigem Grund – befugt.[61] Eine solche Abberufung aus wichtigem Grund kann zwar durch die Gesellschafter beantragt werden, kann aber nur durch das Gericht selbst erfolgen.[62] Es liegt jedoch in der Hand der Gesellschafter, das Amt eines Notgeschäftsführers jederzeit durch Neubestellung eines Geschäftsführers zu beenden.[63]

5. Abberufungsbeschluss

a) Mehrheitserfordernisse

Soweit die Satzung keine abweichende Regelung vorsieht, entscheidet die   39
Gesellschafterversammlung mit **einfacher Mehrheit** der abgegebenen Stimmen, § 47 Abs. 1. Die Satzung kann aber auch Mehrheitserfordernisse vorsehen, wie z.B. Einstimmigkeit, Kombination von Kapital- und Kopf-mehrheiten. Es können auch Anforderungen an die Beschlussfähigkeit auf-gestellt werden. Allgemeine Beschlusserfordernisse, die für die Bestellung gelten, erstrecken sich im Zweifel auch auf die Abberufung.[64]

> **Praxistipp:**
>
> Es sollte stets genau überprüft werden, ob qualifizierte Mehrheitserfordernisse in die Satzung aufgenommen werden, da diese zu einer Fronten-bildung unter den Gesellschaftern führen können, da vor Abstimmungen eine entsprechende „Abstimmungspolitik" betrieben wird.

b) Stimmrecht des Abzuberufenden

Das **Stimmrecht** des abzuberufenden **Geschäftsführers**, der gleichzeitig   40
Gesellschafter ist, wird nicht durch § 47 Abs. 4 ausgeschlossen, da es sich um die zulässige Wahrnehmung seiner mitgliedschaftlichen Interes-sen handelt.[65] Er hat daher auch das Recht, an der Gesellschafterversamm-

---

61   Ockelmann/Pieperjohanns/Hölck in Bormann/Kauka/Ockelmann, Hdb. GmbH-Recht, Kap. 7 Rn. 10.

62   BayObLG, 07.10.1980 – BReg 1 Z 24/80, NJW 1981, 995, 996.

63   BGH, 10.11.1980 – II ZR 51/80, NJW 1981, 1041.

64   BGH, 25.09.1989 – II ZR 304/88, WM 1989, 1809.

65   BGH, 29.09.1955 – II ZR 225/54, BGHZ 18, 205, 210; BGH, 24.02.1992 – II ZR 79/91, NJW-RR 1992, 993; Lutter/Hommelhoff, GmbHG, § 38 Rn. 6; Terlau/Schäfers in Michalski, GmbHG, § 38 Rn. 21; Ockelmann/Pieper-johanns/Hölck in Bormann/Kauka/Ockelmann, Hdb. GmbH-Recht, Kap. 7 Rn. 99.

lung **teilzunehmen**,[66] selbst wenn eine Abberufung oder Kündigung aus in der Satzung vorgesehenen Gründen erfolgen soll, die nicht die Voraussetzungen des Abs. 2 (wichtiger Grund) erfüllen.[67]

41 Sofern dem Geschäftsführer in der Satzung ein **mitgliedschaftliches Sonderrecht auf die Geschäftsführung** eingeräumt ist, kann die Abberufung nur mit seiner **Zustimmung** erfolgen oder das Amt kann dem Geschäftsführer nur aus **wichtigem Grund** entzogen werden.[68] Dies hat die Konsequenz, dass der Mehrheitsgesellschaftergeschäftsführer oder der Sonderrechtsinhaber faktisch nur bei Vorliegen eines wichtigen Grundes abberufen werden können.[69]

c) Stimmrechtsbindungen

42 **Stimmrechtsbindungen** können Einfluss auf die Entscheidung über die Abberufung oder Kündigung eines Geschäftsführers haben. Solche Stimmrechtsbindungen können sich ergeben aus:

- der Satzung,
- schuldrechtlichen Stimmbindungsvereinbarungen oder Konsortialabreden,
- sowie aus der gesellschaftsrechtlichen Treuepflicht.[70]

6. Kundgabe gegenüber dem Abzuberufenden

43 Die Abberufung wird erst **wirksam** mit dem **Zugang der Abberufungserklärung**.[71]

---

66   BGH, 28.01.1985 – II ZR 79/84, GmbHR 1985, 256, 258; OLG Hamm, 27.11.1991 – 8 U 51/91, GmbHR 1992, 466, 467.

67   BGH, 28.01.1985 – II ZR 79/84, GmbHR 1985, 256, 257; Koch in Bormann/ Kauka/Ockelmann, Hdb. GmbH-Recht, Kap. 6 Rn. 116.

68   BGH, 16.02.1981 – II ZR 89/79, GmbHR 1982, 129, 131; Stein in Hachenburg, GmbHG, § 38 Rn. 93.

69   Terlau/Schäfers in Michalski, GmbHG, § 38 Rn. 21.

70   Ausführlich Stein in Hachenburg, GmbHG, § 38 Rn. 92.

71   Schneider in Scholz, GmbHG, § 38 Rn. 29; Koppensteiner in Rowedder, GmbHG, § 38 Rn. 21; Roth/Altmeppen, GmbHG, § 38 Rn. 22; Ockelmann/ Pieperjohanns/Hölck in Bormann/Kauka/Ockelmann, Hdb. GmbH-Recht, Kap. 7 Rn. 100.

Praxistipp:

Der Zugang sollte so vollzogen werden, dass dieser auch für den Fall einer gerichtlichen Auseinandersetzung beweisbar ist. Im Idealfall lässt sich ein von der Gesellschaft eingesetzter Bote, der als Zeuge geeignet ist, den Empfang des Abberufungsbeschlusses durch den abberufenen Geschäftsführer persönlich bestätigen. Notfalls muss der Bote den Abberufungsbeschluss in den verschlossenen Briefkasten des abberufenen Geschäftsführers einwerfen und hierüber einen Aktenvermerk unter Nennung des Datums und der Uhrzeit des Einwurfs sowie des Zustandes des Briefkastens (verschlossen) anfertigen.

Die Abberufungserklärung ist **formfrei** wirksam.[72] Die Erklärung ist durch   44
das für die Abberufung zuständige Organ abzugeben, wobei ein Erklärungsbote eingesetzt werden kann. Als Erklärungsboten kommen z.B. Gesellschafter, Mitgeschäftsführer, Prokuristen oder Berater in Betracht.[73]

Sofern der **Geschäftsführer** bei der Beschlussfassung **anwesend** ist, wird   45
die Abberufung ihm gegenüber wirksam, sobald der Leiter der Gesellschafterversammlung das Ergebnis der Abstimmung feststellt[74] oder sich aus den Umständen ergibt, dass ein eindeutiger Beschluss gefasst wurde.[75] Nimmt der Geschäftsführer allerdings nur zufällig Kenntnis von einem Abberufungsbeschluss, so wird die Abberufung nicht wirksam.[76] Ein Zugang i.S.d. Vorschriften des BGB ist in diesem Fall jedoch ausreichend. Es bedarf keiner positiven Kenntnis durch den Geschäftsführer.

Wird ein **Abberufungsbeschluss vor** seinem **Zugang wieder aufgehoben**,   46
bleibt er nach den allgemeinen Regelungen wirkungslos.[77]

---

72   Zöllner/Noack in Baumbach/Hueck, GmbHG, § 38 Rn. 38.

73   BGH, 30.11.1967 – II ZR 68/65, BGHZ 49, 117, 120 = NJW 1968, 398.

74   Zöllner/Noack in Baumbach/Hueck, GmbHG, § 38 Rn. 38.

75   BGH, 22.09.1969 – II ZR 144/68, BGHZ 52, 316, 321; Zöllner/Noack in Baumbach/Hueck, GmbHG, § 38 Rn. 38; Schneider in Scholz, GmbHG, § 38 Rn. 30.

76   Terlau/Schäfers in Michalski, GmbHG, § 38 Rn. 24; Schneider in Scholz, GmbHG, § 38 Rn. 30; Zöllner/Noack in Baumbach/Hueck, GmbHG, § 38 Rn. 39.

77   Terlau/Schäfers in Michalski, GmbHG, § 38 Rn. 24.

7.   Rechtsfolgen der Abberufung

a)   Beendigung der Organstellung

47   Die **Organstellung endet** mit der wirksamen Erklärung der Abberufung. Damit endet auch die Geschäftsführungs- und Vertretungsbefugnis des Geschäftsführers.[78] Im Falle einer gesetzlichen Gesamtvertretung wird die Gesellschaft durch die verbleibenden Geschäftsführer vertreten. Wird der einzige oder der letzte verbliebene Geschäftsführer abberufen, kann unter den Voraussetzungen des § 29 BGB ein **Notgeschäftsführer** bestellt werden.

48   Sofern die Satzung **Gesamtvertretung** vorsieht, hängt die Rechtsmacht des verbliebenen Geschäftsführers von den getroffenen Regelungen ab:

- sofern eine Vertretung der Gesellschaft zwingend durch **mehrere Geschäftsführer** vorgeschrieben ist, ist die Gesellschaft ohne Vertretung[79] mit der Folge, dass die Gesellschaft einen weiteren Geschäftsführer bestellen muss oder unter den Voraussetzungen des § 29 BGB einen Notgeschäftsführer gerichtlich bestellen lassen muss;

- sieht die Satzung dagegen eine Gesamtvertretung nur bei mehreren bestellten Geschäftsführern vor, hat der nach der Abberufung verbleibende Geschäftsführer Einzelvertretungsmacht.[80]

b)   Auswirkungen auf das Anstellungsverhältnis

49   Die **Abberufung beendet nicht** notwendigerweise gleichzeitig das **Anstellungsverhältnis**, da zwischen der Organstellung und dem der Organstellung zugrundeliegenden Rechtsverhältnis zu trennen ist.[81] Aus diesem Grund sind die Auswirkungen der Abberufung auf beide Rechtsverhältnisse stets gesondert zu prüfen.

> **Praxistipp:**
>
> Es sollte, um für den Fall einer gerichtlichen Auseinandersetzung die nötige Klarheit herzustellen, mit einer Abberufung sicherheitshalber gesondert auch die Kündigung des Anstellungsverhältnisses (sofern diese

---

78   OLG Karlsruhe, 25.08.1995 – 15 U 286/94, GmbHR 1996, 208, 209; Terlau/ Schäfers in Michalski, GmbHG, § 38 Rn. 25; Lutter/Hommelhoff, GmbHG, § 38 Rn. 24.

79   Terlau/Schäfers in Michalski, GmbHG, § 38 Rn. 25; Roth/Altmeppen, GmbHG, § 38 Rn. 24; Lutter/Hommelhoff, GmbHG, § 38 Rn. 24.

80   Terlau/Schäfers in Michalski, GmbHG, § 38 Rn. 25; Lutter/Hommelhoff, GmbHG, § 38 Rn. 24.

81   BGH, 26.06.1995 – II ZR 109/94, ZIP 1995, 1334, 1335; Heckschen in Wachter, FA Handels- und Gesellschaftsrecht, Teil 2, Kap. 2 § 1 D I Rn. 205.

im Anstellungsvertrag nicht ausgeschlossen ist oder mangels Vereinbarung einer ordentlichen Kündbarkeit wegen § 620 BGB unmöglich
ist) ausgesprochen werden und für einen ordnungsgemäßen Zugang der
Kündigungserklärung an den Geschäftsführer gesorgt werden.

In der Abberufungserklärung kann jedoch **konkludent** zugleich auch die **50**
Kündigungserklärung des Anstellungsvertrages liegen.[82] Sofern beide
Rechtsverhältnisse wirksam miteinander verknüpft waren, wird der Anstel-
lungsvertrag mit der Abberufung beendet.[83] Es ist dennoch aus Gründen der
Klarheit zu empfehlen, die Kündigung des Anstellungsvertrages gesondert
auszusprechen.

In der **Kündigung des Anstellungsvertrages** liegt umgekehrt i.d.R. gleich- **51**
zeitig eine **Abberufung** aus der Organstellung.[84] Auch für diesen Fall
empfiehlt sich, die Abberufung gesondert zu erklären und den Abberufungsbeschluss dem abberufenen Geschäftsführer zugehen zu lassen.

Der Geschäftsführer behält grds. seinen **Vergütungsanspruch**, solange das **52**
Anstellungsverhältnis nicht wirksam beendet worden ist.[85] Der Geschäftsführeranstellungsvertrag wird nach einer Kündigung nicht als normaler
Anstellungsvertrag fortgesetzt,[86] sodass der Geschäftsführer nach einer
erfolgten Kündigung zur Erhaltung seines Vergütungsanspruches nicht
gehalten ist, seine Dienste der Gesellschaft anzubieten.[87] Der Geschäfts-

---

82   OLG Hamburg, 28.06.1991 – 11 U 148/90, GmbHR 1992, 43, 48; Terlau/
     Schäfers in Michalski, GmbHG, § 38 Rn. 26; Koppensteiner in Rowedder,
     GmbHG, § 38 Rn. 31.

83   OLG Düsseldorf, 24.06.1999 – 6 U 144/97, NZG 2000, 209; Terlau/Schäfers
     in Michalski, GmbHG, § 38 Rn. 26; Stein in Hachenburg, GmbHG, § 38
     Rn. 17; a.A.: Eckardt, AG 1989, 431, 433.

84   BGH, 24.11.1980 – II ZR 182/79, BGHZ 79, 38, 41 = NJW 1981, 757 für die
     Aktiengesellschaft und Terlau/Schäfers in Michalski, GmbHG, § 38 Rn. 26 für
     die GmbH.

85   Terlau/Schäfers in Michalski, GmbHG, § 38 Rn. 27; Lutter/Hommelhoff,
     GmbHG, § 38 Rn. 25.

86   BGH, 27.03.1995 – II ZR 140/93, GmbHR 1995, 373, 375.

87   BGH, 09.10.2000 – II ZR 75/99, ZIP 2000, 2199, 2200, dort auch zur Frage
     der Anrechnungspflicht nach § 615 Satz 2 BGB; Schneider in Scholz,
     GmbHG, § 38 Rn. 34; Terlau/Schäfers in Michalski, GmbHG, § 38 Rn. 27;
     a.A.: wohl Greger, FS Boujong, S. 156.

führer kann jedoch gehalten sein, eine andere leitende Stellung im Unternehmen, die seinen Kenntnissen und Fähigkeiten entspricht, anzunehmen, um einer sofortigen Kündigung des Anstellungsvertrages zu entgehen.[88]

III.   Beschränkung der freien Abberufbarkeit (Abs. 2)

1.   Gesetzliche Beschränkungen

53   Sofern die Gesellschaft nach dem **MontanMitbestG** oder dem **MitbestG** mitbestimmungspflichtig ist, kann ein Geschäftsführer nur aus **wichtigem Grund** abberufen werden, § 31 MitbestG i.V.m. § 84 Abs. 3 AktG. Das Gleiche gilt nach § 13 **MonMitbestErgG**.

2.   Beschränkungen im Gesellschaftsvertrag

54   Der **Grundsatz** der **freien Abberufbarkeit** ist **dispositiv** und kann im Gesellschaftervertrag geändert werden. Eine solche Beschränkung muss sich aus dem Gesellschaftsvertrag zumindest durch **Auslegung** ermitteln lassen,[89] sollte im Idealfall aber klar und unmissverständlich geregelt sein.

> **Praxistipp:**
>
> Zu beachten ist, dass die Stellung des Geschäftsführers durch Regelungen, die an die Abberufung qualifizierte Anforderungen stellen, gestärkt wird. In der Praxis sollte eine solche Beschränkung nur aus guten Gründen erfolgen.

55   Im Gesellschaftsvertrag ist jedoch zwingend die Möglichkeit vorzusehen, den Geschäftsführer aus wichtigem Grund abzuberufen.[90] **Unzulässig** ist, die **Abberufungsgründe** als solche **abschließend zu normieren** [91] oder solche **Umstände** als Abberufungsgründe **auszuschließen**, die **objektiv** einen **wichtigen Grund** darstellen.[92] Die Gesellschafter einer nicht mitbestimmten GmbH können jedoch im Gesellschaftsvertrag jegliche Gründe

---

88   Terlau/Schäfers in Michalski, GmbHG, § 38 Rn. 27; Stein in Hachenburg, GmbHG, § 38 Rn. 32; Henze, Hdb. GmbH-Recht, § 38 Rn. 1174; a.A.: Kothe-Heggemann/Dahlbender, GmbHR 1996, 650, 652.

89   BGH, 16.02.1981 – II ZR 89/79, GmbHR 1982, 129, 130; Terlau/Schäfers in Michalski, GmbHG, Rn. 29; Zöllner/Noack in Baumbach/Hueck, GmbHG, § 38 Rn. 93; Schneider in Scholz, GmbHG, § 38 Rn. 39.

90   Terlau/Schäfers in Michalski, GmbHG, § 38 Rn. 30; Koch in Bormann/Kauka/Ockelmann, Hdb. GmbH-Recht, Kap. 6 Rn. 42.

91   Terlau/Schäfers in Michalski, GmbHG, § 38 Rn. 30; Schneider in Scholz, GmbHG, § 38 Rn. 39.

92   Terlau/Schäfers in Michalski, GmbHG, § 38 Rn. 30.

zu wichtigen Gründen erheben.[93] Sieht die Satzung einen völligen Ausschluss der Abberufbarkeit oder eine zu weitreichende Beschränkung der
Abberufbarkeit vor, ist die Satzungsbestimmung im Rahmen einer geltungs-
erhaltenden Reduktion so auszulegen, dass eine Abberufung aus wichtigem
Grund möglich ist.[94]

> **Praxistipp:**
>
> Eine zu weitgehende Regelung von wichtigen Gründen ist angesichts
> der nach § 38 Abs. 1 gesetzlich vorgesehenen freien Abberufbarkeit ab
> einem bestimmten Punkt nicht mehr sinnvoll. Es sollte daher stets
> überlegt werden, auf welche wichtigen Gründe es der Gesellschaft
> ankommt. Nur diese sollten dann in der Satzung aufgenommen werden.

Die Einschränkung der Abberufbarkeit kann im Gesellschaftsvertrag sowohl 56
für den **Gesellschafter-Geschäftsführer** als auch für den **Fremdgeschäftsführer** vorgesehen werden.[95] Die Beschränkung der Abberufbarkeit des
Fremdgeschäftsführers ergibt sich aus dem Wortlaut des Abs. 2. Im Übrigen
liegt es in der Hand der Gesellschaft, ob und auch welchen Geschäftsführern
sie eine unantastbare Stellung gewähren will.[96] Schließlich entspricht es
einem legitimen Interesse der Gesellschaft, eine möglichst beständige
Geschäftsführung sicherzustellen.[97]

3. Geschäftsführersonderrechte

Einem Geschäftsführer kann in der **Satzung** auch ein **Anspruch auf die** 57
Geschäftsführung als mitgliedschaftliches Sonderrecht eingeräumt werden.[98]

---

93 Terlau/Schäfers in Michalski, GmbHG, § 38 Rn. 30; Lutter/Hommelhoff,
    GmbHG, § 38 Rn. 7; Schneider in Scholz, GmbHG, § 38 Rn. 39.

94 BGH, 16.02.1981 – II ZR 89/79, GmbHR 1982, 129, 130; OLG Naumburg,
    13.01.2000 – 7 U (Hs) 24/99, NZG 2000, 608, 609; Zöllner/Noack in Baum-
    bach/Hueck, GmbHG, § 38 Rn. 6.

95 OLG Köln, 16.03.1988 – 6 U 38/87, GmbHR 1989, 76, 78; Schneider in
    Scholz, GmbHG, § 38 Rn. 40; Zöllner/Noack in Baumbach/Hueck, GmbHG,
    § 38 Rn. 8; Terlau/Schäfers in Michalski, GmbHG, § 38 Rn. 31; a.A.: Schön-
    le/Ensslein, GmbHR 1969, 103.

96 Lutter/Hommelhoff, GmbHG, § 38 Rn. 8; Terlau/Schäfers in Michalski,
    GmbHG, § 38 Rn. 31.

97 Zöllner/Noack in Baumbach/Hueck, GmbHG, § 38 Rn. 8; Terlau/Schäfers in
    Michalski, GmbHG, § 38 Rn. 31.

98 Schneider in Scholz, GmbHG, § 38 Rn. 41; Lutter/Hommelhoff, GmbHG,
    § 38 Rn. 10; Terlau/Schäfers in Michalski, GmbHG, § 38 Rn. 32.

Nicht ausreichend ist eine Vereinbarung außerhalb der Satzung, also bspw. im Geschäftsführeranstellungsvertrag.[99]

> **Praxistipp:**
>
> In Geschäftsführeranstellungsverträgen findet sich häufig die Formulierung, dass der Geschäftsführer „als Geschäftsführer" tätig wird. Ist seitens der Gesellschaft wirklich beabsichtigt, dem Geschäftsführer ein mitgliedschaftliches Sonderrecht einzuräumen, sollte dies zwingend in der Satzung vorgenommen werden. Eine Formulierung im Anstellungsvertrag ist hierzu nicht ausreichend und sorgt nur für überflüssige Diskussionen.

58   Die Gesellschafterversammlung kann das einem Gesellschafter-Geschäftsführer in der Satzung gewährte Sonderrecht nur mit **Zustimmung** des betroffenen Gesellschafter-Geschäftsführers durch Änderung der Satzung aufheben oder einschränken.[100] Der Inhaber des Sonderrechts kann ebenfalls nur mit seiner Zustimmung abberufen werden,[101] es sei denn, es liegt ein wichtiger Grund vor.[102] Wird der Gesellschafter in seinem mitgliedschaftlichen Sonderrecht ohne seine Zustimmung beeinträchtigt, steht es dem betroffenen Gesellschafter-Geschäftsführer offen, unmittelbar auf Feststellung des Weiterbestehens seiner Organstellung und seines Sonderrechts zu klagen, ohne dass es einer besonderen Beschlussfassung bedürfte.[103]

59   Durch **Auslegung** der Satzung – in Ausnahmefällen ist der Geschäftsführeranstellungsvertrag hinzuzunehmen[104] – kann sich ergeben, dass einem Gesellschafter ein **mitgliedschaftliches Sonderrecht** zugewiesen wurde.[105] Eine Bestellung eines Gesellschafters zum Geschäftsführer reicht hierfür

---

99   BGH, 16.02.1981 – II ZR 89/79, GmbHR 1982, 129, 130.

100   BGH, 10.11.1954 – II ZR 299/53, BGHZ 15, 177, 181; BGH, 16.02.1981 – II ZR 89/79, GmbHR 1982, 129, 130; Lutter/Hommelhoff, GmbHG, § 38 Rn. 10.

101   Herrschende Meinung: vgl. Zöllner/Noack in Baumbach/Hueck, GmbHG, § 38 Rn. 10; Lutter/Hommelhoff, GmbHG, § 38 Rn. 34; Terlau/Schäfers in Michalski, GmbHG, § 38 Rn. 32; Schneider in Scholz, GmbHG, § 38 Rn. 41.

102   Zöllner/Noack in Baumbach/Hueck, GmbHG, § 38 Rn. 10.

103   BGH, 16.02.1981 – II ZR 89/79, GmbHR 1982, 129, 131; Zöllner/Noack in Baumbach/Hueck, GmbHG, § 38 Rn. 48.

104   OLG Naumburg, 13.01.2000 – 7 U (Hs) 24/99, NZG 2000, 608, 609.

105   BGH, 16.02.1981 – II ZR 89/79, GmbHR 1982, 129, 130; OLG Düsseldorf, 11.02.1993 – 6 U 43/92, GmbHR 1994, 245; Zöllner/Noack in Baumbach/Hueck, GmbHG, § 38 Rn. 9.

nicht aus,[106] da es neben der Bestellung eines Gesellschafters zum Geschäftsführer durch die Satzung noch weiterer Anhaltspunkte für die Annahme einer mitgliedschaftsrechtlichen Qualität seiner Geschäftsführung bedarf.[107] Neben der personalistischen Struktur der Gesellschaft und der nicht unwesentlichen Beteiligungshöhe des Geschäftsführers[108] zählen hierzu z.B. die **Zusage der Geschäftsführerstellung auf Lebenszeit** oder für die **Dauer der Mitgliedschaft** in der Gesellschaft[109] oder eine „**unwiderrufliche**" Bestellung.[110] Die Beschränkung der Abberufung auf wichtige Gründe kann ein Indiz sein,[111] ebenso die in der Satzung erfolgte Bestellung als Repräsentant einer Gesellschaftergruppe, es sei denn, alle Geschäftsführer wurden auf diese Weise bestellt.[112] **Nicht** ausreichende Anhaltspunkte:

- das Erfordernis einer **3/4-Mehrheit** oder der **Einstimmigkeit** für alle Beschlüsse oder für die Abberufung (selbst bei Zusammentreffen mit anderen Indizien);[113]

- die Einräumung einer **Einzelvertretungsbefugnis** oder die **Bestellung zum ersten Geschäftsführer**;[114]

- eine **Mehrheitsbeteiligung**;[115]

---

106 BGH, 16.02.1981 – II ZR 89/79, GmbHR 1982, 129, 130; OLG München, 08.06.1994 – 7 U 4606/93, DB 1994, 1972, 1973; OLG Naumburg, 13.01.2000 – 7 U (Hs) 24/99, NZG 2000 608, 610.

107 BGH, 16.02.1981 – II ZR 89/79, GmbHR 1982, 129, 130.

108 Zöllner/Noack in Baumbach/Hueck, GmbHG, § 38 Rn. 7.

109 BGH, 16.02.1981 – II ZR 89/79, WM 1981, 438; Zöllner/Noack in Baumbach/Hueck, GmbHG, § 38 Rn. 7.

110 Roth/Altmeppen, GmbHG, § 38 Rn. 30.

111 Terlau/Schäfers in Michalski, GmbHG, § 38 Rn. 33; zurückhaltender die h.M.: vgl. Lutter/Hommelhoff, GmbHG, § 38 Rn. 11; Schneider in Scholz, GmbHG, § 38 Rn. 39; Fleck, GmbHR 1970, 223; ablehnend RG JW 1919, 314.

112 OLG Hamm, 08.07.1985 – 8 U 295/83, ZIP 1986, 1188, 1191; Lutter, ZIP 1986, 1195.

113 BGH, 17.10.1983 – II ZR 31/83, WM 1984, 28, 29; OLG Hamm, 24.01.2002 – 15 W 8/02, NZG 2002, 421; Zöllner/Noack in Baumbach/Hueck, GmbHG, § 38 Rn. 7; a.A.: Terlau/Schäfers in Michalski, GmbHG, § 38 Rn. 33.

114 BGH, 16.02.1981 – II ZR 89/79, WM 1981, 438, 439; OLG Naumburg, 13.01.2000 – 7 U (Hs) 24/99, NZG 2000, 608, 610; vgl. zur Erstbestellung auch Opgenhoff in Bormann/Kauka/Ockelmann, Hdb. GmbH-Recht, Kap. 2 Rn. 103 f.

115 Zöllner/Noack in Baumbach/Hueck, GmbHG, § 38 Rn. 7.

- die **hälftige Beteiligung zweier Gesellschafter** bei der Bestellung außerhalb der Satzung;[116]
- Bestellung in der Satzung als **Repräsentant** einer Gesellschaftergruppe.[117]

> **Praxistipp:**
>
> Um in der Praxis Überraschungen zu vermeiden ist dringend zu raten, die Regelungen in der Satzung klar und deutlich vorzunehmen (Klartext). Wenn ein mitgliedschaftliches Sonderrecht gemeint und gewollt ist, sollte dies in der Satzung auch klar so genannt werden.

60   Ein mitgliedschaftliches Sonderrecht kann nur einem **Gesellschafter-Geschäftsführer**, nicht auch einem Fremdgeschäftsführer eingeräumt werden.[118] Zugunsten eines Fremdgeschäftsführers können schuldrechtliche Absprachen bestehen, die die Gesellschafterversammlung jedoch nicht hindern, hiervon abweichend zu entscheiden und ggf. Schadensersatzansprüche in Kauf zu nehmen.

4.   Beschränkung durch Vereinbarungen außerhalb der Satzung

a)   Anstellungsvertrag

61   **Schuldrechtliche Vereinbarungen** zur **Abberufung von Geschäftsführern** sind grds. **erlaubt**, sofern sie durch das zuständige Organ (i.d.R. Gesellschafterversammlung oder Aufsichtsrat) eingegangen wurden.[119] Es existiert nämlich kein generelles Verbot, innergesellschaftliche Entscheidungen und Maßnahmen zum Gegenstand schuldrechtlicher Verpflichtungen zu machen. Soweit die schuldrechtliche Einschränkung mit den satzungsmäßigen Einschränkungen übereinstimmt, bestehen schuldrechtliche und organisationsrechtliche Schranken nebeneinander.[120] Sieht die **Satzung** hingegen keine Beschränkung der Abberufbarkeit vor, kann die Gesellschaft

---

116   Zöllner/Noack in Baumbach/Hueck, GmbHG, § 38 Rn. 7.

117   OLG Hamm, 08.07.1985 – 8 U 295/83, ZIP 1986, 1188, 1191 m. Anm. Lutter S. 1195; Zöllner/Noack in Baumbach/Hueck, GmbHG, § 38 Rn. 7.

118   Schneider in Scholz, GmbHG, § 38 Rn. 41; Lutter/Hommelhoff, GmbHG, § 38 Rn. 10; Terlau/Schäfers in Michalski, GmbHG, § 38 Rn. 34; vgl. auch Koch in Bormann/Kauka/Ockelmann, Hdb. GmbH-Recht, Kap. 6 Rn. 42.

119   BGH, 27.10.1986 – II ZR 240/85, GmbHR 1987, 94, 96; Lutter/Hommelhoff, GmbHG, § 38 Rn. 13; Schneider in Scholz, GmbHG, § 38 Rn. 55; Zöllner/Noack in Baumbach/Hueck, GmbHG, § 38 Rn. 20; abweichend: Fleck, ZGR 1988, 104, 123.

120   Koppensteiner in Rowedder, GmbHG, § 38 Rn. 4; Lutter/Hommelhoff, GmbHG, § 38 Rn. 14.

auch bei einer anderslautenden schuldrechtlichen Beschränkung frei nach § 38 Abs. 1 die Bestellung widerrufen.[121] Gesetz und Gesellschaftsvertrag gehen der schuldrechtlichen Vereinbarung vor, die keine korporationsrechtlichen Wirkungen entfaltet. Derartige Vereinbarungen sind allerdings auf schuldrechtlicher Ebene wirksam und verpflichten die Gesellschaft gegenüber dem Geschäftsführer ggf. zum **Schadenersatz**.[122]

> **Praxistipp:**
>
> Satzung und Anstellungsvertrag des Geschäftsführers sollten zur Vermeidung etwaiger Schadenersatzansprüche immer aufeinander abgestimmt sein. Die Gestaltung von Geschäftsführeranstellungsverträgen sollte stets nur in Kenntnis sämtlicher Satzungsbestimmungen nebst sämtlichen Satzungsänderungen erfolgen.

b)   Stimmbindungsverträge

Einzelne oder alle Gesellschafter können sich durch Abschluss von **Stimmbindungsverträgen** gegenüber dem Fremd- oder Gesellschaftergeschäftsführer dazu verpflichten, einer Abberufung nur unter bestimmten Voraussetzungen zuzustimmen, etwa nur bei Vorliegen eines **wichtigen Grundes**[123] oder nur mit **Zustimmung des Geschäftsführers**, wenn ein wichtiger Grund nicht gegeben ist.[124] Derartige Vereinbarungen sind **formlos** möglich. Schuldrechtlich ist eine solche Vereinbarung für die gebundenen Gesellschafter auch dann bindend, wenn die Satzung keine Einschränkung der freien Abberufbarkeit nach § 38 Abs. 1 vorsieht.[125] Eine unzulässige

62

---

121   OLG Stuttgart, 30.03.1994 – 3 U 154/93, GmbHR 1995, 229, 230; Terlau/Schäfers in Michalski, GmbHG, § 38 Rn. 35; Koppensteiner in Rowedder, GmbHG, § 38 Rn. 4; Zöllner/Noack in Baumbach/Hueck, GmbHG, § 38 Rn. 18.

122   Fleck, ZGR 1998, 104, 125; Zöllner/Noack in Baumbach/Hueck, GmbHG, § 38 Rn. 19; Koppensteiner in Rowedder, GmbHG, § 38 Rn. 4; Terlau/Schäfers in Michalski, GmbHG, Rn. 35.

123   BGH, 07.02.1983 – II ZR 25/82, ZIP 1983, 432; OLG Köln, 16.03.1988 – 6 U 38/87, GmbHR 1989, 76, 78.

124   BGH, 27.10.1986 – II ZR 240/85, NJW 1987, 1890, 1892; Stein in Hachenburg, GmbHG, § 38 Rn. 29.

125   BGH, 27.10.1986 – II ZR 240/85, NJW 1987, 1890, 1892; OLG Köln, 16.03.1988 – 6 U 38/87, GmbHR 1989, 76, 78; OLG Frankfurt a.M., 27.11.1991 – 21 W 35/91, NJW-RR 1992, 934, 935; OLG Frankfurt a.M., 16.09.1999 – 1 U 137/98, NZG 2000, 378; Lutter/Hommelhoff, GmbHG, § 38 Rn. 15.

Umgehung der Satzung liegt hierin nicht, da aus derartigen Vereinbarungen nicht die Gesellschaft, sondern nur die jeweiligen Gesellschafter gebunden werden.[126] Zu beachten ist, dass eine Abberufung, die im Einklang mit den gesetzlichen Bestimmungen erfolgt ist, korporationsrechtlich wirksam ist. Halten sich die gebundenen Gesellschafter nicht an die Vereinbarung, steht dem Geschäftsführer ein **Anspruch auf Herbeiführung der Wiederbestellung** zu, der im Wege der Leistungsklage durchgesetzt werden kann.[127] Nach Ansicht des BGH begründet eine Verletzung eines Stimmbindungsvertrages durch alle Gesellschafter die Anfechtbarkeit des Abberufungsbeschlusses.[128]

5.   Beschränkungen durch Treuepflicht der Gesellschafter

63   Bei Gesellschafter-Geschäftsführern kann sich eine Einschränkung der freien Abberufbarkeit auch aus den zwischen den Gesellschaftern bestehenden **Treuepflichten** ergeben,[129] die sich in der Rücksichtnahme auf mitgliedschaftliche Interessen der anderen Gesellschafter äußert.[130] Den Gesellschaftern ist es untersagt, eine Abberufung aus willkürlichen oder unsachlichen Gründen vorzunehmen.[131] Dies gilt selbst dann, wenn die Satzung keine Abberufungsbeschränkungen und kein mitgliedschaftliches Sonderrecht auf Geschäftsführung vorsieht.[132] Zu berücksichtigen ist allerdings, dass für eine Beschränkung der freien Abberufbarkeit nach § 38 Abs. 1 **erhebliche Gründe** für eine Einschränkung infolge der Treuepflicht gegeben sein müssen, wobei die Schwelle zum „wichtigen Grund" nicht erreicht werden muss.[133] Eine **sachliche Rechtfertigung** für die Abberu-

---

126   BGH, 07.02.1983 – II ZR 25/82, ZIP 1983, 432, 433; OLG Frankfurt a.M., 27.11.1991 – 21 W 35/91, GmbHR 1992, 368, 370.

127   OLG Köln, 16.03.1988 – 6 U 38/87, GmbHR 1989, 76, 78; Lutter/Hommelhoff, GmbHG, § 38 Rn. 15; Stein in Hachenburg, GmbHG, § 38 Rn. 29.

128   BGH, 27.10.1986 – II ZR 240/85, NJW 1987, 1890, 1892.

129   BGH, 29.11.1993 – II ZR 61/93, DStR 1994, 214, 216; Zöllner/Noack in Baumbach/Hueck, GmbHG, § 38 Rn. 17.

130   Stein in Hachenburg, GmbHG, § 38 Rn. 30; Terlau/Schäfers in Michalski, GmbHG, § 38 Rn. 37.

131   Stein in Hachenburg, GmbHG, § 38 Rn. 30; Terlau/Schäfers in Michalski, GmbHG, § 38 Rn. 37; krit. Meilicke, DB 1994, 1761, 1763.

132   Terlau/Schäfers in Michalski, GmbHG, § 38 Rn. 37.

133   Zöllner/Noack in Baumbach/Hueck, GmbHG, § 38 Rn. 17; Stein in Hachenburg, GmbHG, § 38 Rn. 30; Terlau/Schäfers in Michalski, GmbHG, Rn. 37.

fung ist **ausreichend**, um einen Treuepflichtverstoß auszuschließen.[134] Es ist eine **Gesamtbetrachtung** anzustellen, bei der Gesichtspunkte wie

* **Verdienst für die Gesellschaft** und

* der **Erfolg der bisherigen Geschäftsführung**

heranzuziehen sind.[135]

IV. Abberufbarkeit aus wichtigem Grund (§ 38 Abs. 2)

1. Wichtiger Grund

a) Allgemeines

Als **wichtiger Grund** ist jeder Umstand anzusehen, der einen **Verbleib** des Geschäftsführers für die Gesellschaft **unzumutbar** macht.[136] Ob ein Verbleib „unzumutbar" ist, ist anhand einer **umfassenden Abwägung** der betroffenen Interessen, i.d.R. der Interessen der Gesellschaft und der Interessen des Geschäftsführers, zu ermitteln.[137] Hierbei können auch verwirkte Gründe berücksichtigt werden.[138]

64

> **Praxistipp:**
>
> Die Frage, wann ein Verbleib des Geschäftsführers für die Gesellschaft unzumutbar ist, ist im Streitfall von einer gerichtlichen Wertung abhängig, die nur schwer prognostizierbar ist. Es ist daher Vorsicht geboten, vom Grundsatz der freien Abberufbarkeit des Geschäftsführers nach Abs. 1 in der Satzung abzuweichen.

---

134 Goette Anm. zu BGH, 29.11.1993 – II ZR 61/93, DStR 1994, 214; Stein in Hachenburg, GmbHG, § 38 Rn. 30.

135 BGH, 29.11.1993 – II ZR 61/93, DStR 1994, 214, 216; OLG Zweibrücken, 30.10.1997 – 4 U 11/97, GmbHR 1998, 373, 374; Zöllner/Noack in Baumbach/Hueck, GmbHG, § 38 Rn. 17; für lediglich vertretbare Sachgründe: Stein in Hachenburg, GmbHG, § 38 Rn. 30.

136 BGH, 14.10.1991 – II ZR 239/90, WM 1991, 2140, 2141; NJW-RR 1988, 352, 353; OLG Stuttgart, 30.03.1994 – 3 U 154/93, NJW-RR 1995, 295, 296; OLG Karlsruhe, 04.05.1999 – 8 U 153/97, NZG 2000, 264, 265; Lutter/Hommelhoff, GmbHG, § 38 Rn. 20 m.w.N.

137 OLG Hamburg, 15.12.1960 – 2 W 190/59, GmbHR 1961, 128, 131.

138 OLG Karlsruhe, 04.05.1999 – 8 U 153/97, NZG 2000, 264, 268.

65   Der wichtige Grund muss nicht **in der Person des Geschäftsführers**
      vorliegen. Auch muss der Geschäftsführer den wichtigen Grund **nicht
      verschuldet** haben.[139] Bei einem Zerwürfnis unter mehreren Geschäfts-
      führern ist daher die Abberufung jedes Geschäftsführers möglich, der durch
      sein nicht notwendigerweise schuldhaftes Verhalten zu diesem Zerwürfnis
      beigetragen hat, sofern das Zerwürfnis unheilbar ist und keine gedeihliche
      Zusammenarbeit der Geschäftsführer mehr erwarten lässt.[140]

66   Der wichtige Grund kann auch in den **Verhältnissen der Gesellschaft** bzw.
      in **äußeren Umständen** liegen.[141] Ob auf Seiten der Gesellschaft ein
      Schaden entstanden ist, ist unerheblich.[142] Ist ein Schaden entstanden, kann
      dessen Vorliegen und die Höhe des Schadens mit in die Gesamtbewertung
      einfließen.[143] Die Satzung kann den Begriff des wichtigen Grundes nicht
      einschränkend konkretisieren. § 38 Abs. 2 enthält eine Mindestgarantie, die
      hierdurch verletzt würde.[144]

67   Da Organstellung und Anstellungsverhältnis voneinander zu trennen sind,
      muss ein **wichtiger Grund** für die **Abberufung** nicht zugleich auch einen
      wichtigen Grund für die Kündigung des **Anstellungsvertrags** darstellen, die
      sich i.Ü. nach § 626 Abs. 1 BGB richtet.[145] In Anstellungsverträgen findet
      sich allerdings häufig eine sog. **Koppelungsregelung**, wonach die Abberu-
      fung aus wichtigem Grund zugleich eine außerordentliche Kündigung des
      Anstellungsvertrages darstellt. Dies stellt eine – zulässige – **auflösende
      Bedingung** dar.[146]

      Beispiel:

      *„Sollte die Bestellung als Geschäftsführer widerrufen werden, so endet damit auch
      dieser Dienstvertrag."*

---

139   BGH, 24.02.1992 – II ZR 79/91, NJW-RR 1992, 993, 994; OLG Koblenz,
      29.04.1986 – 6 W 273/86, ZIP 1986, 1120, 1121; OLG Düsseldorf, 07.01.1994 –
      16 U 104/92, GmbHR 1994, 884, 885.

140   BGH, 24.02.1992 – II ZR 79/91, ZIP 1992, 760, 761; OLG Düsseldorf,
      07.01.1994 – 16 U 104/92, GmbHR 1994, 884, 885.

141   Stein in Hachenburg, GmbHG, § 38 Rn. 39; Koppensteiner in Rowedder,
      GmbHG, § 38 Rn. 14; Terlau/Schäfers in Michalski, GmbHG, § 38 Rn. 40.

142   OLG Hamm, 07.05.1984 – 8 U 22/84, GmbHR 1985, 119, 120; OLG Düs-
      seldorf, 30.06.1988 – 6 U 310/87, NJW 1989, 172.

143   BGH, 17.10.1983 – II ZR 31/83, WM 1984, 29; BGH, 14.10.1991 – II ZR
      239/90, GmbHR 1992, 38, 39.

144   Terlau/Schäfers in Michalski, GmbHG, § 38 Rn. 40.

145   BGH, 20.10.1954 – II ZR 280/53, BGHZ 15, 71, 75.

146   BGH, 29.05.1989 – II ZR 220/88, GmbHR 1989, 415, 416; BGH, 28.05.1990 –
      II ZR 245/89, GmbHR 1990, 345, 346; a.A.: Eckert AG 1989, 431, 433.

b) Grobe Pflichtverletzung und Unfähigkeit zur ordnungsgemäßen Geschäftsführung

§ 38 Abs. 2 nennt als Beispiele für einen wichtigen Grund i.d.R. die **grobe** 68 **Pflichtverletzung** und die **Unfähigkeit zur ordnungsgemäßen Geschäftsführung**. Daneben kommen **weitere Sachverhalte** in Betracht, die als wichtiger Grund i.S.d. § 38 Abs. 2 gewertet werden können.

(1) Grobe Pflichtverletzung

Maßgeblich ist die **Verletzung einer Pflicht**, die dem Geschäftsführer **aus** 69 **seiner Organstellung** oder **aus dem Anstellungsvertrag** gegenüber der Gesellschaft obliegt.[147] Ausreichend ist jedoch nicht jede Pflichtverletzung, diese muss vielmehr als „grob" gewertet werden können.

Beispiele für einen wichtigen Grund:

- *Annahme von Schmiergeldern,[148]*
- *Unredlichkeit,[149]*
- *Fälschung von Buchungsunterlagen,[150]*
- *langjährige Bilanzmanipulationen und Steuerhinterziehung,[151]*
- *Tätlichkeiten gegenüber Mitarbeitern[152] oder Mitgeschäftsführern sowie Gesellschaftern,[153]*
- *Duldung pflichtwidrigen Handelns (z.B. Warenlager- und Bilanzmanipulation anderer Geschäftsführer),[154]*
- *unzureichende Buchführung,[155]*
- *selbstverschuldeter Verdacht der Steuerhinterziehung,[156]*
- *Missbrauch von Gesellschaftsvermögen für eigene Zwecke,[157]*

---

147 Roth/Altmeppen, GmbHG, § 38 Rn. 33; Stein in Hachenburg, GmbHG, § 38 Rn. 46.

148 Terlau/Schäfers in Michalski, GmbHG, § 38 Rn. 44.

149 Terlau/Schäfers in Michalski, GmbHG, § 38 Rn. 44.

150 BGH, 26.03.1956 – II ZR 57/55, BGHZ 20, 239, 246 für einen Vorstand, der sich Gehaltsbezüge hinter dem Rücken des Aufsichtsrates auszahlen ließ; OLG Hamm, 07.05.1984 – 8 U 22/84, GmbHR 1985, 119, 120.

151 OLG Düsseldorf, 15.02.1991 – 16 U 130/90, WM 1992, 14, 19 ff.

152 OLG Stuttgart, 30.03.1994 – 3 U 154/93, GmbHR 1995, 229, 230.

153 BGH, 24.10.1994 – II ZR 91/94, DStR 1994, 1746, 1748.

154 OLG Düsseldorf, 15.02.1991 – 16 U 130/90, WM 1992, 14, 19 ff.

155 Terlau/Schäfers in Michalski, GmbHG, § 38 Rn. 44.

156 Terlau/Schäfers in Michalski, GmbHG, § 38 Rn. 44.

157 BGH, 17.10.1983 – II ZR 31/83, WM 1984, 29.

- *Missbrauch der Befugnisse durch Vereinnahmung von Bargeld aus Warenkäufen in eigene Tasche,[158]*
- *Kündigung eines Mitgeschäftsführers ohne Gesellschafterbeschluss,[159]*
- *Vorbereitung einer Kapitalerhöhung gegen den Willen der herrschenden Konzernmutter,[160]*
- *Durchführung einer Geschäftsführungsmaßnahme von besonderem Gewicht trotz eindeutigem Widerspruch des Mitgeschäftsführers,[161]*
- *Unterlassen der Vorlage wichtiger Entscheidungen an die Gesellschafterversammlung,[162]*
- *schwerer Vertrauensbruch,[163]*
- *gewaltsames Eindringen in Geschäftsräume trotz vereinbarter Erfordernisse des gemeinsamen Betretens oder entgegen einstweiliger Verfügung,[164]*
- *ggf. Überschuldung des Geschäftsführers.[165]*

Beispiele, bei denen ein wichtiger Grund nicht vorliegt:

- *Geschäftsführer unterzeichnet den Jahresabschluss nach dessen Aufstellung nicht,[166]*
- *hohes Alter und nachlassende Kräfte des Geschäftsführers.[167]*

---

158   OLG Zweibrücken, 05.06.2003 – 4 U 117/02, GmbHR 1998, 373; Terlau/
      Schäfers in Michalski, GmbHG, § 38 Rn. 44.

159   BGH, 25.02.1991 – II ZR 76/90, GmbHR 1991, 197.

160   OLG Nürnberg, 25.08.1999 – 12 U 430/99, NZG 2000, 700, 703.

161   OLG Karlsruhe, 04.05.1999 – 8 U 153/97, NZG 2000, 264, 266.

162   OLG Naumburg, 23.02.1999 – 7 U (Hs) 25/98, NZG 2000, 44, 47; OLG
      Karlsruhe, 04.05.1999 – 8 U 153/97, NZG 2000, 264, 267.

163   Terlau/Schäfers in Michalski, GmbHG, § 38 Rn. 44 unter Bezugnahme auf
      BGH, 08.05.1967 – II ZR 126/65, WM 1967, 679.

164   BGH, 14.10.1991 – II ZR 239/90, GmbHR 1992, 38, 39.

165   BGH, 25.01.1960 – II ZR 207/57, WM 1960, 289, 291; OLG Hamburg,
      27.08.1954 – 1 U 395/53, BB 1954, 978; differenzierend: Zöllner/Noack in
      Baumbach/Hueck, GmbHG, § 38 Rn. 12: nur, wenn Unordnung in den wirtschaftlichen Verhältnissen des Geschäftsführers eintritt, etwa Eröffnung des
      Insolvenzverfahrens über sein Vermögen und hierdurch die Erfüllung der
      Geschäftsführeraufgaben gefährdet wird; ebenfalls differenzierend: Lutter/
      Hommelhoff, GmbHG, § 38 Rn. 21; ablehnend Terlau/Schäfers in Michalski,
      GmbHG, § 38 Rn. 45.

166   BGH, 28.01.1985 – II ZR 79/84, BB 1985, 567: der Geschäftsführer hat
      jedoch die festgestellte Bilanz gem. § 41 GmbHG zu unterzeichnen (!).

167   Zöllner/Noack in Baumbach/Hueck, GmbHG, § 38 Rn. 11; Terlau/Schäfers in
      Michalski, GmbHG, § 38 Rn. 45; ablehnend: Schneider in Scholz, GmbHG,
      § 38 Rn. 47; Schneider ZGR 1983, 535, 538.

(2)   Unfähigkeit zur ordnungsgemäßen Geschäftsführung

Es ist **unerheblich, aus welchem Grund** der Geschäftsführer unfähig zur   70
ordnungsgemäßen Geschäftsführung ist.[168] Es genügt eine ressortbezogene
Unfähigkeit bzw. eine mangelnde Eignung.[169]

Als **Indiz** für die mangelnde Eignung kann die **anhaltende Erfolglosigkeit**   71
des Geschäftsführers dienen.[170] Weitere Indizien sind **Fehlen notwendiger
Kenntnisse** [171] sowie **andauernde Krankheit.**[172]

Nicht ausreichend ist ein **einmaliges Versagen des Geschäftsführers.**[173]   72
Da jedoch eine Gesamtabwägung anzustellen ist, kann ein **wiederholt
pflichtwidriges Verhalten,** das bei einer Einzelbetrachtung an sich keinen
wichtigen Grund darstellen würde, bei einer Gesamtwürdigung auf die
Ungeeignetheit der Person des Geschäftsführers schließen lassen.[174]

c)   Zerrüttete Vertrauensbasis

Wenn die **Vertrauensbasis** zwischen Gesellschafterversammlung und   73
Geschäftsführung **zerrüttet** ist, kann dies ebenfalls einen wichtigen Grund
i.S.d. § 38 Abs. 2 darstellen.

Für die **mitbestimmte GmbH** ist § 84 Abs. 3 Satz 2, 3. Alt. AktG (§ 31   74
MitbestG) zu beachten. Danach kann der **Aufsichtsrat** einer mitbestimmten
GmbH den Geschäftsführer abberufen, wenn ihm zuvor die Gesellschafterversammlung das **Vertrauen entzogen** hat und dies **nicht offensichtlich
aus unsachlichen Gründen** erfolgt ist.[175]

Bei der **nicht mitbestimmten GmbH,** für die ausschließlich § 38 Abs. 2   75
gilt, verlangt die h.M. anders als nach § 84 Abs. 3 Satz 2, 3. Alt. AktG eine
objektive Zerrüttung des Vertrauensverhältnisses, sodass ein Verbleib

---

168   Roth/Altmeppen, GmbHG, § 38 Rn. 38; Stein in Hachenburg, GmbHG, § 38
        Rn. 49.

169   Terlau/Schäfers in Michalski, GmbHG, § 38 Rn. 46.

170   Schneider in Scholz, GmbHG, § 38 Rn. 51; Stein in Hachenburg, GmbHG,
        § 38 Rn. 50; krit.: Koppensteiner in Rowedder/Schmidt-Leithoff, GmbHG,
        § 38 Rn. 13.

171   Terlau/Schäfters in Michalski, GmbHG, § 38 Rn. 46.

172   BAG, 12.03.1968 – 1 AZR 413/67, NJW 1968, 1693, 1694.

173   OLG Köln, 16.03.1988 – 6 U 38/87, GmbHR 1989, 76, 79.

174   BGH, 24.10.1994 – II ZR 91/94, DStR 1994, 1746, 1748.

175   Stein in Hachenburg, GmbHG, § 38 Rn. 55; Roth/Altmeppen, GmbHG, § 38
        Rn. 40.

des Geschäftsführers **unzumutbar** wäre.[176] Ansonsten wäre bei kleinerem Gesellschafterkreis praktisch eine freie Abberufbarkeit gegeben,[177] was die Satzung aber gerade verhindern wollte.[178] Der Vertrauensentzug reicht daher bei personalistischen, i.d.R. Zwei-Personen-Gesellschaften, nicht alleine aus.[179]

76   Der Vertrauensentzug kann die Abberufung rechtfertigen, wenn er auf Umstände gestützt wird, die auch für einen **objektiven Dritten** den **Verbleib des Geschäftsführers unzumutbar** erscheinen lassen.[180] Diese Umstände müssen die Qualität eines **wichtigen Grundes** haben, da ansonsten die satzungsmäßigen Einschränkungen leicht umgangen werden könnten.[181]

77   **Dauerhafter Streit** unter den Geschäftsführern, der ein gedeihliches Zusammenarbeiten unmöglich macht, reicht i.d.R. aus, um jeden der beteiligten Geschäftsführer abzuberufen.[182] In personalistischen Gesellschaften, i.d.R. in der Zwei-Personen-Gesellschaft, sind die **Verursachungsbeiträge gegeneinander abzuwägen**, um dann einen von beiden Geschäftsführern abberufen zu können.[183]

---

176   BGH, 25.01.1960 – II ZR 207/57, NJW 1960, 628; OLG Hamm, 02.11.1988 – 8 U 292/87, GmbHR 1989, 257, 258; Koppensteiner in Rowedder, GmbHG, § 38 Rn. 10; Terlau/Schäfers in Michalski, GmbHG, § 38 Rn. 50.

177   OLG Hamm, 02.11.1988 – 8 U 292/87, GmbHR 1989, 257, 258.

178   BGH, 25.01.1960 – II ZR 207/57, NJW 1960, 628; OLG Hamm, 02.11.1988 – 8 U 292/87, GmbHR 1989, 257, 258; Terlau/Schäfers in Michalski, GmbHG, § 38 Rn. 50.

179   Koppensteiner in Rowedder, GmbHG, § 38 Rn. 13.

180   OLG Köln, 16.03.1988 – 6 U 38/87, WM 1988, 974, 979.

181   Terlau/Schäfers in Michalski, GmbHG, § 38 Rn. 51.

182   BGH, 17.10.1983 – II ZR 31/83, WM 1984, 29; BGH, 24.02.1992 – II ZR 79/91, ZIP 1992, 760, 761; OLG Hamm, 01.02.1995 – 8 U 148/94, GmbHR 1995, 736, 739; OLG Düsseldorf, 30.06.1988 – 6 U 310/87, NJW 1989, 172; OLG Düsseldorf, 07.01.1994 – 16 U 104/92, GmbHR 1994, 884, 885; OLG Koblenz, 29.04.1986 – 6 W 273/86, ZIP 1986, 1120, 1121; OLG Naumburg, 25.01.1996 – 2 U 31/95, GmbHR 1996, 934, 937.

183   BGH, 20.12.1982 – II ZR 110/82, NJW 1983, 938, 939; BGH, 28.01.1985 – II ZR 79/84, WM 1985, 567, 568; OLG Düsseldorf, 30.06.1988 – 6 U 310/87, NJW 1989, 172, 173; OLG Düsseldorf, 15.02.1991 – 16 U 130/90, WM 1992, 14, 19; OLG Hamm, 02.11.1988 – 8 U 292/87, GmbHR 1989, 257, 258; OLG Hamm, 01.02.1995 – 8 U 148/94, GmbHR 1995 736, 739; Lutter/Hommelhoff, GmbHG, § 38 Rn. 31; Schneider in Scholz, GmbHG, § 38 Rn. 53.

2. Verhältnismäßigkeit und milderer Eingriff

Der BGH verlangt, dass die **Abberufung aus wichtigem Grund verhält-** **78**
nismäßig sein muss.[184] Auch in der Rechtsliteratur wird teilweise eine
Verhältnismäßigkeitsprüfung dahin gehend gefordert, dass die Abberufung
ultima ratio sein muss und kein anderes, milderes Mittel, wie etwa die
Anordnung von Gesamtgeschäftsführung und Gesamtvertretung statt Einzelvertretungsbefugnis oder die Reduktion auf die Stellung eines „Zölibats-
geschäftsführers" (ohne andere Verpflichtungen außerhalb der Gesellschaft), zur Verfügung steht.[185] Zum Teil wird eine zusätzliche Prüfung der
Verhältnismäßigkeit mit dem Argument abgelehnt, ein wichtiger Grund
liege per definitionem nur vor, wenn den Gesellschaftern ein Festhalten an
dem Geschäftsführer unzumutbar sei und die Ermittlung eines wichtigen
Grundes zwingend eine Abwägung enthalte, die sowohl gesellschaftsrechtliche Treuepflichten als auch das dem Gesellschafter eingeräumte Sonderrecht auf die Geschäftsführung zu berücksichtigen habe.[186]

Die in der Rechtliteratur diskutierten milderen Mittel dürften bei zahlreichen **79**
der oben aufgeführten wichtigen Gründe der groben Pflichtverletzung ungeeignet sein, da die Schwelle zur Strafbarkeit erreicht oder überschritten
wurde. Auch für den Abberufungsgrund der Unfähigkeit zur ordnungsgemäßen Geschäftsführung ist nur schwer vorstellbar, dass mildere Mittel in
Betracht kommen. Es dürfte allenfalls in Fällen, in denen objektiv verschiedene Handlungsoptionen für die Gesellschaft existieren, eine Verhältnismäßigkeitsprüfung geboten sein.

3. Frist und Verwirkung

Es existiert keine gesetzliche Abberufungsfrist. Die Frist des § 626 Abs. 2 **80**
BGB (Kündigung des Anstellungsverhältnisses) ist auf die Abberufung nicht
anwendbar.[187] Die Abberufung muss allerdings in einer **angemessenen**
Frist ab Kenntnisnahme von dem wichtigen Grund erfolgen, da die Gesellschaft anderenfalls das Abberufungsrecht verwirken kann.[188]

---

184 BGH, 30.11.1951 – II ZR 109/51, BGHZ 4, 108, 111.

185 Schneider in Scholz, GmbHG, § 38 Rn. 43; Lutter/Hommelhoff, GmbHG,
§ 38 Rn. 23; Roth/Altmeppen, GmbHG, § 38 Rn. 34.

186 Terlau/Schäfers in Michalski, GmbHG, § 38 Rn. 53.

187 BGH, 28.04.1954 – II ZR 211/53, BGHZ 13, 188, 194; OLG Naumburg,
23.02.1999 – 7 U (Hs) 25/98, NZG 2000, 44, 47.

188 BGH, 28.04.1954 – II ZR 211/53, BGHZ 13, 188, 194.

81   Eine **Verwirkung** liegt dann vor, wenn den Gesellschaftern die Gründe für
     eine Abberufung aus wichtigem Grund **bekannt** sind, jedoch über einen
     längeren Zeitraum nicht zum Anlass für eine Abberufung herangezogen
     werden[189] und der Geschäftsführer nach Treu und Glauben die Annahme haben
     durfte, die Gesellschaft wolle die betreffenden Tatsachen nicht zu einer
     Abberufung heranziehen.[190] Entsprechendes gilt für Umstände, die den Gesell-
     schaftern schon bei Bestellung des Geschäftsführers bekannt waren.[191] Auch
     hat die Gesellschaft die Möglichkeit, in der nächsten Gesellschafterversamm-
     lung auf eine Verständigung hinzuwirken, ohne mit einer Verwirkung des
     Abberufungsrechts aus wichtigem Grund rechnen zu müssen.[192]

> **Praxistipp:**
>
> Um Verwirkungsdiskussionen gar nicht erst entstehen zu lassen, sollte
> seitens der Gesellschaft so schnell wie möglich gehandelt werden.

4.   Nachschieben von Gründen

82   Die Gesellschaft kann in einem Rechtsstreit **wichtige Gründe**, die eine
     Abberufung rechtfertigen, **nachschieben**, sofern diese wichtigen **Gründe
     im Zeitpunkt der Abberufung vorgelegen** haben.[193] Nicht erforderlich ist,
     dass diese Gründe dem Abberufungsorgan zum Zeitpunkt des Abberufungs-
     beschlusses bekannt gewesen sein müssen.[194] Zu beachten ist, dass die
     nachgeschobenen Gründe eines **zusätzlichen Beschlusses der Gesellschaf-
     terversammlung** bedürfen.[195] Hierauf kann bei einer im Abberufungsstreit
     befindlichen Zwei-Mann-GmbH verzichtet werden, wenn der Gegner des

---

189   BGH, 14.10.1991 – II ZR 239/90, ZIP 1992, 32, 34; BGH, 12.07.1993 – II ZR
      65/92, ZIP 1993, 1228, 1229; OLG Düsseldorf, 15.02.1991 – 16 U 130/90,
      GmbHR 1992, 670; OLG Düsseldorf, 15.02.1991 – 16 U 130/90, WM 1992,
      14, 21; Zöllner/Noack in Baumbach/Hueck, GmbHG, § 38 Rn. 14; Roth/Alt-
      meppen, GmbHG, § 38 Rn. 42.

190   BGH, 14.10.1991 – II ZR 239/90, ZIP 1992, 32; BGH, 12.07.1993 – II ZR
      65/92, ZIP 1993, 1228, 1229.

191   BGH, 12.07.1993 – II ZR 65/92, ZIP 1993, 1228, 1229; OLG Hamm,
      01.02.1995 – 8 U 148/94, GmbHR 1995, 736, 739.

192   BGH, 14.10.1991 – II ZR 239/90, ZIP 1992, 32, 34; Roth/Altmeppen, GmbHG,
      § 38 Rn. 42.

193   Terlau/Schäfers in Michalski, GmbHG, Rn. 56.

194   BGH, 14.10.1991 – II ZR 239/90, ZIP 1992, 32, 34.

195   BGH, 29.03.1973 – II ZR 20/71, BGHZ 60, 333, 336.

Abberufenen die Gesellschaft im Rechtsstreit vertritt.[196] Im Falle eines Rechtsstreits ist es dem erkennenden Gericht allerdings verwehrt, seine Entscheidung auf andere Gründe zu stützen, als die Gesellschafter bei ihrem Abberufungsbeschluss.[197]

5. Mehrheitsverhältnisse

Es ist umstritten, welche **Mehrheitsverhältnisse** bei der Abberufung eines Geschäftsführers aus wichtigem Grund einzuhalten sind. Die h.M. ist der Ansicht, dass eine Abberufung nach § 38 Abs. 2 stets mit **einfacher Mehrheit** der abgegebenen Stimmen möglich ist.[198] Ein anderer Teil der Rechtsprechung und Rechtsliteratur erlaubt den Gesellschaftern, abweichende Mehrheitsverhältnisse in der Satzung vorzusehen.[199]

83

Für die h.M. spricht, dass schneller klare Verhältnisse geschaffen werden. Einfache Mehrheiten sind i.d.R. besser erreichbar, sodass Streit von vornherein vermieden wird.[200] Die Vereinbarung qualifizierter Mehrheiten stellt sich in der Praxis als zeitliches Hindernis dar und sollte daher vermieden werden. Qualifizierte Mehrheiten stehen i.Ü. in Widerspruch zum Rechtsgedanken des § 38 Abs. 2, wonach einer Gesellschaft ein unzumutbar gewordener Geschäftsführer gerade nicht aufgedrängt werden soll.[201]

84

---

196   BGH, 14.10.1991 – II ZR 239/90, ZIP 1992, 32, 34; OLG Naumburg, 25.01.1996 – 2 U 31/95, GmbHR 1996, 934, 939; ähnlich auch OLG Karlsruhe, 04.05.1999 – 8 U 153/97, NZG 2000, 264, 268.

197   BGH, 28.01.1985 – II ZR 79/84, GmbHR 1985, 256, 259; Lutter/Hommelhoff, GmbHG, § 38 Rn. 21.

198   BGH, 20.12.1982 – II ZR 110/82, BGHZ 86, 177, 179 = NJW 1983, 938; BGH, 09.11.1987 – II ZR 100/87, WM 1988, 23, 24; Fleck, WM 1985, 667; Lutter/Hommelhoff, GmbHG, § 38 Rn. 16; Koppensteiner in Rowedder, GmbHG, § 38 Rn. 19; Stein in Hachenburg, GmbHG, § 38 Rn. 91; Roth/Altmeppen, GmbHG, § 38 Rn. 59.

199   Zöllner/Noack in Baumbach/Hueck, GmbHG, § 38 Rn. 27; Schneider, ZGR 1983, 535, 540.

200   Terlau/Schäfers in Michalski, GmbHG, § 38 Rn. 58.

201   Koppensteiner in Rowedder, GmbHG, § 38 Rn. 19; Terlau/Schäfers in Michalski, GmbHG, § 38 Rn. 58.

6.   Stimmrecht

85   Der Gesellschafter-Geschäftsführer hat bei der Abberufung aus wichtigem Grund **kein Stimmrecht**.[202] Der Stimmrechtsausschluss greift jedoch nur dann, wenn ein **wichtiger Grund zur Abberufung** des Geschäftsführers auch tatsächlich vorliegt,[203] da es ansonsten ein Leichtes wäre, durch Behauptung eines wichtigen Grundes den Gesellschafter-Geschäftsführer von der Abstimmung auszuschließen. Liegt objektiv kein wichtiger Grund vor und konnte eine Abberufung nach der Satzung nur aus wichtigem Grund erfolgen, ist der Abberufungsbeschluss fehlerhaft und kann nach einer Anfechtung aufgehoben werden.[204]

86   Beschränkt die Satzung die Abberufung nicht auf wichtige Gründe, kommt es auf die **Kausalität des Fehlers für die Beschlussfassung** an. Eine auf Anfechtung des Abberufungsbeschlusses gerichtete Klage ist dann erfolgreich, wenn die Stimme des Gesellschafter-Geschäftsführers den gefassten Beschluss verhindert hätte.[205]

87   Die hiergegen in der Rechtsliteratur z.T. geäußerten Bedenken sind nicht überzeugend. Der Ausschluss des Stimmrechts führt nicht dazu, dass der Gesellschafter-Geschäftsführer sein Teilnahme- und Rederecht in der Gesellschafterversammlung verlieren würde.[206] Der Gesellschafter-Geschäftsführer darf an der entsprechenden Gesellschafterversammlung selbstverständlich teilnehmen und auch reden, er darf lediglich nicht mit abstimmen. Sofern er dennoch mit abstimmte, dürfte seine Stimme nicht mitgezählt werden.[207] Zu

---

202   Herrschende Meinung: vgl. BGH, 24.02.1992 – II ZR 79/91, ZIP 1992, 760, 761; OLG Karlsruhe, 04.12.1992 – 15 U 208/92, GmbHR 1993, 154, 155; OLG Naumburg, 25.01.1996 – 2 U 31/95, GmbHR 1996, 934, 938; Schmidt in Scholz, GmbHG, § 46 Rn. 76; Terlau/Schäfers in Michalski, GmbHG, § 38 Rn. 59; Ockelmann/Pieperjohanns/Hölck in Bormann/Kauka/Ockelmann, Hdb. GmbH-Recht, Kap. 7 Rn. 99.

203   OLG Stuttgart, 13.04.1994 – 2 U 303/93, GmbHR 1995, 228, 229; Zöllner/Noack in Baumbach/Hueck, GmbHG, § 38 Rn. 31.

204   BGH, 27.10.1986 – II ZR 74/85, NJW 1987, 1889, 1890; OLG Düsseldorf, 15.02.1991 – 16 U 130/90, WM 1992, 14, 18; Stein in Hachenburg, GmbHG, § 38 Rn. 93; Lutter/Hommelhoff, GmbHG, § 38 Rn. 17.

205   BGH, 27.10.1986 – II ZR 240/85, NJW 1987, 1890, 1891.

206   Terlau/Schäfers in Michalski, GmbHG, § 38 Rn. 61.

207   Lutter/Hommelhoff, GmbHG, § 38 Rn. 17; Stein in Hachenburg, GmbHG, § 38 Rn. 93.

beachten ist allerdings, dass der Geschäftsführer sein Einverständnis zu einer schriftlichen Abstimmung erteilen muss, sollten die Gesellschafter außerhalb einer Versammlung über eine Abberufung beschließen wollen.[208]

Hat der betroffene Gesellschafter-Geschäftsführer ein **gesellschaftsvertragliches Sonderrecht auf Geschäftsführung**, ist eine Beschlussanfechtung überflüssig. Seine Abberufung bedarf der **förmlichen Zustimmung** des Gesellschafter-Geschäftsführers.[209] Liegt ein wichtiger Grund für seine Abberufung vor, ist der mit einem entsprechenden Sonderrecht ausgestattete Gesellschafter-Geschäftsführer aufgrund der **Treuepflicht** allerdings zu einer **Zustimmung verpflichtet**.[210] Die Abberufung des Gesellschafter-Geschäftsführers aus wichtigem Grund kann gegen seinen Willen auch gerichtlich festgestellt werden, wobei bis zur rechtskräftigen Entscheidung allerdings keine wirksame Abberufung vorliegt.[211] 88

7. Folgen der Abberufung aus wichtigem Grund

a) Problemstellung

Mit dem Zugang der Abberufungserklärung verliert der Geschäftsführer sein Amt.[212] In Fällen, in denen über die Abberufung aus wichtigem Grund Einvernehmen besteht oder Rechtsmittel gegen die Abberufung und den zugrunde liegenden Gesellschafterbeschluss nicht gegeben, erschöpft oder versäumt worden sind, also in allen Fällen, in denen die Abberufung im Ergebnis außer Zweifel steht, ist dies unproblematisch.[213] 89

Problematisch sind die Folgen der Abberufung hingegen in den Fällen, in denen über die Abberufung oder den der Abberufung zugrunde liegenden Gesellschafterbeschluss zwischen den Beteiligten **Streit** besteht. Anders als im Aktienrecht (§ 84 Abs. 3 Satz 4 AktG), wo selbst bei einem Streit über die Abberufung ein Amtsverlust sofort eintrat, existiert im GmbH-Recht – mit Ausnahme für die mitbestimmte GmbH – keine entsprechende Rege- 90

---

208 OLG Düsseldorf, 13.07.1989 – 8 U 187/88, 8 U 31/89, GmbHR 1989, 468, 469.

209 Terlau/Schäfers in Michalski, GmbHG, § 38 Rn. 62.

210 BGH, 19.11.1990 – II ZR 88/89, NJW 1991, 846.

211 Offen gelassen von BGH, 20.12.1982 – II ZR 110/82, BGHZ 86, 177, 179 = GmbHR 1983, 149; Zöllner/Noack in Baumbach/Hueck, GmbHG, § 38 Rn. 41; Stein in Hachenburg, GmbHG, § 38 Rn. 111.

212 Lutter/Hommelhoff, GmbHG, § 38 Rn. 24; Stein in Hachenburg, GmbHG, § 38 Rn. 106; Schneider in Scholz, GmbHG, § 38 Rn. 32.

213 Terlau/Schäfers in Michalski, GmbHG, § 38 Rn. 63; Stein in Hachenburg, GmbHG, § 38 Rn. 106.

lung. Die h.M.[214] wendet § 84 Abs. 3 Satz 4 AktG analog mit der Folge an, dass ein förmlich festgestellter Abberufungsbeschluss sofortige Wirkung hat. Bei personalistisch ausgestalteten Gesellschaften muss der Geschäftsführer wegen der Rechtsgedanken der §§ 117, 127 HGB bis zur gerichtlichen Entscheidung über die Abberufung im Amt bleiben.[215]

b)   Fallgruppen

(1)   Mitbestimmte GmbH

91   Bei einer **mitbestimmten GmbH** ist die Abberufung gem. § 31 Abs. 1 MitbestG, § 12 MontanMitbestG, § 13 MonMitbestErgG i.V.m. § 84 Abs. 3 Satz 4 AktG selbst bei einem Streit über das Vorliegen eines zur Abberufung führenden wichtigen Grundes sofort wirksam.[216]

92   Bei Gesellschaften, die nach dem **DrittelbG** der Mitbestimmung unterliegen, verbleibt es bei § 38 und es gelten die nachfolgend genannten Regeln.[217]

(2)   Abberufung eines Gesellschafter-Geschäftsführers in einer personalisierten Gesellschaft, insbesondere in einer Zwei-Mann-Gesellschaft

93   In diesen Gesellschaften kann § 84 Abs. 3 Satz 4 AktG keine analoge Anwendung finden, da der abberufende Gesellschafter ansonsten mit der Behauptung eines wichtigen Grundes stets vollendete Tatsachen schaffen könnte.[218] Es ist

---

214   BGH, 09.12.1968 – II ZR 57/67, BGHZ 51, 209, 212 = NJW 1969, 841; BGH, 28.01.1980 – II ZR 84/79, BGHZ 76, 154, 156; Schneider in Scholz, GmbHG, § 38 Rn. 63, 64; Koppensteiner in Rowedder, GmbHG, § 38 Rn. 26; Terlau/ Schäfers in Michalski, GmbHG, § 38 Rn. 64; krit.: Roth/Altmeppen, GmbHG, § 38 Rn. 50; Zöllner/Noack in Baumbach/Hueck, GmbHG, § 38 Rn. 35.

215   Stein in Hachenburg, GmbHG, § 38 Rn. 107; Terlau/Schäfers in Michalski, GmbHG, § 38 Rn. 64.

216   Koppensteiner in Rowedder, GmbHG, § 38 Rn. 22.

217   Für den durch das DrittelbG aufgehobenen § 77 BetrVG 1952: Terlau/Schäfers in Michalski, GmbHG, § 38 Rn. 65.

218   So auch: BGH, 20.12.1982 – II ZR 110/82, BGHZ 86, 177, 181; Stein in Hachenburg, GmbHG, § 38 Rn. 112; Lutter/Hommelhoff, GmbHG, § 38 Rn. 31; Schneider in Scholz, GmbHG, § 38 Rn. 67; Terlau/Schäfers in Michalski, GmbHG, § 38 Rn. 67; a.A.: OLG Braunschweig, 18.08.1976 – 3 U 30/76, GmbHR 1977, 61.

allein entscheidend, ob ein **wichtiger Grund objektiv vorliegt**.[219] Erst mit der rechtskräftigen Feststellung der Abberufung ist von deren Wirksamkeit auszugehen.

Während des **Schwebezustandes** scheidet auch eine Eintragung im Handels-   94
register aus. Für den abberufenen Gesellschafter, die Gesellschaft und die abberufenden Gesellschafter besteht die Möglichkeit, einstweiligen Rechtsschutz zu beantragen und dem weiter amtierenden Gesellschafter-Geschäftsführer einzelne Maßnahmen oder sogar die Geschäftsführung insgesamt verbieten zu lassen, soweit dieser nicht gesetzliche Pflichten zu erfüllen hat.[220]

(3)   Gesellschafter-Geschäftsführer mit Sonderrecht zur Geschäftsführung

Eine nicht durch einen wichtigen Grund gerechtfertigte Abberufung würde   95
das Mitgliedschaftsrecht eines Gesellschafter-Geschäftsführers, dem ein Sonderrecht auf Geschäftsführung eingeräumt wurde, verletzen.[221] Soweit er seine Zustimmung zu seiner Abberufung nicht erteilt, bleibt er bis zur rechtskräftigen Entscheidung über die Wirksamkeit des Abberufungsbeschlusses im Amt (§ 35 BGB).[222] Der Gesellschafter-Geschäftsführer muss nicht einmal gegen die Abberufung gerichtlich vorgehen.[223] Die übrigen Gesellschafter können aber im Wege des einstweiligen Rechtsschutzes dem Geschäftsführer bestimmte Maßnahmen der Geschäftsführung gerichtlich untersagen lassen.[224] Eine Handelsregistereintragung kommt erst ab Rechtskraft des Urteils in Betracht.[225]

219   BGH, 20.12.1982 – II ZR 110/82, BGHZ 86, 177, 181 = GmbHR 1983, 149; OLG Köln, 26.08.1994 – 2 Wx 24/94, GmbHR 1995, 299; Zöllner/Noack in Baumbach/Hueck, GmbHG, § 38 Rn. 42; Lutter/Hommelhoff, GmbHG, § 38 Rn. 31.

220   Schneider in Scholz, GmbHG, § 38 Rn. 68.

221   Lutter/Hommelhoff, GmbHG, § 38 Rn. 34.

222   Allgemeine Meinung: vgl. nur Baumbach/Hueck, GmbHG, § 38 Rn. 31; Koppensteiner in Rowedder, GmbHG, § 38 Rn. 24; Schneider in Scholz, GmbHG, § 38 Rn. 66; Lutter/Hommelhoff, GmbHG, § 38 Rn. 34; Roth/Altmeppen, GmbHG, § 38 Rn. 48; ausdrücklich offen gelassen: BGH, 20.12.1982 – II ZR 110/82, BGHZ 86, 177, 179 = GmbHR 1983, 149.

223   Zöllner/Noack in Baumbach/Hueck, GmbHG, § 38 Rn. 48.

224   Terlau/Schäfers in Michalski, GmbHG, § 38 Rn. 69.

225   Lutter/Hommelhoff, GmbHG, § 38 Rn. 34.

(4)   Minderheitsgesellschafter-Geschäftsführer ohne Sonderrecht zur Geschäftsführung

96 In diesen Fällen ist die Wirksamkeit des Abberufungsbeschlusses – jedenfalls in der zweigliedrigen Gesellschaft – umstritten. Wie bei der Abberufung des Mehrheitsgesellschafters ist analog §§ 117, 127 HGB der abberufene Gesellschafter bis zur gerichtlichen Entscheidung über die Wirksamkeit der Abberufung berechtigt, weiter zu amtieren, ggf. beschränkt durch Maßnahmen des einstweiligen Rechtsschutzes.[226] Bei einer kapitalistischen GmbH kommt – wegen der Vergleichbarkeit zur AG – § 84 Abs. 3 Satz 4 AktG analog zur Anwendung.[227] Die Gesellschaft hat auf Feststellung der Wirksamkeit der Abberufung zu klagen, eine Gestaltungsklage nach §§ 117, 127 HGB ist nicht erforderlich.[228]

(5)   Fremdgeschäftsführer

97 § 84 Abs. 3 Satz 4 AktG ist auch dann analog anzuwenden, wenn die Gesellschafterversammlung – und nicht der Aufsichtsrat – über die Abberufung eines Fremdgeschäftsführers – aus wichtigem Grund[229] – beschließt.[230] Dem Fremdgeschäftsführer ist es jedoch mangels eigener Gesellschafterstellung nicht möglich, eine Anfechtungsklage gegen den Gesellschafterbeschluss einzureichen.[231] Die Möglichkeit, den Abberufungsbeschluss anzufechten oder einstweiligen Rechtsschutz zu begehren, besteht nur für Gesellschafter.[232] Dem Fremdgeschäftsführer steht nach h.M. nur die **Nichtigkeitsklage** zur Verfügung,[233] die jedoch regelmäßig mangels Nichtigkeitsgründen nicht durchgreift.

---

226   Terlau/Schäfers in Michalski, GmbHG, § 38 Rn. 70; im Ergebnis auch: Lutter/Hommelhoff, GmbHG, § 38 Rn. 33; a.A.: Zöllner/Noack in Baumbach/Hueck, GmbHG, § 38 Rn. 62; Roth/Altmeppen, GmbHG, § 38 Rn. 55; Koppensteiner in Rowedder, GmbHG, § 38 Rn. 26.

227   Terlau/Schäfers in Michalski, GmbHG, § 38 Rn. 70 m.w.N.

228   Terlau/Schäfers in Michalski, GmbHG, § 38 Rn. 70.

229   Entsprechende Satzungsregelung ist zulässig: OLG Köln, 16.03.1988 – 6 U 38/87, GmbHR 1989, 76, 78.

230   Überwiegende Meinung: vgl. Lutter/Hommelhoff, GmbHG, § 38 Rn. 27, 30; Koppensteiner in Rowedder, GmbHG, § 38 Rn. 26; Terlau/Schäfers in Michalski, GmbHG, § 38 Rn. 71.

231   Lutter/Hommelhoff, GmbHG, § 38 Rn. 27; Zöllner/Noack in Baumbach/Hueck, GmbHG, § 38 Rn. 41, 26; Fleck, GmbHR 1993, 550, 555.

232   Lutter/Hommelhoff, GmbHG, § 38 Rn. 29; Zöllner/Noack in Baumbach/Hueck, GmbHG, § 38 Rn. 41.

233   Terlau/Schäfers in Michalski, GmbHG, § 38 Rn. 71.

Dem Fremdgeschäftsführer kann lediglich über den **Anstellungsvertrag** 98 weiterer Schutz eingeräumt werden.[234] In Einzelfällen kann es möglich sein, die Satzungsbestimmung über eine Auslegung nach §§ 133, 157 BGB gleichzeitig als Inhalt des Anstellungsvertrages zu verstehen.[235]

V. Prozessuales

1. Rechtsweg und Gerichtsstand

Geschäftsführer gelten nach § 5 Abs. 1 Satz 3 ArbGG **nicht als Arbeit-** 99 **nehmer**, sodass Streitigkeiten zwischen Geschäftsführern und der juristischen Person vor den ordentlichen Gerichten auszutragen sind. Dies gilt auch für die Vor-GmbH und die Vorgründungsgesellschaft.[236] Der Status des Geschäftsführers wird aber vom BGH und vom BAG unterschiedlich beurteilt. Während der BGH der Auffassung ist, dass ein Geschäftsführer nicht Arbeitnehmer sein könne, da er Organ der Gesellschaft ist,[237] steht das BAG auf dem Standpunkt, dass bei einem GmbH-Geschäftsführer jedenfalls die Möglichkeit bestehe, dass dieser als Arbeitnehmer einzustufen sei.[238] In der Praxis sind diese unterschiedlichen Standpunkte jedoch kaum von Bedeutung, da auch nach der neueren Rechtsprechung des BAG die Fiktion des § 5 Abs. 1 Satz 3 ArbGG unabhängig davon gilt, ob das der Organstellung zugrunde liegende Rechtsverhältnis materiell-rechtlich ein freies Dienstverhältnis oder ein Arbeitsverhältnis ist.[239] Daher sind zur Entschei-

---

234 Zöllner/Noack in Baumbach/Hueck, GmbHG, § 38 Rn. 49, 20; Roth/Altmeppen, GmbHG, § 38 Rn. 64.

235 Roth/Altmeppen, GmbHG, § 38 Rn. 64.

236 Stein in Hachenburg, GmbHG, § 38 Rn. 119.

237 So bereits BGH, 11.07.1953 – II ZR 126/52, BGHZ 10, 187, 191; BGH, 09.11.1967 – II ZR 64/67, NJW 1968, 396; BGH, 09.11.1967 – II ZR 64/67, BGHZ 49, 30, 31 = GmbHR 1968, 12; BGH, 10.09.2001 – II ZR 14/00, ZIP 2001, 1957, 1958; BGH, 03.11.2003 – II ZR 158/01, ZIP 2004, 461; BGH, 23.01.2003 – IX ZR 39/02, ZIP 2003, 485, 486: allenfalls nach Abberufung als Organ und Weiterbeschäftigung stellt sich für den BGH die Frage, ob ein Arbeitsverhältnis vorliegen könnte, nicht aber während der laufenden Bestellung zum Organ.

238 Vgl. BAG, 15.04.1982 – 2 AZR 1101/79, ZIP 1983, 607, 609; BAG, 13.05.1992 – 5 AZR 344/91, ZIP 1992, 1496, 1497; BAG, 22.03.1995 – 5 AZB 21/94, NZA 1995, 823, 833; BAG, 26.05.1999 – 5 AZR 664/98, DB 1999, 1906, 1907.

239 BAG, 20.08.2003 – 5 AZB 79/02, AP Nr. 58 zu § 5 ArbGG 1979.

dung von Rechtsstreitigkeiten aus solchen Rechtsbeziehungen ausschließlich die ordentlichen Gerichte berufen.[240]

100   Es besteht gem. § 2 Abs. 4 ArbGG jedoch die Möglichkeit für die Parteien,
die Zuständigkeit der Arbeitsgerichte zu vereinbaren, was jedoch in der
Praxis selten vorkommt.

101   Nach § 29 ZPO ist hinsichtlich der Organstellung und des Anstellungsvertrages für beide Parteien **Gerichtsstand des Erfüllungsortes** der Sitz der
Gesellschaft.[241]

102   Bei den LG ist die **Kammer für Handelssachen** funktionell zuständig (§ 95
Abs. 1 Nr. 4a GVG).

2.   Parteien und Vertretung der Gesellschaft im Prozess

a)   Parteien

103   Bei Streitigkeiten über die Abberufung oder Kündigung des Anstellungsvertrages ist Partei des Verfahrens auf Beklagtenseite die **Gesellschaft**,[242]
ebenso im einstweiligen Verfügungsverfahren.[243] Ein einzelner Gesellschafter kann allerdings nach den Grundsätzen über die Gesellschafterklage
aktivlegitimiert sein, wenn eine Notlage vorliegt (z.B. Handlungsunfähigkeit, Handlungsunwilligkeit).[244]

---

240   BAG, 20.08.2003 – 5 AZB 79/02, AP Nr. 58 zu § 5 ArbGG 1979; BAG,
23.08.2001 – 5 AZB 9/01, AP Nr. 54 zu § 5 ArbGG 1979; BGH,
24.07.2003 – IX ZR 143/02, NZA 2004, 157, 160; BGH, 16.10.2006 – II ZR
101/05, NJW-RR 2007, 141, 142; zum Sonderfall, dass die Bestellung zum
Geschäftsführer nur für den Fall der mehrmonatigen Bewährung in Aussicht
gestellt wurde, die Bestellung aber unterblieben ist, vgl. Germelmann/Matthes/
Prütting/Müller-Glöge, ArbGG, § 5 Rn. 45 m.w.N.; vgl. auch Heckschen in
Wachter, FA Handels- und Gesellschaftsrecht, Teil 2, Kap. 2 § 1 D I Rn. 173.

241   BGH, 26.11.1984 – II ZR 20/84, NJW 1985, 1286, 1287.

242   BGH, 10.11.1980 – II ZR 51/80, NJW 1981, 1041; OLG Hamm, 07.05.1984 –
8 U 22/84, GmbHR 1985, 119.

243   OLG Hamm, 07.10.1992 – 8 U 75/92, GmbHR 1993, 743, 745; OLG Karlsruhe, 04.12.1992 – 15 U 208/92, NJW-RR 1993, 1505, 1506.

244   OLG Frankfurt a.M., 19.09.1998 – 5 W 22/98, GmbHR 1998, 1126; OLG
Karlsruhe, 04.12.1992 – 15 U 208/92, GmbHR 1993, 154, 155; OLG Zwei-
brücken, 30.10.1997 – 4 U 11/97, GmbHR 1998, 373, 374; Zöllner/Noack in
Baumbach/Hueck, GmbHG, § 38 Rn. 69; Terlau/Schäfers in Michalski,
GmbHG, § 38 Rn. 73.

b)   Vertretung

Problematisch ist, wer vor dem Hintergrund der §§ 35, 46 Nr. 8 die Gesellschaft im Prozess über die Rechtmäßigkeit der Abberufung vertritt.   104

Bei einer **mitbestimmten GmbH** kommt § 112 AktG analog zur Anwendung.   105

Bei einer **nicht mitbestimmten GmbH** gilt der Grundsatz, dass die Gesellschaft gem. § 46 Nr. 8, 2. Var. einen besonderen Vertreter zu ernennen hat. Sofern die Gesellschaft bei einer Mehrzahl von Geschäftsführern von § 46 Nr. 8, 2. Var. keinen Gebrauch macht, können die verbleibenden Geschäftsführer gemäß der zu beachtenden Vertretungsregelungen die Gesellschaft vertreten.[245]   106

Bei einer Klage eines Gesellschafters auf Unwirksamkeit des Beschlusses über die Bestellung eines neuen Geschäftsführers greift § 35 ein,[246] d.h. es vertritt derjenige die Gesellschaft, der im Falle des Obsiegens der GmbH als ihr Geschäftsführer anzusehen wäre.   107

3.   Einstweiliger Rechtsschutz

In der Praxis spielt der einstweilige Rechtsschutz eine große Rolle, da wirksamer Rechtsschutz häufig nur auf diese Weise zu erreichen sein wird.[247] Die Voraussetzungen einstweiligen Rechtsschutzes richten sich nach § 940 ZPO,[248] wobei viele Fragen ungeklärt und mangels klarer gesetzlicher Regelungen teilweise kontrovers gelöst werden.[249]   108

---

245   Ockelmann/Pieperjohanns/Hölck in Bormann/Kauka/Ockelmann, Hdb. GmbH-Recht, Kap. 15 Rn. 5.

246   KG Berlin, 04.03.1997 – 14 U 6988/96, GmbHR 1997, 1001; dagegen Schneider in Scholz, GmbHG, § 38 Rn. 69.

247   Vgl. nur: BGH, 20.12.1982 – II ZR 110/82, BGHZ 86, 177, 183 = GmbHR 1983, 149; OLG Hamburg, 28.06.1991 – 11 U 65/91, NJW 1992, 186, 187; OLG Frankfurt a.M., 27.11.1991 – 21 W 35/91, NJW-RR 1992, 934; OLG Hamm, 07.10.1992 – 8 U 75/92, GmbHR 1993, 743, 745; OLG Celle, 01.04.1981 – 9 U 195/80, GmbHR 1981, 264, 265.

248   Zöllner/Noack in Baumbach/Hueck, GmbHG, § 38 Rn. 65; Stein in Hachenburg, GmbHG, § 38 Rn. 124.

249   Vgl. zum Meinungsstand: Damm, ZHR 154 (1990) 413; Littbarski, DStR 1994, 906, 907 f.

a)   Antrag der Gesellschaft nach Abberufungsbeschluss

109   Einzelne Gesellschafter oder die Gesellschaft können zur vorläufigen Sicherung ihrer Ansprüche den Erlass einer einstweiligen Verfügung gegen den
Geschäftsführer beantragen.

> *Beispiele:*
>
> • *Untersagung der Ausübung der Organtätigkeit bis zur Klärung der Wirksam-
> keit der Abberufung bzw. des Bestehens der Organstellung im Hauptsache-
> verfahren,*[250]
>
> • *Vorläufiger Entzug der Geschäftsführungs- und Vertretungsbefugnis,*[251]
>
> • *Verhängung von Zugangssperren,*
>
> • *Einsichtsverbote,*
>
> • *Umwandlung der Einzelvertretung in Gesamtvertretung,*[252]
>
> • *Antrag auf vorläufige Abberufung gegen einen die Abberufung ablehnenden
> Gesellschafterbeschluss, wenn die Ablehnung missbräuchlich war und ein
> Tätigkeitsverbot nicht ausreicht (es muss jedoch der nach § 940 ZPO erforder-
> liche Verfügungsgrund vorliegen, was meistens nicht der Fall sein dürfte).*[253]

110   Ein **Rechtsschutzbedürfnis** besteht nur, wenn die Abberufung gem. § 84
Abs. 3 Satz 4 AktG analog vorläufig wirksam ist.[254]

111   Das **Handelsregister** hat wegen § 15 HGB aufgrund der einstweiligen
Verfügung von Amts wegen einen entsprechenden Vermerk in das Handels-

---

250   BGH, 20.12.1982 – II ZR 110/82, BGHZ 86, 177 = GmbHR 1983, 149;
      OLG Hamm, 07.10.1992 – 8 U 75/92, GmbHR 1993, 743, 746; OLG Karls-
      ruhe, 04.12.1992 – 15 U 208/92, NJW-RR 1993, 1505, 1506; Lutter/Hom-
      melhoff, GmbHG, § 38 Rn. 37.

251   BGH, 20.12.1982 – II ZR 110/82, BGHZ 86, 177, 183 = GmbHR 1983, 149;
      OLG Frankfurt a.M., 31.07.1979 – 5 U 85/79, GmbHR 1980, 32; OLG
      Frankfurt a.M., 19.09.1998 – 5 W 22/98, GmbHR 1998, 1126, 1127; Lutter/
      Hommelhoff, GmbHG, § 38 Rn. 5.

252   OLG Frankfurt a.M., 19.09.1998 – 5 W 22/98, GmbHR 1998, 1126, 1127;
      OLG Düsseldorf, 30.06.1988 – 6 U 310/87, NJW 1989, 172, 173; Stein in
      Hachenburg, GmbHG, § 38 Rn. 125; Lutter/Hommelhoff, GmbHG, § 38
      Rn. 37; Roth/Altmeppen, GmbHG, § 38 Rn. 68.

253   Zöllner/Noack in Baumbach/Hueck, GmbHG, § 38 Rn. 71; Schneider in
      Scholz, GmbHG, § 38 Rn. 73; Terlau/Schäfers in Michalski, GmbHG, Rn. 76;
      Roth/Altmeppen, GmbHG, § 38 Rn. 68.

254   Terlau/Schäfers in Michalski, GmbHG, § 38 Rn. 76.

register einzutragen.[255] Ob eine vollständige Löschung erforderlich ist, ist jedoch zweifelhaft.[256]

Ein **Notgeschäftsführer** kann auf Antrag bestellt werden, wenn der Gesellschaft infolge der angeordneten Maßnahme kein vertretungsberechtigtes Organmitglied verbleibt.[257]   112

b) Antrag der Zweimann-Gesellschaft: nach Abberufungsbeschluss

Einstweilige Verfügungsverfahren spielen i.d.R. in zweigliedrigen Gesellschaften eine große Rolle.[258]   113

Aufgrund der besonderen Situation einer Zweimann-Gesellschaft kommt im einstweiligen Verfügungsverfahren dem Gebot der **Rücksichtnahme** besondere Bedeutung zu. Einem Gesellschafter-Geschäftsführer dürfen bspw. nicht einseitig Geschäftsführungsbefugnis und Vertretungsmacht vorläufig entzogen werden, wenn zwar seine **Abberufung** aus **wichtigem Grund** voraussichtlich wirksam ist, dies aber ebenso für die Abberufung des anderen Gesellschafter-Geschäftsführers gilt;[259] hierdurch kann eine andere Beurteilung gerechtfertigt sein. Da durch den einstweiligen Rechtsschutz die Pattsituation der zerstrittenen Gesellschafter-Geschäftführer stabilisiert werden soll, sollten beide Verfahren gemeinsam verhandelt und entschieden werden.[260]   114

Auch in der Zweimann-GmbH steht die Aktivlegitimation grds. der Gesellschaft selbst zu.[261] Sofern die Gesellschaft wegen des Abberufungsstreites   115

255 Zöllner/Noack in Baumbach/Hueck, GmbHG, § 38 Rn. 96; ähnlich: BayObLG, 23.03.1989 – BReg. 3 Z 148/88, NJW-RR 1989, 934, 935.

256 So aber: BayObLG, 23.03.1989 – Breg. 3 Z 148/88, NJW-RR 1989, 934, 935; ablehnend: Terlau/Schäfers in Michalski, GmbHG, § 38 Rn. 76.

257 BGH, 20.12.1982 – II ZR 110/82, BGHZ 86, 177, 183 = GmbHR 1983, 149.

258 Vgl. BGH, 20.12.1982 – II ZR 110/82, BGHZ 86, 177, 183 = GmbHR 1983, 149; OLG Düsseldorf, 30.06.1988 – 6 U 310/87, NJW 1989, 172, 173; OLG Köln, 26.08.1994 – 2 Wx 24/94, GmbHR 1995, 299; OLG Naumburg, 25.01.1996 – 2 U 31/95, GmbHR 1996, 934.

259 OLG Düsseldorf, 30.06.1988 – 6 U 310/87, NJW 1989, 172, 173; Stein in Hachenburg, GmbHG, § 38 Rn. 128; Lutter/Hommelhoff, GmbHG, § 38 Rn. 38.

260 Zöllner/Noack in Baumbach/Hueck, GmbHG, § 38 Rn. 74; Stein in Hachenburg, GmbHG, § 38 Rn. 128.

261 OLG Düsseldorf, 30.06.1988 – 6 U 310/87, NJW 1989, 172, 173; OLG Karlsruhe, 04.12.1992 – 15 U 208/92, NJW-RR 1993, 1505, 1506.

jedoch handlungsunfähig sein sollte, steht die notwendige Antragsbefugnis ausnahmsweise auch dem abberufenden Gesellschafter zu.[262]

c)   Geschäftsführer: nach Abberufungsbeschluss

116   Rechtsprechung und h.M. gestatten dem abberufenen Geschäftsführer im Wege der einstweiligen Verfügung zu beantragen:

- ihm die **volle oder begrenzte Weiterführung seiner Tätigkeit** zu eröffnen,
- **Zutritt zu den Geschäftsräumen** zu erlauben,
- **Einblick in bestimmte Unterlagen** zu ermöglichen,
- ihm die **Fortführung bestimmter Tätigkeiten** einzuräumen bzw.
- seine **Abmeldung beim Handelsregister zu untersagen** oder
- seine **Wiederanmeldung anzuordnen.**[263]

117   Dies gilt dann, wenn der Geschäftsführer geltend macht, der Abberufungsbeschluss sei **nichtig;**[264] in diesem Fall muss dem Geschäftsführer die Möglichkeit gegeben werden, bis zur rechtskräftigen Entscheidung über die Nichtigkeit, Maßnahmen der Gesellschafter oder Geschäftsführer untersagen zu lassen, die ihn in seiner Amtsausübung einschränken.

118   Auch in den Fällen, in denen dem Abberufungsbeschluss aus sonstigen Gründen bis zur rechtskräftigen Entscheidung keine vorläufige Wirkung zukommt, muss dem Geschäftsführer einstweiliger Rechtsschutz gewährt werden.[265] Ist der Abberufungsbeschluss lediglich **anfechtbar** und entfaltet er vorläufige Wirkung gem. § 84 Abs. 3 Satz 4 AktG analog, so kann der anfechtungsbefugte Gesellschafter-Geschäftsführer jedenfalls gleichzeitig

---

262   BGH, 20.12.1982 – II ZR 110/82, BGHZ 86, 177, 183 = GmbHR 1983, 149; OLG Karlsruhe, 04.12.1992 – 15 U 208/92, NJW-RR 1993, 1505, 1506; LG Karlsruhe, 31.03.1998 – O 179/96 KfH I, DB 1998, 1024, 1025; Zöllner/ Noack in Baumbach/Hueck, GmbHG, § 38 Rn. 67; generell Wolf, ZGR 1998, 92, 109.

263   BGH, 20.12.1982 – II ZR 110/82, BGHZ 86, 177, 183 = GmbHR 1983, 149; OLG Celle, 01.04.1981 – 9 U 195/80, GmbHR 1981, 264, 265; OLG Frankfurt a.M., 27.11.1991 – 21 W 35/91, GmbHR 1992, 368; Lutter/Hommelhoff, GmbHG, § 38 Rn. 37; Stein in Hachenburg, GmbHG, § 38 Rn. 126; Zöllner/ Noack in Baumbach/Hueck, GmbHG, § 38 Rn. 71.

264   OLG Hamm, 07.10.1992 – 8 U 75/92, GmbHR, 1993, 743, 746; Stein in Hachenburg, GmbHG, § 38 Rn. 97; Damm, ZHR, 154 (1990), 413, 429; anders Berger, ZZP 110 (1997), 287.

265   Schneider in Scholz, GmbHG, § 38 Rn. 77; Fleck, GmbHR 1970, 221, 226.

mit der Anfechtung einstweiligen Rechtsschutz begehren;[266] die vorläufige
Wirksamkeit gem. § 84 Abs. 3 Satz 4 AktG analog steht hier gerade nicht
entgegen.[267]

Für den **Fremdgeschäftsführer** muss dasselbe gelten, wenn ein Gesellschafter   119
den Abberufungsbeschluss angefochten hat;[268] seine Anfechtungsbefugnis
ergibt sich, wenn er eine Verletzung seiner organschaftlichen Befugnis zur
Geschäftsführung geltend machen kann. Die Ungewissheit, ob Anfechtungsklage erhoben wird, reicht für sich genommen jedoch nicht aus,[269] da ein
Gericht im einstweiligen Verfügungsverfahren jedenfalls summarisch feststellen kann, ob ein Anfechtungsverfahren Erfolg haben kann.

d)   Einstweiliger Rechtsschutz vor Beschlussfassung

Unter **engen Voraussetzungen** ist es möglich, dass Gesellschafter oder   120
Gesellschafter-Geschäftsführer Maßnahmen des vorbeugenden einstweiligen Rechtsschutzes gegen die Willensbildung der Gesellschaft beantragen
können.[270] Voraussetzung ist eine:

* **eindeutige Rechtslage** oder
* ein **überragendes Schutzbedürfnis** des Antragstellers sowie
* die Beachtung des **Gebots des geringstmöglichen Eingriffs**.[271]

---

266   Lutter/Hommelhoff, GmbHG, § 38 Rn. 36; Stein in Hachenburg, GmbHG,
§ 38 Rn. 126; krit. zu einer Heranziehung von § 84 Abs. 3 Satz 4 AktG,
jedoch Bejahung einstweiligen Rechtsschutzes in derartigen Fällen: Zöllner/
Noack in Baumbach/Hueck, GmbHG, § 38 Rn. 41; Vollmer, GmbHR 1984, 5;
v. Gerkan, ZGR 1985, 167, 187; Vorwerk, GmbHR 1995, 266, 267.

267   Andere Ansicht: Schneider in Scholz, GmbHG, § 38 Rn. 79, 80.

268   Anders Schneider in Scholz, GmbHG, § 38 Rn. 79; Fleck, GmbHR
1970, 221, 226.

269   Stein in Hachenburg, GmbHG, § 38 Rn. 97; vgl. auch im Aktienrecht Hüffer,
AktG, § 243, Rn. 66.

270   OLG München,   20.07.1998 – 23 W 1455/98,   GmbHR 1999, 718, 719;
Beyer, GmbHR 2001, 467, 469 m.w.N.; Damm, ZHR 154 (1990), 413, 430;
Michalski, GmbHR 1991, 12, 14; v. Gerkan, ZGR 1985, 167, 172 ff.

271   OLG Frankfurt a.M., 01.07.1992 – 17 U 9/91, GmbHR 1993, 161, 162;
OLG Hamm, 06.07.1992 – 8 W 18/92, GmbHR 1993, 163 m. Anm. Michalski; OLG Stuttgart, 18.02.1997 – 20 W 11/97, GmbHR 1997, 312, 313;
OLG Zweibrücken, 30.10.1997 – 4 U 11/97, GmbHR 1998, 373; OLG München, 20.07.1998 – 23 W 1455/98, GmbHR 1999, 718, 719.

121   Aufgrund von **Stimmverboten,**[272] **Stimmbindungsvereinbarungen** [273] oder **gesellschafterlicher Treuepflicht** [274] kann ein solches überragendes Schutzbedürfnis bestehen. Ein solches Schutzbedürfnis ist anzunehmen, wenn ohne einstweiligen Rechtsschutz eine besonders schwere Beeinträchtigung der Belange des Betroffenen eintreten würde.[275] Einstweiliger Rechtsschutz scheidet aus diesem Grund i.d.R. dann aus, wenn die Möglichkeit der Beschlussanfechtung selbst hinreichend Schutz gewährt,[276] d.h. ein Verweis auf die Möglichkeit der Beschlussanfechtung nicht zu schwerwiegenden Beeinträchtigungen des Antragstellers führt.[277]

122   Zweifelhaft ist, ob **die Gesellschaft selbst** vorbeugenden einstweiligen Rechtsschutz beantragen kann,[278] etwa wenn ihre Handlungsunfähigkeit durch Abberufung des einzigen Geschäftsführers droht. Dies ist zweifelhaft, da die Gesellschaft die Möglichkeit hat, einen Notgeschäftsführer zu bestellen. Eine Antragsbefugnis der Gesellschaft gegenüber ihren Gesellschaftern ist i.Ü. nur denkbar im Fall einer Existenzgefährdung.[279]

VI.   Sonstige Gründe zur Beendigung der Organstellung

1.   Befristung und Tod des Geschäftsführers

123   Die **Bestellung** zum Geschäftsführer kann – auch in der Satzung – beliebig lang oder kurz **befristet** oder **unbefristet** erfolgen. Die Organstellung endet

---

272   Michalski, GmbHR 1991, 12, 13.

273   OLG Koblenz, 27.02.1986 – 6 U 261/86, NJW 1986, 1692, 1693.

274   OLG Hamburg, 28.06.1991 – 11 U 65/91, NJW 1992, 186 m. Anm. K. Schmidt.

275   OLG Frankfurt a.M., 01.07.1992 – 17 U 9/91, GmbHR 1993, 161, 162; OLG Zweibrücken, 30.10.1997 – 4 U 11/97, GmbHR 1998, 373; OLG Stuttgart, 18.02.1997 – 20 W 11/97, GmbHR 1997, 312, 313.

276   OLG Stuttgart, 20.02.1987 – 2 U 202/86, NJW 1987, 2449; OLG Koblenz, 25.10.1990 – 6 U 238/90, NJW 1991, 1119, 1120; Kiethe, DStR 1993, 609; a.A.: Beyer, GmbHR 2001, 467, 469.

277   OLG Frankfurt a.M., 27.11.1991 – 21 W 35/91, NJW-RR 1992, 934, 935; OLG Hamburg, 28.06.1991 – 11 U 65/91, NJW 1992, 186; OLG Stuttgart, 20.02.1987 – 2 U 202/86, NJW 1987, 2449; OLG Hamm, 06.07.1992 – 8 W 18/92, GmbHR 1993, 163 m. Anm. Michalski; v. Gerkan, ZGR 1985, 167, 174; Michalski, GmbHR 1991, 12, 13; Beyer, GmbHR 2001, 467, 469.

278   Dafür Beyer, GmbHR 2001, 467, 470.

279   Vgl. BGH, 17.09.2001 – II ZR 178/99, NJW 2001, 3622, 3623 (Bremer Vulkan).

mit Ablauf der Frist, ohne dass es einer gesonderten Erklärung durch das Bestellungsorgan oder durch den Geschäftsführer bedürfte.[280]

Ist die Gesellschaft dem **MitbestG** oder dem **MontanMitbestG** unterworfen, gilt die **Befristung** kraft Gesetz: Nach den vorgenannten Gesetzen ist die Anwendung von § 84 AktG auf die Bestellung der Geschäftsführer zwingend und damit als Höchstgrenze eine Zeit von **fünf Jahren** vorgeschrieben.   124

Der Tod des Geschäftsführers führt stets zur Beendigung seiner Organstellung. Die Organstellung ist aufgrund ihrer höchstpersönlichen Natur nicht vererblich. Gleiches gilt für ein statutarisches Anrecht auf Geschäftsführung.[281]   125

2. Amtsunfähigkeit

Die Organstellung endet automatisch, sofern gem. § 6 Abs. 2 die **Amtsunfähigkeit** des Geschäftsführers eintritt.   126

Sofern der Geschäftsführer eine **statutarische Eignungsvoraussetzung** verliert, führt dies nur dann zum Verlust der Organstellung, wenn die Satzung dies vorsieht oder hierfür Anhaltspunkte bestehen.[282] Eine Kenntnis der Gesellschafter ist nicht erforderlich.[283] Die Gesellschafter müssen zur Vermeidung einer Rechtsscheinhaftung für eine anderweitige Vertretung der Gesellschaft sorgen, wenn an der **Geschäftsfähigkeit** des Geschäftsführers Zweifel bestehen.[284] Ebenfalls zur Vermeidung einer Rechtsscheinhaftung ist die Beendigung des Amtes unverzüglich in das Handelsregister einzutragen.[285] Der Rechtsverkehr ist vor einer Eintragung der Beendigung des Amtes nämlich gegen die mangelnde Geschäftsfähigkeit gem. § 15 HGB geschützt. Die §§ 105, 165 BGB haben keinen Vorrang vor § 15 HGB, da es nicht um den Schutz des Geschäftsunfähigen geht.[286]   127

---

280   Schneider in Scholz, GmbHG, § 38 Rn. 3, 4; Zöllner/Noack in Baumbach/ Hueck, GmbHG, § 38 Rn. 77; Stein in Hachenburg, GmbHG, § 38 Rn. 150.

281   Zöllner/Noack in Baumbach/Hueck, GmbHG, § 38 Rn. 79; Stein in Hachenburg, GmbHG, § 38 Rn. 152; a.A.: Schneider in Scholz, GmbHG, § 38 Rn. 4.

282   Ähnlich Lutter/Hommelhoff, GmbHG, § 38 Rn. 40; a.A.: Stein in Hachenburg, GmbHG, § 38 Rn. 153.

283   OLG Düsseldorf, 02.06.1993 – 11 W 37/93, GmbHR 1994, 114; Zöllner/ Noack in Baumbach/Hueck, GmbHG, § 38 Rn. 80.

284   OLG Düsseldorf, 17.02.1994 – 11 W 53/93, GmbHR 1994, 556; Zöllner/ Noack in Baumbach/Hueck, GmbHG, § 38 Rn. 80.

285   BGH, 01.07.1991 – II ZR 292/90, BGHZ 115, 78, 83 = GmbHR 1991, 358; Lutter/Gehling, JZ 1992, 154; Dreher, DB 1991, 533, 535; W. H. Roth, JZ 1990, 1030, 1031.

286   BGH, 01.07.1991 – II ZR 292/90, BGHZ 115, 78, 81 = GmbHR 1991, 358; W. H. Roth, JZ 1990, 1030, 1031; a.A.: Roth/Altmeppen, GmbHG, § 6 Rn. 13.

128 Erlangt der Geschäftsführer seine Amtsfähigkeit später wieder, lebt seine Geschäftsführerstellung nicht automatisch wieder auf. Es bedarf vielmehr einer Neubestellung.[287]

3. Amtsniederlegung

129 Der Geschäftsführer kann grds. jederzeit und fristlos seine **Organstellung beenden**. Ein wichtiger Grund ist dafür nicht erforderlich.[288] Der Geschäftsführer muss einen solchen auch nicht in seiner Erklärung angeben.[289] Wenn aufgrund einer gerichtlichen Auseinandersetzung Ungewissheit über die Vertretung der Gesellschaft bestünde, wäre die Sicherheit des Rechtsverkehrs nicht gewährleistet.

130 Die Amtsniederlegung beendet die Organstellung des Geschäftsführers darüber hinaus grds. mit sofortiger Wirkung.[290] Das Schicksal des Anstellungsvertrages bleibt hiervon unberührt.

131 Die **Satzung** kann für die **Amtsniederlegung Form-** und **Fristerfordernisse** vorsehen oder eine Amtsniederlegung nur aus **wichtigem Grund** zulassen.[291] Das Recht zur Niederlegung aus wichtigem Grund kann die Satzung jedoch nicht ausschließen.[292] Der Geschäftsführer kann die Niederlegung fristgebunden erklären.[293] Dies ist zweckmäßig, weil die Gesellschaft in einem solchen Fall Vorsorge treffen kann und die Qualifizierung

---

287 BayObLG, 04.02.1993 – 3 Z BR 6/93, GmbHR 1993, 223, 224.

288 BGH, 08.02.1993 – II ZR 58/92, GmbHR 1993, 216, 217; OLG Frankfurt a.M., 16.06.1993 – 20 W 178/93, GmbHR 1993, 738, 739; Heckschen in Wachter, FA Handels- und Gesellschaftsrecht, Teil 2, Kap. 2 § 1 D I Rn. 198; Ockelmann/Pieperjohanns/Hölck in Bormann/Kauka/Ockelmann, Hdb. GmbH-Recht, Kap. 7 Rn. 103.

289 BGH, 08.02.1993 – II ZR 58/92, GmbHR 1993, 216, 217.

290 BGH, 08.02.1993 – II ZR 58/92, GmbHR 1993, 216, 217; Lutter/Hommelhoff, GmbHG, § 38 Rn. 41; Zöllner/Noack in Baumbach/Hueck, GmbHG, § 38 Rn. 83; Schneider in Scholz, GmbHG, § 38 Rn. 87; Roth/Altmeppen, GmbHG, § 38 Rn. 75; Stein in Hachenburg, GmbHG, § 38 Rn. 135.

291 Schneider in Scholz, GmbHG, § 38 Rn. 88; Zöllner/Noack in Baumbach/Hueck, GmbHG, § 38 Rn. 83; Stein in Hachenburg, GmbHG, § 38 Rn. 136.

292 Schneider, GmbHR 1980, 4, 8; Stein in Hachenburg, GmbHG, § 38 Rn. 136.

293 Roth/Altmeppen, GmbHG, § 38 Rn. 75; Zöllner/Noack in Baumbach/Hueck, GmbHG, § 38 Rn. 83.

als Niederlegung zur Unzeit vermieden wird.[294] Im Übrigen hat auf diesem Wege der Geschäftsführer die Möglichkeit, seine Amtsniederlegung selbst zum Handelsregister anzumelden.

Was bei einer **rechtsmissbräuchlichen Amtsniederlegung** bzw. einer **Amtsniederlegung zur Unzeit** (Rechtsgedanke der §§ 627 Abs. 2, 671 Abs. 2 BGB) zu gelten hat, ist offen.[295] Eine solche rechtsmissbräuchliche Amtsniederlegung kann z.b. vorliegen, wenn der Niederlegende alleiniger Geschäftsführer und einziger Gesellschafter einer GmbH ist, nicht zugleich einen neuen Geschäftsführer bestellt und die Gesellschaft dadurch handlungsunfähig macht.[296] In der Rechtsprechung wird vertreten, dass eine solche rechtsmissbräuchliche Amtsniederlegung unwirksam sei. Begründet wird dies mit dem Interesse des Rechtsverkehrs an der Handlungsfähigkeit der Gesellschaft.[297] Diese Auffassung stellt eine Ausnahme vom Grundsatz dar, dass eine Amtsniederlegung zur Herstellung von Rechtsklarheit und Verkehrssicherheit sofort wirksam sein muss.[298] Wenn selbst der Beschluss über die Abberufung eines Geschäftsführers wirksam ist, wenn nicht zugleich ein neuer Geschäftsführer bestellt wird, ist nicht einzusehen, warum bei einer rechtsmissbräuchlichen Amtsniederlegung von diesem Grundsatz abgewichen werden sollte.[299]

Zu beachten ist, dass sich der Geschäftsführer im Fall einer rechtsmissbräuchlichen Amtsniederlegung oder einer solchen zur Unzeit gegenüber der Gesellschaft schadenersatzpflichtig macht.[300]

132

133

---

294   LG Frankenthal, 23.04.1996 – 1 HK T 1/96, GmbHR 1996, 939, 940; Zöllner/Noack in Baumbach/Hueck, GmbHG, § 38 Rn. 83; Roth/Altmeppen, GmbHG, § 38 Rn. 75; Koppensteiner in Rowedder, GmbHG, § 38 Rn. 35.

295   Vgl. Ockelmann/Pieperjohanns/Hölck in Bormann/Kauka/Ockelmann, Hdb. GmbH-Recht, Kap. 7 Rn. 104.

296   OLG Düsseldorf, 06.12.2000 – 3 Wx 393/00, GmbHR 2001, 144, 145; BayObLG, 15.06.1999 – 3 Z BR 35/99, GmbHR 1999, 980; OLG Hamm, 21.06.1988 – 15 W 81/88, GmbHR 1989, 35, 36.

297   BayObLG, 29.07.1992 – 3 Z BR 71/92, GmbHR 1992, 671, 672; OLG Düsseldorf, 06.12.2000 – 3 Wx 393/00, GmbHR 2001, 144, 145; Schneider in Scholz, GmbHG, § 38 Rn. 90.

298   BGH, 08.02.1993 – II ZR 58/92, BGHZ 121, 257, 262 = GmbHR 1993, 216, 217; BayObLG, 15.06.1999 – 3 Z BR 35/99, GmbHR 1999, 980; Stein in Hachenburg, GmbHG, § 38 Rn. 137; Zöllner/Noack in Baumbach/Hueck, GmbHG, § 38 Rn. 83.

299   Hohlfeld, GmbHR 2001, 144, 146.

300   Zöllner/Noack in Baumbach/Hueck, GmbHG, § 38 Rn. 83; Lutter/Hommelhoff, GmbHG, § 38 Rn. 44; Stein in Hachenburg, GmbHG, § 38 Rn. 142.

134   Die **Amtsniederlegung** ist eine **empfangsbedürftige Willenserklärung**.[301] Sie kann – soweit in der Satzung keine abweichenden Regelungen getroffen worden sind – **formfrei** und somit auch mündlich erfolgen.[302] Die Amtsniederlegung wird mit Zugang der Erklärung wirksam.

135   Der Zugang ist unproblematisch, wenn die Erklärung gegenüber dem Organ abgegeben wird, das auch für die Bestellung zuständig ist.[303]

136   Umstritten ist, ob die Abgabe der Erklärung auch gegenüber einem einzelnen Gesellschafter bzw. einem Mitglied des Bestellungsorgans (Aufsichtsrat) genügt. Dies wird teilweise mit dem Argument für unzureichend gehalten, dass die Gesellschafter und ggf. Mitglieder des Aufsichtsrates keine wechselseitige Vertretungsmacht besäßen.[304] Der BGH ist gegenteiliger Auffassung und stützt diese darauf, dass i.R.d. Gesamtvertretung eine Willenserklärung mit Wirksamkeit gegenüber einem Gesamtvertreter abgegeben werden kann.[305] Er beruft sich darauf, dass sich dieser Grundsatz in verschiedenen gesetzlichen Bestimmungen (z.B. § 28 Abs. 2 BGB; § 35 Abs. 2 Satz 3 GmbHG oder § 78 Abs. 2 Satz 2 AktG) über die Organvertretung niedergeschlagen habe. Nach Ansicht des BGH ist dieser Grundsatz auch auf die Rechtsverhältnisse anwendbar, in denen die GmbH nach § 46 Nr. 5 GmbHG durch ihre Gesellschafter vertreten wird.[306] Zwischen der Gesellschaft und dem einzelnen Gesellschafter sowie zwischen den Gesellschaftern untereinander bestehe ein Vertrauensverhältnis, aus dem eine gegenseitige Treuepflicht hervorgehe. Das **Vertrauensverhältnis** verpflichte die Gesellschafter, den Belangen der Mitgesellschafter sowie der

---

301   Stein in Hachenburg, GmbHG, § 38 Rn. 138; Schneider in Scholz, GmbHG, § 38 Rn. 91; Roth/Altmeppen, GmbHG, § 38 Rn. 75.

302   BGH, 08.02.1993 – II ZR 58/92, BGHZ 121, 257, 262 = GmbHR 1993, 216, 217.

303   Stein in Hachenburg, GmbHG, § 38 Rn. 138; Koppensteiner in Rowedder, GmbHG, § 38 Rn. 36; Schneider in Scholz, GmbHG, § 38 Rn. 91; Lutter/Hommelhoff, GmbHG, § 38 Rn. 47.

304   Schneider in Scholz, GmbHG, § 38 Rn. 91; Lutter/Hommelhoff, GmbHG, § 38 Rn. 47; offen gelassen in BGH, 08.02.1993 – II ZR 58/92, BGHZ 121, 257, 260 = GmbHR 1993, 216, 217 und Stein in Hachenburg, GmbHG, § 38 Rn. 138.

305   BGH, 14.02.1974 – II ZB 6/73, BGHZ 62, 166, 173; BGH, 17.09.2001 – II ZR 378/99, ZIP 2001, 2227, 2228.

306   BGH, 17.09.2001 – II ZR 378/99, ZIP 2001, 2227, 2228.

Gesellschaft Rechnung zu tragen.[307] Derselbe Grundsatz ist auch bei fehlender gesetzlicher Regelung, z.B. bei der Gesamtvertretung der GbR, anerkannt, sodass gegen die Auffassung des BGH keine durchschlagenden Bedenken bestehen.[308]

Durch Auslegung ist zu ermitteln, ob die **Amtsniederlegung** gleichzeitig die   137
Kündigung des Anstellungsvertrages darstellt.[309] Im Zweifel wird die Amtsniederlegung als Kündigung des Anstellungsvertrages anzusehen sein, wenn die Kündigungsfristen eingehalten sind.[310] Sofern das persönliche Rechtsverhältnis des Geschäftsführers mit der Gesellschaft ein **Auftrag** ist, kann dieses Rechtsverhältnis grds. jederzeit beendet werden. Zu beachten ist allerdings, dass bei einer Beendigung zur Unzeit Schadensersatzpflicht (§ 671 BGB) besteht. Wenn die Verbindung zur Gesellschaft allein auf der Organstellung und auf der Gesellschaftereigenschaft beruht, gelten neben den Pflichten als Organ die allgemeinen gesellschaftlichen Treuepflichten, auf deren Grundlage eine Amtsniederlegung zur Unzeit mit Schadensersatz sanktioniert wird.[311]

4. Beendigung des Anstellungsvertrages

Die Beendigung des Anstellungsvertrages hat für sich allein keinen Einfluss   138
auf das Organverhältnis.[312] Ob in der Kündigung des Anstellungsvertrages durch den Geschäftsführer zugleich eine Amtsniederlegung zu sehen ist bzw. ob umgekehrt in der Kündigung des Anstellungsvertrages durch die Gesellschaft gleichzeitig der Widerruf der Bestellung liegt, ist durch Auslegung zu ermitteln. In der Regel wird dies der Fall sein.[313]

---

307   BGH, 17.09.2001 – II ZR 378/99, ZIP 2001, 2227, 2228; Koppensteiner in Rowedder, GmbHG, § 38 Rn. 36; Heckschen in Wachter, FA Handels- und Gesellschaftsrecht, Teil 2, Kap. 2 § 1 D I Rn. 198; Ockelmann/Pieperjohanns/Hölck in Bormann/Kauka/Ockelmann, Hdb. GmbH-Recht, Kap. 7 Rn. 106.

308   Ulmer in MüKo-BGB, § 714 Rn. 19.

309   OLG Düsseldorf, 13.07.1989 – 8 U 187/88 u. 31/89, GmbHR 1989, 468, 470.

310   Vgl. zum Ganzen Trölitzsch, GmbHR 1995, 857, 858; Khatib-Shahidi/Bögner, BB 1997, 1161, 1163.

311   Münch, DStR 1993, 916, 919.

312   OLG Frankfurt a.M., 18.02.1994 – 10 U 16/93, GmbHR 1994, 549, 550; Stein in Hachenburg, GmbHG, § 38 Rn. 147; Zöllner/Noack in Baumbach/Hueck, GmbHG, § 38 Rn. 93; a.A.: Martens, FS Werner, S. 503.

313   So Stein in Hachenburg, GmbHG, § 38 Rn. 147; Zöllner/Noack in Baumbach/Hueck, GmbHG, § 38 Rn. 93; für Regelfall Koppensteiner in Rowedder, GmbHG, § 38 Rn. 31; für Regelfall: OLG Köln, 21.02.1990 – 13 U 195/89, GmbHR 1991, 156, 158.

139   Das Anstellungsverhältnis kann durch **ordentliche Kündigung** beendet werden. Sofern keine wirksamen vertraglichen Vereinbarungen bzgl. der ordentlichen Kündigung zu beachten sind, gelten die §§ 620 ff. BGB.

140   Für vertretungsberechtigte Organmitglieder, die aufgrund ihrer Beteiligung eine Gesellschaft beherrschen, gilt die Frist des § 621 Nr. 3 BGB.[314] Auf die Kündigung von Organmitgliedern, die am Kapital der Gesellschaft nicht oder nur in unerheblichem Umfang beteiligt sind, ist § 622 Abs. 1 BGB entsprechend anzuwenden.[315] Die analoge Anwendung wird damit begründet, dass diese Organmitglieder wie Arbeitnehmer der Gesellschaft ihre Arbeitskraft zur Verfügung stellen und vom Fortbestehen des Anstellungsverhältnisses abhängig sind. Diese Begründung spricht dafür, **auch die verlängerten Kündigungsfristen** des § 622 Abs. 2 BGB anzuwenden.[316]

141   Bei Dienstverträgen mit einer Laufzeit von mehr als fünf Jahren besteht nach § 624 BGB ein zwingendes **Sonderkündigungsrecht** nach Ablauf von fünf Jahren zugunsten der Gesellschaft, nicht jedoch für den Geschäftsführer.[317] Der Geschäftsführer kann das Dienstverhältnis nach Ablauf von fünf Jahren mit einer Frist von sechs Monaten kündigen.[318]

142   Die **fristlose Kündigung** des Anstellungsvertrages richtet sich nach § 626 Abs. 1 BGB. Allerdings können aufgrund der Vertrauensstellung des Geschäftsführers sowie seiner besonderen Verantwortung und Treuebindung an die Gesellschaft hinsichtlich der Frage der Zumutbarkeit einer weiteren Zusammenarbeit strengere Maßstäbe angelegt werden.

> *Beispiele für außerordentliche Kündigungsgründe:*
> - *Unberechtigte fristlose Kündigung durch die Gesellschaft,[319]*
> - *systematisches Vorenthalten der für die ordnungsgemäße Geschäftsführung notwendigen Informationen,[320]*
> - *das Verlangen ungesetzlicher Handlungen durch andere Gesellschaftsorgane,[321]*
> - *grundlose Entziehung oder Beschränkung der Vertretungsbefugnis.[322]*

---

314   BGH, 26.03.1984 – II ZR 120/83, BGHZ 91, 217, 220 = GmbHR 1984, 312.

315   BGH, 29.01.1981 – II ZR 92/80, BGHZ 79, 291, 294 = GmbHR 1981, 158; BGH, 26.03.1984 – II ZR 120/83, BGHZ 91, 217, 220 = GmbHR 1984, 312.

316   Müller-Glöge in Erf-Komm ArbR, § 622 BGB Rn. 14; Bauer, Arbeitsrechtliche Aufhebungsverträge, Teil III Rn. 24 m.w.N.

317   Bauer, Arbeitsrechtliche Aufhebungsverträge, Teil III Rn. 25.

318   Bauer, Arbeitsrechtliche Aufhebungsverträge, Teil III Rn. 25.

319   BGH, 01.12.1993 – VIII ZR 129/92, NJW 1994, 443, 444.

320   BGH, 26.06.1995 – II ZR 109/94, NJW 1995, 2850, 2851.

321   BGH, 09.02.1978 – II ZR 189/76, NJW 1978, 1435, 436.

322   OLG Frankfurt a.M., 17.12.1992 – 26 U 54/92, NJW-RR 1993, 1259, 1260.

Die Frist des § 626 Abs. 2 BGB beginnt bei einem Dauerverhalten erst nach 143
Beendigung des Zustandes.[323] Für die Kenntnis gem. § 626 Abs. 2 BGB
kommt es – wie ansonsten auch – allein auf den Wissensstand des zur
Entscheidung über die fristlose Kündigung berufenen und bereiten Gremiums der Gesellschaft an.[324]

5.   Beendigung durch Veränderungen der Gesellschaft

a)   Umwandlung und Verschmelzung

Bei einer **formwechselnden Umwandlung** nach den Vorschriften des 144
UmwG verlieren die Geschäftsführer der erloschenen GmbH automatisch
ihre Organstellung.[325] Die **Verschmelzung** durch Aufnahme führt zum
Erlöschen der Gesellschaft und das Geschäftsführeramt endet automatisch.
Bei der **Verschmelzung zweier GmbHs durch Neubildung** erlöschen
beide Gesellschaften und damit auch die jeweiligen Geschäftsführerpositio-
nen mit dem Zeitpunkt der Eintragung in das Handelsregister.[326] Aufgrund
des automatischen Erlöschens ist eine Abberufung der Geschäftsführer in
keinem der genannten Fälle erforderlich.[327] Die automatische Beendigung
der Organstellung führt jedoch nicht auch automatisch zur gleichzeitigen
Beendigung des Anstellungsvertrages. Der Anstellungsvertrag geht vielmehr grds. auf die neue Gesellschaft über.[328]

b)   Auflösung und Beendigung der Gesellschaft

Die Auflösung der Gesellschaft gem. § 60 ändert die Organstellung der 145
Geschäftsführer grds. nicht. Gemäß § 66 obliegt den Geschäftsführern
nunmehr als Liquidatoren die Abwicklung der Gesellschaft. Werden andere
Personen als Liquidatoren bestellt, endet das Geschäftsführeramt.

---

323   BGH, 26.06.1995 – II ZR 109/94, NJW 1995, 2850, 2851.

324   BGH, 15.06.1998 – II ZR 318/96, GmbHR 1998, 827, 828; BGH,
       10.09.2001 – II ZR 14/00, GmbHR 2001, 1158, 1160; zur Entbehrlichkeit
       der Abmahnung bei außerordentlicher Kündigung s. BGH, 10.09.2001 – II
       ZR 14/00, GmbHR 2001, 1158 m. Anm. Teigelkötter.

325   Lutter/Becker, UmwG, § 202 Rn. 14; Röder/Lingemann, DB 1993, 1341; vgl.
       auch BGH, 19.12.1988 – II ZR 74/88, NJW 1989, 1928, 1929.

326   Stein in Hachenburg, GmbHG, § 38 Rn. 154; Lutter/Grundewald, UmwG § 20
       Rn. 54; Röder/Lingemann, DB 1993, 1341.

327   Röder/Lingemann, DB 1993, 1341 m.w.N.

328   BGH, 19.12.1988 – II ZR 74/88, NJW 1989, 1928, 1929; BAG, 21.02.1994 –
       2 AZB 28/93, NJW 1995, 675, 676; Röder/Lingemann, DB 1993, 1341, 1345;
       Baums, ZHR 156 (1992), 248.

c)   Insolvenz

146   Der Insolvenzantrag über das Vermögen der Gesellschaft oder auch die
Eröffnung des Insolvenzverfahrens führen grds. nicht zur Beendigung der
Organstellung oder des Anstellungsverhältnisses (§§ 101 Abs. 1, 108
Abs. 1 InsO). Die Beschränkungen des Gemeinschuldners gem. §§ 80 ff.
InsO gelten für die Organe allerdings entsprechend (§ 101 Abs. 1 InsO).

6.   Beendigung des Notgeschäftsführeramtes

147   Auf das Amt des **Notgeschäftsführers** ist die Vorschrift des § 38 nicht
anwendbar.[329] Das Amt des Notgeschäftsführers endet neben der Amtsniederlegung durch den Notgeschäftsführer selbst nur durch Abberufung
seitens des bestellenden Gerichts.[330] Das Gericht kann den Notgeschäftsführer jedoch auf Antrag von Gesellschaftern oder Geschäftsführern oder
von Amts wegen abberufen, wenn ein wichtiger Grund für die Abberufung
vorliegt und gleichzeitig ein anderer Notgeschäftsführer bestellt wird.[331]
Eine Befristung des Notgeschäftsführeramtes ist nicht möglich, da das
Notgeschäftsführeramt seiner Natur nach grds. bis zur Behebung der Notlage fortdauert. Ist die Notlage beseitigt, endet nach h.M. das Amt des
Notgeschäftsführers automatisch.[332]

VII.   Pflicht zur Anmeldung zum Handelsregister

148   Die Beendigung der Geschäftsführerstellung ist unverzüglich zum Handelsregister anzumelden, § 39. Bis dahin werden Dritte gem. § 15 HGB und
darüber hinaus durch die Rechtsinstitute der Duldungs- und Anscheinsvoll-
macht geschützt.[333]

§ 39 GmbHG   Anmeldung der Geschäftsführer

**(1) Jede Änderung in den Personen der Geschäftsführer sowie die
Beendigung der Vertretungsbefugnis eines Geschäftsführers ist zur
Eintragung in das Handelsregister anzumelden.**

---

329   OLG München, 30.06.1993 – 7 U 6945/92, GmbHR 1994, 259.

330   Zöllner/Noack in Baumbach/Hueck, GmbHG, § 38 Rn. 95.

331   OLG Düsseldorf, 18.04.1997 – 3 Wx 584/96, GmbHR 1997, 549, 550; Zöll-
ner/Noack in Baumbach/Hueck, GmbHG, § 38 Rn. 95; verneinend Hohlfeld,
GmbHR 1986, 181, 184.

332   Statt aller Zöllner/Noack in Baumbach/Hueck, GmbHG, § 38 Rn. 95.

333   BGH, 01.07.1991 – II ZR 292/90, BGHZ 115, 78, 83 = GmbHR 1991, 358;
Dreher, DB 1991, 533, 538.

(2) Der Anmeldung sind die Urkunden über die Bestellung der Geschäftsführer oder über die Beendigung der Vertretungsbefugnis in Urschrift oder öffentlich beglaubigter Abschrift beizufügen.

(3) Die neuen Geschäftsführer haben in der Anmeldung zu versichern, dass keine Umstände vorliegen, die ihrer Bestellung nach § 6 Abs. 2 Satz 2 Nr. 2 und 3 sowie Satz 3 entgegenstehen und dass sie über ihre unbeschränkte Auskunftspflicht gegenüber dem Gericht belehrt worden sind. § 8 Abs. 3 Satz 2 ist anzuwenden.

I. Einführung

1. Allgemeines

Die Vorschrift verfolgt den **Zweck**, dass sich der Rechts- und Geschäftsverkehr über die **aktuelle (organschaftliche) Vertretung** der Gesellschaft **Gewissheit** verschaffen kann, d.h. über jede Änderung in den Personen der Geschäftsführer, Namensänderungen oder Änderungen des Wohnortes oder des Berufes usw. Die Anmelde- und Eintragungspflichten bei Gründung der GmbH regeln die §§ 7, 8, 10. § 39 ergänzt diese Vorschriften bzgl. späterer Änderungen. 1

Über den allgemein für zu eng gehaltenen Wortlaut hinaus sind auch **sämtliche Änderungen** in der **Art der Vertretungsmacht** anzumelden. 2

In § 39 Abs. 2 bis 4 finden sich Formvorschriften für die Anmeldung. 3

Die **Eintragung** nach § 39 ist **nicht konstitutiv**, sodass, wer zum Geschäftsführer bestellt wird, mit der Annahme (§§ 6, 26) und nicht erst mit der Eintragung Geschäftsführer ist und nach § 43 haften kann.[1] Die Eintragung 4

---

1 BGH, 06.11.1995 – II ZR 181/94, GmbHR 1996, 49, 50; OLG Celle, 31.08.1994 – 9 U 118/93, GmbHR 1995, 728, 729.

bzw. Nichteintragung nach § 39 ist für die Gutglaubensregeln des § 15 HGB und die sie ergänzenden Rechtsscheingrundsätze bedeutsam.

5   Die Anmeldung mitsamt den Unterlagen ist beim **Registergericht der Gesellschaft** (§ 3 Abs. 1 Nr. 1) einzureichen. Betrifft die Anmeldung eine Zweigniederlassung, ist § 13c Abs. 1 HGB zu beachten.

2.   Änderungen durch das MoMiG

6   In § 39 Abs. 3 Satz 1 wurden die Wörter „§ 6 Abs. 2 Satz 3 und 4" durch die Wörter „§ 6 Abs. 2 Satz 2 Nr. 2 und 3 sowie Satz 3" ersetzt. Es handelt sich um eine Folgeänderung wegen der Zusammenführung der bisherigen Sätze 2 bis 4 in dem neu gefassten Satz 2 des § 6 Abs. 2 (vgl. dazu § 6 Rn. 1).

II.   Anmeldepflichtige Tatsachen (Abs. 1)

7   Nach Abs. 1 sind **Änderungen in den Personen der Geschäftsführer** sowie **Änderungen ihrer persönlichen Daten** und ihrer **Vertretungsbefugnis** anmeldepflichtig.

1.   Jede Änderung in den Personen der Geschäftsführer

a)   Wechsel der Geschäftsführer

8   Anzumelden ist jede Veränderung im Personenbestand der Geschäftsführer. Darunter fällt:

- jede **Neubestellung** eines Geschäftsführers einschließlich der Stellvertreter (§ 44) sowie die eines Notgeschäftsführers,[2]

- das **Ausscheiden** eines amtierenden Geschäftsführers (auch eines **Notgeschäftsführers**) gleichgültig ob durch

  1. Tod,

  2. Abberufung (§ 38),

  3. Amtsniederlegung,

  4. Beendigung des Geschäftsführervertrages infolge Zeitablaufs,

  5. Eintritt der Geschäftsunfähigkeit,

  6. Berufs- oder Gewerbeverbot (§ 6 Abs. 2) oder

  7. aus sonstigen Gründen.[3]

---

2   Allgemeine Meinung: vgl. nur Lutter/Hommelhoff in Lutter/Hommelhoff, GmbHG, § 39 Rn. 2.

3   Allgemeine Meinung: vgl. nur Terlau/Schäfers in Michalski, GmbHG, § 39 Rn. 3.

Der **Zeitpunkt des Amtsantritts** ist anzugeben.[4] Die ohne zeitliche Unterbrechung erfolgte **Wiederbestellung** eines Geschäftsführers oder die **Verlängerung der Amtsdauer** sind nicht anmeldepflichtig.[5]   9

> **Praxistipp:**
>
> Es empfiehlt sich wegen § 15 HGB, die Beendigung der Geschäftsführerstellung auch dann anzumelden, wenn die Anmeldung und Eintragung der Bestellung noch gar nicht erfolgt waren.

Nach Ansicht des KG Berlin[6] besteht bei **anfänglicher Unrichtigkeit oder Unzulässigkeit** der Eintragung des Geschäftsführers – etwa wegen Nichtigkeit der Geschäftsführerbestellung – **keine Anmeldepflicht**.   10

Die Anmeldung ist **unwirksam**, wenn die Änderung in der Person des Geschäftsführers noch nicht eingetreten ist, der Gewählte noch nicht angenommen hat oder die Bestellung vordatiert worden ist.[7]   11

b)   **Persönliche Merkmale**

Anmeldungspflichtig sind nach h.L. **Namensänderungen (Vorname, Familienname)** einschließlich solcher Titel des Geschäftsführers, die einen Namensbestandteil bilden (z.B. Freiherr, Graf, von ...).[8] **Sonstige Änderungen der Personalien**, wie z.B. Wohnort, Beruf, nicht zum Namen gehörende Titel (Präsident, Direktor, Dr., Professor), sind **eintragungsfähig**, aber nicht eintragungspflichtig, wenn sie die berufliche Tätigkeit verdeutlichen.[9] Der öffentlich beglaubigten Form der Anmeldung bedarf es bei solchen Berichtigungen nicht.   12

---

4   Allgemeine Meinung: vgl. nur Schneider in Scholz, GmbHG, § 39 Rn. 2; Heckschen in Wachter, FA Handels- und Gesellschaftsrecht, Teil 2, § 1 D I Rn. 169.

5   Allgemeine Meinung: vgl. nur Lutter/Hommelhoff in Lutter/Hommelhoff, GmbHG, § 39 Rn. 2.

6   09.03.1999 – 1 W 8174/98, GmbHR 1999, 861, 863; a.A.: Schneider in Scholz, GmbHG, § 39 Rn. 2 (Anmeldepflicht auch bei anfänglicher Unrichtigkeit oder Unzulässigkeit der Eintragung des Geschäftsführers).

7   Schneider in Scholz, GmbHG, § 39 Rn. 2.

8   Herrschende Lehre vgl. Terlau/Schäfers in Michalski, GmbHG, § 39 Rn. 5; Lutter/Hommelhoff in Lutter/Hommelhoff, GmbHG, § 39 Rn. 3; Schneider in Scholz, GmbHG, § 39 Rn. 4 (die die in der 9. Auflage vertretene Auffassung – nur anmeldefähig – aufgegeben haben).

9   Allgemeine Meinung: vgl. nur Lutter/Hommelhoff in Lutter/Hommelhoff, GmbHG, § 39 Rn. 3.

2.   Änderung der Vertretungsbefugnis

13   Über den Wortlaut des § 39 Abs. 1 hinaus ist **jede Veränderung der Vertretungsmacht** anmeldepflichtig.[10] Dazu gehört z.B.

- der Übergang von der gesetzlichen **Gesamtvertretung** zu einer **Einzelvertretung** und umgekehrt,

- eine **Änderung innerhalb der Gesamtvertretung**, gleichgültig, ob alle Geschäftsführer oder nur einzelne und ob sie gleich oder unterschiedlich betroffen sind,

- die **Befreiung vom Verbot des Selbstkontrahierens** gem. § 181 BGB,

- Veränderung der Vertretungsbefugnis der Geschäftsführer aufgrund eines **Auflösungsbeschlusses**,

- Beendigung der Vertretungsbefugnis eines Geschäftsführers wegen **Geschäftsunfähigkeit**.

14   Die **Einzelermächtigung** i.R.e. Gesamtvertretung stellt keinen anmeldepflichtigen Fall der Änderung der Vertretungsmacht dar.

> **Praxistipp:**
>
> Die Anmeldung sollte unterscheiden zwischen **Alleinvertretung** und **Einzelvertretung**. Eine Alleinvertretung kommt nicht in Betracht, wenn mehrere Geschäftsführer einzelvertretungsberechtigt sein sollen.

15   Sofern eine Änderung der Vertretungsbefugnis positiv im Wege der **Satzungsänderung** erfolgt, genügt zusätzlich nach § 39 anzumelden.[11] Die Eintragung wirkt, abgesehen vom Fall der Satzungsänderung (§ 54 Abs. 3) nicht konstitutiv, sondern verlautbart nur die anzumeldende Änderung.

16   Nach h.M. steht der Gesellschaft auch eine **generelle Anmeldung der Vertretungsmacht** frei:[12]

---

10   Herrschende Lehre vgl. Lutter/Hommelhoff in Lutter/Hommelhoff, GmbHG, § 39 Rn. 4; Terlau/Schäfers in Michalski, GmbHG, § 39 Rn. 6; Schneider in Scholz, GmbHG, § 39 Rn. 5.

11   Lutter/Hommelhoff in Lutter/Hommelhoff, GmbHG, § 39 Rn. 4.

12   Herrschende Meinung: vgl. OLG Frankfurt a.M., 29.01.1970 – 6 W 11/70, BB 1970, 370; OLG Frankfurt a.M.; 27.03.1973 – 20 W 543/72, BB 1973, 677; OLG Köln, 25.02.1970 – 2 Wx 1 1/70, DNotZ 1970, 748; Schneider in Scholz, GmbHG, § 39 Rn. 9; Lutter/Hommelhoff in Lutter/Hommelhoff, GmbHG, § 39 Rn. 5; ablehnend LG Wuppertal, 16.01.1992 – 12 T 9/91, GmbHR 1993, 99; Gustavus, Rpfleger 1971, 359.

Muster: Anmeldung der Vertretungsmacht

„An das

Amtsgericht

– Handelsregister –

HRB .....

XY GmbH, ...

Zur Anmeldung in das Handelsregister melden wir als gesamtvertretungsberechtigte Geschäftsführer an:

1. Die Einzelvertretungsberechtigung des Geschäftsführers A ist erloschen.

2. Die Einzelvertretungsberechtigung des Geschäftsführers B ist erloschen.

3. Jeder Geschäftsführer hat zusammen mit einem anderen Geschäftsführer Gesamtvertretungsmacht.

Wir überreichen als Anlage Niederschrift der Beschlüsse der Gesellschafterversammlung vom ..... in beglaubigter Abschrift .....

Unterschriften"[13]

Wird ein **neuer oder weiterer Geschäftsführer** in das Handelsregister 17
eingetragen, ist es ausreichend, wenn sich aus den bisherigen Eintragungen
allgemein ergibt, wie die Geschäftsführer vertretungsberechtigt sind.[14]
Gesondert anzugeben ist, wenn für den neu bestellten Geschäftsführer eine
andere Form der Vertretungsbefugnis gelten soll.

III. Anmeldepflichtige und anmeldebefugte Personen

Anmeldungspflichtig ist die **Gesellschaft**, vertreten durch ihre organschaft- 18
lichen Vertreter, also die **Geschäftsführer** nach Maßgabe ihrer Vertretungsbefugnis.[15] Bei unechter Gesamtvertretung genügt die Anmeldung durch
einen Geschäftsführer zusammen mit einem Prokuristen.[16]

---

13 Zu einer Eintragungspflicht in diesem Fall vgl. Schneider in Scholz, GmbHG,
§ 39 Rn. 9.

14 Schneider in Scholz, GmbHG, § 39 Rn. 7.

15 Terlau/Schäfers in Michalski, GmbHG, § 39 Rn. 10.

16 Lutter/Hommelhoff in Lutter/Hommelhoff, GmbHR, § 39 Rn. 6.

19 **Prokuristen** und sonstige **Bevollmächtigte** können ebenfalls aufgrund einer besonderen formbedürftigen Anmeldungsvollmacht (§ 12 HGB, § 167 BGB) tätig werden.

20 Ein **neu bestellter Geschäftsführer** kann sich selbst anmelden.[17] Ein **Geschäftsführer**, der abberufen wurde oder der sein Amt niedergelegt hat, ist **ausgeschieden** und kann sein Ausscheiden nicht mehr anmelden, ggf. müssen erst neue Geschäftsführer bestellt werden. Um diesen Schwierigkeiten zu begegnen, kann das Ausscheiden zum Zeitpunkt der Eintragung erfolgen.[18]

21 In der **Insolvenz** der Gesellschaft ist der Geschäftsführer und nicht der Insolvenzverwalter berechtigt und verpflichtet, die Abberufung und die Neubestellung von Geschäftsführern zur Eintragung in das Handelsregister anzumelden.[19]

IV. Form der Anmeldung (Abs. 2)

22 Die Vorschrift ist durch das Gesetz über elektronische Handelsregister und Genossenschaftsregister sowie das Unternehmensregister (EHUG) vom 10.11.2006 dahin gehend geändert worden, dass in § 39 Abs. 2 die Wörter „für das Gericht des Sitzes der Gesellschaft" gestrichen wurden.[20]

23 Die Anmeldung ist nach § 12 Abs. 1 Satz 1 HGB in **öffentlich beglaubigter Form**, also durch notariell beglaubigte Unterschrift der zur Anmeldung verpflichteten Geschäftsführer einzureichen, §§ 1, 40 BeurkG. Ebenso bedarf die **Vollmacht** bei der Anmeldung durch einen Vertreter der öffentlich beglaubigten Form, § 12 Abs. 2 Satz 1 HGB.

24 Nach § 39 Abs. 2 sind außerdem die **Urkunden über die Bestellung** der Geschäftsführer oder die **Beendigung der Vertretungsbefugnis** beizufügen, und zwar in Urschrift (einfache Schriftform genügend) oder öffentlich beglaubigter Abschrift.

25 Der **Zugang** der Abberufungserklärung beim Geschäftsführer ist ebenso wenig nachzuweisen,[21] wie der Zugang der Erklärung der Amtsniederlegung

---

17 Schneider in Scholz, GmbHG, § 39 Rn. 13.

18 Allgemeine Meinung: vgl. nur Terlau/Schäfers in Michalski, GmbHG, § 39 Rn. 11; Schneider in Scholz, GmbHG, § 39 Rn. 14.

19 OLG Köln, 11.07.2001 – 2 Wx 13/01, GmbHR 2001, 923, 924; Schneider in Scholz, GmbHG, § 39 Rn. 16.

20 BGBl. I Nr. 52/2006, 2553, 2579.

21 OLG Hamm, 26.09.2002 – 15 W 321/01, NZG 2003, 131.

bei der Gesellschaft.[22] § 39 Abs. 2 soll nur gewährleisten, dass das Registergericht sachlich prüfen kann, ob eine ordnungsgemäße Willensbildung im Hinblick auf eine Bestellung bzw. Abberufung durch das zuständige Gesellschaftsorgan stattgefunden hat. Nichts anderes kann für eine Amtsniederlegung gelten.

> **Praxistipp:**
>
> Sofern ein Zugangsbeleg existiert und nicht vorab geklärt werden kann, ob das Registergericht einen Zugangsbeleg fordert, sollte dieser vorsorglich der Registeranmeldung beigefügt werden.

V. Versicherung durch die Geschäftsführer (Abs. 3)

Neubestellte Geschäftsführer haben nach § 39 Abs. 3 Satz 1 im Zuge der 26 Anmeldung die **Versicherung abzugeben**, dass ihrer Bestellung die in § 6 Abs. 2 Satz 2 Nr. 2 und 3 sowie Satz 3 genannten Hindernisse nicht entgegenstehen. Eine pauschale Bezugnahme auf § 6 Abs. 2 genügt diesen Anforderungen nicht, es sind vielmehr die gesetzlichen Bestellungshindernisse einzeln anzugeben und jeweils zu verneinen.[23]

Nach § 39 Abs. 3 Satz 1 haben die Geschäftsführer darüber hinaus in der 27 Anmeldung zu versichern, dass sie über ihre **unbeschränkte Auskunftspflicht** gegenüber dem Gericht **belehrt** worden sind. Diese Belehrung kann auch durch einen **inländischen Notar** erfolgen, § 8 Abs. 3 Satz 2.

VI. Zeichnung der Unterschrift (Abs. 4)

Die Geschäftsführer hatten nach § 39 Abs. 4 a.F. ihre Unterschrift zur 28 Aufbewahrung bei dem Gericht zu zeichnen. Die Vorschrift wurde durch das Gesetz über elektronische Handelsregister und Genossenschaftsregister sowie das Unternehmensregister (EHUG) vom 10.11.2006 aufgehoben.[24]

VII. Prüfungspflicht des Registergerichts

Das Registergericht ist vor der Eintragung berechtigt und verpflichtet, 29 **formal** zu überprüfen, ob die Anmeldung ordnungsgemäß ist, d.h. ob die **Anmeldung formgerecht** erfolgt und die **Tatsachen eintragungsfähig** sind.

---

22 So jedoch OLG Naumburg, 28.02.2001 – 7 Wx 05/00, GmbHR 2001, 569, 571; dagegen h.L. Schneider in Scholz, GmbHG, § 39 Rn. 18; Wachter, GmbHR 2001, 1129, 1137; Lohr, DStR 2002, 2173, 2181 f.

23 Allgemeine Meinung: vgl. nur Terlau/Schäfers in Michalski, § 39 Rn. 20.

24 BGBl. I Nr. 52/2006, 2553, 2579; Schneider in Scholz, GmbHG, § 39 Rn. 20.

30   Teilweise wird die Auffassung vertreten, dem Registergericht obliege ein
      umfassendes materielles Prüfungsrecht und eine **Prüfungspflicht** hin-
      sichtlich der **Ordnungsgemäßheit der Änderung in den Personen der
      Geschäftsführer** sowie der **Beendigung der Vertretungsbefugnis**.[25] Eine
      derart weitreichende Prüfungskompetenz ist abzulehnen, da sie im Ergebnis
      dazu führen würde, dass die Registergerichte bei Streitigkeiten über die
      materiellen Vorfragen entscheiden müssten.[26]

31   Das Registergericht hat jedoch **offenkundige Mängel** aufzugreifen, z.B. ob
      ein offenkundig unzuständiges Organ entschieden hat.

      VIII.   Sanktionen

32   Das Registergericht kann die Anmeldung mittels **Zwangsgeld** gem. § 14
      HGB erzwingen. Das einzelne Zwangsgeld darf den Betrag von 5.000 €
      nicht übersteigen. Falsche Angaben bei der Versicherung nach § 39 Abs. 3
      ziehen gem. § 82 Abs. 1 Nr. 5 **Strafsanktionen** (Freiheitsstrafe, Geldstrafe)
      nach sich.

      § 40 GmbHG   Liste der Gesellschafter

      **(1) ¹Die Geschäftsführer haben unverzüglich nach Wirksamwerden
      jeder Veränderung in den Personen der Gesellschafter oder des
      Umfangs ihrer Beteiligung eine von ihnen unterschriebene Liste der
      Gesellschafter zum Handelsregister einzureichen, aus welcher Name,
      Vorname, Geburtsdatum und Wohnort der letzteren sowie die Nenn-
      beträge und die laufenden Nummern der von einem jeden derselben
      übernommenen Geschäftsanteile zu entnehmen sind. ²Die Änderung der
      Liste durch die Geschäftsführer erfolgt auf Mitteilung und Nachweis.**

      **(2) ¹Hat ein Notar an Veränderungen nach Absatz 1 Satz 1 mitgewirkt,
      hat er unverzüglich nach deren Wirksamwerden ohne Rücksicht auf
      etwaige später eintretende Unwirksamkeitsgründe die Liste anstelle der
      Geschäftsführer zu unterschreiben, zum Handelsregister einzureichen
      und eine Abschrift der geänderten Liste an die Gesellschaft zu über-
      mitteln. ²Die Liste muss mit der Bescheinigung des Notars versehen sein,
      dass die geänderten Eintragungen den Veränderungen entsprechen, an**

      ---

      25   OLG Köln, 04.10.1989 – 2 Wx 23/89, GmbHR 1990, 82, 83.
      26   Herrschende Meinung: vgl. BayObLG, 19.06.1973 – BReg 2 Z 21/73,
            BB 1973, 912; BayObLG, 18.07.1991 – BReg 3 Z 133/90, GmbHR 1992, 304;
            OLG Hamm, 30.01.1996 – 15 W 20/96, GmbHR 1996, 614; Schneider in
            Scholz, GmbHG, § 39 Rn. 21.

denen er mitgewirkt hat, und die übrigen Eintragungen mit dem Inhalt der zuletzt im Handelsregister aufgenommenen Liste übereinstimmen.

(3) Geschäftsführer, welche die ihnen nach Absatz 1 obliegende Pflicht verletzen, haften denjenigen, deren Beteiligung sich geändert hat, und den Gläubigern der Gesellschaft für den daraus entstandenen Schaden als Gesamtschuldner.

I. Einführung

1. Allgemeines

Die Vorschrift knüpft an § 8 Abs. 1 Nr. 3 an, wonach schon bei der Gründung der GmbH eine erste, von den anmeldenden Gesellschaftern unterschriebene Liste der Gesellschafter beim Handelsregister einzureichen ist. Diese **Gesellschafterliste** ist nach § 40 Abs. 1 Satz 1 **permanent aktuell** zu halten. Den oder die Geschäftsführer trifft die Pflicht, nach jeder Veränderung in der Person eines Gesellschafters oder im Umfang seiner Beteiligung unverzüglich eine neue Liste zum Handelsregister einzureichen. Diese Pflicht besteht, um gesellschaftsfremde Dritte, insbes. die Gesellschaftsgläubiger, über die Person der aktuell oder ehemals beteiligten Gesellschafter, ihre Identität und den Umfang ihrer Beteiligung zu informieren. § 40 Abs. 2 ergänzt diesen Zweck durch eine **Meldepflicht für Notare** nach Mitwirkung an Veränderungen nach Abs. 1 Satz 1. § 40 Abs. 3 sanktioniert Verletzungen der Meldepflicht durch eine **Schadenersatzpflicht säumiger Geschäftsführer**.

Die **Gesellschafterliste** wird nur zu den nach § 9 Abs. 1 HGB einsehbaren Registerakten genommen und ist als Bestandteil der Registerakten **frei einsehbar**. Nach § 9 Abs. 2 HGB können Abschriften eingefordert werden, ohne dass es der Darlegung eines berechtigten Interesses bedürfte. Eine Eintragung der Gesellschafter in das Handelsregister erfolgt nicht.

3   Die Einreichung der Gesellschafterliste erfolgt durch **formlose Übermittlung** an das **Registergericht des Gesellschaftssitzes**. § 12 HGB gilt nicht. Hinsichtlich der Zweigniederlassungen ist § 13c Abs. 1 und Abs. 4 HGB zu beachten, d.h. entsprechende Mehrstücke sind beizufügen.

4   § 40 enthält auch nach den Änderungen durch das MoMiG keine ausdrückliche Regelung für den Fall, dass ein Geschäftsführer eine Änderung der Liste vornehmen möchte, weil er der Ansicht ist, eine **Eintragung** sei **zu Unrecht** erfolgt. Aus den allgemeinen Sorgfaltspflichten des Geschäftsführers folgt, dass in diesem Fall – wie in § 67 Abs. 5 AktG für das Aktienregister ausdrücklich geregelt – den Betroffenen vor Veranlassung der Berichtigung die **Möglichkeit zur Stellungnahme** zu geben ist.

5   Das **Registergericht** kann die Geschäftsführer nach § 132 Abs. 1 FGG dazu anhalten, eine **neue Liste** einzureichen, wenn es glaubhafte Kenntnis davon erlangt, dass die Geschäftsführer ihrer Verpflichtung zur Aktualisierung der Gesellschafterliste nicht nachgekommen sind.

2.   Änderungen durch das MoMiG

6   Bei der Aufnahme des Erfordernisses, die **Geschäftsanteile durchgehend zu nummerieren**, handelt es sich um eine Folgeänderung zu § 8 Abs. 1 Nr. 3. Danach müssen aus der Gesellschafterliste, die der Anmeldung beizufügen ist, die Nennbeträge und die laufenden Nummern der von den Gesellschaftern übernommenen Geschäftsanteile ersichtlich sein. Diese Änderung ist für die Übertragung und insbes. für den gutgläubigen Erwerb, der nach § 16 Abs. 3 an den Inhalt der Gesellschafterliste anknüpft, bedeutsam.

7   Nach Abs. 2 Satz 2 erfolgt die **Änderung der Liste** – entsprechend der Regelung beim Aktienregister (§ 67 Abs. 3 AktG) – **auf Mitteilung und Nachweis**. Den Geschäftsführern obliegt daher eine **Prüfpflicht**, wodurch im Regelfall die gebotene Sorgfalt bei Abgabe der Liste gewährleistet sein soll. Das Registergericht nimmt die Liste lediglich entgegen und hat keine inhaltliche Prüfungspflicht.[1]

8   Nach dem RegE MoMiG vom 23.05.2007[2] sollte durch die vorgenommenen Änderungen an der Vorschrift die **Richtigkeitsgewähr der Gesellschafter-**

---

1   Vgl. Opgenhoff in Bormann/Kauka/Ockelmann, Hdb. GmbH-Recht, Kap. 2 Rn. 61 f.

2   BT-Drucks. 16/6140, S. 105.

liste erhöht werden, da an die Gesellschafterliste, die über mehrere Jahre unrichtig und zudem widerspruchslos geblieben ist, die Möglichkeit des gutgläubigen Erwerbs geknüpft ist. Neu ist, dass die **Geschäftsführer** bei schuldhaft falscher Ausfertigung der Liste denjenigen auf Schadenersatz **haften**, deren Beteiligung sich geändert hat (bei Anteilsübertragung also sowohl dem Erwerber als auch dem Veräußerer).

Nach der Neufassung des § 40 Abs. 2 ist der **Notar** zur **Einreichung einer**   9
aktualisierten Gesellschafterliste verpflichtet, sofern er an der Veränderung mitgewirkt hat. Für diese Pflicht ist unerheblich, ob anschließend Unwirksamkeitsgründe eintreten können, etwa wenn die Beteiligten eine auflösende Bedingung oder eine Rückübertragungsklausel vereinbart haben. Für die Fälle, in denen der Notar nicht beteiligt ist, verbleibt es bei der Einreichungspflicht mit Haftungsdrohung der Geschäftsführer.

II.   Inhalt der Liste

Nach § 40 Abs. 1 Satz 1 haben die Geschäftsführer[3] eine **unterschriebene**   10
Liste der Gesellschafter beim Registergericht einzureichen, welche den **Familiennamen**, den **Vornamen**, das **Geburtsdatum**, den **Wohnort** sowie die **Nennbeträge** und die **laufenden Nummern** der von einem jeden derselben übernommenen **Geschäftsanteile** enthalten soll.

1.   Inhaber der Geschäftsanteile

Anzugeben sind die **Inhaber** der Geschäftsanteile, d.h. diejenigen Personen,   11
die die Geschäftsanteile de jure halten. Das ist:

- der **Treuhänder** (nicht dagegen wirtschaftlich dahinter stehende oder still unterbeteiligte Personen),[4]

- bei **Kaduzierung** (§ 21) der bisherige Inhaber bis zum Wirksamwerden der Ausschlusserklärung (§ 21 Abs. 2), danach der den Geschäftsanteil erwerbende Dritte oder die GmbH;[5] ein Kaduzierungsvermerk ist wegen der Erwerbsmöglichkeit durch den Rechtsvorgänger (§ 22 Abs. 4) not-

---

3   BayObLG, 03.07.1986 – BReg. 3 Z 72/86, NJW-RR 1986, 1480; LG Essen, 15.11.2000 – 44 T 4/00, GmbHR 2001, 109, 110.

4   BGH, 09.10.1956 – II ZB 11/56, BGHZ 21, 378, 382/383 = GmbHR 1957, 41; Zöllner/Noack in Baumbach/Hueck, GmbHG, § 40 Rn. 3; Terlau/Schäfers in Michalski, GmbHG, § 40 Rn. 4.

5   Mertens in Hachenburg, GmbHG, § 40 Rn. 4.

wendig, aber auch zweckmäßig (d.h. die Stammeinlage ist mit dem Vermerk: „kaduziert" zu vermerken; der Name des bisherigen Gesellschafters ist mit dem Kaduzierungsvermerk anzugeben),[6]

- bei **Abandon** (§ 27) der bisherige Inhaber bis zur Veräußerung nach § 27 Abs. 2 oder Anfall an die Gesellschaft nach § 27 Abs. 3, wegen der veränderten Haftungsverhältnisse aber mit dem Vermerk: „nach § 27 zur Verfügung gestellt",[7]
- die **Gesellschaft** bei eigenen Anteilen.[8]

> **Praxistipp:**
>
> Steht fest, dass ein **Gesellschafter ausgeschieden** ist, aber noch zu ermitteln ist, wer **Rechtsnachfolger** ist, z.B. bei Tod eines Gesellschafters, so sollte die Veränderung dem Registergericht gleichwohl angezeigt werden, da in diesem Fall ebenfalls bereits eine meldepflichtige Veränderung i.S.d. § 40 Abs. 1 Satz 1 vorliegt.[9]

12   Besitzt ein **Gesellschafter mehrere Geschäftsanteile**, ist dies gesondert anzugeben, da nicht die Höhe der Gesamtbeteiligung, sondern die Stammeinlagen als solche ersichtlich sein sollen.[10] Daher ist auch die **Veränderung der Stückelung der Anteile** eines Gesellschafters meldepflichtig.[11] Sollten mehrere Personen einen Geschäftsanteil innehaben, ist die **Form der Gemeinschaft** anzugeben, z.B. A und B in (Innen-) GbR, Gütergemeinschaft bzw. Erbengemeinschaft bzw. Bruchteilsgemeinschaft.[12]

---

6   Mertens in Hachenburg, GmbHG, § 40 Rn. 4; Roth/Altmeppen, GmbHG, § 40 Rn. 6; Zöllner/Noack in Baumbach/Hueck, GmbHG, § 40 Rn. 3 (nur zweckmäßig, nicht notwendig).

7   Mertens in Hachenburg, GmbHG, § 40 Rn. 4; Terlau/Schäfers in Michalski, GmbHG, § 40 Rn. 4.

8   Mertens in Hachenburg, GmbHG, § 40 Rn. 4; Roth/Altmeppen, GmbHG, § 40 Rn. 6.

9   Schneider in Scholz, GmbHG, § 40 Rn. 11.

10   Mertens in Hachenburg, GmbHG, § 40 Rn. 3; Lutter/Hommelhoff in Lutter/Hommelhoff, GmbHG, § 40 Rn. 4.

11   Mertens in Hachenburg, GmbHG, § 40 Rn. 3; Zöllner/Noack in Baumbach/Hueck, GmbHG, § 40 Rn. 7.

12   OLG Hamm, 18.12.1995 – 15 W 413/95, NJW-RR 1996, 482, 483; Mertens in Hachenburg, GmbHG, § 40 Rn. 3; Terlau/Schäfers in Michalski, GmbHG, § 40 Rn. 4.

2. Vor- und Zuname

Der **Familienname** und mindestens ein **Vorname** (im Zweifel der Rufname)   13
sind anzugeben. Liegt der Geschäftsanteil im gewerblichen Vermögen, ist die
Angabe des **Firmeninhabers** erforderlich, bei Personenhandelsgesellschaften
die Angabe der **Firma** unter Beachtung des § 19 Abs. 1 HGB.

> **Praxistipp:**
>
> Bei einer Außengesellschaft bürgerlichen Rechts als Inhaberin eines
> Anteils sind **sämtliche Gesellschafter der GbR namentlich** in der
> Liste aufzuführen.[13]

Änderungen im Bestand der GbR lösen dementsprechend jeweils die Pflicht
zur Einreichung einer aktuellen Liste aus.

3. Geburtsdatum

Das Geburtsdatum des Gesellschafters ist **vollständig** anzugeben.   14

4. Wohnort

Bei natürlichen Personen ist der **Wohnort** anzugeben. Gehört der Geschäfts-   15
anteil zum gewerblichen Vermögen einer natürlichen Person, ist statt des
Wohnortes die Angabe des **Sitzes der gewerblichen Niederlassung** möglich, wenn gleichzeitig die Firma angegeben wird.[14] Handelt es sich bei dem
Gesellschafter um eine juristische Person oder um eine Personenhandels-
gesellschaft, ist der Ort des Sitzes bzw. der gewerblichen Niederlassung
anzugeben.[15]

> **Praxistipp:**
>
> Sollte die Wohnortangabe zur Identifizierung des Gesellschafters nicht
> allein ausreichen, ist über den Wortlaut des § 40 Abs. 1 Satz 1 hinaus
> die Angabe der **Adresse** erforderlich,[16] z.B. in größeren Städten.

---

13 BGH, 29. 01. 2001 – II ZR 331/00, NJW 2001, 1056; OLG Hamm,
    18.12.1995 – 15 W 413/95, NJW-RR 1996, 482, 483; Zöllner/Noack in
    Baumbach/Hueck, GmbHG, § 40 Rn. 4.

14 Terlau/Schäfers in Michalski, GmbHG, § 40 Rn. 7.

15 Terlau/Schäfers in Michalski, GmbHG, § 40 Rn. 7; Zöllner/Noack in Baum-
    bach/Hueck, GmbHG, § 40 Rn. 4.

16 Terlau/Schäfers in Michalski, GmbHG, § 40 Rn. 7; Schneider in Scholz,
    GmbHG, § 40 Rn. 15.

5.   Nennbeträge der Geschäftsanteile

16   Aus der Pluralformulierung im ursprünglichen Gesetzeswortlaut („Stamm-
      einlagen") ist gefolgert worden, dass **mehrere Geschäftsanteile** eines
      Einzelnen **gesondert aufzuführen** sind.[17] Hieran ist auch nach den durch
      das MoMiG an § 40 Abs. 1 Satz 1 vorgenommenen Änderungen fest zu
      halten. Nicht ausreichend ist die Angabe des Gesamtbetrags der Stamm-
      einlagen für jeden Gesellschafter.[18] Hieraus ergibt sich, dass über den
      Wortlaut des § 40 Abs. 1 Satz 1 hinaus auch die Veränderung der Stücke-
      lung der Geschäftsanteile eines Gesellschafters meldepflichtig sind (s.o.
      Rn. 12 und Nachweise in Fn. 9).[19]

17   Ferner sind auch Angaben über **untergegangene Anteile** sowie über die
      zugrunde liegenden Umstände (z.B. Einziehung) erforderlich, da der
      Zweck der Gesellschafterliste auch darin liegt, die Gläubiger über eine
      Abfolge der Gesellschafter und nicht nur über den Gesellschafterstand als
      solchen zu informieren.[20]

18   Erfolgt eine Änderung des Stammkapitals im Wege einer **Kapitalherab-
      setzung**, ist der Betrag der Stammeinlagen zu ändern.[21]

19   Nicht erforderlich ist die Angabe, inwieweit die Stammeinlage geleistet
      wurde.[22]

6.   Laufende Nummern der Geschäftsanteile

20   Nach § 40 Abs. 1 Satz 1 müssen aus der Gesellschafterliste neben den
      Nennbeträgen auch die laufenden Nummern der von den Gesellschaftern
      übernommenen Geschäftsanteile ersichtlich sein.

---

17   Mertens in Hachenburg, GmbHG, § 40 Rn. 3; Zöllner/Noack in Baumbach/
      Hueck, GmbHG, § 40 Rn. 7; Terlau/Schäfers in Michalski, GmbHG, § 40
      Rn. 8.

18   Mertens in Hachenburg, GmbHG, § 40 Rn. 3.

19   Zur Frage der Teilung, Zusammenlegung oder Aufstockung der Geschäfts-
      anteile vgl. Opgenhoff in Bormann/Kauka/Ockelmann, Hdb. GmbH-Recht,
      Kap. 2 Rn. 63.

20   Zustimmend: Terlau/Schäfers in Michalski, GmbHG, § 40 Rn. 8; Zöllner/
      Noack in Baumbach/Hueck, GmbHG, § 40 Rn. 8; ablehnend: Schneider in
      Scholz, GmbHG, § 40 Rn. 8.

21   Mertens in Hachenburg, GmbHG, § 40 Rn. 4; Zöllner/Noack in Baumbach/
      Hueck, GmbHG, § 40 Rn. 7.

22   Zöllner/Noack in Baumbach/Hueck, GmbHG, § 40 Rn. 7.

III.   Einreichungspflicht

Nach § 40 Abs. 1 trifft die **Geschäftsführer** die Einreichungspflicht per-   21
sönlich.

Die **Einreichungspflicht** für die Liste besteht nur, wenn **Veränderungen**   22
eingetreten sind, die nach § 40 Abs. 1 Satz 1 zum **Pflichtinhalt der Liste**
gehören. Auch eine **versäumte Meldung** ist nachzuholen, selbst wenn die
Veränderung zum Zeitpunkt der Einreichung wieder aufgehoben worden
ist.[23] Dies folgt aus dem Zweck der Vorschrift, zum Schutz der Gläubiger,
die Gesellschafterentwicklung lückenlos widerzuspiegeln.

Eine Veränderung i.S.d. Vorschrift liegt auch bei einer **bloßen Namens-**   23
änderung, z.B. durch Heirat oder Firmenänderung vor,[24] ferner bei **Teilung**
von Geschäftsanteilen ohne Veräußerung.[25] Eine bloße Adressänderung
löst keine Einreichungspflicht aus, sofern Wohnort bzw. Sitz unverändert
bleiben, es sei denn, die genaue Anschrift ist entscheidend für die Identifizierung (vgl. oben Rn. 15).

IV.   Einreichungsfrist

Die Liste ist **unverzüglich**, d.h. ohne schuldhaftes Zögern i.S.v. § 121 Abs. 1   24
Satz 1 BGB nach Eintritt der anzuzeigenden Veränderungen einzureichen.
Sachlich hat sie dem **Stand am Tag der Absendung** zu entsprechen.

> **Praxistipp:**
>
> Sofern **mehrere Veränderungen** stattgefunden haben sollten, ist für
> die einzelnen relevanten Zeitpunkte jeweils eine eigene Gesellschafter-
> liste einzureichen.[26]

V.   Unterzeichnung

Die Unterzeichnung der Liste hat durch eine **vertretungsberechtigte Zahl der**   25
Geschäftsführer zu erfolgen und trifft die **Geschäftsführer persönlich**.[27]

---

23   Terlau/Schäfers in Michalski, GmbHG, § 40 Rn. 9.

24   Zöllner/Noack in Baumbach/Hueck, GmbHG, § 40 Rn. 10; Terlau/Schäfers in
     Michalski, GmbHG, § 40 Rn. 10; a.A.: bei bloßer Namensänderung Schneider
     in Scholz, GmbHG, § 40 Rn. 10, wobei es auch nach dieser Auffassung einer
     Anzeige bedarf, wenn die Gesellschafterliste ihren Zweck erfüllen soll.

25   Zöllner/Noack in Baumbach/Hueck, GmbHG, § 40 Rn. 10.

26   Lutter/Hommelhoff in Lutter/Hommelhoff, GmbHG, § 40 Rn. 6.

27   Schneider in Scholz, GmbHG, § 40 Rn. 20; Lutter/Hommelhoff in Lutter/
     Hommelhoff, GmbHG, § 40 Rn. 7.

Auch im **Insolvenzverfahren** der Gesellschaft besteht die Unterzeichnungs-
pflicht der Geschäftsführer.[28]

VI.   Einreichung beim Registergericht

26 Die Einreichung der Liste erfolgt beim **Registergericht des Gesellschaftssitzes** durch **formlose Übermittlung**. Lediglich die **Schriftform** des § 126
BGB ist zu wahren,[29] § 12 HGB gilt nicht. Bei **Zweigniederlassungen** ist
nach § 13c Abs. 1 und Abs. 4 HGB eine entsprechende Anzahl von Mehr-
stücken beizufügen.

27 Das Registergericht prüft lediglich, ob die durch § 40 Abs. 1 geforderten
Angaben gemacht worden sind. Es besteht **keine sachliche Prüfungs-
pflicht**, aber ein **Beanstandungsrecht** bei Unrichtigkeit der Angaben.[30]
Dementsprechend kann der Registerrichter bei Unklarheit der Entwicklung
des Gesellschafterbestandes Aufklärung verlangen und entsprechende
Unterlagen anfordern.

28 Die Einreichungspflicht kann mittels **Zwangsgeld** nach § 14 HGB i.V.m.
§§ 132 ff. FGG durchgesetzt werden.[31]

VII.   Anspruch der Gesellschafter auf Listenrichtigkeit

29 Jeder zu Unrecht als Gesellschafter Aufgeführte hat gegen die Gesellschaft
einen Anspruch auf **Unterlassung** seiner Benennung bzw. auf **Berichtigung**
der Liste, jeder zu Unrecht nicht Genannte hat einen Anspruch auf **Nennung**. Es besteht generell ein Anspruch des Gesellschafters gegen die
Gesellschaft auf Einreichung einer richtigen Liste.[32]

VIII.   Meldepflicht beurkundender Notare

30 Die ursprünglich in § 40 Abs. 1 Satz 2 enthaltene Regelung, wonach jeder
Notar, der eine **Abtretung** eines Geschäftsanteils nach § 15 Abs. 3 beurkundet, diese Abtretung unverzüglich dem zuständigen Registergericht

---

28   Lutter/Hommelhoff in Lutter/Hommelhoff, GmbHG, § 40 Rn. 7.

29   Terlau/Schäfers in Michalski, GmbHG, § 40 Rn. 13.

30   BayObLG, 22.05.1985 – BReg 3 Z 63/85, GmbHR 1985, 393, 394; h.L. vgl.
     Mertens in Hachenburg, GmbHG, § 40 Rn. 8; Zöllner/Noack in Baumbach/
     Hueck, GmbHG, § 40 Rn. 13; Schneider in Scholz, GmbHG, § 40 Rn. 22;
     Terlau/Schäfers in Michalski, GmbHG, § 40 Rn. 14; Lutter/Hommelhoff in
     Lutter/Hommelhoff, GmbHG, § 40 Rn. 13.

31   BayObLG, 06.02.1979 – BReg. 1 Z 142/78, GmbHR 1980, 30, 31.

32   Herrschende Lehre vgl. Terlau/Schäfers in Michalski, GmbHG, § 40 Rn. 23;
     Zöllner/Noack in Baumbach/Hueck, GmbHG, § 40 Rn. 14.

formlos anzuzeigen hatte, ist in dem durch das MoMiG eingeführten neuen § 40 Abs. 2 erweitert worden. Der Notar soll verstärkt in die Aktualisierung der Gesellschafterliste einbezogen werden.

Ist der **Notar** selbst **Gesellschafter** oder war der Notar selbst Gesellschafter, ist § 40 Abs. 2 nicht einschlägig. Von der Vorschrift erfasst sind die Fälle, in denen ein **Notar** bei der Veränderung der Personen oder Beteiligungshöhe **mitwirkt**. Wirkt ein Notar bspw. an der Abtretung eines Geschäftsanteils mit, hat er gleichzeitig dafür Sorge zu tragen, dass die Einreichung der neuen Gesellschafterliste vollzogen wird.

§ 40 Abs. 2 ist nicht einschlägig in solchen Fällen, in denen der Notar an einer Veränderung nicht mitwirkt, also z.B. bei Gesamtrechtsnachfolge oder der Zusammenlegung oder Teilung von Geschäftsanteilen. Hier verbleibt die Einreichungspflicht mit Haftungsdrohung allein bei den Geschäftsführern.

In § 40 Abs. 2 Satz 1 wird durch die Formulierung „anstelle" klargestellt, dass die Erstellung und die Einreichung der Liste allein im **Verantwortungsbereich des Notars** liegen. Hat daher ein Notar an einer Veränderung mitgewirkt, entfällt die Verpflichtung der Geschäftsführer zur Erstellung und Einreichung einer Liste, die diese Veränderung umsetzt. Zu beachten ist allerdings, dass die Verpflichtung der **Geschäftsführer** zur nachfolgenden **Kontrolle** und zur **Korrektur** einer aus anderen Gründen unrichtigen Liste unberührt bleibt. Die bisherigen Unklarheiten aus § 40 Abs. 1 Satz 2 a.F., welchen Inhalt die Mitteilung des Notars haben musste, sind durch die Neufassung teilweise beseitigt, da einen an Veränderungen nach § 40 Abs. 1 Satz 1 mitwirkenden Notar die dort genannten Pflichten „anstelle" der Geschäftsführer treffen. Angaben zur Person des Abtretenden sowie des Erwerbers mit Namen, Vornamen, Geburtsdatum und Wohnort sind demgegenüber nicht zu tätigen, was bereits der zu § 40 Abs. 1 Satz 2 a.F. vertretenen h.M. entsprach. Der Zweck des § 40 Abs. 1 Satz 2 a.F. wurde nämlich darin gesehen, das Registergericht über eine Veränderung im Gesellschafterbestand zu informieren. Das Gericht soll in die Lage versetzt werden, die Gesellschaft, in deren Verantwortungsbereich die Meldung der nach § 40 Abs. 1 Satz 1 GmbHG meldepflichtigen Tatsachen fällt, ggf. über § 14 HGB zur Abgabe der erforderlichen Meldungen zwingen zu können; hieran hat sich durch die Neufassung des § 40 nichts geändert.[33]

---

33 Vgl. zur alten Rechtslage: OLG Schleswig, 26.01.2005 – 2 W 289/04, DB 2005, 766, 766; OLG Celle, 18.02.1999 – 9 W 201/99, GmbHR 1999, 711; Schneider in Scholz, GmbHG, § 40 Rn. 24.

34   Die Pflicht des Notars, die Liste unverzüglich nach Wirksamwerden der
      Veränderung einzureichen, entfällt nicht dadurch, dass anschließend
      Unwirksamkeitsgründe eintreten können. Der Notar hat also auch dann
      unverzüglich nach Wirksamwerden einer Anteilsübertragung die Liste ein-
      zureichen, wenn die Beteiligten eine auflösende Bedingung oder eine Rück-
      übertragungsklausel vereinbart haben. Ihn trifft auch keine Pflicht, den
      Vertrag im Hinblick auf den Eintritt der für das Wirksambleiben maßgeb-
      lichen Umstände zu überwachen. Bei Eintritt derartiger Ereignisse entsteht
      vielmehr aus § 40 Abs. 1 Satz 1 eine Verpflichtung der Geschäftsführer zur
      Einreichung einer weiteren Liste bzw., wenn der Notar bei dem Ereignis
      mitwirkt, eine neue Pflicht des Notars nach § 40 Abs. 2 Satz 1.

35   Hat der **Notar Zweifel**, ob die **Veränderung**, an der er mitgewirkt hat,
      wirksam ist – etwa wegen Zweifeln an der Geschäftsfähigkeit des Ver-
      äußerers – darf er erst dann eine entsprechende Liste zum Handelsregister
      einreichen, wenn die Zweifel beseitigt sind.

36   Die in § 40 Abs. 2 Satz 1 vorgesehene **Übermittlung der Liste an die
      Gesellschaft** dient der **Information der Gesellschafter**. Dies ist zum einen
      wegen der Regelung des § 16 Abs. 1 und zum anderen wegen der Pflicht der
      Geschäftsführer zur Erstellung künftiger Gesellschafterlisten gem. § 40
      Abs. 1 notwendig. Für die Übermittlung der Liste gilt § 35 entsprechend,
      d.h. für die Übermittlung an einen Vertreter der Gesellschaft genügt es, die
      Liste an die im Handelsregister eingetragene Geschäftsanschrift zu über-
      mitteln. Alternativ kann die Liste einer empfangsberechtigten Person nach
      § 10 Abs. 2 Satz 2 zugestellt werden. Im Fall der Führungslosigkeit der
      Gesellschaft ist die Übermittlung an einen Gesellschafter bzw. – soweit
      vorhanden – ein Aufsichtsratsmitglied möglich.

37   Die nach § 40 Abs. 2 Satz 2 vorgesehene **Bescheinigung** des Notars ist an
      die bereits bisher übliche Bescheinigung nach § 54 angelehnt.

38   Die Verpflichtung aus § 40 Abs. 2 Satz 1 trifft lediglich **inländische Nota-
      re**, nicht auch ausländische Beurkundungspersonen.[34]

39   Eine schuldhafte Verletzung der Anzeigepflicht nach § 40 Abs. 2 Satz 1
      begründet eine **Haftung des Notars**. Zu § 40 Abs. 1 Satz 2 a.F. wurde die
      Auffassung vertreten, eine Notarhaftung scheide aus, da die **Anzeigepflicht
      keine Amtspflicht** des Notars gem. § 19 BNotO sei.[35] Dies wurde aus
      einem Umkehrschluss aus § 40 Abs. 2 a.F. abgeleitet, wonach nur die
      Geschäftsführer bei Verletzung der Verpflichtungen aus Abs. 1 hafteten.

---

34   Terlau/Schäfers in Michalski, GmbHG, § 40 Rn. 18; Schneider in Scholz,
     GmbHG, § 40 Rn. 25.
35   Terlau/Schäfers in Michalski, GmbHG, § 40 Rn. 19.

Hieran hat sich durch die Neufassung des § 40 Abs. 2 Satz 1 zwar nichts geändert. Gleichwohl sind die Pflichten des Notars in § 40 Abs. 2 Satz 1 n.F. aber erweitert worden. Der Notar hat die Gesellschafterliste zu unterschreiben, zum Handelsregister einzureichen und eine Abschrift der geänderten Liste an die Gesellschafter zu übermitteln. Er handelt „anstelle" der Geschäftsführer. Der Notar erfüllt damit eine eigenständige und nicht nur eine ergänzende Amtspflicht, sodass eine schuldhafte Verletzung dieser Pflichten zu einer Amtshaftung nach § 19 BNotO führt.[36]

IX.　Schadenersatzpflicht der Geschäftsführer (§ 40 Abs. 3)

Geschäftsführer sind gem. § 40 Abs. 3 gegenüber den Gesellschafts- **40** gläubigern **schadenersatzpflichtig**, wenn sie die ihnen obliegenden Verpflichtungen nach § 40 Abs. 1 Satz 1 missachten. § 40 Abs. 3 ist eine eigenständige und unmittelbare Anspruchsgrundlage einzelner Gesellschaftsgläubiger. Der Geschäftsführer muss also die Einreichungspflicht gar nicht, verspätet oder unrichtig erfüllt haben, obwohl deren Voraussetzungen vorlagen.[37] Diese **Verletzung** muss für einen den Gläubigern entstanden **Schaden kausal** geworden sein. Dies ist immer dann denkbar, wenn ein Gläubiger auf einen gegenwärtigen oder früheren Gesellschafter direkt oder indirekt hätte zugreifen können, sofern ihm die Veränderung der Gesellschafterstellung bekannt gewesen wäre (z.B. Anspruch aus § 31 Abs. 1 nicht mehr pfändbar, weil verjährt). In Betracht kommen auch Kosten, die dem Gläubiger dadurch entstanden sind, dass er einen Gesellschafter auf andere Weise ermitteln musste. Den Geschäftsführer muss **Verschulden** treffen. Verschulden liegt z.B. dann nicht vor, wenn die durch den Geschäftsführer eingereichte Gesellschafterliste vom Registergericht verspätet bearbeitet wird oder der Geschäftsführer über die Veränderung nicht informiert wurde.

Neu hinzugekommen ist in § 40 Abs. 3, dass Geschäftsführer, die ihre **41** Verpflichtungen nach § 40 Abs. 1 Satz 1 verletzen, neben den Gläubigern der Gesellschaft **auch denjenigen** für den daraus resultierenden Schaden **haften, deren Beteiligung sich geändert** hat, bei Anteilsübertragung also sowohl dem Erwerber als auch dem Veräußerer.

36　Schneider in Scholz, GmbHG, § 40 Rn. 45; inwieweit § 40 Abs. 2 Satz 1 als Schutzgesetz i.S.d. § 823 Abs. 2 BGB angesehen werden kann, ist indes zweifelhaft (für § 40 Abs. 1 Satz 2 a.F. ablehnend: Zöllner/Noack in Baumbach/Hueck, GmbHG, § 40 Rn. 17; Terlau/Schäfers in Michalski, GmbHG, § 40 Rn. 20; Schneider in Scholz, GmbHG, § 40 Rn. 28; für § 40 Abs. 2 Satz 1 n.F. offen gelassen: Schneider in Scholz, GmbHG, § 40 Rn. 45).

37　Terlau/Schäfers in Michalski, GmbHG, § 40 Rn. 22; Zöllner/Noack in Baumbach/Hueck, GmbHG, § 40 Rn. 17.

X.   Rechtswirkungen

42 Von der eingereichten **Gesellschafterliste** gehen **keine Rechtswirkungen** aus.[38] § 15 HGB ist nicht anwendbar, da die Angaben der Gesellschafterliste nicht eintragungspflichtig und auch nicht eintragungsfähig sind.[39] Die Liste dient als tatsächliches Informationsmittel für die Öffentlichkeit, insbes. für die Gläubiger der Gesellschaft.

XI.   Muster: Gesellschafterliste

43

Liste der Gesellschafter

Die **Firma** .....   (einsetzen: Bezeichnung gemäß der entsprechen-
                       den Regelungen des Gesellschaftsvertrages)

mit dem **Sitz** in   (einsetzen: Ortsangabe gemäß der entsprechenden
.....   Regelungen des Gesellschaftsvertrages)
mit den Nennbeträgen der übernommenen Geschäftsanteile

Nummer[1]	Nachname, Vorname, Geburts-datum, Wohnort[2]	Nennbetrag in €[3]
1		
2		
.....		

Anmerkungen:

1) Nummer des Geschäftsanteils; die Anteile sind fortlaufend mit arabischen Ziffern zu nummerieren.

2) Einsetzen: Daten des jeweiligen Gesellschafters.

3) Einsetzen: Nennbetrag des von dem jeweiligen Gesellschafter gemäß der entsprechenden Regelungen des Gesellschaftsvertrages übernommenen Geschäftsanteils.

....., den ..... [40]

.....

(Unterschrift)[41]

---

38   OLG Jena, 17.12.1997 – 2 U 244/94, IPRax 1998, 364, 366.

39   Mertens in Hachenburg, GmbHG, § 40 Rn. 10; Zöllner/Noack in Baumbach/
      Hueck, GmbHG, § 40 Rn. 20; Roth/Altmeppen, GmbHG, § 40 Rn. 1.

40   Einsetzen: Ort und Datum der Unterzeichnung der Gesellschafterliste.

41   Die Liste ist von dem Geschäftsführer – oder bei Vorliegen der Vorausset-
      zungen des § 40 Abs. 2 von dem Notar – zu unterzeichnen.

§ 41 GmbHG   Buchführung

Die Geschäftsführer sind verpflichtet, für die ordnungsmäßige Buchführung der Gesellschaft zu sorgen.

I.   Einführung

§ 41 bezieht sich ausschließlich auf die Buchführungspflicht des Geschäftsführers. Die Abs. 2 und 3 der Vorschrift wurden durch das am 01.01.1986 in Kraft getretene Bilanzrichtlinien-Gesetz vom 19.12.1985 (BGBl. 1985, S. 2355) ersatzlos gestrichen. Die vormals in Abs. 2 und 3 der Vorschrift geregelte Pflicht der GmbH zur Rechnungslegung folgt nunmehr aus dem Handelsgesetzbuch (§§ 6 Abs. 1, 238 Abs. 1, 242 HGB).   1

In erster Linie dient die Buchführungspflicht nach § 41 der **Selbstinformation des Unternehmers** und soll den Geschäftsführer befähigen, mittels ständiger und zutreffender Buchdokumentation für **geordnete finanzielle Verhältnisse** und notfalls für eine rechtzeitige Liquidierung eines nicht mehr rentablen Unternehmens zu sorgen.[1] Daneben soll die Norm auch zur **Information des Rechtsverkehrs** und allgemein zum Schutz von Gläubigern dienen.   2

II.   Normadressaten

Die **Pflicht zur ordnungsgemäßen Buchführung** trifft sowohl **Geschäftsführer** als auch stellvertretende Geschäftsführer (§ 44). Ferner sind faktische Geschäftsführer verpflichtet, wenn sie nach außen dauerhaft und unter Duldung der Gesellschafter die Geschäfte der GmbH führen. Nicht erforderlich ist ein wirksamer Anstellungsvertrag oder eine wirksame Bestellung zum Geschäftsführer.   3

III.   Pflichtenkreis

Der **Geschäftsführer** hat für die Buchführung zu „sorgen". Er darf die Buchführung daher an andere Geschäftsführer, sachkundiges Personal oder externe Dritte (z.B. Steuerberater und/oder Wirtschaftsprüfer) delegieren,[2]   4

---

1   BGH, 13.04.1994 – II ZR 16/93, NJW 1994, 1801.

2   Details s. Ockelmann/Pieperjohanns/Hölck in Bormann/Kauka/Ockelmann, Hdb. GmbH-Recht, Kap. 7 Rn. 144.

muss diese jedoch anleiten und regelmäßig überwachen.[3] Insbesondere muss der Geschäftsführer jederzeit in der Lage sein, in die Buchführung einzugreifen, um etwaige Mängel umgehend beseitigen zu können. Die Prüfung des **Jahres- und/oder Konzernabschlusses** durch den **Abschlussprüfer** nach § 317 Abs. 1 HGB ersetzt nicht die eigene Überwachung der Buchführung durch den Geschäftsführer.

5   Das etwaige Verschulden externer Berater wird dem Geschäftsführer nicht zugerechnet. Er haftet lediglich für **eigenes Verschulden**. Soweit er Aufgaben delegiert hat, haftet der Geschäftsführer nach den Grundsätzen des **Organisationsverschuldens**.

6   Die Buchführungspflicht beginnt mit Entstehung der Einlageforderungen. Buchführungspflichtig sind bereits die Vorgesellschaft und ihre Geschäftsführer; letztere bereits im Augenblick ihrer Bestellung zum Geschäftsführer oder jedenfalls spätestens mit Aufnahme der tatsächlichen Geschäfte. Die **Buchführungspflicht** entsteht unabhängig davon, ob die Gesellschaft bereits im **Handelsregister eingetragen** ist.

7   Die Buchführungspflicht des Geschäftsführers stellt zwingendes öffentliches Recht dar, denn sie liegt im öffentlichen Interesse. Der Geschäftsführer kann von ihr weder durch Gesellschaftsvertrag, Gesellschafterbeschluss noch durch Anstellungsvertrag befreit werden. Im Gesellschaftsvertrag dürfen nur dann ergänzende Bestimmungen getroffen werden, wenn diese mit den Regelungen einer ordnungsgemäßen Buchführung i.S.d. §§ 238 ff. HGB, speziell den Anforderungen der doppelten Buchführung, vereinbar sind.

IV.   Rechtsfolgen

8   Verletzt der **Geschäftsführer** die Buchführungspflicht, so **haftet er der Gesellschaft** im Innenverhältnis nach. § 43 Abs. 2. Im Außenverhältnis – gegenüber Gläubigern der Gesellschaft – haftet der Geschäftsführer nicht nach § 823 BGB, da § 41 kein Schutzgesetz i.S.d. § 823 Abs. 2 BGB darstellt. Grund: § 41 dient dem (ungezielten) **Schutz sämtlicher Gläubiger** der Gesellschaft und kann deshalb nicht als Schutzbestimmung zugunsten individueller Gläubiger ausgelegt werden.[4]

9   Allerdings ist eine **persönliche Haftung** des Geschäftsführers im Außenverhältnis wegen Inanspruchnahme besonderen Vertrauens gem. § 311 Abs. 3 BGB möglich, wenn der Geschäftsführer einen Jahresabschluss mit

---

3   BGH, 26.06.1995 – II ZR 109/94, NJW 1995, 2850.

4   BGH, 10.07.1964 – Ib ZR 208/62, BB 1964, 1273.

unrichtigen Angaben einem Gläubiger der Gesellschaft gezielt übergeben und dieser im Vertrauen darauf Vermögensdispositionen getroffen hat, die wegen Unrichtigkeit der Angaben fehlgeschlagen sind.

Steuerrechtlich ist die Buchführungspflicht in § 140 AO verankert; ihre   10
Verletzung ist nach §§ 34, 69 AO sanktioniert. Im Übrigen kommen als möglichen Sanktionen **Zwangs- und Ordnungsgeld** nach §§ 335, 335a HGB, Bußgelder gem. § 334 HGB sowie die Sanktionen des Kriminalstrafrechts aus §§ 283 ff. StGB in Betracht.

Die Verletzung der Buchführungspflichten stellt ferner einen wichtigen Grund   11
zur Abberufung des Geschäftsführers nach § 38 Abs. 2 GmbHG sowie zur fristlosen Kündigung des Anstellungsvertrags nach § 626 BGB dar.

Beispiel:

Ein Geschäftsführer unterrichtete die Mehrheitsgesellschafterin nicht rechtzeitig über den Verlust des gesamten Stammkapitals der GmbH, deren Buchhaltungsarbeiten und überwiegender Zahlungsverkehr nicht am Geschäftssitz, sondern am Standort der Mehrheitsgesellschafterin durch deren Personal ausgeführt wurden. Der Geschäftsführer hatte deshalb keinen eindeutigen Überblick über die wirtschaftliche Situation des Unternehmens. Gleichwohl hat er für eine Organisation zu sorgen, die ihm die erforderliche Übersicht über die wirtschaftliche und finanzielle Situation der Gesellschaft jederzeit ermöglicht. Ist dies nicht der Fall, so liegt darin grds. ein wichtiger Grund für die auf die Verletzung der Organisationspflicht gestützte Kündigung des Anstellungsvertrags. Eine Ausnahme kann im Einzelfall gegeben sein, wenn der die GmbH beherrschende Gesellschafter den Geschäftsführer im Innenverhältnis von seiner Überwachungsaufgabe freigestellt hat.[5]

V. Prozessuales

Verletzt ein **Geschäftsführer** die ihm obliegende Buchführungspflicht und   12
entsteht dadurch ein Schaden, so ist nach dem Günstigkeitsprinzip grds. derjenige darlegungs- und beweisbelastet, welcher sich auf die Verletzung beruft. Praxisrelevant sind insoweit insbes. Zivilprozesse der Gesellschaft gegen den Geschäftsführer wegen **Geschäftsführerhaftung** gem. § 43 Abs. 2.

In diesen Fällen ist die **Darlegungs- und Beweislastverteilung** nach herr-   13
schender BGH-Rechtsprechung ausnahmsweise dahingehend **modifiziert**, dass die Gesellschaft nur dafür darlegungs- und beweisbelastet ist, dass und inwieweit ihr durch ein Verhalten des Geschäftsführers in dessen **Pflichtenkreis** ein **Schaden** erwachsen ist. Dabei können ihr die Erleichterungen des § 287 ZPO zugute kommen. Demgegenüber hat der Geschäftsführer darzulegen und erforderlichenfalls zu beweisen, dass er seinen **Sorgfaltspflich-**

---

5   BGH, 20.02.1995 – II ZR 9/94, NJW-RR 1995, 669.

ten gem. § 43 Abs. 1 nachgekommen ist oder ihn kein Verschulden trifft, oder dass der Schaden auch bei **pflichtgemäßem Alternativverhalten** eingetreten wäre.[6]

§ 42 GmbHG   Bilanz

(1) In der Bilanz des nach §§ 242, 264 des Handelsgesetzbuchs auf-zustellenden Jahresabschlusses ist das Stammkapital als gezeichnetes Kapital auszuweisen.

(2) [1]Das Recht der Gesellschaft zur Einziehung von Nachschüssen der Gesellschafter ist in der Bilanz insoweit zu aktivieren, als die Einziehung bereits beschlossen ist und den Gesellschaftern ein Recht, durch Ver-weisung auf den Geschäftsanteil sich von der Zahlung der Nachschüsse zu befreien, nicht zusteht. [2]Der nachzuschießende Betrag ist auf der Aktivseite unter den Forderungen gesondert unter der Bezeichnung „Eingeforderte Nachschüsse" auszuweisen, soweit mit der Zahlung gerechnet werden kann. [3]Ein dem Aktivposten entsprechender Betrag ist auf der Passivseite in dem Posten „Kapitalrücklage" gesondert auszuweisen.

(3) Ausleihungen, Forderungen und Verbindlichkeiten gegenüber Gesellschaftern sind in der Regel als solche jeweils gesondert auszuwei-sen oder im Anhang anzugeben; werden sie unter anderen Posten ausgewiesen, so muss diese Eigenschaft vermerkt werden.

---

6   BGH, 04.11.2002 – II ZR 224/00, NJW 2003, 358.

I. Einführung

Für jedes Geschäftsjahr ist nach den allgemeinen Vorschriften der **1** §§ 242, 264 HGB ein Jahresabschluss aufzustellen, der zum einen aus der **Bilanz** und zum anderen aus der **Gewinn- und Verlustrechnung** besteht. Ferner sind ein **Anhang** nach §§ 284 ff. HGB und ggf. ein **Lagebericht** i.S.v. § 289 HGB zu erstellen. Der Umfang der Bilanzierung richtet sich nach der Größe der Gesellschaft gem. § 267 HGB.

Ergänzend zu den allgemeinen Rechnungslegungsvorschriften sowie zu den **2** speziellen Vorschriften für die Rechnungslegung bei Kapitalgesellschaften gem. §§ 264 ff. HGB, enthält § 42 drei GmbH-spezifische Sonderregelungen: den Ausweis des Eigenkapitals (Abs. 1), des Nachschusskapitals (Abs. 2) sowie der Ausleihungen, Forderungen und Verbindlichkeiten gegenüber den Gesellschaftern (Abs. 3).

II. Inhalte des Jahresabschlusses

1. Bilanz

Bei der Bilanz handelt es sich um eine stichtagsbezogene Darstellung des **3** Verhältnisses von Vermögen und Schulden des Kaufmanns in seinem Unternehmen. Folglich stellt die Bilanz eine reine „Momentaufnahme" dar, die über den unterjährigen Geschäftsverlauf wenig, dafür jedoch über die Vermögenssituation der GmbH guten Aufschluss gibt. Eine Bilanz ist in Kontoform zu führen, wobei auf der linken Seite die Aktiva (Vermögenswerte) und auf der rechten Seite die Passiva (Verbindlichkeiten, Rückstellungen und Eigenkapital) auszuweisen sind. Die Gliederungspunkte folgen aus § 266 HGB.

Checkliste Bilanz: Welche Posten müssen in einer Bilanz ausgewiesen **4**
sein?

☑

I. Aktiva

☐ **Anlagevermögen** (§ 266 Abs. 2 A. HGB): immaterielle Vermögensgegenstände (z.B. Firmenwert, Markenrechte), Sachanlagen (z.B. Grundstücke, Maschinen), Finanzanlagen (z.B. Anteile an verbundenen Unternehmen, Beteiligungen).

☐ **Umlaufvermögen** (§ 266 Abs. 2 B. HGB): Vorräte (z.B. Rohstoffe, unfertige und fertige Produkte), Forderungen (z.B. aus Lieferungen und Leistungen), Wertpapiere (eigene Anteile, sonstige Wertpapiere), Kassenbestand (z.B. Bankguthaben und Schecks).

☐ **Rechnungsabgrenzungsposten** (§ 266 Abs. 2 C. HGB): Forderungen oder Verbindlichkeiten werden der Gewinn- und Verlust-

---

rechnung sowie der Bilanz der zutreffenden Rechnungsperiode zugeordnet (aktive Rechnungsabgrenzung: Aufwendungen des neuen Jahres – z.B. Beraterhonorare – werden bereits im alten Jahr gebucht / passive Rechnungsabgrenzung: im alten Jahr vereinnahmte Erträge – z.b. Vorauszahlungen – mit Bezug für das Folgejahr werden zumindest teilweise mit Wirkung für das Folgejahr gebucht).

II.   Passiva

☐ **Eigenkapital** (§ 266 Abs. 3 A. HGB): gezeichnetes Kapital, Kapitalrücklage, Gewinnrücklagen, Gewinn- oder Verlustvortrag, Jahresüberschuss oder Jahresfehlbetrag.

☐ **Rückstellungen** (§ 266 Abs. 3 B. HGB): z.B. für Pensionen, Steuern, Ansprüche seitens Dritter.

☐ **Verbindlichkeiten** (§ 266 Abs. 3 C. HGB): z.B. Anleihen, Verbindlichkeiten gegenüber Kreditinstituten, Verbindlichkeiten aus Lieferungen und Leistungen.

☐ **Rechnungsabgrenzungsposten** (§ 266 Abs. 3 D. HGB).

2.   Gewinn- und Verlustrechnung

5   Die Gewinn- und Verlustrechnung (GuV) ist gem. § 242 Abs. 2 HGB eine **Gegenüberstellung der Aufwendungen und Erträge** für einen bestimmten Zeitraum. Eine GuV ist in **Staffelform** zu erstellen, d.h. von den Umsatzerlösen werden die Materialaufwendungen nebst Herstellungskosten und anschließend der Personal- und Sachaufwand in Abzug gebracht. Nach Berücksichtigung sonstiger Erträge und Aufwendungen wird somit der zu versteuernde Jahresüberschuss/Jahresfehlbetrag (Ergebnis) ermittelt. Die GuV kann nach dem **Gesamtkosten- oder Umsatzkostenverfahren** erstellt werden, wobei sich diese nach der Zuordnung von Erträgen unterscheiden.

6   Checkliste GuV: Wie muss eine GuV nach dem Gesamtkostenverfahren gegliedert sein?

☑

☐ Umsatzerlöse

☐ Erhöhung/Verminderung des Bestands an fertigen und unfertigen Erzeugnissen

☐ Andere aktivierte Eigenleistungen

☐ Sonstige betriebliche Erträge

☐ Materialaufwand

- ☐ Personalaufwand
- ☐ Abschreibungen
- ☐ Sonstige betriebliche Aufwendungen
- ☐ Erträge aus Beteiligungen
- ☐ Erträge aus anderen Wertpapieren und Ausleihungen des Finanzanlagevermögens
- ☐ Sonstige Zinsen und ähnliche Erträge
- ☐ Abschreibungen auf Finanzanlagen sowie auf Wertpapiere des Umlaufvermögens
- ☐ Zinsen und ähnliche Aufwendungen
- ☐ Außerordentliche Erträge
- ☐ Außerordentliche Aufwendungen
- ☐ Außerordentliches Ergebnis
- ☐ Steuern vom Einkommen und vom Ertrag
- ☐ Sonstige Steuern
- ☐ Jahresüberschuss/Jahresfehlbetrag

3. Anhang

Um Bilanz und GuV näher zu erläutern bzw. zu ergänzen, ist dem Jahres- 7
abschluss ein Anhang gem. §§ 284 bis 288 HGB beizufügen. Inhaltlich
muss dieser zum einen **Pflichtangaben** aufweisen, zum anderen können
auch **freiwillige Angaben** enthalten sein.[1] Der Anhang unterliegt der Publi-
kationspflicht und ist bei großen und mittelgroßen Gesellschaften vom
Abschlussprüfer zu prüfen.

4. Lagebericht

Mittelgroße und große Kapitalgesellschaften sind überdies verpflichtet – im 8
Gegensatz zu kleinen Kapitalgesellschaften – einen Lagebericht nach § 289
HGB aufzustellen, in welchem die Geschäftsführung den **Verlauf des
betreffenden Geschäftsjahrs und das Geschäftsergebnis** erörtert. Darzustellen sind auch die **künftigen Risiken** für die GmbH, die **Forschung
und Entwicklung**, die **Zweigniederlassungen** sowie **besondere geschäftliche Vorgänge, die nach dem Schluss des Geschäftsjahres eingetreten
sind**. Schließlich muss die Geschäftsführung ihre **Strategie** und das **Risiko-**

---

1   Details s. Kauka in Bormann/Kauka/Ockelmann, Hdb. GmbH-Recht, Kap. 14
      Rn. 94 ff.

management darlegen sowie eine **Prognose zur künftigen Entwicklung** mit einem mittelfristigen Zeithorizont abgeben. Praxisüblich ist ein Ausblick auf die nächsten zwei bis drei Jahre.

III.   Ausweis des Stammkapitals (Abs. 1)

9   Nach Abs. 1 ist das Stammkapital der GmbH als **gezeichnetes Kapital** auszuweisen. Gezeichnetes Kapital ist der Oberbegriff für das nominale Haftungskapital bei sämtlichen Kapitalgesellschaften und ersetzt den Begriff des „Stammkapitals" oder des „Grundkapitals".

10 Das gezeichnete Kapital ist in der Bilanz gem. § 266 Abs. 3 Buchst. a) I. HGB auf der **Passivseite** anzugeben. Dabei ist der volle (Brutto-) Nennwert, der zum Bilanzstichtag im Handelsregister eingetragen ist, auszuweisen (§ 283 HGB). Gem. § 272 Abs. 1 Satz 2 HGB sind **ausstehende** (noch nicht geleistete) **Einlagen** auf das gezeichnete Kapital auf der **Aktivseite** vor dem Anlagevermögen gesondert auszuweisen, entsprechend zu bezeichnen und zu vermerken oder auf der Passivseite nach § 272 Abs. 1 Satz 2 HGB offen vom gezeichneten Kapital abzusetzen.

11 Die zweite Ausweisalternative führt zu einer Verringerung der Bilanzsumme mit der praktischen Folge, dass dies die Ermittlung der Größenklasse i.S.d. § 267 Abs. 1 bis 3 HGB beeinflussen kann und ggf. eine Abschlussprüfung gem. §§ 316 ff. HGB entbehrlich macht (sofern die Berechnung eine kleine Kapitalgesellschaft gem. § 267 Abs. 1 HGB ergibt).

12 Neben gezeichnetem Kapital bilden Kapital-/Gewinnrücklagen, Gewinn-/Verlustvortrag sowie Jahresüberschuss/-fehlbetrag das Eigenkapital der Gesellschaft. Eigenkapitalersetzende Darlehen i.S.v. § 32a werden nicht zum wirtschaftlichen Eigenkapital der Gesellschaft gezählt, da sie nur zum Schutz der Gläubiger der GmbH als Eigenkapital eingestuft werden.

IV.   Ausweis des Nachschusskapitals (Abs. 2)

13 Gem. § 42 Abs. 2 Satz 1 müssen **Nachschussforderungen** in der Bilanz insoweit aktiviert werden, als ihre Einziehung bereits beschlossen ist und den Gesellschaftern kein Recht gem. § 27 zusteht, sich von der Zahlung der Nachschüsse durch Verweisung auf den Geschäftsanteil zu befreien.

14 Kann mit einer Einzahlung von Nachschussforderungen gerechnet werden, so erfolgt für diese eine **Sonderausweisung** gem. § 266 Abs. 2 Buchst. b) II. HGB auf der Aktivseite unter dem Posten „Forderungen und sonstige Vermögensgegenstände" als „eingeforderte Nachschüsse" sowie auf der Passivseite nach § 266 Abs. 2 Buchst. a) II. HGB als „Kapitalrücklage". Maßgebend ist insoweit die Einschätzung, ob der betreffende **Gesellschafter zahlungswillig und -fähig** ist. Zahlt er die Nachschussforderung tatsäch-

lich ein, so wird üblicherweise ein Aktivtausch mit dem Posten „Kassenbestand, Bundesbankguthaben, Guthaben bei Kreditinstituten und Schecks"
gem. § 266 Abs. 2 Buchst. b) IV. HGB vorgenommen, während der gesonderte Ausweis auf der Passivseite unberührt bleibt.

V. Ausweis der Ausleihungen, Forderungen und Verbindlichkeiten gegenüber Gesellschaftern (Abs. 3)

Grundsätzlich sind nach § 42 Abs. 3 Ausleihungen (z.B. langfristige Darle-   15
hen), Forderungen (z.B. Forderungen aus bestimmten Lieferungen und/oder
Leistungen, Steuerrückerstattungsansprüche etc.) und Verbindlichkeiten (z.B.
aus Lieferungen und/oder Leistungen, der Annahme gezogener Wechsel etc.)
zwischen Gesellschaft und Gesellschaftern (d.h. den jeweiligen Inhabern der
Geschäftsanteile) gesondert auszuweisen. Die gesonderte Ausweisung kann
entweder auf der Aktivseite unter dem Posten „sonstige Ausleihungen" gem.
§ 266 Abs. 2 Buchst. a) III. Nr. 6 HGB, „sonstige Vermögensgegenstände"
nach § 266 Abs. 2 Buchst. b) II. Nr. 4 HGB sowie auf der Passivseite unter
„sonstige Verbindlichkeiten" gem. § 266 Abs. 3 Buchst. c) Nr. 8 HGB oder
auf der Aktivseite unter „Forderungen aus Lieferungen und Leistungen" nach
§ 266 Abs. 2 Buchst. b) II Nr. 1 HGB erfolgen.

VI. Internationale Rechnungslegungsstandards

Gem. § 315a Abs. 3 HGB hat auch die GmbH (als nicht kapitalmarkt-   16
orientiertes Unternehmen i.S.d. WpHG) – sofern sie ein Mutterunternehmen
ist – ein **Wahlrecht**, ihren Konzernabschluss ab dem Geschäftsjahr 2005
nach internationalen Rechnungslegungsstandards (International Accounting
Standards – IAS/International Financial Reporting Standards – IFRS) über
§ 315a Abs. 1 HGB i.V.m. Art. 4 VO 1606/2002 (Verordnung des Europäischen Parlaments und des Rates v. 19.06.2002 betreffend die Anwendung
internationaler Rechnungslegungsstandards) in der jeweils geltenden Fassung aufzustellen. Dass HGB-Abschlüsse und IAS/IFRS-Abschlüsse grds.
gleichwertig sind, ist in der Rechtsprechung anerkannt.[2] Entscheidet sich die
Geschäftsführung für eine Bilanzierung nach IAS/IFRS, so gelten die Rechnungslegungsvorschriften des HGB nur eingeschränkt.

---

[2]   OLG Hamburg, 29.09.2004 – 11 W 78/04, DB 2004, 2805.

17 **Checkliste IAS-/IFRS-Bilanzierung: Welche Vorschriften des HGB kommen weiterhin zur Anwendung?[3]**

☑

☐ **§ 294 Abs. 3 HGB**: Vorlage- und Auskunftspflichten der Tochterunternehmen bei der Konzernrechnungslegung.

☐ **§ 298 Abs. 1 HGB**: erleichternde Vorschriften beim Konzernabschluss, dieser jedoch nur i.V.m. § 244 HGB (deutsche Sprache, Euro als Währungseinheit) und § 245 HGB (Unterzeichnung des Jahresabschlusses durch Kaufmann/persönlich haftende Gesellschafter).

☐ **§ 313 Abs. 2 bis 4 HGB**: erforderliche Erläuterungen in der Konzernbilanz sowie Konzern-Gewinn- und Verlustrechnung/Angaben zum Beteiligungsbesitz.

☐ **§ 314 Abs. 1 Nr. 4, 6, 8 und 9 HGB**: Angaben zur durchschnittlichen Arbeitnehmeranzahl, Personalkosten, Gesamtbezüge der Organmitglieder inkl. diesen gewährten Vorschüssen und Krediten, Compliance-Erklärung nach § 161 AktG (gilt nur für börsennotierte Unternehmen), Vergütung der Abschlussprüfer.

☐ **§ 315 HGB**: Konzernlagebericht.

☐ **HGB-Vorschriften außerhalb des 2. Unterabschnitts (§§ 290 bis 315a HGB), die den Konzernabschluss und Konzernlagebericht betreffen**: insbes. zur Prüfung und Offenlegung.

☐ **Unberührt bleiben die GmbH-spezifischen Sonderregelungen der §§ 41 bis 42a GmbHG.**

18 Für alle übrigen GmbH (die entweder keine Mutterunternehmen sind oder nicht ihr IAS-/IFRS-Wahlrecht ausgeübt haben) gelten die Rechnungslegungsvorschriften des HGB vollständig, ergänzt um die Sonderregelungen der §§ 41 bis 42a.

VII. Abschlussprüfer

19 Gemäß§ 316 Abs. 1 Satz 1 HGB sind der Jahresabschluss und der Lagebericht von Kapitalgesellschaften, die nicht klein i.S.d. § 267 Abs. 1 HGB sind, durch einen Abschlussprüfer zu prüfen, der im Wesentlichen einen **Prüfungsbericht** (§ 321 HGB) erstellt und das Ergebnis der Prüfung in einem **Bestätigungsvermerk** zum Jahresabschluss oder zum Konzern-

---

3   Details: Merkt in Baumbach/Hopt, HGB, § 315a Rn. 6.

abschluss zusammenfasst (§ 322 HGB).[4] Ohne entsprechende Prüfung kann der Jahresabschluss gem. § 316 Abs. 1 Satz 3 HGB nicht festgestellt werden. Infolge dessen sind bei kleinen Kapitalgesellschaften i.S.d. § 267 Abs. 1 HGB die Geschäftsführer bei fehlerhaften Jahresabschlüssen und/oder Lageberichten grds. einer **persönlichen Haftung** ausgesetzt – es sei denn, dass eine freiwillige Prüfung durch einen Abschlussprüfer vorgenommen wurde.

Im Übrigen kommt bei fehlerhaften Jahresabschlüssen immer – jedenfalls bei mittelgroßen (§ 267 Abs. 2 HGB) und großen Kapitalgesellschaften (§ 267 Abs. 3 HGB) – eine **Inanspruchnahme des Abschlussprüfers** in Betracht. Die schuldhafte Verletzung der in § 323 Abs. 1 und 2 HGB genannten Prüferpflichten (gewissenhafte und unparteiische Prüfung, Verschwiegenheitspflicht etc.) sowie aller sonstigen Pflichten, die dem Prüfer, seinen Gehilfen und/oder bei der Prüfung mitwirkenden gesetzlichen Vertretern (einer Prüfungsgesellschaft) i.R.d. gesetzlichen Prüfung obliegen, lösen **Schadensersatzansprüche der Gesellschaft** und ggf. mit ihr verbundenen Unternehmen gem. § 323 Abs. 1 Satz 3 HGB aus. 20

Geschädigte Dritte können ggf. **deliktsrechtliche Ansprüche** aus § 823 Abs. 1 BGB i.V.m. §§ 332 f. HGB; § 826 BGB geltend machen. Ob darüber hinaus eine vertragliche oder quasi-vertragliche Haftung des Abschlussprüfers gegenüber Dritten nach den Grundsätzen des **Vertrags mit Schutzwirkung für Dritte** in Betracht kommt, ist umstritten: Nach vormals ganz überwiegender Meinung konnten Dritte derartige Ansprüche gegen Abschlussprüfer keinesfalls geltend machen.[5] Im Schrifttum wird eine differenzierte Sichtweise vertreten: Eine **Dritthaftung** scheide aus, sofern der Abschlussprüfer dem Vertrag ausdrücklich keine Schutzwirkung zugunsten unbestimmter Dritter beilegen will. Bei nicht ausdrücklicher Regelung müsse eine Vertragsauslegung ergeben, ob eine Dritthaftung vom Willen beider Parteien getragen wird.[6] Diese Ansicht rekurriert auf die Rechtsprechung des BGH, wonach eine Dritthaftung des Abschlussprüfers tendenziell zugelassen und insoweit eine **Vertragsauslegung** als maßgebend angesehen wird.[7] Dies erscheint sach- und interessengerecht, um eine ausufernde Haftung des Abschlussprüfers zu vermeiden und zugleich 21

---

4 Details s. Kauka in Bormann/Kauka/Ockelmann, Hdb. GmbH-Recht, Kap. 14 Rn. 117 ff.

5 OLG Düsseldorf, 19.11.1998 – 8 U 59/98, DStR 2000, 985; LG Frankfurt a.M., 08.04.1997 – 2/18 O 475/95, AG 1998, 144.

6 Kleindiek in Lutter/Hommelhoff, GmbHG, Anh. § 42 Rn. 56 m.w.N.

7 BGH, 26.06.2001 – X ZR 231/99, NJW 2001, 3115; BGH, 02.04.1998 – II ZR 245/96, ZIP 1998, 826.

Dritte in ihren Rechten zu schützen. Im Einzelfall ist daher auf die Inhalte der jährlich neu abzuschließenden Verträge mit dem Wirtschaftsprüfer abzustellen. Da von diesem in den meisten Fällen **standardisierte Vertragsbedingungen** verwendet werden, dürfte im Regelfall nicht von einer Schutzwirkung zugunsten Dritter auszugehen sein.

VIII. Allgemeine Bewertungsgrundsätze

22   Der Jahresabschluss hat ein zutreffendes Bild von der wirtschaftlichen Situation der Gesellschaft zu vermitteln. Maßgebend sind insoweit die **Bilanzierungsvorschriften** des § 252 HGB sowie ergänzend der §§ 253 bis 256 HGB.[8] Bei der Bewertung der Vermögensgegenstände und Schulden ist grds. davon auszugehen, dass die Unternehmenstätigkeit fortgeführt wird **(Going-Concern-Prinzip)**. Die **Fortführung** muss für einen **überschaubaren Zeitraum** zu erwarten sein. In praxi wird zu Fortführungswerten bilanziert, wenn das Unternehmen voraussichtlich bis zum Ende des dem Abschlussstichtag folgenden Geschäftsjahres existiert. Eine Ausnahme besteht für den Fall, dass **tatsächliche oder rechtliche Gegebenheiten** gegen eine Fortführung sprechen. So können in tatsächlicher Hinsicht bereits eine wirtschaftliche Schieflage oder jedenfalls eine absehbare Insolvenz als Anhaltspunkte gegen eine Fortführung sprechen. Als rechtliche Gegebenheit kann u.a. eine bevorstehende Auflösung bzw. Liquidation der GmbH anzusehen sein. Ist einer der beiden Ausnahmefälle gegeben, so sind Liquidationswerte bei der Bilanzierung anzusetzen. Jedenfalls muss eine Kapitalgesellschaft im Lagebericht des Jahresabschlusses gem. § 289 Abs. 2 Nr. 2 HGB auf Zweifel hinsichtlich der Unternehmensfortführung hinweisen.

23   Die Bilanzierung zu Fortführungswerten erfordert, dass Gegenstände des Aktivvermögens grds. mit den **Anschaffungs- bzw. Herstellungskosten** angesetzt und davon dann planmäßige Abschreibungen entsprechend der voraussichtlichen Nutzungsdauer abgezogen werden. Wertberichtigungen gemäß Marktpreisentwicklungen vorgenommen werden.[9] Zugleich ist das **Gebot der Bewertungsvorsicht** zu beachten: Sofern bei der Wertermittlung ein gewisser **Ermessensspielraum** besteht, ist im Zweifel eher ein ungünstiger als ein günstiger Verlauf zugrunde zu legen, d.h. von mehreren Schätzungsalternativen die pessimistischere zu wählen.[10]

---

8   Einzelheiten s. Kauka in Bormann/Kauka/Ockelmann, Hdb. GmbH-Recht, Kap. 14 Rn. 87 ff.

9   Altmeppen in Roth/Altmeppen, GmbHG, § 42 Rn. 23.

10   Kleindiek in Staub, HGB, § 252 Rn 23.

Für Kapitalgesellschaften – und somit auch für die GmbH – gilt darüber 24
hinaus gem. § 264 Abs. 2 HGB die Pflicht, das **den tatsächlichen Verhältnissen entsprechende Bild der Vermögens-, Finanz- und Ertragslage** in
der Bilanz darzustellen.[11] Dieses sog. **Einblicksgebot** erfordert eine gleich-
rangige Darstellung von Vermögen, Finanzen und Ertrag. Angesichts der
Publizitätspflicht der GmbH darf es weder bilanzielle Über- noch Unterbe-
wertungen geben, um dem Rechtsverkehr ein möglichst realistisches Bild zu
vermitteln. Insbesondere sind **überhöhte Abschreibungen** nach § 253
Abs. 4 HGB ausgeschlossen oder **Wertschwankungen** von Vermögensgegenständen der Gesellschaft i.S.v. § 253 Abs. 2 S. 3 HGB begrenzt
berücksichtigungsfähig. Einzelheiten zur Bilanzierung sind den §§ 252 ff.
HGB zu entnehmen.

IX. Rechtsfolgen

Geschäftsführer machen sich **strafbar** nach § 331 Nr. 1 HGB oder §§ 331 25
Nr. 1a i.V.m. 325 Abs. 2a und 2b HGB (sofern der offen gelegte Jahresabschluss
nach internationalem Rechnungslegungsstandard erfolgt), wenn sie die Verhältnisse der GmbH in der Eröffnungsbilanz, im Jahresabschluss, im Lagebericht
oder im Zwischenabschluss unrichtig wiedergeben oder verschleiern.

Unterlassen sie die **Aufstellung des Jahresabschlusses und des Lagebe-** 26
richts, so kann das Registergericht gem. § 335 Satz 1 Nr. 1 HGB ein
Zwangsgeld festlegen. Im Übrigen sind Verstöße gegen die in § 334 HGB
genannten Vorschriften zum Jahresabschluss und Lagebericht als **Ord-**
nungswidrigkeiten einzustufen, welche **Geldbußen von bis zu 50.000 €**
auslösen können.[12]

Aufsichtsratsmitglieder können allenfalls dann als Täter anzusehen sein, 27
wenn der Aufsichtsrat ausnahmsweise an der Feststellung des Jahresabschlusses und/oder Lageberichts mitgewirkt hat. In der Praxis dürfte sich
ein **vorsätzliches Handeln des Geschäftsführers und/oder Aufsichtsrats-**
mitglieds gem. § 10 OWiG aber nur selten nachweisen lassen.

X. Prozessuales

Für die Darlegungs- und Beweislast gilt grds. das **Günstigkeitsprinzip**, 28
welches im GmbH-Recht ausnahmsweise modifiziert wird: Soweit
Geschäftsführer gem. § 43 Abs. 2 in Anspruch genommen werden, kommt

---

11   Details s. Kauka in Bormann/Kauka/Ockelmann, Hdb. GmbH-Recht, Kap. 14
     Rn. 65 ff.
12   Einzelheiten s. Schulze-Osterloh in Baumbach/Hueck, GmbHG, § 42
     Rn. 570 m.w.N.

eine **Erleichterung der Darlegungs- und Beweislast** entsprechend §§ 93 Abs. 2 Satz 2 AktG; 34 Abs. 2 Satz 2 GenG in Betracht (vgl. § 41 Rn. 13).

§ 42a GmbHG   Vorlage des Jahresabschlusses und Lageberichts

(1) [1]Die Geschäftsführer haben den Jahresabschluss und den Lagebericht unverzüglich nach der Aufstellung den Gesellschaftern zum Zwecke der Feststellung des Jahresabschlusses vorzulegen. [2]Ist der Jahresabschluss durch einen Abschlussprüfer zu prüfen, so haben die Geschäftsführer ihn zusammen mit dem Lagebericht und dem Prüfungsbericht des Abschlussprüfers unverzüglich nach Eingang des Prüfungsberichts vorzulegen. [3]Hat die Gesellschaft einen Aufsichtsrat, so ist dessen Bericht über das Ergebnis seiner Prüfung ebenfalls unverzüglich vorzulegen.

(2) [1]Die Gesellschafter haben spätestens bis zum Ablauf der ersten acht Monate oder, wenn es sich um eine kleine Gesellschaft handelt (§ 267 Abs. 1 des Handelsgesetzbuchs), bis zum Ablauf der ersten elf Monate des Geschäftsjahrs über die Feststellung des Jahresabschlusses und über die Ergebnisverwendung zu beschließen. [2]Der Gesellschaftsvertrag kann die Frist nicht verlängern. [3]Auf den Jahresabschluss sind bei der Feststellung die für seine Aufstellung geltenden Vorschriften anzuwenden.

(3) Hat ein Abschlussprüfer den Jahresabschluss geprüft, so hat er auf Verlangen eines Gesellschafters an den Verhandlungen über die Feststellung des Jahresabschlusses teilzunehmen.

(4) [1]Ist die Gesellschaft zur Aufstellung eines Konzernabschlusses und eines Konzernlageberichts verpflichtet, so sind die Absätze 1 bis 3 entsprechend anzuwenden. [2]Das Gleiche gilt hinsichtlich eines Einzelabschlusses nach § 325 Abs. 2a des Handelsgesetzbuchs, wenn die Gesellschafter die Offenlegung eines solchen beschlossen haben.

I. Einführung

Wie mit dem Jahresabschluss und Lagebericht der GmbH in formaler 1
Hinsicht vorzugehen ist, lässt sich § 42a entnehmen. Dies betrifft insbes.
das **Beschlussverfahren zur Feststellung des Jahresabschlusses und der
Ergebnisverwendung**. Die Vorschrift steht in systematischem Zusammenhang mit der Kompetenzvorschrift des § 46 Nr. 1 (Zuständigkeit der Gesellschafter für die Feststellung des Jahresabschlusses und Ergebnisverwendung) sowie mit dem § 29 (Gewinnverwendung). Dabei erläutert § 42a den
im HGB nicht geregelten **Verfahrensablauf zwischen Aufstellung und
Offenlegung/Publizierung des Jahresabschlusses**.

Inhaltlich bestimmt § 42a Abs. 1 die **Pflichten der Geschäftsführer** (unverzügliche Vorlage des Jahresabschlusses und des Lageberichts an die 2
Gesellschafter), während § 42a Abs. 2 die **Pflichten der Gesellschafter**
(Beschlussfassung über die Feststellung des Jahresabschlusses und die
Ergebnisverwendung) und § 42a Abs. 3 die **Pflichten des Abschlussprüfers** (ggf. Teilnahme des Abschlussprüfers an den Verhandlungen über die
Ergebnisverwendung) regelt. Aus § 42a Abs. 4 ergeben sich die **Besonderheiten beim Konzernabschluss sowie Offenlegungsvorschriften beim
Einzelabschluss** nach § 325 Abs. 2a HGB. Bei nicht unverzüglicher Vorlage kommen u.a. **Schadensersatzansprüche** gem. § 43 Abs. 2 i.V.m.
§ 42a Abs. 1 GmbHG sowie über §§ 823 ff. BGB in Betracht.

II. Pflichten der Geschäftsführer (Abs. 1)

Die Vorschrift des § 42a Abs. 1 richtet sich an **Geschäftsführer, stellvertretende Geschäftsführer und faktische Geschäftsführer**. Sie sind zur 3
Vorlage des aufgestellten, unterzeichneten Jahresabschlusses und Lageberichts nebst Prüfungsbericht des Abschlussprüfers sowie ggf. Bericht des
Aufsichtsrates verpflichtet.[1] Vorlage bedeutet insoweit die **physische
Zugänglichmachung** des jeweiligen Jahresabschlusses nebst Anlagen im
Original für den Empfängerkreis. Die Vorlage kann durch Zustellung der
Unterlagen an einen einzelnen empfangsberechtigten Gesellschafter oder
durch Zugänglichmachung in den Geschäftsräumen der GmbH erfolgen. In
der Praxis stellt der Wirtschaftsprüfer eine ausreichende Zahl von Exemplaren zur Verfügung, sodass alle Gesellschafter jeweils eine Ausfertigung
postalisch erhalten.

---

1   Details s. Kauka in Bormann/Kauka/Ockelmann, Hdb. GmbH-Recht, Kap. 14
Rn. 163 ff.

4   Die Vorlage hat unverzüglich, also ohne schuldhaftes Zögern i.S.v. § 121 Abs. 1 Satz 1 BGB, zu erfolgen. Abhängig vom Umfang der Unterlagen dürfte eine **Vorlage innerhalb von ein bis zwei Wochen** ausreichend sein.[2] Grundsätzlich stellt § 42a Abs. 1 zwingendes Recht dar, sodass die **Vorlage an die Gesellschafterversammlung** zu erfolgen hat. Ausnahmsweise kann ein **abweichender Empfängerkreis im Gesellschaftsvertrag** geregelt werden, indem die Zuständigkeit der Gesellschafterversammlung zur Feststellung des Jahresabschlusses einem anderen Gesellschaftsorgan übertragen wird[3] – in der Praxis meist dem **Aufsichtsrat**.

III.   Pflichten der Gesellschafter (Abs. 2)

5   Die Gesellschafter oder das anderweitig bestimmte zuständige Organ müssen nach § 42a Abs. 2 innerhalb der ersten acht Monate oder – sofern es sich um eine kleine Gesellschaft i.S.d. § 267 Abs. 1 HGB handelt – bis zum Ablauf der ersten elf Monate des Geschäftsjahres über die Feststellung des Jahresabschlusses und die **Ergebnisverwendung** beschließen. Unter Feststellung versteht man die **Billigung der Bilanz** durch die Verwaltung mit der Folge der Verbindlichkeit für Gesellschaft und Anteilseigner. Die Aufstellung des Jahresabschlusses ist somit Vorbereitungshandlung für die **Feststellung als konstitutiver Akt**.[4] Eben diese Feststellung des Jahresabschlusses ist **Vorbedingung für den Ergebnisverwendungsbeschluss** sowie Basis für die Auszahlung etwaiger ergebnisabhängiger Ansprüche (z.B. an stille Gesellschafter).[5] Die vorgenannten Fristen zur Feststellung des Jahresabschlusses sind zwingend und können nicht gesellschaftsvertraglich oder per Beschluss verlängert werden.

6   Der Jahresabschluss muss nicht zwingend durch einen ausdrücklichen Beschluss, sondern kann auch durch **schlüssiges Verhalten** festgestellt werden. Dies gilt insbes. für Einpersonengesellschaften, wenn sich aus den Gesamtumständen hinreichend klar ergibt, dass die Positionen des Jahresabschlusses als verbindlich anerkannt werden.

Praxisbeispiel:

Eine kleine Kapitalgesellschaft i.S.v. § 267 HGB unterzog sich einer freiwilligen Abschlussprüfung und erhielt seitens des Wirtschaftsprüfers zunächst einen Prüfbericht „als Entwurf". Dieser wurde seitens des geschäftsführenden Alleingesell-

---

2   Schulze-Osterloh in Baumbach/Hueck, GmbHG, § 42a Rn. 8 m.w.N.

3   Schulze-Osterloh in Baumbach/Hueck, GmbHG, § 42a Rn. 3 und 18 m.w.N.

4   Fischer in Wachter, FA Handels- und Gesellschaftsrecht, 1. Aufl. 2007, Teil 2, 15. Kap., § 1 C. I, Rn. 20.

5   Einzelheiten s. Kauka in Bormann/Kauka/Ockelmann, Hdb. GmbH-Recht, Kap. 14 Rn. 171 ff.

schafters zwar nicht explizit freigegeben. Allerdings reichte er die Entwurfsfassung der Bilanz als Bestandteil seiner Steuererklärung beim Finanzamt ein. Dies genügte, um von einer festgestellten Bilanz auszugehen, die hinsichtlich der dort ausgewiesenen Forderung der Gesellschaft gegen den Beklagten als alleinigen Gesellschafter eine grds. bindende Festlegung enthält.[6]

IV.   Pflichten des Abschlussprüfers (Abs. 3)

Die Vorschrift des § 42a Abs. 3 beinhaltet die Pflicht des Abschlussprüfers,   7
auf Verlangen an den Verhandlungen über die Feststellung des Jahresabschlusses teilzunehmen. Direkt anwendbar ist die Norm, sofern eine
Abschlussprüfung i.S.v. § 316 Abs. 1 Satz 1 HGB für mittelgroße (§ 267
Abs. 2 HGB) und große Gesellschaften (§ 267 Abs. 3 HGB) vorzunehmen
ist. Eine **entsprechende Anwendbarkeit** ist bei **freiwilligen Abschluss-
prüfungen** zu bejahen, da insoweit sowohl eine planwidrige Regelungslücke
(keine gesetzliche Regelung der Teilnahmepflicht für nicht prüfungspflich-
tige Gesellschaften) sowie eine vergleichbare Interessenlage (Information
der Gesellschaft und des Rechtsverkehrs sind intendiert) vorliegt.

Einzelne Gesellschafter sind wegen § 42a Abs. 3 berechtigt, die **Teilnahme**   8
eines Abschlussprüfers an derjenigen Sitzung zu fordern, in welcher über
die Feststellung des Jahresabschlusses verhandelt wird. Sofern die Kompetenz auf ein anderes Gesellschaftsorgan delegiert worden ist, dürfte dieses
Recht in analoger Anwendung des § 42a Abs. 3 auch den einzelnen Mitgliedern des betreffenden Organs (z.B. Aufsichtsratsmitgliedern) zustehen.

Die Teilnahmepflicht des Abschlussprüfers erstreckt sich nur auf den **Tages-**   9
ordnungspunkt der „Feststellung des Jahresabschlusses" und impliziert
auch eine **Pflicht zur inhaltlichen Erläuterung.** Denn aus dem Wortlaut
des § 42 Abs. 3 folgt, dass es um „Verhandlungen" und damit ggf. auch um
den Austausch bzw. die Erörterung von fachlichen Argumenten geht. Daher
reicht eine bloß physische Anwesenheit nicht aus, um dem Normzweck zu
entsprechen. Aus den gleichen Gründen steht Gesellschaftern bzw. Mitgliedern des zuständigen Gesellschaftsorgans ein **Fragerecht** zu.[7] Der
Abschlussprüfer darf eine Auskunft verweigern, wenn diese zu gesellschaftsfremden Zwecken verwendet werden und dadurch der GmbH oder
mit ihr verbundener Unternehmen ein **nicht unerheblicher Nachteil** zugefügt werden könnte. Allerdings bedarf es hierzu eines Beschlusses der
Gesellschafterversammlung; von sich aus darf der Abschlussprüfer die
Auskunft nicht verweigern.[8]

---

6   OLG Hamm, 01.02.2006 – 8 U 46/05, NJW-RR 2006, 1189.

7   Altmeppen in Roth/Altmeppen, GmbHG, § 42a Rn. 27.

8   Schmidt in Achilles/Ensthaler/Schmidt, GmbHG, § 42a Rn. 18.

10 **Checkliste Bilanzfeststellung: Wie ist der Prozessablauf für Aufstellung und Feststellung des Jahresabschlusses?**

☑

I.   Aufstellung des Jahresabschlusses, § 264 HGB

☐ Zusammenstellen des Zahlenwerks (Bilanz sowie Gewinn- und Verlustrechnung) nebst Anhang und ggf. Lagebericht – in praxi verbunden mit einem Vorschlag zur Ergebnisverwendung.

☐ Unterzeichnung durch alle Geschäftsführer (nicht zwingend bei Aufstellung;[9] aber zu empfehlen).

☐ Fristgerechte Erstellung (kleine Gesellschaften: bis zu sechs Monate nach Ende des Geschäftsjahrs, mittelgroße und große Gesellschaften: bis zu drei Monate nach Ende des Geschäftsjahrs).

☐ Ggf. Klärung von Detailfragen zwischen Geschäftsführung und Gesellschaftern.

II.   Abschlussprüfung, §§ 316 ff. HGB

☐ Verpflichtende Abschlussprüfung nur für mittelgroße und große Gesellschaften i.S.v. § 267 HGB; freiwillige Abschlussprüfung für kleine Gesellschaften möglich.

☐ Vorlage des Jahresabschlusses nebst Anhang und Lagebericht an den Abschlussprüfer.

☐ Prüfung durch den Abschlussprüfer.

☐ Prüfungsbericht nebst Bestätigungsvermerk durch den Abschlussprüfer, §§ 321, 322 HGB.

III.   Vorlage des Jahresabschlusses, § 42a Abs. 1 GmbHG

☐ Weitergabe des Jahresabschlusses nebst Anhang, Lagebericht und Prüfungsbericht des Abschlussprüfers an die Gesellschafterversammlung (wenn ein Gesellschafter empfangsberechtigt, so Übergabe an diesen; ansonsten Auslage in den Geschäftsräumen der GmbH und Information an alle Gesellschafter).

☐ Einberufung der Gesellschafterversammlung zwecks Feststellung des Jahresabschlusses.

---

9   BGH, 28.01.1985 – II ZR 79/84, GmbHR 1985, 256.

IV.   Feststellung des Jahresabschlusses, § 42a Abs. 2 GmbHG

☐ Frist: bei kleinen Gesellschaften binnen der ersten acht Monate und bei mittelgroßen bzw. großen Gesellschaften binnen der ersten elf Monate des Geschäftsjahrs – keine Verlängerung möglich.

☐ Ggf. Teilnahme des Abschlussprüfers an Gesellschafterversammlung (§ 42a Abs. 3 GmbHG, sofern Teilnahmeverlangen seitens der Gesellschafterversammlung an Geschäftsführer gerichtet).

☐ Feststellung des Jahresabschlusses i.d.R. durch schriftlich protokollierte Beschlussfassung (in praxi meist verbunden mit einem Ergebnisverwendungsbeschluss).

V.   Konzernabschluss und Einzelabschluss gem. § 325 Abs. 2a HGB (Abs. 4)

Ist eine GmbH als **Mutterunternehmen** zur Aufstellung eines Konzernabschlusses nach §§ 290 ff. HGB verpflichtet, so müssen die Geschäftsführer den Konzernabschluss, Konzernlagebericht sowie Prüfungsbericht vorlegen.[10] Sofern die Gesellschafter den Abschluss nach **internationalen IAS/IFRS-Rechnungslegungsstandards** beschlossen haben (vgl. dazu § 42 Rn. 16), ist ebenfalls das **Vorlageverfahren des § 42a Abs. 1 bis 3** anzuwenden.   11

VI.   Rechtsfolgen

Für die Beschlussfassung über die Feststellung des Jahresabschlusses gelten die §§ 47, 48, sodass bei fehlerhaften Beschlüssen der Gesellschafterversammlung bzw. des zuständigen Gesellschaftsorgans eine **Nichtigkeit oder Anfechtbarkeit** in Betracht kommt (vgl. Kommentierung zu §§ 47, 48). Umfasst der fehlerhafte Beschluss auch die Ergebnisverwendung, so teilt diese das Schicksal des gesamten Beschlusses. Die Gesellschafter müssen daher ggf. den Jahresabschluss nochmals ordnungsgemäß aufstellen und auch die Ergebnisverwendung beschließen.   12

Entsteht der GmbH durch die Nichtvorlage oder verspätete Vorlage des Jahresabschlusses ein Schaden, so kann die **Geschäftsführung** ggf. wegen **Verletzung ihrer Sorgfaltspflichten** gem. § 43 Abs. 1 i.V.m. § 42a auf **Schadensersatz** in Anspruch genommen werden.   13

---

10   Details zur Konzernrechnungslegung: Kauka in Bormann/Kauka/Ockelmann, Hdb. GmbH-Recht, Kap. 14 Rn. 211 ff.

VII.   Prozessuales

14   Verletzt der **Geschäftsführer** die ihm gem. § 42a obliegenden Verpflichtungen zur Vorlage des Jahresabschlusses und Lageberichts, so ist die
Darlegungs- und Beweislast der Gesellschaft entsprechend §§ 93 Abs. 2
Satz 2 AktG; 34 Abs. 2 Satz 2 GenG **erleichtert**; das **Günstigkeitsprinzip**
gilt dann nur noch eingeschränkt: Die Gesellschaft muss darlegen und
beweisen, dass durch die Nichtvorlage oder verspätete Vorlage ein **Schaden
eingetreten** ist und dass dieser durch ein möglicherweise **pflichtwidriges
Verhalten des Geschäftsführers** verursacht wurde. Hingegen muss der
Geschäftsführer darlegen und beweisen, dass er seinen **Sorgfaltspflichten**
gem. § 43 Abs. 1 i.V.m. § 42a nachgekommen ist, dass das den Schaden
auslösende **Verhalten nicht pflichtwidrig** war oder dass ihn jedenfalls **kein
Schuldvorwurf** hinsichtlich der Pflichtverletzung trifft.

15   Darüber hinaus können Gesellschafter, denen die Aushändigung vorzule-
gender Unterlagen i.S.d. § 42a seitens der Geschäftsführer verweigert wird,
in entsprechender Anwendung von § 51b GmbHG i.V.m. §§ 132, 99 AktG
(gerichtliche Entscheidung über das **Auskunft- und Einsichtsrecht**) ein
Erzwingungsverfahren nach **FGG-Grundsätzen** anstrengen.

16   Weigert sich ein **Abschlussprüfer**, an Verhandlungen über die Feststellung
des Jahresabschlusses teilzunehmen, so kann die **Teilnahme per Leistungsklage** durchgesetzt werden. Der betreffende einzelne Gesellschafter kann
dies im Wege der **actio pro socio** realisieren.[11]

§ 43 GmbHG   Haftung der Geschäftsführer

**(1) Die Geschäftsführer haben in den Angelegenheiten der Gesellschaft
die Sorgfalt eines ordentlichen Geschäftsmannes anzuwenden.**

**(2) Geschäftsführer, welche ihre Obliegenheiten verletzen, haften der
Gesellschaft solidarisch für den entstandenen Schaden.**

**(3) [1]Insbesondere sind sie zum Ersatze verpflichtet, wenn den Bestim-
mungen des § 30 zuwider Zahlungen aus dem zur Erhaltung des
Stammkapitals erforderlichen Vermögen der Gesellschaft gemacht
oder den Bestimmungen des § 33 zuwider eigene Geschäftsanteile der
Gesellschaft erworben worden sind. [2]Auf den Ersatzanspruch finden die
Bestimmungen in § 9b Abs. 1 entsprechende Anwendung. [3]Soweit der
Ersatz zur Befriedigung der Gläubiger der Gesellschaft erforderlich ist,
wird die Verpflichtung der Geschäftsführer dadurch nicht aufgehoben,**

---

11   Schmidt in Achilles/Ensthaler/Schmidt, GmbHG, § 42a Rn. 19.

dass dieselben in Befolgung eines Beschlusses der Gesellschafter gehandelt haben.

(4) Die Ansprüche auf Grund der vorstehenden Bestimmungen verjähren in fünf Jahren.

I. Allgemeines

Gegenstand des § 43 ist die **Innenhaftung des Geschäftsführers** gegenüber der Gesellschaft. Die Vorschrift bietet also keine Grundlage für Ansprüche von Gesellschaftern oder Gesellschaftsgläubigern gegen Geschäftsführer, schließt aber **Schadensersatzansprüche** nicht generell aus: Möglich ist eine **deliktsrechtliche Außenhaftung**. Inhaltlich sieht die Vorschrift des § 43 Regelungen zum **Sorgfaltsmaßstab** (Abs. 1), zur Schadensersatzpflicht (Abs. 2), zu **Sonderfällen der Geschäftsführerhaftung** (Abs. 3) und zur **Verjährung** (Abs. 4) vor. In systematischer Hinsicht geht die Sonderregelung des Abs. 3 der allgemeinen Haftungsnorm des Abs. 2 vor. 1

II. Normadressaten

Die Haftung erfasst neben **Geschäftsführern** auch stellvertretende 2 Geschäftsführer. Dies ergibt sich unmittelbar aus dem Wortlaut von § 44. Hiernach gelten die für den Geschäftsführer gegebenen Vorschriften auch für **Stellvertreter von Geschäftsführern**. Darüber hinaus können auch **faktische Geschäftsführer** auf Basis von § 43 haftbar gemacht werden, wenn sie nach außen dauerhaft und von den Gesellschaftern geduldet die Geschäfte der GmbH führen.[1] Ein **wirksamer Anstellungsvertrag** oder

---

[1] Kriterien s. Ockelmann/Pieperjohanns/Hölck in Bormann/Kauka/Ockelmann, Hdb. GmbH-Recht, Kap. 7 Rn. 199 ff.

eine **wirksame Bestellung zum Geschäftsführer müssen nicht gegeben sein.**[2] Demgegenüber ist § 43 regelmäßig nicht auf **Prokuristen** anwendbar, sofern diese nicht die Geschäfte der GmbH tatsächlich wie (Mit-) Geschäftsführer führen.[3]

III. Pflichten des Geschäftsführers (Abs. 1)

3   Die **Sorgfalt eines ordentlichen Geschäftsmannes** schuldet der Geschäftsführer der Gesellschaft bei der Erfüllung seiner Pflichten. Dies entspricht begrifflich dem „ordentlichen und gewissenhaften Geschäftsleiter" in § 93 Abs. 1 Satz 1 AktG und verschärft damit die Anforderungen der **kaufmännischen Sorgfaltspflicht** nach § 347 HGB.

4   Aus dem Terminus „ordentlicher und gewissenhafter Geschäftsleiter" ergibt sich ein Ermessensspielraum, den der deutsche Gesetzgeber durch das am 01.11.2005 in Kraft getretene Gesetz zur Unternehmensintegrität und Modernisierung des Aktienrechts (**UMAG**) teilweise inhaltlich ausgestaltet hat. In Anlehnung an die im US-Gesellschaftsrecht entwickelte *„business judgment rule"* zur Haftung bei unternehmerischen Entscheidungen sind die an Unternehmensleiter gestellten Sorgfaltspflichten nunmehr in § 93 Abs. 1 Satz 2 AktG konkretisiert:

> *„Eine Pflichtverletzung liegt nicht vor, wenn das Vorstandsmitglied bei einer unternehmerischen Entscheidung vernünftiger Weise annehmen durfte, auf der Grundlage angemessener Informationen zum Wohle der Gesellschaft zu handeln."*

5   Die für die AG insoweit übernommene business judgement rule[4] wird man entsprechend auf die GmbH anwenden müssen. Damit tragen Geschäftsführer nicht mehr das Risiko, dass sich **unternehmerische Entscheidungen** *ex post* als nachteilig erweisen, vorausgesetzt man konnte *ex ante* von einer vernünftigen unternehmerischen Entscheidung auf Grundlage der vorhandenen und erhältlichen Informationen/Unterlagen zum Wohle der Gesellschaft ausgehen. Um nachweisen zu können, dass die Entscheidung *ex ante* als vernünftig einzustufen war, sollten Geschäftsführer die **entscheidungstragenden Aspekte** und die **Abwägung von Argumenten schriftlich dokumentieren.**[5]

---

2   BGH, 20.02.1995 – II ZR 143/93, NJW 1995, 1290.

3   BGH, 25.06.2001 – II ZR 38/99, NJW 2001, 3123.

4   Mehr zur business judgement rule: Schneider, GmbHR 2005, 1229.

5   Vgl. auch Ockelmann/Pieperjohanns/Hölck in Bormann/Kauka/Ockelmann, Hdb. GmbH-Recht, Kap. 7 Rn. 155.

Checkliste Entscheidungsfindung: Welche Aspekte sollten Geschäftsführer bei ihrer Entscheidung besonders berücksichtigen?

6

> ☐ **Ökonomischer Nutzen einer Investition**: positiver Barwert der
> aus der Investition zu erwartenden Cash Flows (unter Berück-
> sichtigung eines marktgerechten Zinses und nachvollziehbarer
> Cash Flow Prognosen).
>
> ☐ **Schlüssiger Business Case**: Zugrundelegung eines nachvollzieh-
> baren Geschäftsplans einschließlich aller Erträge und Aufwendun-
> gen.
>
> ☐ **Chancen/Risiken-Abwägung**: ausdrückliche Dokumentation aller
> mit der Entscheidung verbundenen Risiken (z.B. Rechtsrisiken,
> operative Risiken, Finanzierungsrisiken) und der Einholung von
> Expertenrat zu den jeweiligen Risiken nebst Gegenüberstellung/
> Gewichtung der Chancen.
>
> ☐ **Aufzeigen/Ablehnen von Opportunitäten**: Identifizierung von
> alternativen Entscheidungsmöglichkeiten und deren Folgen im
> Abgleich mit der intendierten Entscheidungsmöglichkeit.

Zu den Sorgfaltspflichten der Geschäftsführer zählen insbes. die **Pflicht zur
ordnungsgemäßen Geschäftsführung** sowie die **Treuepflicht gegenüber
der Gesellschaft**. Bei Verletzung der Treuepflicht droht den Geschäftsführern zumindest die **Abführung der genossenen Übermaßvorteile** in
entsprechender Anwendung von § 88 Abs. 2 Satz 2 AktG.

7

Checkliste Geschäftsführerpflichten: Welche Pflichten treffen einen
Geschäftsführer?

8

> ☐ **Beachtung gesetzlicher Regelungen**: z.B. Gesellschafts-, Wett-
> bewerbs-, Kartell-, Arbeits- und Sozialrecht sowie öffentlich-recht-
> liche Regelungen.
>
> ☐ **Beachtung der Satzungsregelungen**: z.B. Zuständigkeiten der
> Organe.
>
> ☐ **Beachtung der Regelungen des Anstellungsvertrags**: z.B.
> Beschränkungen der Geschäftsführungsbefugnis oder Wett-
> bewerbsverbote.
>
> ☐ **Handeln zum wirtschaftlichen Vorteil**: Nutzung von Geschäft-
> schancen für die GmbH unter sorgfältiger Abwägung der Risiken.

☐ **Wahrung der Interessen der GmbH**: Pflicht zum Einschreiten z.B. bei geplanter Gründung eines Konkurrenzunternehmens durch den Geschäftsführer einer Niederlassung[6] sowie Unterlassen von Warenverkäufen auf Kredit an unbekannte Unternehmen, ohne sich Sicherheiten geben zu lassen und Verhältnisse sowie geschäftliche Möglichkeiten des Unternehmens zu prüfen.[7]

☐ **Organisations- und Überwachungspflicht**: wirtschaftliche und finanzielle Situation der GmbH jederzeit überwachen,[8] Betriebsabläufe organisieren, relevante Daten verschaffen sowie aktualisieren und auswerten, Aufgaben delegieren, geeignete Mitarbeiter aussuchen.

☐ **Verschwiegenheitspflicht**: Nach § 85 machen sich Geschäftsführer strafbar, wenn sie Geheimnisse der GmbH unbefugt offenbaren. Ob eine Tatsache geheim zu halten ist, richtet sich nach den Interessen der GmbH. Gegenüber anderen Gesellschaftsorganen ist eine Offenbarung geheimer Informationen grds. zulässig.

☐ **Beachtung der Treuepflicht**: z.B. bei der Vermögensverwaltung, Vermeidung von Interessenkollisionen, Beachtung des generell bestehenden Wettbewerbsverbots.

9 Geschäftsführer sollten sich insbes. mit den **internen Regularien (Gesellschaftsvertrag und Geschäftsordnungen** der Geschäftsführung bzw. des Aufsichtsrats) genauestens vertraut machen und ihr Handeln daran ausrichten. Verstöße können insbes. dann schwerwiegende Folgen haben, wenn es zur **Insolvenz der GmbH** kommt oder **neue Gesellschafter eintreten** bzw. **Gesellschafter wechseln**. Haftungstatbestände spielen dann oft eine Rolle.

IV.   Haftung des Geschäftsführers gegenüber der Gesellschaft (Abs. 2)

10 Nach § 43 Abs. 2 haftet der Geschäftsführer gegenüber der Gesellschaft gem. § 43 Abs. 2 für jede Pflichtverletzung i.S.d. § 43 Abs. 1, die in Ausführung seiner Tätigkeit als **Organmitglied der „Geschäftsführung"** entstanden ist. Insbesondere darf er seine Stellung nicht zu eigenen Gunsten und gegen die Interessen der Gesellschaft ausnutzen. Dies liegt nicht erst bei einem unmittelbaren „Griff in die Kasse" vor. Vielmehr reicht es bereits aus, dass der Geschäftsführer darauf hinwirkt, dass ihm eine Vergütung von der Gesellschaft

---

6   LG Nürnberg, 06.06.2003 – 2 HK O 1970/02, DB 2003, 2642.

7   BGH, 16.02.1981 – II ZR 49/80, GmbHR 1981, 191.

8   BGH, 20.02.1995 – II ZR 9/94, NJW-RR 1995, 669.

angewiesen wird, auf die er nach seinem Anstellungsvertrag keinen Anspruch hat. Lässt er also Auszahlungen zu eigenen Gunsten vornehmen, ohne dass Gesellschafter bzw. Aufsichtsrat zugestimmt haben, so haftet der Geschäftsführer gegenüber der Gesellschaft aus § 43 Abs. 2 und nicht wegen Verletzung seines Anstellungsvertrags gem. § 280 Abs. 1 BGB.[9]

Die Vorschrift des § 43 Abs. 2 beinhaltet den **Grundsatz der Gesamtverantwortung** und eine **gesamtschuldnerische Haftung** nach §§ 421 ff. BGB: Geschäftsführer haften selbst bei Verteilung der Zuständigkeiten auf mehrere Geschäftsführer grds. nicht nur für eigenes, sondern auch für **fremdes Fehlverhalten.**[10] Es bleiben stets Überwachungspflichten, die Veranlassung zum Eingreifen geben, wenn Anhaltspunkte dafür bestehen, dass die Erfüllung von der Gesellschaft obliegenden Aufgaben durch den (intern) zuständigen Geschäftsführer oder den mit der Erledigung beauftragten Arbeitnehmer nicht mehr gewährleistet ist.[11] In Einzelfällen kann sogar eine sog. „Rückholpflicht" bestehen, d.h. Geschäftsführer können verpflichtet sein, Maßnahmen in das Gesamtgremium zurück zu holen[12]. Geschäftsführer müssen jedenfalls in regelmäßigen Abständen prüfen, ob der jeweils zuständige Kollege seinen Aufgaben ordnungsgemäß nachkommt und ggf. einzuschreiten. 11

Praxisbeispiel:

Veruntreut ein Mitgesellschafter die von einem Kunden der GmbH empfangenen Schecks, so haftet der andere Gesellschaftergeschäftsführer nicht wegen Pflichtverletzung, wenn dieser im Einverständnis mit dem Mitgesellschafter dessen Beaufsichtigung unterlässt.[13]

In der Praxis empfiehlt es sich, **regelmäßige Geschäftsführersitzungen** abzuhalten, dabei aktuelle Themen aus anderen Ressorts aktiv mitzuverfolgen und bei Anhaltspunkten für Pflichtverletzungen sowohl den betreffenden Geschäftsführer als auch das Aufsichtsorgan (Gesellschafterversammlung oder Aufsichtsrat) anzusprechen. 12

Eine Haftung des Geschäftsführers gegenüber der GmbH für eine von ihm begangene Pflichtverletzung gegenüber Dritten scheidet jedenfalls aus, wenn der Geschäftsführer eine **Weisung der Gesellschafter** befolgt oder 13

---

9   BGH, 26.11.2007 – II ZR 161/06, DB 2008, 50.

10   Ockelmann/Pieperjohanns/Hölck in Bormann/Kauka/Ockelmann, Hdb. GmbH-Recht, Kap. 7 Rn. 225 f., 233.

11   BGH, 09.01.2000 – VI ZR 407/99, NJW 2001, 969; BGH, 15.10.1996 – VI ZR 319/95, NJW 1997, 130.

12   Peters, GmbHR 2008, 682.

13   BGH, 07.04.2003 – II ZR 193/02, NJW-RR 2003, 895.

wenn er selbst alleiniger Gesellschafter ist. Denn der Wille der GmbH wird durch denjenigen ihrer Gesellschafter gebildet, sodass ein konformes Verhalten des Geschäftsführers grds. keine zum Schadensersatz führende Pflichtverletzung gegenüber der GmbH darstellen kann. Eine Ausnahme besteht für den Fall, dass spezielle, im Interesse des Gläubigerschutzes **unverzichtbare Regeln der Kapitalerhaltung** verletzt sind.[14] Dies könnte z.B. der Fall sein, wenn Geschäftsführer, Gesellschafter und der Dritte derart zusammenwirken, dass das **Stammkapital der GmbH entzogen** und indirekt **an Gesellschafter ausgekehrt** wird.

1. Schuldhafte Pflichtverletzung

14 Für eine Haftung gegenüber der GmbH müssen Geschäftsführer gegen den ihnen obliegenden Pflichten i.S.v. Abs. 1 durch positives Tun oder Unterlassen verstoßen. Im Hinblick auf diese Geschäftsführerpflichten haften sie für jegliches Verschulden, sodass auch **leichte Fahrlässigkeit genügt**. Dies gilt nicht für Pflichten außerhalb des Anwendungsbereichs von Abs. 1, wozu u.a. die vorschriftsmäßige Teilnahme am Straßenverkehr zählt.

2. Kausalität

15 Um eine Haftung zu bejahen, muss der Schaden seitens des Geschäftsführers **adäquat kausal** herbeigeführt worden und der Schutzbereich der konkret verletzten Norm tangiert sein. Der Geschäftsführer kann den **Einwand des rechtmäßigen Alternativverhaltens** erheben, sofern er bei pflichtgemäßem Verhalten denselben Erfolg herbeigeführt hätte – nicht aber, dass für ihn nur die Möglichkeit bestand, den Erfolg herbeizuführen.[15]

3. Haftungsbeschränkung

16 Die **Haftung des Geschäftsführers** nach § 43 **lässt sich beschränken** und kann zudem durch **Verzicht** entfallen. So ist es grds. möglich, dass eine pflichtverletzende Handlung des GmbH-Geschäftsführers im Vorfeld durch **Beschluss der Gesellschafterversammlung** genehmigt wird – vorausgesetzt, dass der Beschluss wirksam ist. Auch eine Genehmigung durch den Aufsichtsrat oder Beirat im Vorfeld hätte **haftungsbefreiende Wirkung** für den GmbH-Geschäftsführer unter der Prämisse, dass dem Aufsichtsrat oder Beirat ein entsprechendes Weisungsrecht von den Gesellschaftern übertragen wurde.

---

14   BGH, 31.01.2000 – II ZR 193/02, NJW 2000, 1571.
15   BGH, 25.11.1992 – VIII ZR 170/91, NJW 1993, 520.

Ebenso denkbar ist – anders als bei der AG – eine **Beschränkung der** 17
Innenhaftung des GmbH-Geschäftsführers durch einen **Entlastungs-**
beschluss der Gesellschafterversammlung. Anders als bei der AG besteht
dann insoweit eine **Verzichtswirkung** für erkennbare Ansprüche. Ferner
kommt eine **Verzichtsvereinbarung** zur Beschränkung der Geschäftsführerhaftung mit Zustimmung der Gesellschafterversammlung in Betracht. Bei
der AG wäre eine solche Verzichtsvereinbarung nur wirksam nach Ablauf
von drei Jahren und mit Zustimmung der Hauptversammlung.

Anders als bei der AG, wo eine Beschränkbarkeit der Innenhaftung der 18
Vorstände grds. nicht zulässig ist, kann ggf. eine Haftungsbeschränkung im
Wege der Vereinbarung zwischen Gesellschaftern und Geschäftsführer vorgenommen werden. Diese ist jedoch nur in gewissem Rahmen zulässig und
auch nur mit **Zustimmung der Gesellschaftermehrheit**. Denkbar ist es,
eine Beschränkung der GmbH-Geschäftsführerhaftung in den **Anstellungs-**
vertrag des Geschäftsführers – wegen ihrer schuldrechtlichen Wirkung –
sowie in den **Gesellschaftsvertrag oder in die Satzung** – aufgrund ihrer
gesellschaftsrechtlichen Wirkung – aufzunehmen.

Checkliste Haftungsbeschränkung: Wie kann die Haftung des 19
Geschäftsführers beschränkt werden?

☑

- ☐ **Herabsetzung des Pflichten- und Sorgfaltsmaßstabs** per
  Beschluss der Gesellschafter.
- ☐ **Verkürzung der Verjährungsfrist** [16], aber nicht für Pflichtverlet-
  zungen i.S.v. § 43 Abs. 3.
- ☐ **Vergleich**
- ☐ **Verzicht**
- ☐ **Vereinbarung einer Haftungsbeschränkung auf einen Maxi-**
  malbetrag.

---

4. Außenhaftung

Gesellschafter und externe Gesellschaftsgläubiger können aus § 43 Abs. 2 20
GmbH keine Ansprüche gegen Geschäftsführer herleiten, da **§ 43 Abs. 2**
ausschließlich den Fall der Innenhaftung betrifft und insoweit **nur die**
GmbH aktivlegitimiert ist. Da es sich bei § 43 *nicht* um ein Schutzgesetz

---

16   BGH, 16.09.2002 – II ZR 107/01, NJW 2002, 3777; BGH, 15.11.1999 – II ZR
      122/98, NJW 2000, 576.

i.S.d. § 823 Abs. 2 BGB handelt,[17] kommt auch *keine* deliktsrechtliche Haftung über § 43 in Betracht. Allerdings kann sich eine **Außenhaftung des Geschäftsführers** gegenüber Dritten – typischerweise in der Krise der Gesellschaft – aus **anderen Anspruchsgrundlagen** ergeben.[18]

21   **Checkliste Außenhaftung: Wann haften Geschäftsführer gegenüber Gesellschaftern oder Gläubigern?**

☑

> ☐ **Verletzung vorvertraglicher Pflichten**: z.B. Verschulden bei Vertragsschluss (culpa in contrahendo gem. § 280 Abs. 1 BGB) durch Inanspruchnahme besonderen persönlichen Vertrauens, Verstoß gegen Aufklärungspflichten bei drohender Insolvenz der GmbH.
>
> ☐ **Abgabe eigener Haftungsversprechen**: z.B. Bürgschaft, Schuldanerkenntnis oder Schuldübernahme.
>
> ☐ **Erfüllung deliktsrechtlicher Tatbestände**: z.B. persönliche Schädigung von Gläubigern der GmbH gem. §§ 823 ff., 826 BGB einschließlich der Verletzung von Schutzgesetzen wie z.B. Insolvenzverschleppung nach § 823 Abs. 2 BGB i.V.m. § 64 GmbHG,[19] Betrug (§ 263 StGB) oder Untreue (§ 266 StGB), wobei die GmbH gesamtschuldnerisch neben dem Geschäftsführer haftet.
>
> ☐ **Verletzung steuerrechtlicher Vorschriften**: Nichterfüllung oder verspätete Erfüllung von steuerlichen Pflichten gem. § 34 AO (Haftung nach § 69 Abs. 1 AO).
>
> ☐ **Verletzung sozialrechtlicher Vorschriften**: Nichtabführung von Sozialversicherungsbeiträgen (konkret: des Arbeitnehmeranteils) an den Rentenversicherungsträger gem. § 266a Abs. 1 StGB.

V.   Sonderfälle der Geschäftsführerhaftung (Abs. 3)

22   Die Vorschrift des § 43 Abs. 3 ist lex specialis gegenüber § 43 Abs. 2 und erfasst zwei besondere Haftungstatbestände für **Verstöße gegen die Kapitalerhaltungsvorschriften** der §§ 30, 33. Zum einen wird mit § 43 Abs. 3 Satz 1 Alt. 1 die Haftung des Geschäftsführers geregelt, wenn er **Zahlungen**

---

17   BGH, 13.04.1994 – II ZR 16/93, NJW 1994, 1801.

18   Hierzu s. auch Ockelmann/Pieperjohanns/Hölck in Bormann/Kauka/Ockelmann, Hdb. GmbH-Recht, Kap. 7 Rn. 177 ff.

19   BGH, 11.07.2005 – II ZR 235/03, DB 2005, 1897.

unter Verletzung von § 30 an Gesellschafter leistet.[20] Zum anderen betrifft § 43 Abs. 3 Satz 1 Alt. 2 den Fall, dass die Gesellschafter entgegen § 33 **eigene Gesellschaftsanteile erwerben.**

Insgesamt ist die Haftung des Geschäftsführers nach § 43 Abs. 3 im Ver- 23 hältnis zu § 43 Abs. 2 verschärft. Dies ergibt sich aus §§ 43 Abs. 3 Satz 2 i.V.m. § 9 Abs. 1 Satz 2, wonach ein **Verzicht der Gesellschaft** auf Ersatzansprüche nach § 9a oder Vergleich der Gesellschaft über diese Ansprüche **unwirksam** ist, wenn der Ersatz zur Befriedigung der Gläubiger der Gesellschaft erforderlich ist.

Nach § 43 Abs. 3 Satz 3 wird die Schadensersatzpflicht der Geschäftsführer 24 nicht dadurch aufgehoben, dass diese einen Gesellschafterbeschluss befolgt haben, soweit der Ersatz zur Befriedigung der GmbH-Gläubiger erforderlich ist. Daraus ergibt sich, dass die Anwendung der Norm von vornherein ausscheidet, wenn die Gläubiger anderweitig befriedigt werden können. Erforderlich ist ferner stets, dass der zur Beurteilung stehende Vorgang **unter wirtschaftlichen Gesichtspunkten als Einlagenrückgewähr** zu bewerten ist. Dies setzt voraus, dass dem Gesellschafter oder einem mit ihm verbundenen Dritten etwas aus dem zur Deckung des Stammkapitals erforderlichen Gesellschaftsvermögen zugeflossen ist. Demgegenüber fällt die **bloße Belastung des Gesellschaftsvermögens mit Ansprüchen Dritter** nicht unter den Begriff der Auszahlung. Auch der Abschluss eines **Schuldübernahme- und Rangrücktrittsvertrags** ist nicht als Einlagenrückgewähr einzustufen.[21]

Darüber hinaus haftet der **geschäftsführende Alleingesellschafter** einer 25 GmbH grds. nicht, wenn er gegenüber Dritten eine **Pflichtverletzung** begeht, die zu einem **Schadensersatzanspruch gegen die GmbH** führt und damit das Gesellschaftsvermögen belastet. Das gilt selbst dann, wenn es dadurch zu einer Beeinträchtigung des Stammkapitals oder zur Insolvenz der GmbH kommt.[22]

Praxisbeispiel:

Weil der geschäftsführende Alleingesellschafter einer GmbH fehlerhafte Kapitalanlageberatung geleistet hatte, nahm der Kunde die GmbH zunächst erfolgreich in Anspruch und ließ sich daraufhin einen angeblichen Regressanspruch der GmbH gegen den Geschäftsführer wegen eines Anspruchs aus § 43 Abs. 2 pfänden und zur Einziehung überweisen. Die später erhobene Klage blieb erfolglos, da die bloße Belastung des Gesellschaftsvermögens mit Ansprüchen Dritter nicht unter § 43 Abs. 3 fällt. Erfasst sind nur Maßnahmen, durch die der GmbH zum Nachteil ihrer Gläubiger unter Missachtung der Regeln einer geordneten Liquidation die

---

20 Hierzu s. auch Ockelmann/Pieperjohanns/Hölck in Bormann/Kauka/Ockelmann, Hdb. GmbH-Recht, Kap. 7 Rn. 159 ff.

21 OLG Dresden, 06.06.2002 – 7 U 2325/01, GmbHR 2003, 356.

22 BGH, 31.01.2000 – II ZR 189/99, NJW 2000, 1571.

für ihr Überleben wesentlichen Vermögenswerte entzogen werden. Ferner kann sich § 43 auf Geschäfte mit spekulativem Charakter erstrecken, deren Risiken außer Verhältnis zu den Vermögensverhältnissen der Gesellschaft stehen und deshalb im Verwirklichungsfall die Gläubiger treffen müssen.[23]

VI. Verjährung (Abs. 4)

26 Ansprüche der Gesellschaft gegen den Geschäftsführer aus § 43 Abs. 2 und 3 verjähren gem. § 43 Abs. 4 in fünf Jahren. Der Lauf der **Verjährungsfrist** beginnt mit der Entstehung des Anspruchs, d.h. **mit Eintritt des Schadens** dem Grunde nach. Auf **Kenntnis der Gesellschafter** von den anspruchsbegründenden Tatsachen kommt es in keinem Fall an. Der Schaden braucht in dieser Phase noch nicht bezifferbar zu sein; es genügt, dass der Anspruch im Wege der **Feststellungsklage** geltend gemacht werden könnte.[24] Prozessual ist ggf. an eine Feststellungsklage zu denken.

VII. Prozessuales

1. Zuständigkeit

27 Der ordentliche Rechtsweg zu den Zivilgerichten ist eröffnet. Da Streitigkeiten gem. § 43 als Handelssachen gem. § 95 Abs. 1 Nr. 4 Buchst. a GVG qualifiziert werden, sind die **Kammern für Handelssachen** beim Landgericht sachlich zuständig. Die örtliche Zuständigkeit ergibt sich aus dem allgemeinen Gerichtsstand des Geschäftsführers nach §§ 12, 13 ZPO. In Betracht kommt indes ebenfalls der **Wahlgerichtsstand des Erfüllungsortes** gem. § 29 ZPO sowie ggf. der besondere **Gerichtsstand der unerlaubten Handlung** nach § 32 ZPO.

2. Sonderfall: Die gelöschte Gesellschaft

28 Ist die **GmbH bereits im Handelsregister gelöscht**, so kann sie dennoch Forderungsinhaberin sein. Denn nach h.M. ist die Gesellschaft erst dann nicht mehr existent, wenn sie im Handelsregister gelöscht und keinerlei Vermögen mehr hat. Allerdings muss dann bei Inanspruchnahme des Geschäftsführers (durch eine solche GmbH) vom Gericht ein **Liquidator** bestellt werden, da die Gesellschaft andernfalls nicht **prozessfähig** ist.

3. Prozessvertreter

29 Verfügt die GmbH nicht über einen **obligatorischen oder fakultativen Aufsichtsrat**, so ist allein die **Gesellschafterversammlung gesetzlicher Vertreter der GmbH in Rechtsstreitigkeiten** gegen den Geschäftsführer

---

23   BGH, 31.01.2000 – II ZR 189/99, NJW 2000, 1571.

24   BGH, 21.02.2005 – II ZR 112/03, DB 2005, 821.

gem. §§ 51, 56 ZPO. Da die Gesellschafterversammlung als Organ prozess-unfähig ist, muss sie sich ihrerseits wiederum durch eine Person vertreten lassen. Die Gesellschafterversammlung muss insoweit nicht nur über das „Ob" der Geltendmachung von Ansprüchen aus § 42 Abs. 2 entscheiden, sondern auch über das „Wie" der Geltendmachung, d.h. wer sie im Prozess vertritt. Verzichtet die Gesellschafterversammlung darauf, über das „Wie" der Geltendmachung zu entscheiden, so sind nach h.M. die **Mit-Geschäfts-führer** (soweit vorhanden) vertretungsbefugt.

4. Darlegungs- und Beweislast

Grundsätzlich trägt der Kläger nach dem **Günstigkeitsprinzip** die Darlegungs- und Beweislast für alle anspruchsbegründenden Voraussetzungen. Im GmbH-Recht gelten jedoch in entsprechender Anwendung der §§ 93 Abs. 2 Satz 2 AktG; 34 Abs. 2 Satz 2 GenG ausnahmsweise **spezielle Regelungen zur Beweislastverteilung**:[25] Die GmbH muss im Rechtsstreit mit ihrem Geschäfts-führer wegen eines Anspruchs nach gem. § 43 Abs. 2 nur darlegen und beweisen, dass und inwieweit ihr durch ein Verhalten des Geschäftsführers in dessen Pflichtenkreis ein Schaden erwachsen ist. Dabei können ihr die **Erleich-terungen des § 287 ZPO** zugute kommen. Demgegenüber trifft den Geschäftsführer die Darlegungs- und Beweislast dafür, dass er seinen Sorg-faltspflichten gem. § 43 Abs. 1 nachgekommen ist oder ihn kein Verschulden trifft, oder dass der Schaden auch bei **pflichtgemäßem Alternativverhalten** eingetreten wäre.[26] Überschreitet ein Geschäftsführer die im Innenverhältnis bestehenden Kompetenzen, so trifft ihn die volle Darlegungs- und Beweis-last.[27] Dies gilt bspw. für Fehlkalkulationen im Rahmen von Auftragsannah-men: Nicht die Gesellschaft hat insoweit eine Pflichtverletzung des Geschäfts-führers zu beweisen. Vielmehr ist der Geschäftsführer dahin gehend darlegungs- und beweisbelastet, dass er bei einer Preisvereinbarung „die Sorgfalt eines ordentlichen und gewissenhaften Geschäftsleiters angewandt hat", der Preis also nicht für ihn erkennbar zu niedrig kalkuliert worden ist.[28]

Vor diesem Hintergrund empfiehlt es sich für Geschäftsführer, insbes. bei **ökonomisch bedeutsamen Entscheidungen** idealerweise schriftlich (z.B. als **Vermerk** oder durch **Protokollierung** der betreffenden Geschäftsführer-sitzung) zu dokumentieren, auf welcher Basis und unter Abwägung welcher Aspekte sie die Entscheidung getroffen haben.

30

31

---

25   Details s. Ockelmann/Pieperjohanns/Hölck in Bormann/Kauka/Ockelmann, Hdb. GmbH-Recht, Kap. 7 Rn. 153 f.

26   BGH, 04.11.2002 – II ZR 224/00, NJW 2003, 358.

27   KG Berlin, 17.12.2004 – 14 U 226/03, GmbHR 2005, 477.

28   BGH, 18.02.2008 – II ZR 62/07, GmbHR 2008, 488.

32   Die o.g. Ausnahme vom Günstigkeitsprinzip im GmbH-Recht beruht u.a. darauf, dass der Geschäftsführer als Leiter des operativen Geschäfts in aller Regel in größerer **Beweisnähe** als die durch andere Gesellschaftsorgane vertretene Gesellschaft steht. Insoweit ließe sich argumentieren, dass die erleichterte Darlegungs- und Beweislast der Gesellschaft nicht mehr gegenüber dem ausgeschiedenen Geschäftsführer gelten kann. Dem ist allerdings zu entgegnen, dass eine vom gesetzlichen Leitbild abweichende Regelung der Darlegungs- und Beweislast in § 43 Abs. 2 der Disposition der Gesellschafter entzogen ist. Allerdings ist dem **ausgeschiedenen Geschäftsführer ein Einsichtsrecht in die Geschäftsbücher** zu gewähren, soweit dies zu seiner Rechtsverteidigung erforderlich ist.

VIII.   Rechtsfolgen

33   Rechtsfolge des § 43 Abs. 2 ist **Schadensersatz**, welcher die der GmbH entgangenen Vorteile umfasst, die sie bei pflichtgemäßem Verhalten des Geschäftsführers erlangt hätte (§ 251 BGB). Es muss der GmbH aufgrund der Pflichtverletzung des Geschäftsführers also ein Schaden entstanden sein,[29] worunter jeder **konkret bezifferbarer Vermögensnachteil der GmbH** zu verstehen ist. Nicht erfasst sind Schäden (z.B. steuerliche Nachteile)[30] einzelner Gesellschafter der GmbH.

§ 43a GmbHG   Kreditgewährung aus Gesellschaftsvermögen

[1]Den Geschäftsführern, anderen gesetzlichen Vertretern, Prokuristen oder zum gesamten Geschäftsbetrieb ermächtigten Handlungsbevollmächtigten darf Kredit nicht aus dem zur Erhaltung des Stammkapitals erforderlichen Vermögen der Gesellschaft gewährt werden. [2]Ein entgegen Satz 1 gewährter Kredit ist ohne Rücksicht auf entgegenstehende Vereinbarungen sofort zurückzugewähren.

---

29   BGH, 21.03.1994 – II ZR 260/92, NJW-RR 1994, 806.

30   BGH, 07.11.1991 – IX ZR 3/91, NJW-RR 1992, 290.

I. Einführung

Kredite an Leitungspersonal der GmbH können **besondere Risiken für das** **1**
Gesellschaftsvermögen bergen und den gesetzgeberisch bezweckten
Schutz der Gesellschaftsgläubiger vor einer Aushöhlung des Stammkapitals
gefährden. Mit funktional gleicher[1] Zielrichtung wie der Kapitalerhaltungs-
grundsatz nach §§ 30, 31 beinhaltet die Vorschrift des § 43a eine **Verbots-**
norm (Satz 1) und eine **Rechtsfolgenregelung (Satz 2)**. Die Verbotsnorm
bezieht sich auf Sachverhalte, in denen die GmbH einen Kredit an einen
ihrer Geschäftsführer, andere gesetzliche Vertreter, Prokuristen oder an
Handlungsbevollmächtigte gewährt. Als Rechtsfolge sind verbotswidrig
gewährte Kredite sofort an die Gesellschaft zurückzugewähren. Zugleich
macht sich der handelnde Geschäftsführer gegenüber der Gesellschaft ggf.
schadensersatzpflichtig nach § 43 Abs. 2.

Das **Verbot der Kreditgewährung** ist zwingend, d.h. Ausnahmen sind **2**
weder per Satzung noch auf sonstige Weise zulässig.[2] Mit dieser Regelung
unterscheidet sich die GmbH deutlich von AG und Genossenschaft: Dort ist
die Kreditgewährung zulasten des gebundenen Gesellschaftsvermögens an
Vorstands- und Aufsichtsratsmitglieder sowie an Leitungspersonal gem.
§§ 89, 115 AktG bzw. an Vorstandsmitglieder gem. § 39 Abs. 2 GenG
aufgrund eines Beschlusses, einer Einwilligung bzw. Genehmigung des
Aufsichtsrats möglich.

II. Tatbestandsvoraussetzungen

Das Verbot der Kreditgewährung gem. § 43a Satz 1 sieht **drei Tatbestands-** **3**
merkmale vor:

Erforderlich ist:

(1) die Gewährung eines Kredits,

(2) zulasten des gebundenen Gesellschaftsvermögens,

(3) an Geschäftsführer und andere Leitungspersonen.

---

1   Koppensteiner in Rowedder/Schmidt-Leithoff, GmbHG, § 43a Rn. 1; Lutter/
    Hommelhoff in Lutter/Hommelhoff, GmbHG, § 43a Rn. 1.
2   Paefgen in Ulmer/Habersack/Winter, GmbHG, § 43a Rn. 2.

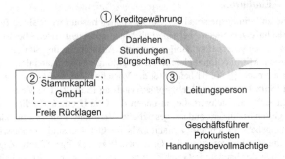

1.   Kreditgewährung

4   Um den Verbotstatbestand zu erfüllen, muss die GmbH einen **Kredit an eine Leitungsperson** gewähren. Der **Kreditbegriff** ist weit zu verstehen und umfasst neben Darlehen auch wirtschaftlich vergleichbare Vorleistungen aller Art.[3] Dazu gehören Gehaltsvorschüsse, Stundungen, Bürgschaften, Ablösungen von Drittkrediten, Wechselzeichnungen oder die Übernahme von Verbindlichkeiten der betreffenden Leitungsperson gegenüber Dritten.

5   Abzugrenzen sind Kredite i.S.d. § 43a von **vertragstypischen Vorleistungen** im Rahmen schuldrechtlicher Austauschverträge: Schließt ein Geschäftsführer z.B. einen separaten Vertrag mit der Gesellschaft, kann ihm diese zur Vorfinanzierung einen Vorschuss gewähren, ohne dass dies ein Kredit wäre. Maßgebend sind stets der **Einzelfall und die Verkehrsanschauung**. Die i.R.v. § 30 geltenden Grundsätze zu Umgehungsgeschäften sind anzuwenden,[4] d.h. verdeckte oder mittelbare Leistungen seitens der GmbH über Ehegatten oder Kinder der Leitungsperson sind ebenfalls verboten. Ein praxisrelevantes Beispiel ist die Kreditgewährung durch den Geschäftsführer an die eigene Ehefrau.[5]

6   Zusammenfassend gilt: Kreditgewährung i.S.d. § 43a Satz 1 ist jegliche Vorleistung, die verzinslich oder unverzinslich gewährt wird, ohne dass ein über den Anstellungsvertrag hinausgehendes Vertragsverhältnis über gesonderte, von der Leitungsperson zu erbringende Dienstleistungen mit einem dem Auszahlungsbetrag entsprechenden Wert besteht.

---

3   Altmeppen in Roth/Altmeppen, GmbHG, § 43a Rn. 2.

4   BGH, 28.09.1981 – II ZR 223/80, NJW 1982, 386.

5   OLG Düsseldorf, 01.12.1994 – 13 U 5/94, GmbHR 1995, 227.

Checkliste Kredite: Welche Leistungen an Geschäftsführer sind Kredite i.S.v. § 43a GmbHG?   7

☑

☐ Gehaltsvorschüsse

☐ Stundungen

☐ Bürgschaften

☐ Ablösungen von Drittkrediten

☐ Wechselzeichnungen

☐ Übernahme von Verbindlichkeiten der betreffenden Leitungsperson gegenüber Dritten

---

2. Gebundenes Vermögen

Ferner muss der Kredit **zulasten des gebundenen Gesellschaftsvermögens** gewährt werden. Unzulässig sind *nicht alle* Darlehen an Leitungspersonen, sondern nur solche, die das **Stammkapital der GmbH** berühren. Insoweit sind bilanzielle Bewertungsansätze maßgebend, wobei die durch Kreditgewährung begründeten Rückzahlungsforderungen gegenüber Leitungspersonen nicht berücksichtigt werden dürfen wegen des Zwecks von § 43a Satz 1.[6] Daher ist es grds. möglich, Kredite aus freien Rücklagen oder Gewinnvorträgen zu zahlen,[7] da insoweit das Stammkapital unberührt bleibt.   8

Ob eine **Kreditgewährung unzulässig** ist, richtet sich in zeitlicher Hinsicht nach der Stellung des Kreditnehmers im Zeitpunkt der Auszahlung. Abzustellen ist auf die reale Auszahlung des Kreditbetrags bzw. Beeinträchtigung des Gesellschaftsvermögens. Daher ist die **bloße Kreditzusage** noch nicht als Kreditgewährung anzusehen.[8] § 43a Satz 1 ist entgegen teilweise vertretener Ansicht im Schrifttum[9] nicht anwendbar, wenn dem Geschäftsführer während seiner Zugehörigkeit zur GmbH eine Kreditzusage erteilt und diese erst nach seinem Ausscheiden erfüllt wird. Denn der Wortlaut der Norm stellt ausdrücklich auf die Leitungsposition des Kreditnehmers im Zeitpunkt der Kreditgewährung ab. Nicht bereits eine Kreditzusage, sondern erst die Auszahlung führt zu einem Vermögensabfluss bei der Gesellschaft.   9

---

6   Paefgen in Ulmer/Habersack/Winter, GmbHG § 43a Rn. 24.

7   Paefgen in Ulmer/Habersack/Winter, GmbHG § 43a Rn. 24.

8   Schneider in Scholz, GmbHG § 43a Rn. 42.

9   Goette, DStR 1997, 1495, 1498.

Ist der Empfänger bei Auszahlung aber nicht mehr Leitungsperson, können sich die der Leitungstätigkeit innewohnenden Risiken für die GmbH nicht mehr realisieren.

10   Wird das Stammkapital der GmbH nicht zum Zeitpunkt der Kreditgewährung, sondern erst später angetastet, so lässt dies den Kreditvertrag grds. unberührt. Allerdings müssen die Geschäftsführer – soweit rechtlich möglich – ggf. für die GmbH den Kreditvertrag im Nachhinein kündigen, um das Stammkapital zu schützen: Eine Minderung des Stammkapitals während der Darlehenszeit führt zwar nicht zu einer sofortigen Rückzahlungspflicht, wohl aber darf das Darlehen nicht über den ursprünglichen Rückzahlungstermin hinaus verlängert werden. Ist kein Rückzahlungstermin bestimmt, muss das Darlehen gekündigt werden, wenn keine ausreichenden Rücklagen mehr vorhanden sind.[10]

Beispiel:

Die wirtschaftlich florierende A-GmbH schließt im Jahr 2008 mit Geschäftsführer G einen Darlehensvertrag und zahlt aus freien Rücklagen einen Darlehensbetrag in Höhe von 500.000 € an ihn aus. Zwar ist eine marktübliche Verzinsung, nicht aber der Rückzahlungszeitpunkt geregelt. Im Jahr 2010 ist nach einer konjunkturellen Schwächephase das Stammkapital der A-GmbH teilweise aufgezehrt. Die übrigen Geschäftsführer müssen in dieser Situation den Darlehensvertrag mit G kündigen und den Darlehensbetrag zur sofortigen Rückzahlung fällig stellen. Ist G der einzige Geschäftsführer, so muss er dies von sich aus tun. Andernfalls würde der Insolvenzverwalter später die Rückzahlung klageweise fordern, sofern es im weiteren Verlauf zur Eröffnung eines Insolvenzverfahrens über das Vermögen der A-GmbH kommen sollte.

11   Bei **Bürgschaften oder Grundschulden** ist demggü. bereits deren Bestellung und nicht erst die Verwertung solcher Sicherheiten als Kreditgewährung zu qualifizieren, da die Gesellschaft durch Sicherheitenbestellung direkt verpflichtet und damit in ihrer Vermögensposition konkret beeinträchtigt wird.

12   Ferner kann eine zulasten des gebundenen Gesellschaftsvermögens erfolgte Kreditgewährung an Leitungspersonal nicht als rechtmäßig qualifiziert werden, weil der GmbH bilanziell ein schuldrechtlicher Anspruch auf Rückzahlung zusteht. Denn mit § 43a soll nicht bloß die Erhaltung des Stammkapitals als rechnerische Größe sichergestellt werden.[11] Daran ändert sich auch nichts dadurch, dass der Gesetzgeber im Zuge des MoMiG explizit zur bilanziellen Betrachtungsweise hinsichtlich der §§ 30, 31 zurückgekehrt ist. Denn zum einen hat sich am Inhalt von § 43a durch das MoMiG nichts

10   Geßler, BB 1980, 1385, 1389.

11   Zöllner/Noack in Baumbach/Hueck, GmbHG, § 43a Rn. 1.

geändert. Zum anderen sind die mit einer Kreditgewährung an Geschäftsführer verbundenen Risiken ungleich größer als durch das Vollwertigkeitserfordernis abgesicherte Darlehen an Gesellschafter i.S.v. § 30.

3. Personenkreis

Der Kredit muss an eine **Leitungsperson** gewährt werden, wozu jedenfalls Geschäftsführer und andere gesetzliche Vertreter gehören. Daneben sind auch faktische Geschäftsführer und Notgeschäftsführer[12] sowie geschäftsführende Gesellschafter[13] erfasst. Nicht relevant ist, dass der Kreditnehmer wirksam zum Geschäftsführer bestellt wurde. Denn maßgebend sind mit Blick auf den Schutzzweck der Norm nur die **faktische Stellung der Leitungsperson im Unternehmen** und die Gefahr einer Aufzehrung des Stammkapitals. 13

Vor diesem Hintergrund ist § 43a zum einen nicht auf **Geschäftsführer einer GmbH in Gründung** anwendbar, da bei einer solchen noch kein Stammkapital gegeben ist.[14] Zum anderen kommt § 43a wegen seines Wortlauts neben Geschäftsführern und anderen gesetzlichen Vertretern nur auf Prokuristen gem. §§ 48 ff. HGB und auf Handlungsbevollmächtigte nach § 54 HGB zur Anwendung. Eine generelle Ausweitung auf leitende Angestellte, Aufsichtsratsmitglieder oder Gesellschafter wird von der Rechtsprechung[15] richtigerweise ebenso abgelehnt, wie eine analoge Anwendung von § 43a auf Gesellschafter und diesen nahestehenden Personen. 14

Entgegen einer im Schrifttum vertretenen Ansicht[16] kann eine Gefahr für das Stammkapital der Gesellschaft faktisch nur bestehen, wenn eine Leitungsperson rechtlich in der Lage ist, mit Wirkung für und gegen die Gesellschaft zu handeln. Da in der Praxis meist nur die Geschäftsführer direkt auf das Gesellschaftsvermögen zugreifen können, ist jedenfalls keine vergleichbare Interessenlage und damit keine Grundlage für eine Analogie gegeben. Des Weiteren entschied sich der Gesetzgeber gegen eine Anwendung der Norm auf Gesellschafter.[17] Letztlich sprechen strukturelle Unterschiede zwischen §§ 30, 31 und § 43a gegen eine Analogie. 15

---

12 Altmeppen in Roth/Altmeppen, GmbHG, § 43a Rn. 7.

13 BGH, 24.11.2003 – II ZR 171/01, NJW 2004, 1111.

14 Paefgen in Ulmer/Habersack/Winter, GmbHG § 43a Rn. 9; a.A.: Schneider in Scholz, GmbHG § 43a Rn. 29.

15 BGH, 24.11.2003 – II ZR 171/01, NJW 2004, 1111.

16 Schmidt, Gesellschaftsrecht, S. 1148 f.; Schneider in Scholz, GmbHG, § 43a Rn. 29.

17 Begr. BT-Drucks. 8/1347, Anl. 3, S. 74.

16   Zwar können reine Gesellschafter und Aufsichtsratsmitglieder aufgrund
      ihrer Weisungsbefugnis gegenüber der Geschäftsführung mitunter weitrei-
      chend in das operative Geschäft eingreifen. Allerdings wird der Kapital-
      erhaltungsgrundsatz insoweit bereits über die §§ 30, 31 abgebildet, sodass
      eine erweiternde Ausdehnung des § 43a Satz 1 auf reine Gesellschafter und
      Aufsichtsratsmitglieder aus systematischen Gründen nicht in Betracht
      kommt. Zudem hat der Gesetzgeber den Kreis der Leitungspersonen bewusst
      auf die in § 43a Satz 1 genannten Personen begrenzt. Daher scheidet eine
      entsprechende Anwendbarkeit der Norm auf Gesellschafter und Aufsichts-
      ratsmitglieder ebenso aus, wie auf Organmitglieder verbundener Unterneh-
      men in GmbH-Konzernen.

17   **Checkliste Leitungspersonen: Wer gilt als Leitungsperson i.S.v. § 43a
      GmbHG?**

☑

> ☐ Geschäftsführer
>
> ☐ faktische Geschäftsführer
>
> ☐ Notgeschäftsführer
>
> ☐ geschäftsführende Gesellschafter
>
> ☐ Prokuristen
>
> ☐ Handlungsbevollmächtigte

III. Rechtsfolgen

18   Hat sich eine GmbH gegenüber einer Leitungsperson bereits zur Kreditge-
      währung verpflichtet, aber den Betrag noch nicht ausgezahlt, so besteht –
      sofern die Voraussetzungen des Verbotstatbestands erfüllt sind – ein **Leis-
      tungsverweigerungsrecht** bzw. ein **Auszahlungsverbot**.[18] Dieses gilt
      solange, bis sich die Vermögenslage der Gesellschaft gebessert hat und die
      Verpflichtung zur Kreditgewährung aus ungebundenem Vermögen erfüllt
      werden darf.[19]

---

18   Lutter/Hommelhoff in Lutter/Hommelhoff, GmbHG, § 43a Rn. 12.
19   Schneider in Scholz, GmbHG, § 43a Rn. 52.

Ist es bereits zu einer **verbotswidrigen Auszahlung** gekommen, muss der 19
Begünstigte nach § 43a Satz 2 den Kredit sofort an die Gesellschaft zurück-
zahlen. Dies gilt auch für den Fall, dass der Begünstigte gutgläubig ist.[20] Die
Kreditgewährung – sowohl das Verpflichtungs- als auch das Erfüllungs-
geschäft – bleibt dennoch wirksam;[21] eine **bereicherungsrechtliche Rückabwicklung** über § 812 BGB kommt mithin nicht in Betracht.

Ob der Begünstigte mit einem eigenen Anspruch gegen den Anspruch der 20
Gesellschaft auf Rückgewähr des Kredits **aufrechnen** kann, ist umstritten.
Teilweise wird dies unter Verweis auf eine analoge Anwendung von § 19
Abs. 2 Satz 2 abgelehnt.[22] Nach a.A. dürfen Begünstigte mit eigenen
Ansprüchen gegen den Kreditrückgewähranspruch aufrechnen, da eine
Analogie mangels Regelungslücke ausscheide.[23] Dem ist zuzustimmen, da
§ 19 auf die Stammkapitaleinzahlung begrenzt ist. Zudem hat der Gesetz-
geber keine Verweisungsnorm in §§ 31 und 43a aufgenommen, obwohl
dazu i.R.d. MoMiG erneut die Möglichkeit bestanden hätte.

IV.   Prozessuales

Kommt es wegen eines Anspruchs nach § 43a Satz 2 zum Rechtsstreit, ist 21
die Frage der **Passivlegitimation** relevant: Richtiger Beklagter ist jedenfalls
der direkt Begünstigte, auch wenn er den Kredit unter Einschaltung eines
Strohmanns erhalten hat.[24] Dritte können passivlegitimiert sein, sofern sie
einer Leitungsperson besonders nahe stehen und mit ihr eine wirtschaftliche
Zurechnungseinheit bilden.[25] Dies trifft v.a. auf Angehörige und Lebens-
gefährten der Leitungsperson zu. In solchen Fällen können sowohl diese als
auch der Dritte in Anspruch genommen werden.

Neben der Leitungsperson und ggf. Dritten kann auch der für die Kreditge- 22
währung verantwortliche Geschäftsführer passivlegitimiert sein. Insoweit
handelt es sich jedoch nicht um einen Rückgewähranspruch nach § 43a
Satz 2, sondern um einen Schadensersatzanspruch gem. § 43 Abs. 2. Für
einen solchen genügt es bereits, dass der betreffende Geschäftsführer es
versäumt hat, durch geeignete Kontrollmaßnahmen die Auszahlung zu

---

20   Zöllner/Noack in Baumbach/Hueck, GmbHG, § 43 Rn. 7.

21   Lutter/Hommelhoff in Lutter/Hommelhoff, GmbHG, § 43a Rn. 12; Lutter,
      DB 1980, 1322, Geßler, BB 1980, 1389; a.A.: Roth/Altmeppen, GmbHG,
      § 43a Rn. 10.

22   Schmidt-Leithoff/Pentz in Rowedder, GmbHG, § 31 Rn. 29.

23   OLG Naumburg, 19.05.1998 – 11 U 2058/97, GmbHR 1998, 1180.

24   Lutter/Hommelhoff in Lutter/Hommelhoff, GmbHG, § 43a Rn. 13.

25   BGH, 28.09.1981 – II ZR 223/80, NJW 1982, 386.

erkennen und zu verhindern: Von Bedeutung ist dies insbes. für Geschäftsführer, die nur formal als solche tätig sind und keine operative Funktion haben. Wie der BGH in seinem sog. **November-Urteil** [26] judizierte, haften solche Leitungspersonen auch dann, wenn Sie den Kredit nicht eigenhändig ausgereicht haben. Denn sie sind qua Position zur ständigen Kontrolle der Vermögensbewegungen der Gesellschaft verpflichtet. **Die Haftung des Geschäftsführers** besteht i.Ü. selbst dann, wenn die Gesellschafter einen entsprechenden Beschluss über die Kreditgewährung gefasst haben. Geschäftsführer müssen sich angesichts des Kreditgewährungsverbots gesetzeswidrigen Gesellschafterbeschlüssen widersetzen; insofern besteht eine Ausnahme von der grds. Weisungsgebundenheit der Geschäftsführer.

§ 44 GmbHG   Stellvertreter von Geschäftsführern

Die für alle Geschäftsführer gegebenen Vorschriften gelten auch für Stellvertreter von Geschäftsführern.

I.   Einführung

1   Neben ordentlichen Geschäftsführern werden oftmals stellvertretende Geschäftsführer bestellt, die zunächst noch operative Erfahrung sammeln sollen. Dennoch haben sie gem. § 44 qua Funktion die gleichen Pflichten wie ordentliche Geschäftsführer. Deshalb gilt **im Außenverhältnis** – wie bei Prokuristen und Handlungsbevollmächtigten – grds. **keine Beschränkung der Vertretungsmacht**, während diese im Innenverhältnis limitiert werden kann.[1]

2   § 44 erklärt **uneingeschränkte Anwendbarkeit** der für Geschäftsführer gegebenen Vorschriften, wozu u.a. die Vorschriften über Eignung und Bestellung (§§ 6 Abs. 2 und 3), Vertretungsmacht (§ 37), Buchführungs-

---

26   BGH, 24.11.2003 – II ZR 171/01, NJW 2004, 1111.

1   Hierzu s. auch Ockelmann/Pieperjohanns/Hölck in Bormann/Kauka/Ockelmann, Hdb. GmbH-Recht, Kap. 7 Rn. 238.

pflicht (§ 41), Sorgfaltspflicht und Haftung (§ 43), Bestellung, Abberufung und Entlastung von Geschäftsführern (§ 46 Nr. 5) und Insolvenzantragspflicht (§ 64) gehören.

II.   Tatbestandliche Voraussetzungen

Die Anwendung von § 44 erstreckt sich auch auf **stellvertretende Geschäftsführer**, die gem. § 6 Abs. 3 zu solchen bestellt werden müssen. Insoweit gelten keine Besonderheiten im Vergleich mit der Bestellung ordentlicher Geschäftsführer. Ob die in der Satzung genannte Zahl von Geschäftsführern auch Stellvertreter umfasst, ist umstritten. Teils wird dies für eine Auslegungsfrage gehalten.[2]   3

> **Praxistipp:**
>
> Es ist zu empfehlen, die in der Satzung angegebene Geschäftsführerzahl als Höchstwert und damit auch stellvertretende Geschäftsführer als umfasst anzusehen.

Dass stellvertretende Geschäftsführer als solche ins **Handelsregister eingetragen** werden müssen, wurde früher vertreten.[3] Nach nunmehr h.M. jedoch sind Stellvertreter ohne Stellvertreterzusatz ins Handelsregister einzutragen.[4] Dies vertritt auch der BGH unter Verweis darauf, dass das Handelsregister nicht unübersichtlich werden oder im Rechtsverkehr zu Missverständnissen führen dürfe.[5] Dem ist zuzustimmen, da der zu schützende Rechtsverkehr ohnehin nicht beurteilen kann, ob bzw. wann eine Stellvertretersituation vorliegt und der Zusatz mithin im Außenverhältnis irrelevant ist.   4

Darüber hinaus dürfen auch stellvertretende Geschäftsführer nicht dem **Aufsichtsrat** der Gesellschaft angehören, sofern sie wie ordentliche Geschäftsführer gleichberechtigt handeln. Denn nach allgemeinen gesellschaftsrechtlichen Grundsätzen ist es unzulässig, geschäftsführende und kontrollierende Aufgaben gleichzeitig wahrzunehmen.[6] Denkbar wäre eine kontrollierende Tätigkeit wegen der ausdrücklichen gesetzlichen Ausschlussmöglichkeit nach § 52 Abs. 1, wenn Stellvertreter im Innenverhältnis abgestufte Kompetenzen haben und ordentliche Geschäftsführer im   5

---

2   Zöllner/Noack in Baumbach/Hueck, GmbHG, § 44 Rn. 13.

3   OLG Düsseldorf, 28.02.1969 – 3 W 39/69, NJW 1969, 1259.

4   Lutter/Hommelhoff in Lutter/Hommelhoff, GmbHG, § 44 Rn. 1; Altmeppen in Roth/Altmeppen, GmbHG, § 44 Rn. 3.

5   BGH, 10.11.1997 – II ZB 6/97, NJW 1998, 1071.

6   OLG Frankfurt a.M., 21.11.1986 – 20 W 247/86, NJW-RR 1987, 482.

Verhinderungsfall vertreten. Über eigene Handlungen dürfen sie dann angesichts der allgemeinen Grundsätze gleichwohl nicht als Aufsichtsratsmitglied befinden.

III. Vertretungsmacht

6 Stellvertretende Geschäftsführer haben gem. § 44 die gleiche Vertretungsmacht wie ordentliche Geschäftsführer. Folglich können sie im **Außenverhältnis** die Gesellschaft bei satzungsgemäßer Einzelvertretung allein bzw. bei Gesamtvertretung nur zusammen mit mehreren Geschäftsführern, stellvertretenden Geschäftsführern oder Prokuristen berechtigen und verpflichten.

7 Ist **Gesamtvertretung** nach der Satzung oder § 35 Abs. 2 vorgesehen, so müssen nach h.M.[7] auch stellvertretende Geschäftsführer bei Rechtsgeschäften mitwirken. Hierfür spricht ungeachtet des insoweit nicht eindeutigen Wortlauts von § 44, dass der Rechtsverkehr nicht ohne Weiteres feststellen kann, ob eine Verhinderungssituation vorliegt. Zudem ist ein Stellvertreterzusatz im Außenverhältnis irrelevant und im Handelsregister nicht einzutragen.

8 **Im Innenverhältnis** wird stellvertretenden Geschäftsführern oft ein **eigener Zuständigkeitsbereich** zugewiesen oder eine gleichberechtigte Position zusammen mit ordentlichen Geschäftsführern eingeräumt. Manche sehen hier weiterhin eine **echte Stellvertretung**,[8] während andere eine **bloße Titelabstufung** annehmen.[9] Obgleich der BGH dies im Ergebnis offengelassen hat,[10] spricht viel für eine Titelabstufung: Wenn eine Leitungsperson aufgrund ihres jungen Alters oder geringer Berufserfahrung zunächst nur zum stellvertretenden Geschäftsführer bestellt wird, zugleich aber eigenverantwortliche Leitungsaufgaben für einen Bereich wahrnimmt, besteht im Innenverhältnis kein Grund, ihn als Stellvertreter anzusehen. Im Übrigen ist die Vertretungsmacht stellvertretender Geschäftsführer intern beschränkbar durch Satzung, Geschäftsordnung oder Anstellungsvertrag.[11]

---

7 BGH, 10.11.1997 – II ZB 6/97, NJW 1998, 1071; Schmidt in Achilles/Ensthaler/Schmidt, GmbHG, § 44 Rn. 4.

8 Lutter/Hommelhoff in Lutter/Hommelhoff, § 44 Rn. 2.

9 Zöllner/Noack in Baumbach/Hueck, GmbHG, § 44 Rn. 5.

10 BGH, 10.11.1997 – II ZB 6/97, NJW 1998, 1071.

11 Hierzu s. auch Ockelmann/Pieperjohanns/Hölck in Bormann/Kauka/Ockelmann, Hdb. GmbH-Recht, Kap. 7 Rn. 239.

IV. Pflichten und Haftung

Stellvertretende Geschäftsführer treffen **Handlungs- und Sorgfaltspflich-** **9**
ten, die sich aus dem Gesetz ergeben und bei deren Verletzung sie sich nach
§ 43 Abs. 1 haftbar machen können (vgl. dazu im Einzelnen § 43 Rn. 7 f.).

1. Handlungspflichten

Gemäß Wortlaut des § 44 haben stellvertretende Geschäftsführer die glei- **10**
chen Handlungspflichten wie ordentliche Geschäftsführer, weshalb die o.g.
allgemeinen Vorschriften maßgebend sind (Rn. 2). Sie müssen sich hinreichend informieren und ggf. **auch gegen den Willen ordentlicher**
Geschäftsführer handeln.[12]

2. Sorgfaltspflichten

Darüber hinaus haben stellvertretende Geschäftsführer ihrer **vertraglichen** **11**
oder gesetzlichen Sorgfaltspflicht zu genügen. Teilweise wird angenommen, dass Stellvertreter ihrer allgemeinen Aufsichtspflicht auf Basis von
§ 43 auch dann nachkommen müssen, wenn sie von der aktiven Geschäftsführung ferngehalten werden.[13] Es ist jedoch zu differenzieren: Wird ein
Stellvertreter im Innenverhältnis nicht primär tätig, kann ihm keine Pflicht
zur Überwachung übriger Geschäftsführer auferlegt werden. Ist allerdings
eine bloße Titelabstufung gegeben, müssen auch für den Stellvertreter
umfassende Aufsichtspflichten gelten.

V. Rechtsfolgen

Stellvertretende Geschäftsführer sind grds. ebenso zu behandeln wie ordent- **12**
liche Geschäftsführer. Daher sind Handlungen für und gegen die Gesellschaft gleichermaßen wirksam, können Verstöße gegen Handlungs- und
Sorgfaltspflichten ebenfalls zur Haftung nach § 43 Abs. 1 oder zu einer
Strafbarkeit wegen Insolvenzverschleppung gem. § 64 führen.

§ 45 GmbHG Rechte der Gesellschafter

(1) Die Rechte, welche den Gesellschaftern in den Angelegenheiten der
Gesellschaft, insbesondere in bezug auf die Führung der Geschäfte
zustehen, sowie die Ausübung derselben bestimmen sich, soweit nicht
gesetzliche Vorschriften entgegenstehen, nach dem Gesellschaftsver-
trag.

---

12 Zöllner/Noack in Baumbach/Hueck, GmbHG, § 44 Rn. 11.
13 Altmeppen in Roth/Altmeppen, GmbHG, § 44 Rn. 4.

(2) In Ermangelung besonderer Bestimmungen des Gesellschaftsvertrags finden die Vorschriften der §§ 46 bis 51 Anwendung.

I.　　Einführung

1　Wenn es um die Rechte der Gesellschafter in Bezug auf die GmbH und deren Ausübung geht, sind gem. § 45 Abs. 1 in erster Linie zwingende Gesetzesregelungen und in zweiter Linie die Inhalte des Gesellschaftsvertrags maßgebend. Sind keine entsprechenden vertraglichen Regelungen vorhanden, so gelten ergänzend die §§ 46 bis 51. Die Satzungsautonomie nach § 45 Abs. 1 eröffnet **weitreichende Gestaltungsmöglichkeiten**, was angesichts der überwiegend reinen Innentätigkeit der Gesellschafterversammlung unbedenklich ist[1] und die **GmbH zu einer vielseitig einsetzbaren Rechtsform** macht. Zugleich ist bei der Gestaltung des Gesellschaftsvertrags darauf zu achten, dass zwingende gesellschaftsrechtliche Vorschriften beachtet werden.

2　Mit Blick auf die Rechte i.S.v. § 45 Abs. 1 ist zu unterscheiden zwischen dem **Recht der Gesellschafter auf Mitwirkung** (Rn. 8 f.) bei der Willensbildung einerseits und zwischen ihren **individuellen Mitgliedschaftsrechten** (Rn. 4 ff.) andererseits.

II.　　Auslegung eines Gesellschaftsvertrags

3　Die Auslegung eines Gesellschaftsvertrags hat **objektiv** und nicht nach dem subjektiven Verständnis der Gesellschafter zu erfolgen.[2] Relevant sind der Wortlaut der Satzung sowie Unterlagen, die zum Handelsregister eingereicht und damit der Allgemeinheit zugänglich gemacht wurden (auch frühere gesellschaftsvertragliche Regelungen).[3]

1　Zöllner/Noack in Baumbach/Hueck, GmbHG, § 45 Rn. 6.

2　BGH, 25.11.2002 – II ZR 69/01, NJW-RR 2003, 826 = GmbHR 2003, 171; BGH, 11.10.1993 – II ZR 155/92, NJW 1994, 51.

3　BGH, 16.12.1991 – II ZR 58/91, NJW 1992, 892.

III. Mitgliedschaftsrechte

Mitgliedschaftsrechte – auch Verwaltungsrechte genannt – richten sich 4
grds. nach dem Gesellschaftsvertrag i.R.d. gesetzlichen Grenzen und zeichnen sich dadurch aus, dass sie

- den einzelnen Gesellschaftern zustehen *und*

- unmittelbar mit dem jeweiligen Gesellschaftsanteil verbunden sind.

Konkret geht es hierbei um das Gewinnbezugsrecht (§ 29), Stimmrechte 5
(§ 47), Teilnahmerechte (§ 48), das Recht der Geltendmachung von Mängeln der Gesellschafterbeschlüsse per Anfechtung, das Auskunfts- und
Einsichtsrecht (§ 51a) sowie das auch für die GmbH anerkannte[4] Recht zur
Erhebung von Gesellschafterklagen.[5]

Darüber hinaus können **durch Satzung** noch **weitere Verwaltungsrechte** 6
der Gesellschafter geschaffen werden: Möglich sind sog. **Sonderrechte**, die
die Entscheidungsbefugnis der Gesellschafterversammlung einschränken
können.[6] Derartige satzungsgemäße Sonderrechte können nicht ohne
Zustimmung des begünstigten Gesellschafters entzogen werden.[7]

Checkliste Sonderrechte: Welche Rechte werden Gesellschaftern oftmals 7
zusätzlich eingeräumt?

☑

- ☐ **Vermögensvorteile bei der Gewinnverteilung**: z.B. weicht Ausschüttung von Unternehmensgewinnen von der Verteilung des
  Gesellschaftsanteile ab.

- ☐ **Benutzungs- und Belieferungsrechte**: z.B. lebenslange kosten-
  lose Belieferung mit Produkten der GmbH.

- ☐ **Veto-, Mehrheitsstimm- oder Weisungsrechte für die Willensbildung in der Gesellschafterversammlung**:[8] z.B. Vetorecht
  eines Gesellschafters hinsichtlich der Veräußerung des Stamm-
  sitzes der Gesellschaft.

- ☐ **Entsenderechte**: z.B. Recht auf Entsendung eines Vertrauten in
  die Gesellschafterversammlung bzw. in den Aufsichtsrat.

---

4 Fichtelmann in HK-GmbHG, § 46 Rn. 76.

5 Weitere Einzelheiten s. Koch in Bormann/Kauka/Ockelmann, Hdb. GmbH-
   Recht, Kap. 6 Rn. 2 f.

6 BGH, 27.06.1974 – III ZR 47/72, NJW 1974, 1996.

7 BGH, 10.10.1988 – II ZR 3/88, NJW-RR 1989, 542.

8 Schmidt in Achilles/Ensthaler/Schmidt, GmbHG, § 45 Rn. 7.

☐ **Benennung von Geschäftsführern**: berechtigter Gesellschafter schlägt einen konkreten Geschäftsführer vor; für dessen Bestellung müssen übrige Gesellschafter zustimmen.

☐ **Bestimmung von Geschäftsführern**: berechtigter Gesellschafter schlägt einen konkreten Geschäftsführer vor, dessen Bestellung infolge dessen ohne Zustimmung der übrigen Gesellschafter erfolgt.

☐ **Übernahme von Verbindlichkeiten der betreffenden Leitungsperson gegenüber Dritten.**

IV. Mitwirkungsrechte

8   Neben ihren Mitgliedschaftsrechten hat jeder **Gesellschafter** ein **eigenes Recht auf Mitwirkung** an gesellschaftsrechtlicher Willensbildung.[9] Dabei gilt die Satzungsautonomie in einem weitreichenden Umfang. Einschränkungen können sich aus allgemein-gesetzlichen Schranken nach §§ 134, 138 und 242 BGB sowie aus ungeschriebenen Prinzipien des GmbH-Rechts ergeben.

1. Allgemeingesetzliche Schranken

9   Rechte der Gesellschafter dürfen per Satzung nicht **sittenwidrig entzogen** werden. So sind Vertragsregelungen grds. nach § 138 Abs. 1 BGB wegen Verstoßes gegen die guten Sitten nichtig, die einem Gesellschafter, einer Gruppe von Gesellschaftern oder der Gesellschaftermehrheit das Recht einräumen, einen Mitgesellschafter ohne sachlichen Grund aus der Gesellschaft auszuschließen.[10] Ausnahmsweise wirksam können derartige „**Hinauskündigungsklauseln**" sein, wenn sie aufgrund besonderer Umstände sachlich gerechtfertigt sind.[11] Dies wird angenommen, wenn z.B. der ausschließungsberechtigte Gesellschafter mit Rücksicht auf die enge persönliche Beziehung zu seiner Mitgesellschafterin die volle Finanzierung der Gesellschaft übernimmt und der Partnerin eine Mehrheitsbeteiligung und die Geschäftsführung einräumt.[12] Ferner ist ein sachlicher Grund gegeben, falls eine Praxisgemeinschaft von Ärzten einen neuen Gesellschafter aufnimmt und sich dabei eine zeitlich begrenzte Prüfungsmöglichkeit vorbehal-

---

9   Zöllner/Noack in Baumbach/Hueck, GmbHG, § 45 Rn. 4.

10   BGH, 14.03.2005 – II ZR 153/03, GmbHR 2005, 620.

11   BGH, 19.09.2005 – II ZR 173/04, NJW 2005, 3641.

12   BGH, 09.07.1990 – II ZR 194/89, NJW 1990, 2622.

ten will[13] oder wenn die Gesellschaftsbeteiligung nur als Annex zu einem Kooperationsvertrag der Gesellschafter anzusehen ist und sichergestellt werden soll, dass der Gesellschaft nur die Partner des Kooperationsvertrags angehören.[14] Wirksam ist auch eine Hinauskündigungsklausel, nach der in einer GmbH, in welcher alle Gesellschafter persönlich mitarbeiten, ein Geschäftsanteil eingezogen werden kann, wenn der betreffende Gesellschafter nicht mehr in dem Gesellschaftsunternehmen tätig ist.[15]

Formulierungsbeispiel: Hinauskündigungsklausel　　　　　　　　10

> Die Gesellschafterversammlung kann mit mehrheitlich gefasstem Beschluss einen geschäftsführenden Gesellschafter ausschließen, wenn dieser im Hinblick auf seine Stellung als Geschäftsführer eine Minderheitsbeteiligung erhalten, hierfür ein Entgelt in Höhe des Nennwerts gezahlt hat und als Geschäftsführer abberufen worden ist. In diesem Fall erfolgt die Rückübertragung der Gesellschaftsanteile gegen eine Abfindung an den auszuschließenden Gesellschafter gemäß (Satzungsregelung).

Eine weitere **allgemein-gesetzliche Schranke** stellt **§ 242 BGB** dar: Gegen　　11
Treu und Glauben verstößt eine gesellschaftsvertragliche Klausel zur Ausschließung eines Gesellschafters, wenn es den Ausschließungsberechtigten nur darum geht, sich mit der betreffenden Satzungsregelung sachlich ungerechtfertigt aus einer vormals übernommenen vertraglichen Verpflichtung zu lösen.[16] Ferner kann eine Klausel gegen **§ 1 UWG** verstoßen und damit wegen § 242 BGB nichtig sein, die Minderheitsgesellschaftern ein **Wettbewerbsverbot**[17] auferlegt. Allerdings muss dazu die Gefahr einer inneren Aushöhlung der Gesellschaft zugunsten des eigenen Konkurrenzunternehmens des Gesellschafters bestehen. Dies ist regelmäßig der Fall, wenn der Gesellschafter die Geschäftsführung maßgeblich beeinflussen kann und daher zu befürchten ist, dass der Geschäftsführer seine Pflicht vernachlässigt, in allen Angelegenheiten, die das Interesse der GmbH berühren, allein deren Wohl und nicht den eigenen Nutzen im Auge zu haben.[18]

13　　BGH, 08.03.2004 – II ZR 165/02, NJW 2004, 2013.

14　　BGH, 14.03.2005 – II ZR 153/03, GmbHR 2005, 620.

15　　BGH, 20.06.1983 – II ZR 237/82, NJW 1983, 2880.

16　　BGH, 08.03.2004 – II ZR 165/02, NJW 2004, 2013.

17　　Details zum Wettbewerbsverbot für Gesellschafter s. Koch in Bormann/Kauka/ Ockelmann, Hdb. GmbH-Recht, Kap. 6 Rn. 53 ff.

18　　BGH, 03.05.1988 – KZR 17/87, GmbHR 1988, 334.

Vertragliche Wettbewerbsverbote sind also nichtig, wenn sie sich gegen Minderheitsgesellschafter richten, die keinen maßgeblichen Einfluss auf die Geschäftsführung haben. Mehrheitsgesellschaftern oder geschäftsführenden Gesellschaftern hingegen kann ein Wettbewerbsverbot per Satzung auferlegt werden.

12   **Formulierungsbeispiel: Wettbewerbsverbot**

> Jedem Gesellschafter mit einem Gesellschaftsanteil ab 25 % ist es verboten, mit der Gesellschaft auf ihrem sachlichen und räumlichen Betätigungsfeld direkt oder indirekt, selbst oder durch Dritte, als Angestellter, selbstständig oder freiberuflich in Wettbewerb zu treten. Bei Verstößen hat die Gesellschaft das Recht, den betreffenden Gesellschafter nach Abmahnung auszuschließen und Unterlassung sowie Schadensersatz geltend zu machen. Darüber hinaus steht der Gesellschaft jeglicher Erlös abzüglich der direkten Kosten zu, den der gegen das Wettbewerbsverbot verstoßende Gesellschafter erzielt hat.

2.   Spezialgesetzliche Schranken

13   Gesetzliche Beschränkungen der Satzungsautonomie ergeben sich überdies aus § 53. Demnach können **Änderungen des Gesellschaftsvertrags** nur durch **notariell zu beurkundenden Beschluss** der Gesellschafter mit 3/4-Mehrheit erfolgen und Vermehrungen der satzungsmäßen Gesellschafterleistungen nur mit Zustimmung aller beteiligten Gesellschafter beschlossen werden. Diese Regelung darf ebenfalls nicht gesellschaftsvertraglich abbedungen werden.

14   Daneben sind solche Vorschriften zu beachten, die zwar nicht explizit zwingend sind, jedoch unverzichtbare **körperschaftsrechtliche Prinzipien** enthalten. Hierzu gehört u.a. der Ausschluss eines Gesellschafters vom Stimmrecht, wenn es um seine eigene Entlastung geht. In diesem Kontext gilt das auf § 47 Abs. 4 beruhende Verbot des Richtens in eigener Sache.[19] Auch der Stimmrechtsausschluss bzgl. der Einleitung eines Rechtsstreits gegen einen Gesellschafter gem. § 47 Abs. 4 kann nicht vertraglich ausgeschlossen werden.

15   Ferner können **Regelungen**, die **öffentliche Interessen schützen** sollen, nicht gesellschaftsvertraglich abgeschwächt, sondern nur verschärft werden: Insoweit ist auf § 49 Abs. 3 zu verweisen, wonach die Gesellschafterversammlung unverzüglich insbes. einberufen werden muss, wenn sich aus der Jahresbilanz

---

19   Schwichtenberg, GmbHR 2007, 400, 401.

oder aus einer im Laufe des Geschäftsjahrs aufgestellten Bilanz ergibt, dass die Hälfte des Stammkapitals verloren ist. Diese Regelung dürfte vertraglich nur dahin gehend geändert werden, dass die Gesellschafterversammlung bereits bei Verlust eines Drittels des Stammkapitals einzuberufen ist.

3. Ungeschriebene Prinzipien

Möglich ist es, durch den Gesellschaftsvertrag einzelne Zuständigkeiten der Gesellschafterversammlung auf andere Organe (z.B. Gesellschafterausschuss[20] oder Beirat) zu delegieren oder entsprechend neue Organe zu schaffen. Auch eine Übertragung von Kompetenzen auf ein Schiedsgericht, das in diesem Fall nicht nach Maßgabe der §§ 1025 ff. ZPO tätig wird und dessen Entscheidungen wie Gesellschafterbeschlüsse der Nichtigkeits- und Anfechtungsklage unterliegen,[21] ist möglich. Dabei kommt es darauf an, dass einerseits die Satzungsregelung die Überwachungs- bzw. Kontrollfunktion des berufenen Organs erkennen lässt und dass andererseits die **Kompetenzübertragung** nicht unumkehrbar ist.[22] Statuarische Zuständigkeitsverlagerungen sind also wirksam, wenn sie die grds. Allzuständigkeit der Gesellschafter nicht dauerhaft beseitigen und grundlegende Gesellschafterkompetenzen nicht ausschließen.   **16**

In diesem Sinne darf der **Grundsatz der Verbandssouveränität** nicht durch den Gesellschaftsvertrag beeinträchtigt werden. So ist es z.B. unzulässig, der Gesellschafterversammlung vertraglich die Kompetenz zur Satzungsänderung[23] oder zur Auflösung der GmbH zu nehmen.[24] Grundlegende Entscheidungen wie z.B. über bedeutsame Änderungen der Geschäftspolitik oder über Verschmelzung, Umwandlung und Auflösung nach § 60 Nr. 2 müssen bei den Gesellschaftern verbleiben.   **17**

Des Weiteren muss die Satzung ausgewogene Regelungen mit Blick auf die Funktionsfähigkeit der Gesellschaft beinhalten. Entscheidend ist, dass gesetzlich vorgesehene **Entscheidungsstrukturen** und **Abgrenzungsmerkmale zu anderen Rechtsformen** beachtet werden. Bspw. darf die Weisungsbefugnis der Gesellschafterversammlung bzw. des Aufsichtsrats gegenüber der Geschäftsführung als wesentliches strukturelles Unterscheidungsmerkmal der GmbH im Vergleich mit der AG grds. nicht aufgehoben werden. Eine Ausnahme gilt für den Fall, dass Personenidentität zwischen   **18**

---

20   BGH, 26.01.1961 – II ZR 240/59, NJW 1961, 724.

21   BGH, 25.02.1965 – II ZR 287/63, NJW 1965, 1378.

22   Lutter/Hommelhoff in Lutter/Hommelhoff, GmbHG, § 45 Rn. 6.

23   BGH, 25.02.1965 – II ZR 287/63, NJW 1965, 1378.

24   Ulmer in Hachenburg, GmbHG, § 61 Rn 3.

Geschäftsführern und Gesellschaftern besteht. Andererseits darf der Gesellschaftsvertrag die Befugnisse der Geschäftsführer nicht derart beschneiden, dass sie nur noch Vollzugsorgane der Gesellschafter oder praktisch leitende Angestellte sind.[25] Der Geschäftsführung muss also jedenfalls noch ein Mindestmaß an eigener Entscheidungskompetenz in operativen Angelegenheiten satzungsgemäß zugestanden werden.

19 Nicht per Satzung übertragbar sind i.Ü. solche Aufgaben, die das von der Delegation betroffene Organ qua Natur der Sache nicht wahrnehmen kann. Dies sind zum einen die sog. **„Grundlagenentscheidungen"** wie z.B. Satzungsänderungen einschließlich der Änderung des Unternehmensgegenstands, Veräußerung oder Auflösung/Liquidation der GmbH sowie Leitlinien der Unternehmenspolitik. Zum anderen sind nicht solche Aufgaben übertragbar, die zu Interessenkollisionen führen:

> *Beispiel:*
>
> *Auf einen Geschäftsführer kann nicht dessen eigene Entlastung und Abberufung per Satzung übertragen werden.[26]*

20 Ist gemäß Gesellschaftsvertrag eine Aufgabe der Gesellschafterversammlung einem anderen Organ zugewiesen und wird dieses funktionsunfähig, so fällt die betreffende Aufgabe automatisch an die Gesellschafterversammlung zurück.[27] Denn anderenfalls ergäbe sich trotz des gesetzlichen Rahmens und der grds. Allzuständigkeit der Gesellschafterversammlung ein Zwang, den Aufsichtsrat neu zu besetzen.[28]

21 **Checkliste Gesellschaftsvertrag: Welche Regelungen darf eine Satzung nicht beinhalten?**

☑

☐ Ausschließung eines Gesellschafters ohne sachlichen Grund.

☐ Wettbewerbsverbote für Minderheitsgesellschafter.

☐ Satzungsänderungen ohne Dreiviertelmehrheit.

☐ Stimmberechtigung eines Gesellschafters bei eigener Entlastung.

☐ Stimmberechtigung eines Gesellschafters bei Einleitung eines Rechtsstreits gegen ihn.

☐ Entscheidungsbefugnis von Geschäftsführern über Gesellschaftsauflösung.

---

25   Lutter/Hommelhoff in Lutter/Hommelhoff, GmbHG, § 45 Rn. 4.

26   BGH, 25.02.1965 – II ZR 287/63, NJW 1965, 1378.

27   BGH, 24.02.1954 – II ZR 88/53, NJW 1954, 799.

28   BGH, 24.02.1954 – II ZR 88/53, NJW 1954, 799.

> ☐ Ausschluss der Weisungsbefugnis von Gesellschaftern gegenüber Geschäftsführern.
>
> ☐ Völliger Ausschluss von Entscheidungen der Geschäftsführer.

V. Prozessuales

Werden gesetzliche Anforderungen nicht beachtet, sind die betreffenden **22** Beschlüsse der Gesellschafterversammlung hinsichtlich der Satzungsregelungen grds. nicht nichtig, sondern anfechtbar. Hiergegen kann **Anfechtungs- und Nichtigkeitsklage** erhoben werden. Dies ist für Gesellschafter ausnahmsweise nur dann unzumutbar, wenn z.B. eine Verjährung unmittelbar bevorsteht.[29] Details ergeben sich aus § 47.

Einzelne Mitglieder eines Aufsichtsrats oder sonstiger Überwachungsorgane **23** einer GmbH haben gegenüber dem betreffenden Überwachungsorgan keinen **Anspruch auf Durchführung von Überwachungsmaßnahmen**. Vielmehr müssen sie den Weg über den Aufsichtsrat nehmen.[30] Darüber hinaus kommen **Auskunfts-, Einsichtnahme- und Vorlageansprüche des Aufsichtsrats** gem. §§ 90, 111 Abs. 2, 170 AktG i.V.m. § 52 Abs. 1 nur zur sachgerechten Ausübung der Kontrollfunktion in Betracht, nicht aber zur Anspruchsdurchsetzung gegenüber dem Leitungsorgan.[31]

§ 46 GmbHG   Aufgabenkreis der Gesellschafter

Der Bestimmung der Gesellschafter unterliegen:

1. **die Feststellung des Jahresabschlusses und die Verwendung des Ergebnisses;**

1a. **die Entscheidung über die Offenlegung eines Einzelabschlusses nach internationalen Rechnungslegungsstandards (§ 325 Abs. 2a des Handelsgesetzbuchs) und über die Billigung des von den Geschäftsführern aufgestellten Abschlusses;**

1b. **die Billigung eines von den Geschäftsführern aufgestellten Konzernabschlusses;**

2. **die Einforderung der Einlagen;**

3. **die Rückzahlung von Nachschüssen;**

---

29   OLG Düsseldorf, 28.10.1993 – 6 U 160/92, ZIP 1994, 619.

30   Zöllner in Baumbach/Hueck, GmbHG, § 46 Rn. 25.

31   OLG Dresden, 09.05.2006 – 2 U 372/06.

4. die Teilung, die Zusammenlegung sowie die Einziehung von Geschäftsanteilen;

5. die Bestellung und die Abberufung von Geschäftsführern sowie die Entlastung derselben;

6. die Maßregeln zur Prüfung und Überwachung der Geschäftsführung;

7. die Bestellung von Prokuristen und von Handlungsbevollmächtigten zum gesamten Geschäftsbetrieb;

8. die Geltendmachung von Ersatzansprüchen, welche der Gesellschaft aus der Gründung oder Geschäftsführung gegen Geschäftsführer oder Gesellschafter zustehen, sowie die Vertretung der Gesellschaft in Prozessen, welche sie gegen die Geschäftsführer zu führen hat.

I.   Einführung

1   Die Rechte der Gesellschafter richten sich zuvorderst nach dem Gesellschaftsvertrag. **Ergänzend** sind **grundlegende Regeln zur Zuständigkeit der Gesellschafterversammlung** gem. § 46 zu beachten.[1] Die darin

---

1   Siehe auch Koch in Bormann/Kauka/Ockelmann, Hdb. GmbH-Recht, Kap. 6 Rn. 67 ff.

genannten Entscheidungsgegenstände sind **nicht abschließend**; weitere Zuständigkeiten der Gesellschafter folgen aus dem Gesetz.[2]

Sind die Gesellschafter nach § 46 beschlusszuständig, so dürfen andere Organe nicht ohne Weiteres über die genannten Gegenstände entscheiden. Möglich ist es, die Entscheidungskompetenz durch Satzungsänderung generell zu verlagern. Geht es um einen konkreten Einzelfall, kann die Gesellschafterversammlung die Entscheidungsbefugnis mit einstimmigem Beschluss an andere Gesellschaftsorgane delegieren.   2

Entscheidungskompetenzen können nicht nur verlagert, sondern auch eingeschränkt werden, wobei der Gesellschafterversammlung ihre **Stellung als oberstes Organ der GmbH** nicht entzogen werden darf. Ferner ist es ausgeschlossen, die Bestellung bzw. Abberufung von Geschäftsführern oder deren Überwachung an Geschäftsführer zu delegieren. Möglich ist jedoch die satzungsmäßige Einschränkung einzelner Zuständigkeiten. Andererseits können die Zuständigkeiten der Gesellschafterversammlung wegen ihrer Allzuständigkeit auch erheblich erweitert werden. Dabei muss Geschäftsführern ein Grundtatbestand eigener Sachentscheidungen überlassen bleiben.   3

Ist die Beschlusszuständigkeit in der Satzung nicht eindeutig festgelegt, können auch ein ggf. vorhandener Aufsichtsrat, Beirat, Zusatzorgane oder Gesellschafterausschüsse zuständig sein. Dies ist durch **Satzungsauslegung** zu ermitteln.   4

II. Feststellung des Jahresabschlusses (Nr. 1)

Gem. § 264 Abs. 1 Satz 2 HGB sind Geschäftsführer verpflichtet, den **Jahresabschluss** der Gesellschaft aufzustellen. Dieser besteht aus **Jahresbilanz, Gewinn- und Verlustrechnung sowie Anhang** [§§ 242, 264 HGB]. Nach der Aufstellung des Jahresabschlusses erfolgt dessen Feststellung. Hierbei handelt es sich um dessen in gewissen Beziehungen verbindliche Festlegung,[3] welche nach § 46 Nr. 1 der Gesellschafterversammlung obliegt und durch Satzungsregelung auch an den Aufsichtsrat, Beirat, Gesellschafterausschuss sowie an Geschäftsführer delegiert werden kann.   5

In formaler Hinsicht ist darauf zu achten, dass die **Feststellung innerhalb der ersten acht Monate eines Geschäftsjahres** erfolgen muss gem. § 42a Abs. 2 Satz 1. Bei kleinen Gesellschaften i.S.v. § 267 Abs. 1 HGB beträgt die Frist elf Monate. Eine Verlängerung der Frist durch Satzung oder Gesellschafterbeschluss ist generell unzulässig.   6

---

2   Übersicht gesetzlicher Kompetenzen: Koch in Bormann/Kauka/Ockelmann, Hdb. GmbH-Recht, Kap. 6 Rn. 79 ff.

3   Schulze-Osterloh in Baumbach/Hueck, GmbHG, § 42a Rn. 14.

7   Die Gesellschafter stellen den Jahresabschluss durch Beschluss fest; dieser ist zu **protokollieren**.

8   **Formulierungsbeispiel:**

> Die Gesellschafterversammlung stellt den Jahresabschluss der .....
> GmbH für das Geschäftsjahr ..... fest.

9   Möglich ist auch eine **konkludente Feststellung** des Jahresabschlusses, wenn die Gesellschafterversammlung auf Basis des aufgestellten und ggf. geprüften Jahresabschlusses einen **Ergebnisverwendungsbeschluss** fasst. In diesem Fall geben die Gesellschafter schlüssig zu erkennen, dass sie den Jahresabschluss als verbindlich festlegen und zur Grundlage ihres Ergebnisverwendungsbeschlusses machen wollen.

10 Sind Gesellschafter zugleich auch Geschäftsführer und haben diese den Jahresabschluss bereits aufgestellt und unterzeichnet, bedarf es grds. keiner separaten Feststellung. Demgegenüber muss bei Bestehen einer Prüfungspflicht i.S.v. §§ 316 ff. HGB das Prüfungsergebnis des Wirtschaftsprüfers abgewartet werden.

11 Ferner kann eine Feststellung des Jahresabschlusses durch Satzungsregelung dergestalt fingiert werden, dass der Jahresabschluss als festgestellt gilt, sofern kein Gesellschafter oder keine bestimmte Zahl von Gesellschaftern binnen einer bestimmten Frist widerspricht.

12 **Formulierungsbeispiel:**

> Der Jahresabschluss der .....- GmbH eines jeden Geschäftsjahres gilt als festgestellt, sofern kein Widerspruch seitens eines Gesellschafters gegen den jeweiligen Jahresabschluss der .....- GmbH binnen vier Wochen ab Zugang des Jahresabschlusses in schriftlicher Form erhoben wird.

13 Verweigert ein Gesellschafter die Zustimmung zu einem Feststellungs- oder Gewinnverwendungsbeschluss der Gesellschafterversammlung und begehrt ein Gesellschafter einen entsprechenden Beschluss, so kommt eine Klageerhebung in Betracht. Während dies teilweise verneint wird, kann der Gesellschafter nach a.A. einen einklagbaren Anspruch gegen die Gesellschaft auf Feststellung des Jahresabschlusses geltend machen.[4] Die Zustim-

---

4   Schmidt in Achilles/Ensthaler/Schmidt, GmbHG, § 46 Rn. 5 m.w.N.

mung soll demnach seitens des Gerichts durch Gestaltungsurteil gem. § 315 Abs. 3 BGB ersetzt werden.[5]

Die **Feststellung des Jahresabschlusses** ist primär den Gesellschaftern 14 zugewiesen. Durch Satzung kann ihre Kompetenz an den Aufsichtsrat, Beirat, Gesellschafterausschuss sowie an Geschäftsführer delegiert werden.

Ist ein Jahresabschluss nichtig, muss er neu festgestellt werden. Darüber 15 hinaus kann ein wirksamer und festgestellter Jahresabschluss rückwirkend geändert werden, solange er noch nicht offen gelegt worden ist. Nach Offenlegung ist eine rückwirkende Änderung nur möglich, sofern der neu festgestellte Jahresabschluss für Gläubiger nicht ungünstiger ist. Eine **rückwirkende Änderung** bedarf grds. eines einstimmigen Beschlusses der Gesellschafter. Ausnahmsweise ist Einstimmigkeit entbehrlich, sofern über die Ergebnisverwendung nicht entschieden worden ist oder sich die Ausschüttungsansprüche der Gesellschafter bei einer Neufeststellung erhöhen.

III. Verwendung des Ergebnisses (Nr. 1)

Wie das von der Gesellschaft erzielte Ergebnis zu verwenden ist, entschei- 16 den die Gesellschafter. Je nach Lage des Einzelfalls kommt eine **Ausschüttung an die Gesellschafter**, ein **Gewinn- bzw. Verlustvortrag** oder eine **Gewinnthesaurierung** in Betracht. Im Grundsatz haben Gesellschafter einen Anspruch auf Gewinnausschüttung gem. § 29. Ausnahmsweise kann der Bilanzgewinn jedoch auch beliebig verwendet werden, wozu die Zustimmung aller Gesellschafter notwendig ist.[6]

Formulierungsbeispiel: 17

> Die ..... GmbH hat im Geschäftsjahr ..... einen Jahresüberschuss i.H.v. ..... vor Gewinnabführung erzielt. Die Gesellschafterversammlung beschließt einstimmig, dass für das vorgenannte Geschäftsjahr keine Gewinnausschüttung erfolgt. Stattdessen wird der Jahresüberschuss thesauriert.

Innerhalb von Konzernen fließt das Ergebnis auf Basis eines **Ergebnis- bzw.** 18 **Gewinnabführungsvertrags** in aller Regel an die Obergesellschaft.

---

5 Lutter/Hommelhoff in Lutter/Hommelhoff, GmbHG, § 46 Rn. 6.
6 Zöllner in Baumbach/Hueck, GmbHG, § 46 Rn. 17.

19 **Formulierungsbeispiel:**

> Die ..... GmbH als Untergesellschaft der ..... Holding AG hat am ..... mit
> dieser einen Gewinnabführungsvertrag mit Verlustübernahmeverpflich-
> tung seitens der Muster-Holding AG geschlossen. Die Gesellschafterver-
> sammlung nimmt zustimmend zur Kenntnis, dass auf Grundlage des
> vorgenannten Gewinnabführungsvertrags das Jahresergebnis des
> Geschäftsjahres ..... i.H.v. ..... an die ...... AG abgeführt wird.

20 Zuständig für die Entscheidung über die Ergebnisverwendung sind **zuvor-
    derst die Gesellschafter**, allerdings kann ihre Kompetenz wie bei der
    Feststellung des Jahresabschlusses anderen Organen zugewiesen werden.[7]
    Zeitlich muss der Beschluss über die Ergebnisverwendung ebenfalls wie bei
    der Feststellung des Jahresabschlusses binnen der ersten acht oder elf
    Monate eines Geschäftsjahres erfolgen. Eine verspätete Beschlussfassung
    führt zwar nicht zur Nichtigkeit des Beschlusses, kann allerdings als Ord-
    nungswidrigkeit nach § 325a HGB geahndet werden.

IV. Offenlegung und Billigung eines IAS-Einzelabschlusses und eines Konzernabschlusses (Nr. 1a/Nr. 1b)

21 Gemäß § 315a Abs. 3 HGB in der Fassung des BilReG 2004 kann die
    Gesellschaft wählen, ob sie neben dem weiterhin erforderlichen HGB-Ab-
    schluss einen Einzelabschluss nach dem internationalen Rechnungslegungs-
    standard IFRS aufstellt und gem. § 325 Abs. 2a HGB anstatt des Jahres-
    abschlusses offen legt.

22 Mit § 46 Nr. 1a stellt der Gesetzgeber klar, dass die Entscheidung über
    Aufstellung und Offenlegung eines IAS-Jahresabschlusses der Gesellschaf-
    terversammlung obliegt.[8] Darüber hinaus ist der Gesellschafterversammlung
    nach § 46 Nr. 1b auch die Billigung des Jahresabschlusses zugewiesen.
    Damit ergeben sich zwar begriffliche Unstimmigkeiten mit Blick auf § 42a,
    wonach keine Billigung vorgesehen ist. Letztlich ist jedoch entscheidend,
    dass die Gesellschafterversammlung das letzte Wort über den Inhalt des
    Jahresabschlusses haben muss.[9] Wie bei § 46 Nr. 1 kann diese Kompetenz
    auch auf andere Organe delegiert werden.

---

7   Koch in Bormann/Kauka/Ockelmann, Hdb. GmbH-Recht, Kap. 6 Rn. 71.

8   Schmidt in Achilles/Ensthaler/Schmidt, GmbHG, § 46 Rn. 8a.

9   Altmeppen in Roth/Altmeppen, GmbHG, § 46 Rn. 10a.

V.   Einforderung der Einlagen (Nr. 2)

Die **Pflicht der Gesellschafter** zur Erbringung der **Stammeinlagen** ergibt sich   23
aus dem Gesellschaftsvertrag oder bei einer Kapitalerhöhung aus dem Übernahmevertrag. Nach früherer Rechtslage war den Gesellschaftern die Entscheidung über die „Einforderung von Einzahlungen auf die Stammeinlagen"
zugewiesen. Im Zuge des MoMiG ist diese Formulierung entsprechend § 28
Abs. 2 vereinfacht worden, da der Gesellschafter einen Geschäftsanteil gegen
die Verpflichtung übernimmt, hierauf eine „Einlage" zu erbringen. Die insoweit erforderliche Entscheidung obliegt den Gesellschaftern.

Die **Einforderung von Einlagen** setzt in formaler Hinsicht grds. einen   24
Gesellschafterbeschluss voraus.[10] Eine Ausnahme besteht für den Fall, dass
Zahlungstermine in der Satzung geregelt sind:

Formulierungsbeispiel: 25

> Die Gesellschafterversammlung hat mit mehrheitlich gefasstem
> Beschluss vom ..... entschieden, dass die Gesellschafter die auf sie
> jeweils entfallenden Einlagen bis zum ..... zu erbringen haben.
>
> **Satzungsregelung**: Die Gesellschafter sind verpflichtet, die auf sie
> jeweils entfallenden Einlagen nach dieser Satzung bis zum ..... zu
> erbringen.

Darüber hinaus können Einforderungsbeschlüsse auch konkludent gefasst   26
werden. Wenn z.B. in einem Kapitalerhöhungsbeschluss die Fälligkeit der
Resteinlagen von einer „Aufforderung" abhängig ist, so liegt darin nach
h. Rspr. ein **konkludenter Einforderungsbeschluss**.[11] Erkennbar werden
muss also aus der Willensbildung der Gesellschafterversammlung, dass
Einlagen seitens der Gesellschafter erbracht werden sollen.

Die **Kompetenz zur Beschlussfassung** ist – anders als im Aktienrecht –   27
grds. den Gesellschaftern zugewiesen, wobei es auch möglich ist, diese
Kompetenz per Beschluss oder Satzung auf andere Gesellschaftsorgane
(z.B. Geschäftsführung) zu delegieren.[12] Ohne Ermächtigung der Gesellschafterversammlung ist eine wirksame Beschlussfassung durch Delegierte

---

10   BGH, 17.10.1988 – II ZR 372/87, NJW-RR 1989, 228.

11   OLG Dresden, 29.11.1999 – 2 U 2455/99, NZG 2000, 487; BGH, 16.09.2002
      – II ZR 1/00, NJW 2002, 3774.

12   Koch in Bormann/Kauka/Ockelmann, Hdb. GmbH-Recht, Kap. 6 Rn. 74.

allerdings ausgeschlossen. Für die **Kompetenzverlagerung** ist eine hinreichend deutliche Formulierung notwendig.[13]

28   **Formulierungsbeispiel:**

> Die Entscheidung über die Einforderung der Stammeinlagen i.S.v. § 46 Nr. 2 GmbHG obliegt der Geschäftsführung.

29   Die Beschlusskompetenz der Gesellschafter gem. § 46 Nr. 2 oder entsprechender Satzungsregelung fällt weg, wenn über das Vermögen der Gesellschaft ein Insolvenzverfahren eröffnet wird. In diesem Fall ist der Insolvenzverwalter befugt, eine noch nicht geleistete Einlage- oder Agioforderung direkt zur Masse einzufordern.[14]

30   Während über die Einforderung der Stammeinlage grds. die Gesellschafterversammlung zu befinden hat, ist die **Geschäftsführung für die Ausführung solcher Beschlüsse zuständig.** Dazu fordert sie die betreffenden Gesellschafter i.d.R. schriftlich zur Leistung der Einlagen auf:

31   **Formulierungsbeispiel:**

> Sehr geehrte/r Frau/Herr ....., am (Sitzungsdatum) hat die Gesellschafterversammlung der .....- GmbH beschlossen, dass die Gesellschafter die auf sie jeweils entfallenden Einlagen bis zum ..... zu erbringen haben. Daher bitten wir Sie in Ihrer Eigenschaft als Gesellschafter/in der .....- GmbH, die auf Sie entfallene Einlage i.H.v. ..... bzw. in Form von ..... (Bezeichnung der konkreten Sacheinlage) bis zum ..... zu leisten.

32   Wirksam wird der Einforderungsbeschluss gegenüber anwesenden Gesellschaftern sofort und gegenüber abwesenden Gesellschaftern mit Zugang der schriftlichen Erklärung. Zugleich beginnt ab Bekanntgabe des Beschlusses die Verjährungsfrist.[15] Eine Aufhebung von Einforderungsbeschlüssen ist grds. möglich, soweit noch kein Gesellschafter die eingeforderte Stammeinlage geleistet hat.[16] Sollten hingegen – sofern sich der Beschluss an mehrere Gesellschafter richtet – bereits einzelne Gesellschafter geleistet haben, ist nach Aufhebung des Einforderungsbeschlusses eine Erstattung

---

13   BGH, 11.12.1995 – II ZR 268/94, DStR 1996, 111.

14   BGH, 15.10.2007 – II ZR 216/06, DB 2007, 2826.

15   BGH, 08.12.1986 – II ZR 55/86, WM 1987, 208.

16   Altmeppen in Roth/Altmeppen, GmbHG, § 46 Rn. 12.

nur möglich, sofern dadurch der Eigenkapitalerhaltungsgrundsatz gem. §§ 30, 31 nicht verletzt wird. Ansonsten scheidet aus Gleichbehandlungsgründen eine Erstattung aus.[17]

VI. Rückzahlung von Nachschüssen (Nr. 3)

Nachschüsse sind Gesellschafterbeiträge, die über die Stammeinlagen hinaus auf Basis einer ausdrücklichen Satzungsregelung gem. § 26 zu erbringen sind (vgl. § 26 Rn. 1). Der Gesellschafterversammlung obliegt dann gem. § 46 Nr. 3 die Entscheidung über die **Rückzahlung von Nachschüssen**, an der auch betroffene Gesellschafter mitwirken dürfen.[18] Die Rückzahlung wiederum richtet sich nach § 30 Abs. 2, wobei die dort geregelten Restriktionen zu beachten sind.

33

Formulierungsbeispiel:

34

> Die Gesellschafterversammlung hat mit mehrheitlich gefasstem Beschluss vom ..... beschlossen, dass die seitens der Gesellschafter im Hinblick auf den Beschluss der Gesellschafterversammlung vom ..... (Datum des Beschlusses der Gesellschafterversammlung hinsichtlich des Nachschusses) geleisteten Nachschüsse wieder an die Gesellschafter ausgekehrt werden.

VII. Teilung, Zusammenlegung und Einziehung von Geschäftsanteilen (Nr. 4)

Die Vorschrift stand bis zur Gesetzesänderung im Zusammenhang mit der Regelung des § 17. Demnach erforderte die Teilung von Geschäftsanteilen eine Genehmigung der Gesellschaft, wobei die Gesellschafterversammlung grds. darüber zu entscheiden hatte. Mit Umsetzung des MoMiG wurde § 17 aufgehoben, da mit dem neuen § 5 die Teilung und Zusammenlegung von Geschäftsanteilen (der Nennbetrag jedes Geschäftsanteils muss nur noch auf volle Euro lauten) wesentlich erleichtert worden ist. Infolge der Gesetzesänderung ist der **Gesellschafterversammlung** gem. § 46 Nr. 4 nunmehr auch **die Entscheidung über die „Zusammenlegung" von Geschäftsanteilen** zugewiesen. Nach dem Willen des Gesetzgebers ist es Sache der Gesellschafter zu entscheiden, ob und was sie an Teilungen und Zusammenlegungen zulassen wollen.[19]

35

---

17 Zöllner in Baumbach/Hueck, GmbHG, § 46 Rn. 28.

18 Schmidt in Achilles/Ensthaler/Schmidt, GmbHG, § 46 Rn. 13.

19 RegE MoMiG, S. 102.

36   Eine **Teilung oder Zusammenlegung von Geschäftsanteilen** setzt einen Gesellschafterbeschluss voraus, wobei in der Satzung höhere oder geringere Anforderungen gestellt werden können. Jedenfalls ist eine Zustimmung desjenigen Gesellschafters, dessen Geschäftsanteile von der Zusammenlegung oder Teilung betroffen sind, nicht erforderlich.[20] Er darf aber nach h.M. mitstimmen.[21] Bei einer Einziehungserklärung des Geschäftsführers ohne wirksamen Gesellschafterbeschluss wird die Gesellschaft nicht gebunden, da es im Innenverhältnis keines Verkehrsschutzes bedarf.[22]

37   Bei jeder Teilung zu beachten ist die **Mindeststückelung gem. § 5 Abs. 2**. Bei einer Zusammenlegung kann die Gesellschaft bei ihrer Zustimmung berücksichtigen, dass ein Geschäftsanteil noch nicht voll eingezahlt, mit einer Nachschusspflicht, mit Rechten Dritter belastet oder nach der Satzung mit verschiedenen Rechten und Pflichten ausgestattet ist als der andere Geschäftsanteil.

38   Nach beschlossener Zusammenlegung oder Teilung müssen die Geschäftsführer eine **aktualisierte Gesellschafterliste zum Handelsregister** einreichen. In formeller Hinsicht empfiehlt der Gesetzgeber dringend, die jeweiligen Gesellschafterbeschlüsse schriftlich zu fassen, da Änderungen der Gesellschafterliste nur auf Antrag und Nachweis erfolgen.[23]

39   Die Einziehung bzw. Amortisation von Geschäftsanteilen setzt zwingend voraus, dass sie in der Satzung zugelassen ist. Dies gilt sowohl für die freiwillige als auch zwangsweise Einziehung nach § 34. Ist in der Satzung keine entsprechende Regelung enthalten, muss gem. § 46 Nr. 4 die **Gesellschafterversammlung** entscheiden. Dies gilt sowohl für die Entscheidung über die zwangsweise Einziehung als auch bereits für den Fall, dass in der Satzung eine Einziehungsregelung für freiwillige Amortisationen nachträglich eingeführt werden soll.

40   Bei einer Einziehung ist zu unterscheiden zwischen dem **Beschluss der Gesellschafterversammlung** und der Einziehungserklärung. Die Erklärung gibt der Geschäftsführer gegenüber dem betroffenen Gesellschafter ab. Der von der Einziehung betroffene Gesellschafter darf ebenfalls abstimmen.[24]

---

20   RegE MoMiG, S. 102.

21   Zöllner in Baumbach/Hueck, GmbHG, § 46 Rn. 31; diff.: Schmidt in Achilles/Ensthaler/Schmidt, GmbHG, § 46 Rn. 17.

22   Schmidt in Achilles/Ensthaler/Schmidt, GmbHG, § 46 Rn. 17.

23   RegE MoMiG, S. 102.

24   Lutter/Hommelhoff in Lutter/Hommelhoff, GmbHG, § 46 Rn. 10.

Formulierungsbeispiel: 41

> **Einziehungsbeschluss der Gesellschafterversammlung**: Die Gesell-
> schafterversammlung hat mit Beschluss vom ..... entschieden, dass
> sämtliche Geschäftsanteile des Gesellschafters A eingezogen werden.
> Die Höhe der Abfindung richtet sich nach ..... (Satzungsregelung) und
> beläuft sich auf .....
>
> **Einziehungserklärung der Geschäftsführung**: Sehr geehrte/r Frau/
> Herr ..... am ..... hat die Gesellschafterversammlung der .....- GmbH
> beschlossen, dass die auf Sie entfallenden Geschäftsanteile eingezogen
> werden. Die Höhe der Ihnen zustehenden Abfindung richtet sich nach
> ..... (Satzungsregelung) und beläuft sich auf .....

VIII. Bestellung und Abberufung von Geschäftsführern (Nr. 5)

Die Bestellung und Abberufung von Geschäftsführern obliegt grds. der 42
Gesellschafterversammlung, ist aber **delegierbar**. Eine **Ausnahme** bildet
die **mitbestimmte GmbH**, deren obligatorischer Aufsichtsrat gem. § 31
MitbestG ausschließlich zuständig ist. In allen anderen Fällen kann die
Zuständigkeit der Gesellschafter im Gesellschaftsvertrag z.B. dergestalt
geregelt werden, dass die Bestellung und Abberufung von Geschäftsführern
einem einzelnen Gesellschafter als Sonderrecht,[25] anderen Organen (Aufsichtsrat, Beirat, bereits vorhandene Geschäftsführer) oder Dritten[26] zugewiesen wird. Zu differenzieren ist insoweit wie folgt: Hat ein Gesellschafter
gemäß Satzung ein Benennungsrecht, so liegt die Auswahl des Geschäftsführers bei ihm. Die Entscheidung über die Bestellung des betreffenden
Kandidaten trifft in diesem Fall jedoch die Gesellschafterversammlung. Hat
ein Gesellschafter hingegen ein Bestimmungsrecht, so liegt die vollständige
Entscheidungshoheit bei ihm, d.h. für die Bestellung des Geschäftsführers ist
kein Beschluss der Gesellschafterversammlung mehr erforderlich.

Formulierungsbeispiel: 43

> Geschäftsführer werden ausschließlich vom Gesellschafter ..... bestellt
> bzw. abberufen.
>
> Über die Bestellung und Abberufung von Geschäftsführern entscheidet
> der Aufsichtsrat.

---

25 BGH, 10.10.1988 – II ZR 3/88, NJW-RR 1989, 542.
26 BGH, 09.10.1989 – II ZR 16/89, NJW-RR 1990, 233; Lutter/Hommelhoff in
    Lutter/Hommelhoff, GmbHG, § 46 Rn. 11.

44   Als **Annexkompetenz** nach § 46 Nr. 5 obliegt Gesellschaftern auch der Abschluss,[27] die Kündigung, die Aufhebung[28] oder die Änderung[29] des Anstellungsvertrags.[30] In einer mitbestimmten GmbH entscheidet hierüber ausschließlich der Aufsichtsrat.[31]

45   Bei der **Bestellung** handelt es sich um ein **Rechtsgeschäft mit dem Geschäftsführer**, sodass zwischen Willensbildung und Willenserklärung zu unterscheiden ist. Erst mit einer Willenserklärung, die als Kundgabe des Beschlusses seitens der Gesellschaftergesamtheit erfolgt, wird die Bestellung wirksam.[32] Dabei vertritt die Gesellschaftergesamtheit die Gesellschaft gegenüber dem betreffenden Geschäftsführer;[33] d.h. sonstige Geschäftsführer sind hinsichtlich der Bestellung eines Geschäftsführers nicht vertretungsberechtigt. Allerdings können Geschäftsführer als Erklärungsboten eingesetzt werden.[34]

46   Die Bestellung bedarf nach h.M. einer **Annahmeerklärung durch den Geschäftsführer**, da dessen Pflichtbindung gem. § 43 an die Bestellung geknüpft ist.[35] Entsprechende Willenserklärungen können nach allgemein anerkanntem Rechtsgrundsatz i.R.d. Gesamtvertretung gegenüber einem Gesamtvertreter wirksam abgegeben werden.[36] Bei einer Abberufung hingegen ist eine Annahmeerklärung nicht zwingend erforderlich, da der betroffene Geschäftsführer seine Demission ansonsten hinauszögern könnte.

47   **Formulierungsbeispiel:**

> Hiermit nehme ich ..... (Name, Geburtsdatum, aktuelle Postanschrift) die mir am ..... (Datum des Zugangs) zugegangene Erklärung der Gesellschafterversammlung (bzw. des Aufsichtsrats oder Beirats) der ..... GmbH an, mich mit Wirkung vom ..... zum Geschäftsführer der ..... GmbH (konkrete Firmierung) zu bestellen.

---

27   BGH, 03.07.2000 – II ZR 282/98, NJW 2000, 2983.

28   BGH, 08.12.1997 – II ZR 236/96, NJW 1998, 1315.

29   BGH, 25.03.1991 – II ZR 169/90, NJW 1991, 1680.

30   Vgl. auch Koch in Bormann/Kauka/Ockelmann, Hdb. GmbH-Recht, Kap. 6 Rn. 76.

31   BGH, 14.11.1983 – II ZR 33/83, NJW 1984, 733.

32   Altmeppen in Roth/Altmeppen, GmbHG, § 46 Rn. 23.

33   BGH, 25.03.1991 – II ZR 169/90, NJW 1991, 1680.

34   Schmidt in Scholz, GmbHG, § 46 Rn. 71.

35   Hüffer in Hachenburg, § 46 Rn. 44.

36   BGH, 14.02.1974 – II ZB 6/73, NJW 1974, 1194.

Geschäftsführende Gesellschafter dürfen hinsichtlich Bestellung und Abbe- 48
rufung grds. auch dann mitstimmen, wenn es um sie selbst geht.[37] Eine
Ausnahme besteht jedoch für den Fall, dass der Betroffene aus wichtigem
Grund abberufen werden soll.[38] **Beschlüsse der Gesellschafterversammlung** hinsichtlich **Bestellung und Abberufung von Geschäftsführern** sind
förmlich zu fassen und sollten schriftlich dokumentiert werden. In der Praxis
kann zusätzlich zu dem Beschluss über die Bestellung auch die Entscheidung über den Anstellungsvertrag protokolliert werden.

Formulierungsbeispiel: 49

> Die Gesellschafterversammlung der ..... GmbH hat in Ihrer Sitzung
> vom ..... einstimmig beschlossen, Herrn/Frau ..... (Name, Geburts-
> datum, aktuelle Postanschrift) mit Wirkung vom ..... (Datum der
> Bestellung) zum Geschäftsführer der ..... GmbH zu bestellen. Zugleich
> wurde der vorgelegte Anstellungsvertrag für Herrn/Frau (Name)
> zustimmend zur Kenntnis genommen.

Hinsichtlich des **Anstellungsvertrags** empfiehlt es sich, den **Vertragsent- 50
wurf als Entscheidungsgrundlage** allen Gesellschaftern vorab zukommen
zu lassen. Sowohl in Sitzungen als auch in schriftlichen Umlaufverfahren
sollten die wesentlichen Eckdaten des Anstellungsvertrags (insbes. Fix-
gehalt, Tantieme, Vertragslaufzeit, Pensionsansprüche) in der Einladung
zur Gesellschafterversammlung bzw. in den Unterlagen zum Umlaufverfahren zusammengefasst werden.

Innerhalb einer GmbH & Co. KG entscheiden – soweit im Gesellschafts- 51
vertrag der KG keine anderslautenden Regelungen enthalten sind – anstelle
der Gesellschafterversammlung die **Geschäftsführer der Komplementär-
GmbH** über die **Bestellung und Abberufung von Mitgeschäftsführern.**
Denn hierbei handelt es sich um eine Geschäftsführungsmaßnahme, die
allein der Komplementär-GmbH obliegt.[39] Deren Gesellschafterversammlung wiederum ist aufgrund ihrer Annexkompetenz gem. § 46 Nr. 5 ent-
scheidungsbefugt, kann aber auch einen Vertreter bestellen,[40] also einen
oder mehrere Geschäftsführer.

---

37 BGH, 26.03.1984 – II ZR 120/83, NJW 1984, 2528.
38 BGH, 16.03.1961 – II ZR 190/59, NJW 1961, 1299.
39 BGH, 16.07.2007 – II ZR 109/06, DB 2007, 1916.
40 BGH, 08.01.2007 – II ZR 267/05, DB 2007, 1072.

52   Ferner hat die Gesellschafterversammlung über Zahlung und Höhe eines
      Geschäftsführergehalts zu befinden. Wird ein solches z.B. an einen
      geschäftsführenden Gesellschafter ohne entsprechenden Gesellschafter-
      beschluss und ohne Wissen eines Mitgesellschafters gewährt, so kann dieser
      einen Schadensersatzanspruch wegen **Verstoßes gegen die gesellschafts-
      rechtliche Kompetenzordnung** und **Verletzung der Aufklärungspflicht**
      geltend machen.[41]

      IX.   Entlastung von Geschäftsführern (Nr. 5)

53   Mit einer Entlastung billigt die Gesellschafterversammlung die Amtsfüh-
      rung der Geschäftsführer in der zurückliegenden Amtsperiode und spricht
      ihnen zugleich das Vertrauen für die Zukunft aus.[42] Konsequenz: Die
      Gesellschaft kann keine Ersatzansprüche mehr gegen ihre Geschäftsführer
      geltend machen und ist insoweit **im Prozess präkludiert**. Weil die Rechts-
      folgen denjenigen des Verzichts entsprechen,[43] sind die Beschränkungen
      nach §§ 43 Abs. 3, 9b Abs. 1, 30, 31 anzuwenden. Der Entlastungs-
      beschluss wird in praxi mittels Sitzungsprotokoll festgehalten.

54   **Formulierungsbeispiel:**

> Auf Vorschlag des Aufsichtsrats der Muster GmbH beschließt die
> Gesellschafterversammlung (einstimmig/Zahl der Enthaltungen/Zahl
> der Gegenstimmen), den Geschäftsführern der Muster GmbH für das
> Geschäftsjahr (Angabe) die Entlastung zu erteilen.

55   **Ersatzansprüche** umfassen alle Ansprüche gegen Geschäftsführer aus
      deren Aktivitäten als Organmitglieder. Dies sind zuvorderst Schadensersatz-
      ansprüche z.B. aus §§ 43, 43a, aber auch Ansprüche aus angemaßter Eigen-
      geschäftsführung nach § 687 Abs. 2 BGB[44] oder Bereicherungsansprüche aus
      §§ 812 ff. BGB.[45]

56   Einen **Anspruch auf Entlastung** hat der Geschäftsführer nicht – auch wenn
      sie ihm aus offenbar sachfremden Gründen verweigert wird.[46] Sieht sich der
      Geschäftsführer jedoch mit konkreten Schadensersatzansprüchen der GmbH

---

41   BGH, 11.12.2006 – II ZR 166/05, NJW 2007, 917.

42   BGH, 20.05.1985 – II ZR 165/84, NJW 1986, 129.

43   Altmeppen in Roth/Altmeppen, GmbHG, § 46 Rn. 34.

44   BGH, 13.02.1975 – II ZR 92/73, NJW 1975, 977.

45   BGH, 21.04.1986 – II ZR 165/85, NJW 1986, 2250.

46   BGH, 20.05.1985 – II ZR 165/84, NJW 1986, 129.

konfrontiert, so kann er mittels **negativer Feststellungsklage** vorgehen und auf Feststellung klagen, dass die betreffenden Ansprüche nicht bestehen.[47]

Die Entlastung erstreckt sich nur auf solche Ersatzansprüche, die der Gesell- 57 schafterversammlung bei sorgfältiger Prüfung aller Vorlagen und Berichte erkennbar waren[48] oder von denen alle Gesellschafter privat Kenntnis hatten.[49] Im Gegensatz dazu verzichtet die GmbH mit einer sog. „**General-bereinigung**" auf sämtliche – auch unbekannte – Schadensersatzansprüche. Die Grenzen für derartige Vereinbarungen mit dem Geschäftsführer liegen in den Gläubigerschutzvorschriften der §§ 43 Abs. 3, 9b Abs. 1, 57 Abs. 4, 64 Abs. 2 GmbHG. Bei Entlastungsbeschlüssen handelt es sich um einen einseitigen Akt der Gesellschafterversammlung, sodass die zivilrecht-lichen Anfechtungsvorschriften gem. §§ 119, 123 BGB nicht gelten. Mög-lich ist jedoch eine **Anfechtung von Entlastungsbeschlüssen** der Gesell-schafter einer GmbH wegen Treuwidrigkeit nach aktienrechtlichen Grundsätzen.[50] Dies setzt voraus, dass die Entlastung trotz schwerwiegen-den und eindeutigen Verstoßes gegen Gesetz oder Satzung erfolgt.[51] Dem-gegenüber trifft die GmbH bei einer Generalbereinigung eine Vereinbarung mit dem Geschäftsführer, sodass in diesem Fall die entsprechenden Willens-erklärungen der zivilrechtlichen Anfechtung unterliegen können.

In formeller Hinsicht ist ein **Entlastungsbeschluss der Gesellschafterver-** 58 **sammlung** erforderlich, der mit einfacher Mehrheit gem. § 47 Abs. 1 getroffen wird. Sind mehrere Geschäftsführer bestellt, liegt i.d.R. Gesamt-entlastung vor; allerdings kann die Entlastung auch in Bezug auf die Person einzelner Geschäftsführer, bestimmter Geschäftsvorfälle oder Zeiträume beschlossen werden.[52] Die Entlastung ist unwiderruflich.[53]

Formale Probleme können sich hinsichtlich der Ausübung des Stimmrechts 59 bei sog. „**Doppelmandaten**" ergeben, wenn mehrere Gesellschaften sowohl miteinander verbunden sind als auch personelle Verflechtungen aufweisen: Ist bei einer GmbH der zur Stimmabgabe berufene Gesellschafter eine juristische Person, wird das Stimmrecht durch ihren gesetzlichen Vertreter ausgeübt. Handelt es sich bei diesem zugleich um ein Organmitglied der GmbH, kann dies mit Blick auf das Stimmverbot gem. § 47 Abs. 4 Satz 1

---

47   Schmidt in Achilles/Ensthaler/Schmidt, GmbHG § 46 Rn. 25.

48   BGH, 20.05.1985 – II ZR 165/84, NJW 1986, 129.

49   BGH, 19.01.1976 – II ZR 119/74, WM 1976, 736.

50   BGH, 07.04.2003 – II ZR 193/02, NJW-RR 2003, 895.

51   BGH, 25.11.2002 – II ZR 133/01, NJW 2003, 1032.

52   Schmidt in Achilles/Ensthaler/Schmidt, GmbHG, § 46 Rn. 23 m.w.N.

53   Lutter/Hommelhoff in Lutter/Hommelhoff, GmbHG, § 46 Rn. 14.

ggf. zur Beschlussunfähigkeit der Gesellschafterversammlung führen. Ein generelles Stimmverbot ist unter Berücksichtigung des Zwecks von § 47 Abs. 4 Satz 1 jedoch fehl am Platz. Denn insbes. bei Einpersonengesellschaften kann es nicht zu Interessenkonflikten kommen, da es in der Gesellschafterversammlung keine schützenswerten Minderheiten gibt. Ist der Geschäftsführer einer GmbH zugleich Alleingesellschafter der Muttergesellschaft als wiederum alleinige Gesellschafterin der GmbH, so kann er sich daher selbst entlasten. Demgegenüber können die Gesellschafter einer Mehrpersonengesellschaft einen befangenen Geschäftsführer schriftlich anweisen, wie dieser in der Gesellschafterversammlung einer Tochtergesellschaft abzustimmen hat.[54]

X.   Maßregeln zur Prüfung und Überwachung der Geschäftsführung (Nr. 6)

60   Angesichts der im Vergleich zur AG deutlich stärkeren Stellung der Gesellschafter gegenüber der Geschäftsführung hat die **Gesellschafterversammlung** ein **umfassendes Prüfungs- und Kontrollrecht**. Zulässig sind alle geeigneten und nicht unverhältnismäßigen Maßnahmen, zu denen u.a. Vorbehalt der Genehmigung für Geschäfte bestimmter Art oder bestimmten Umfangs, Erteilung von Auskünften oder Bestellung von Sonderprüfern gem. § 142 Abs. 1 AktG analog gehören.

61   **Geschäftsführende Gesellschafter** haben nach h.M. mit Blick auf Prüfungsmaßnahmen kein **Stimmrecht**,[55] was angesichts des Verbots des Richtens in eigener Sache gem. § 47 Abs. 4 Satz 2 zutreffend erscheint. Das Überwachungsrecht der Gesellschafterversammlung ist per Satzung an andere Organe delegierbar, wodurch die Überwachungskompetenz der Gesellschafter jedoch nicht eingeschränkt wird.

XI.   Bestellung von Prokuristen und von Generalhandlungsbevollmächtigten (Nr. 7)

62   Der Gesellschafterversammlung obliegt nur die Entscheidung darüber, ob und welche Prokuristen und Generalhandlungsbevollmächtigte bestellt werden. Die Bestellung als solche haben die Geschäftsführer als Vertreter der GmbH ebenso vorzunehmen, wie die Anmeldung der Prokura zum Handels-

---

54   Schwichtenberg, GmbHR 2007, 400, 405.

55   Altmeppen in Roth/Altmeppen, GmbHG, § 46 Rn. 45; Hüffer in Hachenburg, GmbHG, § 46 Rn. 78.

register, den Abschluss eines Anstellungsvertrags mit dem Bestellten oder den Widerruf der Bestellung.[56]

Sachlich erstreckt sich die **Zuständigkeit der Gesellschafterversammlung** 63 nur auf Handlungsvollmachten für den gesamten Geschäftsbetrieb bzw. auf Gesamtprokura. Demgegenüber sind spezielle Handlungsvollmachten nicht erfasst; diese können also auch von Geschäftsführern erteilt werden, soweit in der Satzung nichts anderes vorgesehen ist.

Formulierungsbeispiel: 64

> Die Gesellschafterversammlung entscheidet über die Erteilung von Prokura und Handlungsvollmacht für den gesamten Geschäftsbetrieb sowie über Handlungsvollmacht für die Niederlassung (konkrete Bezeichnung).

XII. Geltendmachung von Ersatzansprüchen gegen Geschäftsführer und Gesellschafter (Nr. 8 Alt. 1)

Die Regelung des § 46 Nr. 8 Alt. 1 zielt darauf ab, dass die Gesellschafter- 65 versammlung als oberstes Gesellschaftsorgan und nicht die Geschäftsführer darüber entscheiden sollen, ob ein Geschäftsführer oder Gesellschafter wegen einer **Pflichtverletzung** belangt wird. Hintergrund: Die damit verbundene Offenlegung innerer Geschäftsverhältnisse kann für die Reputation der Gesellschaft negative Auswirkungen haben.[57] Weil dies ureigene Interessen der Gesellschafter berührt, sollen auch nur diese über die Geltendmachung von solchen Ersatzansprüchen befinden.

Die Vorschrift erstreckt sich auf jegliche **Ersatzansprüche** der Gesellschaft, 66 die **im Zusammenhang mit der Gesellschaftsgründung oder mit der Geschäftsführung** stehen. In Betracht kommen vertragliche, quasivertragliche und gesetzliche Ansprüche (insbes. aus § 9a und § 43, aus Delikt[58] oder aus der Verletzung eines Wettbewerbsverbots i.S.v. § 113 HGB[59]). **Geltendmachung** bedeutet in diesem Kontext nicht erst Klageerhebung, sondern erfasst alle Maßnahmen, die den Schuldner mit einem gegen ihn gerichteten Ersatzanspruch der Gesellschaft konfrontieren oder den Ersatzanspruch der Gesellschaft zum Erlöschen bringen. Hierzu gehören Mah-

---

56 Einzelheiten s. Koch in Bormann/Kauka/Ockelmann, Hdb. GmbH-Recht, Kap. 6 Rn. 77.
57 BGH, 20.11.1958 – II ZR 17/57, NJW 1959, 194.
58 BGH, 14.07.2004 – VIII ZR 224/02 (KG), NZG 2004, 962, 964.
59 BGH, 13.02.1975 – II ZR 92/73, NJW 1975, 977.

nung, Anspruchsstellung, Einleitung eines Mahnverfahrens, Aufrechnung nach §§ 387 ff. BGB,[60] Erlassvertrag gem. § 397 BGB, Vergleich nach § 779 BGB oder Generalbereinigung.[61]

67 Personell ist § 46 Nr. 8 Alt. 1 direkt auf **amtierende Geschäftsführer und Gesellschafter** anwendbar. Daneben gilt die Vorschrift **analog** auch für Ersatzansprüche gegen **ehemalige Geschäftsführer**[62] und gegen **Aufsichtsrats- oder Beiratsmitglieder**,[63] was angesichts der bestehenden Regelungslücke mit Blick auf solche Organmitglieder und der vergleichbaren Interessenlage hinsichtlich einer potenziellen Rufschädigung der Gesellschaft bei Geltendmachung von Ersatzansprüchen gegen Personen in einer derart prominenten Funktion auch sachgerecht ist.

68 **Materielle Anspruchsvoraussetzung** ist ein Gesellschafterbeschluss.[64] Liegt ein solcher nicht vor, wird eine Klage als unbegründet abgewiesen.[65] Demgegenüber ist bei einer GmbH & Co. KG kein Beschluss der Gesellschafterversammlung erforderlich, um einen Geschäftsführer der Komplementär-GmbH zu belangen.[66] Denn in diesem Fall handelt es sich nicht um Ansprüche der GmbH, sondern um solche der KG. Hierfür existiert im HGB jedoch keine Vorschrift, die § 46 Nr. 8 Alt. 1 entspricht.[67] Folglich können Ersatzansprüche gegen Geschäftsführer oder Gesellschafter einer GmbH & Co. KG auch ohne Gesellschafterbeschluss bzw. direkt durch Geschäftsführer geltend gemacht werden.

69 Keinen förmlichen Gesellschafterbeschluss setzt die Geltendmachung von Ersatzansprüchen bei einer GmbH voraus, die nur einen Gesellschafter hat.[68] Zudem besteht die Dokumentationspflicht gem. § 48 Abs. 3 in diesem Fall nicht.[69] Vielmehr ist der Wille des alleinigen Gesellschafters zur Geltendmachung durch die jeweilige Maßnahme erkennbar zu machen.

---

60 OLG Düsseldorf, 18.08.1994, 6 U 185/93, GmbHR 1995, 232.

61 BGH, 08.12.1997 – II ZR 236/96, NJW 1998, 1315.

62 BGH, 14.07.2004 – VIII ZR 224/02, NJW-RR 2004, 1408.

63 Zöllner in Baumbach/Hueck, GmbHG, § 46 Rn. 59.

64 Koch in Bormann/Kauka/Ockelmann, Hdb. GmbH-Recht, Kap. 6 Rn. 78.

65 BGH, 03.05.1999 – II ZR 119/98, NJW 1999, 2115; BGH, 26.01.1998 – II ZR 279/96, NJW 1998, 1646.

66 BGH, 10.02.1992 – II ZR 23/91, NJW-RR 1992, 800.

67 BGH, 24.03.1980 – II ZR 213/77, NJW 1980, 1524.

68 BGH, 21.02.1983 – II ZR 183/82, WM 1983, 498, 499.

69 BGH, 27.03.1995 – II ZR 140/93, NJW 1995, 1750.

Nicht erforderlich ist ein Gesellschafterbeschluss im **Insolvenzverfahren**. 70
Denn dort haben die Interessen der Gesellschaftsgläubiger an einer Vermehrung der Masse den Vorrang, während ein Schutzbedürfnis der i.d.R. nur abzuwickelnden Gesellschaft nicht mehr gegeben ist, sodass für einen Beschluss der Gesellschafter keine Notwendigkeit mehr besteht.[70]

In formeller Hinsicht muss der Gesellschafterbeschluss eindeutig erkennen 71
lassen, dass ein Ersatzanspruch geltend gemacht wird. Zudem muss der Beschluss den betreffenden Anspruch in seinem wesentlichen Kern hinreichend konkret umreißen, sodass beurteilt werden kann, ob die Klage durch ihn gedeckt ist.[71] Allerdings sind an den **Beschlussinhalt** keine übertriebenen Anforderungen zu stellen; insbes. muss der Lebenssachverhalt nicht detailliert abgegrenzt werden, zumal eine solche Klärung oft erst bei der Vorbereitung des Zivilprozesses oder im Zivilprozess erfolgen kann.

Der betroffene Gesellschafter hat bei der Beschlussfassung wegen § 47 72
Abs. 4 Satz 2 kein Stimmrecht. Um einen Rechtsstreit zu führen, kann die Gesellschafterversammlung einen Gesellschafter, einen oder alle Geschäftsführer, Aufsichtsratsmitglieder oder Dritte als besondere Vertreter bestellen. Geschieht dies nicht, sind die Geschäftsführer zur Vertretung der GmbH berechtigt.[72]

XIII. Vertretung der Gesellschaft in Prozessen gegen Geschäftsführer (Nr. 8 Alt. 2)

Unabhängig vom Streitgegenstand, der Rechtsnatur des Anspruchs, der 73
Gerichtsbarkeit und der Verfahrensart haben Gesellschafter hinsichtlich aller Prozesse gegen Geschäftsführer darüber zu entscheiden, **durch wen die Gesellschaft gerichtlich vertreten wird**. Die Regelung gilt für Aktiv- und Passivprozesse gleichermaßen.

Die **Gesellschafterversammlung** kann **per Beschluss** einen Gesellschafter, 74
andere Mitglieder von Gesellschaftsorganen oder Dritte als Vertreter bestellen. Der Vertreter selbst darf bzgl. des Bestellungsbeschlusses mitstimmen, während der betroffene geschäftsführende Gesellschafter nach h.M. von der Abstimmung ausgeschlossen ist. Denn ein Gesellschafter, um dessen unmittelbare Inanspruchnahme es geht, kann den ihm vorgeworfenen Sachverhalt

---

70   BGH, 14.07.2004 – VIII ZR 224/02, NJW-RR 2004, 1408.

71   BGH, 17.02.2003 – II ZR 187/02, DB 2003, 821 zur gleich gelagerten Situation bei § 39 Abs. 1 GenG; OLG Düsseldorf, 18.08.1994 – 6 U 185/93, GmbHR 1995, 232.

72   Zöllner in Baumbach/Hueck, GmbHG, § 46 Rn. 65.

nicht unbefangen beurteilen und ist deshalb ausdrücklich nicht stimmberechtigt.[73] Der Vertreter ist für die Dauer der Bestellung quasi als Organmitglied anzusehen, da er die GmbH gerichtlich vertritt.

75 Nach h.M. kann die Gesellschafterversammlung von der Möglichkeit des § 46 Nr. 8 Alt. 2 Gebrauch machen, sie muss es aber nicht.[74] Denn eine Voreingenommenheit der übrigen Geschäftsführer ist nicht zwingend stets gegeben, sodass die **Bestellung eines Vertreters** lediglich eine **Option** darstellt. Macht die Gesellschafterversammlung hiervon keinen Gebrauch, so bleibt es bei der gesetzlichen Regelung des § 35,[75] wonach die anderen Geschäftsführer die GmbH prozessual vertreten.

§ 47 GmbHG   Abstimmung

(1) Die von den Gesellschaftern in den Angelegenheiten der Gesellschaft zu treffenden Bestimmungen erfolgen durch Beschlussfassung nach der Mehrheit der abgegebenen Stimmen.

(2) Jeder Euro eines Geschäftsanteils gewährt eine Stimme.

(3) Vollmachten bedürfen zu ihrer Gültigkeit der Textform.

(4) [1]Ein Gesellschafter, welcher durch die Beschlussfassung entlastet oder von einer Verbindlichkeit befreit werden soll, hat hierbei kein Stimmrecht und darf ein solches auch nicht für andere ausüben. [2]Dasselbe gilt von einer Beschlussfassung, welche die Vornahme eines Rechtsgeschäfts oder die Einleitung oder Erledigung eines Rechtsstreits gegenüber einem Gesellschafter betrifft.

---

73   BGH, 20.01.1986 – II ZR 73/85, NJW 1986, 2051.

74   BGH, 24.02.1992 – II ZR 79/91, NJW-RR 1992, 993.

75   BGH, 26.10.1981 – II ZR 72/81, WM 1981, 1353.

I. Einführung

Die Gesellschafterversammlung trifft ihre Entscheidungen durch **Beschluss-** 1
fassung, wofür § 47 die **gesetzliche Grundlage** bildet und **Formvorschrif-**
ten zum Abstimmungsverfahren beinhaltet. Allerdings sind der Norm
keine Einzelheiten zur Art und Weise der Abstimmung sowie zu Rechts-
mängeln von Beschlüssen und deren Folgen zu entnehmen – daher gibt es
umfangreiche Kasuistik. Die Vorschrift des § 47 ist dispositiv, sodass das
Abstimmungsprozedere gesellschaftsvertraglich weitgehend geregelt werden kann. Begrenzungen ergeben sich insofern, als dass z.B. durch Stimmrechtsausschluss[1] oder treuwidriges Fernbleiben bzw. Boykottieren der
Gesellschafterversammlung[2] die Beschlussfähigkeit nicht infrage gestellt
werden darf.

II. Beschlussfassung

Entscheidungen für oder gegen die Gesellschaft können Gesellschafter 2
wirksam nur i.R.v. Beschlussfassungen treffen. Es handelt sich hierbei um
eine organschaftliche Willensäußerung der Gesellschafter zum Zweck der
Entscheidung bestimmter Angelegenheiten durch Abstimmung.[3] Teilnehmen müssen nicht alle Gesellschafter, da das Gesetz kein Quorum vorsieht.
Soweit auch die Satzung keine besonderen Regelungen über notwendige
Mehrheiten beinhaltet, ist eine Gesellschafterversammlung auch beschlussfähig, wenn nur einer der geladenen Gesellschafter erschienen ist.[4] Gleiches
gilt, wenn ordnungsgemäß eingeladene Beiräte vor dem offiziellen Ende der
Versammlung diese verlassen und somit von ihren Mitwirkungsrechten
keinen Gebrauch machen.[5] Erforderlich ist also nur, dass die Formalien zur
Einberufung, Ladung und Ankündigung gem. §§ 48 bis 51 eingehalten
worden sind.

Weil sie die Natur eines **Rechtsgeschäfts** haben, sind auf Gesellschafter- 3
beschlüsse die **allgemeinen Regelungen des Zivilrechts** über Rechtsgeschäfte
anwendbar. So können Geschäftsführer unter auflösender Bedingung[6] bestellt
oder Beschlüsse grds. befristet gefasst werden; davon ausgenommen sind

---

1   BGH, 16.12.1991 – II ZR 31/91, NJW 1992, 978.
2   OLG Hamburg, 09.11.1990 – 11 U 92/90, NJW-RR 1991, 673.
3   Zöllner in Baumbach/Hueck, GmbHG, § 47 Rn. 1.
4   Koch in Bormann/Kauka/Ockelmann, Hdb. GmbH-Recht, Kap. 6 Rn. 112.
5   OLG Köln, 21.12.2001 – 2 Wx 59/01, GmbHR 2002, 492.
6   OLG Stuttgart, 11.02.2004 – 14 U 58/03, GmbHR 2004, 417.

Satzungsänderungen. Darüber hinaus ist die Anwendung allgemeiner Vorschriften dahingehend einzuschränken, dass Beschlüsse unter Verstoß gegen §§ 134, 138 BGB nicht nichtig, sondern anfechtbar sind.

1. Abstimmungsverfahren

4   Um einen Beschluss fassen zu können, ist zunächst ein **Beschlussantrag** einzubringen. Dazu sind Gesellschafter berechtigt, die in der Gesellschafterversammlung anwesend sind oder sich vertreten lassen.[7] Beschlussanträge können **sowohl positiv als auch negativ gefasst** sein. Zudem lassen sich mehrere Aspekte zu einem einzigen Beschlussantrag zusammenfassen. Aus dem Aktienrecht ist anerkannt, dass derartige Blockabstimmungen jedenfalls zulässig sind, sofern kein Aktionär bzw. Gesellschafter widerspricht.[8]

5   Die **Beschlussfassung** der Gesellschafterversammlung erfolgt **durch Stimmabgabe der Gesellschafter**. Dabei können sie mit „Ja" oder „Nein" abstimmen, sich ihrer Stimme enthalten oder eine Teilnahme an der Abstimmung verweigern.[9] Praxisüblich ist es darüber hinaus, dass sich abwesende Gesellschafter bei der Stimmabgabe durch einen anderen Gesellschafter vertreten lassen. Hierzu wird vorab eine schriftliche Bevollmächtigung zu dem jeweiligen Beschlussgegenstand ausgestellt.

6   Gem. § 47 Abs. 1 genügt grds. die **einfache Mehrheit für eine Beschlussfassung**. Bei der Auszählung werden ungültige, unverständliche oder verbotswidrig abgegebene Stimmen, die Stimmen abwesender bzw. nicht vertretener Gesellschafter oder Stimmenthaltungen nicht berücksichtigt.[10] Ein Antrag ist angenommen, wenn mehr als die Hälfte der abgegebenen Stimmen den Antrag befürworten. Stimmengleichheit ist als Ablehnung anzusehen.[11]

7   Durch **Satzung** können die gesetzlichen **Mehrheitserfordernisse** für bestimmte oder alle Angelegenheiten bis zum Einstimmigkeitserfordernis **gesteigert** oder für die Auflösung herabgesetzt werden.[12] Demgegenüber können die gesetzlich vorgesehenen **Mehrheitserfordernisse nicht herabgesetzt** werden. Eine 3/4-Mehrheit der abgegebenen Stimmen ist zwingend in folgenden, gesetzlich geregelten Ausnahmefällen vorgesehen:

---

7   Zöllner in Baumbach/Hueck, GmbHG, § 47 Rn. 13.

8   LG München I, 15.04.2004 – 5 HK O 10813/03, NZG 2004, 626.

9   Koch in Bormann/Kauka/Ockelmann, Hdb. GmbH-Recht, Kap. 6 Rn. 124.

10   Koppensteiner in Rowedder/Schmidt-Leithoff, GmbHG, § 47 Rn. 8; OLG Celle, 06.08.1997 – 9 U 224/96, GmbHR 1998, 140, 143.

11   Römermann, GmbH-Recht, 2002, § 14 Rn. 112.

12   Koch in Bormann/Kauka/Ockelmann, Hdb. GmbH-Recht, Kap. 6 Rn. 123.

Checkliste 3/4-Mehrheit: Wann ist bei Abstimmungen zwingend eine Dreiviertelmehrheit nötig? 8

☑

☐ **Satzungsänderungen**, § 53 Abs. 2 GmbHG.

☐ **Auflösung der Gesellschaft**, § 60 Abs. 1 Nr. 2 GmbHG.

☐ **Umwandlung der Gesellschaft**, §§ 50 Abs. 1, 56, 125, 233 Abs. 2, 240, 252 Abs. 2 UmwG.

☐ **Fortsetzungsbeschluss**, d.h. Rückverwandlung einer aufgelösten in eine werbende GmbH.[13]

☐ **Ausschließungsklage** gegen einen Gesellschafter.[14]

Grundsätzlich nicht erforderlich ist es im Gegensatz zum Aktienrecht (siehe § 130 Abs. 2 AktG), dass **Gesellschafterbeschlüsse protokolliert** oder Ergebnisse **formell** durch den Versammlungsleiter **festgestellt** werden. **Ausnahmen: Satzungsändernde Beschlüsse**, die gem. § 53 Abs. 2 notariell zu beurkunden sind oder Beschlüsse i.S.v. § 48 Abs. 3. Ist in der Satzung eine Regelung bzgl. Beschlussfeststellung enthalten und in einer Gesellschafterversammlung das Zustandekommen eines Beschlusses vom Versammlungsleiter festgestellt worden, so ist der Beschluss mit dem festgestellten Inhalt auch für einen Registerrichter verbindlich. Formelle oder materielle Mängel können nur durch Erhebung der Anfechtungsklage geltend gemacht werden.[15] 9

Checkliste Abstimmungsverfahren: Worauf sollte bei Abstimmungen geachtet werden? 10

☑

☐ **Beschlussgegenstand** zu konkretisieren: kurze Beschreibung des Sachverhalts, der Entscheidungsmöglichkeiten und der Entscheidungsfolgen.

☐ **Abstimmungsart**, d.h. offene oder geheime Abstimmung festzustellen.

☐ **Erforderliche Stimmenmehrheit** je nach Satzungsregelung festzustellen.

☐ **Etwaige Stimmverbote** festzustellen.

---

13 Herrschende Meinung: Zech in Achilles/Ensthaler/Schmidt, GmbHG, § 60 Rn. 23; a.A.: Scholz, GmbHR 1982, 228.

14 BGH, 13.01.2003 – II ZR 227/00, NJW 2003, 2314.

15 BayObLG, 19.09.1991 – BReg. 3 Z 97/91, NJW-RR 1992, 295.

> ☐ **Formerfordernisse** – z.B. notarielle Beurkundung bei Satzungs-
> änderung – festzustellen.
>
> ☐ **Abstimmungsvorgang** durchzuführen.
>
> ☐ **Verkündung** des Abstimmungsergebnisses vorzunehmen.
>
> ☐ **Protokollierung** des Abstimmungsergebnisses vorzunehmen.

11 Neben der Beschlussfassung bei physischer Präsenz der Gesellschafter ist
auch eine **Beschlussfassung im schriftlichen Umlaufverfahren** i.S.v. § 48
Abs. 2 möglich.[16] Erforderlich ist, dass sich sämtliche Gesellschafter –
auch die einem Stimmverbot unterliegenden – mit dieser Abstimmungsart
einverstanden erklären. An die Gesellschafter übersandt werden sowohl ein
Einladungsschreiben als auch eine Stimmbotschaft, mit welcher die schriftliche Abstimmung vorgenommen werden kann.

12 **Formulierungsbeispiel:**

> **Einladungsschreiben der Geschäftsführung**: Hiermit bitten wir Sie
> um Ihre Stimmabgabe i.R.e. schriftlichen Umlaufverfahrens gem. § 48
> Abs. 2 GmbHG i.V.m. ..... (Satzungsregelung) der ..... GmbH. Auf die
> Einberufung einer Gesellschafterversammlung wird aus Dringlich-
> keitsgründen verzichtet. Es besteht folgender Beschlussvorschlag: (ge-
> naue Umschreibung des Beschlussgegenstandes mit konkretem Ent-
> scheidungsvorschlag).
>
> **Stimmbotschaft**: Mit Einladungsschreiben vom ..... hatten Sie um
> Stimmabgabe i.R.e. schriftlichen Umlaufverfahrens gem. § 48 Abs. 2
> GmbHG i.V.m. ..... (Satzungsregelung) der ..... GmbH gebeten. Inso-
> weit stimme ich wie folgt: (Angabe des/der Tagesordnungspunkts/e) –
> für den mir übermittelten Vorschlag/gegen den mir übermittelten Vor-
> schlag/Stimmenthaltung. Mit der Durchführung der Beschlussfassung
> im Wege dieses Umlaufverfahrens (ggf. einschließlich der Übersen-
> dung dieser Stimmbotschaft per Telefax) erkläre ich mich ausdrücklich
> einverstanden.
>
> Datum/Ort, Unterschrift

---

16   Weitere Einzelheiten s. Koch in Bormann/Kauka/Ockelmann, Hdb. GmbH-
      Recht, Kap. 6 Rn. 128.

2. Aufhebungen oder Änderungen

Gesellschafter können ihre Beschlüsse in derselben Gesellschafterversammlung ohne Weiteres ändern oder aufheben – und dies **mit einfacher Mehrheit** auch für den Fall, dass der jeweilige Beschluss mit qualifizierter Mehrheit gefasst wurde.[17] Für Aufhebung oder Änderung in späteren Gesellschafterversammlungen ist es erforderlich, dies vorab in der Tagesordnung zu avisieren. Geht es bei dem Beschluss um eine Satzungsänderung und ist diese bereits eingetragen, so erfordert eine Aufhebung oder Änderung wiederum eines Mehrheitsbeschlusses und notarieller Beurkundung. 13

III. Stimmrecht

Bei dem Stimmrecht i.S.v. § 47 Abs. 2 handelt es sich um ein **Mitgliedschaftsrecht des Gesellschafters**, aufgrund dessen er an der Willensbildung der Gesellschafterversammlung per Stimmabgabe mitwirken kann. Es impliziert zugleich das Recht, an Gesellschafterversammlungen teilzunehmen. Umgekehrt ist nicht jeder Teilnahmeberechtigte zugleich stimmberechtigt. 14

Nach früherer Rechtslage gewährten jede 50 € eines Geschäftsanteils eine Stimme. Im Zuge des MoMiG wurde § 5 Abs. 2 dahin gehend geändert, dass **jede Stammeinlage auf einen Betrag in vollen Euro** lauten muss. Da nunmehr mindestens 1 € je Stammeinlage ausreicht und Geschäftsanteile nicht mehr zwingend durch 50 teilbar sein müssen, war die Regelung des § 47 Abs. 2 zu ändern. 15

Nach geltender Rechtslage hat nun **jeder Gesellschafter so viele Stimmen wie Anteile**. Der Gesetzgeber hatte auch die Möglichkeit erörtert, Stimmen je Geschäftsanteil mit einer Gewichtung im Verhältnis der Beteiligung an der Gesellschaft zu vergeben. Darauf wurde jedoch letztendlich bewusst verzichtet,[18] um Abstimmungen möglichst praktikabel zu halten und Stimmenmehrheiten einfacher feststellen zu können. 16

Weil es sich bei der Ausübung des Stimmrechts um eine Willenserklärung handelt, gelten die allgemeinen Vorschriften, sodass u.a. eine **Anfechtung**[19] **der Stimmabgabe** möglich ist, was aber den Beschluss nicht zwingend berührt, sofern die Anfechtung nicht für das Abstimmungsergebnis relevant ist. Ferner **unterliegt die Stimmabgabe grds. keinen Formerfordernissen**, bis auf Beschlussfassungen im Umlaufverfahren (Text- oder Schriftform) nach § 48 Abs. 2. Details können in der Satzung festgelegt werden. 17

---

17   Schmidt in Scholz, GmbHG, § 45 Rn. 33.

18   RefE MoMiG, Stand: 29.05.2006, S. 61.

19   OLG München, 27.10.1982 – 7 U 4099/81, WM 1984, 260.

IV. Bevollmächtigung

18 Ein Gesellschafter kann sein Stimmrecht auch durch einen anderen Gesellschafter ausüben, indem er diesen bevollmächtigt. Eine entsprechende Vollmacht bedarf nach § 47 Abs. 3 der Textform (z.B. Fax und E-Mail) gem.
§ 126b BGB, wobei dieses Formerfordernis gesellschaftsvertraglich abweichend geregelt werden kann.

19 **Formulierungsbeispiel:**

> Als Gesellschafter der ..... GmbH mit Sitz in (Geschäftsanschrift der
> Gesellschaft) bin ich, der unterzeichnende ..... (Vor- und Nachname,
> Geburtsdatum, Privatanschrift), mit einem Geschäftsanteil im Nennwert
> von (Betrag in €) an der Gesellschaft beteiligt. Da ich an der Gesell-
> schafterversammlung am ..... nicht teilnehmen kann, bevollmächtige ich
> hiermit Herrn/Frau ..... (Name und Anschrift des Bevollmächtigten), mich
> in der Gesellschafterversammlung zu vertreten und meine Gesellschafter-
> rechte einschließlich des Stimmrechts wahrzunehmen.
>
> Datum/Ort, Unterschrift

20 Gilt mangels Satzungsregelung die gesetzliche Vorschrift, so bedarf eine
Stimmrechtsvollmacht gleichwohl nicht der Form, wenn sie in einer Gesell-
schaftsversammlung in Anwesenheit aller Beteiligten erteilt wird und bloß
unbegründete rechtliche Bedenken gegen sie erhoben werden.[20] Sofern eine
Stimmabgabe ohne formgültige Vollmacht erfolgt, kann der Vertretene
nachträglich in Textform[21] genehmigen. Ein Gesellschafter kann eine
erteilte Vollmacht jederzeit widerrufen und das Stimmrecht selbst ausüben.
Eine unwiderrufliche Stimmrechtsvollmacht ist nicht zulässig, da dies
einer – grds. unwirksamen – Abtretung des Stimmrechts gleichkäme.[22] Im
Übrigen hat der vertretene Gesellschafter kein eigenes Teilnahmerecht für
die jeweilige Gesellschafterversammlung, sofern er sich vertreten lässt.

21 Darüber hinaus besteht für verhinderte Gesellschafter – soweit im Gesellschaftsvertrag vorgesehen – auch die Möglichkeit, bei vorab bekannten
Tagesordnungspunkten und Entscheidungsvorschlägen schriftliche Stimm-
botschaften abzugeben und von einem anderen Gesellschafter in der Gesell-

---

20 BGH, 14.12.1967 – II ZR 30/67, NJW 1968, 743.

21 Herrschende Meinung: vgl. Roth in Roth/Altmeppen, GmbHG, § 47 Rn. 32;
a.A.: Schmidt in Scholz, GmbHG, § 47 Rn. 87.

22 OLG Koblenz, 16.01.1992 – 6 U 963/91, NJW 1992, 2163.

schafterversammlung abgeben zu lassen. Wie bei einem schriftlichen Umlaufverfahren (s.o.) kann die Willensäußerung schriftlich erfolgen:

Formulierungsbeispiel: 22

> **Stimmabgabe gemäß** ..... (Satzungsnorm): Mit Schreiben vom ..... (Datum der Einladung zur Gesellschafterversammlung) ist zur Gesellschafterversammlung der .....-GmbH mit Sitz in ..... (Geschäftsanschrift der Gesellschaft) am ..... (Datum des Termins zur Gesellschafterversammlung) eingeladen worden. Da ich, der unterzeichnende (Vor- und Nachname, Geburtsdatum, Privatanschrift) als Gesellschafter der ..... -GmbH mit einem Geschäftsanteil im Nennwert von ..... (Betrag in €) an einer persönlichen Teilnahme verhindert bin, stimme ich hiermit auf schriftlichem Wege wie folgt:
>
> (Angabe des/der Tagesordnungspunkte) – für den mir übermittelten Vorschlag/gegen den mir übermittelten Vorschlag/Stimmenthaltung.
>
> Diese Stimmbotschaft soll von Herrn/Frau ..... (Namensangabe) in seiner/ ihrer Eigenschaft als Gesellschafter der ..... GmbH in der vorstehend genannten Gesellschafterversammlung dem Versammlungsleiter überreicht und beim Abstimmungsvorgang berücksichtigt werden.
>
> Datum/Ort, Unterschrift

V. Stimmrechtsausschluss

Um Interessenkonflikten und Befangenheit vorzubeugen, ist das Stimmrecht 23 eines Gesellschafters nach § 47 Abs. 4 ausgeschlossen, wenn es um Entlastung, Befreiung von einer Verbindlichkeit, Vornahme eines Rechtsgeschäfts oder einen Rechtsstreit in eigener Sache geht.[23] Die Regelung beinhaltet das Verbot des Richtens in eigener Sache und bezweckt die Richtigkeitsgewähr der Verbandswillensbildung in der GmbH.[24] Zudem soll das Gesellschaftsvermögen gegenüber einzelnen Gesellschaftern zugunsten der Gesamtheit aller Gesellschafter geschützt,[25] aber gleichwohl nicht die Willensbildung als solche verhindert werden.[26] Vor diesem Hintergrund besteht nach h.M. kein Stimmverbot, sofern ein Interessengegen-

---

23 Weitere Einzelheiten s. Koch in Bormann/Kauka/Ockelmann, Hdb. GmbH-Recht, Kap. 6 Rn. 115 ff.

24 Schwichtenberg, GmbHR 2007, 400.

25 Lutter/Hommelhoff in Lutter/Hommelhoff, GmbHG, § 47 Rn. 15.

26 Römmermann in Michalski, GmbHG, § 47 Rn. 94.

satz in der Gesellschafterversammlung von vornherein ausscheidet oder alle Gesellschafter gleichmäßig befangen sind.[27]

24 Bei einer Entlastung handelt es sich um die nachträgliche Billigung des Handelns eines Organmitglieds. Darüber kann der betroffene Gesellschafter nicht unbefangen entscheiden; bei der Entlastung mehrerer geschäftsführender Gesellschafter sind daher alle Betroffenen mit ihrer Stimme ausgeschlossen.[28] Hat eine Gesellschaft aber nur einen einzigen geschäftsführenden Gesellschafter, kann sich dieser nach h.M. selbst entlasten. Zwar wird im Schrifttum teilweise vertreten, dass Selbstentlastungen der Einmann-Gesellschaft nicht möglich seien.[29] Demgegenüber argumentiert die h.M. zutreffend, dass angesichts des Zwecks von § 47 Abs. 4 ein Interessenkonflikt gar nicht erst entstehen kann, sofern sich ein alleiniger geschäftsführender Gesellschafter entlastet.[30]

25 Befreiungen von einer Verbindlichkeit i.S.v. § 47 Abs. 4 erstrecken sich auf alle Arten von Verbindlichkeiten und auf jegliche Befreiungen wie z.B. Aufrechnung und Stundung.[31] Erfasst sind auch mittelbare Befreiungen durch z.B. Bürgschaften. In diesen Fällen darf derjenige Gesellschafter, der befreit werden soll, nicht mitstimmen. Soll die GmbH mit einem Gesellschafter ein Rechtsgeschäft vornehmen, ist der betreffende Gesellschafter aufgrund drohender Kollision unterschiedlicher Vermögensinteressen mit seinem Stimmrecht ebenfalls ausgeschlossen. Dies bezieht sich auf jegliche Rechtsgeschäfte und damit u.a. auf Verträge, Kündigungen und Anfechtungen. Auch bei der Entscheidung über Einleitung oder Erledigung eines Rechtsstreits gegen einen Gesellschafter darf dieser nicht mitstimmen. Der Begriff Rechtsstreit bezieht sich auf jegliche Gerichtsbarkeit und Klageart einschließlich des Mahnverfahrens, Zwangsvollstreckung, einstweiliger Rechtsschutz oder Schiedsgerichtsbarkeit.[32] Die Einleitung umfasst bereits den Gesellschafterbeschluss über die Klageerhebung.[33] Die nachstehend

27   BayObLG, 07.05.1984 – 3 Z 163/83, GmbHR 1985, 116; Schmidt in Scholz, § 47 Rn. 104.

28   OLG Köln, 10.03.99 – 5 U 43/97, NZG 1999, 1112.

29   Zöllner in Baumbach/Hueck, GmbHG, § 46 Rn. 41.

30   Lutter/Hommelhoff in Lutter/Hommelhoff, GmbHG, § 47 Rn. 13; Römmermann in Michalski, GmbHG, § 47 Rn. 97.

31   OLG München, 10.02.1999 – 7 U 4625/98, NZG 1999, 839.

32   Roth in Roth/Altmeppen, GmbHG, § 47 Rn. 72.

33   OLG München, 19.05.1982 – 7 U 4099/81, WM 1982, 1061.

genannten Stimmverbote können durch Satzungsregelung nicht abbedungen, sondern nur erweitert werden.[34]

Checkliste Stimmverbote: Wann dürfen Gesellschafter in Gesellschafterversammlungen nicht abstimmen? 26

☐ **Entlastung**, § 47 Abs. 4 Satz 1 Alt. 1 GmbHG.

☐ **Befreiung von einer Verbindlichkeit**, § 47 Abs. 4 Satz 1, 2. Alt. GmbHG.

☐ **Vornahme eines Rechtsgeschäfts**, § 47 Abs. 4 Satz 2, 1. Alt. GmbHG.

☐ **Einleitung oder Erledigung eines Rechtsstreits**, § 47 Abs. 4 Satz 2, 2. Alt. GmbHG.

☐ **Stimmverbot gemäß Satzung**

Ein Stimmverbot ist für einen Gesellschafter aber nicht bei sämtlichen 27
Angelegenheiten anzunehmen, die ihn betreffen: Geht es um **innergesellschaftliche Aspekte** bzw. **Sozialakte** wie z.B. die Genehmigung von Anteilsübertragungen oder um die Bestellung von Organen und ist damit die persönliche Rechtssphäre eines Gesellschafters berührt, so nimmt der Gesellschafter lediglich sein **Mitverwaltungsrecht** wahr und ist gleichwohl abstimmungsberechtigt. Als Faustregel gilt: Gesellschafter dürfen bei rein gesellschaftsinternen Angelegenheiten, von denen sie selbst betroffen sind, grds. abstimmen – es sei denn, dass sie damit Richter in eigener Sache wären.

VI. Nichtigkeit und Anfechtbarkeit

Sind Gesellschafterbeschlüsse mit Mängeln behaftet, so ist bzgl. der Rechts- 28
folgen zu differenzieren: Eine Nichtigkeit ergibt sich aus besonders schwerwiegenden Mängeln. Ansonsten kann nur eine Anfechtungsklage erhoben werden.

1. Nichtigkeit

Nichtigkeitsgründe können sich zum einen daraus ergeben, dass die 29
Beschlussinhalte nicht mit dem Wesen der GmbH zu vereinbaren sind. So sind Beschlüsse nichtig, die das Teilnahme- oder Anfechtungsrecht einzelner Gesellschafter ausschließen oder die einer GmbH innewohnende Haftungsbeschränkung aufheben. Zum anderen können Beschlüsse nichtig sein, wenn sie gegen Vorschriften verstoßen, die dem Gläubigerschutz oder sonstigen öffentlichen Interessen dienen. Hierzu gehören z.B. Beschlüsse, die gegen

---

34   Koch in Bormann/Kauka/Ockelmann, Hdb. GmbH-Recht, Kap. 6 Rn. 119.

straf- oder insolvenzrechtliche sowie öffentlich-rechtliche Vorschriften verstoßen. Die Nichtigkeit von Gesellschafterbeschlüssen kann ferner aus Verstößen gegen zwingende gesetzliche Formvorschriften des GmbHG folgen. So sind satzungsändernde Beschlüsse nichtig, wenn sie nicht gem. § 53 Abs. 2 notariell beurkundet werden. Auch bei schwerwiegenden Verfahrensfehlern wie der Einberufung einer Gesellschafterversammlung durch Unbefugte (z.b. durch einen Minderheitsgesellschafter)[35] oder wie der Beschlussfassung durch ein unzuständiges Organ[36] sind entsprechende Beschlüsse nichtig. Im Übrigen können Gesellschafterbeschlüsse teilnichtig sein, soweit sich der Beschluss i.S.v. § 139 BGB analog inhaltlich teilen lässt.[37]

30   Nichtige Gesellschafterbeschlüsse sind unwirksam und dürfen von der Geschäftsführung nicht vollzogen sowie vom Registergericht nicht ins Handelsregister eingetragen werden.[38] Eine Heilung ist grds. nicht möglich. Erfolgt jedoch eine Eintragung ins Handelsregister, so hat dies bei bloßen Formmängeln (z.B. fehlende notarielle Beurkundung satzungsändernder Beschlüsse) nach § 242 Abs. 1 AktG analog ausnahmsweise eine Heilung zur Folge.[39] Ist ein Beschluss wegen Ladungsmängeln, inhaltlicher Verstöße gegen Gesetz oder gute Sitten oder wegen Unvereinbarkeit mit dem Wesen der GmbH nichtig, so erfolgt eine Heilung drei Jahre nach Eintragung ins Handelsregister. Diese Frist verlängert sich nach § 242 Abs. 2 Satz 2 AktG – sofern zwischenzeitlich eine Nichtigkeits- oder Anfechtungsklage eingereicht wird – bis der Rechtsstreit rechtskräftig abgeschlossen ist.

2.   Anfechtbarkeit

31   Gesellschafterbeschlüsse können angefochten werden, wenn sie materielle oder formelle Mängel aufweisen. In materieller Hinsicht sind Verstöße gegen gesetzliche (d.h. sämtliche Rechtsvorschriften und auch Gewohnheitsrecht) oder gesellschaftsvertragliche Regelungen gemeint. Konkret geht es hierbei u.a. um das Erstreben von Sondervorteilen zum Nachteil der Gesellschaft oder anderer Gesellschafter: Erhält bspw. ein Mehrheitsgesellschafter unter Ausnutzung seines Stimmrechts eine umsatzabhängige Tantieme, die in deutlichem Missverhältnis zu seiner Leistung steht, so ist der

---

35   OLG München, 21.02.2000 – 7 W 2013/98, GmbHR 2000, 486.

36   Roth in Roth/Altmeppen, GmbHG, § 47 Rn. 105.

37   Weitere materielle Einzelheiten zur Nichtigkeitsklage s. Koch in Bormann/Kauka/Ockelmann, Hdb. GmbH-Recht, Kap. 6 Rn. 148 ff.

38   Schmidt in Achilles/Ensthaler/Schmidt, GmbHG, § 47 Rn. 70.

39   BGH, 06.11.1995 – II ZR 181/94, NJW 1996, 257.

jeweilige Beschluss anfechtbar.[40] Ferner lassen sich auch Beschlüsse anfechten, die gegen den gesellschaftsrechtlichen Gleichbehandlungsgrundsatz oder gegen die Treuepflicht der Gesellschafter untereinander verstoßen.[41]

In formeller Hinsicht können Verfahrensfehler zur Anfechtung berechtigen; dies sind z.B. Mängel bei der Einladung zur Gesellschafterversammlung,[42] Berücksichtigung von Stimmen eines nicht stimmberechtigten Sitzungsteilnehmers[43] oder ein unberechtigter Stimmrechtsausschluss.[44] Ferner muss sich der Mangel auf das Beschlussergebnis ausgewirkt haben.[45] Liegt ein derartiger Verfahrensfehler vor, so kann dieser Mangel gem. § 244 Satz 1 AktG analog durch nochmalige Beschlussfassung beseitigt werden.[46] **32**

Eine Heilung anfechtbarer Gesellschafterbeschlüsse ist möglich durch ausdrückliche oder konkludente Zustimmung desjenigen Gesellschafters, der durch den jeweiligen Beschluss in seinen Rechten verletzt ist. Ferner lassen sich anfechtbare Beschlüsse durch einen Bestätigungsbeschluss analog § 244 AktG heilen, sofern ein Verfahrensmangel vorliegt und der Bestätigungsbeschluss mit dem ursprünglichen, anfechtbaren Beschluss inhaltlich kongruiert. **33**

VII. Prozessuales

Die Nichtigkeit eines Beschlusses kann mit Nichtigkeitsklage gem. § 241 AktG analog[47] geltend gemacht werden, sofern gravierende Mängel vorliegen.[48] Aktivlegitimiert sind gem. § 249 AktG analog Gesellschafter, Geschäftsführer und Aufsichtsratsmitglieder[49] bzw. bei Veräußerung eines Geschäftsanteils der jeweilige Erwerber.[50] Passivlegitimiert ist stets die Gesellschaft, die wiederum von den Geschäftsführern vertreten wird.[51] Die **34**

---

40   BGH, 04.10.1976 – II ZR 204/74, WM 1976, 1226, 1227.

41   Weitere materielle Einzelheiten zur Anfechtungsklage s. Koch in Bormann/ Kauka/Ockelmann, Hdb. GmbH-Recht, Kap. 6 Rn. 154 ff.

42   BGH, 17.11.1997 – II ZR 77/97, NJW 1998, 684.

43   BGH, 21.03.1988 – II ZR 308/87, NJW 1988, 1844.

44   OLG Frankfurt a.M., 16.09.1999 – 15 U 238/97, NJW-RR 2001, 466.

45   BGH, 12.11.2001 – II ZR 225/99, NJW 2002, 1128.

46   BGH, 15.12.2003 – II ZR 194/01, NJW 2004, 1165.

47   OLG München, 28.10.1999 – 14 U 268/99, NJW-RR 2000, 255.

48   Weitere prozessuale Einzelheiten zur Nichtigkeitsklage s. Schulze in Bormann/ Kauka/Ockelmann, Hdb. GmbH-Recht, Kap. 15 Rn. 66 ff.

49   BGH, 14.11.1983 – II ZR 33/83, NJW 1984, 733.

50   BGH, 25.02.1965 – II ZR 287/63, NJW 1965, 1378.

51   BGH, 10.11.1980 – II ZR 51/80, NJW 1981, 1041.

Zuständigkeit für die Klage liegt nach § 246 Abs. 3 Satz 1 AktG analog ausschließlich beim LG. Der Klageantrag muss auf Feststellung der Nichtigkeit des konkreten Gesellschafterbeschlusses lauten und schließt den Anfechtungsantrag ein.[52]

35   Nicht nichtige Beschlüsse, die inhaltliche oder formelle Mängel aufweisen, können in analoger Anwendung aktienrechtlicher Vorschriften nur per Anfechtungsklage[53] angegriffen werden.[54] Aktivlegitimiert sind insoweit ausschließlich Gesellschafter, nicht jedoch Geschäftsführer oder Aufsichtsratsmitglieder. Gesellschafter können auch klagen, sofern sie von dem konkreten Beschlussinhalt nicht betroffen sind oder an der Beschlussfassung nicht teilgenommen haben.[55] Mit Blick auf Passivlegitimation und zuständiges Gericht bestehen keine Unterschiede zur Nichtigkeitsklage. Der Klageantrag einer Anfechtungsklage muss dahin gehend abgefasst sein, dass der konkrete Beschluss für nichtig erklärt wird.[56] Entscheidend ist ferner, dass sie Klage innerhalb einer angemessenen Frist erhoben wird. Diese Anfechtungsfrist beträgt i.d.R. einen Monat gem. § 246 Abs. 1 AktG analog und beginnt ab Kenntnis des Gesellschafters von dem Beschluss.[57] Die Monatsfrist kann durch Satzung verlängert,[58] aber wegen der gesetzlichen Mindestregelung nicht verkürzt werden.[59] Je nach Einzelfall kann eine Anfechtungsfrist von mehr als einem Monat auch ohne Satzungsregelung angemessen sein, sofern Sachverhalt und Rechtsfragen komplex sind.[60]

§ 48 GmbHG   Gesellschafterversammlung

(1) Die Beschlüsse der Gesellschafter werden in Versammlungen gefasst.

(2) Der Abhaltung einer Versammlung bedarf es nicht, wenn sämtliche Gesellschafter in Textform mit der zu treffenden Bestimmung oder mit der schriftlichen Abgabe der Stimmen sich einverstanden erklären.

---

52   BGH, 17.02.1997 – II ZR 41/96, NJW 1997, 1510.

53   Weitere prozessuale Einzelheiten zur Anfechtungsklage s. Schulze in Bormann/Kauka/Ockelmann, Hdb. GmbH-Recht, Kap. 15 Rn. 112 ff.

54   BGH, 03.05.1999 – II ZR 119/98, NJW 1999, 2115.

55   Schmidt in Achilles/Ensthaler/Schmidt, GmbHG, § 47 Rn. 99.

56   BGH, 16.12.1991 – II ZR 58/91, NJW 1992, 892.

57   OLG Hamm, 26.02.2003 – 8 U 110/02, GmbHR 2003, 843.

58   BGH, 12.06.1989 – II ZR 246/88, NJW 1989, 2694.

59   BGH, 21.03.1988 – II ZR 308/87, NJW 1988, 1844.

60   BGH, 14.05.1990 – II ZR 126/89, NJW 1990, 2625.

(3) Befinden sich alle Geschäftsanteile der Gesellschaft in der Hand eines Gesellschafters oder daneben in der Hand der Gesellschaft, so hat er unverzüglich nach der Beschlussfassung eine Niederschrift aufzunehmen und zu unterschreiben.

I. Einführung

§ 48 trifft Teilregelungen über das Zustandekommen von Gesellschafter- 1
beschlüssen und ergänzt damit die Regelung zu § 47.

Abs. 1 stellt die **Grundregel** auf, dass **Beschlussfassungen in** einer GmbH 2
grds. i.R.v. **Gesellschafterversammlungen** erfolgen.

Anders als in der AG steht den Gesellschaftern schon von Gesetzes wegen 3
ein **weiteres Beschlussverfahren** zur Verfügung: Das schriftliche Abstimmungsverfahren („**Umlaufverfahren**" gem. Abs. 2). Allerdings ist die
Beschlussfassung ohne Gesellschafterversammlung nach der gesetzlichen
Formulierung die **Ausnahme**. Aus diesem Grund ist ein schriftliches Einverständnis sämtlicher Gesellschafter mit diesem Verfahren erforderlich.
Allerdings ermöglicht diese Alternative den Gesellschaftern, auf einem
organisatorisch einfacheren und schnelleren Weg zur Entscheidung zu
kommen.

Der Zweck der Regelungen in Abs. 1 und 2 besteht darin, die Willens- 4
bildung der Gesellschafter so zu organisieren, dass einerseits alle Gesellschafter daran teilnehmen können (im Fall des Abs. 1 wird dies durch § 51
Abs. 1 sichergestellt), andererseits zu gewährleisten, dass Beschlüsse beraten werden müssen, wenn nicht alle Gesellschafter mit dem Verfahren nach
Abs. 2 einverstanden sind.

Überdies kann der Gesellschaftsvertrag die gesetzlichen Verfahrensvor- 5
schriften (§ 45 Abs. 2) erschweren (z.B. Beschlussfassung ausschließlich
in Gesellschafterversammlung), aber auch erleichtern (z.B. schriftliche

Abstimmung, wenn die einfache Mehrheit dem zustimmt) oder ergänzen (z.B. unter bestimmten Voraussetzungen telefonische oder telegrafische Beschlussfassung oder per Internet).[1]

6   Einer förmlichen Einberufung bedarf es nicht, wenn sämtliche Gesellschafter i.R.e. Zusammentreffens an einer Beschlussfassung widerspruchslos mitwirken.[2] In diesem Fall spricht man von einer „**Vollversammlung**".

7   Die tatsächliche Art der Durchführung einer Gesellschafterversammlung ist im Wesentlichen von der **Gesellschafterstruktur** abhängig. Je mehr Gesellschafter eine Gesellschaft hat und je eher mit divergierenden Auffassungen dieser Gesellschafter zu rechnen ist, desto mehr wird der Einhaltung der Förmlichkeiten einer solchen Versammlung entscheidende Bedeutung beizumessen sein. In der Praxis erfolgen bei personalistisch ausgestalteten Gesellschafterstrukturen i.d.R. – sofern nicht konkret unterschiedliche Auffassungen zu erwarten sind – Gesellschafterbeschlüsse nicht Rahmen von Gesellschafterversammlungen. Vielmehr werden Gesellschafterbeschlüsse in Form eines Umlaufverfahrens oder als Vollversammlung nach § 51 Abs. 3 unter Verzicht auf sämtliche Form- und Fristvorschriften gefasst.

8   Einen Sonderfall stellt hingegen der „**Einpersonenbeschluss**" des § 48 Abs. 3 dar. Danach muss der „Einpersonengesellschafter" unverzüglich nach jeder Beschlussfassung eine Niederschrift aufnehmen und unterschreiben. Zweck dieser – zwingenden – Vorschrift ist, „Sicherheit über die Beschlüsse des Einmann-Gesellschafter herbeizuführen".[3] Aus diesem Grunde existiert auch beim „Einpersonenbeschluss" keine Unterscheidung zwischen Versammlungsbeschlüssen und Nichtversammlungsbeschlüssen.

II.   Gesellschafterversammlung (Abs. 1)

9   Der Gesellschaftsvertrag kann die Gesellschafterversammlung nicht durch ein anderes, insbes. kein externes Gremium (z.B. durch den Gemeinderat der Stadt, in deren Kommunalgesellschaft) ersetzen. Dieses würde dem Grundsatz der Verbandssouveränität widersprechen.[4]

---

1   Zu der Möglichkeit der Beschlussfassung per Internet s. Zwissler, GmbHR 2000, 28.

2   Allgemeine Meinung: vgl. nur BGH, 21.06.1999 – II ZR 47/98, JZ 1999, 1171.

3   BT-Drucks. 8/3908, S. 75.

4   Herrschende Meinung: vgl. Erle/Becker, NZG 1999, 58, 60; betreffend einen Gemeinderat einer Stadt Lutter/Hommelhoff in Lutter/Hommelhoff, GmbHG, § 48 Rn. 2a.

1. Teilnahme

Jeder Gesellschafter hat ein Recht auf Teilnahme an der Gesellschafter-   10
versammlung. Dieses Teilnahmerecht besteht unabhängig von der Frage des
Stimmrechts des jeweiligen Gesellschafters bzw. eines etwaigen Ausschlusses von der Abstimmung nach § 47 Abs. 4. Auch ist es nicht möglich, das
Teilnahmerecht durch eine Regelung im Gesellschaftsvertrag auszuschließen.[5] Möglich ist es hingegen, im Fall einer Mitberechtigung mehrerer an
einem Geschäftsanteil, die Ausübung des Teilnahmerechts durch einen
gemeinsamen Vertreter anzuordnen.

Formulierungsbeispiel einer typischen Satzungsregelung: 11

> (1) Steht ein Geschäftsanteil mehreren Mitberechtigten i.S.d. § 18
> Abs. 1 GmbHG ungeteilt zu, so sind diese verpflichtet, durch schriftli-
> che Erklärung gegenüber der Gesellschaft einen gemeinsamen Vertre-
> ter zur Ausübung ihrer Rechte aus dem Geschäftsanteil zu bestellen.
>
> (2) Gemeinsamer Vertreter kann nur ein Mitberechtigter, ein anderer
> Gesellschafter oder ein zur Berufsverschwiegenheit verpflichteter Drit-
> ter aus rechts- oder steuerberatenden Berufen sein.
>
> (3) Bis zur Bestellung eines Vertreters ruhen die Stimmrechte aus dem
> Geschäftsanteil.

Wird ein Gesellschafter zu Unrecht ausgeschlossen, so sind die in seiner   12
Abwesenheit gefassten Beschlüsse nichtig.[6]

Kein Teilnahmerecht besitzt allerdings ein Gesellschafter, der sich durch   13
einen **Bevollmächtigten** (z.B. Rechtsanwalt) vertreten lässt. Grundsätzlich
sind nur widerrufliche Stimmrechtsvollmachten zulässig. Unwiderrufliche
Vollmachten sind nur dann unbedenklich, wenn sie enden, wenn das zugrunde liegende Rechtsverhältnis endet und stets aus wichtigem Grund
kündbar sind.[7] Im Fall einer Stellvertretung geht sowohl das Stimmrecht,
als auch das Teilnahmerecht auf den Vertreter über. Allerdings übt der

---

5   Ganz h.M.: vgl. OLG Frankfurt a.M., 26.08.1983 – 20 W 528/83, GmbHR
    1984, 99, 100; Lutter/Hommelhoff in Lutter/Hommelhoff, GmbHG, § 48
    Rn. 3; Koch in Bormann/Kauka/Ockelmann, Hdb. GmbH-Recht, Kap. 6
    Rn. 22.

6   Ganz h.M.: vgl. OLG Frankfurt a.M., 26.08.1983 – 20 W 528/83, GmbHR
    1984, 99, 100.

7   So die wohl h.M.: Zöllner in Baumbach/Hueck, GmbHG, § 47 Rn. 50 m.w.N.;
    a.A.: Lutter/Hommelhoff in Lutter/Hommelhoff, GmbHG, § 47 Rn. 11, die
    eine völlige Unwirksamkeit unwiderruflicher Vollmachten postulieren.

Bevollmächtigte lediglich das Teilnahmerecht des Vollmachtgebers aus; beansprucht dieser selbst Teilnahme, braucht der Bevollmächtigte nicht zugelassen zu werden.[8]

14   Dritten (z.B. Beratern oder Vertretern einzelner Gesellschafter) ist die Teilnahme nur aufgrund einer entsprechenden Satzungsregelung oder eines Gesellschafterbeschlusses eröffnet.

15   **Formulierungsbeispiel einer typischen Satzungsregelung:**

> Jeder Gesellschafter kann sich in der Gesellschafterversammlung oder bei Abstimmungen außerhalb einer Gesellschafterversammlung durch einen anderen Gesellschafter oder einen gesetzlich zur Verschwiegenheit verpflichteten Vertreter aufgrund schriftlicher Bevollmächtigung vertreten lassen.

16   Sobald allerdings die persönlichen Verhältnisse eines Gesellschafters oder die Struktur der Gesellschaft und die Bedeutung des Beschlussgegenstandes für eine dringende Beratungsbedürftigkeit sprechen, kann die Zulassung eines Beraters auch aufgrund der Gesellschaftertreuepflicht (§§ 14, 18) erforderlich sein.[9]

17   Dritte sind allerdings stets berechtigt, an der Versammlung teilzunehmen, wenn sie **gesetzliche Vertreter** eines Gesellschafters (Eltern, Vormund, Betreuer, Gesellschaftsorgan, Behördenvertreter) sind. Anstelle des geschäftsunfähigen Kindes (§ 104 Nr. 1 BGB) und eines beschränkt geschäftsfähigen (§ 106 BGB) Gesellschafters besteht Teilnahmerecht des oder der gesetzlichen Vertreter; sind dies wie im Normalfall beide Eltern, dürfen beide teilnehmen. Ein beschränkt geschäftsfähiger Gesellschafter kann, wenn die Eltern ihm für die Stimmrechtsausübung Konsens erteilt haben (§ 107 BGB), selbst teilnehmen.[10]

18   **Geschäftsführer** verfügen über kein gesondertes Teilnahmerecht. Allerdings sind nach § 37 Abs. 1 analog sämtliche oder einzelne Geschäftsführer zur Teilnahme verpflichtet, wenn die Gesellschafter es verlangen.[11]

---

8   Ganz h.M.: vgl. Hüffer in Hachenburg, GmbHG, § 48 Rn. 18 sowie § 47 Rn. 101; Zöllner in Baumbach/Hueck, GmbHG, § 48 Rn. 8.

9   Herrschende Meinung: vgl. OLG Düsseldorf, 25.07.2001 – 17 W 42/01, GmbHR 2002, 67; OLG Stuttgart, 07.03.1997 – 20 W 1/97, GmbHR 1997, 1107; Lutter/Hommelhoff in Lutter/Hommelhoff, GmbHG, § 48 Rn. 4; Koch in Bormann/Kauka/Ockelmann, Hdb. GmbH-Recht, Kap. 6 Rn. 102.

10   Zöllner in Baumbach/Hueck, GmbHG, § 48 Rn. 9.

11   Koch in Bormann/Kauka/Ockelmann, Hdb. GmbH-Recht, Kap. 6 Rn. 103.

Bei Gesellschaftern mit einem obligatorischen Aufsichtsrat haben sämtliche   19
Aufsichtsratsmitglieder ein Teilnahmerecht (§ 25 Abs. 1 Satz 1, Nr. 2 MitbestG, § 77 Abs. 1 Satz 2 BetrVG, § 52 i.V.m. § 118 Abs. 2 AktG). Den
Mitgliedern eines fakultativen Aufsichtsrats oder Beirats steht ein Teilnahmerecht nur aufgrund einer Regelung i.R.d. Gesellschaftsvertrags oder
eines Gesellschafterbeschlusses zu.[12]

2. Ort und Zeit

Das Gesetz selber enthält keine Regelung betreffend Ort und Zeit der   20
Gesellschafterversammlung. Zur Einberufungsfrist s. § 51 Abs. 1 Satz 2.
Sofern auch der Gesellschaftsvertrag keine diesbezügliche Regelung enthält,
trifft der Einberufende (§ 49 Abs. 1, § 50 Abs. 3) i.R.d. Einberufung – unter
Berücksichtigung nachfolgender Kriterien – eine konkrete Bestimmung
betreffend Ort und Zeit der Gesellschafterversammlung.

Die Gesellschafterversammlung muss grds. zu den **üblichen Geschäftszeiten**   21
stattfinden. Soweit die Satzung keine gegenteilige Bestimmung enthält, ist
allerdings auch eine Terminierung auf Sonn- und Feiertage zulässig.[13]

Versammlungsort ist im Zweifel der **statuarische Gesellschaftssitz** nach   22
§ 3 Abs. 1 Nr. 1.[14]

Steht allerdings fest, dass ein anderer Versammlungsort für alle Gesellschafter   23
leichter zu erreichen ist als der Sitz der Gesellschaft, so kann der Geschäftsführer bzw. im Fall des § 50 Abs. 3 die Gesellschafter, auch an diesen anderen
Ort einberufen.[15] Sind sämtliche Gesellschafter damit einverstanden, kann die
Gesellschafterversammlung auch im Ausland durchgeführt werden.[16]

---

12   Lutter/Hommelhoff in Lutter/Hommelhoff, GmbHG, § 48 Rn. 6; Koch in
      Bormann/Kauka/Ockelmann, Hdb. GmbH-Recht, Kap. 6 Rn. 103.

13   Ganz h.M.: vgl. Römermann in Michalski, GmbHG, § 48 Rn. 16; Zöllner in
      Baumbach/Hueck, GmbHG, § 51 Rn. 14.

14   Ganz h.M.: vgl. OLG Hamm, 01.02.1974 – 15 Wx 6/47, OLGZ 1974, 149,
      153; OLG Celle, 12.05.1997 – 9 U 204/96, GmbHR 1997, 748; Zöllner in
      Baumbach/Hueck, GmbHG, § 51 Rn. 15; Koch in Bormann/Kauka/Ockel-
      mann, Hdb. GmbH-Recht, Kap. 6 Rn. 96.

15   BGH, 28.01.1985 – II ZR 79/84, GmbHR 1985, 256 = WM 1985, 567;
      OLG Celle, 12.05.1997 – 9 U 204/96, GmbHR 1997, 748; zustimmend: Lut-
      ter/Hommelhoff in Lutter/Hommelhoff, GmbHG, § 46 Rn. 7; Schmidt/Seibt in
      Scholz, GmbHG, § 48 Rn. 7; Koch in Bormann/Kauka/Ockelmann, Hdb.
      GmbH-Recht, Kap. 6 Rn. 96.

16   OLG Düsseldorf, 25.01.1989 – 3 Wx 21/89, GmbHR 1990, 169, 171; zur in
      diesem Fall u.U. auftretenden Problematik von Auslandsbeurkundungen s.a.
      Schmidt/Seibt in Scholz, GmbHG, § 48 Rn. 11.

3.   Beschlussfassung

a)   Beschlussfähigkeit

24   Sofern ordnungsgemäß geladen wurde, ist die Gesellschafterversammlung beschlussfähig, auch wenn nur einer der geladenen Gesellschafter erschienen ist. Allerdings kann der Gesellschaftsvertrag Regelungen zur Beschlussfähigkeit treffen.[17] Als Beispiele kommen hier die Anwesenheit einer bestimmten Zahl von Gesellschaftern oder die Vertretung eines bestimmten Teils des Stammkapitals in Betracht.[18]

25   **Formulierungsbeispiel einer typischen Satzungsregelung:**

> Die Gesellschafterversammlung ist nur beschlussfähig, wenn mindestens 85 % der Stimmen vertreten sind.
>
> *oder*
>
> Die Gesellschafterversammlung ist beschlussfähig, wenn mindestens 50 % des Stammkapitals anwesend oder vertreten sind.

> **Praxistipp:**
>
> In diesem Fall empfiehlt sich eine Klausel, nach der bei Beschlussunfähigkeit eine weitere Versammlung einzuberufen ist, die ohne Rücksicht auf die Zahl der Erschienenen oder auf die Höhe des vertretenen Kapitals beschlussfähig ist.

26   **Formulierungsbeispiel einer typischen Satzungsregelung:**

> Erweist sich eine Gesellschafterversammlung als beschlussunfähig, so ist entsprechend Abs. ..... erneut eine Gesellschafterversammlung mit gleicher Tagesordnung innerhalb von vier (4) Wochen einzuberufen, die dann ohne Rücksicht auf die Höhe des vertretenen Stammkapitals beschlussfähig ist. Darauf ist in der Einladung hinzuweisen.

27   Einer Neueinberufung bedarf es allerdings nicht im Fall eines Boykotts der Gesellschafterversammlung durch Minderheitsgesellschafter.[19]

---

17   Ganz h.M.: vgl. Zöllner in Baumbach/Hueck, GmbHG, § 48 Rn. 3; Koch in Bormann/Kauka/Ockelmann, Hdb. GmbH-Recht, Kap. 6 Rn. 112.

18   Vgl. Schmidt/Seibt in Scholz, GmbHG, § 48 Rn. 43.

19   OLG Hamburg, 09.11.1990 – 11 U 92/90, WM 1992, 272; Koch in Bormann/Kauka/Ockelmann, Hdb. GmbH-Recht, Kap. 6 Rn. 112.

b) Gang der Versammlung, Beschlussfassung, Protokoll

Sämtliche Gesellschafter haben das Recht, dem Gang der Versammlung zu 28
folgen und in die Beratungen mit eigenen Äußerungen und Anträgen einzugreifen ("**Rede- und Antragsrecht**"); dies gilt auch für die von der
Abstimmung ausgeschlossenen Gesellschafter.[20]

Ein **Versammlungsleiter** ist gesetzlich *nicht* vorgeschrieben. 29

> **Praxistipp:**
>
> Sofern allerdings mehrere Gesellschafter vorhanden sind, und insbes.
> im Fall von etwaigen Unstimmigkeiten, ist die Einsetzung eines Ver-
> sammlungsleiters empfehlenswert, um nicht nur den Ablauf der Ver-
> sammlung zu leiten, sondern auch um den Ausgang der Abstimmung
> festzuhalten.[21]

Sowohl der Gang der Versammlung als auch die Beschlussergebnisse bedürfen 30
grds. **keiner Protokollierung**. Beurkundungszwang besteht nur für Satzungsänderungen (§ 53 Abs. 2) sowie für Verschmelzungs-, Spaltungs- und Form-
wechselbeschlüsse (§§ 13 Abs. 3, 125, 193 Abs. 3 UmwG).

> **Praxistipp:**
>
> Um etwaige Feststellungs- und Anfechtungsklagen zu vermeiden,
> empfiehlt es sich gleichwohl, zumindest die Beschlussergebnisse zu
> protokollieren.[22]

Formulierungsbeispiel eines Versammlungsprotokolls: 31

> **Protokoll der außerordentlichen Gesellschafterversammlung**
> ..... **GmbH**
> ..... **[Adresse]**

---

20 Koch in Bormann/Kauka/Ockelmann, Hdb. GmbH-Recht, Kap. 6 Rn. 22.

21 Zur Bedeutung der Beschlussfeststellung s.a. Lutter/Hommelhoff in Lutter/
    Hommelhoff, GmbHG, Anh. § 47 Rn. 42 ff.; Roth/Altmeppen, GmbHG, § 48
    Rn. 24; Koch in Bormann/Kauka/Ockelmann, Hdb. GmbH-Recht, Kap. 6
    Rn. 108 ff.

22 Lutter/Hommelhoff in Lutter/Hommelhoff, GmbHG, § 48 Rn. 9; Schmidt/
    Seibt in Scholz, GmbHG, § 48 Rn. 39; Koch in Bormann/Kauka/Ockelmann,
    Hdb. GmbH-Recht, Kap. 6 Rn. 109.

Die **Herren** ..... und ..... und **Frau** ..... sind jeweils zu einem Drittel, am Stammkapital der ..... **GmbH** (im Folgenden auch „Gesellschaft" genannt) i.H.v. ..... € beteiligt.

Im Einzelnen stellt sich die Verteilung der Stammeinlagen und die Stimmverteilung wie folgt dar:

Name des Gesellschafters	Nennwert Stammeinlagen	Anzahl der Stimmen
.....	..... €	.....
.....	..... €	.....
.....	..... €	.....

Alle drei Gesellschafter sind erschienen. Die Erschienenen stellen einvernehmlich fest, dass alle Gesellschafter ordnungsgemäß und fristgerecht eingeladen worden sind und die Tagesordnung vollständig und ordnungsgemäß bekannt gegeben worden ist.

Die Erschienenen wählen ..... einstimmig zum Versammlungsleiter.

..... begrüßt die Erschienenen zur außerordentlichen Gesellschafterversammlung der ..... GmbH.

Die Gesellschafterversammlung beschließt über folgende Beschlussanträge:

Top 1:

Antrag:

Beschluss über die Zulassung des Herrn Rechtsanwalt ....., geschäftsansässig ..... zur Teilnahme an der Gesellschafterversammlung der ..... GmbH am heutigen Tage (..... 2008).

Abstimmung:

Für den Antrag ..... Stimmen, gegen den Antrag ..... Stimmen, ... enthaltene Stimmen.

Damit wird festgestellt, dass folgender Beschluss gefasst wurde:

> Herr Rechtsanwalt ....., geschäftsansässig ....., wird zur Teilnahme an der Gesellschafterversammlung der ..... GmbH am heutigen Tage (..... 2008) zugelassen.

Alternativ: Auf eine Beschlussfassung zu Top 1 wird einvernehmlich verzichtet.

Top 2:

Antrag:

Beschluss über den Ausschluss des Gesellschafters ..... aus der ..... GmbH aus wichtigem Grund.

Abstimmung:

Für den Antrag ..... Stimmen, gegen den Antrag ..... Stimmen, ... enthaltene Stimmen.

Damit wird festgestellt, dass folgender Beschluss gefasst wurde:

> Der Gesellschafter ..... wird aus wichtigem Grund mit
> sofortiger Wirkung aus der ..... GmbH ausgeschlossen.

Alternativ: Auf eine Beschlussfassung zu Top 2 wird einvernehmlich verzichtet.

Ort/Datum, Unterschriften

III.   Vereinfachte und informelle Beschlussfassung (Abs. 2)

1.   Schriftliche Beschlussfassung

§ 48 Abs. 2 erlaubt eine Beschlussfassung ohne Abhaltung einer Gesellschafterversammlung in zwei verschiedenen schriftlichen Verfahren:[23]

1. Als in Textform ergehende Zustimmung aller in einem bestimmten Beschlussantrag, d.h. als einstimmigen Beschluss sämtlicher Gesellschafter unter **Stimmabgabe** in Textform;

2. als schriftliche Abstimmung ohne Einstimmigkeitserfordernis unter **Einverständnis** aller mit diesem Verfahren.

Hinsichtlich der geforderten Form differenziert Abs. 2 nunmehr zwischen **Textform** für das Einverständnis (§ 126b BGB: ausreichend ist insoweit E-Mail, Fax oder Fernschreiben) und **Schriftform** für die Stimmabgabe. Früher (auch bereits nach dem alten, bis 31.7.2001 geltenden Recht) bestand Übereinstimmung darin, dass „schriftlich" nach § 48 Abs. 2 nicht Schriftform i.S.v. § 126 BGB (eigenhändige Unterschrift) bedeutet, sondern jede schriftlich verkörperte Willenserklärung diesem Erfordernis entsprach. So genügten etwa nicht nur ein von allen Gesellschaftern unterschriebenes

---

23   Koch in Bormann/Kauka/Ockelmann, Hdb. GmbH-Recht, Kap. 6 Rn. 133 ff.

Rundschreiben, sondern auch telegrafische, fernschriftliche oder fernkopierte Erklärungen; auch die Übermittlung per Email wurde überwiegend als ausreichend anerkannt.[24] Nach der Novellierung der Vorschrift ist allerdings davon auszugehen, dass die zweite Fallvariante Schriftform i.S.d. § 126 BGB (eigenhändige Unterschrift) erfordert.[25]

34   Sind Gesellschafter nicht stimmberechtigt, so ist es ausreichend, aber auch erforderlich, dass sie sich **mit dem schriftlichen Verfahren einverstanden erklärt** haben, weil ihnen ansonsten das Teilnahme- und Rederecht auf der Versammlung vorenthalten bliebe.[26]

35   Der **Beschluss** kommt mit dem Zugang der letzten Stimme zustande, d.h. in der ersten Variante mit Zugang der Erklärung des letzten Stimmberechtigten, in der zweiten Variante mit Zugang der Erklärung des letzten an der Abstimmung beteiligten Gesellschafters.[27]

36   Die Stimmen können auf getrennter oder auf gemeinsamer Urkunde (Rundschreiben) abgegeben werden.

37   Auch **Satzungsänderungen** können im schriftlichen Verfahren beschlossen werden.[28] Anderes gilt allerdings aber für die Beschlussfassungen im **Umwandlungsrecht**: Verschmelzung (§ 13 Abs. 1 Satz 2 UmwG), Spaltung (§ 125 UmwG) und Formwechsel (§ 193 Abs. 1 Satz 2 UmwG).[29]

38   Schließlich ist zu beachten, dass auch Abs. 2 **dispositiv** ist, also durch Regelungen im Gesellschaftsvertrag abgewandelt werden kann.

---

24   Früher h.M.: vgl. Noack, ZGR 1998, 592; Lutter/Hommelhoff in Lutter/Hommelhoff, GmbHG, § 48 Rn. 11; wohl auch Schmidt in Scholz, GmbHG, § 48 Rn. 62.

25   Schmidt/Seibt in Scholz, GmbHG, § 48 Rn. 63; Römermann in Michalski, GmbHG, § 48 Rn. 261; a.A.: wohl Lutter/Hommelhoff in Lutter/Hommelhoff, GmbHG, § 48 Rn. 11.

26   Herrschende Meinung: vgl. Römermann in Michalski, GmbHG, § 48 Rn. 279; Koch in Bormann/Kauka/Ockelmann, Hdb. GmbH-Recht, Kap. 6 Rn. 138.

27   BGH, 01.12.1954 – II ZR 285/53, BGHZ 15, 324, 329 = WM 1955, 27.

28   Herrschende Meinung: vgl. Priester in Scholz, GmbHG, § 53 Rn. 66; Schmidt/Seibt in Scholz, GmbHG, § 48 Rn. 63; Lutter/Hommelhoff in Lutter/Hommelhoff, GmbHG, § 48 Rn. 2; ablehnend: BGH, 01.12.1954, II ZR 285/53, NJW 1955, 220; Koch in Bormann/Kauka/Ockelmann, Hdb. GmbH-Recht, Kap. 6 Rn. 133.

29   Schmidt/Seibt in Scholz, GmbHG, § 48 Rn. 63; Zöllner in Baumbach/Hueck, GmbHG, § 48 Rn. 28; Römermann in Michalski, GmbHG, § 48 Rn. 209; Koch in Bormann/Kauka/Ockelmann, Hdb. GmbH-Recht, Kap. 6 Rn. 133.

2. Formlose Beschlussfassung

Sofern eine GmbH nur wenige Gesellschafter hat, werden Gesellschafter- 39
beschlüsse in der Praxis häufig im Rahmen **formloser Zusammenkünfte**
oder gar am **Telefon** gefasst.

Formlose Zusammenkünfte sind als Vollversammlung stets wirksam, wenn alle 40
Gesellschafter anwesend sind und keiner der Beschlussfassung widerspricht.

Eine anderweitige formlose Beschlussfassung außerhalb der Gesellschafter- 41
versammlung ist grds. allerdings nur dann zulässig, wenn der **Gesellschaftsvertrag** dies **ausdrücklich vorsieht**.[30] Insbes. kann hier eine Beschlussfassung per Fax oder E-Mail oder per Telefon in Betracht kommen.

Formulierungsbeispiel einer typischen Satzungsregelung: 42

> Die Beschlüsse der Gesellschafter werden in Gesellschafterversamm-
> lungen gefasst. Soweit es sich nicht um Beschlüsse handelt, die einer
> notariellen Beurkundung bedürfen, können die Beschlüsse auch außer-
> halb der Gesellschafterversammlung durch eine schriftliche, fern-
> schriftliche, per telefax oder per E-Mail erfolgte Abstimmung herbei-
> geführt werden, wenn alle Gesellschafter an der Beschlussfassung
> beteiligt sind und keiner der Art der Beschlussfassung widerspricht.

Eine telefonische Beschlussfassung oder mündliche Beschlussfassung „**auf** 43
Raten", z.B. jeweils durch Einholung der Zustimmung einzelner, ist ohne
Satzungsgrundlage – auch bei Zustimmung aller Gesellschafter – *nicht*
zulässig.[31]

Auch eine sog. **kombinierte Beschlussfassung** (z.T. in einer Versammlung, 44
z.T. schriftlich) ist nur zulässig, wenn die Entscheidungsform in der Satzung
ausdrücklich vorgesehen ist.[32] Eine Abstimmung im Wege des in der Satzung

---

30   BGH, 16.01.2006 – II ZR 135/04, NJW 2006, 2044; a.A.: Schmidt/Seibt in
      Scholz, GmbHG, § 48 Rn. 67.

31   Herrschende Meinung: vgl. Zöller in Baumbach/Hueck, GmbHG, § 48 Rn. 41;
      Hüffer in Hachenburg, GmbHG, § 48 Rn. 57; der h.M. folgend, aber ausführ-
      lich den Streitstand darstellend: Römermann in Michalski, GmbHG, § 48
      Rn. 279; a.A.: Schmidt/Seibt in Scholz, GmbHG, § 48 Rn. 67.

32   BGH, 16.01.2006 – II ZR 135/04, NJW 2006, 2044; zustimmend: Mayer,
      NZG 2007, 448; Koppensteiner in Rowedder/Schmidt-Leithoff, GmbHG,
      § 48 Rn. 3; a.A.: Möller, EWiR 2007, 111; Schmidt/Seibt in Scholz, GmbHG,
      § 48 Rn. 67.

nicht vorgesehenen kombinierten Verfahrens führt demnach auch bei Einvernehmen sämtlicher Gesellschafter zur Nichtigkeit des Beschlusses.[33]

IV. Einpersonengesellschaft (Abs. 3)

45   Die Sondervorschrift des Abs. 3 gilt allein für diejenigen Gesellschaften, an denen nur eine Person beteiligt ist, wobei eigene Anteile der Gesellschaft außer Betracht bleiben. Aus diesem Grund ist sie nicht einschlägig, wenn auch nur ein Gesellschaftsanteil – auch ein stimmrechtsloser – von einem anderen Gesellschafter gehalten wird.

46   Der Treuhänder gilt insoweit als vollwertiger Gesellschafter. Ein zweiter Anteil, der von einem Treuhänder gehalten wird, schließt also die Anwendung dieser Vorschrift aus.[34]

47   Bei der Einpersonengesellschaft muss über jeden Gesellschafterbeschluss („Entschluss") eine **Niederschrift** aufgenommen werden und vom Gesellschafter unterzeichnet werden.[35] Zudem sind Ort und Datum zu vermerken.

48   **Formulierungsbeispiel einer Niederschrift:**

Niederschrift über einen Gesellschafterbeschluss der

..... GmbH

..... [Adresse]

Ich, der Unterzeichnete, handele in meiner Eigenschaft als alleiniger Gesellschafter der im Handelsregister ..... unter HRB ..... eingetragenen ..... (die „Gesellschaft") und beschließe hiermit:

1. Der Jahresabschluss der Gesellschaft zum ..... wird gemäß der Anlage festgestellt.

2. Der Jahresüberschuss zum ..... i.H.v. ..... wird auf neue Rechnung vorgetragen.

3. Dem Geschäftsführer ..... wird für das Geschäftsjahr ..... Entlastung erteilt.

Ort/Datum, Unterschrift

---

33   BGH, 16.01.2006 – II ZR 135/04, NJW 2006, 2044.

34   Ganz h.M.: vgl. Lutter/Hommelhoff in Lutter/Hommelhoff, GmbHG, § 48 Rn. 16.

35   Koch in Bormann/Kauka/Ockelmann, Hdb. GmbH-Recht, Kap. 6 Rn. 144.

Eine **Protokollierung** ist nach dem Willen des Gesetzgebers aber *keine* 49
Wirksamkeitsvoraussetzung für den Beschluss.[36] Damit soll dem Gesellschafter die Möglichkeit, sich einer Selbstbindung unter Berufung auf eine
unterlassene Protokollierung nachträglich noch zu entziehen, verwehrt werden. Dieses bedeutet, dass sich Dritte, wenn die Beschlussfassung unstreitig
oder bewiesen ist, auf die Beschlussfassung berufen können – auch wenn
entgegen der Vorschrift des § 48 Abs. 3 kein Protokoll erstellt wurde.[37]

Andererseits kann sich der Einpersonengesellschafter Dritten gegenüber 50
nicht auf einen nicht protokollierten Gesellschafterbeschluss berufen –
auch nicht etwa durch Benennung von Zeugen.[38] Etwas anderes soll nur
dann gelten, wenn ein Beschluss vom Alleingesellschafter oder von der
Gesellschaft schriftlich oder anderweitig dokumentiert vollzogen wurde.[39]

V. Arbeitshilfe

Ablauf einer Gesellschafterversammlung: 51

1. (Evtl.) Bestellung des Versammlungsleiters,

2. (evtl.) Feststellung der Beschlussfähigkeit,

3. Aufruf der Tagesordnungspunkte (Reihenfolge kann von den Gesellschaftern geändert werden),

4. Rederecht der Gesellschafter (Begrenzung nur in Ausnahmefällen),

5. Beschlussantrag,

6. Abstimmungsverfahren,

7. (evtl.) Feststellung des Beschlussergebnisses.

---

36   Die ursprünglich in § 48 Abs. 3 Satz 5 RegE 1977 vorgesehene Nichtigkeits-
     folge ist entsprechend der Empfehlung des Rechtsausschusses gestrichen
     worden; Koch in Bormann/Kauka/Ockelmann, Hdb. GmbH-Recht, Kap. 6
     Rn. 145.

37   Schmidt/Seibt in Scholz, GmbHG, § 48 Rn. 73.

38   Herrschende Meinung: vgl. Schmidt/Seibt in Scholz, GmbHG, § 48 Rn. 73;
     Lutter/Hommelhoff in Lutter/Hommelhoff, GmbHG, § 48 Rn. 18; a.A.:
     Römermann in Michalski, GmbHG, § 48 Rn. 326.

39   Schmidt/Seibt in Scholz, GmbHG, § 48 Rn. 73; ebenso OLG Hamm,
     01.02.2006 – 8 U 46/05, GmbHR 2006, 1204 für den Fall einer konkludenten
     Beschlussfassung über die Bilanz als Teil des Jahresabschlusses, wenn der
     Alleingesellschafter den Jahresabschluss zum Gegenstand der Steuererklärung
     macht.

§ 49 GmbHG   Einberufung der Versammlung

(1) Die Versammlung der Gesellschafter wird durch die Geschäftsführer berufen.

(2) Sie ist außer den ausdrücklich bestimmten Fällen zu berufen, wenn es im Interesse der Gesellschaft erforderlich erscheint.

(3) Insbesondere muss die Versammlung unverzüglich berufen werden, wenn aus der Jahresbilanz oder aus einer im Laufe des Geschäftsjahres aufgestellten Bilanz sich ergibt, dass die Hälfte des Stammkapitals verloren ist.

I.   Einführung

1   § 49 regelt in Abs. 1 die Grundsatzzuständigkeit zur Einberufung der Gesellschafterversammlung durch die **Geschäftsführer**. In Abs. 2 und 3 hingegen sind Voraussetzungen niedergelegt, unter denen die Geschäftsführer verpflichtet sind, eine Gesellschafterversammlung einzuberufen.

2   Einen Tatbestand der Einberufungspflicht auf Betreiben der Gesellschafter regelt § 50 Abs. 1. § 50 Abs. 3 begründet eine Notzuständigkeit für eine Gesellschafterminderheit. Zur Form der Einberufung s.u. § 51 Rn. 9 – 13.

3   Nicht im Gesetz geregelt ist, wann außerhalb der in § 49 Abs. 2 und 3 geregelten Fälle eine Gesellschafterversammlung einberufen werden kann. Aufgrund der **Allzuständigkeit der Gesellschafterversammlung** sind die Gesellschafter jederzeit zur Beschlussfassung berechtigt und können in einer Gesellschafterversammlung zusammentreten.

Die Geschäftsführer entscheiden über die Einberufung einer Gesellschafter- 4
versammlung unter Berücksichtigung der allseitigen Interessen nach pflichtgemäßem Ermessen. Unabhängig davon, kann die Gesellschafterversammlung den Geschäftsführer **anweisen**, eine Gesellschafterversammlung
einzuberufen und sogar **Vorgaben** machen, auf wann und wo einzuberufen
ist. Die Einberufung einer ordentlichen Gesellschafterversammlung wird
sich zudem meist aus dem Gesellschaftsvertrag und aus dem Bedürfnis
nach einer Feststellung des Jahresabschlusses (§ 42a) ergeben. In der Praxis
bestimmen auch häufig die Gesellschafter selbst in ihrer ordentlichen
Gesellschafterversammlung, wann die nächste ordentliche Gesellschafterversammlung stattfinden soll. Der Geschäftsführer einer personalistischen
GmbH wird in der Praxis ohnehin, bevor er eine außerordentliche Gesellschafterversammlung einberuft, persönlich den Kontakt zu den Gesellschaftern suchen, um bei der Bestimmung eines etwaigen Termins auf die
Interessen der Gesellschafter Rücksicht zu nehmen bzw. um zu überprüfen,
ob eine bloße Berichterstattung an die Gesellschafter über die infrage
stehenden Vorgänge vorerst ausreichend ist und die Abhaltung einer Gesellschafterversammlung sich als unverhältnismäßig darstellt.

II. Einberufungskompetenz (Abs. 1)

1. Grundsatz

Die grundsätzliche Kompetenz zur Einberufung liegt bei den Geschäfts- 5
führern. **Einberufungsbefugt** ist jeder einzelne **Geschäftsführer**, unabhängig von etwaigen Regelungen zur Geschäftsführung und Vertretung.[1] Gesellschafter und Prokuristen sind nicht zur Einberufung ermächtigt.[2]

Satzungsmäßige Bestimmungen betreffend die Einberufungszuständigkeit 6
sind jedoch insoweit zulässig, als sie sie auf **Gesellschafter oder andere
Organe** ausdehnen.[3]

Zudem ist es der h.M. zufolge möglich, die Einberufungskompetenz der 7
Geschäftsführer durch die Satzung **einzuschränken** oder diese sogar gänzlich zu **entziehen**, insbes. durch Ersetzung durch ein Einberufungsrecht

---

1   Herrschende Meinung: vgl. BayObLG, 02.07.1999 – 3 Z BR 298/98,
    GmbHR 1999, 984; Schmidt/Seibt in Scholz, GmbHG, § 49 Rn. 4; Römer-
    mann in Michalski, GmbHG, § 49 Rn. 34; Koch in Bormann/Kauka/Ockel-
    mann, Hdb. GmbH-Recht, Kap. 6 Rn. 88, 91; Ockelmann/Pieperjohanns/
    Hölck in Bormann/Kauka/Ockelmann, Hdb. GmbH-Recht, Kap. 7 Rn. 145.

2   Ganz h.M.: vgl. Baumbach/Hueck, GmbHG, § 49 Rn. 4; Schmidt/Seibt in
    Scholz, GmbHG, § 49 Rn. 9 ff.

3   Schmidt/Seibt in Scholz, GmbHG, § 49 Rn. 34; Koch in Bormann/Kauka/
    Ockelmann, Hdb. GmbH-Recht, Kap. 6 Rn. 89.

eines anderen Organs.[4] Der h.M. ist zu folgen. Es ist kein besonderer Grund ersichtlich, warum § 49 Abs. 1 – entgegen der eine grundsätzliche Satzungsautonomie postulierenden Vorschrift § 45 Abs. 2 – nicht satzungsdispositiv sein sollte; allein die Leitungsaufgabe der Geschäftsführer vermag diese Einschränkung der Satzungsautonomie nicht zu rechtfertigen.

8   **Formulierungsbeispiele für mögliche Satzungsregelungen:**

Ersetzung der Einberufungsbefugnis durch Aufsichtsrat

Gesellschafterversammlungen werden durch den Aufsichtsrat (soweit vorhanden) oder durch Gesellschafter, die zusammen mindestens 10 % des Stammkapitals auf sich vereinigen, einberufen.

Oder

Ausdehnung der Einberufungsbefugnis auf Beirat

Gesellschafterversammlungen werden durch die Geschäftsführung oder durch Gesellschafter, die zusammen mindestens 10 % des Stammkapitals auf sich vereinigen, oder den Beirat einberufen.

Oder

Einschränkung der Einberufungsbefugnis der Geschäftsführer

Gesellschafterversammlungen werden durch die Geschäftsführung (die gesamtvertretungsberechtigten Geschäftsführer sind nur gemeinsam zur Einberufung berechtigt) oder durch Gesellschafter, die zusammen mindestens 10 % des Stammkapitals auf sich vereinigen einberufen.

---

9   Die Einberufung ist kein höchstpersönlich den Geschäftsführern obliegendes Geschäft. Aus diesem Grund macht die Einberufung durch einen beauftragten **Dritten**, z.B. Rechtsanwalt, die Einberufung nicht ungültig.[5]

---

4   Herrschende Meinung: vgl. Römermann in Michalski, GmbHG, § 49 Rn. 52; Hüffer in Ulmer/Habersack/Winter, GmbHG, § 49 Rn. 31; Lutter/Hommelhoff in Lutter/Hommelhoff, GmbHG, § 49 Rn. 2; Roth/Altmeppen, GmbHG, § 49 Rn. 2; einschränkend Schmidt/Seibt in Scholz, GmbHG, § 49 Rn. 15; jegliche Einschränkung ablehnend Zöller in Baumbach/Hueck, GmbHG, § 49 Rn. 4.

5   OLG Düsseldorf, 14.11.2003 – I 16 U 95/98, ZIP 2004, 1956 = GmbHR 2004, 572; Roth in Roth/Altmeppen, GmbHG, § 49 Rn. 2.

2. Einberufung durch Unbefugte

Grundsätzlich liegt ein Einberufungsmangel mit **Nichtigkeitsfolge** der gefassten Beschlüsse vor, wenn ein Unbefugter die Gesellschafterversammlung einberufen hat (§§ 241 Nr. 1, 121 Abs. 2 AktG analog).[6] 10

Allerdings ist auch ein nicht **rechtswirksam bestellter** oder zwischenzeitlich **abberufener** Geschäftsführer oder ein Geschäftsführer, der sein Amt niedergelegt hat, analog § 121 Abs. 2 Satz 2 AktG zur Einberufung befugt, solange er im **Handelsregister** eingetragen ist.[7] Laut dem OLG Düsseldorf ist insoweit aus Gründen der Rechtssicherheit allein der formale Ausweis als Geschäftsführer genügend.[8] Diesem ist – mit dem OLG Düsseldorf insbes. aus Gründen der Rechtssicherheit – zuzustimmen. 11

3. Einberufung durch Aufsichtsrat

Bezüglich der Einberufungskompetenz eines Aufsichtsrats – sofern dieses Gremium existiert – ist zwischen dem obligatorischen (mitbestimmten) und dem fakultativen Aufsichtsrat zu unterscheiden. 12

Der Aufsichtsrat in der **mitbestimmten GmbH** hat ein **Einberufungsrecht** (auch Einberufungspflicht) nach § 52 Abs. 1 GmbHG i.V.m. § 111 Abs. 3 AktG, wenn das Wohl der Gesellschaft die Einberufung erfordert.[9] Dieses Recht ist **weder abdingbar noch einschränkbar**.[10] 13

Einem **fakultativen Aufsichtsrat** steht grds. ebenfalls nach § 52 GmbH i.V.m. § 111 Abs. 3 AktG das Recht zu, eine Gesellschafterversammlung 14

---

6   Koch in Bormann/Kauka/Ockelmann, Hdb. GmbH-Recht, Kap. 6 Rn. 98.

7   Herrschende Meinung: vgl. OLG Düsseldorf, 14.11.2003 – I-16 U 95/98, 16 U 95/98, GmbHR 2004, 572; OLG Hamm, 28.10.1991 – 8 U 36/91 (für GmbH & Co. KG), DB 1992, 265; Lutter/Hommelhoff in: Lutter/Hommelhoff, GmbHG, § 49 Rn. 3a.

8   OLG Düsseldorf, 14.11.2003 – I-16 U 95/98, 16 U 95/98, GmbHR 2004, 572; Schmidt/Seibt in Scholz, GmbHG, § 49 Rn. 5; a.A.: Zöllner in Baumbach/ Hueck, GmbHG, § 49 Rn. 3; Koppensteiner in Rowedder/Schmidt-Leithoff, GmbHG, § 48 Rn. 2, die aber die Einberufungsbefugnis für den mangelhaft bestellten – aber tatsächlich tätigen – Geschäftsführer bejahen; diesbezüglich vom faktischen Geschäftsführer sprechend Römermann in Michalski, GmbHG, § 49 Rn. 22.

9   Zöllner in Baumbach/Hueck, GmbHG, § 49 Rn. 6; Koch in Bormann/Kauka/ Ockelmann, Hdb. GmbH-Recht, Kap. 6 Rn. 90.

10   Römermann in Michalski, GmbHG, § 49 Rn. 39.

einzuberufen. Diese Einberufungskompetenz kann allerdings durch die Satzung **eingeschränkt** oder sogar **aufgehoben** werden.[11]

15   Im Fall einer Einberufung durch einen Aufsichtsrat kann diese nur aufgrund eines ordnungsgemäßen Aufsichtsratsbeschlusses bewirkt werden.[12]

III.   Pflicht zur Einberufung der Gesellschafterversammlung (Abs. 2)

16   Eine Pflicht zur Einberufung der Gesellschafterversammlung besteht nach § 49 Abs. 2 zum einen in den ausdrücklich bestimmten Fällen und zum anderen, wenn dies im Interesse der Gesellschaft erforderlich ist.

1.   Ausdrücklich bestimmte Fälle

17   Nach § 49 Abs. 2, 1. Halbs. ist eine Gesellschafterversammlung zunächst in „den ausdrücklich bestimmten Fällen" einzuberufen. Einigkeit besteht insoweit, als jedenfalls die §§ 49 Abs. 3 und 50 Abs. 1 zu den ausdrücklich bestimmten Fällen zählen. Nach beiden Vorschriften besteht unter den jeweils genannten Voraussetzungen eine Einberufungspflicht der Geschäftsführer.[13]

18   Welche weiteren Fälle von dieser Regelung betroffen sind, ist umstritten.[14] Die früher h.M.[15] fasste unter die „ausdrücklich bestimmten Fälle" diejenigen, in denen eine Beschlussfassung der Gesellschafterversammlung unterliegt (z.B. § 26 Abs. 1, 53 Abs. 1, 60 Abs. 1 Nr. 2 and Abs. 2, teilweise auch § 46); es wurde also auf die Zuständigkeit abgestellt.

19   Dagegen ist nach der heute h.M.[16] nicht die Zuständigkeit, sondern vielmehr die rechtliche Notwendigkeit entscheidend. Diesem ist grds. zuzustimmen; auch wenn eine Pflicht zur Einberufung nur bestehen kann, wenn die Gesellschafterversammlung zu einer Entscheidung kompetent ist, taugt allein die Zuständigkeit nicht als Abgrenzungskriterium zu einer Einberufungs*pflicht*.

---

11   Lutter/Hommelhoff in Lutter/Hommelhoff, GmbHG, § 49 Rn. 5; Römermann in Michalski, GmbHG, § 49 Rn. 39; Koch in Bormann/Kauka/Ockelmann, Hdb. GmbH-Recht, Kap. 6 Rn. 90.

12   Römermann in Michalski, GmbHG, § 49 Rn. 40.

13   Vgl. Römermann in Michalski, GmbHG, § 49 Rn. 77; Koch in Bormann/Kauka/Ockelmann, Hdb. GmbH-Recht, Kap. 6 Rn. 88, 91.

14   Vgl. ausführlich zum Meinungsstand insbes. Schmidt/Seibt in Scholz, GmbHG, § 49 Rn. 18; Römermann in Michalski, GmbHG, § 49 Rn. 78.

15   Sudhoff, Rechte und Pflichten des Geschäftsführers einer GmbH, S. 88; Roth in Roth/Altmeppen, GmbHG, § 49 Rn. 8.

16   Römermann in Michalski, GmbHG, § 49 Rn. 80; Schmidt/Seibt in Scholz, GmbHG, § 49 Rn. 18; Koppensteiner in Rowedder, GmbHG, § 49 Rn. 9.

Allerdings besteht auch innerhalb dieser h.M. Uneinigkeit darüber, ob die 20
Einberufungspflicht auf die beiden vorgenannten Fälle beschränkt ist[17] oder
ob darüber hinaus weitere Fälle als „ausdrücklich bestimmte Fälle" eine
Einberufungspflicht auslösen.[18] Hierunter fallen nach einer Ansicht zum einen
Umwandlungsfälle.[19] Weiterhin wird ein „ausdrücklich bestimmter Fall" auch
dann bejaht, wenn ein Versuch einer notwendigen Beschlussfassung ohne
Versammlung (z.B. im Wege einer schriftlichen Abstimmung) gescheitert ist.[20]

Eine Einberufungspflicht – über die §§ 49 Abs. 3 und 50 Abs. 1 hinaus – 21
besteht jedenfalls in den Fällen, in denen die Unmöglichkeit festgestellt
wird, eine notwendige Entscheidung der Gesellschafter ohne Versammlung
durchführen zu können. In allen weiteren Fällen kann allein aus der Tatsache, dass die Beschlüsse grds. nur in Versammlungen gefasst werden können
(wie in Umwandlungsfällen oder grds. bei der Notwendigkeit einer notariellen Beurkundung, wie z.B. bei jeglicher Satzungsänderung) kein ausdrücklich bestimmter Fall einer Einberufungspflicht abgeleitet werden. Hier kann
sich eine Einberufungspflicht allerdings daraus ergeben, dass sie „im Interesse der Gesellschaft erforderlich erscheint".

2. Einberufung im Gesellschaftsinteresse

Nach § 49 Abs. 2, 2. Halbs. sind die Geschäftsführer (bzw. das satzungs- 22
mäßig bestimmte Einberufungsorgan) verpflichtet, eine Gesellschafterversammlung einzuberufen, wenn dies **im Interesse der Gesellschaft erforderlich** erscheint. Damit ist es den Geschäftsführern gestattet, die
Gesellschafterversammlung – jederzeit – einzuberufen, wenn sie es für
erforderlich halten. Die Regelung des § 49 Abs. 2 erfasst zwei Fallgruppen:

1. Die Versammlung ist einzuberufen, wenn über eine Frage zu befinden 23
   ist, die nach Gesetz (z.B. Bilanzfeststellung gem. § 46, Satzungsänderung gem. § 53, Kapitalmaßnahmen gem. §§ 55 ff.) oder Satzung
   in die **Entscheidungszuständigkeit der Gesellschafter** fällt, oder in

---

17   Römermann in Michalski, GmbHG, § 49 Rn. 78; so auch noch Schmidt in
     Scholz, GmbHG, § 49 Rn. 15; Koppensteiner in Rowedder, GmbHG, § 49
     Rn. 9.

18   So insbes. jetzt Schmidt/Seibt in Scholz, GmbHG, § 49 Rn. 18; zuvor bereits
     Hüffer in Ulmer/Habersack/Winter, GmbHG, § 49 Rn. 17.

19   Schmidt/Seibt in Scholz, GmbHG, § 49 Rn. 18.

20   Hüffer in Ulmer/Habersack/Winter, GmbHG, § 49 Rn. 16; Schmidt/Seibt in
     Scholz, GmbHG, § 49 Rn. 18.

Geschäftsführungsaufgaben, über die im Rahmen ihrer **Allzuständigkeit** die **Gesellschafterversammlung** entscheiden sollte.[21]

24   2.   Unter die zweite Fallgruppe fallen im Wesentlichen grds. **bedeutsame oder außergewöhnliche Geschäfte** sowie sonstige Geschäfte, deren Billigung durch die Gesellschafter **objektiv zweifelhaft** und im Interesse der Gesellschaft im Vorhinein einzuholen ist.[22] Als bedeutsame oder außergewöhnliche Geschäfte können Geschäfte angesehen werden, die nachhaltigen Einfluss auf die Interessen des Unternehmens und der Gesellschafter haben,[23] z.B. Ausgründungen durch Gründung von Tochtergesellschaften,[24] die Übertragung wesentlicher Anteile an anderen Gesellschaften (soweit für GmbH wesentlich),[25] Änderung der Geschäftspolitik[26] oder wesentliche Investitionsmaßnahmen.[27]

25   Allerdings haben die Geschäftsführer bei der Einberufung einer Gesellschafterversammlung stets die zeitlichen und finanziellen Belastungen, die eine Gesellschafterversammlung für die Gesellschafter bedeutet, zu bedenken. Aus diesem Grund sind sie grds. auch gehalten, die **Alternative** einer Entscheidungsfindung nach § 48 Abs. 2 (z.B. schriftlich) zu erwägen und ggf. zu fördern.

IV.   Einberufung bei hälftigem Stammkapitalverlust (Abs. 3)

26   Sinkt das Eigenkapital der Gesellschaft auf die Hälfte des Stammkapitals, sind die Geschäftsführer verpflichtet, unverzüglich eine Gesellschafterversammlung einzuberufen.

---

21   Schmidt/Seibt in Scholz, GmbHG, § 49 Rn. 20; Koch in Bormann/Kauka/Ockelmann, Hdb. GmbH-Recht, Kap. 6 Rn. 89.

22   BGH, 05.12.1983 – II ZR 56/82, NJW 1984, 1461, 1462; Schmidt/Seibt in Scholz, GmbHG, § 49 Rn. 22; vgl. ausführlich zu den Fallgruppen Ettinger/Reiff, GmbHR 2007, 617, 618 ff., insbes. unter Berücksichtigung der „Holzmüller-Doktrin" und der Gelantine-Entscheidungen, BGH, 26.04.2004 – II ZR 155/02, NZG 2004, 571 und 26.04.2004 – II ZR 154/02, NZG 2004, 575; Koch in Bormann/Kauka/Ockelmann, Hdb. GmbH-Recht, Kap. 6 Rn. 89.

23   Vgl. Schmidt/Seibt in Scholz, GmbHG, § 49 Rn. 22.

24   Schmidt/Seibt in Scholz, GmbHG, § 49 Rn. 22; Römermann in Michalski, GmbHG, § 49 Rn. 91.

25   Schmidt/Seibt in Scholz, GmbHG, § 49 Rn. 22; Römermann in Michalski, GmbHG, § 49 Rn. 91.

26   BGH, 25.02.1991 – II ZR 76/90, NJW 1991, 1681, 1682.

27   Schmidt/Seibt in Scholz, GmbHG, § 49 Rn. 22.

1. Warnfunktion

Auch wenn die Neuregelungen des Gesetzes zur Modernisierung des GmbH- 27
Rechts und zur Bekämpfung von Missbräuchen (MoMiG) erheblichen Auswirkungen auf die Kapitalaufbringung und die Kapitalerhaltung bei GmbH
hat, so ist doch davon auszugehen, dass dieses keinen Einfluss auf die
Einberufungspflicht bei hälftigem Stammkapitalverlust hat. Dieses insbes.,
da Funktion dieser obligatorischen Verlustanzeige die eines Warnsignals ist,
welches den Gesellschaftern offenbart, dass die Gefahr besteht, dass über
einen längeren Zeitraum Ausschüttungen unterbleiben und ausstehende
Einlagen eingefordert werden.[28] Die Tatsache, dass sich diese **Warnfunktion** nach altem Recht ebenfalls darauf bezog, dass Leistungen der Anteilseigner unter die – nun abgeschafften – Regelungen des Eigenkapitalersatz-
rechts fielen, ändert nichts an der nun verbleibenden – weiterhin
wichtigen – Warnfunktion für die Gesellschafter.

2. Bilanzaufstellung

Die Formulierung, dass sich der Kapitalverlust „aus der Jahresbilanz oder 28
aus einer im Laufe des Geschäftsjahres aufgestellten Bilanz" ergebe, misst
die h.M. keine Bedeutung zu.[29] Der Geschäftsführer ist allgemein gehalten,
durchweg die Vermögenslage der GmbH zu überwachen, allein schon um
seiner etwaigen Insolvenzantragspflicht nachzukommen. Sofern er im Rahmen dieser **Beobachtung** einen hälftigen Kapitalverlust feststellt – auf
welche Art und Weise auch immer –, entsteht aus dieser **Erkenntnis** eine
Verpflichtung zur unverzüglichen Einberufung einer Gesellschafterversammlung. Auf welche Art und Weise der Geschäftsführer den hälftigen
Stammkapitalverlust feststellt, ist gleichgültig.

3. Bewertungsfragen

Die Hälfte des Stammkapitals ist verloren, wenn der Wert des Nettoaktiv- 29
vermögens der Gesellschaft nicht mehr die Hälfte des statutarischen Stammkapitals abdeckt. Welche Bewertungsgrundsätze für die Ermittlung des
Eigenkapitals maßgebend sind, ist sehr strittig. Im Detail geht es um
folgende Bewertungsfragen:

---

28   Ausführlich hierzu Veit/Grünberg, DB 2006, 2644; Koch in Bormann/Kauka/
      Ockelmann, Hdb. GmbH-Recht, Kap. 6 Rn. 88; Ockelmann/Pieperjohanns/
      Hölck in Bormann/Kauka/Ockelmann, Hdb. GmbH-Recht, Kap. 7 Rn. 145.

29   BGH, 20.02.1995 – II ZR 9/94, ZIP 1995, 560; Römermann in Michalski,
      GmbHG, § 49 Rn. 100 ff.; Zöllner in Baumbach/Hueck, GmbHG, § 49
      Rn. 20.

a) Going concern oder Liquidationswerte

30   Insoweit stellt sich zunächst die Frage, ob der Geschäftsführer zunächst anhand einer **Fortführungsprognose** feststellen muss, ob er Werte nach dem **going concern Prinzip** (§ 252 Abs. 1 Nr. 2 HGB) unter schlichter Forschreibung der Handelsbilanz anzusetzen hat oder ob **Liquidationswerte** anzusetzen sind. Teile der Literatur verneinen das Erfordernis einer Fortführungsprognose – anders als bei der Ermittlung eines Überschuldungsstatus – gänzlich; die Aktiven seien nach den für die Jahresbilanz geltenden Grundsätzen anzusetzen.[30] Die wohl h.M. hingegen geht von einer Bewertung going concern oder zu Liquidationswerten nach Maßgabe einer Fortbestehensprognose aus.[31] Dieses ist allerdings abzulehnen. Aufgrund der gesellschaftsinternen Warnfunktion dieser – formalisierten – Einberufungspflicht, welche aber nicht als Vorstufe zur möglichen Insolvenzantragspflicht[32] zu bewerten ist, hat sich die Geschäftsführung – wie bei der Bestimmung der Unterbilanz nach § 30 und nicht mit den Mitteln der Überschuldungsprüfung – an die ordentliche Bewertungs- und Bilanzierungspraxis zu halten.

b) Berücksichtigung stiller Reserven

31   Ebenfalls umstritten ist, ob i.R.d. Feststellung des Verlustes der Hälfte des Stammkapitals stille Reserven aufgelöst werden dürfen. Der BGH hat dies im Jahr 1958 in einer Entscheidung bejaht.[33] Die Literatur hingegen lehnt eine Berücksichtigung stiller Reserven ganz überwiegend ab.[34] Dieses gilt allerdings nicht für eine nach § 280 HGB gebotene oder erlaubte Zuschreibung (Wertaufholung).[35] Der h.M. in der Literatur ist zuzustimmen. Eine willkürliche Auflösung der stillen Reserven würde den Gesellschaftern keine realitätsgerechte Beurteilung ermöglichen.

---

30   Schmidt/Seibt in Scholz, GmbHG, § 49 Rn. 24; in diese Richtung gehend auch Roth in Roth/Altmeppen, GmbHG, § 49 Rn. 13.

31   Römermann in Michalski, GmbHG, § 49 Rn. 108; Hüffer in Ulmer/Habersack/Winter, GmbHG, § 49 Rn. 25; Koppensteiner in Rowedder, GmbHG, § 49 Rn. 11; Lutter/Hommelhoff in Lutter/Hommelhoff, GmbHG, § 49 Rn. 13.

32   So aber die Argumentation der h.M.: vgl. Römermann in Michalski, GmbHG, § 49 Rn. 108.

33   BGH, 09.10.1958 – II ZR 348/56, WM 1958, 1416, 1417.

34   Römermann in Michalski, GmbHG, § 49 Rn. 110; Schmidt/Seibt in Scholz, GmbHG, § 49 Rn. 24; Hüffer in Ulmer/Habersack/Winter, GmbHG, § 49 Rn. 26; Koppensteiner in Rowedder, GmbHG, § 49 Rn. 10.

35   Römermann in Michalski, GmbHG, § 49 Rn. 110; Schmidt/Seibt in Scholz, GmbHG, § 49 Rn. 24.

c) Eigenkapitalersetzende Gesellschafterdarlehen

Nach der ganz h.M. waren unter Geltung des alten Rechts eigenkapital-   **32**
ersetztende Darlehen zu **passivieren**.[36] Dieses wurde auch für den Fall eines
erklärten **Rangrücktritts** befürwortet.[37] Aufgrund der Tatsache, dass das
Konzept der eigenkapitalersetzenden Gesellschafterdarlehen durch das
Gesetz zur Modernisierung des GmbH-Rechts und zur Bekämpfung von
Missbräuchen (MoMiG) zugunsten einer insolvenzrechtlichen Lösung aufgegeben wird, dürfte sich vorgenannte Frage nun nicht mehr stellen; Gesellschafterdarlehen sind damit stets als Fremdverbindlichkeiten zu passivieren.

4. Ausnahmen von der Einberufungspflicht

Zu beachten ist schließlich, dass sofern sämtliche Gesellschafter als   **33**
Geschäftsführer tätig sind, es keiner förmlichen Versammlung bedarf;
allerdings müssen alle Geschäftsführer über diese Thematik beraten. Von
einer Einberufung absehen dürfen die Geschäftsführer ferner, wenn alle
Gesellschafter in Kenntnis des Einberufungserfordernisses auf eine Gesellschafterversammlung verzichten.[38]

V. Arbeitshilfe

Übersicht: Einberufungspflichten   **34**

> 1. Ausdrücklich bestimmte Fälle
>
> – Verlust der Hälfte des Stammkapitals (§ 49 Abs. 3);
>
> – Einberufungsverlangen von Gesellschaftern, die zusammen min-
> destens 10 % des Stammkapitals halten (§ 50 Abs. 1);
>
> – Festgestellte Unmöglichkeit, eine notwendige Entscheidung der
> Gesellschafter ohne Versammlung durchführen zu können.

---

36   Römermann in Michalski, GmbHG, § 49 Rn. 110; Schmidt/Seibt in Scholz,
      GmbHG, § 49 Rn. 24; Lutter/Hommelhoff in Lutter/Hommelhoff, GmbHG,
      § 49 Rn. 13; Hüffer in Ulmer/Habersack/Winter, GmbHG, § 49 Rn. 24; Kop-
      pensteiner in Rowedder/Schmidt-Leithoff, GmbHG, § 49 Rn. 10.

37   Herrschende Meinung: vgl. Römermann in Michalski, GmbHG, § 49 Rn. 114;
      differenzierend nach Art des Rangrücktritts dagegen Schmidt/Seibt in Scholz,
      GmbHG, § 49 Rn. 24.

38   Römermann in Michalski, GmbHG, § 49 Rn. 127; Zöllner in Baumbach/
      Hueck, GmbHG, § 49 Rn. 21.

2. Erforderlichkeit im Gesellschaftsinteresse

– Entscheidung über Frage, die nach Gesetz in die Entscheidungszuständigkeit der Gesellschafter fällt; z.B.:

  • Bilanzfeststellung gem. § 46,

  • Satzungsänderungen gem. § 53,

  • Kapitalmaßnahmen gem. §§ 55 ff.

– Entscheidung über Frage, die nach der Satzung in die Entscheidungszuständigkeit der Gesellschafter fällt;

– Entscheidung über Frage, über die Gesellschafterversammlung im
  Rahmen ihrer Allzuständigkeit entscheiden sollte, insbes.

  • bedeutsame oder außergewöhnliche Geschäfte (z.B. Ausgrün-
    dungen durch Gründung von Tochtergesellschaften, die Über-
    tragung wesentlicher Anteile an anderen Gesellschaften (soweit
    für GmbH wesentlich), Änderung der Geschäftspolitik oder
    wesentliche Investitionsmaßnahmen) sowie

  • Geschäfte, deren Billigung durch die Gesellschafter objektiv
    zweifelhaft ist.

§ 50 GmbHG   Minderheitsrechte

**(1) Gesellschafter, deren Geschäftsanteile zusammen mindestens dem
zehnten Teil des Stammkapitals entsprechen, sind berechtigt, unter
Angabe des Zwecks und der Gründe die Berufung der Versammlung
zu verlangen.**

**(2) In gleicher Weise haben die Gesellschafter das Recht zu verlangen,
dass Gegenstände zur Beschlussfassung der Versammlung angekündigt
werden.**

**(3) [1]Wird dem Verlangen nicht entsprochen oder sind Personen, an
welche dasselbe zu richten wäre, nicht vorhanden, so können die in
Absatz 1 bezeichneten Gesellschafter unter Mitteilung des Sachverhält-
nisses die Berufung oder Ankündigung selbst bewirken. [2]Die Versammlung beschließt, ob die entstandenen Kosten von der Gesellschaft zu
tragen sind.**

I. Einführung

§ 50 gehört zu den wenigen **Minderheitsrechten**, die im Gesetz geregelt   1
sind. Die Vorschrift räumt der Minderheit allerdings kein Entscheidungs-
recht ein; sie erhält lediglich die Möglichkeit und Befugnis, ihre Anliegen im
Rahmen einer Gesellschafterversammlung zu präsentieren und zur Abstimmung zu bringen.[1]

Eine 10 %ige Gesellschafterminderheit hat die Möglichkeit, die Abhaltung   2
einer Gesellschafterversammlung (Abs. 1) und die Ankündigung von Tagesordnungspunkten zur Beschlussfassung (Abs. 2) zu verlangen. Weigern sich
die Geschäftsführer, eine Gesellschafterversammlung einzuberufen, so greift
das Selbsthilferecht des Abs. 3. Die Minderheit kann aus einem einzelnen
Gesellschafter bestehen, aber auch aus einer Gruppe von Gesellschaftern.

Die Rechte der Minderheitsgesellschafter nach § 50 hängen sachlich eng   3
mit dem Recht auf Teilnahme an der Gesellschafterversammlung (s. § 48
Rn. 16-19) und dem Recht, die Nichtigkeit von Gesellschafterbeschlüssen
geltend zu machen und durch Anfechtungsklage (u.U. in Verbindung mit
einer positiven Beschlussfeststellungsklage) herbeizuführen zusammen. Erst
die Durchführung der Gesellschafterversammlung und ihre Beschlussfassung mit den von der Minderheit angekündigten Gegenständen ergibt die
Basis für die genannten weitergehenden Rechte.[2]

---

1 Römermann in Michalski, GmbHG, § 50 Rn. 2; Ulrich in Bormann/Kauka/ Ockelmann, Hdb. GmbH-Recht, Kap. 12 Rn. 69; Koch in Bormann/Kauka/ Ockelmann, Hdb. GmbH-Recht, Kap. 6 Rn. 91.

2 Hüffer in Ulmer/Habersack/Winter, GmbHG, § 50 Rn. 1.

4   Aufgrund der Tatsache, dass diese Vorschrift eine Mindestsicherung der Minderheit bietet, ist sie nicht abdingbar; der Gesellschaftsvertrag kann die Rechte der Minderheit nur verstärken, aber nicht abschwächen.[3]

II.   10 %ige Minderheit

5   Die Rechte nach Abs. 1 und 3 stehen Gesellschaftern zu, deren Geschäftsanteile zusammen mindestens dem zehnten Teil des Stammkapitals entsprechen.[4]

6   Berechnungsgrundlage ist die **Stammkapitalziffer des Gesellschaftsvertrages** (vgl. § 3 Abs. 1 Nr. 3). Abzuziehen sind die eigenen Anteile der Gesellschaft (§ 33)[5] sowie die durch Einziehung untergegangenen Anteile (§ 34), sofern das Stammkapital noch nicht entsprechend herabgesetzt ist.[6]

7   Ob entsprechendes auch für kaduzierte Geschäftsanteile (§ 21) bzw. preisgegebene Geschäftsanteile (§ 27) gilt, ist umstritten. Teile der Literatur[7] wollen auch diese Abzüge von der Stammkapitalziffer vornehmen, da es nach dem Zweck des § 50 auf das Verhältnis der Minderheit zu den Anteilen der Mehrheit der Gesellschafter ankomme. Dem ist aber angesichts des insoweit eindeutigen Wortlauts aus Gründen der Rechtssicherheit – trotz des nachvollziehbaren Grundgedanken dieser Ansicht – nicht zuzustim-

---

3   Herrschende Meinung: vgl. Römermann in Michalski, GmbHG, § 50 Rn. 192 ff.; Schmidt/Seibt in Scholz, GmbHG, § 50 Rn. 6; das OLG Stuttgart, 14.02.1974 – 10 U 90/73, NJW 1974, 1566, 1568 hält es allerdings für möglich, die Rechte aus § 50 GmbHG einzuschränken, soweit eine entsprechende Vorschrift entweder im ursprünglichen Gesellschaftsvertrag enthalten ist oder später durch einstimmige Satzungsänderung beschlossen wird; Koch in Bormann/Kauka/Ockelmann, Hdb. GmbH-Recht, Kap. 6 Rn. 93.

4   Wie der Fall, über den der BGH (BGH, 15.06.1998 – II ZR 318/96, BGHZ 139, 89 = GmbHR 1998, 827) zu entscheiden hatte, zeigt, kann dieses Minderheitenrecht auch von einem nicht geschäftsführenden Mehrheitsgesellschafter ausgeübt werden; Koch in Bormann/Kauka/Ockelmann, Hdb. GmbH-Recht, Kap. 6 Rn. 91.

5   Ebenso Römermann in Michalski, GmbHG, § 50 Rn. 192 ff.; Lutter/Hommelhoff, GmbHG, § 50 Rn. 3; Zöllner in Baumbach/Hueck, GmbHG, § 50 Rn. 23; a.A.: Schmidt/Seibt in Scholz, GmbHG, § 50 Rn. 9.

6   Vgl. auch Lutter/Hommelhoff in Lutter/Hommelhoff, GmbHG, § 50 Rn. 3; Zöllner in Baumbach/Hueck, GmbHG, § 50 Rn. 23; Hüffer in Ulmer/Habersack/ Winter, GmbHG, § 50 Rn. 6; Schmidt/Seibt in Scholz, GmbHG, § 50 Rn. 9.

7   Koppensteiner in Rowedder, GmbHG, § 50 Rn. 3; Lutter/Hommelhoff in Lutter/Hommelhoff, GmbHG, § 50 Rn. 3; Roth/Altmeppen, GmbHG, § 50 Rn. 3.

men.[8] Gründe, welche eine Abweichung vom Wortlaut des Gesetzes gebieten, sind nicht ersichtlich.

Unstreitig werden allerdings stimmrechtslose Geschäftsanteile mitgerechnet.[9] Auch Inhaber dieser Geschäftsanteile sind nach § 50 antragsberechtigt. 8

Unerheblich ist zudem, ob der jeweilige Gesellschafter zum relevanten Zeitpunkt seine Stammeinlage vollständig eingezahlt hat, da die Ausübung von Mitgliedschaftsrechten hiervon grds. nicht abhängt.[10] 9

III. Einberufungsrecht (Abs. 1)

§ 50 gilt auch für das Verlangen einer Minderheit nach § 48 Abs. 2 Alt. 2 10 eine schriftliche Abstimmung durchzuführen; auch bei diesem Beschlussverfahren müssen die Gesellschafter ihre Initiative über die Geschäftsführer leiten. Allerdings bleibt den Gesellschaftern unabhängig von dem Einberufungsrecht nach § 50 Abs. 1 der Versuch, eine Beschlussfassung nach § 48 Abs. 2 Alt. 1 zustande zu bringen, unbenommen.

1. Verlangenserklärung

a) Form

Das Einberufungsverlangen bedarf keiner besonderen Form. Insbes. 11 besteht – anders als nach § 122 AktG bei der Aktiengesellschaft – **kein Schriftformerfordernis**.[11]

> **Praxistipp:**
>
> Aus Beweisgründen empfiehlt es sich dennoch, die Schriftform zu wahren oder zumindest eine E-Mail mit Zugangsbestätigung zu versenden.

Umstritten sind die Anforderungen an eine Vollmacht im Fall eines Ein- 12 berufungsverlangens durch einen rechtsgeschäftlich bestellten Vertreter. Einigkeit besteht insoweit, als dass der Vertreter seine Vollmacht auf Verlangen der Gesellschaft (vertreten durch die Geschäftsführer) nach-

---

8   Ebenso Schmidt/Seibt in Scholz, GmbHG, § 50 Rn. 9; Römermann in Michalski, GmbHG, § 50 Rn. 31 ff.

9   Wolff in Münchener Handbuch des Gesellschaftsrechts, Band 3 (GmbH), § 39 Rn. 24; Koppensteiner in Rowedder, GmbHG, § 50 Rn. 3.

10   Römermann in Michalski, GmbHG, § 50 Rn. 6.

11   Römermann in Michalski, GmbHG, § 50 Rn. 38.

zuweisen hat.[12] Einige Stimmen verlangen, dass der Vertreter den Nachweis sogar unaufgefordert zu erbringen hat.[13]

13   Umstritten ist aber weiterhin auch, ob der **Vollmachtsnachweis** einer bestimmten Form bedarf. Eine Mindermeinung lehnt diesbezüglich jegliches Formerfordernis ab.[14] Die h.M. hingegen wendet § 47 Abs. 3, § 126b BGB analog an und gesteht den Geschäftsführern die Möglichkeit zu, einen textförmigen[15] Vollmachtsnachweis zu verlangen; ansonsten das Einberufungsverlangen zurückweisen zu können. Dem ist allerdings nicht zuzustimmen. § 47 Abs. 3 bezieht sich ausschließlich auf eine Stimmrechtsausübung; eine direkte Anwendung kommt somit nicht in Betracht. Aber auch für eine analoge Anwendung besteht keine Veranlassung, da insoweit kein besonderes Interesse an einem schriftlichen bzw. in Textform erbrachten Vollmachtsnachweis erkennbar ist.

> **Praxistipp:**
>
> Angesichts vorgenannter Unstimmigkeit in der Literatur sollte allerdings dem Einberufungsverlangen durch einen rechtsgeschäftlich bestellten Vertreter stets eine schriftliche oder textförmige Vollmacht beigefügt werden.

b)   **Adressat**

14   Adressat des Verlangens ist die Gesellschaft, vertreten durch ihre Geschäftsführer.[16] Sind nach dem Gesellschaftsvertrag auch andere Personen berechtigt oder verpflichtet (z.B. ein Aufsichtsrat), Gesellschafterversammlungen im Namen der Gesellschaft einzuberufen, können auch diese dem Minderheitsverlangen stattgeben.

---

12   Vgl. nur Schmidt/Seibt in Scholz, GmbHG, § 50 Rn. 13.

13   Zöllner in Baumbach/Hueck, GmbHG, § 50 Rn. 5; s. Römermann in Michalski, GmbHG, § 50 Rn. 40 zum diesbezüglich unübersichtlichen Streitstand.

14   Zöllner in Baumbach/Hueck, GmbHG, § 50 Rn. 5; Römermann in Michalski, GmbHG, § 50 Rn. 42.

15   Schmidt/Seibt in Scholz, GmbHG, § 50 Rn. 13; Hüffer in Ulmer/Habersack/ Winter, GmbHG, § 50 Rn. 11.

16   Römermann in Michalski, GmbHG, § 50 Rn. 26; Zöllner in Baumbach/Hueck, GmbHG, § 50 Rn. 4; a.A.: Koppensteiner in Rowedder, GmbHG, § 50 Rn. 4, der davon ausgeht, dass Adressat des Einberufungsverlangens stets das für die Einberufung zuständige Organ, also i.d.R. die Geschäftsführer sind.

c) Mindestinhalt

Das Einberufungsverlangen muss **Zweck und Gründe** benennen.[17] Das 15
heißt, dass zum einen zum Gegenstand der Beratung und Beschlussfassung
Stellung genommen werden muss. Dieses kann, muss aber nicht in Form
einer konkreten Tagesordnung erfolgen.[18]

> **Praxistipp:**
>
> Sofern die Minderheit i.R.d. Gesellschafterversammlung eine konkrete
> Beschlussfassung herbeiführen möchte, empfiehlt sich, einen konkre-
> ten Beschlussantrag bereits im Einberufungsverlangen anzugeben;
> allerdings ist die Beifügung eines bestimmten Beschlussantrages nicht
> erforderlich.[19]

Zum anderen muss zu den Gründen für ein Erfordernis einer Gesellschafter- 16
versammlung und zur Eilbedürftigkeit Stellung genommen werden.[20] In der
Praxis kommt diesen Erfordernissen nur eine geringe Bedeutung zu, zumal
nach allgemeiner Auffassung eine großzügige Betrachtung angebracht ist.[21]

Soweit vorgenannter Mindestinhalt fehlt, besteht allerdings keine Pflicht für 17
die Geschäftsführer, eine Gesellschafterversammlung einzuberufen.

Formulierungsbeispiel: Einberufungsverlangen 18

> Einschreiben gegen Rückschein
>
> An die Geschäftsführer der ..... GmbH
>
> Wir, die unterzeichnenden Gesellschafter A und B, halten zusammen
> 10 % des Stammkapitals der Gesellschaft im Gesamtbetrag von ..... €.
> Dieses ist wie folgt aufgeteilt:
>
> Gesellschafter A einen Geschäftsanteil oder ..... Geschäftsanteile im
> Nennbetrag von (insgesamt) .....;

---

17 OLG Köln, 20.03.1998 – 4 U 43/97, NJW-RR 1999, 979; Schmidt/Seibt in
    Scholz, GmbHG, § 50 Rn. 14.

18 Koppensteiner in Rowedder, GmbHG, § 50 Rn. 4, Hüffer in Ulmer/Habersack/
    Winter, GmbHG, § 50 Rn. 8.

19 Zöllner in Baumbach/Hueck, GmbHG, § 50 Rn. 6; Römermann in Michalski,
    GmbHG, § 50 Rn. 49.

20 Zöllner in Baumbach/Hueck, GmbHG, § 50 Rn. 6.

21 Römermann in Michalski, GmbHG, § 50 Rn. 51; Schmidt/Seibt in Scholz,
    GmbHG, § 50 Rn. 14; Lutter/Hommelhoff in Lutter/Hommelhoff, GmbHG,
    § 50 Rn. 4.

Gesellschafter B einen Geschäftsanteil im Nennbetrag von ..... .

Wir sind daher berechtigt, gem. § 50 Abs. 1 GmbHG, die Einberufung einer Gesellschafterversammlung zu verlangen.

Wir fordern Sie hiermit auf, unverzüglich eine außerordentliche Gesellschafterversammlung einzuberufen.

Tagesordnung (jeweils Beratung und Beschlussfassung)

1. Abberufung des Geschäftsführers XY aus wichtigem Grund.

2. Geltendmachung von Erstattungsansprüchen gegen den Geschäftsführer XY gem. § 43 Abs. 2, 3 GmbHG.

Begründung:

Wie wir erfahren haben, hat der Geschäftsführer XY ..... . Er hat dadurch seine Pflichten als Geschäftsführer der Gesellschaft gröblich verletzt. Seine Abberufung aus wichtigem Grund ist daher geboten. Der Gesellschaft stehen außerdem Erstattungsansprüche gem. § 43 Abs. 2, 3 GmbHG gegen den Geschäftsführer XY zu, über deren Geltendmachung beraten und beschlossen werden muss.

Falls Sie die Gesellschafterversammlung nicht unverzüglich einberufen, werden wir von unserem Recht, eine Gesellschafterversammlung gem. § 50 Abs. 3 GmbHG selbst einzuberufen, Gebrauch machen.

....., den .....

.....
Gesellschafter A   .....
Gesellschafter B

d)   Zeitlicher Rahmen

19   Nach dem Wortlaut des § 50 Abs. 3 sind Rechtsfolgen lediglich für den Fall vorgesehen, dass dem Einberufungsverlangen „nicht" entsprochen wird. Auch anderweitig findet sich keine Angabe dazu, innerhalb welcher Frist die Geschäftsführer dem Einberufungsverlangen nachzukommen haben.

20   Mit der h.M. ist allerdings davon auszugehen, dass die Geschäftsführer dem Einberufungsverlangen innerhalb einer **„angemessenen Frist"** nachkom-

men müssen.[22] Eine Einberufungsfrist von einem Monat dürfte i.d.R. noch als angemessen zu bewerten sein.[23]

2. Anderweitiges Einberufungsrecht

Den Gesellschaftern bleibt es unbenommen, auch unabhängig von § 50 – also auch bei einem Anteil unter 10 % – die Einberufung zu verlangen, wenn das Gesetz oder der Gesellschaftsvertrag eine Beschlussfassung gebietet (z.B. Feststellung des Jahresabschlusses) oder wenn die Einberufung anderweitig nach § 49 Abs. 2 und 3 geboten ist. Die Minderheitenrechte des § 50 schließen ein derartiges **Individualrecht** jedes Gesellschafters nicht aus.[24]   21

IV. Verlangen auf Ergänzung der Tagesordnung (Abs. 2)

Im Gegensatz zu § 50 Abs. 1 richtet sich der Anspruch nach § 50 Abs. 2 nur auf **Ankündigung von Beschlussgegenständen**, nicht auf Einberufung einer eigens hierzu bestimmten Gesellschafterversammlung. Das Recht auf Ergänzung der Tagesordnung spielt also nur dann eine Rolle, wenn ohnehin eine Versammlung einberufen wurde oder in naher Zukunft einberufen wird.   22

Aus dem Verlangen des Minderheitsgesellschafters muss sich erkennen lassen, um welche Gegenstände es ihm geht. Eine ausformulierte Tagesordnung oder ein Beschlussvorschlag ist zwar sinnvoll, jedoch nicht zwingend erforderlich.[25]   23

Auch das Verlangen nach § 50 Abs. 2 ist **formlos** möglich. Eilbedürftigkeit bedarf u.U. einer Begründung, wenn die Tagesordnung der anstehenden Gesellschafterversammlung überlastet ist.[26] Zu beachten ist aber, dass dem   24

---

22   Zustimmend: BGH, 28.01.1985 – II ZR 79/84, WM 1985, 567, 568; BGH, 15.06.1998 – II ZR 318/96, DStR 1998, 1101, 1103; Schmidt/Seibt in Scholz, GmbHG, § 50 Rn. 17; „unverzüglich" dagegen s.a. Zöllner in Baumbach/Hueck, GmbHG, § 50 Rn. 9; Koppensteiner in Rowedder, GmbHG, § 50 Rn. 5.

23   Ebenso BGH, 15.06.1998 – II ZR 318/96, DStR 1998, 1101, 1103; Schmidt/Seibt in Scholz, GmbHG, § 50 Rn. 17; Einberufung nach mehr als sieben Wochen ist verspätet s.a. BGH, 28.01.1985 – II ZR 79/84, WM 1985, 567, 568.

24   Herrschende Meinung: vgl. Schmidt/Seibt in Scholz, GmbHG, § 50 Rn. 5; zweifelnd Koppensteiner in Rowedder/Schmidt-Leithoff, GmbHG, § 50 Rn. 3; Ockelmann/Pieperjohanns/Hölck in Bormann/Kauka/Ockelmann, Hdb. GmbH-Recht, Kap. 7 Rn. 145.

25   BGH, 07.06.1993 – II ZR 81/92, WM 1993, 1337, 1339; Zöllner in Baumbach/Hueck, GmbHG, § 50 Rn. 14.

26   So Zöllner in Baumbach/Hueck, GmbHG, § 50 Rn. 14; a.A.: Römermann in Michalski, GmbHG, § 50 Rn. 114 ff.

Verlangen nur dann entsprochen werden muss, wenn die **Mindestankündigungsfrist** des § 51 Abs. 4 (3 Tage) eingehalten werden kann.

25   **Formulierungsbeispiel: Ankündigung von Gegenständen zur Tagesordnung**

Einschreiben gegen Rückschein

An die Geschäftsführer der ..... GmbH

Gesellschafterversammlung am .....

Ich beziehe mich auf die Einladung vom ..... zur Gesellschafterversammlung im ....

Ich halte einen Geschäftsanteil im Nennbetrag von ..... und damit 10 % des Stammkapitals der Gesellschaft. Ich bin daher berechtigt, gemäß § 50 Abs. 2 GmbHG die Ankündigung eines weiteren Gegenstandes der Tagesordnung der Gesellschafterversammlung zu verlangen.

Wir fordern Sie hiermit auf, folgenden weiteren Gegenstand der Tagesordnung der Gesellschafterversammlung anzukündigen:

Beratung und Beschlussfassung über die Einziehung des Geschäftsanteils des Gesellschafters X.

Begründung:

Nach § ..... des Gesellschaftsvertrages ist die Einziehung eines Geschäftsanteile eines Gesellschafters ohne dessen Zustimmung zulässig, wenn ...... Wie ich erfahren habe, wurde ..... . Um zu vermeiden, dass ..... ist zudem Eile geboten.

Falls Sie meinem Verlangen nicht unverzüglich entsprechen, werde ich von meinem Recht, gemäß § 50 Abs. 3 GmbHG die Ankündigung selbst vorzunehmen, Gebrauch machen.

....., den .....

.....

Gesellschafter A

V.　　Selbsthilferecht (Abs. 3)

Sofern die zur Einberufung zuständigen Personen einem Einberufungsver- **26** langen nach Abs. 1 oder einem Ankündigungsverlangen nach Abs. 2 nicht oder nicht in angemessener Frist nachkommen, ist die Minderheit berechtigt, selbst eine Gesellschafterversammlung einzuberufen bzw. eine Ankündigung von Tagesordnungspunkten selbst vorzunehmen.[27]

Das Selbsthilferecht dient der Erfüllung der Ansprüche nach § 50 Abs. 1 **27** oder 2 und reicht aus diesem Grund genau so weit wie diese Ansprüche.[28] So kann eine Minderheit i.R.d. Selbsthilferechts auch nur lediglich eine Ankündigung – und nicht etwa die Einberufung – verlangen, sofern das Selbsthilferecht aus der Nichterfüllung einer Ankündigung von Tagesordnungspunkten nach Abs. 2 resultierte.

1.　　Voraussetzungen des Selbsthilferechts

Voraussetzung dieses Selbsthilferechts ist, dass ein **wirksames Einberu- 28 fungsverlangen** vorausgegangen ist.

Dieses heißt z.B. im Fall des Abs. 1, dass die Erfordernisse des Einberu- **29** fungsverlangens nach § 50 Abs. 1 – insbes. also Angabe des Zwecks und der Gründe – erfüllt worden sind. Es genügt insoweit die Untätigkeit der Adressaten eines ordnungsgemäßen Begehrens § 50 Abs. 1.[29]

Für den Fall, dass nicht alle Gesellschafter, die beim Einberufungsverlangen **30** nach Abs. 1 oder Abs. 2 beteiligt waren, vom Selbsthilferecht Gebrauch machen möchten, genügt es, dass die von den Verbleibenden gehaltenen Geschäftsanteile das Quorum gem. Abs. 1 noch erfüllen.[30] Sofern auch dieses nicht der Fall ist, genügt allerdings auch das Hinzukommen eines neuen – am ursprünglichen Verlagen nicht beteiligten – Gesellschafters nicht.[31]

27　BGH, 28.01.1985 – II ZR 79/84, GmbHR 1985, 256 = WM 1985, 567; zu streng wohl KG Berlin, 04.03.1997 – 14 U 6988/96, GmbHR 1997, 1001: Endgültige Ablehnung der Einberufung erforderlich; Koch in Bormann/Kauka/Ockelmann, Hdb. GmbH-Recht, Kap. 6 Rn. 92.

28　Römermann in Michalski, GmbHG, § 50 Rn. 122.

29　Zustimmend: OLG Köln, 20.03.1998 – 4 U 43/97, NZG 1999, 268; OLG München, 21.02.2000 – 7 W 2013/98, NZG 2000, 654; ablehnend: KG Berlin, 04.03.1997 – 14 U 6988/96, GmbHR 1997, 1001.

30　Koppensteiner in Rowedder/Schmidt-Leithoff, GmbHG, § 50 Rn. 8.

31　Schmidt/Seibt in Scholz, GmbHG, § 50 Rn. 22.

31   Das Selbsthilferecht besteht auch, wenn kein zuständiges Organ vorhanden ist.[32] Dies gilt auch bei definitiver Weigerung.[33] Sofern das zur Einberufung zuständige Organ – nachdem die Minderheit bereits zu einem bestimmten Termin geladen hat – auch eine Gesellschafterversammlung einberufen hat, sind beide Gesellschafterversammlungen rechtmäßig einberufen.[34]

2.   Ausübung des Selbsthilferechts

32   Form und Inhalt der Einberufung/Ankündigung richten sich nach § 51 Abs. 1, 2 und 4. Zur Festlegung von Ort und Zeit der Versammlung s. § 48 Rn. 20-23.

33   Die Einladung muss zudem Angaben enthalten, die es den Gesellschaftern ermöglichen, die Voraussetzungen des § 50 Abs. 3 nachzuvollziehen.

34   Demnach muss die **Einladung** zunächst die einberufenden Gesellschafter benennen. Darüber hinaus sind Angaben erforderlich, warum sich die Gesellschafter für berechtigt halten, die Gesellschafterversammlung ein-zuberufen. Dazu gehört zum einen die von ihnen gehaltenen Geschäfts-anteile und daraus resultierend das Erreichen des Quorums von 10 % des Stammkapitals. Zum anderen aber auch der Grund der Selbsthilfe, welcher entweder im Fehlen eines Einberufungsorgans oder in einem vergeblichen Verlangen nach Abs. 1 oder 2 liegt; wobei die Umstände des ordnungs-gemäßen Einberufungs- oder Ankündigungsverlangens und die (ggf. man-gelnde) Reaktion des Geschäftsführers kurz darzulegen sind.

35   Checkliste: empfohlene Mindestangaben Einladungsschreiben nach § 50 Abs. 3 GmbHG

☑

> ☐ Bezeichnung der Gesellschaft;
>
> ☐ Ort und Uhrzeit der Versammlung;
>
> ☐ Namen und Unterzeichnung der einberufenden Gesellschafter;
>
> ☐ jeweilige Beteiligungsquote, sodass sich Quorum von 10 % des Stammkapitals erkennen lässt;
>
> ☐ Grund der Selbsthilfe (Fehlen eines Einberufungsorgans oder ver-gebliches Verlangen nach Abs. 1 oder 2 nebst Angaben zu ord-nungsgemäßem Einberufungs- oder Ankündigungsverlangens und Reaktion des Geschäftsführers);

---

32   Römermann in Michalski, GmbHG, § 50 Rn. 132.

33   Roth/Altmeppen, GmbHG, § 50 Rn. 11.

34   BGH, 28.01.1985 – II ZR 79/84, GmbHR 1985, 256 = WM 1985, 567.

☐ Ankündigung des Zwecks der Versammlung, d.h. Tagesordnung (kann bis zu drei Tagen vor der Versammlung nachgeholt werden);

☐ falls Einberufung durch Bevollmächtigten erfolgt, empfiehlt sich schriftlicher Nachweis der Vollmacht.

VI. Rechtsfolgen

Einberufungsmängel führen nach den allgemeinen Grundsätzen analog § 241 Nr. 1 AktG zur **Nichtigkeit** der in der Gesellschafterversammlung gefassten Beschlüsse.[35] Eine Ausnahme gilt allerdings für die Vollversammlung (§ 51 Abs. 3; s. dazu § 51 Rn. 39-42).[36]   36

Mängel bei der Ausübung des Selbsthilferechts sind – neben der Einhaltung der allgemeinen Voraussetzungen – primär auf zwei Arten möglich: 37

• die Voraussetzungen der Selbsthilfe lagen nicht vor oder

• die Ausübung der Selbsthilfe erweist sich als mangelhaft.

Lagen die Voraussetzungen des Selbsthilferechts nicht vor oder war deren Ausübung mangelhaft, so führt dieser Mangel bei der Ankündigung nur zur **Anfechtbarkeit** der Beschlussfassung.[37]   38

VII. Kosten

Im Fall einer Einberufung durch die Gesellschafterminderheit nach Abs. 3 beschließt die Gesellschafterversammlung gem. Abs. 3 Satz 2 über die **Kostentragungspflicht**, welche entweder bei der Gesellschaft oder beim Antragsteller liegt. Bei der Abstimmung hierüber sind auch die Antragsteller stimmberechtigt.   39

Im Rahmen der Abstimmung hat die Gesellschafterversammlung die Gesellschaftertreupflicht zu beachten. Dieses bedeutet, dass die Gesellschafterversammlung eine Kostenübernahme nur dann verweigern darf, wenn die Einberufung offensichtlich überflüssig oder unvernünftig war. War die Einberufung sachdienlich, so trägt die Gesellschaft die Kosten.[38]   40

---

35 BGH, 07.02.1983 – II ZR 14/82, BGHZ 87, 1, 3 = GmbHR 1983, 267; Römermann in Michalski, GmbHG, § 50 Rn. 159.

36 Römermann in Michalski, GmbHG, § 50 Rn. 160; Koch in Bormann/Kauka/Ockelmann, Hdb. GmbH-Recht, Kap. 6 Rn. 92, 149.

37 Römermann in Michalski, GmbHG, § 50 Rn. 165; Schmidt/Seibt in Scholz, GmbHG, § 50 Rn. 32; Koch in Bormann/Kauka/Ockelmann, Hdb. GmbH-Recht, Kap. 6 Rn. 92.

38 Lutter/Hommelhoff in Lutter/Hommelhoff, GmbHG, § 50 Rn. 13; Koch in Bormann/Kauka/Ockelmann, Hdb. GmbH-Recht, Kap. 6 Rn. 92.

§ 51 GmbHG   Form der Einberufung

(1) [1]Die Berufung der Versammlung erfolgt durch Einladung der Gesellschafter mittels eingeschriebener Briefe. [2]Sie ist mit einer Frist von mindestens einer Woche zu bewirken.

(2) Der Zweck der Versammlung soll jederzeit bei der Berufung angekündigt werden.

(3) Ist die Versammlung nicht ordnungsmäßig berufen, so können Beschlüsse nur gefasst werden, wenn sämtliche Gesellschafter anwesend sind.

(4) Das gleiche gilt in Bezug auf Beschlüsse über Gegenstände, welche nicht wenigstens drei Tage vor der Versammlung in der für die Berufung vorgeschriebenen Weise angekündigt worden sind.

I.   Einführung

1   Hintergrund der Regelung in § 51 ist die Sicherstellung der ordnungsgemäßen Einberufung der Gesellschafterversammlung, um jedem Gesellschafter die Möglichkeit zu geben, an ihr überhaupt und auch inhaltlich informiert und damit vorbereitet teilzunehmen.[1] Die Vorschrift hat damit primär eine **Schutzfunktion zugunsten der Gesellschafter**.

2   Daneben dient sie der **Rechtssicherheit**, da die Einberufung der Gesellschafterversammlung an bestimmte Voraussetzungen geknüpft wird und

---

1   BGH, 30.03.1987 – II ZR 180/86, ZIP 1987, 1117; Koch in Bormann/Kauka/Ockelmann, Hdb. GmbH-Recht, Kap. 6 Rn. 137.

damit die Willensbildung in der GmbH von anderweitigen unverbindlichen Äußerungen der Gesellschafter abgegrenzt wird.

§ 51 steht im Kontext mit den Einberufungsvorschriften der §§ 49 bis 51. 3 Während § 49 i.V.m. § 50 die Berechtigung zur Einberufung und die Gründe der Einberufung regelt, bestimmt § 51, **wie und mit welchem Inhalt** einzuberufen ist.

In der Praxis kommt insbes. der Regelung in **Abs. 3 besondere Bedeutung** 4 zu. Die hier geregelte **Vollversammlung** ermöglicht insbes. im Fall eines überschaubaren Gesellschafterkreises bzw. bei Konzerngesellschaften, die Vermeidung der Voraussetzungen des § 51 Abs. 1 und 2 als bloße Förmelei, soweit dem Normzweck genüge getan ist.

Für eine **Anwendbarkeit** des § 51 ist es unerheblich, ob es sich um eine 5 ordentliche oder um eine außerordentliche Gesellschafterversammlung handelt. Zudem ist § 51 auch für die Vor-GmbH bereits anwendbar, da insoweit die Registereintragung keine Voraussetzung ist.[2]

§ 51 ist grds. nicht zwingend, d.h. dass die Gesellschafter eine **abweichende** 6 **Satzungsregelung** vorsehen können. Gleichwohl sind die Gesellschafter in ihren Regelungsmöglichkeiten nicht frei.

Die Satzung kann an die Einberufung einer Gesellschafterversammlung 7 erschwerende Anforderungen stellen, z.B. eine verlängerte Frist.[3] Allerdings darf die Abhaltung einer Gesellschafterversammlung dadurch nicht unangemessen erschwert werden.[4]

Problematischer sind dagegen grds. Erleichterungen der Einberufungs- und 8 Ankündigungsregeln; diese sind nur dann zulässig, wenn das Teilnahmerecht der Gesellschafter lediglich verfahrensmäßig geordnet wird, es aber in der Substanz nicht beeinträchtigt wird.[5] Eine generelle Verkürzung der ohnehin schon kurzen gesetzlichen Ladungsfrist ist aus diesem Grund unzulässig.[6] Allerdings kann die Satzung die Einberufung insoweit erleich-

---

2   Römermann in Michalski, GmbHG, § 51 Rn. 17.

3   Koppensteiner in Rowedder, GmbHG, § 51 Rn. 3; Römermann in Michalski, GmbHG, § 51 Rn. 120; Koch in Bormann/Kauka/Ockelmann, Hdb. GmbH-Recht, Kap. 6 Rn. 94.

4   Zöllner in Baumbach/Hueck, GmbHG, § 51 Rn. 39.

5   Schmidt/Seibt in Scholz, GmbHG, § 51 Rn. 3; Römermann in Michalski, GmbHG, § 51 Rn. 116; Koppensteiner in Rowedder, GmbHG, § 50 Rn. 3.

6   OLG Naumburg, 23.02.1999 – 7 U (Hs) 25/98, NZG 2000, 44; Römermann in Michalski, GmbHG, § 51 Rn. 122; Zöllner in Baumbach/Hueck, GmbHG, § 51 Rn. 39; Koch in Bormann/Kauka/Ockelmann, Hdb. GmbH-Recht, Kap. 6 Rn. 94.

tern, als dass sie auf eine per Email, Fax oder einfachen Brief[7] zu bewirkende Einladung abstellt.[8] Nicht ausreichend dürfte dagegen eine Satzungsregelung sein, welche lediglich eine telefonische oder eine mündliche Einberufung verlangt, da auf diesem Wege dem Informationsbedürfnis der Gesellschafter nicht genügt werden kann.[9]

Praxistipp:

Unabhängig von der gesetzlich grds. zugelassenen Satzungsautonomie sollte auch stets eine Zweckmäßigkeit und eine – im Zweifel – mögliche Beweisbarkeit der ordnungsgemäßen Einberufung beachtet werden.

II. Einladung (Abs. 1 und 2)

1. Form der Einladung (Abs. 1 Satz 1)

9 Es sind **sämtliche Gesellschafter** einschließlich der nicht stimmberechtigten mittels **eingeschriebenem Brief** einzuladen.[10] Damit soll einerseits der Gesellschaft der Nachweis der Ladung ermöglicht werden. Andererseits soll damit auch die Übermittlung gesichert werden.

Hinweis:

Diesen Zwecken genügt ein Übergabeeinschreiben, nicht aber ein Einwurfeinschreiben.[11] Ebenfalls nicht ausreichend ist die Ladung über Fernkopie[12] oder per Kurierdienst.[13]

---

7   Andere Ansicht: Zöllner in Baumbach/Hueck, GmbHG, § 51 Rn. 39; Koch in Bormann/Kauka/Ockelmann, Hdb. GmbH-Recht, Kap. 6 Rn. 94.

8   OLG Thüringen, 14.05.1996 – 6 W 497/95, GmbHR 1996, 536; Schmidt/Seibt in Scholz, GmbHG, § 51 Rn. 3; Zöllner in Baumbach/Hueck, GmbHG, § 51 Rn. 39, a.A.: Römermann in Michalski, GmbHG, § 51 Rn. 119; Koch in Bormann/Kauka/Ockelmann, Hdb. GmbH-Recht, Kap. 6 Rn. 94.

9   Ebenso Römermann in Michalski, GmbHG, § 51 Rn. 119; a.A.: Zöllner in Baumbach/Hueck, GmbHG, § 51 Rn. 39.

10 Vgl. BGH, 28.01.1985 – II ZR 79/84, GmbHR 1985, 256 betreffend die nicht stimmberechtigten Gesellschafter; Koch in Bormann/Kauka/Ockelmann, Hdb. GmbH-Recht, Kap. 6 Rn. 94.

11 Wolff in Münchener Handbuch des Gesellschaftsrechts, Bd. 3 (GmbH), § 39 Rn. 43; Zöllner in Baumbach/Hueck, GmbHG, § 51 Rn. 12.

12 OLG Naumburg, 17.12.1996 – 7 U 196/95, GmbHR 1998, 90, 92.

13 Römermann in Michalski, GmbHG, § 51 Rn. 36; hierzu ausführlich Emde, GmbHR 2002, 8.

Briefform bedeutet nicht Schriftform, sodass es keiner **eigenhändigen** 10
Unterschrift des Einladenden nach § 126 Abs. 1 BGB bedarf.[14]

Der **Einladende** muss aber **zweifelsfrei ersichtlich** sein (s.u. Rn. 31).[15] 11

Die Einladung ist an die der Gesellschaft **zuletzt bekannte Anschrift des** 12
Gesellschafters zu adressieren. Dabei hat der Gesellschafter dafür zu
sorgen, dass die Gesellschaft insoweit über korrekte Informationen verfügt.
Die Gesellschaft ist ihrerseits nicht verpflichtet, die Richtigkeit und Aktua-
lität der ihr zur Verfügung gestellten Adressen zu überprüfen.

Eine Einberufung durch eine **Gesellschafterminderheit** nach § 50 Abs. 3 13
unterliegt keinen besonderen Formerfordernissen. Daher ist richtigerweise
auch die eigenhändige Unterschrift derjenigen Gesellschafter, die die Einberufung tragen, nicht zwingend erforderlich, aber anzuraten.[16]

2. Einberufungsfrist (Abs. 1 Satz 2)

Nach § 51 Abs. 1 Satz 2 ist die Einberufung mit einer Frist von mindestens 14
einer Woche zu bewirken. Gem. § 186 BGB sind für die Fristberechnung
grds. die Vorschriften der §§ 187 ff. BGB anzuwenden. Gleiches gilt für
satzungsmäßig vorgeschriebene Fristen.

Allerdings war der **Fristbeginn** früher umstritten.[17] Nach der heute herr- 15
schenden Ansicht beginnt die Frist an dem Tag, an dem die Zustellung des

---

14 Lutter/Hommelhoff in Lutter/Hommelhoff, GmbHG, § 51 Rn. 3; Schmidt/
    Seibt in Scholz, GmbHG, § 51 Rn. 9; Wolff in Münchener Handbuch des
    Gesellschaftsrechts, Bd. 3 (GmbH), § 39 Rn. 43; a.A.: Zöllner in Baumbach/
    Hueck, GmbHG, § 51 Rn. 11, der davon ausgeht, dass stets eine handschrift-
    liche Unterzeichnung erforderlich sei; zum Meinungsstand insgesamt ausführ-
    lich s. Römermann in Michalski, GmbHG, § 51 Rn. 37 ff.

15 Lutter/Hommelhoff in Lutter/Hommelhoff, GmbHG, § 51 Rn. 3; Schmidt/
    Seibt in Scholz, GmbHG, § 51 Rn. 9; Wolff in Münchener Handbuch des
    Gesellschaftsrechts, Bd. 3 (GmbH), § 39 Rn. 43; Koch in Bormann/Kauka/
    Ockelmann, Hdb. GmbH-Recht, Kap. 6 Rn. 96.

16 Schmidt/Seibt in Scholz, GmbHG, § 50 Rn. 26; Münchener Handbuch des
    Gesellschaftsrechts, Bd. 3 (GmbH), § 39 Rn. 44; a.A.: Zöllner in Baumbach/
    Hueck, GmbHG, § 51 Rn. 11.

17 Vgl. zum Meinungsstand ausführlich Römermann in Michalski, GmbHG, § 51
    Rn. 41 ff.

Briefes unter Berücksichtigung üblicher Postlaufzeiten üblicherweise zu erwarten ist.[18]

16 Im Inland ist als **übliche Postlaufzeit** ein Zeitraum von **zwei Tagen** zu veranschlagen.[19]

17 Die Frist läuft an demselben Wochentag ab, an dem die Einladung in der vorherigen Woche bewirkt ist.[20]

18 Die Gesellschafterversammlung darf frühestens am Tag nach dem Ablauf der Frist stattfinden, da nach § 188 Abs. 2 BGB die Wochenfrist erst mit Ablauf (24.00 Uhr!) desjenigen Tages endet.[21]

19 *Beispiel für Fristberechnung:*

> *Das Einladungsschreiben wird am Montag, den 01.07. zur Post gegeben. Der Zugang des Einladungsschreibens wird am Mittwoch, den 03.07. vermutet. Fristende ist also am Mittwoch, den 10.07. Die Gesellschafterversammlung darf frühestens am Donnerstag, den 11.07. stattfinden.*

20 Fällt das **Fristende** auf einen Samstag, Sonntag oder gesetzlichen Feiertag, tritt – in sinngemäßer Anwendung des § 193 BGB – an die Stelle des Samstages, Sonntages oder des gesetzlichen Feiertages der nächste Werktag.[22]

21 *Beispiel für Fristberechnung (nach der h.M.):*

> *Das Einladungsschreiben wird am Freitag, den 01.07. zur Post gegeben. Der Zugang des Einladungsschreibens würde am Sonntag, den 03.07. vermutet. Da dieser Tag aber ein Sonntag ist, tritt an dessen Stelle Montag, der 04.07.; Fristende ist also am Montag, den 11.07. Die Gesellschafterversammlung darf frühestens am Dienstag, den 12.07. stattfinden.*

---

18 BGH, 30.03.1987 – II ZR 180/86, BGHZ 100, 264, 268 f. = GmbHR 1987, 424; OLG Naumburg, 17.12.1996 – 7 U 196/95, GmbHR 1998, 90, 91; Zöllner in Baumbach/Hueck, GmbHG, § 51 Rn. 17; Schmidt/Seibt in Scholz, GmbHG, § 51 Rn. 12; Lutter/Hommelhoff in Lutter/Hommelhoff, GmbHG, § 51 Rn. 8.

19 OLG Brandenburg, 24.03.1999 – 7 U 249/98, NZG 1999, 828, 832; OLG Naumburg, 23.02.1999 – 7 U (hs) 25/98, NZG 2000, 44, 45; Lutter/Hommelhoff in Lutter/Hommelhoff, GmbHG, § 51 Rn. 9.

20 BGH, 30.03.1987 – II ZR 180/86, BGHZ 100, 264, 269 = GmbHR 1987, 424; OLG Naumburg, 23.02.1999 – 7 U (hs) 25/98, NZG 2000, 44, 45.

21 Römermann in Michalski, GmbHG, § 51 Rn. 45 f.

22 Herrschende Meinung: vgl. OLG Naumburg, 17.12.1996 – 7 U 196/95, GmbHR 1998, 90, 92; OLG Naumburg, NZG 1999, 317; Lutter/Hommelhoff in Lutter/Hommelhoff, GmbHG, § 51 Rn. 8; Wolff in Handbuch des Gesellschaftsrechts, Band 3 (GmbH), § 39 Rn. 44, Schmidt/Seibt in Scholz, GmbHG, § 51 Rn. 11; a.A.: OLG Hamm, 14.03.2000 – 27 U 102/99, NJW-RR 2001, 105, 107; Zöllner in Baumbach/Hueck, GmbHG, § 51 Rn. 20.

Im Prozess hat die Gesellschaft jedoch nur nachzuweisen, dass das Einladungsschreiben ordnungsgemäß bei der Post aufgegeben wurde. Der **Nachweis des Zugangs** ist nicht erforderlich.[23]   22

Die Versammlung ist selbst dann ordnungsgemäß einberufen, wenn sich der Gesellschafter zum Zeitpunkt des Zugangs der Einladung im **Urlaub** befindet und der Gesellschaft dieser Umstand bekannt ist.[24]   23

3.   Inhalt der Einladung (Abs. 1 und 2)

a)   Bezeichnung der Gesellschaft

Für den Adressaten muss erkennbar sein, um welche Gesellschaft es geht. Hilfreich zur Identifizierung des Unternehmens ist auch die Angabe des Sitzes; wenngleich dieses nicht zwingend erforderlich ist.   24

b)   Ort und Uhrzeit der Gesellschafterversammlung

Die Einladung muss die Räumlichkeiten, in denen die Versammlung abgehalten werden soll, eindeutig erkennen lassen. Statt der postalischen Anschrift kann allerdings auch auf „die Geschäftsräume der Gesellschaft" abgestellt werden, sofern hier nur ein bestimmtes Gebäude in Betracht kommt.   25

Neben dem Datum ist auch die Uhrzeit anzugeben, da die Gesellschafter ihre Zeitplanung danach richten müssen.[25]   26

c)   Zweck der Gesellschafterversammlung (Tagesordnung)

Nach § 51 Abs. 2 *soll* zudem der Zweck der Versammlung angegeben werden. Zweck bedeutet, dass zum Gegenstand der Beratung und Beschlussfassung Stellung genommen werden soll. Dem wird mit der Mitteilung der Tagesordnung – aber auch mit einer weniger genauen Information – Genüge getan, soweit sich aus den Angaben erkennen lässt, worüber verhandelt und beschlossen werden soll.[26]   27

---

23   Vgl. BGH, 20.06.1994 – II ZR 103/93, ZIP 1994, 1525, 1526; OLG Naumburg, 17.12.1996 – 7 U 196/95, GmbHR 1998, 90, 91; differenzierend Schmidt/Seibt in Scholz, GmbHG, § 51 Rn. 12.

24   OLG München, 03.11.1993 – 7 U 2905/93, GmbHR 1994, 406, 408.

25   KG Berlin, 13.05.1965 – 1 W 848/65, NJW 1965, 2157, 2159; Koch in Bormann/Kauka/Ockelmann, Hdb. GmbH-Recht, Kap. 6 Rn. 96.

26   Wolff in Münchener Handbuch des Gesellschaftsrechts, Bd. 3 (GmbH), § 39 Rn. 41; Koch in Bormann/Kauka/Ockelmann, Hdb. GmbH-Recht, Kap. 6 Rn. 96.

> **Praxistipp:**
>
> Sofern i.R.d. Gesellschafterversammlung eine konkrete Beschlussfassung herbeigeführt werden soll, empfiehlt sich, einen konkreten Beschlussantrag bereits in der Einladung anzugeben; allerdings ist die Beifügung eines bestimmten Beschlussantrages nicht erforderlich.[27]

28 Grundsätzlich sollte das Einberufungsorgan für ein Maximum an Klarheit sorgen, um Anfechtungsklagen zu vermeiden.[28]

29 Im Einzelnen ist insoweit Folgendes hervorzuheben:

- Im Fall einer beabsichtigten Satzungsänderung, Umwandlung oder Genehmigung eines Unternehmensvertrags empfiehlt sich eine zumindest sinngemäße Mitteilung eines bestimmten Antrags.[29]

- Die Ankündigung des Tagesordnungspunktes „Abberufung des Geschäftsführers XY" ist sowohl für eine ordentliche als auch für eine Abberufung aus wichtigem Grund ausreichend.[30] Wenn allerdings die Abberufung aus wichtigem Grund ausdrücklich angekündigt wurde, ist eine ordentliche Abberufung zumindest bei Abwesenheit des betroffenen Geschäftsführers ausgeschlossen.[31]

- Zudem muss allerdings bei der Ankündigung einer Abberufungsentscheidung zumindest die Identität des Abzuberufenden erkennbar sein.[32]

- Ein Tagesordnungspunkt „Verschiedenes" ist als Grundlage für Beschlüsse nicht ausreichend.[33]

- Allen Gesellschaftern bekannte Umstände brauchen allerdings nicht mitgeteilt zu werden.[34]

---

27 Zöllner in Baumbach/Hueck, GmbHG, § 51 Rn. 24.

28 Vgl. noch die Vorauflage Schmidt in Scholz, 9. Aufl. 2002, GmbHG, § 51 Rn. 18.

29 Vgl. Schmidt/Seibt in Scholz, GmbHG, § 51 Rn. 20.

30 OLG Hamm, 01.02.1995 – 8 U 148/94, GmbHR 1995, 736, 738; Schmidt/Seibt in Scholz, GmbHG, § 51 Rn. 20; Römermann in Michalski, GmbHG, § 51 Rn. 73.

31 BGH, 28.01.1985 – II ZR 79/84, WM 1985, 567, 570.

32 Zöllner in Baumbach/Hueck, GmbHG, § 51 Rn. 22; Schmidt/Seibt in Scholz, GmbHG, § 51 Rn. 20; a.A.: Roth in Roth/Altmeppen, GmbHG, § 51 Rn. 10.

33 Koppensteiner in Rowedder, GmbHG, § 50 Rn. 9; Römermann in Michalski, GmbHG, § 51 Rn. 86; Koch in Bormann/Kauka/Ockelmann, Hdb. GmbH-Recht, Kap. 6 Rn. 96.

34 KG Berlin, 06.10.1911 – XI. ZS, OLGE 24, 158, 159.

Aus dem Charakter als Soll-Vorschrift folgt, dass die Angabe der Beschluss-   30
gegenstände keine zwingende Voraussetzung für die Ordnungsmäßigkeit
der Einladung ist. Vielmehr können nach § 51 Abs. 4 noch bis spätestens
drei Tage vor der Versammlung Tagesordnungspunkte nachgeschoben werden (Rn. 43).

d)   Person des Einberufenden

Aus der Einladung muss sich schließlich eindeutig die Person des Einberu-   31
fenden ergeben. Sinnvoll ist es, neben der namentlichen Benennung auch die
Funktion des Einladenden anzugeben.

e)   Einberufung durch Minderheitsgesellschafter

Im Fall einer Einberufung durch eine Gesellschafterminderheit sind zusätzlich   32
noch Angaben zu den einberufenen Gesellschaftern und zu den Gründen, aus
welchem sie ihr Einberufungsrecht ableiten, erforderlich[35] (vgl. § 50).

Checkliste: empfohlene Mindestangaben Einladungsschreiben   33

☑

☐ Bezeichnung der Gesellschaft.

☐ Ort, Tag und Uhrzeit der Versammlung.

☐ Namen und Unterzeichnung der einberufenden Gesellschafter.

☐ Ankündigung des Zwecks der Versammlung, d.h. Tagesordnung
(kann bis zu drei Tagen vor der Versammlung nachgeholt werden).

☐ Falls Einberufung durch Bevollmächtigten erfolgt, empfiehlt sich
schriftlicher Nachweis der Vollmacht.

☐ Bei Einberufung durch Minderheitsgesellschafter zusätzlich:

    ☐ Angaben zu einberufenden Gesellschaftern.

    ☐ Angaben zu Einberufungsrecht.

Formulierungsbeispiel: Einberufung einer Gesellschafterversammlung   34

Einschreiben gegen Rückschein

An die Gesellschafter der ..... GmbH

Wir, die unterzeichnenden Geschäftsführer A und B, laden Sie hiermit
zu einer ordentlichen Gesellschafterversammlung der XY GmbH am
....., den ..... um ....., in den Geschäftsräumen der Gesellschaft ein.

---

35   Zöllner in Baumbach/Hueck, GmbHG, § 50 Rn. 14.

Tagesordnung (jeweils Beratung und Beschlussfassung)

1. Feststellung des Jahresabschlusses zum 31. Dezember .....
   Der Jahresabschluss (Bilanz, Gewinn- und Verlustrechnung nebst Anhang), der Lagebericht und der Prüfungsbericht des Abschlussprüfers sind dieser Einladung beigefügt.

2. Ergebnisverwendung
   Die Geschäftsführung schlägt vor, den Jahresüberschuss des Geschäftsjahres ..... in Höhe von ..... € wie folgt zu verwenden:

   Einstellung in Gewinnrücklagen in Höhe von ..... €;

   Ausschüttung an Gesellschafter in Höhe von ..... €;

   Vortrag auf neue Rechnung in Höhe von ..... €.

3. Entlastung der Geschäftsführer

4. Bestellung eines Prokuristen
   Die Geschäftsführung schlägt vor, Frau AB Gesamtprokura zu erteilen.

....., den .....

....
Geschäftsführer A   Geschäftsführer B

III.   Rechtsfolgen

35   Eine Verletzung der Formvorschriften bei der Einberufung kann zur **Nichtigkeit oder Anfechtbarkeit** der in der Gesellschafterversammlung gefassten Beschlüsse führen. Mangels entsprechender Regelung im GmbHG werden grds. die aktienrechtlichen Bestimmungen analog angewandt.[36]

1.   Nichtigkeit

36   Eine Nichtigkeit kommt – in einer entsprechenden Anwendung der für das Aktienrecht in § 241 Abs. 1 AktG geltenden Regelungen – nur bei schwerwiegenden Einberufungsmängeln in Betracht. Ein derartiger schwerwiegen-

---

36   RG, 20.01.1941 – II 96/40, RGZ 166, 129, 131; BGH, 07.02.1983 – II ZR 14/82, NJW 1983, 1677; Zöllner in Baumbach/Hueck, GmbHG, § 51 Rn. 28; Römermann in Michalski, GmbHG, § 51 Rn. 99; Schmidt/Seibt in Scholz, GmbHG, § 51 Rn. 24; Koch in Bormann/Kauka/Ockelmann, Hdb. GmbH-Recht, Kap. 6 Rn. 147.

der Einberufungsmangel liegt z.B. vor, wenn eine **Einladung von einem Nichtberechtigten** erfolgt ist.[37] Auch der Fall, dass **nicht sämtliche Gesellschafter** eingeladen wurden, führt zur Nichtigkeit.[38] Ebenfalls führt das Fehlen von Angaben zum **Ort oder Tag** zur Nichtigkeit der gefassten Beschlüsse.[39]

2. Anfechtbarkeit

Verstöße gegen **Form, Frist**[40] und **Inhalt** der Einberufung – gesetzlich oder satzungsmäßig vorgeschriebene Regelungen – führen hingegen lediglich zur Anfechtbarkeit.[41] Ebenfalls begründet eine mangelhafte **Ankündigung** der Tagesordnung nur eine Anfechtbarkeit der gefassten Beschlüsse.[42]   37

3. Nachträglicher Rügeverzicht

Ein nachträglicher Verzicht auf eine Rüge von Einberufungsmängeln – sowohl ausdrücklich als auch konkludent – wird i.d.R. als Genehmigung der Beschlussfassung anzusehen sein und daher eine Heilung nach § 242 Abs. 2 Satz 4 AktG analog bewirken.[43]   38

---

37 BGH, 07.02.1983 – II ZR 14/82, BGHZ 87, 1, 2 = GmbHR 1983, 267; Koch in Bormann/Kauka/Ockelmann, Hdb. GmbH-Recht, Kap. 6 Rn. 149.

38 BGH, 14.12.1961 – II ZR 97/59, BGHR 36, 2007, 211 = GmbHR 1962, 48.

39 Lutter/Hommelhoff in Lutter/Hommelhoff, GmbHG, § 51 Rn. 15; Koch in Bormann/Kauka/Ockelmann, Hdb. GmbH-Recht, Kap. 6 Rn. 149.

40 BGH, 17.11.1997 – II ZR 77/97, NJW 1998, 684.

41 Schmidt/Seibt in Scholz, GmbHG, § 51 Rn. 24; Hüffer in Ulmer, GmbHG, § 51 Rn. 28; Koppensteiner in Rowedder, GmbHG, § 50 Rn. 12; a.A.: grds. für Nichtigkeit Zöllner in Baumbach/Hueck, GmbHG, § 51 Rn. 28; Römermann in Michalski, GmbHG, § 51 Rn. 108, für eine Nichtigkeit im Fall eines Verstoßes gegen Formvorschriften, der allerdings darauf abstellt, dass eine Nichtigkeit aber auch dann nur in Betracht käme, wenn die Ladung überhaupt nicht zuginge, da ansonsten Heilung eintrete; Lutter/Hommelhoff in Lutter/Hommelhoff, GmbHG, § 51 Rn. 16 für Nichtigkeit bei Formverstößen der Ladung; Koch in Bormann/Kauka/Ockelmann, Hdb. GmbH-Recht, Kap. 6 Rn. 154.

42 BGH, 28.01.1985 – II ZR 79/84, GmbHR 1985, 256, 257; OLG Düsseldorf, 25.02.2000 – 16 U 59/99, NZG 2000, 1180, 1182; Schmidt/Seibt in Scholz, GmbHG, § 51 Rn. 24.

43 Zöllner in Baumbach/Hueck, GmbHG, § 51 Rn. 31; dagegen stets nur von einer Heilung ausgehend Roth/Altmeppen, GmbHG, § 51 Rn. 16a.

IV.   Vollversammlung (Abs. 3)

39   Falls die Gesellschafterversammlung nicht ordnungsgemäß berufen, insbes.
wenn die gesetzliche Ankündigungsfrist nicht eingehalten wurde, ist eine
Beschlussfassung nur im Fall einer Vollversammlung nach § 51
Abs. 3 möglich. Diese setzt voraus, dass sämtliche Gesellschafter anwe-
send – erschienen oder vertreten – sind und **Einvernehmen aller** mit der
Abhaltung der Gesellschafterversammlung zum Zwecke der Beschlussfas-
sung vorliegt. Unter diesen Voraussetzungen kann dann auch ein zufälliges
Zusammentreffen für § 51 Abs. 3 genügen.[44]

40   Falls ein Gesellschafter, der nicht zur Gesellschafterversammlung geladen
war, anderweitig von der Gesellschafterversammlung erfährt und erscheint,
so wird auch dieser Mangel geheilt. Anwesenheit verlangt aber insbes. dann
nicht bloßes Zugegensein sämtlicher Gesellschafter; vielmehr müssen sich
alle Gesellschafter – auch der nicht geladene Gesellschafter – mit einer
Beschlussfassung einverstanden erklären bzw. mitwirken.[45]

41   **Formulierungsbeispiel eines Gesellschafterbeschlusses im Fall einer
Vollversammlung:**

**Gesellschafterbeschluss der Firma
XY GmbH**

Wir, die unterzeichneten Gesellschafter, sind die alleinigen Gesellschafter der XY GmbH, eingetragen im Handelsregister des Amtsgerichts ..... unter HRB ....., deren Stammkapital ..... € beträgt.

Wir halten folgende Geschäftsanteile:

Gesellschafter A einen Geschäftsanteil im Nennbetrag von ..... €.

Gesellschafter B einen Geschäftsanteil im Nennbetrag von ..... €.

Gesamt ..... €.

Damit ist das gesamte Stammkapital vertreten.

---

44   BGH, 30.03.1987 – II ZR 180/86, BGHZ 100, 264, 279 = GmbHR 1987, 424;
Zöllner in Baumbach/Hueck, GmbHG, § 51 Rn. 31; Koch in Bormann/Kauka/
Ockelmann, Hdb. GmbH-Recht, Kap. 6 Rn. 97.

45   Schmidt/Seibt in Scholz, GmbHG, § 51 Rn. 29; Lutter/Hommelhoff in Lutter/
Hommelhoff, GmbHG, § 51 Rn. 18.

> Unter Verzicht auf alle durch Gesetz und Gesellschaftsvertrag für die Einberufung, Ankündigung und Durchführung von Gesellschafterversammlungen vorgeschriebenen Form- und Fristerfordernisse halten wir eine Gesellschafterversammlung der Firma XY GmbH ab und beschließen einstimmig:
>
> 1. Der vorliegende Jahresabschluss der XY GmbH zum 31. Dezember ..... wird festgestellt.
>
> 2. Der im Jahresabschluss zum 31. Dezember ..... ausgewiesene Gewinnvortrag in Höhe von ..... € wird auf neue Rechnung vorgetragen.
>
> 3. Dem Geschäftsführer der Gesellschaft wird für das Geschäftsjahr ..... Entlastung erteilt.
>
> ....., den .....
>
> ....
> Gesellschafter A   Gesellschafter B

Sofern ein Einberufungsmangel vorliegt und alle Gesellschafter bis auf 42
solche, die zuvor auf eine Ladung und Teilnahme verzichtet haben, erschienen sind, sind die Grundsätze über die Vollversammlung anwendbar.

V. Nachreichen von Gegenständen (Abs. 4)

Während § 51 Abs. 2 die Ankündigung von Beschlussgegenständen zusam- 43
men mit der Einberufung zur Gesellschafterversammlung betrifft, geht es in
§ 51 Abs. 4 um das Nachreichen von Tagesordnungspunkten. Falls die
Tagesordnung nicht zusammen mit der Einladung mitgeteilt wurde, muss
sie nach § 51 Abs. 4 **spätestens drei Tage** vor der Gesellschafterversammlung bewirkt werden, um sämtlichen Gesellschaftern ausreichend Gelegenheit zu geben, sich auf die Beratung und Abstimmung in der Gesellschafterversammlung vorzubereiten. Für die Fristberechnung gelten dieselben
Regeln wie bei § 51 Abs. 1 Satz 2.[46]

---

46   Ganz h.M.: vgl. Römermann in Michalski, GmbHG, § 51 Rn. 88.

VI.   Prozessuales

1.   Nichtigkeit

44   Die Nichtigkeit eines Gesellschafterbeschlusses gilt bereits ohne gerichtliche Geltendmachung. Nichtige Gesellschafterbeschlüsse dürfen demnach weder in das Handelsregister eingetragen werden, noch von den Geschäftsführern ausgeführt werden. Prozessual kann die Nichtigkeit mit der Nichtigkeitsklage nach § 249 AktG analog geltend gemacht werden.

2.   Anfechtbarkeit

45   Verstöße gegen Gesetz oder Satzung, die nicht zur Nichtigkeit führen, geben jedem Gesellschafter ein Recht auf Aufhebung des Beschlusses. Soweit es um die Nichtladung oder mangelhafte Ladung eines Nichterschienenen geht, kann allerdings grds. nur er diesen Anfechtungsgrund gelten machen.[47] Die Gesellschafter können die Verstöße grds. im Weg der Anfechtungsklage nach § 243 Abs. 1 AktG analog geltend machen.

§ 51a GmbHG   Auskunfts- und Einsichtsrecht

(1) Die Geschäftsführer haben jedem Gesellschafter auf Verlangen unverzüglich Auskunft über die Angelegenheiten der Gesellschaft zu geben und die Einsicht der Bücher und Schriften zu gestatten.

(2) ¹Die Geschäftsführer dürfen die Auskunft und die Einsicht verweigern, wenn zu besorgen ist, dass der Gesellschafter sie zu gesellschaftsfremden Zwecken verwenden und dadurch der Gesellschaft oder einem verbundenen Unternehmen einen nicht unerheblichen Nachteil zufügen wird. ²Die Verweigerung bedarf eines Beschlusses der Gesellschafter.

(3) Von diesen Vorschriften kann im Gesellschaftsvertrag nicht abgewichen werden.

---

47   Schmidt/Seibt in Scholz, GmbHG, § 51 Rn. 25.

I. Einführung

Diese Norm regelt die allgemeinen Kontroll- und Informationsrechte des **1** einzelnen Gesellschafters, die außerhalb der Gesellschafterversammlung ausgeübt werden können, und stellt damit ein wichtiges Instrument des **Minderheitsschutzes** dar.[1] Die große praktische Bedeutung der Norm[2] folgt daraus, dass der Gesellschafter erst durch diese Regelung seine Entscheidungen auf eine ausreichende Informationsgrundlage stellen kann, weil ihm als Individuum ein **umfassendes Informationsrecht auf Auskunft** über die **Angelegenheiten der Gesellschaft** und auf **Einsicht** in ihre Unterlagen gewährt wird.[3]

Die grundsätzliche **Gewährung** des **Einsichts- bzw. Auskunftsrechts** für **2** den Gesellschafter ist **zwingend** und kann nicht eingeschränkt werden, auch nicht durch den Gesellschaftsvertrag. Sofern bei der Gesellschaft jedoch die begründete Befürchtung besteht, der Gesellschafter werde diese Informationen zu **gesellschaftsfremden Zwecken** verwenden und ihr dadurch Nachteil zufügen, kann sie die **Auskunft** bzw. die **Einsicht verweigern.**

II. Auskunftsanspruch

Der Informationsanspruch setzt voraus, dass der Antragsteller eine **Gesell-** **3** **schafterstellung** inne hat und dass es sich um eine **Angelegenheit der Gesellschaft** handelt. Der Begriff der Angelegenheit ist dabei weit zu fassen.[4]

---

1   Roth in Roth/Altmeppen, GmbHG, § 51a Rn. 3.

2   Zöllner in Baumbach/Hueck, GmbHG, § 51a Rn. 1.

3   Siehe auch die Zusammenfassung von Koch in Bormann/Kauka/Ockelmann, Hdb. GmbH-Recht, Kap. 6 Rn. 13 ff.

4   OLG Jena, 14.09.2004 – 6 W 417/04, ZIP 2004, 2003; eine umfangreiche Aufzählung der Angelegenheiten der Gesellschaft findet sich bei Roth in Roth/Altmeppen, GmbHG, § 51a Rn. 5 und bei Hüffer in Ulmer/Habersack/Winter, GmbHG, § 51a Rn. 22.

Nach der höchstrichterlichen Rechtsprechung besteht das individuelle Informationsrecht grds. unbeschränkt und findet seine Grenze erst bei nicht zweckentsprechender Wahrnehmung.[5] Dies hat teilweise in der Literatur dazu geführt, als **dritte Voraussetzung** ein **Informationsbedürfnis** des betreffenden Gesellschafters zu fordern.[6] Die überwiegende Meinung der Literatur – die sich mit der obergerichtlichen Rechtsprechung[7] deckt – lehnt diese Einschränkung richtigerweise mit der Begründung ab, dass sie nicht mit den Zielvorstellungen des Gesetzgebers vereinbar sei, stimmt jedoch darin überein, dass für das Informationsbegehren die Grenze der unzulässigen Rechtsausübung beachtet werden muss.[8]

4   Der Gesellschafter hat nicht nur ein Recht darauf, informiert zu werden, er kann auch selbst Einsicht nehmen.[9] Das **Einsichtsrecht** betrifft alle Bücher und Schriften der GmbH, d.h. **alle Arten von Aufzeichnungen und Urkunden- bzw. Datensammlungen**, welche die GmbH führt oder für sich führen lässt. Dies umfasst Medien der fotomechanischen (Mikrofilm) und elektronischen Speicherung. Sachliche Beschränkungen des Einsichtsrechts bestehen nicht.[10] Das Recht des Gesellschafters auf Einsicht in die Bücher der GmbH umfasst auch das Anfertigen von Fotokopien.[11]

5   Der Gesellschafter kann sein Recht auf Information und Einsicht **jederzeit einfordern**, also sowohl innerhalb als auch außerhalb der Gesellschafterversammlung. Jedoch muss er sein Verlangen hinreichend konkretisieren und so geltend machen, insbes. auch zeitlich, dass die Geschäftsführung dadurch möglichst wenig beeinträchtigt wird.[12] Das erforderliche Maß an Bestimmtheit ist nach Lage des Einzelfalls festzulegen.[13]

---

5   BGH, 06.03.1997 – II ZB 04/96, BGHZ 135, 48 = ZIP 1997, 978.

6   Zöllner in Baumbach/Hueck, GmbHG, § 51a Rn. 27; K. Schmidt, JbFfSt 1984/85, 195, 213 ff.; K. Schmidt in Scholz, GmbHG, § 51a Rn. 8, 15.

7   OLG Frankfurt a.M., 07.08.2007 – 20 W 104/07, NZG 2008, 158.

8   Grunewald, ZHR 146 [1982], 211; Roth in Roth/Altmeppen, GmbHG, § 51a Rn. 6 f.; Lutter/Hommelhoff in Lutter/Hommelhoff, GmbHG, § 51a Rn. 2; Hüffer in Ulmer/Habersack/Winter, GmbHG, § 51a Rn. 57.

9   Für Details zum Recht auf Einsichtnahme s. Hüffer in Ulmer/Habersack/Winter, GmbHG, § 51a Rn. 35 ff.

10   Roth in Roth/Altmeppen, GmbHG, § 51a Rn. 9.

11   OLG München, 12.01.2005 – 7 U 3691/04, DB 2005, 1566.

12   OLG Jena, 14.09.2004 – 6 W 417/04, ZIP 2004, 2003; Roth in Roth/Altmeppen, GmbHG, § 51a Rn. 17.

13   OLG Köln, 18.02.1986 – 22 W 56/85, WM 1986, 761; OLG Düsseldorf, 21.06.1995 – 19 W 2/95 AktE, NJW-RR 1996, 414.

Die Gesellschaft kann die Erteilung der Auskunft auch nicht mit der 6
Begründung verweigern, dass dieser selbst noch ein bislang nicht erfüllter
Auskunftsanspruch gegen den Gesellschafter zustehe. Es ist in der Recht-
sprechung anerkannt, dass ein Zurückbehaltungsrecht gegenüber einem
Anspruch auf Auskunft ausgeschlossen ist.[14]

1. Auskunftsberechtigter

Das **Auskunfts- und Einsichtsrecht** besteht für jeden Gesellschafter, unab- 7
hängig von dessen Beteiligungshöhe.[15] War der Auskunftsersuchende in
dem fraglichen Zeitraum jedoch selbst Geschäftsführer, so bedarf die Ausübung seines Rechts nach § 51a GmbHG einer besonderen Begründung, da
dem Geschäftsführer die entsprechende Kenntnis grundsätzlich unterstellt
werden kann.[16] Maßgeblich für den zeitlichen Rahmen sind Beginn und
Ende der Mitgliedschaft.[17] Demzufolge haben **ausgeschiedene Gesellschafter** grds. **keine Auskunftsrechte** mehr, auch nicht wegen früherer Angelegenheiten.[18] Davon erfasst sind jedoch nicht die Fälle, in denen zwar eine
Kündigung des Gesellschafters und/oder ein entsprechender Gesellschafterbeschluss über die Einziehung des Geschäftsanteils stattgefunden haben,
jedoch noch keine vollständige Entschädigungszahlung. Die Mitgliedschaftsrecht und damit das Recht nach § 51a bleibt nämlich unberührt bis
zur vollständigen Zahlung, weil der Einziehungsbeschluss unter der aufschiebenden Bedingung steht, dass die Entschädigung aus dem nicht gebundenen Gesellschaftsvermögen geleistet wird.[19] Eine Ausnahme von dem
Grundsatz, dass ausgeschiedene Gesellschafter keine Auskunftsrechte mehr
haben, bildet die Berechnung des **Abfindungsanspruchs**, wobei die Rechtsprechung die Anspruchsgrundlage nicht in § 51a GmbHG sieht, sondern in
§ 810 BGB.[20] Der Anspruch besteht grds. auch noch in der Insolvenz der
Gesellschaft, jedoch mit Einschränkungen gegenüber dem Insolvenzverwal-

---

14 OLG Frankfurt a.M., 07.08.2007 – 20 W 104/07, NZG 2008, 158.
15 Zöllner in Baumbach/Hueck, GmbHG, § 51a Rn. 5; Hüffer in Ulmer/Haber-
   sack/Winter, GmbHG, § 51a Rn. 12.
16 OLG München, 21.12.2005 – 31 Wx 80/05, NZG 2006, 597.
17 Hüffer in Ulmer/Habersack/Winter, GmbHG, § 51a Rn. 12.
18 BGH, 11.07.1988 – II ZR 346/87, GmbHR 1988, 434.
19 OLG München, 11.12.2007 – 31 Wx 048/07, NJW-RR 2008, 423.
20 BGH, 28.04.1977 – II ZR 208/75, GmbHR 1977, 151; LG Hamm, 22.11.1993 –
   8 U 33/93, DB 1994, 1232; siehe auch Koch in Bormann/Kauka/Ockelmann,
   Hdb. GmbH-Recht, Kap. 6 Rn. 13.

ter.[21] Abgelehnt wird in dieser Hinsicht bspw. das **Auskunfts- und Einsichtsrecht** der Gesellschafter einer GmbH gegenüber dem Insolvenzverwalter der Gesellschaft für Zeiträume nach Eröffnung des Insolvenzverfahrens.[22]

2.   Auskunftspflichtiger

8   Der rechtliche Träger der **Auskunftspflicht** ist die Gesellschaft als solche. Gleichwohl erfolgt wie bei allen geschäftlichen Angelegenheiten die konkrete Ausführung – die Erteilung der Auskunft – durch den **Geschäftsführer**.[23] Seitens der Geschäftsführer kann sich eine eigene Auskunftspflicht gegenüber der GmbH ergeben.[24] Eine gegen die betroffene Gesellschaft im gerichtlichen Verfahren ausgesprochene Verpflichtung zur Einsichtsgewährung in Bücher und Schriften sowie zur Erteilung von Auskünften kann nach Eröffnung des Insolvenzverfahrens über das Vermögen der Gesellschaft nicht gem. § 727 ZPO gegen den **Insolvenzverwalter** umgeschrieben werden.[25]

3.   Anforderungen an die Auskunft

9   Die Auskünfte müssen **vollständig** und **zutreffend** sein.[26] Vollständigkeit ist dann gegeben, wenn die Auskunft das Informationsbegehren nicht nur nach dem Wortlaut, sondern auch nach seinem erkennbaren Sinn abdeckt. Dabei ist der Tatsache Rechnung zu tragen, dass gerade der uninformierte Gesellschafter nicht unbedingt die geschickteste Formulierung findet. Unter Umständen ist die Gesellschaft sogar zur Nachfrage verpflichtet.[27]

III.   Auskunftsverweigerungsrecht (Abs. 2)

10 Die zur **Auskunftsverweigerung** berechtigende Befürchtung muss in einem doppelten Sinn bestehen: Der Gesellschafter muss zum einen (subjektiv) die

---

21   Zöllner in Baumbach/Hueck, GmbHG, § 51a Rn. 5; Hüffer in Ulmer/Habersack/Winter, GmbHG, § 51a Rn. 13.

22   BayObLG, 08.04.2005 – 3Z BR 246/04, NZG 2006, 67.

23   BGH, 06.03.1997 – II ZB 04/96, BGHZ 135, 48 = ZIP 1997, 978.

24   Hüffer in Ulmer /Habersack/Winter, GmbHG, § 51a Rn. 19.

25   OLG Hamm, 10.01.2008 – 15 W 343/07, ZIP 2008, 899.

26   Für Details zur Art und Weise der Auskunftserteilung: Hüffer in Ulmer/Habersack/Winter, GmbHG, § 51a Rn. 32 bis 34.

27   Hüffer in Ulmer/Habersack/Winter, GmbHG, § 51a Rn. 32.

Information zu **gesellschaftsfremden Zwecken** verwenden, zum anderen muss der Gesellschaft daraus (objektiv) ein **nicht unerheblicher Nachteil** drohen.[28] Daneben berechtigt aber auch eine missbräuchliche Rechtsausübung seitens des Gesellschafters zur Verweigerung der Informationsfreigabe.[29]

1. Gesellschaftsfremde Zwecke

Ein **gesellschaftsfremder Verwendungszweck** liegt vor, wenn dieser   11
Zweck entweder gesellschaftsschädlich oder jedenfalls geschäftsindifferent
(also nicht gesellschaftsnützlich) ist und außerhalb ordnungsgemäßen mitgliedschaftlichen Verhaltens liegt.[30]

> *Beispiel:*
>
> *Ausnutzung der erlangten Kenntnisse in einem Konkurrenzunternehmen, das der
> Gesellschafter betreibt oder zu dem er in enger Beziehung steht.[31]*

Hierbei ist jedoch zu beachten, dass allein der Umstand, dass sich der die   12
Auskunft ersuchende Gesellschafter einem Konkurrenzunternehmen angeschlossen hat, nicht pauschal zur Auskunftsverweigerung berechtigt. Vielmehr ist zunächst zu prüfen, ob die verlangten Informationen wettbewerbs-
relevant sind. Falls dies der Fall ist, kann u.U. die Entgegennahme der
Informationen durch einen zur Verschwiegenheit verpflichteten, für beide
Seiten vertrauenswürdigen Treuhänder die Gefahr nachteiliger Verwendung
beseitigen.[32]

2. Nicht unerheblicher Nachteil

Dies kann jeder **wirtschaftliche Nachteil** sein, der ein gewisses Maß an   13
Geringfügigkeit überschreitet und für dessen Eintritt die Auskunft oder
Einsicht kausal ist bzw. wäre. Es genügen auch indirekte Schäden, die aus
einer zunächst immateriellen Beeinträchtigung folgen können.[33]

---

28   Für Details zum Verweigerungsrecht nach Abs. 2: Hüffer in Ulmer/Habersack/
      Winter, GmbHG, § 51a Rn. 47 bis 54; siehe auch die Zusammenfassung von
      Koch in Bormann/Kauka/Ockelmann, Hdb. GmbH-Recht, Kap. 6 Rn. 19.

29   BGH, 06.03.1997 – II ZB 04/96, BGHZ 135, 48 = ZIP 1997, 978; OLG Jena,
      14.09.2004 – 6 W 417/04, ZIP 2004, 2003.

30   Zöllner in Baumbach/Hueck, GmbHG, § 51a Rn. 33; Beispiele für gesell-
      schaftsfremde Zwecke: Hüffer in Ulmer/Habersack/Winter, GmbHG, § 51a
      Rn. 48.

31   Hüffer in Ulmer/Habersack/Winter, GmbHG, § 51a Rn. 48.

32   OLG München, 11.12.2007 – 31 Wx 48/07, NJW-RR 2008, 423.

33   Roth in Roth/Altmeppen, GmbHG, § 51a Rn. 22 f.

> *Beispiel:*
>
> *Der Gesellschafter veröffentlicht brisante Informationen über die Gesellschaft, was unmittelbar zu einer Rufschädigung und mittelbar zu Auftragsrückgängen führt.*

3. Darlegungsanforderung und Entscheidungsfindung in der Praxis

14 Die Besorgnis bzgl. des objektiven und des subjektiven Merkmals muss **hinreichend begründet** sein. Die Beweislast hierfür trägt die Gesellschaft.[34] Eine an Sicherheit grenzende Wahrscheinlichkeit wird nicht verlangt; es genügt vielmehr die **aus Tatsachen ableitbare Gefahr** zweckwidriger Informationsverwendung.[35]

15 | **Praxistipp:**
|
| In der Praxis wird diese Beurteilung häufig in einer Gesamtabwägung zwischen der Wahrscheinlichkeit der Gefährdung, der Schwere des drohenden Nachteils und dem Gewicht des konkreten Informationsinteresses des Gesellschafters bestehen.[36]

4. Gesellschafterbeschluss

16 Die **Erstentscheidung** über die Gewährung oder Verweigerung der Informationen obliegt den **Geschäftsführern**. Sofern diese die Weitergabe verweigern, haben sie unverzüglich eine **Gesellschafterversammlung** über diese Angelegenheit einzuberufen bzw. das schriftliche Vorverfahren einzuleiten.[37] Das Stimmrecht des die Information begehrenden Gesellschafters ist dabei ausgeschlossen.[38]

IV. Zwingender Charakter der Regelung (Abs. 3)

17 Die Regelung hat **zwingenden Charakter**, sodass die Satzung keine inhaltliche Beschränkung des Informationsrechts oder gar den Ausschluss dieses

---

34   BayObLG, 27.10.1988 – BReg 3 Z 100/88, WM 1988, 1789; OLG Düsseldorf, 02.03.1990 – 17 W 40/89, WM 1990, 1823.

35   Hüffer in Ulmer/Habersack/Winter, GmbHG, § 51a Rn. 49.

36   Roth in Roth/Altmeppen, GmbHG, § 51a Rn. 29.

37   Roth in Roth/Altmeppen, GmbHG, § 51a Rn. 30.

38   Roth in Roth/Altmeppen, GmbHG, § 51a Rn. 31 und Hüffer in Ulmer/Habersack/Winter, GmbHG, § 51a Rn. 53.

Rechts vorsehen darf.[39] Ebenso kann das in Abs. 2 Satz 1 normierte Aus-
kunftsverweigerungsrecht der Geschäftsführer nicht durch die Satzung ausgeschlossen, gemindert oder erweitert werden.[40]

V. Wechselseitige Schadensersatzansprüche

Wird dem Gesellschafter gegenüber die Auskunftserteilung unberechtigter-   18
weise verweigert, können diesem für den dadurch entstandenen Schaden
Ersatzansprüche zustehen. Ebenso kann sich der Gesellschafter schadensersatzpflichtig machen, wenn er empfangene Informationen gesellschaftsschädigend verwendet. Im Einzelnen:

1. Schadenersatzansprüche Gesellschaft gegen Geschäftsführer

Geschäftsführer haften der Gesellschaft gegenüber nach § 43 GmbHG,   19
sofern die Auskunftserteilung oder die Auskunftsverweigerung unberechtigt
waren.[41] Sofern jedoch das Handeln der Geschäftsführer durch einen entsprechenden Gesellschafterbeschluss gedeckt war, bestehen keinerlei Schadensersatzansprüche der Gesellschaft.

2. Schadenersatzansprüche Gesellschafter gegen Geschäftsführer

Ob dem Gesellschafter bei unberechtigter Auskunftsverweigerung durch   20
den Geschäftsführer selbst unmittelbare Schadensersatzansprüche gegen
diesen zustehen, ist umstritten. Teilweise wird diese Möglichkeit mit der
Begründung bejaht, dass es sich bei § 51a GmbHG um ein Schutzgesetz
i.S.d. § 823 Abs. 2 BGB handele.[42] Die h.M. lehnt dies aber zu Recht ab, da
die Norm des § 51a GmbHG zwar eine Ausgestaltung der mitgliedschaftlichen Beziehung darstellt, nicht jedoch ein Schutzgesetz i.S.d. § 823 Abs. 2
BGB. Darüber hinaus liegt mit der Auskunftsverweigerung auch kein Eingriff des Geschäftsführers in eine absolut geschützte Rechtsstellung des
Gesellschafters i.S.v. § 823 Abs. 1 BGB vor.[43]

---

39   Hüffer in Ulmer/Habersack/Winter, GmbHG, § 51a Rn. 68.

40   Zöllner in Baumbach/Hueck, GmbHG, § 51a Rn. 2.

41   K. Schmidt in Scholz, GmbHG, § 51a Rn. 48.

42   Roth in Roth/Altmeppen, GmbHG, § 51a Rn. 37.

43   Zöllner in Baumbach/Hueck, GmbHG, § 51a Rn. 51; Lutter/Hommelhoff in
     Lutter/Hommelhoff, GmbHG, § 51a Rn. 37; K. Schmidt in Scholz, GmbHG,
     § 51a Rn. 48, § 43 Rn. 300 ff.

3.   Schadenersatzansprüche Gesellschafter gegen Gesellschaft

21   Die Gesellschaft haftet dem informationsbegehrenden Gesellschafter bei unberechtigter Informationsverweigerung wegen positiver Verletzung des mitgliedschaftlichen Verhältnisses auf den ihm dadurch entstandenen Schaden.[44]

4.   Schadenersatzansprüche Gesellschafter gegen Mitgesellschafter

22   Auch die Mitgesellschafter, welche die Informationsverweigerung veranlasst oder beschlossen haben, haften dem informationsbegehrendem Gesellschafter bei unberechtigter Informationsverweigerung aus dem mitgliedschaftlichen Treueverhältnis auf den ihm dadurch entstandenen Schaden.[45]

5.   Schadenersatzansprüche Gesellschaft gegen Gesellschafter

23   Ebenso kann sich der Gesellschafter gegenüber der Gesellschaft schadensersatzpflichtig machen, wenn er empfangene Informationen gesellschaftsschädigend verwendet. Er ist der Gesellschaft gegenüber zur Wahrung der Vertraulichkeit ihm gegebener Auskünfte verpflichtet.[46]

VI.   Prozessuales

24   Wird die Auskunft bzw. die Einsicht durch die Gesellschaft verweigert, kann der Gesellschafter seine entsprechenden Rechte durch das Verfahren nach § 51b **GmbHG** geltend machen. Daneben kommt auch eine Anfechtungsklage eines Gesellschafterbeschlusses in Betracht, wenn die Gesellschaft eine zur Beschlussfassung erforderliche, vom Gesellschafter verlangte Information versagt hat.[47]

---

§ 51b GmbHG   **Gerichtliche Entscheidung über das Auskunfts- und Einsichtsrecht**

[1]Für die gerichtliche Entscheidung über das Auskunfts- und Einsichtsrecht findet § 132 Abs. 1, 3 bis 5 des Aktiengesetzes entsprechende Anwendung. [2]Antragsberechtigt ist jeder Gesellschafter, dem die verlangte Auskunft nicht gegeben oder die verlangte Einsicht nicht gestattet worden ist.

---

44   Zöllner in Baumbach/Hueck, GmbHG, § 51a Rn. 52; K. Schmidt in Scholz, GmbHG, § 51a Rn. 48.

45   Zöllner in Baumbach/Hueck, GmbHG, § 51a Rn. 52; Lutter/Hommelhoff in Lutter/Hommelhoff, GmbHG, § 51a Rn. 39.

46   Zöllner in Baumbach/Hueck, GmbHG, § 51a Rn. 53.

47   Hüffer in Ulmer/Habersack/Winter, GmbHG, § 51a Rn. 71.

I.   Einführung

Die für den Gesellschafter nach **§ 51a Abs. 1** bestehenden **Informations-** 1
rechte können ausschließlich mit diesem Verfahren durchgesetzt werden.[1]
Nach h.M. besteht die Möglichkeit einer Geltendmachung selbst dann, wenn
die Verweigerung nicht durch einen Gesellschafterbeschluss ausgesprochen
bzw. bestätigt wurde, in diesem Fall allerdings erst nach angemessener
Frist.[2] Begründet wird dies damit, dass der Wortlaut des § 51b Satz 2 für
die Notwendigkeit eines Gesellschafterbeschlusses keine Anhaltspunkte
bietet. Aufgrund des in § 51b enthaltenen **direkten Verweises auf § 132
AktG** finden die für das Aktienrecht aufgestellten Grundsätze über die
gerichtliche Entscheidung in Bezug auf das Auskunftsrecht des Aktionärs
entsprechende Anwendung. In dem Verfahren nach § 51b wird nicht die
Richtigkeit einer bereits erhaltenen Informationen überprüft, sondern lediglich, ob der geltend gemachte Informationsanspruch besteht und dieser ganz
oder teilweise erfüllt ist. Dennoch kann der Antragsteller geltend machen,
dass die begehrte Auskunft wegen der Unrichtigkeit der bislang gegebenen
Informationen noch nicht erteilt worden ist.[3]

II.   Gegenstand des Verfahrens und Klageantrag

Der Gesellschafter lässt mit diesem Verfahren gerichtlich feststellen, ob eine 2
Verpflichtung der Gesellschaft besteht, ihm die begehrte Auskunft zu geben.

Praxistipp:

Üblich ist es daher, den erforderlichen Antrag als Feststellungsantrag
zu formulieren und dem stattgebenden Beschluss einen entsprechenden
Tenor zu geben. Festgestellt werden soll danach die Auskunftspflicht
der Antragsgegnerin. Die Formulierung des Antrags könnte bspw.

---

1   Koch in Bormann/Kauka/Ockelmann, Hdb. GmbH-Recht, Kap. 6 Rn. 21.

2   Zöllner in Baumbach/Hueck, GmbHG, § 51b Rn. 4; Roth in Roth/Altmeppen,
      GmbHG, § 51b Rn. 2; Hüffer in Ulmer/Habersack/Winter, GmbHG, § 51b
      Rn. 11; a.A.: Stangier/Bork, GmbHR 1982, 169.

3   Zöllner in Baumbach/Hueck, GmbHG, § 51b Rn. 1.

> lauten: „Es wird beantragt festzustellen, dass der Geschäftsführer der
> Antragsgegnerin dem Antragsteller darüber Auskunft zu erteilen hat,
> welche Umsatzerlöse und Gewinne die Antragsgegnerin seit dem
> 10.05.2005 erzielt hat."

3 Dogmatisch gesehen ist dies nicht ganz zutreffend, weil aus dem stattgebenden Beschluss die Zwangsvollstreckung betrieben werden kann gem.
§ 51b GmbHG i.V.m. § 132 Abs. 4 Satz 2 AktG.[4] Inhaltlich handelt es sich
insofern um ein **Leistungserzwingungsverfahren** und entspricht daher
einer Leistungsklage,[5] unabhängig von der Formulierung des Antrags und
des Entscheidungstenors. Eine nähere Differenzierung erübrigt sich aber,
weil das FGG keine förmliche Unterscheidung zwischen Leistungs- und
Feststellungsanträgen vornimmt. Das Gericht prüft lediglich, ob die
begehrte Information zu Recht verweigert worden ist. Daher ist der Antrag
des Gesellschafters unbegründet, wenn die Auskunft bereits erteilt wurde,
sachliche Voraussetzungen für das Informationsrecht fehlen oder berechtigte Gründe für die Verweigerung vorliegen.

III. Zuständigkeit

4 **Ausschließlich** zuständig ist die **Kammer für Handelssachen** des für den
Gesellschaftssitz zuständigen **Landgerichts**.[6] Daher ist eine abweichende
Gerichtsstandsvereinbarung nicht möglich. Nach weit überwiegender Auffas-
sung kann jedoch durch **Schiedsvertrag** oder durch eine satzungsmäßige
Schiedsklausel die Zuständigkeit eines Schiedsgerichts vereinbart werden.[7]
Dies folgt aus § 1030 Abs. 1 Satz 1 ZPO, weil die aus dem Gesellschafts-
verhältnis herrührende Informationsstreitigkeit vermögensrechtlichen Charak-
ter hat.

---

4   OLG München, 04.01.2008 – 31 Wx 82/07, NZG 2008, 197; Hüffer in
Ulmer/Habersack/Winter, GmbHG, § 51b Rn. 5.

5   K. Schmidt in Scholz, GmbHG, § 51b Rn. 8.

6   Hüffer in Ulmer/Habersack/Winter, GmbHG, § 51b Rn. 13.

7   OLG Hamm, 07.03.2000 – 15 W 355/99, NZG 2000, 1182; OLG Koblenz,
21.12.1989 – 6 W 834/89, GmbHR 1990, 556; Zöllner in Baumbach/Hueck,
GmbHG, § 51b Rn. 3; K. Schmidt in Scholz, GmbHG, § 51b Rn. 5; Hüffer in
Ulmer/Habersack/Winter, GmbHG, § 51b Rn. 25 f.; a.A.: LG Mönchenglad-
bach, 15.01.1986 – 7 O 221/85, GmbHR 1986, 390; OLG Köln, 26.10.1988 –
16 Wx 114/88, GmbHR 1989, 207.

IV.   Antragsteller

Nach Satz 2 der Vorschrift ist **jeder Gesellschafter antragsberechtigt**, so 5
dass die konkrete Beteiligungshöhe irrelevant ist. In bestimmten Fällen kann
auch die Gesellschaft in Form eines **negativen Feststellungsantrags** klären
lassen, ob dem Gesellschafter für bestimmte Fragen ein Auskunftsrecht
zusteht.[8] Der Antragsteller muss z.Zt. des Antrags grds. noch **Gesellschafter**
sein. Voraussetzung ist zudem, dass ihm eine verlangte Auskunft nicht
gegeben oder die verlangte Einsicht nicht gestattet worden ist, wobei es
genügt, dass die Gesellschaft nicht auf das Verlangen reagiert.[9]

V.   Antragsgegner

Antragsgegner ist die **Gesellschaft**, welche durch den **Geschäftsführer** 6
vertreten wird. Im Fall des Erfolgs des Antrags hat dieser dann für die
Gesellschaft Auskunft zu erteilen.

VI.   Anwendung des FGG

Gemäß dieser Vorschrift i.V.m. §§ 99 Abs. 1, 132 Abs. 3 Satz 1 AktG ist 7
auf das Verfahren das **FGG** anzuwenden.[10] Daher gilt statt der Verhand-
lungsmaxime der **Amtsermittlungsgrundsatz**, welcher jedoch dadurch auf-
geweicht wird, dass die Beteiligten eine **Förderungslast** haben. Jeder
Beteiligte muss durch Tatsachenbehauptungen und ggf. durch die Bezeichnung von Beweismitteln zur Verfahrensbeschleunigung beitragen und kann
im Fall der Versäumung dieser Obliegenheit Rechtsnachteile erfahren.[11]

VII.   Form und Frist des Antrags

Obwohl **keine Antragsfrist** besteht, kann der Anspruch verwirkt werden, 8
wenn sich der Gesellschafter mit der Weigerung der Herausgabe der Information erkennbar zufrieden gegeben hat.[12] Eine besondere Form des
Antrags ist nicht vorgeschrieben, jedoch erfolgt die Antragstellung in der
Praxis üblicherweise **schriftlich**.[13] Der Antrag muss auch insofern hinreichend bestimmt sein, dass der Antragsteller die infrage stehende Angele-

---

8   Zöllner in Baumbach/Hueck, GmbHG, § 51b Rn. 5.

9   BGH, 06.03.1997 – II ZB 4/96, GmbHR 1997, 705; Zöllner in Baumbach/
    Hueck, GmbHG, § 51b Rn. 4.

10 Weitere Ausführungen zu dem gerichtlichen Verfahren bei Hüffer in Ulmer/
    Habersack/Winter GmbHG, § 51b Rn. 15 f.

11 K. Schmidt in Scholz, GmbHG, § 51b Rn. 25.

12 Hüffer in Ulmer/Habersack/Winter, GmbHG, § 51b Rn. 4.

13 K. Schmidt in Scholz, GmbHG, § 51b Rn. 14.

genheit der Gesellschaft benennt, ggf. auch die begehrte Art der Information (Auskunft oder Einsichtnahme unter möglichst hoher Bestimmtheit der in Betracht kommenden Unterlagen) **konkretisiert** oder jedenfalls soweit erkennbar machen kann, dass das Gericht zu einem hinreichend bestimmten Tenor kommt. Das erforderliche Maß ist nach Lage des Einzelfalls festzulegen.[14] Für die Antragstellung besteht – im Gegensatz zur sofortigen Beschwerde gegen die Entscheidung – **kein Anwaltszwang**, da es sich um ein FGG-Verfahren handelt.[15]

VIII.   Rechtsmittel

9   Gem. Satz 1 der Vorschrift, der auf § 132 Abs. 3 AktG und mittelbar auf § 99 Abs. 3 Satz 2 AktG verweist, ist gegen den abweisenden Beschluss die **sofortige Beschwerde** statthaft, sofern das Landgericht diese zugelassen hat. Beschwerdeinstanz ist grds. ein Zivilsenat des jeweiligen **Oberlandesgerichts**.[16] Die Möglichkeit auf **einstweiligen Rechtsschutz** ist nicht gegeben.[17] Die Vorschriften über die Wiederaufnahme des Verfahrens sind analog anwendbar.[18]

IX.   Kosten

10   Gem. Satz 1 der Norm i.V.m. § 132 Abs. 5 Satz 2 AktG berechnen sich die Kosten des Verfahrens nach **KostO**. Für jede Instanz fällt eine **doppelte Gebühr** an. Der Regelgeschäftswert beträgt 5.000 € gem. § 132 Abs. 5 Satz 6 AktG. Die in § 132 Abs. 5 Satz 2 bis 7 AktG befindlichen Sonderregeln sind zu beachten.[19]

X.   Vollstreckbarkeit

11   Die Vollstreckung eines stattgebenden Beschlusses geschieht gem. § 51b GmbHG i.V.m. § 132 Abs. 4 Satz 2 AktG grds. nach **§ 888 ZPO**.[20] Anzuhalten nach dieser Vorschrift ist die Gesellschaft, vertreten durch die im Zeitpunkt der Vollstreckung im Amt befindlichen **Geschäftsführer**. Das **Zwangsgeld** ist

---

14   OLG Köln, 18.02.1986 – 22 W 56/85, WM 1986, 761; OLG Düsseldorf, 21.06.1995 – 19 W 2/95 AktE, NJW-RR 1996, 414.

15   Hüffer in Ulmer/Habersack/Winter, GmbHG, § 51b Rn. 4 und 17.

16   Hüffer in Ulmer/Habersack/Winter, GmbHG, § 51b Rn. 14.

17   K. Schmidt in Scholz, GmbHG, § 51b Rn. 32 m.w.N.

18   BGH, 08.05.2006 – II ZB 10/05, NZG 2006, 593.

19   Für nähere Ausführungen über die Kosten s. Hüffer in Ulmer/Habersack/Winter, GmbHG, § 51b Rn. 22.

20   OLG München, 04.01.2008 – 31 Wx 82/07, NZG 2008, 197; Hüffer in Ulmer/Habersack/Winter, GmbHG, § 51b Rn. 5.

gegen die Gesellschaft, die **Zwangshaft** gegen eine vertretungsberechtigte Anzahl vom Gericht namentlich zu benennender Geschäftsführer festzusetzen.[21] Die Auskunftserteilung, für deren Erlangung sich die Gesellschaft selbst eines Dritten, z.B. einer Behörde, bedienen muss, wird als erbringbar angesehen, solange sich die Gesellschaft darum bemühen kann. Besteht die Einsichtsgewährung in der **Herausgabe von Sachen**, findet die Vollstreckung nach § 883 ZPO statt.[22] Die Einwendung, dem Vollstreckenden stehe der Informationsanspruch nicht mehr zu, weil dieser seine **Gesellschafterstellung** mittlerweile verloren habe, kann als **materielle Einwendung** gegen den titulierten Anspruch nicht im **Vollstreckungsverfahren**, sondern ausschließlich **analog § 767 ZPO** vorgebracht werden.[23]

§ 52 GmbHG   Aufsichtsrat

(1) Ist nach dem Gesellschaftsvertrag ein Aufsichtsrat zu bestellen, so sind § 90 Abs. 3, 4, 5 Satz 1 und 2, § 95 Satz 1, § 100 Abs. 1 und 2 Nr. 2, § 101 Abs. 1 Satz 1, § 103 Abs. 1 Satz 1 und 2, §§ 105, 110 bis 114, 116 des Aktiengesetzes in Verbindung mit § 93 Abs. 1 und 2 des Aktiengesetzes, §§ 170, 171 des Aktiengesetzes entsprechend anzuwenden, soweit nicht im Gesellschaftsvertrag ein anderes bestimmt ist.

(2) [1]Werden die Mitglieder des Aufsichtsrats vor der Eintragung der Gesellschaft in das Handelsregister bestellt, gilt § 37 Abs. 4 Nr. 3 und 3a des Aktiengesetzes entsprechend. [2]Die Geschäftsführer haben bei jeder Änderung in den Personen der Aufsichtsratsmitglieder unverzüglich eine Liste der Mitglieder des Aufsichtsrats, aus welcher Name, Vorname, ausgeübter Beruf und Wohnort der Mitglieder ersichtlich ist, zum Handelsregister einzureichen; das Gericht hat nach § 10 des Handelsgesetzbuchs einen Hinweis darauf bekannt zu machen, dass die Liste zum Handelsregister eingereicht worden ist.

(3) Schadensersatzansprüche gegen die Mitglieder des Aufsichtsrats wegen Verletzung ihrer Obliegenheiten verjähren in fünf Jahren.

---

21 Hüffer in Ulmer/Habersack/Winter, GmbHG, § 51b Rn. 20.

22 BayObLG, 25.03.1996 – 3Z BR 50/96, ZIP 1996, 1039; OLG Frankfurt a.M., 17.07.1991 – 20 W 43/91, GmbHR 1991, 577; K. Schmidt in Scholz, GmbHG, § 51b Rn. 28.

23 OLG München, 04.01.2008 – 31 Wx 82/07, NZG 2008, 197.

I. Allgemeines

1   Die Vorschrift behandelt die für eine GmbH eher untypische Situation, dass
die Gesellschaft über einen **Aufsichtsrat** verfügt.[1] Weil § 52 jedoch lediglich die Grundlage für die rechtliche Behandlung des Aufsichtsrats darstellt
und nicht etwa eigene Regelungen für die GmbH enthält, wird in Abs. 1 auf
entsprechend anzuwendende Vorschriften des **AktG** verwiesen. Aus
Abs. 2 folgt die **notwendige Bekanntmachung** des Aufsichtsrats zum
Handelsregister, während in Abs. 3 die **Frist** für die Geltendmachung von
Schadensersatzansprüchen gegenüber den Mitgliedern des Aufsichtsrats
festgelegt wird. Regelungsinhalt der Norm ist nur der **fakultative,** nicht aber
der sich aus dem **Mitbestimmungsrecht zwingend** ergebende Aufsichtsrat.
Konsequenterweise sind bei Letzterem dann die Vorschriften des Mitbestim-
mungsrechts einschlägig und nicht die des GmbHG.[2] Als Änderung neuerer
Datums ist hierbei zu beachten, dass ein Aufsichtsrat seit 2003 auch im Fall
des § 6 Abs. 2 InvG zu bilden ist.

---

1   Siehe auch die Zusammenfassung von Brauer in Bormann/Kauka/Ockelmann,
    Hdb. GmbH-Recht, Kap. 8 Rn. 5 ff. und 15 ff.

2   Raiser/Heermann in Ulmer/Habersack/Winter, GmbHG, § 52 Rn. 2.

II. Fakultativer Aufsichtsrat (Abs. 1)

1. Sinn und Zweck eines Aufsichtsrats bei der GmbH

Die Installation eines Aufsichtsrats macht v.a. bei sich anbahnenden **Unter-** 2
nehmensnachfolgen Sinn, wenn der Unternehmensinhaber bis zuletzt selbst
die Geschäfte führen und diese erst nach seinem Tode auf seinen Nachfolger
übergeben will. Dem geschäftsunerfahrenen Nachfolger kann der Aufsichtsrat eine wichtige Hilfe sein. Vielfach wird der Unternehmensinhaber daran
Interesse haben, die **Kontrollfunktion** des Aufsichtsrats erst nach dem
Übergang auf den Nachfolger in Kraft treten zu lassen, und den Aufsichtsrat
bis dahin auf eine reine **Beraterfunktion** zu begrenzen.

> Praxistipp:
>
> Um zu verhindern, dass der alle Gesellschaftsanteile in sich vereinende
> Nachfolger den Aufsichtsrat sogleich wieder abberuft, empfiehlt es
> sich, die Mitglieder des Aufsichtsrats ebenfalls als Testamentsvollstre-
> cker einzusetzen.

2. Bildung des Aufsichtsrats durch die Satzung

Hinsichtlich des Aufsichtsrats einer GmbH ist notwendigerweise zwischen 3
dem **fakultativen Aufsichtsrat** und dem sich aus dem **Mitbestimmungs-**
recht bzw. dem sich aus § **6 Abs. 2 InvG zwingend** ergebenden Aufsichtsrat zu unterscheiden.[3] Allein nach den Vorschriften des GmbHG ist – im
Gegensatz zum AktG – die Einrichtung eines Aufsichtsrats nicht erforderlich, durch eine entsprechende Entscheidung der Gesellschafter jedoch
möglich. Wird ein solcher fakultativer Aufsichtsrat im Gesellschaftsvertrag
festgelegt, kann dies nicht mehr durch einfachen Gesellschafterbeschluss
abgeändert werden. Es bedarf dann einer **Satzungsänderung.**[4]

3. Anzuwendende Vorschriften des AktG

Aus Vereinfachungsgründen verweist Abs. 1 auf mehrere Vorschriften des 4
AktG. Zu beachten ist, dass nicht alle sich auf den Aufsichtsrat beziehenden
Normen des AktG aufgeführt sind. Bereits aus dem Gesetzeswortlaut folgt,
dass der Verweis hinsichtlich der anzuwendenden Vorschriften des AktG

---

3   Zu den Voraussetzungen des Mitbestimmungsrechts im Einzelnen s. Göpfert in
    Wachter, FA Handels- und Gesellschaftsrecht, Teil 2, 17. Kap. Rn. 137 ff.
4   BGH, 07.06.1993 – II ZR 81/92, NJW 1993, 2246; Altmeppen in Roth/Alt-
    meppen, GmbHG, § 52 Rn. 1.

dispositiv ist und in der Satzung abweichende Bestimmungen getroffen werden können.[5] Uneinig ist sich die Literatur darüber, ob – sofern in der Satzung diesbezüglich nichts weiter geregelt wurde und auch keine Regelungslücke hinsichtlich des Aufsichtsrats besteht – die Aufzählung der anzuwendenden Vorschriften als abschließend angesehen werden muss,[6] oder stattdessen die weiteren Normen des AktG ebenfalls Geltung haben sollen.[7] Die im Jahre 1985 durch den Gesetzgeber vorgenommene enumerative Erweiterung der aufgeführten Vorschriften spricht jedoch dagegen, auch die anderen Normen des AktG zur Lückenfüllung heranzuziehen.[8] Die Aufzählung ist mithin als abschließend anzusehen.

4.   Andere Bezeichnung für den Aufsichtsrat

5   Ein anderer Name für den fakultativen Aufsichtsrat wie **Beirat, Verwaltungsrat** etc. ist irrelevant, sofern die Aufgabe im Wesentlichen in der **Überwachung der Geschäftsführung** besteht.[9]

5.   Persönliche Voraussetzungen für Aufsichtsratmitglieder

6   Abs. 1 verweist explizit auf §§ 100 Abs. 1, Abs. 2 Nr. 2, 101 Abs. 1 Satz 1, 105 AktG. Auch wenn der Verweis lediglich dispositive Wirkung hat, werden von der h.M. gewisse **Grundnormen des Aufsichtsratsrechts** – wie bspw. der Inkompatibilitätsgrundsatz des § 105 AktG – für **unabdingbar** gehalten.[10]

7   Umstritten ist in der Literatur, ob die Regelung des § 100 Abs. 2 Nr. 2 AktG zwingend anwendbar ist, wonach auch gesetzliche Vertreter abhängiger Unternehmen **ausgeschlossen** sind. Die h.M. sieht diese Regelung als unverzicht-

---

5   Altmeppen in Roth/Altmeppen, GmbHG, § 52 Rn. 3 f.

6   Zöllner in Baumbach/Hueck, GmbHG, § 52 Rn. 31; Altmeppen in Roth/Altmeppen, GmbHG, § 52 Rn. 4/5; Raiser/Heermann in Ulmer/Habersack/Winter, GmbHG, § 52 Rn. 21.

7   Lutter/Hommelhoff in Lutter/Hommelhoff, GmbHG, § 52 Rn. 3.

8   So auch Altmeppen in Roth/Altmeppen, GmbHG, § 52 Rn. 4.

9   Altmeppen in Roth/Altmeppen, GmbHG, § 52 Rn. 2; Raiser/Heermann in Ulmer/Habersack/Winter, GmbHG, § 52 Rn. 21.

10   OLG Frankfurt a.M., 07.07.1981 – 20 W 267/81, BB 1981, 1542; Zöllner in Baumbach/Hueck, GmbHG, § 52 Rn. 28; Altmeppen in Roth/Altmeppen, GmbHG, § 52 Rn. 7; a.A.: Schneider in Scholz, GmbHG, § 52 Rn. 256; offen gelassen: Raiser/Heermann in Ulmer/Habersack/Winter, GmbHG, § 52 Rn. 35 – 37.

bares **Seriösitätserfordernis** der **Unternehmenskontrolle** an.[11] Dem muss jedoch entgegengehalten werden, dass die Anwendung des § 100 Abs. 2 Nr. 2 AktG im Gesetz ausdrücklich zur Disposition gestellt wurde.[12] Da zudem bei der GmbH auf den Aufsichtsrat vollständig verzichtet werden kann, müssen die Gesellschafter – bei entsprechendem Gesellschaftsvertrag – auch weniger geeignete Kontrolleure bestellen können. Es ist nicht erkennbar, dass dadurch eine Grundnorm des Aufsichtsratrechts verletzt würde. Zudem ist der Schutz der Minderheitsgesellschafter wegen der Anfechtungsmöglichkeit aller Beschlüsse jederzeit gegeben. Ob das Organ allerdings dann noch die Bezeichnung „Aufsichtsrat" verdient, ist eine andere Frage.

Übersicht: Persönliche Voraussetzungen für Aufsichtsratsmitglieder/ Ausschlussgründe   8

- Aufsichtsratsmitglied muss natürliche und vollgeschäftsfähige Person sein (§ 100 Abs. 1 AktG)
- Kein gesetzlicher Vertreter abhängiger Unternehmen (§ 100 Abs. 2 Nr. 2 AktG) - **streitig**
- Wahl durch Hauptversammlung bzw. im Falle der GmbH: Gesellschafterversammlung (§ 101 Abs. 1 Satz 1 AktG)
- keine Berufung von Geschäftsführern, Prokuristen, Generalbevollmächtigten (§ 105 AktG)

---

6.   Bestellung des Aufsichtsrats

Die **Bestellung** des Aufsichtsrats durch die Gesellschafter erfolgt gem. § 47   9 Abs. 1 grds. mit **einfacher Mehrheit**. Geht man mit der h.M. davon aus, dass bei keiner weiteren Regelung in der Satzung die aufgezählten Vorschriften des AktG abschließend sind, findet – sofern weder Satzung noch Bestellungsbeschluss eine Amtsdauer festlegen – die Bestellung für **unbestimmte Zeit** statt, da die Regelung des § 102 AktG in der Auflistung des § 52 Abs. 1 gerade nicht enthalten ist.[13]

---

11   Zöllner in Baumbach/Hueck, GmbHG, § 52 Rn. 36; Lutter/Hommelhoff in Lutter/Hommelhoff, GmbHG, § 52 Rn. 8; Raiser/Heermann in Ulmer/Habersack/Winter, GmbHG, § 52 Rn. 32.

12   So auch Altmeppen in Roth/Altmeppen, GmbHG, § 52 Rn. 8.

13   Altmeppen in Roth/Altmeppen, GmbHG, § 52 Rn. 9.

7.   Entsenderecht Dritter

10   Uneinigkeit besteht in der Literatur über die Frage, ob auch **Dritten**, die nicht Gesellschafter sind, ein **Entsenderecht** oder ein **satzungsmäßiges Recht** auf einen Aufsichtsratssitz eingeräumt werden kann. Dies wird von einigen Vertretern der Literatur mit dem Argument abgelehnt, dass die in § 101 Abs. 2 AktG enthaltene Beschränkung das körperschaftliche Strukturprinzip zum Ausdruck bringt, welches für eine GmbH erst recht gelten soll.[14] Dem wird jedoch von der h.M. richtigerweise entgegengehalten, dass die genannte Vorschrift bei den in Abs. 1 aufgezählten Normen gerade nicht enthalten ist.[15] Insofern ist ein **Entsendungs- bzw. Dauerbesetzungsrecht für Dritte** im Hinblick auf die anzuwendenden Normen auch ohne entsprechende Regelung in der Satzung grds. möglich. Da jedoch Nichtgesellschaftern keine **Mitgliedschafts- oder Sonderrechte** in der GmbH abschließend und unabänderbar übertragen werden können, ist das Recht des Dritten zur Entsendung bzw. Tätigkeit als Aufsichtsrat **jederzeit** von der Gesellschafterversammlung **aufhebbar**.

8.   Ein-Mann-Aufsichtsrat

11   Das Leitbild des § 95 Satz 1 AktG – auf den § 52 Abs. 1 verweist – geht von einem aus **drei Mitgliedern** bestehenden Aufsichtsrat aus. Uneinigkeit besteht in der Literatur zudem darüber, ob der Aufsichtsrat gemäß der Satzung auch aus lediglich **einer Person** bestehen kann. Teilweise wird angeführt, dass der Aufsichtsrat begrifflich und in Anlehnung an das AktG ein **kollektives Organ** mit mehreren Mitgliedern sein muss.[16] Die h.M. bejaht jedoch zu Recht die Möglichkeit des Ein-Mann-Aufsichtsrats, weil auf den Aufsichtsrat an sich auch gänzlich verzichtet werden kann und es insofern keinerlei zwingende Vorgaben gibt.[17]

9.   Kompetenzen des Aufsichtsrats

12   Auch in der GmbH ist der Aufsichtsrat seinem Wesen nach das Organ zur **Kontrolle der Geschäftsführung** und insoweit – zumindest grds. – nicht **weisungsgebunden**.[18] Dies ergibt sich aus § 111 AktG, auf den Abs. 1 verweist. Aufgrund des Umstands, dass die dort genannten Vorschriften –

---

14   Zöllner in Baumbach/Hueck, GmbHG, § 52 Rn. 43.

15   Altmeppen in Roth/Altmeppen, GmbHG, § 52 Rn. 10/11; Schneider in Scholz, GmbHG, § 52 Rn. 223; Raiser/Heermann in Ulmer/Habersack/Winter, GmbHG, § 52 Rn. 43.

16   Lutter/Hommelhoff in Lutter/Hommelhoff, GmbHG, § 52 Rn. 5.

17   Zöllner in Baumbach/Hueck, GmbHG, § 52 Rn. 32.

18   Altmeppen in Roth/Altmeppen, GmbHG, § 52 Rn. 2, 17.

wie ausgeführt – dispositiv sind, könnte jedoch eine **Weisungsgebunden-heit** durchaus in die Satzung mit aufgenommen werden. Streitig ist, welche Konsequenzen sich daraus ergeben. Die h.M. nimmt zu Recht an, dass der Aufsichtsrat in diesen Fällen sein **Wesensmerkmal** verlieren würde, weil der Begriff „Aufsichtsrat" dann irreführend ist.[19] Denn sofern es sich nicht um eine mitbestimmungsfreie Einmann-GmbH handelt, impliziert der Begriff Aufsichtsrat, dass die Mitglieder zur **Überwachung der Geschäfts-führung** in der Lage sind. Überwachung der Geschäftsführung durch den Aufsichtsrat bedeutet Kontrolle der **Rechtmäßigkeit** (Beachtung arbeits-, steuer- und wirtschaftsrechtlicher Vorschriften), der **Ordnungsgemäßheit** (Beachtung betriebswirtschaftlicher Regeln hinsichtlich Organisation, Pla-nung, Rechnungswesen), der **Wirtschaftlichkeit** (Liquiditätssicherung, Investitionen) und der **Zweckmäßigkeit** (Verfolgung der Unternehmens-ziele) der Geschäftsführung.[20]

Auch wenn für den Aufsichtsrat in manchen Situationen ein **Zustimmungs-vorbehalt** bestehen kann, ist es der Gesellschafterversammlung möglich, die **Zustimmungsverweigerung** des Aufsichtsrats **jederzeit aufzuheben.**[21] Streitig ist, ob hierfür trotz des Wortlauts des § 111 Abs. 4 Satz 3 und 4 AktG die **einfache Mehrheit** genügt, oder stattdessen eine **qualifizierte Mehrheit** erforderlich ist. Da die Gesellschafter in **Geschäftsführungs-angelegenheiten** mit einfacher Mehrheit Beschlüsse fassen und den Geschäftsführern Weisungen erteilen können, passt nach Meinung der h.L. die Voraussetzung einer 3/4-Mehrheit nicht zur grundsätzlichen Struktur der GmbH, sodass die einfache Mehrheit als ausreichend zu erachten sei.[22] Die **Rechtsprechung** hat diese Sichtweise jedoch in dem einzigen in diesem Zusammenhang ergangenen Urteil abgelehnt und das Vorliegen einer 3/4-Mehrheit für notwendig angesehen.[23] Der Literatur ist insofern bei-

13

---

19   OLG Frankfurt a.M., 07.07.1981 – 20 W 267/81, BB 1981, 1542; OLG Frankfurt a.M., 21.11.1986 – 20 W 247/86, BB 1987, 22; Zöllner in Baum-bach/Hueck, GmbHG, § 52 Rn. 27/28; Lutter/Hommelhoff in Lutter/Hommel-hoff, GmbHG, § 52 Rn. 10; Altmeppen in Roth/Altmeppen, GmbHG, § 52 Rn. 2, 17; Raiser/Heermann in Ulmer/Habersack/Winter, GmbHG, § 52 Rn. 17, 18, 96.

20   Schneider in Scholz, GmbHG, § 52 Rn. 95 ff.

21   Altmeppen in Roth/Altmeppen, GmbHG, § 52 Rn. 20.

22   Zöller in Baumbach/Hueck, GmbHG, § 52 Rn. 114; Lutter/Hommelhoff in Lutter/Hommelhoff, GmbHG, § 52 Rn. 10a; Schneider in Scholz, GmbHG, § 52 Rn. 133; Raiser/Heermann in Ulmer/Habersack/Winter, GmbHG, § 52 Rn. 112.

23   OLG Koblenz, 09.08.1990 – 6 U 888/90, GmbHR 1991, 264.

zupflichten, dass eine einfache Mehrheit immer dann ausreicht, sofern der Aufsichtsrat tatsächlich nur Aufgaben wahrnimmt, welche die Geschäftsführungsangelegenheiten betreffen. Wenn jedoch durch die Einrichtung des Aufsichtsrats stattdessen eine Kontrolle der Gesellschafter gewollt ist, wie bspw. im Fall der Firmennachfolge, und sich dies auch objektiv (z.B. aus der Satzung) ergibt, muss eine **qualifizierte Mehrheit** vorliegen, um die **Zustimmungsverweigerung** des Aufsichtsrats aufzuheben. Dies korrespondiert dann auch mit dem Erfordernis einer Satzungsänderung, um den Aufsichtsrat abzuschaffen.

10. Abberufung des Aufsichtsrats

14   Entsprechend § 103 Abs. 1 AktG erfolgt die **Abberufung** ebenfalls durch die Gesellschafter, und zwar mittels **einseitiger Erklärung**. Ein bestimmter Grund ist nicht erforderlich, jedoch kann die vorzeitige Abberufung gem. § 103 Abs. 1 Satz 2 AktG im Zweifel nur mit einer **3/4-Mehrheit** beschlossen werden. In der Literatur ist streitig, ob es auch bei Vorliegen eines **wichtigen Grundes** der qualifizierten Mehrheit oder lediglich der einfachen Mehrheit bedarf. Teilweise wird das Erfordernis einer 3/4-Mehrheit abgelehnt.[24] Das Gesetz selbst differenziert in dieser Hinsicht jedoch nicht. Insofern muss davon ausgegangen werden, dass auch im Fall eines **wichtigen Grundes** die **3/4-Mehrheit** erforderlich ist.[25]

11. Haftung und Entlastung der Aufsichtsratsmitglieder

15   Die **Haftung** der Aufsichtsratsmitglieder folgt aus den §§ 116, 93 Abs. 2 AktG, auf die in Abs. 1 explizit verwiesen wird.[26] Zu beachten ist die in § 93 Abs. 2 Satz 2 AktG enthaltene **Beweislastumkehr**. In den Folgejahren des Börsenbooms Anfang des neuen Jahrtausends wurde deutlich, dass die Beaufsichtigung durch den Aufsichtsrat in der Praxis nur unzureichend erfolgt war. Konsequenterweise wurde die **Haftung** des Aufsichtsrats erheblich verschärft. Nach höchstrichterlicher Rechtsprechung verletzt der Aufsichtsrat, dem die Zustimmung zu bestimmten Geschäften der Geschäftsführung vorbehalten ist, seine organschaftlichen Pflichten nicht erst dann, wenn er die Geschäftsführung an von seiner Zustimmung nicht gedeckten

---

24   Lutter/Hommelhoff in Lutter/Hommelhoff, § 52 Rn. 7; Schneider in Scholz, GmbHG, § 52 Rn. 289.

25   So auch Altmeppen in Roth/Altmeppen, § 52 Rn. 13; Zöllner in Baumbach/Hueck, GmbHG, § 52 Rn. 47; Raiser/Heermann in Ulmer/Habersack/Winter, GmbHG, § 52 Rn. 50.

26   Nähere Ausführungen bei Brauer in Bormann/Kauka/Ockelmann, Hdb. GmbH-Recht, Kap. 8 Rn. 60 ff.

Zahlungen nicht hindert, sondern bereits dann, wenn er ohne gebotene Information und darauf aufbauender **Chancen- und Risikoabschätzung** seine Zustimmung zu nachteiligen Geschäften erteilt.[27]

Auch ohne Verweis auf § 93 Abs. 4 AktG haben die Aufsichtsratsmitglieder einen Anspruch auf **Entlastung**. Diese tritt durch Weisung und Billigung der **Gesellschafterversammlung** ein, sofern diese zutreffend unterrichtet war.[28] Eine **Entlastung** findet jedoch nicht statt, wenn der Aufsichtsrat eine Einlagenrückgewähr sanktionslos vornimmt, an einer solchen mitwirkt oder in anderer Art und Weise beteiligt ist. Um in solchen Fällen die **Haftung** auszuschließen, muss der Aufsichtsrat die Einlagenrückgewähr gegenüber den anderen Gesellschaftsorganen beanstanden.[29]   16

12. Verschwiegenheitspflicht des Aufsichtsrats

Für Aufsichtsratsmitgliedlieder besteht gem. Abs. 1 i.V.m. § 116 AktG eine **Verschwiegenheitspflicht** als Ausprägung der ihnen auferlegten **Loyalitätspflichten**. Die Aufsichtsratsmitglieder haben über vertrauliche Angaben und Geheimnisse der Gesellschaft, die ihnen durch ihre Tätigkeit im Aufsichtsrat bekanntgeworden sind, sowohl gegenüber Dritten als auch gegenüber einzelnen Gesellschaftern zu schweigen. Die Missachtung der **Verschwiegenheitspflicht** ist strafbar gem. § 85 GmbHG und löst entsprechende **Schadensersatzforderungen** seitens der Gesellschaft aus.[30]   17

III. Bekanntmachung des Aufsichtsrats zum Handelsregister (Abs. 2)

Aus Abs. 2 folgt die **zwingende Bekanntmachung** des Aufsichtsrats zum **Handelsregister**.[31] Auch wenn die Aufsichtsratsmitglieder an sich nicht im **Handelsregister** eingetragen werden, sind sie öffentlich bekanntzumachen und diese Bekanntmachungen zum **Handelsregister** einzureichen.[32] Die   18

---

27   BGH, 11.12.2006 – II ZR 243/05, NZG 2007, 187.

28   Raiser/Heermann in Ulmer/Habersack/Winter, GmbHG, § 52 Rn. 152.

29   Vertiefende Ausführungen hinsichtlich der Haftung und Entlastung der Aufsichtsratsmitglieder: Zöllner in Baumbach/Hueck, GmbHG, § 52 Rn. 76; Altmeppen in Roth/Altmeppen, GmbHG, § 52 Rn. 29; Raiser/Heermann in Ulmer/Habersack/Winter, GmbHG, § 52 Rn. 148 – 154.

30   Zur Verschwiegenheitspflicht der Aufsichtsratsmitglieder: s. BGH, 05.06.1975 – II ZR 156/73, BGHZ 64, 327 = NJW 1975, 1412; Raiser/Heermann in Ulmer/Habersack/Winter, GmbHG, § 52 Rn. 140.

31   Nähere Ausführungen bei Brauer in Bormann/Kauka/Ockelmann, Hdb. GmbH-Recht, Kap. 8 Rn. 67 f.

32   Altmeppen in Roth/Altmeppen, GmbHG, § 52 Rn. 34.

Vorschrift ist zwingend, sodass sie auch nicht durch eine andere Bezeichnung des Aufsichtsrats – wie bspw. Beirat – umgangen werden kann. Voraussetzung dafür ist allerdings, dass dieses anders genannte Organ auch tatsächlich aufsichtsratsähnliche **Kontrollaufgaben** hat.[33]

IV.   Verjährung von Schadensersatzansprüchen (Abs. 3)

19   Abs. 3 beinhaltet die Regelung, dass die **Ersatzansprüche** gegen die Aufsichtsratsmitglieder wegen Verletzung ihrer Obliegenheiten binnen fünf Jahren **verjähren**. In der Literatur ist streitig, ob die Verjährungsfrist **dispositiv** ist. Mehrheitlich wird vertreten, dass die konkrete Verjährungsdauer für Schadensersatzansprüche gegen Aufsichtsratsmitglieder verlängert oder verkürzt werden kann,[34] während einzelne Literaturvertreter die Frist für unveränderbar halten.[35] Unter Berücksichtigung des Umstands, dass durch eine entsprechende Regelung in der Satzung auf die Schadensersatzansprüche gegen Aufsichtsratsmitglieder auch völlig verzichtet werden kann bzw. diese von der Haftung freigestellt werden können, muss die **Verjährungsfrist** als **dispositiv** angesehen werden.

20   Uneinheitlich wird auch beurteilt, ob die **Rechtsprechung** über diese Problematik verbindlich entschieden hat. Zwar hat der BGH die Abkürzung der 5-jährigen **Verjährungsfrist** bei einer **Publikums-KG** für unwirksam erachtet.[36] Inwiefern dies Aussagekraft hat für die Verkürzungsmöglichkeit der Haftung bei der GmbH, ist jedoch umstritten. Daher wird teilweise vertreten, dass die Entscheidung des BGH im Hinblick auf die Haftungsverkürzung bei der **Publikums-KG** nicht übertragbar sei auf die GmbH,[37] während andere Teile der Literatur die Anwendung für gegeben halten.[38] Bei der Entscheidung des BGH muss jedoch dem Umstand Rechnung getragen werden, dass die Kommanditisten einer Publikums-KG schutzbedürftiger sind als die Gesellschafter einer GmbH. Die Publikums-KG ist nämlich dadurch gekennzeichnet, dass sie eine unbestimmte Vielzahl von kapitalistisch beteiligten Kommanditisten (Anlagegesellschafter) anwirbt,

---

33   Altmeppen in Roth/Altmeppen, GmbHG, § 52 Rn. 35.

34   Zöllner in Baumbach/Hueck, GmbHG, § 52 Rn. 75; Altmeppen in Roth/Altmeppen, GmbHG, § 52 Rn. 30; Schneider in Scholz, GmbHG, § 52 Rn. 527; Lutter/Hommelhoff in Lutter/Hommelhoff, GmbHG, § 52 Rn. 19; Raiser/Heermann in Ulmer/Habersack/Winter, GmbHG, § 52 Rn. 153.

35   Marsch-Barner/Diekmann in Münchener Handbuch Gesellschaftsrecht, Bd. 3 (GmbH), § 48 Rn. 91.

36   BGH, 14.04.1974 – II ZR 147/73, NJW 1975, 1318.

37   Raiser/Heermann in Ulmer/Habersack/Winter, GmbHG, § 52 Rn. 153.

38   Lutter/Hommelhoff in Lutter/Hommelhoff, GmbHG, § 52 Rn. 19.

die untereinander und zu den Unternehmensgesellschaftern (Gründungsgesellschafter) in keiner persönlichen oder sonstigen Beziehung stehen.[39]
Weil dies bei der GmbH gerade nicht der Fall ist, fehlt es im Falle der GmbH
an dem besonderen, das Urteil rechtfertigende Schutzbedürfnis. Die Entscheidung des BGH ist mithin nicht auf die GmbH übertragbar.

V. Exkurs: Obligatorischer Aufsichtsrat

1. Allgemeines

Die **zwingende Einrichtung** des Aufsichtsrats kann sich aus dem **Mit-**   21
bestimmungsrecht und **§ 6 Abs. 2 InvG** ergeben. Die im Fall des **Mit-**
bestimmungsrechts maßgeblichen Gesetze sind das Gesetz über die Mit-
bestimmung der Arbeitnehmer – **MitbestG** – das Gesetz über die
Drittbeteiligung der Arbeitnehmer im Aufsichtsrat – **DrittelbG** (vormals
Betriebsverfassungsgesetz 1952 – BetrVG 1952), das Gesetz über die Mit-
bestimmung der Arbeitnehmer in den Aufsichtsräten und Vorständen der
Unternehmen des Bergbaus und der Eisen und Stahl erzeugenden Industrie –
MontanMitbestG – und das Gesetz zur Ergänzung des Gesetzes über die
Mitbestimmung der Arbeitnehmer in den Aufsichtsräten und Vorständen der
Unternehmen des Bergbaus und der Eisen und Stahl erzeugenden Industrie –
MontanMitbErgG. Voraussetzung in allen Fällen des **Mitbestimmungs-**
rechts ist jedoch eine bestimmte Größe der Gesellschaft, welche an der
Mindestanzahl der Arbeitnehmer festgemacht wird.[40] Die jeweils differie-
rende Untergrenze stellt nach dem **DrittelbG 500** Arbeitnehmer, nach dem
MontanMitbestG 1.000 Arbeitnehmer und nach dem **MitbestG 2.000**
Arbeitnehmer dar. Weder der nach dem **Mitbestimmungsrecht** obligatorische Aufsichtsrat noch der nach § 6 Abs. 2 InvG obligatorische Aufsichtsrat
sind jedoch Regelungsgegenstand des § 52.

2. Anzuwendende Vorschriften des AktG

Weil im Fall des **obligatorischen Aufsichtsrats** die anwendbaren Vor-   22
schriften die des **Mitbestimmungsrechts** sind, ist die in Abs. 1 enthaltene
Verweisung auf das AktG hierbei ohne Bedeutung.

---

39 BGH, 14.04.1975 – II ZR 147/73, NJW 1975, 1318, 1318; BGH, 24.04.1978 –
    II ZR 172/76, NJW 1978, 1625.

40 Zu den Voraussetzungen des Mitbestimmungsrechts im Einzelnen s. Göpfert in
    Wachter, FA Handels- und Gesellschaftsrecht, Teil 2, 17. Kap. Rn. 137 ff.

VI.   Prozessuales

23   Im Rahmen eines Streits zwischen den verschiedenen Organen der Gesellschaft ist insbes. ungeklärt, ob einzelne **Mitglieder** des Aufsichtsrats eine
Abwehrklage gegen rechtswidrige Geschäftsführungsmaßnahmen erheben
können. Während dies von der einen Ansicht zumindest in Ausnahmefällen
für möglich gehalten wird,[41] verweist die Gegenseite zu Recht darauf, dass
Konflikte, die innerhalb eines Organs auftreten, nicht zwischen verschiedenen Organen – also auf der Interorganebene – ausgetragen werden dürfen.[42]
Die höchstrichterliche Rechtsprechung hat diesen Punkt jedoch in der einzigen in diesem Zusammenhang getroffenen Entscheidung offengelassen.[43]

---

41   Lutter/Hommelhoff in Lutter/Hommelhoff, GmbHG, § 52 Rn. 56.

42   Schneider in Scholz, GmbHG, § 52 Rn. 561; Raiser/Heermann in Ulmer/Ha-
      bersack/Winter, GmbHG, § 52 Rn. 114.

43   BGH, 28.11.1998 – II ZR 57/88, NJW 1989, 979.

Vierter Abschnitt. Abänderungen des Gesellschaftsvertrags

Vorbemerkung zu den §§ 53 bis 58f

I. Übersicht über den Vierten Abschnitt

Der Vierte Abschnitt des GmbHG regelt die Änderung des Gesellschafts- 1
vertrages der GmbH, wobei gleichbedeutend neben dem im Gesetz vorgesehenen Begriff des „Gesellschaftsvertrages" in der juristischen Literatur und
Praxis der Begriff der „Satzung" verwendet wird.[1] In diesem Zusammenhang behandeln die §§ 53, 54 zunächst die allgemeinen Voraussetzungen
für eine Änderung der Satzung der GmbH. Im Folgenden werden dann die
besonderen Formen der Satzungsänderung, nämlich die Kapitalerhöhung
sowie die Kapitalherabsetzung behandelt (§§ 55 bis 58f). Bei der Kapitalerhöhung unterscheidet der Gesetzgeber wiederum zwischen der Kapitalerhöhung gegen Einlagen (§§ 55 bis 57a) sowie der Kapitalerhöhung aus
Gesellschaftsmitteln (§§ 57c bis 57o). Als besondere Form der Kapitalerhöhung gegen Einlagen sieht das GmbHG seit dem Inkrafttreten des
MoMiG nun auch die Kapitalerhöhung aus genehmigtem Kapital vor
(§ 55a). Bei der Kapitalherabsetzung wird darüber hinaus zwischen der
ordentlichen Kapitalherabsetzung (§ 58) sowie der vereinfachten Kapitalherabsetzung (§ 58a bis 58f) unterschieden. Daraus ergibt sich folgende
Übersicht:

---

[1]   Zöllner in Baumbach/Hueck, GmbHG, § 53 Rn. 2.

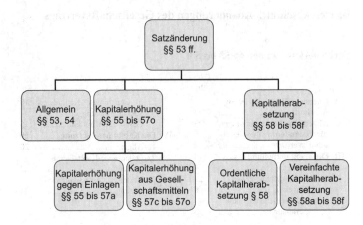

II. Allgemeine Voraussetzungen für die Änderung des Gesellschaftsvertrags

2 Die §§ 53, 54 regeln die allg. Anforderungen an eine Änderung des Gesellschaftsvertrages der GmbH. Danach bedarf grds. jede Änderung eines notariell beurkundeten Beschlusses der Gesellschafter, der mit einer Mehrheit von 75 % der abgegebenen Gesellschafterstimmen zu fassen ist (§ 53 Abs. 2 Satz 1).

3 Die beschlossene Änderung des Gesellschaftsvertrages ist durch die Geschäftsführer zum Handelsregister anzumelden (§§ 54 Abs. 1, 78). Erst mit ihrer Eintragung im Handelsregister wird die Satzungsänderung wirksam (§ 54 Abs. 3).

Beispiel:

Die Geschäftsführung der A-GmbH mit Sitz in Bad Vilbel stellt fest, dass das aktuelle Bürogebäude keinen ausreichenden Platz für die in Zukunft geplanten Erweiterungen bietet und daneben ein Umzug der Gesellschaft nach Frankfurt a.M. wirtschaftlich von Vorteil wäre. Nach entsprechenden Vorlagen durch die Geschäftsführung treffen sich sämtliche Gesellschafter der A-GmbH in den Geschäftsräumen des Notars N in Bad Vilbel zu einer Gesellschafterversammlung und beschließen mit 100 % der Stimmen, ein Gebäude in Frankfurt a.M. zu beziehen und den Sitz entsprechend zu verlegen sowie die Satzung anzupassen. Die ebenfalls anwesenden Geschäftsführer unterzeichnen die vom Notar N vorbereitete Handelsregisteranmeldung, die der Notar N sodann gemeinsam mit dem notariellen Gesellschafterbeschluss und der geänderten Satzung beim Handelsregister einreicht. Mit der Eintragung der Sitzverlegung im Handelsregister des Amtsgerichts Frankfurt a.M. wird die Sitzverlegung wirksam.

III.   Die Kapitalerhöhung

1.   Allgemein

Für die Erhöhung des Stammkapitals der Gesellschaft regeln die §§ 55 bis   4
57o zusätzliche Voraussetzungen. Da jede Kapitalerhöhung im Ergebnis
eine Änderung der Stammkapitalziffer und damit eine Änderung des Gesellschaftsvertrages bewirkt, sind die allgemeinen Voraussetzungen der
§§ 53, 54 zu beachten. Wie jede Satzungsänderung ist auch die Kapitalerhöhung zum Handelsregister anzumelden und wird erst mit deren Eintragung im Handelsregister wirksam.

> **Praxistipp:**
>
> Neben der korrekten Formulierung des Kapitalerhöhungsbeschlusses
> und der Beachtung der sonstigen Voraussetzungen für die Kapital-
> erhöhung ist in der Praxis ein besonderes Augenmerk auf die Einhal-
> tung der Regeln über die Erbringung der Einlagenleistungen zu richten.
> Hier erfolgen in der Praxis die häufigsten Fehler.

2.   Kapitalerhöhung gegen Einlagen

a)   Ordentliche Kapitalerhöhung

Bei der Kapitalerhöhung gegen Einlagen, auch ordentliche oder effektive   5
Kapitalerhöhung genannt, wird der Gesellschaft neues Kapital zur Verfügung gestellt. Dies geschieht i.d.R. durch die Leistung von Barmitteln
(sog. Bareinlage).

Beispiel:

*Die Gesellschafter der A-GmbH beabsichtigen einen weiteren Gesellschafter, den
Investor C, aufzunehmen. Dazu beschließen sie, das Stammkapital von 100.000 €
um 500.000 € auf 600.000 € zu erhöhen und den C zur Übernahme eines neuen
Geschäftsanteils i.H.v. 500.000 € zuzulassen. Nach Übernahme des neuen
Geschäftsanteils überweist C den Betrag i.H.v. 500.000 € auf ein hierfür von der
Gesellschaft eingerichtetes Kapitalerhöhungskonto. Die Kapitalerhöhung wird
daraufhin durch die Geschäftsführer zum Handelsregister angemeldet. Mit Eintragung der Kapitalerhöhung im Handelsregister wird die Kapitalerhöhung wirksam und C Gesellschafter der A-GmbH mit einem neuen Geschäftsanteil
i.H.v. 500.000 €.*

Daneben besteht die Möglichkeit der Leistung einer Sacheinlage. Hierbei ist   6
insbes. darauf zu achten, dass der Wert des eingebrachten Sachgegenstandes
den Nennbetrag des neuen Geschäftsanteils deckt, auf den sich die Sacheinlage bezieht.

Beispiel:

Die Gesellschafter der G-GmbH beschließen eine Erhöhung des Stammkapitals der Gesellschaft von 100.000 € um 100.000 € auf 200.000 €. Der B wird zur Übernahme eines neuen Geschäftsanteils i.H.v. 100.000 € zugelassen. Seine Einlagenleistung erbringt B dadurch, dass er seinen Rückzahlungsanspruch aus einem zwischen ihm und dem C geschlossenen Darlehensvertrag an die Gesellschaft abtritt.

7 Möglich ist auch die Kapitalerhöhung durch Leistung einer gemischten Bar- und Sacheinlage.

Beispiel:

Die Gesellschafter der G-GmbH beschließen eine Erhöhung des Stammkapitals der Gesellschaft von 100.000 € um 100.000 € auf 200.000 € Der C wird zur Übernahme eines neuen Geschäftsanteils i.H.v. 100.000 € zugelassen. Seine Einlageschuld erfüllt C dadurch, dass er die in seinem Eigentum stehende Marke „M" an die Gesellschaft überträgt. Der Wert der Marke „M" beträgt 45.000 €. Die verbleibenden 55.000 € erbringt C in bar durch Überweisung des entsprechenden Betrages auf ein Kapitalerhöhungskonto der G-GmbH.

8 Neben dem Kapitalerhöhungsbeschluss fordert das Gesetz bei der Kapitalerhöhung eine korrespondierende Übernahmeerklärung des Übernehmers des neuen Geschäftsanteils (§ 55 Abs. 1).

9 Als Satzungsänderung ist auch die ordentliche Kapitalerhöhung zum Handelsregister anzumelden (§ 57), wobei die Geschäftsführer zu versichern haben, dass die neuen Einlagen geleistet wurden und ihnen endgültig zur freien Verfügung stehen (§ 57 Abs. 2 Satz 1). Die Kapitalerhöhung gegen Einlagen wird ebenfalls erst mit Eintragung im Handelsregister der Gesellschaft wirksam (§ 54 Abs. 3).

b) Genehmigtes Kapital

10 Seit dem Inkrafttreten des MoMiG kennt das GmbHG auch die Kapitalerhöhung aus genehmigtem Kapital. In diesem Fall können die Gesellschafter in der Satzung eine Regelung vorsehen, die die Geschäftsführer der Gesellschaft ermächtigt, das Stammkapital durch die Ausgabe neuer Geschäftsanteile im Wege der Bar- und/oder Sacheinlage zu erhöhen. Damit entfällt das Erfordernis eines notariellen Gesellschafterbeschlusses für Kapitalerhöhungen im Rahmen dieser Ermächtigung.

11 Die Gesellschafter können die Ermächtigung in der Gründungssatzung der Gesellschaft oder durch Satzungsänderung regeln.

12 Die Ermächtigung darf höchstens für die Dauer von fünf Jahren nach Eintragung der Gesellschaft bzw. der Satzungsänderung im Handelsregister erteilt werden.

Eine unbegrenzte Ermächtigung der Geschäftsführer ist unzulässig. Der   13
Nennbetrag des genehmigten Kapitals darf die Hälfte des zur Zeit der
Ermächtigung vorhandenen Stammkapitals nicht übersteigen.

Im Übrigen sind die Voraussetzungen der ordentlichen Kapitalerhöhung zu   14
beachten. Es bedarf ebenso einer notariell beglaubigten Übernahmeerklärung des Übernehmers (§ 55 Abs. 1) sowie der Anmeldung der Kapitalerhöhung zur Eintragung im Handelsregister (§ 54). Auch die Kapitaler-
hung aus genehmigtem Kapital wird erst mit ihrer Eintragung im
Handelsregister wirksam (§ 54 Abs. 3).

Beispiel:

*Die Gesellschafter der G-GmbH beabsichtigten, die Satzung der Gesellschaft zu
ändern und die Geschäftsführer in der Satzung zu ermächtigten, das Stammkapital
der Gesellschaft im Wege des genehmigten Kapitals zu erhöhen. Zum Zeitpunkt der
Beschlussfassung beträgt das Stammkapital der Gesellschaft 200.000 €. Die
Gesellschafter beschließen daher eine Ermächtigung um bis zu 100.000 €. Zwei
Jahre nach der Satzungsänderung ist beabsichtigt, den Gesellschafter X als neuen
Gesellschafter aufzunehmen. Die Geschäftsführer beschließen nun, das genehmigte
migte Kapital i.H.v. 50.000 € auszunutzen und den X zur Übernahme des neuen
Geschäftsanteils zuzulassen. Der X unterzeichnet eine entsprechende Übernahme-
erklärung und zahlt einen Betrag i.H.v. 50.000 € auf ein Kapitalerhöhungskonto
der Gesellschaft. Sodann melden die Geschäftsführer die Kapitalerhöhung zum
Handelsregister an. Mit der Eintragung der Kapitalerhöhung im Handelsregister
wird die Kapitalerhöhung wirksam und der X automatisch Gesellschafter mit
einem Geschäftsanteil i.H.v. nominal 50.000 €.*

3.   Kapitalerhöhung aus Gesellschaftsmitteln

Im Gegensatz zur Kapitalerhöhung gegen Einlagen fließt der Gesellschaft   15
bei der Kapitalerhöhung aus Gesellschaftsmitteln (§§ 57c bis 57o) kein
neues Kapital zu, sondern es werden vorhandene Kapital- und Gewinnrücklagen in Stammkapital umgewandelt (§§ 57c Abs. 1, 57d). Voraussetzung
ist, dass die umzuwandelnden Rücklagen in der letzten Jahresbilanz oder,
sofern der Kapitalerhöhung aus Gesellschaftsmitteln eine gesonderte Zwischenbilanz (auch Sonder- oder Stichtagsbilanz genannt) zugrunde gelegt
wird, sowohl in dieser Zwischenbilanz als auch in der letzten Jahresbilanz
unter den Positionen „Kapitalrücklage" oder „Gewinnrücklage" ausgewiesen sind. Ausreichend ist auch, wenn der letzte Ergebnisverwendungsbeschluss entsprechende Zuführungen zu den vorgenannten Rücklagen
enthält.

Die letzte Jahresbilanz bzw. die gesonderte Zwischenbilanz muss die Anfor-   16
derungen der §§ 57e bis 57g erfüllen.

17 Darüber hinaus darf der Stichtag der zugrunde gelegten Bilanz am Tag der Handelsregisteranmeldung nicht älter als acht Monate sein (§ 57i Abs. 2).

> **Praxistipp:**
>
> Die Kenntnis und Beachtung der Acht-Monatsfrist ist eine wesentliche Voraussetzung für die Planung und Durchführung einer Kapitalerhöhung aus Gesellschaftsmitteln, denn jede Überschreitung der Frist, sei sie auch noch so geringfügig, führt zu einer Ablehnung der Eintragung der Kapitalerhöhung durch das Registergericht.

18 Die Kapitalerhöhung aus Gesellschaftsmitteln erfolgt durch Aufstockung der Nennbeträge der bestehenden Geschäftsanteile oder durch Bildung neuer Geschäftsanteile (§ 57h Abs. 1). In jedem Fall ist jeder Gesellschafter pro rata seiner bisherigen Beteiligung am Stammkapital der Gesellschaft an der Kapitalerhöhung zu beteiligen. Davon können die Gesellschafter auch nicht mit Zustimmung aller Gesellschafter abweichen (§ 57j).

19 Grundlage der Kapitalerhöhung aus Gesellschaftsmitteln ist der Kapitalerhöhungsbeschluss der Gesellschafter, der als Satzungsänderung zum Handelsregister anzumelden ist (§ 57i). Die neuen Geschäftsanteile entstehen erst mit Eintragung der Kapitalerhöhung im Handelsregister (§§ 57c Abs. 4, 54 Abs. 3).

IV.   Die Kapitalherabsetzung

1.   Allgemein

20 Die Herabsetzung des Stammkapitals der GmbH ist in den §§ 58 bis 58f geregelt und sieht ebenfalls zwei Varianten vor. Den Normalfall bildet die sog. ordentliche Kapitalherabsetzung (§ 58). Daneben regelt das Gesetz zum Zwecke des Ausgleichs von Wertminderungen sowie zur Deckung von sonstigen Verlusten die vereinfachte Kapitalherabsetzung (§§ 58a bis 58f).

21 Auch die Kapitalherabsetzung ist eine besondere Form der Satzungsänderung, da sie im Ergebnis zu einer Änderung der im Gesellschaftsvertrag aufgeführten Stammkapitalziffer führt. Neben den Vorschriften der §§ 58 ff. finden daher die §§ 53, 54 Anwendung. Erforderlich ist somit auch bei der Kapitalherabsetzung ein entsprechender notariell beurkundeter Kapitalherabsetzungsbeschluss, der mit 75 % der abgegebenen Gesellschafterstimmen gefasst wurde. Dieser Herabsetzungsbeschluss ist von den Geschäftsführern zum Handelsregister anzumelden und wird erst mit Eintragung im Handelsregister wirksam.

Da sich durch die Kapitalherabsetzung das Haftkapital der Gesellschafter   22
verringert, enthalten die §§ 58 ff. eine Vielzahl von gläubigerschützenden
Vorschriften.

2. Ordentliche Kapitalherabsetzung

Bei der ordentlichen Kapitalherabsetzung ist der Kapitalherabsetzungs-   23
beschluss der Gesellschafter zum Schutz der Gläubiger in den Gesellschaftsblättern gem. § 58 Abs. 1 Nr. 1 bekannt zu machen. Der Gesellschaft
bekannte Gläubiger sind durch gesonderte Mitteilung über die Kapitalherabsetzung zu informieren. Gläubiger der Gesellschaft, die sich auf die
Bekanntmachung hin mit einem Anspruch bei der Gesellschaft melden und
der Kapitalherabsetzung widersprechen, sind von der Gesellschaft zu befriedigen oder sicherzustellen (§ 58 Abs. 1 Nr. 2). Die Geschäftsführer der
Gesellschaft haben mit der Handelsregisteranmeldung eine entsprechende
Versicherung abzugeben (§ 58 Abs. 1 Nr. 4). Die Anmeldung des Kapitalherabsetzungsbeschlusses zum Handelsregister kann erst nach Ablauf eines
Sperrjahres erfolgen (§ 58 Abs. 1 Nr. 3). Dies gibt den Gläubigern ausreichend Zeit, sich bei der Gesellschaft zu melden.

Beispiel:

Die Gesellschafter der G-GmbH beabsichtigen, einen Betrag von 500.000 € am
Stammkapital der Gesellschaft an sich zurückzuzahlen. Sie beschließen daher eine
Herabsetzung des Stammkapitals von 4.000.000 € um 500.000 € auf 3.500.000 €
und eine entsprechende Anpassung der bestehenden Geschäftsanteile. Den Kapi-
talherabsetzungsbeschluss machen sie in drei aufeinander folgenden Ausgaben im
Bundesanzeiger bekannt. Der Gesellschaft bekannte Gläubiger werden gesondert
schriftlich informiert. Nach Ablauf des Sperrjahres und Befriedigung bzw. Sicher-
stellung der Gläubiger, die der Kapitalherabsetzung widersprochen haben, melden
sämtliche Geschäftsführer die Kapitalherabsetzung zur Eintragung im Handels-
register an. Mit Eintragung der Kapitalherabsetzung im Handelsregister ist diese
wirksam und die Gesellschaft kann die 500.000 € an die Gesellschafter auszahlen.

3. Vereinfachte Kapitalherabsetzung

Im Gegensatz zur ordentlichen Kapitalherabsetzung ist die Alternative der   24
vereinfachten Kapitalherabsetzung nur zum Zweck der Sanierung der
Gesellschaft, d.h. zum Ausgleich von Wertminderungen oder zur Deckung
sonstiger Verluste zulässig (§ 58a Abs. 1). Hat die Gesellschaft ausreichende Rücklagen oder besteht ein Gewinnvortrag, so ist die vereinfachte
Kapitalherabsetzung insoweit ausgeschlossen (§ 58a Abs. 2).

§ 58a Abs. 4 eröffnet die Möglichkeit, das Stammkapital unter den Min-   25
destbetrag des § 5 Abs. 1 (25.000 €) herabzusetzen, wenn zugleich eine
Kapitalerhöhung beschlossen wird, durch die der Mindestbetrag wieder
erreicht wird.

26 Da die vereinfachte Kapitalherabsetzung nur zu Sanierungszwecken erlaubt ist, hat das GmbHG dafür zu sorgen, dass die durch die Kapitalherabsetzung gewonnenen Beträge der Gesundung der Gesellschaft und damit mittelbar den Gläubigern der Gesellschaft zugutekommen und nicht den Gesellschaftern zufließen. Die §§ 58b bis 58f enthalten daher eine Reihe von gläubigerschützenden Vorschriften, durch die eine Auszahlung der gewonnenen Beträge an die Gesellschafter erschwert wird (§ 58a Abs. 5).

Beispiel:

Zur Deckung von Verlusten beabsichtigen die Gesellschafter der G-GmbH das Stammkapital um 2.000.000 € zu reduzieren. Sie beschließen daher eine Herabsetzung des Stammkapitals von 2.500.000 € um 2.000.000 € auf 500.000,00 € und passen die bestehenden Geschäftsanteile entsprechend an. Bestehende Rücklagen wurden vorab aufgelöst. Den Kapitalherabsetzungsbeschluss melden sie zur Eintragung im Handelsregister an. Mit Eintragung der Kapitalherabsetzung im Handelsregister ist die Kapitalherabsetzung wirksam und der Betrag von 2.000.000 € kann zur Verlustdeckung verwendet werden.

§ 53 GmbHG   Form der Satzungsänderung

(1) Eine Abänderung des Gesellschaftsvertrages kann nur durch Beschluss der Gesellschafter erfolgen.

(2) ¹Der Beschluss muss notariell beurkundet werden, derselbe bedarf einer Mehrheit von drei Vierteilen der abgegebenen Stimmen. ²Der Gesellschaftsvertrag kann noch andere Erfordernisse aufstellen.

(3) Eine Vermehrung der den Gesellschaftern nach dem Gesellschaftsvertrag obliegenden Leistungen kann nur mit Zustimmung sämtlicher beteiligter Gesellschafter beschlossen werden.

I. Einführung

Die Vorschrift behandelt als Eingangsnorm das Kernstück der Regelungen 1
über eine Satzungsänderung, nämlich den Beschluss der Gesellschafter über
die Änderung des Gesellschaftsvertrags (Abs. 1). Entgegen dem ursprünglichen Regierungsentwurf des MoMiG blieb die Norm unverändert. Die in
der Norm geregelten Anforderungen für Satzungsänderungen gelten daher
auch für die Änderung eines Musterprotokolls nach § 2 Abs. 1 Buchst. a)
n.F.[1]

Gleichbedeutend wird in Literatur und Praxis neben dem Begriff des Gesell- 2
schaftsvertrages der Begriff der Satzung verwandt.[2]

Der Beschluss der Gesellschafter über die Satzungsänderung ist mit einer 3
Mehrheit von 75 % der Gesellschafterstimmen zu fassen und bedarf der
notariellen Beurkundung (Abs. 2 Satz 1).

Die Gesellschafter sind berechtigt, die Anforderungen an die Änderung des 4
Gesellschaftsvertrages zu erhöhen (Abs. 2 Satz 2).

Beabsichtigen die Gesellschafter, die den Gesellschaftern nach dem Gesell- 5
schaftsvertrag obliegenden Leistungen zu vermehren, ist zusätzlich die
Zustimmung sämtlicher von der Vermehrung der Leistungspflichten betroffener Gesellschafter erforderlich (Abs. 3).

Die beschlossene Satzungsänderung ist durch die Geschäftsführer zum 6
Handelsregister anzumelden (§§ 54 Abs. 1). Erst mit ihrer Eintragung im
Handelsregister wird die Satzungsänderung wirksam (§ 54 Abs. 3).

Checkliste: Voraussetzungen für eine Satzungsänderung 7

Die Änderung des Gesellschaftsvertrages einer GmbH hat folgende
Voraussetzungen:

☐ wirksamer Satzungsänderungsbeschluss der Gesellschafter (§ 53),

☐ Anmeldung der Satzungsänderung zum Handelsregister der
Gesellschaft (§ 54 Abs. 1),

☐ Eintragung der Satzungsänderung im Handelsregister der Gesellschaft (§ 54 Abs. 3).

---

[1] Siehe aber die Kostenprivilegierung, sofern durch die Änderung nicht vom
gesetzlichen Musterprotokoll abgewichen wird, Opgenhoff in Bormann/Kauka/
Ockelmann, Hdb. GmbH-Recht, Kap. 2 Rn. 25.

[2] Zöllner in Baumbach/Hueck, GmbHR, § 53 Rn. 2; Schulze in HK-GmbHR,
§ 53 Rn. 1.

II.   Begriff der Satzung

8   Die Anforderungen nach dieser Vorschrift gelten nur für die Änderung der
     Satzung. Allerdings ist der Begriff der Satzung nicht klar definiert. Aus-
     gangspunkt ist der von den Gesellschaftern beschlossene Satzungstext. Es
     liegt daher nahe, schlicht festzustellen, dass jede Änderung des Satzungs-
     textes eine Satzungsänderung darstellt, unabhängig von der Qualität der zu
     ändernden Vorschrift.[3] Nach allg. M. umfasst der Begriff der Satzung aber
     nicht alle im Satzungstext enthaltene Regelungen.[4] Umgekehrt ist sich die
     Kommentarliteratur aber auch einig, dass alle Regelungen, die nicht im
     Satzungstext enthalten sind, keine Satzung i.S.d. Vorschrift sind.[5]

9   **Satzung i.S.d. Vorschrift** beinhaltet daher nach der h.M. nur diejenigen
     Regelungen des Satzungstextes, die korporativen Charakter haben.[6] Nach
     Lutter/Hommelhoff sind dies Regelungen in der Satzung, „die die Verfas-
     sung der GmbH oder die Ausgestaltung der mitgliedschaftlichen Rechte der
     Gesellschafter zum Gegenstand haben".[7] Zöllner meint gleichbedeutend alle
     Regelungen, die zur „normativen Grundordnung der GmbH" gehören und
     verwendet diesbezüglich den Begriff der „echten Satzungsbestandteile".[8]
     Nach h.M. unterfallen alle Änderungen von Satzungsbestandteilen mit
     korporativem Charakter, auch die Änderung überflüssiger, ungültiger oder
     überholter Satzungsbestanteile.[9]

10   Zur Satzung gehören folglich insbes. die folgende Regelungen:

     • Bestimmungen gem. § 3,

     • Regelungen betreffend die Zusammenlegung und Teilung von Geschäfts-
       anteilen

     • Änderungen des Stammkapitals in Form der Kapitalerhöhung und Kapi-
       talherabsetzung,

     • Regelungen betreffend die Organe der Gesellschaft (Geschäftsführung,
       Gesellschafterversammlung, ggf. Beirat/Aufsichtsrat),

     • Regelungen betreffend die Veräußerung und Belastung sowie Vererblich-
       keit von Geschäftsanteilen,

---

3   So Schulze in HK-GmbHR, § 53 Rn. 1.

4   Zöllner in Baumbach/Hueck, GmbHG, § 53 Rn. 4.

5   Zöllner in Baumbach/Hueck, GmbHG, § 53 Rn. 4; Lutter/Hommelhoff in
      Lutter/Hommelhoff, GmbHG, § 53 Rn. 4.

6   Zöllner in Baumbach/Hueck, GmbHG, § 53 Rn. 20.

7   Lutter/Hommelhoff in Lutter/Hommelhoff, GmbHG, § 53 Rn. 1.

8   Zöllner in Baumbach/Hueck, GmbHG, § 53 Rn. 5 ff.

9   OLG Brandenburg, 20.09.2000 – 7 U 71/00, GmbHR 2001, 624.

- Regelungen betreffend Jahresabschluss und Gewinnverwendung,
- Einziehungsregelungen und
- Regelungen betreffend die Liquidation der Gesellschaft.

Kein Satzungsbestandteil sind dagegen schuldrechtliche Vereinbarungen 11
außerhalb des Satzungstextes, insbes.:

- schuldrechtliche Vereinbarungen der Gesellschaft oder der Gesellschafter mit Dritten und
- schuldrechtliche Vereinbarungen der Gesellschafter untereinander (Gesellschaftervereinbarungen, Beteiligungsverträge und Stimmbindungsvereinbarungen).

Als unklare Fälle verbleiben letztlich Änderungen von Regelungen des 12
Satzungstextes, die keinen korporativen Rechtscharakter haben. Dazu zählen z.B. Regelungen, die nur informatorischen Charakter haben (z.B. die Nennung des Geschäftsführers oder die Auflistung der Gesellschafter mit ihren Geschäftsanteilen, sofern es sich nicht um die Gründungssatzung handelt, vgl. § 3 Abs. 1 Nr. 4), oder schuldrechtliche Nebenabreden, die Aufnahme in den Satzungstext gefunden haben. Ebenso stellt sich die Frage an die Anforderungen für rein redaktionelle Änderungen der Satzung, wie z.B. sprachliche Anpassungen oder Änderungen in der Gliederung der Satzung. Insoweit ist fraglich, ob an die vorgenannten Regelungen geringere Voraussetzungen für eine Änderung geknüpft werden können. Der Meinungsstand in der Kommentarliteratur dazu ist recht verworren, was letztendlich daran liegt, dass die Literatur zunächst versucht, unter Verwendung verschiedenster Begrifflichkeiten die Satzungsänderungen in verschiedene Kategorien aufzuteilen, um dann herauszuarbeiten, welche Voraussetzungen für eine Änderung der entsprechenden Kategorie gelten sollen.[10]

In der Praxis ist die Frage nach der Behandlung nichtkorporativer Bestand- 13
teile aber weniger relevant, denn nach h.M. sind sämtliche Änderungen des Satzungstextes zur Eintragung im Handelsregister anzumelden.[11] Es stellt sich letztendlich nur noch die Frage, ob nichtkorporative Bestandteile ggf. mit einfacher Mehrheit und in privatschriftlicher Form gefasst werden

---

10   Zöllner in Baumbach/Hueck, GmbHG, § 53 Rn. 2, 19 ff; Lutter/Hommelhoff
     in Lutter/Hommelhoff, GmbHG, § 53 Rn. 1; Roth/Altmeppen, GmbHG, § 53
     Rn. 5.

11   Zöllner in Baumbach/Hueck, GmbHG, § 53 Rn. 23 f.; Lutter/Hommelhoff in
     Lutter/Hommelhoff, GmbHG, § 53 Rn. 1; Roth/Altmeppen, GmbHG, § 53
     Rn. 5.

können. Um eine rechtliche Diskussion mit dem zuständigen Registergericht und eine mögliche Zwischenverfügung mit dem damit verbundenen Zeitverlust zu vermeiden, ist hiervon jedoch abzuraten.

> **Praxistipp:**
>
> Die Empfehlung kann daher nur lauten, sämtliche Bestimmungen des Satzungstextes gemäß den Anforderungen dieser Vorschrift zu behandeln.[12]

14   Die Regelungen über Satzungsänderungen gelten unstreitig auch für die vollständige Neufassungen der Satzung.[13] Die Änderung der Satzung im Gründungsstadium vor Eintragung der GmbH ist nach h.M. dagegen keine Satzungsänderung i.S. dieser Norm. Hier ist eine Vereinbarung sämtlicher Gründungsgesellschafter erforderlich.[14]

15   Besondere Formen der Satzungsänderung sind Maßnahmen der Veränderung des Stammkapitals, also Kapitalerhöhungen und Kapitalherabsetzungen. Insoweit werden die Regelungen über die Satzungsänderung durch die Sondervorschriften der §§ 55 ff. ergänzt. Satzungsändernde Qualität haben auch Umwandlungsmaßnahmen (z.B. die Verschmelzung zweier Gesellschaften). Es gelten dann jedoch die Sondervorschriften des UmwG. Die §§ 53, 54 finden darüber hinaus nach h.M. auch auf den Abschluss eines Beherrschungs- und Gewinnabführungsvertrags auf Seiten der abhängigen GmbH Anwendung. Erforderlich ist insoweit die Zustimmung aller Gesellschafter. Keine Anwendung finden die Regelungen für Satzungsänderungen dagegen auf Seiten der beherrschenden GmbH.[15] Ebenfalls keine satzungsändernde Qualität haben die Einziehung von Geschäftsanteilen nach § 34 sowie die Auflösung der Gesellschaft (§ 60).[16]

---

12   Ebenso Roth/Altmeppen, GmbHG, § 53 Rn. 5.

13   OLG Köln, 17.07.1992 – 2 Wx 32/92, NJW-RR 1993, 223.

14   Opgenhoff in Bormann/Kauka/Ockelmann, Hdb. GmbH-Recht, Kap. 2 Rn. 144.

15   Siehe hierzu ausführlich Ulrich in Bormann/Kauka/Ockelmann, Hdb. GmbH-Recht, Kap. 12 Rn. 26 ff.; Zöllner in Baumbach/Hueck, GmbHG, § 53 Rn. 37 m.w.N.; Roth/Altmeppen, GmbHG, § 53 Rn. 10.

16   Roth/Altmeppen, GmbHG, § 53 Rn. 11.

III. Satzungsänderungsbeschluss (Abs. 1)

1. Anwendbarkeit allgemeiner Regelungen zur Fassung von Gesellschafterbeschlüssen

Auf den Satzungsänderungsbeschluss sind die Vorschriften der §§ 47 ff. 16
über das Zustandekommen von Gesellschafterbeschlüssen anzuwenden.
Gem. § 48 Abs. 1 ist die Satzungsänderung grds. in einer Gesellschafterversammlung zu beschließen. Jeder Gesellschafter kann sich bei der
Beschlussfassung vertreten lassen (vgl. § 47 Abs. 3). Sofern alle Gesellschafter zustimmen, können sie die Beschlussfassung auch auf schriftlichem
Wege abhalten (vgl. § 48 Abs. 2), müssen dabei aber das Formerfordernis
der notariellen Beurkundung nach Abs. 2 Satz 1, 1. Halbs. beachten (s.a.
Rn. 18). Bei der Einberufung der Gesellschafterversammlung sind die Vorschriften §§ 49 bis 51 zu beachten (im Einzelnen zur Einberufung und
Durchführung einer Gesellschafterversammlung s. § 47 bis 51).

> **Praxistipp:**
>
> In der Praxis ist unbedingt zu empfehlen, die Regelungen der Satzung
> der Gesellschaft zur Einberufung und Durchführung der Gesellschafter-
> versammlung einzusehen. In der Regel machen die Gesellschafter von
> der Möglichkeit des § 45 Abs. 2 Gebrauch und vereinbaren ergänzende
> oder abweichende Regelungen in der Satzung.

Die Übertragung der Satzungsänderungsbefugnis auf ein anderes Organ als 17
die Gesellschafterversammlung oder einen Dritten ist unzulässig.[17]

2. Form der Beschlussfassung

Der Beschluss der Gesellschafter über die Satzungsänderung ist gem. Abs. 2 18
Satz 1, 1 Halbs. notariell zu beurkunden (vgl. §§ 36, 37 BeurkG).

Die Beurkundungspflicht gilt auch für Beschlussfassungen im schriftlichen 19
Verfahren (vgl. § 48 Abs. 2). In diesem Fall geben die Gesellschafter
jeweils einzeln ihre Stimme vor einem Notar oder verschiedenen Notaren

---

[17]   Zöllner in Baumbach/Hueck, GmbHG, § 53 Rn. 60; Roth/Altmeppen,
        GmbHG, § 53 Rn. 17.

ab. Gleichzeitig bestimmen die Gesellschafter einen Notar, der schließlich die ordnungsgemäße Beschlussfassung aufgrund der Vorlage der jeweils notariell abgegebenen Stimmen feststellt.[18]

> **Praxistipp**:
>
> Die Rspr. hat sich aktuell noch nicht geäußert, ob sie eine Satzungs-
> änderung im schriftlichen Verfahren für zulässig erachtet und damit der
> h.M. im Schrifttum folgt. In einer frühen Entscheidung hielt der BGH
> jedenfalls eine Gesellschafterversammlung für erforderlich.[19] Aus Sicher-
> heitsgründen ist daher in der Praxis zu empfehlen, eine Satzungsänderung
> im Wege der Gesellschafterversammlung zu beschließen.[20]

20   Das Erfordernis der notariellen Beurkundung gilt nach h.M. auch für Sat-
      zungsänderungen, die auf einer Gesellschafterversammlung beschlossen
      werden, die im Ausland stattfindet. Insoweit stellt sich regelmäßig die Frage,
      ob die Beurkundung des ausländischen Notars den Anforderungen des
      deutschen Rechts an eine Beurkundung gerecht wird. Nach der Rechtspre-
      chung des BGH ist eine Beurkundung von Satzungsänderungen im Ausland
      zulässig, wenn die Urkundtätigkeit des ausländischen Notars im Hinblick
      auf Ausbildung, Stellung im Rechtsleben sowie das Verfahren mit der
      Tätigkeit eines deutschen Notars vergleichbar ist.[21] Dies ist nach der h.M.
      wohl bei Beurkundungen in der Schweiz[22] und in Österreich gegeben.[23]

3.   Beschlussfassung

a)   Erforderliche Mehrheit (Abs. 2 Satz 1, 2. Halbs.)

21   Der Beschluss über die Änderung des Gesellschaftsvertrages bedarf einer
      Mehrheit von 75 % der abgegebenen Gesellschafterstimmen (Abs. 2
      Satz 1, 2. Halbs.). An die Beschlussfähigkeit werden keine besonderen

---

18   Koch in Bormann/Kauka/Ockelmann, Hdb. GmbH-Recht, Kap. 6 Rn. 133;
      Zöllner in Baumbach/Hueck, GmbHG, § 53 Rn. 79; Priester in Scholz,
      GmbHG, § 53 Rn. 66; Hoffmann in Michalski, GmbHG, § 53 Rn. 62.

19   BGH, 01.12.1954 – II ZR 285/53, BGHZ 15, 324.

20   Roth/Altmeppen, GmbHG, § 53 Rn. 17.

21   BGH, 16.02.1981 – II ZB 8/80, BGHZ 80, 76 = NJW 1981, 1160 (Zürich-
      Altstadt).

22   BGH, 16.02.1981 – II ZB 8/80, BGHZ 80, 76 = NJW 1981, 1160; LG Köln,
      13.10.1989 – 87 T 20/89, GmbHR 1990, 171 (Kanton Zürich); OLG Mün-
      chen, 19.11.1997 – 7 U 2511/97, BB 1998, 119.

23   Zöllner in Baumbach/Hueck, GmbHG, § 53 Rn. 80.

Anforderungen gestellt. Insbesondere ist kein bestimmtes Quorum, also keine bestimmte Anzahl der bei der Abstimmung anwesenden Stimmberechtigten, erforderlich.

Die 75 %-Mehrheit ist zwingend erforderlich. Hiervon können die Gesell- 22
schafter nach unten nicht abweichen.[24]

Es bleibt den Gesellschaftern aber unbenommen, in der Satzung der Gesell- 23
schaft an die Beschlussfassung erhöhte Anforderungen zu knüpfen, wie z.B.
Einstimmigkeit, Zustimmungsrechte einzelner bzw. mehrerer Gesellschafter
oder Festlegung einer bestimmten Anzahl von Gesellschafterstimmen, die
sich an einer Beschlussfassung beteiligen müssen, damit die Beschlussfassung wirksam ist (Quorum).[25]

> **Beispiel:**
>
> *Zum Schutz von Minderheitsgesellschaftern sehen Satzungen häufig vor, dass
> bestimmte in der Satzung aufgelistete Satzungsänderungen nur mit der Zustim-
> mung aller Gesellschafter gefasst werden können.*

Unzulässig ist es dagegen, die Änderung der Satzung an die Zustimmung 24
eines anderen Organs der Gesellschaft oder an Dritte zu knüpfen.[26]

Nach h.M. ist die Aufhebung eines satzungsändernden Beschlusses vor 25
seiner Eintragung im Handelsregister mit einfacher Mehrheit in privatschriftlicher Form möglich.[27] Inhaltliche Änderungen eines bereits
gefassten Beschlusses bedürfen dagegen der Anforderungen des Abs. 2
Satz 1.[28]

Zum Stimmrecht und zur Abstimmung im Einzelnen s. § 47. 26

---

24 Zöllner in Baumbach/Hueck, GmbHG, § 53 Rn. 67; Roth/Altmeppen,
   GmbHG, § 53 Rn. 22.

25 Zöllner in Baumbach/Hueck, GmbHG, § 53 Rn. 68; Roth/Altmeppen,
   GmbHG, § 53 Rn. 22; Priester in Scholz, GmbHG, § 53 Rn. 18; Hoffmann in
   Michalski, GmbHG, § 53 Rn. 99; Zimmermman in Rowedder/Schmidt-Leit-
   hoff, GmbHG, § 53 Rn. 46; weitere Beispiele s. bei Lutter/Hommelhoff in
   Lutter/Hommelhoff, GmbHG, § 53 Rn. 13.

26 Zöllner in Baumbach/Hueck, GmbHG, § 53 Rn. 84, 85; Roth/Altmeppen,
   GmbHG, § 53 Rn. 22; Lutter/Hommelhoff in Lutter/Hommelhoff, GmbHG,
   § 53 Rn. 7.

27 Zöllner in Baumbach/Hueck, GmbHG, § 53 Rn. 70; Roth/Altmeppen,
   GmbHG, § 53 Rn. 26; Lutter/Hommelhoff in Lutter/Hommelhoff, GmbHG,
   § 53 Rn. 1; dagegen für Anwendung der Anforderungen nach Abs. 2 Satz 1:
   Schulze in HK-GmbHG, § 53 Rn. 7.

28 Lutter/Hommelhoff in Lutter/Hommelhoff, GmbHG, § 53 Rn. 40.

**b)   Zustimmungspflicht betroffener Gesellschafter bei
          Leistungsvermehrung (Abs. 3) und weitere
          Zustimmungspflichten**

27   Beabsichtigen die Gesellschafter durch Änderung der Satzung die den Gesell-
      schaftern nach dem Gesellschaftsvertrag obliegenden Leistungen zu vermehren,
      so ist nach Abs. 3 zusätzlich die Zustimmung sämtlicher von der Vermehrung
      der Leistungspflichten betroffener Gesellschafter erforderlich. Hierunter fallen
      insbes. die Einführung und Erhöhung von Nebenleistungspflichten,[29] die Ein-
      führung und Erweiterung von Nachschusspflichten[30] oder die nachträgliche
      Einführung eines Wettbewerbsverbots.[31]

28   Der Gedanke des Abs. 3 erfasst darüber hinaus nach h.M. der Leistungs-
      vermehrung gleichgelagerte Fälle. Dazu zählt insbes. die Einführung zusätz-
      licher bzw. die Verschärfung bereits bestehender Beschränkungen (z.B.
      Einführung oder Verschärfung der Einziehung von Geschäftsanteilen. Beab-
      sichtigen die Gesellschafter Sonderrechte einzelner Gesellschafter zu ent-
      ziehen oder einzuschränken, bedarf dies ebenfalls der Zustimmung der
      betroffenen Gesellschafter.[32] Gleiches gilt für die Einführung einer Vinku-
      lierung von Geschäftsanteilen.[33] In diesem Fall werden häufig sämtliche
      Gesellschafter betroffen sein.[34]

29   Eine Herabsetzung von Leistungen bzw. Erleichterung von Beschränkungen
      ist dagegen ohne Zustimmung der betroffenen oder ggf. durch die Leistun-
      gen bzw. Beschränkungen begünstigten Gesellschafter zulässig, sofern es
      sich bei der aufgehobenen Regelung nicht um ein unentziehbares Mitglied-
      schaftsrecht handelt.[35] Dies gilt auch für die Aufhebung der Vinkulierung.[36]

---

29   Koch in Bormann/Kauka/Ockelmann, Hdb. GmbH-Recht, Kap. 6 Rn. 35.

30   Roth/Altmeppen, GmbHG, § 53 Rn. 36; weitere Beispiele s. Zöllner in Baum-
      bach/Hueck, GmbHG, § 53 Rn. 31.

31   Koch in Bormann/Kauka/Ockelmann, Hdb. GmbH-Recht, Kap. 6 Rn. 54.

32   Lutter/Hommelhoff in Lutter/Hommelhoff, GmbHG, § 53 Rn. 20.

33   Roth/Altmeppen, GmbHG, § 53 Rn. 39.

34   OLG Dresden, 10.05.2004 – 2 U 286/04, GmbHR 2004, 1080; Lutter/Hom-
      melhoff in Lutter/Hommelhoff, GmbHG, § 53 Rn. 21; Zöllner in Baumbach/
      Hueck, GmbHG, § 53 Rn. 33; Priester in Scholz, GmbHG, § 53 Rn. 161;
      Zimmermann in Rowedder/Schmidt-Leithoff, GmbHG, § 53 Rn. 26, 48.

35   OLG Stuttgart, 14.02.1974 – 10 U 90/73, NJW 1974, 1566; zum Begriff der
      unentziehbaren Mitgliedschaftsrechte s. Schulze/Steinen in Bormann/Kauka/
      Ockelmann, Hdb. GmbH-Recht, Kap. 9 Rn. 20.

36   Lutter/Hommelhoff in Lutter/Hommelhoff, GmbHG, § 53 Rn. 21; Zöllner in
      Baumbach/Hueck, GmbHG, § 53 Rn. 33.

Die Zustimmung der betroffenen Gesellschafter ist eine empfangsbedürftige 30
Willenserklärung und unterliegt den allgemeinen Regelungen. Sie bedarf nicht
der Form der notariellen Beurkundung und kann auch gesondert vor oder nach
dem Gesellschafterbeschluss erteilt werden. Liegen im Zeitpunkt des Gesellschafterbeschlusses nicht alle erforderlichen Zustimmungen vor, ist der
Beschluss bis zu deren Erteilung schwebend unwirksam. Die Zustimmung
und die Stimmabgabe des Gesellschafters sind daher rechtlich getrennt zu
behandeln.[37] In der Praxis fallen die beiden Instrumente aber i.d.R. zusammen,
wenn der betroffene Gesellschafter in der Gesellschafterversammlung für die
Maßnahme stimmt und damit gleichzeitig seine Zustimmung erteilt.

c) Pflicht zur Satzungsänderung

Es besteht grds. keine Pflicht des Gesellschafters einer vorgeschlagenen 31
Satzungsänderung zuzustimmen.

Aus der Treuepflicht des Gesellschafters kann sich aber im Einzelfall eine 32
Pflicht zur Satzungsänderung ergeben, wenn dies im Interesse der Gesellschaft
dringend geboten und den Gesellschaftern zumutbar ist.[38] Dies ist z.B. dann der
Fall, wenn die Satzung nicht mehr den tatsächlichen bzw. rechtlichen Verhältnissen der Gesellschaft entspricht.[39]

> **Beispiel:**
>
> *Die Gesellschaft hat ihren Sitz in Mainz. Die Geschäftsführung und Verwaltung
> der Gesellschaft befindet sich mit Wissen der Gesellschafter faktisch seit Monaten
> aber bereits in Frankfurt a.M. Es wird vorgeschlagen, die Satzung anzupassen und
> den Sitz der Gesellschaft nach Frankfurt a.M. zu verlegen. Aus der Treuepflicht der
> Gesellschafter besteht eine Pflicht zur Zustimmung der Beschlussfassung über die
> Verlegung des Sitzes der Gesellschaft von Mainz nach Frankfurt a.M.*

Die Gesellschafter können sich auch schuldrechtlich untereinander oder 33
einem Dritten gegenüber verpflichten, Satzungsänderungen zu beschließen.
Dies geschieht häufig durch Gesellschaftervereinbarungen oder Betei-

---

37   Zöllner in Baumbach/Hueck, GmbHG, § 53 Rn. 83; Roth/Altmeppen, GmbHG,
      § 53 Rn. 44 ff.
38   Koch in Bormann/Kauka/Ockelmann, Hdb. GmbH-Recht, Kap. 6 Rn. 51
      m.w.N.; Priester in Scholz, GmbHG, § 53 Rn. 37; Zöllner in Baumbach/Hu-
      eck, GmbHG, § 53 Rn. 90; Lutter/Hommelhoff in Lutter/Hommelhoff,
      GmbHG, § 53 Rn. 33.
39   Lutter/Hommelhoff in Lutter/Hommelhoff, GmbHG, § 53 Rn. 33.

ligungsverträge, die entsprechende Stimmbindungen enthalten.[40] Stimmbindungen in Bezug auf Satzungsänderungen bedürfen nicht der Form der
notariellen Beurkundung.[41]

> **Beispiel:**
>
> *Die Investoren und Neugesellschafter A und B beteiligen sich an der C-GmbH auf
> der Grundlage eines schuldrechtlichen Beteiligungsvertrages mit den Altgesell-
> schaftern. Darin verpflichten sich die Altgesellschafter u.a. die Satzung wie aus der
> Anlage zum Beteiligungsvertrag ersichtlich neu zu fassen.*

34   Es ist auch möglich, dass sich die Gesellschaft einem Dritten gegenüber
     verpflichtet, die Satzung zu ändern. Voraussetzung hierfür ist aber, dass sich
     die Verpflichtung auf eine konkrete Satzungsänderung bezieht und die
     Gesellschafter einer solchen Verpflichtung der Gesellschaft zugestimmt
     haben.[42]

d)   Satzungsänderung mit Nebenbestimmungen

35   Satzungsänderungen können grds. auch mit Nebenbestimmungen versehen
     werden. Es ist jedoch unzulässig, eine Satzungsänderung unter eine auf-
     schiebende oder auflösende Bedingung zu stellen.[43] Dagegen ist es möglich,
     eine Bedingung derart zu formulieren, dass die Geschäftsführer eine
     beschlossene Satzungsänderung erst nach Eintritt bestimmter Bedingungen
     zum Handelsregister anmelden dürfen.[44]

36   Die Befristung einer Satzungsänderung ist zulässig, wenn aus der Beschluss-
     fassung klar ist, ab bzw. bis zu welchem Zeitpunkt die Regelung gelten soll.[45]

---

40   Koch in Bormann/Kauka/Ockelmann, Hdb. GmbH-Recht, Kap. 6 Rn. 170;
     Zöllner in Baumbach/Hueck, GmbHG, § 53 Rn. 91; Lutter/Hommelhoff in
     Lutter/Hommelhoff, GmbHG, § 53 Rn. 34.

41   OLG Köln, 25.07.2002 – 18 U 60/02, GmbHR 2003, 416; eingehend zur
     Form von Stimmbindungen von GmbH-Gesellschaftern sowie zur Zulässigkeit
     von Stimmbindungen gegenüber Dritten s. Müller, GmbHR 2007, 113.

42   Lutter/Hommelhoff in Lutter/Hommelhoff, GmbHG, § 53 Rn. 35.

43   Zöllner in Baumbach/Hueck, GmbHG, § 53 Rn. 64; Lutter/Hommelhoff in
     Lutter/Hommelhoff, GmbHG, § 53 Rn. 36; Zimmermann in Rowedder/
     Schmidt-Leithoff, GmbHG, § 53 Rn. 55; Priester in Scholz, GmbHG, § 53
     Rn. 188 f.

44   Zöllner in Baumbach/Hueck, GmbHG, § 53 Rn. 63; Lutter/Hommelhoff in
     Lutter/Hommelhoff, GmbHG, § 53 Rn. 35.

45   Lutter/Hommelhoff in Lutter/Hommelhoff, GmbHG, § 53 Rn. 39; Zöllner in
     Baumbach/Hueck, GmbHG, § 53 Rn. 63; Priester in Scholz, GmbHG, § 53
     Rn. 188; Zimmermann in Rowedder, GmbHG, § 53 Rn. 36.

Eine Satzungsänderung mit Rückwirkung ist dagegen nur mit Wirkung im 37
Innenverhältnis der Gesellschafter möglich. Sie gilt unproblematisch, wenn
alle Gesellschafter der Rückwirkung zustimmen. Ist dies nicht der Fall, kann
die Satzungsänderung im Innenverhältnis nur bis zu dem Zeitpunkt zurück-
wirken, ab dem die Satzungsänderung für die Gesellschafter absehbar war.[46]

IV.   Rechtsfolgen

Verstoßen die Gesellschafter gegen das Erfordernis der notariellen Beur- 38
kundung nach Abs. 1 Satz 1, 2. Halbs., ist der satzungsändernde Gesellschafterbeschluss analog § 241 Nr. 2 AktG nichtig.[47] Wird die Satzungsänderung dennoch im Handelsregister eingetragen, ist der Formmangel gem.
§ 242 Abs. 1 AktG analog geheilt, wenn die Satzungsänderung drei Jahre im
Handelsregister eingetragen ist.[48] Dies muss ebenso für den Fall einer
Satzungsänderung nach Abs. 1 Satz 2 gelten.

Fehlt die Zustimmung der betroffenen Gesellschafter nach Abs. 3, so ist der 39
Gesellschafterbeschluss bis zur Erteilung schwebend unwirksam.[49]

V.   Handelsregisteranmeldung und Eintragung im Handelsregister

Der Beschluss über die Satzungsänderung ist zur Eintragung im Handels- 40
register nach § 54 Abs. 1 Satz 1 anzumelden. Der Handelsregisteranmeldung ist der aktuelle Wortlaut des Gesellschaftsvertrages mit den beschlossenen Änderungen unter Beifügung einer notariellen Satzungsbescheinigung
beizufügen (§ 54 Abs. 1 Satz 2).

Nach erfolgter Prüfung des Registergerichts wird die Satzungsänderung gem. 41
§ 54 Abs. 2 im Handelsregister eingetragen. Die Satzungsänderung wird erst
mit dem Tag der Handelsregistereintragung wirksam (§ 54 Abs. 3).

---

46   Lutter/Hommelhoff in Lutter/Hommelhoff, GmbHG, § 53 Rn. 38; Zöllner in
     Baumbach/Hueck, GmbHG, § 53 Rn. 65; eingehend zur Problematik der
     Rückwirkung Schulze in HK-GmbHG, § 54 Rn. 6.

47   Koch in Bormann/Kauka/Ockelmann, Hdb. GmbH-Recht, Kap. 6 Rn. 149;
     Zöllner in Baumbach/Hueck, GmbHG, § 53 Rn. 74.

48   BGH, 06.11.1995 – II ZR 181/94, ZIP 1995, 1983; OLG Stuttgart, 17.05.2000 –
     20 U 68/99, NZG 2001, 40.

49   Schulze in HK-GmbHG, § 54 Rn. 9.

VI. Sonderfall: Satzungsdurchbrechung

42 Einen Sonderfall der Satzungsänderung stellt die sog. **Satzungsdurchbrechung** dar. Eine solche liegt vor, wenn die Gesellschafter beschließen **im Einzelfall** von den Bestimmungen der Satzung abzuweichen, ohne einen von der Satzung abweichenden rechtlichen Zustand zu wollen.[50]

Beispiel:

Die Satzung der X-GmbH sieht ein weitreichendes Wettbewerbsverbot der Gesellschafter vor. Die Gesellschafter A, B und C beschließen, ihrem Mitgesellschafter D für einen Einzelfall zu erlauben, ein bestimmtes Geschäft zu tätigen, wodurch dieser im Wettbewerb zur Gesellschaft tritt.

43 Die Satzungsdurchbrechung ist auch ohne Beachtung der Anforderungen an satzungsändernde Beschlüsse durch einfachen Gesellschafterbeschluss wirksam, wenn alle Gesellschafter ausdrücklich oder konkludent zugestimmt haben.[51]

44 Haben dagegen einzelne Gesellschafter der Maßnahme widersprochen, so ist die beschlossene Satzungsdurchbrechung anfechtbar.[52]

45 In diesem Zusammenhang ist zu beachten, dass die satzungsdurchbrechende Maßnahme keine dauerhafte Wirkung entfalten darf. Zulässig sind nur sog. **punktuelle Satzungsdurchbrechungen**, bei denen sich die Wirkung des Beschlusses in der konkreten Maßnahme erschöpft. Hat die satzungsdurchbrechende Maßnahme dauerhafte Wirkung, liegt materiell eine Satzungsänderung und keine Satzungsdurchbrechung vor und die Gesellschafter haben die Voraussetzungen dieser Norm zu beachten. Tun sie dies nicht, ist der Beschluss unwirksam.[53]

Beispiel:

Die Satzung der X-GmbH sieht vor, dass die Mitglieder des Beirates für drei Jahre gewählt werden. Ohne eine Änderung der Satzung zu beschließen, wählen die Gesellschafter den Herrn A für eine Zeit von fünf Jahren in den Beirat.

---

50 Lutter/Hommelhoff in Lutter/Hommelhoff, GmbHG, § 53 Rn. 23; Zöllner in Baumbach/Hueck, GmbHG, § 53 Rn. 39.

51 Lutter/Hommelhoff in Lutter/Hommelhoff, GmbHG, § 53 Rn. 26.

52 Habersack, ZGR 1994, 355; offen gelassen BGH, 07.06.1993 – II ZR 81/92, BGHZ 123, 19 = NJW 1993, 2246, 2247.

53 BGH, 07.06.1993 – II ZR 81/92, BGHZ 123, 19 = NJW 1993, 2246, 2247; OLG Köln, 11.10.1995 – 2 U 159/94, OLGR Köln 1996, 116.

VII. Muster

Vorlage für die Änderung eines Gesellschaftsvertrags außerhalb von Anlage 1

46

[notarieller Vorspann]

Die Erschienenen baten um Beurkundung der folgenden

Niederschrift über die außerordentliche Gesellschafterversammlung der

..... GmbH.

I. Vorbemerkung

Die Erschienenen sind sämtliche Gesellschafter der ..... GmbH mit dem Sitz in ....., eingetragen im Handelsregister des ..... unter HRB ..... (nachstehend die „Gesellschaft").

Das Stammkapital der Gesellschaft beträgt ..... €. Hieran sind die Erschienenen wie folgt beteiligt: ..... .

II. Gesellschafterversammlung

Unter Verzicht auf alle nicht zwingenden gesetzlichen und satzungsmäßigen Frist- und Formvorschriften für die Einberufung und Durchführung einer Gesellschafterversammlung halten wir hiermit eine Gesellschafterversammlung der Gesellschaft ab und beschließen was folgt:

1. § ..... Absatz 4 wird ersatzlos gestrichen.

2. § ..... wird um folgenden Absatz 3 ergänzt:
   „ ..... ".

3. § ..... wird wie folgt neu gefasst:
   „§ ..... Unternehmensgegenstand
   Gegenstand des Unternehmens ist ..... ."

Weitere Beschlüsse wurden nicht gefasst. Die Gesellschafterversammlung ist damit beendet.

Die Notarin wies die Erschienenen darauf hin ..... .

[ggf. Vollmacht an die Mitarbeiter des Notars zur Änderung der Urkunde bei Beanstandungen des Registergerichts]

[Notarielle Schlussformel]

[Unterschriften]

47   Vorlage für eine Vielzahl von Änderungen bzw. eine Neufassung des
      Gesellschaftsvertrags

[notarieller Vorspann]

Die Erschienenen baten um Beurkundung der folgenden

**Niederschrift über die außerordentliche Gesellschafterversamm-
lung der**

..... GmbH.

I.   Vorbemerkung

Die Erschienenen sind sämtliche Gesellschafter der ..... GmbH
mit dem Sitz in ....., eingetragen im Handelsregister des ..... unter
HRB ..... (nachstehend die „Gesellschaft").

Das Stammkapital der Gesellschaft beträgt ..... €. Hieran sind
die Erschienenen wie folgt beteiligt: ..... .

II.   Gesellschafterversammlung

Unter Verzicht auf alle nicht zwingenden gesetzlichen und satzungsmäßigen Frist- und Formvorschriften für die Einberufung
und Durchführung einer Gesellschafterversammlung halten wir
hiermit eine Gesellschafterversammlung der Gesellschaft ab und
beschließen was folgt:

Die Satzung der Gesellschaft wird vollständig, wie aus der
Anlage zu dieser Urkunde ersichtlich, neu gefasst.

Weitere Beschlüsse wurden nicht gefasst. Die Gesellschafterversammlung ist damit beendet.

Die Notarin wies die Erschienenen darauf hin ..... .

*[ggf. Vollmacht an die Mitarbeiter des Notars zur Änderung der
Urkunde bei Beanstandungen des Registergerichts]*

[Notarielle Schlussformel]

[Unterschriften]

§ 54 GmbHG   Anmeldung und Eintragung der Satzungsänderung

**(1) [1]Die Abänderung des Gesellschaftsvertrages ist zur Eintragung in
das Handelsregister anzumelden. [2]Der Anmeldung ist der vollständige
Wortlaut des Gesellschaftsvertrags beizufügen; er muss mit der
Bescheinigung eines Notars versehen sein, dass die geänderten Bestimmungen des Gesellschaftsvertrags mit dem Beschluss über die Ände-**

rung des Gesellschaftsvertrags und die unveränderten Bestimmungen mit dem zuletzt zum Handelsregister eingereichten vollständigen Wortlaut des Gesellschaftsvertrags übereinstimmen.

(2) Bei der Eintragung genügt, sofern nicht die Abänderung die in § 10 bezeichneten Angaben betrifft, die Bezugnahme auf die bei dem Gericht eingereichten Dokumente über die Abänderung.

(3) Die Abänderung hat keine rechtliche Wirkung, bevor sie in das Handelsregister des Sitzes der Gesellschaft eingetragen ist.

I.   Einführung

§ 54 behandelt die Anmeldung und Eintragung des Beschlusses der Gesell- 1
schafter über die Satzungsänderung im Handelsregister der Gesellschaft.

Die Geschäftsführer haben den Gesellschafterbeschluss über die Änderung 2
der Satzung zum Handelsregister gem. Abs. 1 anzumelden.

Der Anmeldung ist der neue Satzungstext in vollständiger Fassung mit 3
Bescheinigung des Notars nach Abs. 1 Satz 2 beizufügen.

Die Satzungsänderung wird erst mit ihrer Eintragung im Handelsregister 4
wirksam (Abs. 3).

Sofern die Satzungsänderung eine der in § 10 Abs. 1 und 2 genannten 5
Angaben betrifft, ist dies explizit im Handelsregister zu vermerken. Für die
Änderung aller anderen Vorschriften der Satzung reicht eine Eintragung
unter Bezugnahme auf den bei Gericht eingereichten Satzungsänderungsbeschluss (Abs. 2 Satz 1).

II.   Handelsregisteranmeldung (Abs. 1)

1.   Inhalt und Form

Die Handelsregisteranmeldung betreffend die Eintragung einer Satzungs- 6
änderung hat regelmäßig den folgenden Inhalt:

• Auflistung der Anlagen,

- Anmeldung, dass bestimmte Normen des Gesellschaftsvertrages geändert wurden

7   Für alle Satzungsänderungen, die nicht die in § 10 Abs. 1 und 2 aufgelisteten Gegenstände betreffen, reicht es aus, in der Handelsregisteranmeldung die Norm zu nennen, die geändert wurde und i.Ü. auf den Gesellschafterbeschluss zu verweisen.[1]

8   Haben die Gesellschafter dagegen Änderungen beschlossen, die die Firma, den Sitz, den Unternehmensgegenstand oder die Dauer der Gesellschaft betreffen (vgl. § 10 Abs. 1 und 2), reicht eine pauschale Bezugnahme auf den als Anlage beigefügten Satzungsänderungsbeschluss nicht aus. Insofern ist die Satzungsänderung unter Nennung des geänderten Paragraphen genau zu bezeichnen. Dies gilt auch, wenn die Satzung vollständig neu gefasst wird.[2] Eine wortwörtliche Aufnahme der Satzungsänderung in den Text der Handelsregisteranmeldung ist dagegen auch bei Änderung der in § 10 genannten Gegenstände nicht erforderlich. Eine „schlagwortartige" Beschreibung genügt.[3]

9   Bei einer generellen Überarbeitung der Satzung wird i.d.R. angemeldet, dass der Gesellschaftsvertrag wie aus dem der Anlage beigefügten aktuellen Wortlaut der Satzung ersichtlich neu gefasst wurde.

10   Zum besonderen Inhalt der Handelsregisteranmeldung bei der Änderung des Stammkapitals (Kapitalerhöhung und Kapitalherabsetzung) s. §§ 57, 57i, 58 und § 58a.

11   Die Handelsregisteranmeldung ist von den Geschäftsführern in vertretungsberechtigter Anzahl in notariell beglaubigter Form zu unterzeichnen (§ 78). Die Geschäftsführer können auch einen Dritten bevollmächtigen, die Handelsregisteranmeldung zu unterzeichnen. Allerdings bedarf die entsprechende Vollmacht dann wiederum der öffentlichen Beglaubigung (§ 12 HGB).[4] Zulässig

---

1   Zöllner in Baumbach/Hueck, GmbHG, § 54 Rn. 6; ebenso Roth/Altmeppen, GmbHG, § 54 Rn. 9, der jedoch eine konkrete Bezeichnung im Einzelfall für erforderlich hält, wenn Unklarheiten und Zweifel auftreten können.

2   OLG Hamm, 12.07.2001 – 15 W 136/01, GmbHR 2002, 64.

3   BGH, 16.02.1987 – II ZB 12/86, GmbHR 1987, 423 = WPM 1987, 1110; BayObLG, 22.02.1985 – BReg 3 Z 16/85, BB 1985, 1218 = Rpfleger 1985, 1218; OLG Düsseldorf, 19.04.1978 – 3 W 60/78, GmbHR 1978, 155.

4   Zöllner in Baumbach/Hueck, GmbHG, § 54 Rn. 3; ausführlich zur Bevollmächtigung des beurkundenden Notars: Schulze in HK-GmbHG, § 54 Rn. 1.

ist auch die Anmeldung in unechter Gesamtvertretung (z.B. ein Geschäftsführer mit einem Prokuristen).[5]

Die Handelsregisteranmeldung ist bei dem Gericht einzureichen, in dessen   12
Bezirk die Gesellschaft ihren Sitz hat (vgl. § 7 Abs. 1). Hat eine Gesellschaft eine oder mehrere Zweigniederlassungen, reicht die Einreichung eines Belegstückes beim Gericht der Hauptniederlassung oder des Sitzes der Gesellschaft aus. § 13c Abs. 1 HGB a.F., wonach für sämtliche Zweigniederlassungen zusätzliche Abschriften einzureichen waren, ist durch das EHUG zum 01.01.2007 ersatzlos weggefallen. Gleichzeitig wird das Handelsregister seit dem EHUG in elektronischer Form geführt (§ 8 Abs. 1 HGB). Anmeldungen zum Handelsregister werden daher durch die Notare elektronisch in öffentlich beglaubigter Form eingereicht (§ 12 Abs. 1 HGB).

2.   Pflicht der Geschäftsführer zur Anmeldung

Die Geschäftsführer sind grds. verpflichtet, eine von den Gesellschaftern   13
beschlossene Satzungsänderung unverzüglich zum Handelsregister anzumelden.[6] Korrespondierend kann das Registergericht die Anmeldung zum Handelsregister aber nicht verlangen, wenn die Geschäftsführer die Anmeldung übersehen oder absichtlich unterlassen.[7] Sind die Geschäftsführer der Auffassung, dass die Satzungsänderung unwirksam ist oder ernsthaft eine Anfechtungsklage gegen den Änderungsbeschluss droht, können sie die Handelsregisteranmeldung verweigern. Gibt es für die Geschäftsführer keinen Grund, die Handelsregisteranmeldung zu verzögern oder gänzlich zu verweigern und hat die Gesellschaft dadurch einen Schaden, so begründet dies einen Anspruch der Gesellschaft gegen die Geschäftsführer nach § 43.[8]

3.   Anlagen

Der Handelsregisteranmeldung ist zunächst der **notarielle Satzungsände-**   14
rungsbeschlusses beizufügen.

Eine weitere Anlage ist der **aktuelle Wortlaut des Gesellschaftsvertrages**   15
einschließlich der bereits beschlossenen Änderung mit einer **notariellen Satzungsbescheinigung** nach Abs. 1 Satz 2. In der Bescheinigung erklärt

---

5   Zöllner in Baumbach/Hueck, GmbHG, § 54 Rn. 2; Schulze in HK-GmbHG,
      § 54 Rn. 1.

6   Zöllner in Baumbach/Hueck, GmbHG, § 54 Rn. 17.

7   Zöllner in Baumbach/Hueck, GmbHG, § 54 Rn. 1.

8   Zöllner in Baumbach/Hueck, GmbHG, § 54 Rn. 16.

der Notar, dass der eingereichte Wortlaut der Satzung mit den beschlossenen Änderungen sowie den unveränderten Vorschriften aufgrund des zuletzt eingereichten Satzungstextes übereinstimmt.

16 Das Erfordernis der Einreichung des aktuellen Wortlauts des Gesellschaftsvertrages gilt auch bei Änderungen des Gesellschaftsvertrages im Gründungsstadium.[9]

17 Nach h.M. ist die notarielle Bescheinigung bei vollständiger Neufassung des Gesellschaftsvertrages entbehrlich.[10]

18 Im Einzelfall kann es notwendig sein, der Handelsregisteranmeldung weitere Dokumente beizufügen, z.B. die Zustimmungserklärungen einzelner Gesellschafter bei zustimmungspflichtigen Satzungsänderungen (vgl. § 53 Rn. 27 ff.)[11] oder Vollmachten, sofern die Anmeldung durch Bevollmächtigte erfolgt.[12]

19 Seit dem EHUG sind sämtliche Anlagen durch den Notar elektronisch einzureichen (vgl. § 12 Abs. 2 HGB).

4.   Prüfungsumfang des Registergerichts

20 Das Registergericht prüft die Handelsregisteranmeldung und die beigefügten Anlagen von Amts wegen nach § 12 FGG. Werden gemeinsam mit einer Sitzverlegung weitere Satzungsänderungen beschlossen, erfolgt die Prüfung insgesamt durch das Gericht des neuen Sitzes.[13]

21 In diesem Zusammenhang ist das Registergericht verpflichtet, zunächst zu prüfen, ob die Voraussetzungen für eine wirksame Satzungsänderung vorliegen (zu den Voraussetzungen eines wirksamen Beschlusses über die Satzungsänderung s. § 53).[14]

---

9   OLG Stuttgart, 29.11.1978 – 8 W 225/78, Rpfleger 1979, 63.

10 OLG Celle, 16.03.1982 – 1 W 4/82, Rpfleger 82, 288; OLG Zweibrücken, 10.10.2001 – 3 W 200/01, GmbHR 2001, 1117; Roth/Altmeppen, GmbHG, § 54 Rn. 7; a.A. Zöllner in Baumbach/Hueck, GmbHG, § 54 Rn. 11.

11 Zöllner in Baumbach/Hueck, GmbHG, § 54 Rn. 12.

12 Zöllner in Baumbach/Hueck, GmbHG, § 54 Rn. 14.

13 OLG Hamm, 25.03.1991 – 15 Sbd 4/91, GmbHR 1991, 321; OLG Zweibrücken, 15.10.1991 – 2 AR 41/91, GmbHR 1992, 678.

14 BayObLG, 08.02.1985 – BReg 3 Z 12/85, BB 1985, 545; OLG Köln, 09.06.1981 – 2 Wx 11/81, BB 1982, 579.

Daneben prüft das Gericht, ob die Anmeldung selbst den Anforderungen des 22
Gesetzes gerecht wird, insbes. im Hinblick auf die Form, die Legitimation
der anmeldenden Personen, Vollständigkeit der Anlagen und Übereinstimmung von Beschlussinhalt und Inhalt der Anmeldung.[15]

Dagegen ist es nicht die Aufgabe des Gerichts, die Zweckmäßigkeit der 23
beschlossenen Satzungsänderung zu überprüfen. Auch unklar formulierte
Satzungsänderungen sind grds. einzutragen, es sei denn, sie widersprechen
offensichtlich bereits vorhandenen Satzungsbestimmungen.[16]

Eine Eintragung nichtiger Satzungsänderungen ist durch das Gericht abzu- 24
lehnen, selbst wenn durch die Eintragung Heilung eintreten würde.[17] Ist die
Nichtigkeit unter den Gesellschaftern umstritten, hat das Gericht eine eigene
Prüfung durchzuführen und kann das Eintragungsverfahren ggf. aussetzen
(§ 127 FGG).[18]

Unklar ist die Rechtslage bei lediglich anfechtbaren Satzungsänderungs- 25
beschlüssen. Dem Registergericht obliegt es grds. nicht, Gesellschafterbeschlüsse allgemein auf ihre Rechtmäßigkeit hin zu überprüfen.[19] Ist jedoch
bereits eine Anfechtungsklage erhoben, hat das Gericht abzuwägen, ob es den
Beschluss einträgt oder aussetzt.[20] Für inhaltliche Verstöße gilt grds. das
Gleiche. Verstößt die Satzungsänderung aber gegen zwingendes Recht und
liegt insofern nicht bereits Nichtigkeit des Beschlusses vor, hat das Gericht den
Beschluss zu prüfen und ggf. dessen Eintragung abzulehnen.[21]

Lehnt das Registergericht die Eintragung eines satzungsändernden 26
Beschlusses ab, besteht für die Gesellschaft die Möglichkeit der Beschwerde
gegen die Ablehnung (§§ 19, 20 Abs. 2 FGG) sowie ggf. der weiteren
Beschwerde (§§ 27, 28 FGG).

---

15   Schulze in HK-GmbHG, § 54 Rn. 11.

16   BayObLG, 08.02.1985 – BReg 3 Z 12/85, BB 1985, 545.

17   OLG Köln, 17.07.1992 – 2 Wx 32/92, BB 1993, 317.

18   Roth/Altmeppen, GmbHG, § 54 Rn. 18.

19   OLG Köln, 09.06.1981 – 2 Wx 11/81, BB 1982, 579.

20   Roth/Altmeppen, GmbHG, § 54 Rn. 19; Zöllner in Baumbach/Hueck, GmbHG,
      § 54 Rn. 22.

21   Ebenso wohl Roth/Altmeppen, GmbHG, § 54 Rn. 19; ausführlich zur Prüfung
      anfechtbarer Beschlüsse Zöllner in Baumbach/Hueck, GmbHG, § 54 Rn. 22.

III.   Eintragung der Satzungsänderung im Handelsregister (Abs. 2 Satz 1)

27   Die Satzungsänderung wird nach Maßgabe des Abs. 2 in das Handelsregister eingetragen. Betrifft die Satzungsänderung einen der in § 10 Abs. 1 und 2 aufgelisteten Gegenstände, sind diese Änderungen nach Abs. 2 Satz 1 im Register durch Streichung und Neueinfügung zu vermerken. Wortwörtliche Aufnahme der Satzungsänderung ist auch hier nicht erforderlich, ausreichend ist die zweifelsfreie inhaltliche Wiedergabe.[22] Bezüglich aller übrigen Satzungsänderungen wird unter Bezugnahme auf die bei Gericht hinterlegten Dokumente lediglich vermerkt, dass der Gesellschaftsvertrag geändert wurde. Ebenso werden Datum der Beschlussfassung und Datum der Eintragung im Handelsregister vermerkt.

IV.   Rechtsfolgen der Eintragung (Abs. 3)

28   Die beschlossene Satzungsänderung wird erst mit ihrer Eintragung im Handelsregister wirksam.

29   Im Innenverhältnis sind die Gesellschafter und auch die Organe bereits mit Fassung des Kapitalerhöhungsbeschlusses an die entsprechende Satzungsänderung gebunden.[23] Dies soll nach Lutter/Hommelhoff auch für den Erwerber eines Geschäftsanteils gelten, wobei es nicht darauf ankommt, ob dem Erwerber der gefasste, aber noch nicht eingetragene Satzungsänderungsbeschluss bekannt war oder nicht.[24]

> **Praxistipp:**
>
> Aus der Problematik der Innenwirkung von Satzungsänderungsbeschlüssen ergibt sich für den Erwerber eines Geschäftsanteils nicht nur die Notwendigkeit, die im Handelsregister eingetragene Satzung auf etwaige Abtretungsbeschränkungen hin zu überprüfen, sondern sich durch Rückfrage beim Veräußerer auch zu vergewissern, dass daneben keine Satzungsänderungsbeschlüsse von den Gesellschaftern gefasst wurden, die bislang noch nicht im Handelsregister eingetragen wurden. Diese könnten nämlich weitere Abtretungsbeschränkungen oder

---

22   Zöllner in Baumbach/Hueck, GmbHG, § 54 Rn. 34.

23   Lutter/Hommelhoff in Lutter/Hommelhoff, GmbHG, § 54 Rn. 14; einschränkend Zöllner in Baumbach/Hueck, GmbHG, § 54 Rn. 39, wonach durch Auslegung des jeweiligen Beschlusses zu klären ist, ob eine Bindung mit Beschlussfassung bereits gewollt ist.

24   Lutter/Hommelhoff in Lutter/Hommelhoff, GmbHG, § 54 Rn. 14.

> Gesellschafterpflichten enthalten. Es ist ratsam, eine entsprechende Garantie des Veräußerers in den Kauf- und Abtretungsvertrag mitaufzunehmen. Bei Unternehmenskäufen ist eine solche Garantie standardmäßig im Garantiekatalog vorhanden.

Nichtige Änderungsbeschlüsse werden durch Eintragung im Handelsregister gem. § 242 AktG analog geheilt, wenn sie drei Jahre im Handelsregister eingetragen sind.[25] Keine Heilung tritt dagegen ein, wenn überhaupt kein Beschluss der Gesellschafter vorlag sowie bei Beschlussmängeln, die lediglich eine Anfechtung der Satzungsänderung begründen.[26]   30

Die Eintragung der Satzungsänderung ist durch das Gericht gem. § 10 HGB bekannt zu machen. Die zusätzlichen Bekanntmachungen nach Abs. 2 Satz 2 a.F. sind durch das EHUG zum 01.01.2007 aufgrund des Verzichts auf Zusatzbekanntmachungen sowie der Neuordnung des Zweigniederlassungsrechts ersatzlos weggefallen.   31

V.   Muster

Vorlage für eine Handelsregisteranmeldung   32

> An das Amtsgericht
> – Registergericht –
> **..... GmbH, HRB .....**
>
> Es werden vorgelegt:
> 1. Niederschrift über die außerordentliche Gesellschafterversammlung vom ..... (UR-Nr. ..... der Notarin ..... in .....),
> 2. vollständiger Wortlaut des Gesellschaftsvertrages mit der Bescheinigung des Notars nach § 54 Abs. 1 Satz 2 GmbHG.
>
> Zur Eintragung im Handelsregister wird angemeldet:
>
> Die Firma der Gesellschaft wurde in „....." geändert. § 1 Abs. 1 des Gesellschaftsvertrages wurde entsprechend angepasst.
>
> *[ggf. Vollmacht an die Mitarbeiter des Notars, die Handelsregisteranmeldung bei formellen Beanstandungen zu ändern]*

---

25   BGH, 06.11.1995 – II ZR 181/94, ZIP 1995, 1984; OLG Stuttgart, 17.05.2000 – 20 U 68/99, NZG 2001, 40.

26   Zöllner in Baumbach/Hueck, GmbHG, § 54 Rn. 40.

..... , den .....

[Unterschriften]

[Beglaubigungsvermerk]

33   Vorlage für eine Satzungsbescheinigung nach § 54 Abs. 1 Satz 2

Bescheinigung gem. § 54 Abs. 1 Satz 2

Gem. § 54 Abs. 1 Satz 2 GmbHG bescheinige ich hiermit, dass die geänderten Bestimmungen des vorstehenden Gesellschaftsvertrages der ..... GmbH mit Sitz in ....., eingetragen im Handelsregister des Amtsgerichts ..... unter HRB ....., mit meiner Urkunde vom ..... über die Änderung des Gesellschaftsvertrages übereinstimmen.

Ferner bescheinige ich, dass die unveränderten Bestimmungen des Gesellschaftsvertrages mit dem zuletzt zum Handelsregister eingereichten Wortlaut des Gesellschaftsvertrages übereinstimmen.

..... , den .....

[Unterschrift Notar]

[Dienstsiegel]

§ 55 GmbHG   Erhöhung des Stammkapitals

(1) Wird eine Erhöhung des Stammkapitals beschlossen, so bedarf es zur Übernahme jedes Geschäftsanteils an dem erhöhten Kapital einer notariell aufgenommenen oder beglaubigten Erklärung des Übernehmers.

(2) ¹Zur Übernahme eines Geschäftsanteils können von der Gesellschaft die bisherigen Gesellschafter oder andere Personen, welche durch die Übernahme ihren Beitritt zu der Gesellschaft erklären, zugelassen werden. ²Im letzteren Falle sind außer dem Nennbetrag des Geschäftsanteils auch sonstige Leistungen, zu welchen der Beitretende nach dem Gesellschaftsvertrage verpflichtet sein soll, in der in Absatz 1 bezeichneten Urkunde ersichtlich zu machen.

(3) Wird von einem der Gesellschaft bereits angehörenden Gesellschafter ein Geschäftsanteil an dem erhöhten Kapital übernommen, so erwirbt derselbe einen weiteren Geschäftsanteil.

(4) Die Bestimmungen in § 5 Abs. 2 und 3 über die Nennbeträge der Geschäftsanteile sowie die Bestimmungen in § 19 Abs. 6 über die Ver-

jährung des Anspruchs der Gesellschaft auf Leistung der Einlagen sind auch hinsichtlich der an dem erhöhten Kapital übernommenen Geschäftsanteile anzuwenden.

I. Einführung

Die §§ 55 bis 57a behandeln die Kapitalerhöhung gegen Einlagen, auch 1 ordentliche oder effektive Kapitalerhöhung genannt. Die Einlagen können in bar oder als Sacheinlagen erbracht werden.

Neben der Kapitalerhöhung gegen Einlagen kennt das Gesetz noch die 2 Kapitalerhöhung aus Gesellschaftsmitteln. Diese ist in den §§ 57c ff. geregelt und erfolgt nicht durch Zuführung neuen Vermögens, sondern durch Umwandlung bereits bestehenden Vermögens (genauer durch die Umwandlung von vorhandenen Kapital- und Gewinnrücklagen) in Stammkapital.

Als besondere Form der Kapitalerhöhung gegen Einlagen kennt das GmbHG 3 seit dem MoMiG die Kapitalerhöhung aus genehmigtem Kapital (§ 55a). Damit hat der Gesetzgeber auch für die GmbH die bereits im Aktienrecht bekannte Möglichkeit (vgl. §§ 202 ff. AktG) einer Ermächtigung der Geschäftsführung durch die Gesellschafterversammlung geschaffen, das Kapital in den Grenzen der Ermächtigung zu erhöhen, ohne dass es eines weiteren notariellen Gesellschafterbeschlusses bedarf. Darüber hinaus ist die im AktG geregelte Kapitalerhöhung im Wege des bedingten Kapitals (§§ 192 ff. AktG) im GmbHG nicht vorgesehen.

4   § 55 behandelt den Beschluss der Gesellschafter über die Erhöhung des Stammkapitals sowie die Übernahme der neuen Geschäftsanteile durch die neuen Gesellschafter. Seit Inkrafttreten des MoMiG verwendet § 55 durchgängig den Begriff des „Geschäftsanteils" anstelle des veralteten Begriffes der „Stammeinlage". Materielle Änderungen ergeben sich hierdurch nicht. Ferner wurde Abs. 4 der Vorschrift durch das MoMiG vollständig neu gefasst. Hierbei handelt es sich um eine Folgeänderung zu den Änderungen der §§ 5 und 19. Seit dem Inkrafttreten des MoMiG können die Übernehmer nun mehrere Geschäftsanteile i.R.d. Kapitalerhöhung übernehmen (§ 5 Abs. 2 Satz 2 n.F.), allerdings muss die Summe der Nennbeträge aller Geschäftanteile stets mit dem Stammkapital übereinstimmen. Darüber hinaus ist nun ausreichend, wenn die neuen Geschäftsanteile auf volle Euro lauten (§ 5 Abs. 2 Satz 2 n.F.).

5   Für den Fall der Sacheinlage enthält § 56 ergänzende Regelungen.

6   Die tatsächliche Erbringung der Bar- und Sacheinlagen ist in § 56a geregelt.

7   Wie jede Satzungsänderung wird auch die Kapitalerhöhung gegen Einlagen erst mit ihrer Eintragung im Handelsregister wirksam. Die entsprechende Anmeldung zur Eintragung im Handelsregister sowie die Prüfungspflicht des Gerichts behandeln die §§ 57 und 57a.

8   Vor Inkrafttreten des MoMiG enthielt § 57b darüber hinaus eine Sonderregelung für die Bekanntmachung der Kapitalerhöhung gegen Sacheinlagen durch das Registergericht. Diese Regelung wurde in Fortsetzung des durch das EHUG begonnenen Verzichts auf Zusatzbekanntmachungen ersatzlos gestrichen.

9   **Checkliste: Voraussetzungen der Kapitalerhöhung gegen Einlagen**

☑

> ☐ Kapitalerhöhungsbeschluss gem. §§ 53, 55 Abs. 1, 56
>
> ☐ Übernahme der neuen Geschäftsanteile durch die Übernehmer (§ 55 Abs. 1 und 2)
>
> ☐ Leistung der neuen Einlagen auf die neuen Geschäftsanteile in bar oder als Sacheinlage (§ 56a)
>
> ☐ Anmeldung der Kapitalerhöhung zum Handelsregister der Gesellschaft (§ 57)
>
> ☐ Eintragung der Kapitalerhöhung im Handelsregister der Gesellschaft (§ 54 Abs. 3)

II. Kapitalerhöhungsbeschluss
1. Zustandekommen und Form

Da sich durch die Erhöhung des Stammkapitals die Stammkapitalziffer der   10
Gesellschaft ändert, bedarf es zur Kapitalerhöhung eines satzungsändernden
Beschlusses über die Erhöhung des Stammkapitals gegen Bar- und/oder
Sacheinlage. Der Kapitalerhöhungsbeschluss enthält bereits die daraus
resultierende Änderung des Gesellschaftsvertrags, sodass es keines gesonderten Satzungsänderungsbeschlusses mehr bedarf.[1] In der Praxis ist es
jedoch zu empfehlen, zur Klarstellung die durch die Kapitalerhöhung
resultierende Änderung des Gesellschaftsvertrags im Kapitalerhöhungsbeschluss aufzunehmen (s. Rn. 16).

Der Kapitalerhöhungsbeschluss muss wie jeder satzungsändernde Beschluss   11
notariell beurkundet werden und bedarf einer Mehrheit von 75 % der abgegebenen Gesellschafterstimmen (§ 53 Abs. 2). Das Zustimmungserfordernis
nach § 53 Abs. 3 findet auf den Kapitalerhöhungsbeschluss keine Anwendung, es sei denn, die Gesellschafter wollen im Gesellschaftsvertrag eine
Pflicht der Gesellschafter begründen, neue Geschäftsanteile zu übernehmen.[2]

Die Gesellschafter können sich bei der Beschlussfassung über die Kapital-   12
erhöhung vertreten lassen. Im Gegensatz zur Vertretung bei der Übernahme
eines Geschäftsanteils ist für den Beschluss über die Kapitalerhöhung eine
privatschriftliche Vollmacht ausreichend.[3]

Es besteht keine Pflicht der Gesellschafter, eine Kapitalerhöhung zu   13
beschließen. Eine Ausnahme ist aufgrund der Treuepflicht der Gesellschafter nur in Ausnahmefällen denkbar.[4] Untereinander können sich die Gesellschafter – auch gegenüber Dritten – aber verpflichten – auch bereits vor
Eintragung der GmbH im Handelsregister –, das Stammkapital der Gesellschaft zu erhöhen.[5] Eine solche Verpflichtung bedarf keiner besonderen
Form (im Einzelnen zur Form und Zulässigkeit der Stimmbindung der
Gesellschafter untereinander und gegenüber Dritten in Bezug auf Satzungsänderungen s. § 53 Rn. 32).[6]

---

1 BGH, 15.10.2008 – II ZR 216/06, GmbHR, 2008, 147.
2 Zöllner in Baumbach/Hueck, GmbHG, § 55 Rn. 17; Roth/Altmeppen, GmbHG,
§ 55 Rn. 7.
3 Schulze in HK-GmbHG, § 55 Rn. 5.
4 BGH, 21.04.1977 – II ZR 155/75, WM 1977, 754.
5 Lutter/Hommelhoff in Lutter/Hommelhoff, GmbHG, § 55 Rn. 9.
6 Heckschen in Wachter, FA Handels- und GesellschaftsR, Teil 1, 2. Kap. Rn. 336.

14   Auch eine Verpflichtung der GmbH, vorbehaltlich einer entsprechenden
      Beschlussfassung durch die Gesellschafter, ihr Stammkapital zu erhöhen,
      ist zulässig.[7]

15   Der Kapitalerhöhungsbeschluss bedarf keiner sachlichen Rechtfertigung und
      unterliegt somit auch keiner materiellen Inhaltskontrolle durch die Gerichte.[8]

2.   Inhalt

16   Der Kapitalerhöhungsbeschluss hat die folgenden Angaben zu enthalten:

      • Feststellung, um welchen Betrag das Stammkapital erhöht wird sowie
        Angabe des neuen Stammkapitals (sofern kein Höchstbetrag beschlossen
        wird),

      • Feststellung des Erhöhungsbetrags, [9]

      • bei der Kapitalerhöhung gegen Sacheinlage zusätzliche Angaben nach § 56,

      • sofern für für die neuen Geschäftsanteile abweichende Regelungen gelten
        sollen, Nennung dieser Regelungen,

      • bei Ausgestaltung der Kapitalerhöhung im Wege der Aufstockung der
        Nennbeträge der bereits bestehenden Geschäftsanteile Nennung, dass die
        Kapitalerhöhung auf diese Weise durchgeführt wird,

      • bei Verpflichtung zur Zahlung eines Agios Nennung des erhöhten Aus-
        gabepreises,

      • ggf. Aufteilung des Kapitalerhöhungsbetrages und Zulassung der Über-
        nehmer der neuen Geschäftsanteile (Zulassungsbeschluss) bei Durchfüh-
        rung der Kapitalerhöhung abweichend vom gesetzlichen Bezugsrecht,
        und

      • Satzungsänderung zur Anpassung der Stammkapitalziffer.

17   Erfolgt die Kapitalerhöhung gegen Sacheinlagen, so hat der Kapitalerhö-
      hungsbeschluss zusätzlich die Festsetzungen nach § 56 (Gegenstand und
      Nennbetrag des Geschäftsanteils, auf den sich die Sacheinlage bezieht) zu
      enthalten (s. dazu ausführlich § 56 Rn. 6 ff.).

---

7   Lutter/Hommelhoff in Lutter/Hommelhoff, GmbHG, § 55 Rn. 10.

8   Ausführlich zum Erfordernis einer sachlichen Rechtfertigung und zur materiel-
     len Beschlusskontrolle Heckschen in Wachter, FA Handels- und Gesell-
     schaftsR, Teil 1, 2. Kap. Rn. 286.

9   Herrschende Meinung: Roth/Altmeppen, GmbHG, § 55 Rn. 3; Zöllner in Baum-
     bach/Hueck, GmbHG, § 55 Rn. 11: Erhöhungsbetrag oder Betrag des neuen
     Stammkapitals; a.A. Lutter/Hommelhoff in Lutter/Hommelhoff, GmbHG, § 55
     Rn. 11: stets des Nennung des Kapitalerhöhungsbetrages und des neuen Stamm-
     kapitals erforderlich.

Handelt es sich um eine gemischte Bar- und Sacheinlage, sind die vor- 18
genannten Angaben zu kombinieren.

In der Regel erfolgt die Kapitalerhöhung um einen konkreten Erhöhungs- 19
betrag. Die Gesellschafter können im Kapitalerhöhungsbeschluss aber auch
einen Höchstbetrag, ggf. verbunden mit einem Mindestbetrag festlegen.[10]

> **Praxistipp:**
>
> Erfolgt die Kapitalerhöhung im Normalfall um einen konkreten Erhö-
> hungsbetrag ist es aus Gründen der Klarheit zu empfehlen, im Kapital-
> erhöhungsbeschluss sowohl das Ausgangskapital als auch den Erhö-
> hungsbetrag und den Betrag des Stammkapitals nach Durchführung der
> Kapitalerhöhung zu nennen („Das Stammkapital der Gesellschaft wird
> von ..... € um ..... € auf ..... € erhöht.")[11]

§ 3 Abs. 1 Nr. 4 findet auf die Kapitalerhöhung keine analoge Anwendung.[12] 20
Die neuen Geschäftsanteile und deren Übernehmer sind im Kapitalerhöhungsbeschluss nicht aufzunehmen. Es ist ausreichend, wenn die Bestimmung der
neuen Geschäftsanteile in den entsprechenden Übernahmeerklärungen sowie in
der Liste der Unternehmen erfolgt. Die neuen Übernehmer und ihre Geschäftsanteile müssen auch nicht in der Satzung der Gesellschaft aufgeführt werden.
Es bleibt den Gesellschaftern natürlich unbenommen, die neuen Geschäftsanteile informatorisch in der Satzung aufzulisten. In diesem Zusammenhang
können die Gesellschafter die Gründungsgesellschafter und deren Geschäftsanteile, die ursprünglich gem. § 3 Abs. 1 Nr. 4 in den Gesellschaftsvertrag
aufgenommen wurden, aus dem Gesellschaftsvertrag streichen, sofern deren
Geschäftsanteile voll eingezahlt wurden.[13]

Die Aufteilung des Kapitalerhöhungsbetrages auf die neuen Geschäfts- 21
anteile ist im Kapitalerhöhungsbeschluss grds. nicht aufzunehmen.
Beschließen die Gesellschafter, das Bezugsrecht der bisherigen Gesellschafter auszuschließen oder den Kapitalerhöhungsbetrag abweichend vom
gesetzlichen Bezugsrecht zu verteilen, haben sie in einem sog. Zulassungsbeschluss festzulegen, wie der Kapitalerhöhungsbetrag verteilt wird und wer
zur Übernahme der neuen Geschäftsanteile zugelassen wird. In der Praxis ist

---

10   Zöllner in Baumbach/Hueck, GmbHG, § 55 Rn. 11; Schulze in HK-GmbHG,
     § 55 Rn. 7.

11   Ebenso Zöllner in Baumbach/Hueck, GmbHG, § 55 Rn. 11.

12   BayObLG, 17.09.1981 – BReg 1 Z 69/81, ZIP 1981, 1207.

13   OLG Köln, DNotZ 1972, 623; OLG Karlsruhe, RPfleger 1972, 309; BayObLG,
     DB 1971, 88.

dieser Zulassungsbeschluss regelmäßig Teil des Kapitalerhöhungsbeschlusses. Zwingend ist dies aber nicht. Der Zulassungsbeschluss kann auch gesondert gefasst werden (s.u. Rn. 31).

22 Eine Unterpariemission ist auch im Recht der GmbH nicht zulässig. Der Ausgabepreis für die neuen Geschäftsanteile muss daher immer dem Nominalwert der Geschäftsanteile entsprechen. Darüber hinaus bleibt es den Gesellschaftern überlassen, einen höheren Wert für die neuen Geschäftsanteile festzulegen.[14] Sind die Gesellschafter verpflichtet, über den Nominalbetrag ein Agio zu zahlen, kann diese Verpflichtung und die Höhe des Agios im Kapitalerhöhungsbeschluss als Leistungspflicht aufgenommen werden.[15] Zwingend erforderlich ist die Gestaltung als korporative Leistungspflicht aber nicht. Der BGH hat jüngst klargestellt, dass ein Agio auch aufgrund rein schuldrechtlich wirkender Vereinbarung ebenso zulässig ist.[16] Darüber hinaus ist in den Kapitalerhöhungsbeschluss aufzunehmen, wenn für die neuen Geschäftsanteile abweichende Rechte oder Pflichten gelten sollen.[17]

23 Der Kapitalerhöhungsbeschluss kann darüber hinaus weitere fakultative Regelungen zum Inhalt haben (z.B. Nennung der neuen Geschäftsanteile und der Übernehmer – sofern nicht erforderlich bei Abweichung vom gesetzlichen Bezugsrecht –, Fristen für die Durchführung der Kapitalerhöhung).[18] Häufig findet sich in der Praxis eine Regelung dazu, ab wann die neuen Geschäftsanteile gewinnberechtigt sein sollen.

III   Übernahme der Geschäftsanteile

1.   Bezugsrecht der Gesellschafter und Zulassungsbeschluss

a)   Bezugsrecht

24 Nach heute h.M. steht den bisherigen Gesellschaftern i.R.d. Kapitalerhöhung gegen Einlagen ein gesetzliches Bezugsrecht analog § 186

---

14   Zöllner in Baumbach/Hueck, GmbHG, § 55 Rn. 13.

15   Roth/Altmeppen, GmbHG, § 55 Rn. 4; Zöllner in Baumbach/Hueck, GmbHG, § 55 Rn. 13; Lutter/Hommelhoff in Lutter/Hommelhoff, GmbHG, § 55 Rn. 13.

16   BGH, 15.10.2008 – II ZR 216/06, GmbHR, 2008, 147.

17   Roth/Altmeppen, GmbHG, § 55 Rn. 4; Zöllner in Baumbach/Hueck, GmbHG, § 55 Rn. 14.

18   Zöllner in Baumbach/Hueck, GmbHG, § 55 Rn. 16.

AktG zu.[19] Die Altgesellschafter haben danach das Recht, an einer Kapitalerhöhung entsprechend ihrer bisherigen Beteiligung am Stammkapital der Gesellschaft teilzunehmen.[20]

Dieses Bezugsrecht können die Gesellschafter aber im notariellen Kapital-   25
erhöhungsbeschluss mit einer Kapitalmehrheit von 75 % des bei der Beschlussfassung vertretenen Stammkapitals ausschließen oder einschränken.[21] Die Satzung kann insoweit eine höhere Mehrheit vorsehen.

Beschließen die Gesellschafter, nur das Bezugsrecht einzelner Gesellschaf-   26
ter auszuschließen, so ist deren Zustimmung hierfür erforderlich.

Formal ist zum Schutz der bisherigen Gesellschafter ein schriftlicher Bericht   27
der Geschäftsführung über den Grund für den Bezugsrechtsausschluss analog § 186 Abs. 4 Satz 2 AktG erforderlich.[22] Auf dieses Erfordernis können
die Gesellschafter jedoch einstimmig verzichten.

In materieller Hinsicht muss der Bezugsrechtsausschluss einem berechtigten   28
Gesellschafterinteresse dienen sowie erforderlich und verhältnismäßig sein.
Die Regelungen über den Bezugsrechtsausschluss bei der AG können
insoweit herangezogen werden.[23]

> **Praxistipp:**
>
> In der Praxis werfen die formellen und materiellen Voraussetzungen
> des Bezugsrechtsausschlusses bei der GmbH i.d.R. keine Probleme auf.
> Die meisten Gesellschaften in der Rechtsform der GmbH haben einen
> überschaubaren Personenkreis und die Zulassung weiterer Gesellschaf-
> ter unter Bezugsrechtsausschluss der bestehenden Anteilseigner

---

19   Koch in Bormann/Kauka/Ockelmann, Hdb. GmbH-Recht, Kap. 6 Rn. 5; Lutter/
     Hommelhoff in Lutter/Hommelhoff, GmbHG, § 55 Rn. 17; Zöllner in Baum-
     bach/Hueck, GmbHG, § 55 Rn. 20; Priester in Scholz, GmbHG, § 55
     Rn. 41 ff.; Hermanns in Michalski, GmbHG, § 55 Rn. 36 ff.; im Ergebnis
     ebenso Roth/Altmeppen, GmbHG, § 55 Rn. 20, der dem gesetzlichen Bezugs-
     recht über die Grundsätze der Sachgerechtigkeit und Gleichbehandlung der
     Gesellschafter sehr nahe kommt; a.A. Schulze in HK-GmbHR, § 55 Rn. 14.
20   Zöllner in Baumbach/Hueck, GmbHG, § 55 Rn. 21.
21   Lutter/Hommelhoff in Lutter/Hommelhoff, GmbHG, § 55 Rn. 19: a.A. Zöllner
     in Baumbach/Hueck, GmbHG, § 55 Rn. 25: 75 % Kapitalmehrheit.
22   Zustimmend Zöllner in Baumbach/Hueck, GmbHG, § 55 Rn. 25; ablehnend
     Bormann in Bormann/Kauka/Ockelmann, Hdb. GmbH-Recht, Kap. 4 Rn. 320.
23   Koch in Bormann/Kauka/Ockelmann, Hdb. GmbH-Recht, Kap. 6 Rn. 5; aus-
     führlich zu den materiellen Voraussetzungen des Bezugsrechtsausschlusses bei
     der GmbH s. Zöllner in Baumbach/Hueck, GmbHG, § 55 Rn. 26 ff.; Heck-
     schen in Wachter, FA Handels- und GesellschaftsR, Teil 1, 2. Kap. Rn. 300 ff.

> geschieht i.d.R. mit Zustimmung aller Gesellschafter, zu deren Erteilung sich die Gesellschafter in vielen Fällen bereits vorab verpflichtet haben (z.B. durch Abschluss eines schuldrechtlichen Beteiligungsvertrages, der die Aufnahme weiterer Gesellschafter unter ganzem oder teilweisem Bezugsrechtsausschluss der bestehenden Anteilseigner vorsieht).

b)   Zulassungsbeschluss

29   Erfolgt die Zuteilung der durch die Kapitalerhöhung geschaffenen neuen Geschäftsanteile gemäß dem gesetzlichen Bezugsrecht der bestehenden Anteilseigner, so bedarf es keiner gesonderten Zuteilung im Kapitalerhöhungsbeschluss.[24]

30   Beschließen die Gesellschafter, das Bezugsrecht ganz oder teilweise auszuschließen, so haben sie zusätzlich festzulegen, wie der Kapitalerhöhungsbetrag auf die neuen Geschäftsanteile zu verteilen ist und wer zur Übernahme der neuen Geschäftsanteile zugelassen sein soll.[25]

31   Dieser sog. **Zulassungsbeschluss**, der nur der einfachen Mehrheit der abgegebenen Stimmen bedarf,[26] wird in der Praxis regelmäßig gemeinsam mit dem Kapitalerhöhungsbeschluss gefasst. Dies ist jedoch nicht zwingend erforderlich. Der Zulassungsbeschluss kann auch gesondert nach der Beschlussfassung über die Kapitalerhöhung erfolgen.

32   Der Zulassungsbeschluss hat neben dem Übernehmer der neuen Geschäftsanteile auch den Betrag der zu übernehmenden Geschäftsanteile aufzuführen.

33   Soll der Übernehmer neben den Einlagen auf die Geschäftsanteile weitere Leistungen erbringen (z.B. die Erbringung eines Agios), sind auch diese Leistungen grds. im Zulassungsbeschluss zu nennen.[27]

2.   Übernehmer

34   Jeder, der Gesellschafter einer GmbH sein kann, kann Übernehmer im Sinne dieser Vorschrift sein.[28] Zur Gesellschaftereigenschaft s. Opgenhoff in Bormann/Kauka/Ockelmann, Hdb. GmbH-Recht, Kap. 2 Rn. 57 ff. Dies

---

24   Zöllner in Baumbach/Hueck, GmbHG, § 55 Rn. 21.

25   Heckschen in Wachter, FA Handels- und GesellschaftsR, Teil 1, 2. Kap. Rn. 295.

26   Zöllner in Baumbach/Hueck, GmbHG, § 55 Rn. 28.

27   Roth/Altmeppen, GmbHG, § 55 Rn. 31.

28   Zur Gesellschaftereigenschaft s. Opgenhoff in Bormann/Kauka/Ockelmann, Hdb. GmbH-Recht, Kap. 2 Rn. 57 ff.

können sowohl die bisherigen Gesellschafter als auch Dritte sein. Die Gesellschaft selbst kann keinen Geschäftsanteil i.R.d. Kapitalerhöhung übernehmen,[29] ebenso wenig von der Gesellschaft abhängige oder im Mehrheitsbesitz stehende Unternehmen.[30]

a) Übernahmeerklärung und Übernahmevertrag

aa) Form der Übernahmeerklärung

Die Übernahme des neuen Geschäftsanteils erfolgt durch eine Übernahme- 35 erklärung des Übernehmers. Diese Übernahmeerklärung ist in notarieller Form abzugeben (Abs. 1) und erfolgt i.d.R. in der Form der notariellen Beglaubigung. Die Übernehmer können sich hierbei vertreten lassen. Allerdings erfordert die Vollmacht ebenfalls die notarielle Form.[31]

Regelmäßig erfolgt die Übernahme der neuen Geschäftsanteile zusammen 36 mit dem Kapitalerhöhungsbeschluss in einer Urkunde. Zwingend ist dies jedoch nicht. Sind die Übernehmer bei der Beschlussfassung über die Kapitalerhöhung nicht anwesend, können sie auch im Nachhinein eine gesonderte Übernahmeerklärung in notarieller Form abgeben. Denkbar ist auch eine Übernahmeerklärung vor Beschlussfassung über die Kapitalerhöhung unter der Bedingung, dass die Kapitalerhöhung beschlossen wird und ggf. der Übernehmer zur Übernahme des in der Übernahmeerklärung bezeichneten Geschäftsanteils zugelassen wird.

Zur Problematik des Zeitpunktes der Erklärung der Übernahme i.R.d. Kom- 37 bination aus vereinfachter Kapitalherabsetzung und Barkapitalerhöhung s. § 58f Rn. 14 f.

Die Gesellschafter sind nicht verpflichtet, einen neuen Geschäftsanteil zu 38 übernehmen.[32] Die Gesellschafter können sich – auch bereits vor Gründung der GmbH – schuldrechtlich zur Übernahme eines neuen Geschäftsanteiles verpflichten. Eine solche Übernahme gilt gegenüber der Gesellschaft aber nur, wenn die Erklärung in notarieller Form gemäß Abs. 1 erfolgt.[33]

---

29 BGH, 09.12.1954 – II ZB 15/54, BGHZ 15, 393 = WM 1955, 68.

30 Zöllner in Baumbach/Hueck, GmbHG, § 55 Rn. 19; weiter Lutter/Hommelhoff in Lutter/Hommelhoff, GmbHG, § 55 Rn. 27: alle Unternehmen, an denen die GmbH mit mehr als 25% beteiligt ist.

31 Zöllner in Baumbach/Hueck, GmbHG, § 55 Rn. 32; Schulze in HK-GmbHG, § 55 Rn. 14.

32 Roth/Altmeppen, GmbHG, § 55 Rn. 29; Lutter/Hommelhoff in Lutter/Hommelhoff, GmbHG, § 55 Rn. 25.

33 Zöllner in Baumbach/Hueck, GmbHG, § 55 Rn. 40; Heckschen in Wachter, FA Handels- und Gesellschaftsrecht, Teil 1, 2. Kap. Rn. 336.

bb)   Zustandekommen des Übernahmevertrags

39   Mit Annahme der Übernahmeerklärung durch die Gesellschaft kommt ein **sog. Übernahmevertrag** zwischen dem Übernehmer und der Gesellschaft zustande.[34] Die Annahmeerklärung der Gesellschaft erfolgt in der Praxis konkludent durch die Entgegennahme der Übernahmeerklärung durch die Geschäftsführer der Gesellschaft, spätestens jedoch mit der Einreichung der Handelsregisteranmeldung nebst Übernahmeerklärung zum Handelsregister.[35]

40   Diese Praxis ist nicht ganz unproblematisch, denn beim Abschluss des Übernahmevertrages wird die Gesellschaft grds. durch die Gesellschafter vertreten. Die gesetzliche Vertretungsmacht der Geschäftsführer reicht jedoch nach der Rechtsprechung des BGH nicht aus, um den Übernahmevertrag seitens der Gesellschaft abzuschließen.[36] In dem Zulassungsbeschluss der Gesellschafter sieht die h.M. aber eine stillschweigende Ermächtigung der Geschäftsführer, die Gesellschafter beim Abschluss des Übernahmevertrages zu vertreten.[37]

41   Durch den Übernahmevertrag wird der Übernehmer verpflichtet, die in der Übernahmeerklärung beschriebene Einlageleistung zu erbringen.[38] Dagegen entsteht kein korrespondierender Erfüllungsanspruch des Übernehmers gegenüber der Gesellschaft auf Verschaffung der Mitgliedschaft.[39] Die Gesellschaft ist nach h.M. aber verpflichtet, die Kapitalerhöhung zügig durchzuführen und zur Eintragung im Handelsregister anzumelden.[40]

42   Der Übernahmevertrag erlischt kraft Gesetzes, wenn die Gesellschafter den Kapitalerhöhungsbeschluss aufheben, oder sich entschließen, die Kapitalerhöhung nicht durchzuführen, oder die in der Übernahmeerklärung gesetzte

---

34   Zöllner in Baumbach/Hueck, GmbHG, § 55 Rn. 33; Schulze in HK-GmbHG, § 55 Rn. 12.

35   Schulze in HK-GmbHG, § 55 Rn. 14.

36   BGH, 30.11.1967 – II ZR 68/65, BGHZ 49, 120 = WM 1968, 33.

37   BGH, 30.11.1967 – II ZR 68/65, BGHZ 49, 120 = WM 1968, 33; Zöllner in Baumbach/Hueck, GmbHG, § 55 Rn. 34.

38   OLG Dresden, 14.12.1988 – 2 U 2679/98, NZG 1999, 448; Zöllner in Baumbach/Hueck, GmbHG, § 55 Rn. 51.

39   BGH, 11.01.1999 – II ZR 170/98, ZIP 1999, 58.

40   Zöllner in Baumbach/Hueck, GmbHG, § 55 Rn. 38; keine Pflicht der Gesellschaft meint Lutter/Hommelhoff in Lutter/Hommelhoff, GmbHG, § 55 Rn. 31; offen gelassen BGH, 11.01.1999 – II ZR 170/98, ZIP 1999, 58.

Frist für die Eintragung der Kapitalerhöhung verstreicht. [41] Hat der Übernehmer die Einlage schon geleistet, hat er einen Anspruch auf Rückgewähr nach §§ 812 ff. BGB.[42]

Der Anspruch der Gesellschaft auf die Leistung der übernommenen Einlagen verjährt nach Abs. 4 i.V.m. § 19 Abs. 6 in zehn Jahren nach seiner Entstehung, d.h. nach Abschluss des Übernahmevertrags. 43

Mit Zustimmung der Gesellschaft kann der Übernehmer seine Rechtsstellung aus dem Übernahmevertrag übertragen.[43] Möglich ist auch die Abtretung des zukünftigen Geschäftsanteils durch den Übernehmer.[44] 44

cc) Inhalt der Übernahmeerklärung

Der Übernehmer hat in der Übernahmeerklärung zu erklären, dass er einen oder mehrere Geschäftsanteile in bestimmter Höhe auf das erhöhte Stammkapital übernimmt. Aus der Erklärung muss sich damit eindeutig ergeben, wer der Übernehmer ist und welche konkreten neuen Geschäftsanteile der Übernehmer übernimmt. 45

Sieht der Kapitalerhöhungsbeschluss die Erbringung zusätzlicher Leistungen vor (z.B. die Zahlung eines Agios), sind diese ebenfalls in die Übernahmeerklärung aufzunehmen.[45] 46

Bei der Kapitalerhöhung gegen Sacheinlage muss die Übernahmeerklärung zusätzlich die Festsetzungen nach § 56 Abs. 1 enthalten. 47

> **Praxistipp:**
>
> Erfolgt die Übernahmeerklärung nicht mit dem Kapitalerhöhungsbeschluss, sondern durch gesonderte notarielle Übernahmeerklärung, ist es zu empfehlen, auf die vorab beschlossene Kapitalerhöhung sowie ggf. den Zulassungsbeschluss in der Übernahmeerklärung Bezug zu nehmen und die Beschlüsse mit Datum und Urkundennummer zu nennen.[46]

---

41 BGH, 11.01.1999 – II ZR 170/98, ZIP 1999, 58; Lutter/Hommelhoff in Lutter/ Hommelhoff, GmbHG, § 55 Rn. 31.

42 Zur Rückabwicklung gescheiterter Kapitalerhöhungen s. Heckschen in Wachter, FA Handels- und GesellschaftsR, Teil 1, 2. Kap. Rn. 346.

43 Zöllner in Baumbach/Hueck, GmbHG, § 55 Rn. 43.

44 Zöllner in Baumbach/Hueck, GmbHG, § 55 Rn. 44.

45 Zöllner in Baumbach/Hueck, GmbHG, § 55 Rn. 33.

46 Ebenso Zöllner in Baumbach/Hueck, GmbHG, § 55 Rn. 33.

48 Der Übernehmer der neuen Geschäftsanteile kann die Übernahmeerklärung
    befristen und erklären, dass er nach Ablauf der Frist nicht mehr an die
    Übernahme der Geschäftsanteile gebunden sein will. Daneben hat der Über-
    nehmer ein einseitiges Recht, sich vom Übernahmevertrag zu lösen, wenn die
    Kapitalerhöhung nicht innerhalb einer angemessenen Frist eingetragen ist.[47]

> **Praxistipp:**
>
> Eine Befristung der Übernahme ist zu empfehlen. Dadurch wird die
> Gesellschaft dazu angehalten, die Kapitalerhöhung zügig durchzuführ-
> en, denn im Gegensatz zur Verpflichtung des Übernehmers zur Über-
> nahme des Geschäftsanteils und Leistung der entsprechenden Einlage
> hat der Übernehmer keinen Anspruch gegenüber der Gesellschaft, die
> Kapitalerhöhung durchzuführen.[48]

b)   Gestaltung der neuen Geschäftsanteile (Abs. 4)

49 Wie bei der Gründung der GmbH haben die Gesellschafter i.R.d. Kapital-
    erhöhung die Vorschrift des § 5 über die Gestaltung der Geschäftsanteile zu
    beachten. Infolge der umfangreichen Änderung des § 5 durch das MoMiG
    wurde Abs. 4 vollständig neu gefasst.

50 Nach alter Rechtslage mussten neue Geschäftsanteile auf mindestens 100 €
    lauten (§ 5 Abs. 1, 2. Halbs. a.F.) und durch 50 teilbar sein (§ 5 Abs. 3
    Satz 2 a.F.). Darüber hinaus war ein Übernehmer nicht berechtigt, i.R.d. Kapi-
    talerhöhung mehr als einen Geschäftsanteil zu übernehmen (§ 5 Abs. 2 a.F.).

51 Die Rechtslage hat sich durch das MoMiG grundlegend geändert. Seither ist
    es ausreichend, wenn die neuen Geschäftsanteile auf volle Euro lauten (§ 5
    Abs. 2 Satz 1). Eine Regelung zur Teilbarkeit der Geschäftsanteile hat sich
    damit erledigt, da 1 € die kleinste Einheit für einen Geschäftsanteil ist.
    Darüber hinaus ist das Verbot der gleichzeitigen Übernahme mehrerer
    Geschäftsanteile nach § 5 Abs. 2 a.F. weggefallen. Die Übernahme mehre-
    rer Geschäftsanteile ist nach § 5 Abs. 2 Satz 2 nun ausdrücklich zugelassen.
    Dabei können die einzelnen Geschäftsanteile nach § 5 Abs. 3 Satz 1 in der

47 LG Hamburg, 03.11.1994 – 409 O 125/94, WM 1995, 338; Roth/Altmeppen,
    GmbHG, § 55 Rn. 15; Zöllner in Baumbach/Hueck, GmbHG, § 55 Rn. 37;
    weitergehend Lutter/Hommelhoff in Lutter/Hommelhoff, GmbHG, § 55 Rn. 31:
    Auflösung des Übernahmevertrags ipso iure, wenn mangels anderweitiger Ver-
    einbarung seit der Übernahme mehr als 6 Monate verstrichen sind.

48 Zöllner in Baumbach/Hueck, GmbHG, § 55 Rn. 38.

Höhe ihrer Nennbeträge variieren. Allerdings muss die Summe der Nennbeträge aller Geschäftsanteile nun stets mit dem Stammkapital übereinstimmen (§ 5 Abs. 3 Satz 2).

Nehmen bisherige Gesellschafter an der Kapitalerhöhung teil, so kann die **52** Kapitalerhöhung gegen Einlagen über den Wortlaut des Abs. 3 hinaus nicht nur durch die Bildung neuer Geschäftsanteile, sondern auch durch die Aufstockung der Nennbeträge der bisherigen Geschäftsanteile bzw. eine Kombination aus der Bildung neuer Geschäftsanteile und der Aufstockung der Nennbeträge bereits bestehender Geschäftsanteile durchgeführt werden.[49] Der Kapitalerhöhungsbeschluss hat in diesem Fall anzugeben, dass die Kapitalerhöhung durch die Aufstockung der Nennbeträge der bereits bestehenden Geschäftsanteile erfolgt. Eine Aufstockung bereits bestehender Geschäftsanteile kann jedoch nur dann erfolgen, wenn diese bereits voll eingezahlt sind und keine Nachschusspflichten bestehen.[50]

IV. Leistung der Einlagen auf die neuen Geschäftsanteile

Die Kapitalerhöhung kann durch Leistung von Bar- und/oder Sacheinlagen **53** erfolgen. Die Leistung auf die neuen Geschäftsanteile erfolgt gem. § 56a entsprechend den Vorschriften über Leistung der Einlagen i.R.d. Gründung der GmbH (§ 7 Abs. 2 Satz 1 und Abs. 3). Für die Leistung von Sacheinlagen enthält § 56 Sonderregelungen.

V. Handelsregisteranmeldung und Eintragung im Handelsregister

Der Beschluss über die Kapitalerhöhung ist zur Eintragung im Handels- **54** register nach § 57 anzumelden. Nach erfolgter Prüfung des Registergerichts wird die Kapitalerhöhung im Handelsregister eingetragen. Die Kapitalerhöhung wird entsprechend § 54 Abs. 3 erst mit dem Tag der Handelsregistereintragung wirksam. Erst dann entstehen auch die neuen Geschäftsanteile (s. hierzu im Einzelnen § 57). Nichtige Kapitalerhöhungsbeschlüsse werden nach § 242 Abs. 2 Satz 1 AktG analog geheilt, wenn sie drei Jahre im Handelsregister eingetragen sind.[51]

---

49   BGH, 24.10.1974 – II ZB 1/74, BGHZ, 63, 116 = GmbHR 1975, 35; Zöllner in Baumbach/Hueck, GmbHG, § 55 Rn. 46; Lutter/Hommelhoff in Lutter/Hommelhoff, GmbHG, § 55 Rn. 16.

50   BayObLG, 24.05.1989 – Breg 3 Z 20/89, DB 1989, 1559; Roth/Altmeppen, GmbHG, § 55 Rn. 35; Zöllner in Baumbach/Hueck, GmbHG, § 55 Rn. 46.

51   OLG Stuttgart, 17.05.2000 – 2 U 68/99, NZG 2001, 40; Bormann in Bormann/Kauka/Ockelmann, Hdb. GmbH-Recht, Kap. 4 Rn. 382.

VI.   Liquidation, Insolvenz

55   Eine Kapitalerhöhung im Stadium der Liquidation ist zulässig, ebenso in der Insolvenz.[52]

VII.   Muster

56   **Vorlage für einen Kapitalerhöhungsbeschlusses gegen Bareinlage**

[notarieller Vorspann]

Die Erschienenen baten um Beurkundung der folgenden

Niederschrift über die außerordentliche Gesellschafterversammlung der

..... **GmbH.**

I.   Vorbemerkung

Die Erschienenen sind sämtliche Gesellschafter der ..... GmbH mit dem Sitz in ....., eingetragen im Handelsregister des ..... unter HRB ..... (nachstehend die „**Gesellschaft**").

Das Stammkapital der Gesellschaft beträgt ..... €. Hieran sind die Erschienenen wie folgt beteiligt: ..... .

II.   Gesellschafterversammlung

Unter Verzicht auf alle nicht zwingenden gesetzlichen und satzungsmäßigen Frist- und Formvorschriften für die Einberufung und Durchführung einer Gesellschafterversammlung halten wir hiermit eine Gesellschafterversammlung der Gesellschaft ab und beschließen was folgt:

1. Das Stammkapital der Gesellschaft wird von ..... € um ..... € auf ..... € gegen Bareinlage erhöht.

2. Die neuen Geschäftsanteile werden zum Nennbetrag ausgegeben.

3. Zur Übernahme der neuen Geschäftsanteile werden zugelassen:

   - Herr [A] zur Übernahme eines Geschäftsanteiles i.H.v. ..... €.

   - Die [C] GmbH zur Übernahme eines Geschäftsanteiles i.H.v. ..... €.

---

52   Zöllner in Baumbach/Hueck, GmbHG, § 55 Rn. 5; Priester in Scholz, GmbHG, § 55 Rn. 32.

4. *[ggf. Regelung zur Teilnahme der neuen Geschäftsanteile am Gewinn der Gesellschaft]*

5. § ..... des Gesellschaftsvertrages wird wie folgt neu gefasst:

„§ ..... **Stammkapital**

Das Stammkapital der Gesellschaft beträgt ..... €."

Weitere Beschlüsse wurden nicht gefasst. Die Gesellschafterversammlung ist damit beendet.

Die Notarin wies die Erschienenen darauf hin ..... .

[ggf. Vollmacht an die Mitarbeiter des Notars zur Änderung der Urkunde bei Beanstandungen des Registergerichts]

[Notarielle Schlussformel]

[Unterschriften]

Vorlage für eine Übernahmeerklärung (Bareinlage) 57

Übernahmerklärung

Mit notariellem Gesellschafterbeschluss vom ..... (UR-Nr. ..... des Notars ..... in .....) wurde das Stammkapital der ..... GmbH mit dem Sitz in ....., eingetragen im Handelsregister des ..... unter HRB ..... (nachstehend die „**Gesellschaft**") von ..... € um ..... € auf ..... € gegen Bareinlage erhöht. Die neuen Geschäftsanteile werden zum Nennbetrag ausgegeben.

Die [C] GmbH mit dem Sitz in ....., eingetragen im Handelsregister des ..... unter HRB ..... ist zur Übernahme eines Geschäftsanteils i.H.v. ..... € zugelassen worden.

Hiermit übernehmen wir auf das erhöhte Stammkapital gemäß dem vorgenannten Kapitalerhöhungsbeschluss einen Geschäftsanteil im Nennbetrag von ..... €.

[ggf. Übernahme des Geschäftsanteils unter der Bedingung, dass die Kapitalerhöhung bis zum ..... im Handelsregister eingetragen ist]

....., den .....

[Unterschriften]

[Beglaubigungsvermerk]

§ 55a GmbHG   Genehmigtes Kapital

(1) [1]Der Gesellschaftsvertrag kann die Geschäftsführer für höchstens fünf Jahre nach Eintragung der Gesellschaft ermächtigen, das Stammkapital bis zu einem bestimmten Nennbetrag (genehmigtes Kapital) durch Ausgabe neuer Geschäftsanteile gegen Einlagen zu erhöhen. [2]Der Nennbetrag des genehmigten Kapitals darf die Hälfte des Stammkapitals, das zur Zeit der Ermächtigung vorhanden ist, nicht übersteigen.

(2) Die Ermächtigung kann auch durch Abänderung des Gesellschaftsvertrages für höchstens fünf Jahre nach deren Eintragung erteilt werden.

(3) Gegen Sacheinlagen (§ 56) dürfen Geschäftsanteile nur ausgegeben werden, wenn die Ermächtigung es vorsieht.

I.   Einführung

1   Die durch das MoMiG neu eingefügte Norm schafft für die GmbH die bislang nicht vorgesehene Möglichkeit der Kapitalerhöhung gegen Einlagen in der Form des genehmigten Kapitals. Die Norm wurde § 202 AktG nachgebildet, sodass die aktienrechtliche Kommentierung zur Auslegung herangezogen werden kann.

2   Das genehmigte Kapital dient der **Erleichterung der Kapitalbeschaffung**.[1] Insoweit werden die Geschäftsführer in der Satzung ermächtigt, dass Stammkapital gegen Bar- und/oder Sacheinlagen zu erhöhen, ohne dass es eines weiteren notariellen Gesellschafterbeschlusses bedarf. Dadurch wird die Geschäftsführung in die Lage versetzt werden, kurzfristig neues Kapital zu beschaffen und neuen Gesellschaftern den Beitritt zur Gesellschaft durch Übernahme neu geschaffener Geschäftsanteile zu ermöglichen. Ob die Gesellschafter in Zukunft von der Möglichkeit des genehmigten Kapitals

---

1   Vgl. für die AG Hüffer, AktG, § 202 Rn. 1.

häufig Gebrauch machen, bleibt abzuwarten, denn die GmbH ist in der Regel durch einen kleinen Gesellschafterkreis gekennzeichnet, der es in der Praxis ermöglicht, kurzfristig unter Verzicht auf Frist und Form eine Gesellschafterversammlung abzuhalten und eine ordentliche Kapitalerhöhung zu beschließen.[2]

Der maximale Erhöhungsbetrag ist in der Ermächtigung festzulegen und darf die Hälfte des zur Zeit der Ermächtigung vorhandenen Stammkapitals nicht übersteigen.   3

Die Ermächtigung darf höchstens für die Dauer von fünf Jahren nach Eintragung der Gesellschaft bzw. der Satzungsänderung im Handelsregister erteilt werden.   4

Checkliste: Voraussetzungen der Kapitalerhöhung aus genehmigtem Kapital   5

☑

☐ Ermächtigung der Geschäftsführer in der Satzung zur Erhöhung des Stammkapitals aus genehmigtem Kapital

☐ Beschluss der Geschäftsführer über die Ausnutzung des genehmigten Kapitals

☐ Übernahme der neuen Geschäftsanteile durch die Übernehmer (§ 55 Abs. 1 und 2)

☐ Leistung der neuen Einlagen auf die neuen Geschäftsanteile in bar oder als Sacheinlage (§ 56a)

☐ Anmeldung der Kapitalerhöhung zum Handelsregister der Gesellschaft (§ 57)

☐ Eintragung der Kapitalerhöhung im Handelsregister der Gesellschaft (§ 54 Abs. 3)

II.   Ermächtigung der Geschäftsführer

Das genehmigte Kapital ermächtigt die Geschäftsführer, das Stammkapital in den Grenzen der Ermächtigung ohne weitere Beteiligung der Gesellschafterversammlung zu erhöhen.   6

---

2   Ebenso Opgenhoff in Bormann/Kauka/Ockelmann, Hdb. GmbH-Recht, Kap. 2 Rn. 81; im Einzelnen zur Praxisrelevanz s. Bormann in Bormann/Kauka/ Ockelmann, Hdb. GmbH-Recht, Kap. 4 Rn. 325.

1. Kapitalerhöhung gegen Einlagen

7   Die Ermächtigung kann nur zur **Erhöhung des Stammkapitals gegen Einlagen** erfolgen. Eine Ermächtigung der Geschäftsführung zur Erhöhung des Stammkapitals aus Gesellschaftsmitteln durch Umwandlung von Rücklagen (§ 57c) ist nicht zulässig. Sieht die Ermächtigung keine Regelung vor, kann die Kapitalerhöhung nur gegen Bareinlage erfolgen. Soll die Ermächtigung auch die Leistung von Sacheinlagen erfassen, ist dies nach Abs. 3 ausdrücklich in der Ermächtigung vorzusehen (zum Begriff der Sacheinlage s. §§ 7 Rn. 8 f., 56 Rn. 7 ff.). Zulässig ist es auch, die Geschäftsführer zu ermächtigen, beide Formen der Kapitalerhöhung in der Ermächtigung zuzulassen.

2. Form

8   Die Ermächtigung kann bereits in der **Gründungssatzung** erfolgen **oder durch spätere Satzungsänderung** in die Satzung aufgenommen werden. Auf die Schaffung des genehmigten Kapitals durch spätere Satzungsänderungen finden die allgemeinen Regelungen für Satzungsänderungen Anwendung. Der Beschluss über die Schaffung des genehmigten Kapitals bedarf der **notariellen Beurkundung** und kann nur mit **75 % der abgegebenen Stimmen**[3] gefasst werden (vgl. § 53 Abs. 2 Satz 1). Einer sachlichen Rechtfertigung für die Einführung des genehmigten Kapitals bedarf es nicht.[4] Die Ermächtigung ist ferner durch die Geschäftsführer zur Eintragung im Handelsregister anzumelden und wird wie jede Satzungsänderung erst mit ihrer Eintragung im Handelsregister wirksam (§ 54 Abs. 3).

9   Beabsichtigen die Gesellschafter, die Ermächtigung zu ändern und ist die Ermächtigung bereits im Handelsregister eingetragen, handelt es sich dabei um eine Änderung der Satzung der Gesellschaft, die den allgemeinen Regeln der §§ 53, 54 folgt.

10 Zur Aufhebung eines satzungsändernden Beschlusses vor Anmeldung des Beschlusses zum Handelsregister s. § 53 Rn. 24.

3. Inhalt

11 Der Gesellschaftsvertrag darf die Geschäftsführer für **höchstens fünf Jahre** ermächtigen, das Stammkapital zu erhöhen. Dies gilt sowohl für die bereits in der Gründungssatzung enthaltene Ermächtigung als auch für eine spätere Ermächtigung kraft Satzungsänderung. Die Fünfjahresfrist beginnt mit dem

---

3   Anders § 202 Abs. 2 Satz 2 AktG, wonach der Beschluss der Hauptversammlung einer Mehrheit von 75 % des bei der Beschlussfassung vertretenen Grundkapitals bedarf.

4   Bormann in Bormann/Kauka/Ockelmann, Hdb. GmbH-Recht, Kap. 4 Rn. 333.

Tag der Eintragung der Gesellschaft bzw. mit dem Tag der Eintragung der Satzungsänderung. In der Ermächtigung ist die Dauer der Ermächtigung durch ein konkretes Datum oder die Nennung der Berechnungsgrundlage aufzuführen.[5] Innerhalb der Frist können die Geschäftsführer die Ermächtigung einmalig oder mehrmals ausnutzen bis der Erhöhungsbetrag ausgeschöpft ist Die Ermächtigung endet mit der im Ermächtigungsbeschluss festgesetzten Frist. Die Frist ist nur dann gewahrt, wenn die Kapitalerhöhung bis zum Tag des Ablaufs der Frist im Handelsregister eingetragen wurde.[6] Nach Ablauf der Frist können die Geschäftsführer von der Ermächtigung keinen Gebrauch mehr machen.

Die Ermächtigung muss darüber hinaus einen **bestimmten Nennbetrag** enthalten bis zu dem das Stammkapital durch die Ausgabe neuer Geschäftsanteile erhöht werden kann. Auch der Nennbetrag ist im Ermächtigungsbeschluss konkret zu bezeichnen. Er darf aber die Hälfte des Stammkapitals, das zur Zeit der Ermächtigung vorhanden ist, nicht übersteigen (Abs. 1 Satz 2). Maßgeblicher Zeitpunkt für die Bestimmung der Höhe des Stammkapitals und der Festlegung des Nennbetrags ist der Zeitpunkt, in dem die Ermächtigung wirksam wird, d.h. der Tag der Eintragung der Gründung der Gesellschaft bzw. der Tag der Eintragung der Satzungsänderung. Bis zu diesem Zeitpunkt einzutragende Kapitalmaßnahmen (Kapitalerhöhungen sowie Kapitalherabsetzungen) sind zu berücksichtigen. Noch nicht ausgenutztes genehmigtes Kapital ist dagegen bei der Bestimmung des Stammkapitals zur Zeit der Ermächtigung nicht hinzuzurechnen.[7]   **12**

Die Gesellschafter sind berechtigt, in der Ermächtigung weitere Bedingungen für die Ausnutzung des genehmigten Kapitals zu regeln.[8] So können die Gesellschafter z.B. einen bestimmten Ausgabepreis für die neuen Geschäftsanteile bestimmen. Sie können ferner festlegen, dass für die neuen Geschäftsanteile andere Regeln gelten sollen als für die bisherigen. Zulässig ist auch, die Durchführung des genehmigten Kapitals auf bestimmte Zwecke zu begrenzen. Die Gesellschafter können auch die Geschäftsführer ermächtigen, die weiteren Inhalte der Durchführung von Kapitalerhöhungen aus dem genehmigten Kapital festzulegen.   **13**

---

5   Vgl. für die AG Hüffer, AktG, § 202 Rn. 11.

6   Vgl. für die AG Hüffer, AktG, § 202 Rn. 17.

7   Bormann in Bormann/Kauka/Ockelmann, Hdb. GmbH-Recht, Kap. 4 Rn. 342.

8   Bormann in Bormann/Kauka/Ockelmann, Hdb. GmbH-Recht, Kap. 4 Rn. 343.

III.   Ausübung der Ermächtigung durch die Geschäftsführer

14   Zur Durchführung der Kapitalerhöhung aus genehmigtem Kapital bedarf es
      einer Entscheidung der Geschäftsführer, das genehmigte Kapital auszunut-
      zen. Die Entscheidungsfindung innerhalb der Geschäftsführung unterliegt
      den allgemeinen Regeln für die Geschäftsführungsbefugnis der Geschäfts-
      führer (vgl. § 37). Hat die Gesellschaft daher mehrere Geschäftsführer, hat
      die Entscheidung über die Ausnutzung des genehmigten Kapitals durch
      einstimmigen Beschluss der Geschäftsführer zu erfolgen, es sei denn Sat-
      zung oder Geschäftsordnung der Gesellschaft enthalten eine abweichende
      Regelung.

15   Der Erhöhungsbeschluss der Geschäftsführung bedarf keiner besonderen
      Form. Zu Beweiszwecken ist es jedoch zu empfehlen, den Beschluss
      schriftlich zu fassen.

16   Die Geschäftsführung entscheidet nach pflichtgemäßen Ermessen über die
      Inhalte der Ausnutzung des genehmigten Kapitals.

17   Der Erhöhungsbeschluss hat die folgenden Angaben enthalten:

   • Feststellung des Erhöhungsbetrages und des Betrages des Stammkapitals
     nach Erhöhung,

   • Feststellung, ob die neuen Geschäftsanteile in bar oder gegen Sacheinlage
     erbracht werden,

   • bei der Kapitalerhöhung gegen Sacheinlage zusätzliche Angaben nach
     § 56,

   • im Fall des Bezugsrechtsausschlusses die Zulassung der Übernehmer der
     neuen Geschäftsanteile (Zulassungsbeschluss) und

   • Satzungsänderung zur Anpassung der Stammkapitalziffer.[9]

IV.   Übernahme der neuen Geschäftsanteile und Leistung der
Einlagen

18   Die Übernahme der neuen Geschäftsanteile erfolgt wie bei der ordentlichen
      Kapitalerhöhung durch notariell beglaubigte Übernahmeerklärung (zu den
      Einzelheiten s. § 55 Rn. 35 f.).

---

9   In der Ermächtigung zur Ausnutzung des genehmigten Kapitals ist gleichzeitig
     die Ermächtigung der Geschäftsführer enthalten, die Satzung zur Anpassung
     der Stammkapitalziffer an das erhöhte Kapital zu ändern, Bormann in Bor-
     mann/Kauka/Ockelmann, Hdb. GmbH-Recht, Kap. 4 Rn. 335.

Für die Leistung der Einlagen gilt § 56a i.V.m. § 7 Abs. 2 Satz 1 und 3,   **19**
Abs. 3.

Aufgrund ihres gesetzlichen Bezugsrechts nach § 186 AktG analog nehmen   **20**
die bisherigen Gesellschafter auch beim genehmigten Kapital grds. an der
Kapitalerhöhung pro rata ihrer Beteiligung an der Gesellschaft teil (zum
Bezugsrecht der Gesellschaft s. § 55 Rn. 24). Dieses Bezugsrecht kann bei
der Kapitalerhöhung aus genehmigtem Kapital auf zwei Wegen aus-
geschlossen werden. Zum einen können die Gesellschafter bereits in dem
Ermächtigungsbeschluss das Bezugsrecht ausschließen (vgl. § 203 Abs. 1
Satz 1 AktG i.V.m. § 186 Abs. 3 und 4 AktG analog). Daneben kann die
Gesellschafterversammlung aber auch die Geschäftsführung ermächtigen,
das Bezugsrecht i.R.d. Beschlussfassung über die Ausübung des genehmig-
ten Kapitals auszuschließen[10] (im Einzelnen zu den Voraussetzungen des
Bezugsrechtsausschlusses s. § 55 Rn. 24 ff.).

V. Handelsregisteranmeldung und -eintragung

Die Ausnutzung des genehmigten Kapitals sowie die Anpassung der Satzung   **21**
ist durch sämtliche Geschäftsführer zum Handelsregister entsprechend § 57
anzumelden (zu Form und Inhalt der Handelsregisteranmeldung s. § 57
Rn. 57). Die Handelsregisteranmeldung kann erst erfolgen, nachdem sämtliche
Einlagen auf die neuen Geschäftsanteile übernommen wurden (§ 57 Abs. 1).
Die Geschäftsführer haben in der Anmeldung eine Versicherung abzugeben,
dass die Einlagen bewirkt sind und zur freien Verfügung der Geschäftsführer
stehen (im Einzelnen zur Versicherung s. § 57 Rn. 18 ff.). Der Handelsregisteranmeldung sind nach § 57 Abs. 3 die Übernahmeerklärungen der Übernehmer, eine Liste der Übernehmer sowie der Wortlaut der geänderten Satzung
mit der Bescheinigung des Notars nach § 54 Abs. 1 Satz beizufügen. Erfolgte
die Kapitalerhöhung gegen Leistung von Sacheinlagen, sind ferner die der
Sacheinbringung zugrunde liegenden Verträge einzureichen.

Die Kapitalerhöhung wird erst mit ihrer Eintragung im Handelsregister   **22**
wirksam (§ 54 Abs. 3). Erst dann entstehen auch die neuen Geschäftsanteile.
Die Eintragung der Kapitalerhöhung wird durch das Gericht gem. § 10 HGB
bekannt gemacht.

---

10   Ebenso Bormann in Bormann/Kauka/Ockelmann, Hdb. GmbH-Recht, Kap. 4
Rn. 347.

VI.   Rechtsfolgen

23   Haben die Gesellschafter im Ermächtigungsbeschluss keine oder eine zu lange Frist geregelt so ist der Ermächtigungsbeschluss nach § 241 Nr. 3 AktG analog nichtig. Das Gericht darf die Ermächtigung nicht im Handelsregister eintragen. Erfolgt dies trotzdem, ist eine Heilung des Ermächtigungsbeschlusses nach § 242 Abs. 2 AktG analog möglich.

24   Fehlt der Ermächtigung ein konkreter Erhöhungsbetrag, so ist der Ermächtigungsbeschluss ebenfalls nichtig (§ 242 Nr. 3 AktG analog). Eine Heilung analog § 242 Abs. 2 AktG ist in diesem Fall aber wegen mangelnder inhaltlicher Bestimmtheit der Ermächtigung abzulehnen.[11]

25   Liegt der im Ermächtigungsbeschluss festgesetzte Erhöhungsbetrag über der Grenze des Abs. 1 Satz 2, so ist der Ermächtigungsbeschluss ebenfalls nach § 241 Nr. 3 AktG nichtig. Eine Heilung nach § 242 Abs. 2 AktG analog ist möglich. Maßgeblicher Nennbetrag ist dann der nach Abs. 1 Satz 2 zulässige Höchstbetrag.[12]

VII.   Muster

26   **Vorlage für Ermächtigungsbeschluss zur Erhöhung des Stammkapitals im Wege des genehmigten Kapitals**

> *[notarieller Vorspann]*
>
> Die Erschienenen baten um Beurkundung der folgenden
>
> **Niederschrift über die außerordentliche Gesellschafterversammlung der**
>
> ..... GmbH.
>
> **I.   Vorbemerkung**
>
>   Die Erschienenen sind sämtliche Gesellschafter der ..... GmbH mit dem Sitz in ....., eingetragen im Handelsregister des ..... unter HRB ..... (nachstehend die „Gesellschaft").
>
>   Das Stammkapital der Gesellschaft beträgt ..... €. Hieran sind die Erschienenen wie folgt beteiligt: ..... .

---

11   Vgl. für die AG Hüffer, AktG, § 202 Rn. 12.

12   Vgl. für die AG Hüffer, AktG, § 202 Rn. 14.

II. Gesellschafterversammlung

Unter Verzicht auf alle nicht zwingenden gesetzlichen und satzungsmäßigen Frist- und Formvorschriften für die Einberufung und Durchführung einer Gesellschafterversammlung halten wir hiermit eine Gesellschafterversammlung der Gesellschaft ab und beschließen was folgt:

§ ..... des Gesellschaftsvertrages wird um folgenden Absatz 3 ergänzt:

„(3) Die Geschäftsführung ist ermächtigt, das Stammkapital der Gesellschaft bis zum [Datum] durch Bildung neuer Geschäftsanteile gegen Bar- [oder Sach-] einlagen einmal oder mehrmals, insgesamt jedoch um höchstens ..... € zu erhöhen (Genehmigtes Kapital). Die Geschäftsführung ist ermächtigt, die weiteren Einzelheiten der Durchführung von Kapitalerhöhungen aus dem genehmigten Kapital festzulegen. Den Gesellschaftern ist ein Bezugsrecht einzuräumen. [Die Geschäftsführung ist ermächtigt, bei Kapitalerhöhungen gegen Sacheinlagen, das Bezugsrecht der Gesellschafter auszuschließen.] Die Geschäftsführung ist schließlich ermächtigt, die Fassung der Satzung entsprechend dem Umfang der Kapitalerhöhung anzupassen."

Weitere Beschlüsse wurden nicht gefasst. Die Gesellschafterversammlung ist damit beendet.

Die Notarin wies die Erschienenen darauf hin ......

[ggf. Vollmacht an die Mitarbeiter des Notars zur Änderung der Urkunde bei Beanstandungen des Registergerichts]

[Notarielle Schlussformel]

[Unterschriften]

Vorlage für einen Beschluss der Geschäftsführung über die Ausnutzung des genehmigten Kapitals 27

Beschluss der Geschäftsführung der ..... GmbH

I. Vorbemerkung

Nach § .... der Satzung der ..... GmbH mit dem Sitz in ....., eingetragen im Handelsregister des ..... unter HRB ..... (nachstehend die „Gesellschaft") ist die Geschäftsführung ermächtigt, das Stammkapital bis zum [Datum] durch Bildung neuer Geschäftsanteile gegen Bar- [oder Sach-] einlagen einmal oder mehrmals, insgesamt jedoch um höchstens ..... € zu erhöhen (Genehmigtes Kapital). Die Geschäftsführung ist ermächtigt, die weiteren Einzelheiten der Durchführung von Kapitalerhöhungen aus dem genehmigten Kapital festzulegen. Den Gesellschaftern ist ein Bezugsrecht einzuräumen. [Die Geschäftsführung ist ermächtigt, bei Kapitalerhöhungen gegen Sacheinlagen, das Bezugsrecht der Gesellschafter auszuschließen.] Die Geschäftsführung ist schließlich ermächtigt, die Fassung der Satzung entsprechend dem Umfang der Kapitalerhöhung anzupassen.

Dies vorausgeschickt, beschließt die Geschäftsführung was folgt:

II. Beschluss der Geschäftsführung

1. Das Stammkapital der Gesellschaft wird von ..... € um ..... € auf ..... € gegen Bareinlage erhöht.

2. Die neuen Geschäftsanteile werden zum Nennbetrag ausgegeben.

3. Zur Übernahme der neuen Geschäftsanteile werden zugelassen:

   - Herr [A] zur Übernahme eines Geschäftsanteiles i.H.v. ..... €.

   - Die [C] GmbH zur Übernahme eines Geschäftsanteiles i.H.v. ..... €.

4. § ..... des Gesellschaftsvertrags wird wie folgt neu gefasst:
   „§ .....
   Stammkapital
   „Das Stammkapital der Gesellschaft beträgt ..... .“

Weitere Beschlüsse wurden nicht gefasst.

[Datum, Unterschriften]

§ 56 GmbHG   Kapitalerhöhung mit Sacheinlagen

(1) ¹Sollen Sacheinlagen geleistet werden, so müssen ihr Gegenstand und der Nennbetrag des Geschäftsanteils, auf den sich die Sacheinlage bezieht, im Beschluss über die Erhöhung des Stammkapitals festgesetzt werden. ²Die Festsetzung ist in die in § 55 Abs. 1 bezeichnete Erklärung des Übernehmers aufzunehmen.

(2) Die §§ 9 und 19 Abs. 2 Satz 2 und Abs. 4 finden entsprechende Anwendung.

I.   Einführung

Die Norm enthält gesonderte Anforderungen an die Erhöhung des Stamm-   **1**
kapitals gegen Sacheinlage und verweist dabei auf die i.R.d. Gründung der
GmbH anzuwendenden Vorschriften der §§ 9 und 19 Abs. 2 Satz 2 und Abs. 4.

Nach Abs. 1 sind im Kapitalerhöhungsbeschluss sowie in den Übernahme-   **2**
erklärungen zusätzlich zu den allgemeinen Festsetzungen nach § 55 der
Gegenstand der Sacheinlage und der Nennbetrag des Geschäftsanteils, auf
den sich die Sacheinlage bezieht, anzugeben.

Deckt der Wert der Sacheinlage im Zeitpunkt der Anmeldung der Kapital-   **3**
erhöhung nicht den Nennbetrag des Geschäftsanteils, auf die sich die Sacheinlage bezieht, so hat der Übernehmer den Differenzbetrag entsprechend
§ 9 in bar zu erbringen.

Der Übernehmer des neuen Geschäftsanteils ist entsprechend § 19 Abs. 2   **4**
Satz 2 i.V.m. § 5 Abs. 4 Satz 1 nur dann von seiner Einlagepflicht befreit,
wenn er den Einlagegegenstand leistet, der im Kapitalerhöhungsbeschluss

festgelegt wurde. Insoweit hat sich durch das MoMiG nichts geändert. Die früher in § 19 Abs. 5 enthaltene Regelung wurde in die Neufassung des § 19 Abs. 2 Satz 2 überführt.

5   Seit dem Inkrafttreten des MoMiG verweist Abs. 2 ferner auf den neu eingefügten § 19 Abs. 4. Mit § 19 Abs. 4 hat sich der Gesetzgeber der Problematik der sog. verdeckten Sacheinlage angenommen und die bislang von der Rechtsprechung angenommenen drastischen Rechtsfolgen für den Übernehmer der verdeckten Sacheinlage erheblich abgeschwächt.

II.   Inhalt des Kapitalerhöhungsbeschlusses bei der Sachkapitalerhöhung (Abs. 1 Satz 1)

6   Nach Abs. 1 Satz 1 muss der Kapitalerhöhungsbeschluss bei der Kapitalerhöhung gegen Sacheinlage den Sacheinlagegegenstand sowie den Nennbetrag des Geschäftsanteils, auf den sich die Sacheinlage bezieht, angeben. Erforderlich ist aber nicht, dass sich der Charakter der Sachkapitalerhöhung unmittelbar aus dem Kapitalerhöhungsbeschluss ergibt. Ausreichend ist es, wenn der Sacheinlagegegenstand an Stelle seiner Festlegung im Kapitalerhöhungsbeschluss durch eine gleichzeitig beschlossene Satzungsänderung festgesetzt wird. Das gesamte Beschlussprotokoll bildet in diesem Fall ein einheitliches Ganzes und dokumentiert die Sachkapitalerhöhung in ausreichender Weise gem. diesem Abs. 1 Satz 1.[1] Der Gegenstand der zu leistenden Sacheinlage ist im Beschluss konkret zu bezeichnen. Bei der Einbringung von Sachgesamtheiten (z.B. der Einbringung eines Unternehmens) muss sich aus dem Kapitalerhöhungsbeschluss auch ergeben, ob und inwieweit Passiva übernommen werden.[2]

1.   Gegenstand der Sacheinlage

7   Bei der Kapitalerhöhung kann Gegenstand der Sacheinlage jeder Gegenstand sein, der auch bei der Sachgründung der Gesellschaft einlagefähig ist (im Einzelnen zum Gegenstand der Sacheinlage s. § 5 Rn. 14 ff.).

8   Zusätzlich kommen bei der Kapitalerhöhung weitere Gegenstände in Betracht, so insbes. die Einbringung von Forderungen Dritter oder der Gesellschafter gegen die Gesellschaft, nicht aber Forderungen der Gesellschaft gegen die Gesellschafter.[3]

---

1   BGH, 05.11.2007 – II ZR 268/06, NZG 2008, 146.

2   OLG Düsseldorf, 30.07.1992 – 3 Wx 36/92, NJW 1993, 33.

3   Bormann in Bormann/Kauka/Ockelmann, Hdb. GmbH-Recht, Kap. 4 Rn. 27.

Eigene Anteile der Gesellschaft, Anteile der Gesellschaft an abhängigen 9
oder im Mehrheitsbesitz der Gesellschaft stehenden Unternehmen sowie
Genussscheine der Gesellschaft sind nicht einlagefähig.[4]

Einen dem Sachgründungsbericht entsprechenden „Sachkapitalerhöhungs- 10
bericht" müssen die Gesellschafter nach h.M. nicht erstellen (s. hierzu § 57a
Rn. 11). Bei der Kapitalerhöhung ist auch die Regelung einer gemischten
Bar- und Sacheinlage möglich.

2. Nennbetrag, auf den sich die Sacheinlage bezieht

Maßgeblich für den Nennbetrag des Geschäftsanteils, auf den sich die 11
Sacheinlage bezieht, ist der Wert des Sacheinlagegegenstandes. Nach Abs. 1
Satz 1 muss dieser mindestens dem Nennbetrag des Geschäftsanteils ent-
sprechen. An der bisherigen Rechtslage hat die Neuformulierung des Abs. 1
Satz 1 nichts geändert. Der Gesetzgeber hat mit dem MoMiG lediglich den
veralteten Begriff der Stammeinlage aufgegeben.

Für die Bewertung der i.R.d. Kapitalerhöhung eingebrachten Gegenstände 12
gelten die auf die Gründung der GmbH anzuwenden Vorschriften. Für Forderungen gegen die Gesellschaft ist ganz h.M. der wirkliche Wert maßgeblich
und nicht der Nennwert. Forderungen gegen die Gesellschaft können daher nur
als Sacheinlage i.R.d. Kapitalerhöhung eingebracht werden, wenn diese liquide, fällig und vollwertig sind. Dies ist nicht der Fall, wenn die Gesellschaft
überschuldet ist und damit das Vermögen der Gesellschaft nicht ausreicht, um
alle fälligen Forderungen ihrer Gläubiger zu erfüllen.[5]

3. Übernehmer

Obwohl in Satz 1 nicht ausdrücklich genannt, ist der Übernehmer des neuen 13
Geschäftsanteils ebenfalls im Kapitalerhöhungsbeschluss zu nennen.[6]

4. Zusätzlicher Inhalt beim Schütt-aus-Hol-zurück-Verfahren

Das Instrument der Kapitalerhöhung kann auch verwendet werden, um 14
Gewinnansprüche der Gesellschafter in Stammkapital umzuwandeln (sog.

---

4   Zöllner in Baumbach/Hueck, GmbHG, § 55 Rn. 56 Rn. 7: Lutter/Hommel-
    hoff in Lutter/Hommelhoff, GmbHG, § 56 Rn. 5.

5   BGH, 26.03.1984 – II ZR 14/84, BGHZ 90, 370 = BB 1984, 1067; BGH,
    21.02.1994 – II ZR 60/93, BGHZ 125, 143 = NJW 1994, 1477; BGH,
    02.10.2007 – III ZR 13/07, GmbHR 2007, 1331, 1332 mit Komm. Wachter;
    OLG Schleswig, 14.12.2000 – 5 U 182/98, NZG 2001, 566; Lutter/Hommel-
    hoff in: Lutter/Hommelhoff, GmbHG, § 56. Rn. 9.

6   Zöllner in Baumbach/Hueck, GmbHG, § 56 Rn. 10.

„**Schütt-aus-Hol-zurück-Verfahren**" oder auch „**Gewinn-Ausschüttungs-Rückholverfahren**").

15 Es gibt verschiedene Möglichkeiten, das Schütt-aus-Hol-zurück-Verfahren zu gestalten. Erfolgt die Umwandlung derart, dass die Gewinne der Gesellschaft zunächst als Fremdkapital überlassen (z.B. durch Gesellschafterdarlehen oder stille Einlage) und sodann in Stammkapital umgewandelt werden, kommt nur die Kapitalerhöhung gegen Sacheinlage in Betracht, da jeweils Geschäftsanteile gegen die Einbringung von Forderungen des Gesellschafters gegenüber der Gesellschaft gewährt werden.[7] In diesem Fall ist ein entsprechender Hinweis auf das Verfahren im Kapitalerhöhungsbeschluss aufzunehmen.

16 Das Schütt-aus-Hol-zurück-Verfahren wurde bis zur Einführung des Halbeinkünfteverfahrens und der gleichmäßigen Besteuerung von Gewinnen (01.01.2001) in der Praxis häufiger angewandt, um das bis dahin geltende Steuergefälle zwischen einbehaltenen und ausgeschütteten Gewinnen zu nutzen. Mit der gleichmäßigen Besteuerung von Gewinnen war eine Nutzung des Steuergefälles jedoch nicht mehr möglich und die praktische Bedeutung des Schütt-aus-Hol-zurück-Verfahrens damit weitestgehend entfallen.[8]

III.   Inhalt der Übernahmeerklärung bei der Sachkapitalerhöhung (Abs. 1 Satz 2)

17 Die im Kapitalerhöhungsbeschluss zusätzlich aufzuführenden Festsetzungen zu den Sacheinlagen müssen auch in den korrespondierenden Übernahmeerklärungen enthalten sein.

IV.   Festsetzung der Sacheinlage im Gesellschaftsvertrag

18 Entgegen der Gründung der GmbH ist eine Festsetzung der Sacheinlage im Gesellschaftsvertrag nicht erforderlich.[9] Die auf die Gründung einer GmbH anzuwendenden Regelungen der §§ 3 Abs. 1 Nr. 4, 5 Abs. 4 GmbHG finden auf die Kapitalerhöhung keine Anwendung.

---

7   BGH, 04.03.1996 – II ZB 8/95, NJW 1996, 1473; Bormann in Bormann/Kauka/Ockelmann, Hdb. GmbH-Recht, Kap. 4 Rn. 376.

8   Im Einzelnen zum Schütt-aus-Hol-zurück-Verfahren vgl. Heckschen in Wachter, FA Handels- und Gesellschaftsrecht, Teil 1, 2. Kap. Rn. 330 ff.; Hueck/Fastrich, in Baumbach/Hueck, GmbHG, § 29 Rn. 65 ff.; Zöllner, in Baumbach/Hueck, GmbHG, § 55 Rn. 53; Lutter/Hommelhoff in Lutter/Hommelhoff, GmbHG, § 56 Rn. 13 ff.

9   BGH, 05.11.2007 – II ZR 268/06, NZG 2008, 146.

V. Tilgung der Sacheinlage (§ 19 Abs. 2 Satz 2)

Der Gesellschafter wird von seiner Einlageverpflichtung nur dann befreit, 19
wenn er den Vermögensgegenstand leistet, der im Kapitalerhöhungsbeschluss und der Übernahmeerklärung festgelegt ist (§ 19 Abs. 2 Satz 2).
Die Leistung eines anderen Gegenstandes hat somit keine Tilgungswirkung.
Dem Gesellschafter ist es insbes. nicht erlaubt, gegen die Einlageforderung
der Gesellschaft mit einer Forderung aus der Überlassung von Vermögensgegenständen aufzurechnen, sofern die Aufrechnung nicht im Kapitalerhöhungsbeschluss vorgesehen ist. Ausführlich zu den Regelungen des § 19
Abs. 2 Satz s. § 19 Rn. 17 ff.

VI. Differenzhaftung bei zu geringer Sacheinlage (Abs. 2 i.V.m. § 9)

Entspricht der Wert der Sacheinlage nicht dem Nennbetrag des Geschäfts- 20
anteils, auf die sich die Sacheinlage bezieht, hat der Übernehmer des
Geschäftsanteils entsprechend § 9 Abs. 1 den Differenzbetrag in bar einzuzahlen (im Einzelnen zur Differenzhaftung s. § 9 Rn. 1 ff.).

Maßgeblicher Zeitpunkt für die Bestimmung des Wertes der Sacheinlage ist 21
der Tag der Anmeldung der Kapitalerhöhung zum Handelsregister.[10]

Hat der Notar i.R.d. Beurkundung des Kapitalerhöhungsbeschlusses Zweifel 22
an der Werthaltigkeit der Sacheinlage, hat er den Übernehmer auf die Gefahr
einer Differenzhaftung hinzuweisen. Unterlässt er dies schuldhaft, haftet er
dem Übernehmer für etwaige Schäden aus dessen Inanspruchnahme wegen
Differenzhaftung.[11]

Der Anspruch der Gesellschaft auf Zahlung des Differenzbetrages verjährt 23
nach § 9 Abs. 2 zehn Jahre nach dem Tag der Eintragung der Kapitalerhöhung im Handelsregister der Gesellschaft.

VII. Problematik der verdeckten Sacheinlage

Seit Inkrafttreten des MoMiG verweist Abs. 2 auf § 19 Abs. 4. Damit hat sich 24
der Gesetzgeber der Problematik der sog. verdeckten Sacheinlage angenommen (im Einzelnen zur verdeckten Sacheinlage s.a. § 19 Rn. 37 ff.).

Eine **verdeckte Sacheinlage** liegt nach der Rspr. des BGH dann vor, wenn 25
die Gesellschafter formal eine Bareinlage vereinbart und geleistet haben, in
Wahrheit bei wirtschaftlicher Betrachtungsweise aber ein anderer, sach-
einlagefähiger Gegenstand eingebracht wird. Voraussetzung ist das Vorliegen einer entsprechenden Abrede zwischen der Gesellschaft und den Gesell-

---

10   OLG Düsseldorf, 10.01.1996 – 3 Wx 274/95, BB 1996, 369 = WM 1996, 679 =
      NJW-RR 1996, 605; Zöllner in Baumbach/Hueck, GmbHG, § 56 Rn. 18.
11   BGH, 02.10.2007 – III ZR 13/07, GmbHR 2007, 1331, 1332 mit Komm. Wachter.

schaftern bzw. den Gesellschaftern untereinander, die darauf abzielt, unter Umgehung der Kapitalaufbringungsvorschriften die Einlagemittel unmittelbar oder mittelbar wieder an den Einleger zurückfließen zu lassen. Eine solche Abrede wird vermutet, wenn zwischen der Beschlussfassung über die Barkapitalerhöhung und dem Rechtsgeschäft zum Erwerb des Vermögensgegenstands ein zeitlicher und sachlicher Zusammenhang besteht.[12]

Beispiel 1:

Die Gesellschafter einer GmbH beschließen eine Kapitalerhöhung gegen Bareinlage und lassen den Gesellschafter A zur Übernahme des neuen Geschäftsanteils zu. Gesellschafter A erbringt ordnungsgemäß seine Bareinlage. Wenige Tage später wird die Einlage wieder an den Gesellschafter zur Tilgung eines vor Kapitalerhöhung bestehenden Gesellschafterdarlehens ausgezahlt.

26   Nach der bisherigen Rechtsprechung war die verdeckte Sacheinlage wegen Umgehung der Formvorschriften der §§ 19 Abs. 5 und § 5 Abs. 4 Satz 1 a.F. verboten, da die Gesellschaft unter wirtschaftlicher Betrachtung einen Sachgegenstand erhält, der jedoch nicht als Einlagegegenstand offengelegt und damit auch nicht auf Vollwertigkeit überprüft worden ist.[13]

27   Rechtsfolge der Umgehung war nach der Rechtsprechung des BGH bislang die Unwirksamkeit sowohl des schuldrechtlichen Verpflichtungsvertrags über die verdeckte Sacheinlage als auch sämtlicher Rechtshandlungen zur Ausführung der verdeckten Sacheinlage gem. § 27 Abs. 3 Satz 1 AktG analog.[14] Die Bareinlagepflicht des Übernehmers bestand weiterhin, da die von dem Übernehmer geleisteten Zahlungen wegen Umgehung der Sacheinlagevorschriften keine Tilgungswirkung hatten.[15]

Beispiel 2:

Die Gesellschafter einer GmbH beschließen eine Barkapitalerhöhung, auf die der Gesellschafter A seine Bareinlage ordnungsgemäß erbringt. Kurze Zeit nach der Eintragung der Kapitalerhöhung kauft die Gesellschaft von dem Gesellschafter eine Marke, die dem Wert der Bareinlage entspricht. Bei wirtschaftlicher Betrachtungsweise der beiden Vorgänge sollte eigentlich die Marke und damit eine Sacheinlage durch den Gesellschafter erbracht werden. Aufgrund der Umgehung der Vorschriften über die Erbringung einer Sacheinlage hat die Bareinlage des

---

12   BGH, 02.12.2002 – II ZR 101/02, NJW 2003, 825; ausführlich zur Problematik der verdeckten Sacheinlage Bormann in Bormann/Kauka/Ockelmann, Hdb. GmbH-Recht, Kap. 4 Rn. 168 ff.

13   BGH, 07.07.2003 – II ZR 235/01, BGHZ 144, 329 = NJW 2003, 3127.

14   BGH, 07.07.2003 – II ZR 235/01, BGHZ 144, 329 = NJW 2003, 3127.

15   Ständige Rechtsprechung: vgl. nur BGH, 10.11.1958 – II ZR 3/57, BGHZ 28, 317 = NJW 1959, 383; BGH, 18.02.1991 – II ZR 104/90, BGHZ 113, 345 = BB 1991, 993; BGH, 02.12.2002 – II ZR 101/02, BGHZ 153, 107 = BB 2003, 270.

> *Gesellschafters keine Erfüllungswirkung. Er muss diese noch einmal leisten und hat seinerseits einen Anspruch auf Rückzahlung der geleisteten Bareinlage. Daneben sind der Verkauf und die Abtretung der Marke an die Gesellschaft unwirksam. Die Gesellschaft hat einen Anspruch auf Rückzahlung des Kaufpreises, der Gesellschafter einen Anspruch auf Rückübertragung der Marke.*

Die drastischen Rechtsfolgen der verdeckten Sacheinlage nach der vor dem   28
MoMiG geltenden Rechtslage sind in der Literatur und Praxis in der Vergangenheit heftig diskutiert worden, da die verdeckte Sacheinlage häufig erst in der Insolvenz der Gesellschaft durch die Prüfung des Insolvenzverwalters auffällt und der Übernehmer dann die Bareinlage noch einmal leisten musste. Zwar hatte er seinerseits einen Anspruch aus den §§ 812 ff. BGB auf Rückzahlung der verbotenerweise geleisteten Bareinlage, jedoch war dieser Rückzahlungsanspruch im Fall der Insolvenz regelmäßig wertlos.[16]

Dieser Kritik hat der Gesetzgeber mit dem MoMiG Rechnung getragen. Als   29
Lösung sieht das MoMiG durch die Neufassung des § 19 Abs. 4 Satz 1 nun zwar weiterhin vor, dass die verdeckte Sacheinlage als nicht ordnungsgemäß geleistet gilt und damit keine Erfüllungswirkung hinsichtlich der Bareinlage entfaltet, jedoch wird der Wert des verdeckt eingebrachten Vermögensgegenstandes auf die fortbestehende Bareinlageverpflichtung angerechnet (im Einzelnen zur Anrechnung s. § 19 Rn. 40 ff.). Maßgeblicher Zeitpunkt für die Bestimmung des Wertes des Vermögensgegenstandes ist nach § 19 Abs. 4 Satz 3 der Wert im Zeitpunkt der Handelsregisteranmeldung der Kapitalerhöhung bzw. im Zeitpunkt seiner Überlassung an die Gesellschaft, falls die Überlassung später erfolgt.

Darüber hinaus wird in § 19 Abs. 4 Satz 2 ferner festgestellt, dass die der   30
verdeckten Sacheinlage zugrunde liegenden Verträge und Rechtshandlungen zu ihrer Ausführung nicht unwirksam sind. Aus den Verträgen bestehende Verpflichtungen bleiben damit bestehen. Die Gesellschaft kann den für den Sacheinlagegegenstand gezahlten Kaufpreis nicht zurückverlangen. Gleichzeitig entfällt der Herausgabeanspruch des Übernehmers auf den Sacheinlagegegenstand sowie sein Rückzahlungsanspruch auf die geleistete Bareinlage.[17]

Die Beweislast für die Werthaltigkeit des Vermögensgegenstandes trägt   31
nach § 19 Abs. 4 Satz 4 der Übernehmer.[18]

---

16   Ausführlich zur verdeckten Sacheinlage s. Heckschen in Wachter, FA Handels- und Gesellschaftsrecht, Teil 1, 2. Kap. Rn. 328 ff.

17   Siehe hierzu im Einzelnen Bormann in Bormann/Kauka/Ockelmann, Hdb. GmbH-Recht, Kap. 4 Rn. 204 ff.

18   Ausführlich zur Beweislast s. Bormann in Bormann/Kauka/Ockelmann, Hdb. GmbH-Recht, Kap. 4 Rn. 230 ff.

32   Zur Abgrenzung von wirtschaftlicher Einlagenrückgewähr und verdeckter Sacheinlage in den Fällen des Hin- und Herzahlens s. § 56a Rn. 12 ff.

VIII.   Rechtsfolgen

33   Enthält der Kapitalerhöhungsbeschluss nicht die nach Abs. 1 Satz 1 erforderlichen Festsetzungen, darf das Gericht den Beschluss nicht eintragen.[19]

34   Erfolgt eine Eintragung trotz Verstoßes gegen Abs. 1, so wird die Kapitalerhöhung als Barkapitalerhöhung wirksam und der Übernehmer ist verpflichtet, die entsprechende Einlage in bar zu leisten. Die geleistete Sacheinlage hat dann keine befreiende Wirkung.[20] Zu den Rechtsfolgen der verdeckten Sacheinlage s.o. Rn. 27 ff.

35   Enthält die Übernahmeerklärung nicht die korrespondierenden Festsetzungen gem. Abs. 1 Satz 2, darf der Richter die Kapitalerhöhung ebenfalls nicht eintragen. Erfolgt die Eintragung trotzdem und sind die erforderlichen Angaben im Kapitalerhöhungsbeschluss enthalten, wird die unrichtige Übernahmeerklärung nach wohl h.M. durch die Eintragung im Handelsregister geheilt. Eine Bareinlagepflicht des Übernehmers entsteht nicht.[21]

IX.   Muster

36   **Vorlage für einen Kapitalerhöhungsbeschluss gegen Sacheinlage**

[notarieller Vorspann]

Die Erschienenen baten um Beurkundung der folgenden

Niederschrift über die außerordentliche Gesellschafterversammlung der

         ..... GmbH.

I.   Vorbemerkung

Die Erschienenen sind sämtliche Gesellschafter der ..... GmbH mit dem Sitz in ....., eingetragen im Handelsregister des ..... unter HRB ..... (nachstehend die „Gesellschaft").

Das Stammkapital der Gesellschaft beträgt ..... €. Hieran sind die Erschienenen wie folgt beteiligt: ..... .

---

19   Zöllner in Baumbach/Hueck, GmbHG, § 56 Rn. 12; Schulze in HK-GmbHG, § 56 Rn. 4.

20   Schulze in HK-GmbHG, § 56 Rn. 4.

21   Zöllner in Baumbach/Hueck, GmbHG, § 56 Rn. 16.

II. Gesellschafterversammlung

Unter Verzicht auf alle nicht zwingenden gesetzlichen und satzungsmäßigen Frist- und Formvorschriften für die Einberufung und Durchführung einer Gesellschafterversammlung halten wir hiermit eine Gesellschafterversammlung der Gesellschaft ab und beschließen was folgt:

1. Das Stammkapital der Gesellschaft wird von ..... € um ..... € auf ..... € gegen Sacheinlage erhöht.

2. Zur Übernahme des neuen Geschäftsanteils wird die [C] GmbH mit dem Sitz in ....., eingetragen im Handelsregister des ..... unter HRB ..... zugelassen.

3. Die Einlage auf den neuen Geschäftsanteil ist nicht in bar, sondern dadurch zu erbringen, dass die [C] GmbH ihren Anspruch gegen F auf Rückzahlung des mit Darlehensvertrags zwischen der [C] GmbH und F vom ..... gewährten Darlehens i.H.v. ..... € einbringt.

4. *[ggf. Regelung zur Teilnahme der neuen Geschäftsanteile am Gewinn der Gesellschaft]*

5. § ..... des Gesellschaftsvertrages wird wie folgt neu gefasst:
 „§ ..... **Stammkapital**

 Das Stammkapital der Gesellschaft beträgt ..... €.“

Weitere Beschlüsse wurden nicht gefasst. Die Gesellschafterversammlung ist damit beendet.

Die Notarin wies die Erschienenen darauf hin ..... .

[ggf. Vollmacht an die Mitarbeiter des Notars zur Änderung der Urkunde bei Beanstandungen des Registergerichts]

[Notarielle Schlussformel]

[Unterschriften]

Vorlage für eine Übernahmeerklärung (Sacheinlage) 37

Übernahmeerklärung

Mit notariellem Gesellschafterbeschluss vom ..... (UR-Nr. ..... des Notars ..... in .....) wurde das Stammkapital der ..... GmbH mit dem Sitz in ....., eingetragen im Handelsregister des ..... unter HRB ..... (nachstehend die „**Gesellschaft**“) von ..... € um ..... auf ..... € gegen Sacheinlage erhöht.

Die [C] GmbH mit dem Sitz in ....., eingetragen im Handelsregister des ..... unter HRB ..... ist zur Übernahme eines Geschäftsanteils i.H.v. ..... € zugelassen worden.

Die Einlage auf den neuen Geschäftsanteil ist nicht in bar, sondern dadurch zu erbringen, dass die [C] GmbH ihren Anspruch gegen F auf Rückzahlung des mit Kreditvertrags zwischen der [C] GmbH und F vom ..... gewährten Darlehens i.H.v. ..... € einbringt.

Hiermit übernehmen wir auf das erhöhte Stammkapital der Gesellschaft gemäß dem vorgenannten Kapitalerhöhungsbeschluss einen Geschäftsanteil im Nennbetrag von ..... € und bringen unseren Anspruch gegen F auf Rückzahlung des mit Darlehensvertrag zwischen der [C] GmbH und F vom ..... gewährten Darlehens i.H.v. ..... € ein.

[ggf. Übernahme des Geschäftsanteils unter der Bedingung, dass die Kapitalerhöhung bis zum ..... im Handelsregister eingetragen ist]

....., den .....

[Unterschriften]

[Beglaubigungsvermerk]

38   Liste der Übernehmer der neuen Geschäftsanteile

Liste der Übernehmer
nach § 57 Abs. 3 Nr. 2

Über- nehmer	Anschrift	Nennbetrag des übernommen Geschäftsanteils

....., den .....

[Unterschriften sämtlicher Geschäftsführer]

§56a GmbHG   Leistungen auf das neue Stammkapital

Für die Leistungen der Einlagen auf das neue Stammkapital finden § 7 Abs. 2 Satz 1 und Abs. 3 sowie § 19 Abs. 5 entsprechende Anwendung.

I.   Einführung

Die Vorschrift behandelt die Leistung der Bar- und Sacheinlagen bei der **1** **Kapitalerhöhung** gegen Einlage sowie deren Tilgungswirkung. Insoweit finden die für die Erbringung der Einlagen i.R.d. Gründung der GmbH geltenden Regelungen des § 7 Abs. 2 Satz 1 und Abs. 3 entsprechende Anwendung.

Seit dem MoMiG können nun auch Einlagen befreiende Wirkung haben, **2** wenn sie in kurzem Abstand nach ihrer Erbringung wieder an den Einleger zurückfließen (sog. **Hin- und Herzahlen**). Voraussetzung hierfür ist, dass die Leistung an den Einleger keine verdeckte Sacheinlage darstellt und durch einen vollwertigen Rückzahlungsanspruch gedeckt ist, der jederzeit fällig ist oder durch fristlose Kündigung durch die Gesellschaft fällig werden kann (vgl. § 19 Abs. 5).

II.   Leistung der Einlagen

Auf die Leistung der Einlagen bei der Kapitalerhöhung finden die Grün- **3** dungsvorschriften **entsprechende Anwendung**. Es gilt daher Folgendes:

- Erfolgt die Kapitalerhöhung gegen **Bareinlage**, hat der Übernehmer auf jeden Geschäftsanteil **mindestens ein Viertel** des Nennbetrages zu leisten (§ 7 Abs. 2 Satz 1). Nach h.M. gilt dies auch, wenn die Kapitalerhöhung durch Erhöhung des Nennbetrages der vorhandenen Geschäftsanteile erfolgt und diese bereits voll eingezahlt sind, bzw. so hoch eingezahlt sind, dass auch unter Berücksichtigung des Erhöhungsbetrags die Viertel-Grenze erfüllt ist (im Einzelnen zur Regelung des § 7 Abs. 2 Satz 1 s. § 7 Rn. 4 ff.).[1]

---

[1]   Ebenso Zöllner in Baumbach/Hueck, GmbHG, § 56a Rn. 2; Hachenburg/Ulmer, GmbHG, § 56a Rn. 6; a.A. Roth/Altmeppen, § 56a Anm. 3.

- Erfolgt die Kapitalerhöhung gegen **Sacheinlage**, hat der Übernehmer diese gem. § 7 Abs. 3 vor der Anmeldung der Kapitalerhöhung zum Handelsregister vollständig zu leisten (im Einzelnen zur Regelung des § 7 Abs. 3 s. § 7 Rn. 8 f.).

- Bei einer **gemischten Bar- und Sacheinlage** ist die Sacheinlage voll zu leisten und die Bareinlage muss i.Ü. so hoch sein, dass die Summe aus Bar- und Sacheinlage ein Viertel des Nennbetrages der übernommenen Geschäftsanteile erreicht.[2]

4   Da die Vorschrift keinen entsprechenden Verweis enthält, findet die Regelung des § 7 Abs. 2 Satz 2 auf die Kapitalerhöhung keine Anwendung. Ein solcher Verweis würde auch keinen Sinn machen, da die Hälfte des Mindestkapitals in Höhe von 12.500 € bereits bei Gründung der Gesellschaft zu leisten ist.[3]

5   Seit dem MoMiG gibt es keine Sonderregelung mehr für die Erbringung von Bareinlagen durch den **Alleingesellschafter**. Nach § 7 Abs. 2 Satz 3 GmbHG a.F. war dieser grds. verpflichtet, Bareinlagen vollständig zu leisten. Als Alternative war mindestens ein Viertel der übernommenen Einlagen einzuzahlen und für den nicht gezahlten Restbetrag Sicherheit zu leisten. Diese besondere Sicherung i.F.d. Einpersonengesellschaft ist seit dem MoMiG ersatzlos weggefallen und findet daher auch keine Anwendung mehr auf die Erbringung der Einlagen i.R.d. Kapitalerhöhung.

III.   Tilgungswirkung der Einlagenleistung

1.   Allgemein

6   Die Leistung der Einlagen hat nur dann befreiende Wirkungen für den Übernehmer, wenn die Einlagenleistung **nach dem Kapitalerhöhungsbeschluss** und **vor der Anmeldung der Kapitalerhöhung** zum Handelsregister erbracht wurde und zwar dergestalt, dass die Einlagen endgültig zur freien Verfügung der Gesellschaft stehen (vgl. § 8 Abs. 2 Satz 1). Nach ständiger Rechtsprechung des BGH ist der Übernehmer dafür darlegungs- und beweispflichtig, dass die Einlage erbracht wurde.[4]

7   Die Geschäftsführer haben eine entsprechende Versicherung i.R.d. Anmeldung der Kapitalerhöhung zur Eintragung im Handelsregister abgeben (vgl. § 57 Abs. 2).

---

2   Schulze in HK-GmbHG, § 56a Rn. 2; Meyer-Landrut/Miller/Niehaus, GmbHG, § 56a Rn. 6.

3   Roth/Altmeppen, GmbHG, § 56a Rn. 2; Zöllner in Baumbach/Hueck, GmbHG, § 56a Rn. 5.

4   BGH, 09.07.2007 – II ZR 222/06, NZG 2007, 790.

Bareinlagen sind daher grds. in Euro in bar zu leisten oder durch Gutschrift auf 8
ein Konto der Gesellschaft zu überweisen.[5] Die Bareinlage steht nur dann zur
freien Verfügung der Gesellschaft, wenn die Zahlung ohne Bedingung an die
Gesellschaft erfolgte.[6] Zahlungen auf ein debitorisches Konto haben daher
keine Tilgungswirkung, es sei denn, es wird dadurch ein eingeräumter Kredit-
rahmen in entsprechender Höhe frei.[7] Im Übrigen sind Zahlungen der Gesellschafter stets so vorzunehmen, dass objektiv erkennbar ist, ob und in welcher
Höhe es sich um Einzahlungen auf das Stammkapital handelt.[8]

> **Praxistipp:**
>
> Zur klaren Abgrenzung der Einlagenleistung von dem sonstigen Ver-
> mögen der Gesellschaft ist es zu empfehlen, die Bareinlage auf ein
> gesondert für die Kapitalerhöhung eingerichtetes Kapitalerhöhungs-
> konto einzuzahlen.

Die Sacheinlagen sind ebenfalls vor der Anmeldung zum Handelsregister so 9
zu leisten, dass sie zur freien Verfügung der Gesellschaft stehen. Insofern ist
der entsprechende Vermögensgegenstand vorbehaltlos auf die Gesellschaft
zu übertragen.

Nach der aktuellen Rechtsprechung des BGH[9] müssen die Einlageleistungen 10
im Zeitpunkt der Handelsregisteranmeldung wertmäßig nicht mehr vorhanden
sein. Die Geschäftsführer können mit Zahlung der Einlagen über das neue
Vermögen der Gesellschafter verfügen und damit arbeiten. Insofern hat der
BGH seine alte Rechtsprechung der wertgleichen Deckung[10] aufgegeben.

2. Sonderfall des Hin- und Herzahlen

Problematisch sind die Fälle, in denen die Einlagenleistung aufgrund einer 11
Abrede zwischen der Gesellschaft und dem einlegenden Gesellschafter oder
den Gesellschaftern untereinander nach ihrer Erbringung im geringen zeitlichen Abstand im Wege des sog. **Hin- und Herzahlens** an den Übernehmer
zurückgeflossen ist, sei es in Form eines Darlehens oder durch sonstige

---

5   Bormann in Bormann/Kauka/Ockelmann, Hdb. GmbH-Recht, Kap. 4 Rn. 82.

6   Zöllner in Baumbach/Hueck, GmbHG, § 56a Rn. 6.

7   BGH, 15.03.2004 – II ZR 210/01, BGHZ 158, 283 = GmbHR 2004, 736 mit
     Komm. Heidinger.

8   OLG Düsseldorf, 15.06.1989 – 6 U 271/88, WM 1989, 1512; OLG Hamm,
     07.07.1986 – 8 U 278/85, WM 1987, 17.

9   BGH, 18.03.2002 – II ZR 363/00, NZG 2002, 522.

10   BGH, 13.07.1992 – II ZR 263/91, BGHZ 119, 177 = GmbHR 1993, 225.

Rückzahlung an den Gesellschafter.[11] In diesen Fällen ging der BGH bis zum Inkrafttreten des MoMiG davon aus, dass die Einlagenleistung niemals zur freien Verfügung der Gesellschaft stand.[12] Wegen Verstoßes gegen die Kapitalaufbringungsvorschriften (§§ 8 Abs. 2 Satz 1, 19 Abs. 2 Satz 1 und 66 Abs. 1 Satz 1 AktG analog) hatte die Einlagenleistung damit keine befreiende Wirkung für den Übernehmer. Daneben erachtete der BGH die der Rückzahlung zugrunde liegende Abrede zwischen der Gesellschaft und dem Übernehmer der Einlage (z.B. den Darlehensvertrag) wegen Verstoßes gegen die Kapitalaufbringungsvorschriften ebenfalls als unwirksam.[13]

Beispiel 1:

Die Gesellschafter einer GmbH beschließen eine Kapitalerhöhung gegen Bareinlage und lassen den Gesellschafter A zur Übernahme des neuen Geschäftsanteils zu. Gesellschafter A erbringt ordnungsgemäß seine Bareinlage, jedoch wird ihm der Einlagebetrag am Tag der Leistung seiner Einlage als Darlehen gewährt und an ihn ausgezahlt.

12   Der BGH hat das vorgenannte Ergebnis bislang auch auf die sog. **Cash-Pooling-Systeme** im Konzernverbund angewandt, bei denen die Einlagenleistung kurze Zeit nach ihrer Einzahlung auf ein zentrales Cash-Pool-Konto einer anderen Gesellschaft (i.d.R. die Muttergesellschaft des Konzerns) fließt.

13   Aufgrund der Kritik an der Rechtsprechung des BGH (insbes. Rechtsunsicherheit sowie Einschränkung der wirtschaftlichen Betätigung zwischen der Gesellschaft und ihren Gesellschaftern, v.a. im Hinblick auf die Cash-Pooling-Systeme) hat der Gesetzgeber mit dem MoMiG die Problematik des Hin- und Herzahlens aufgegriffen und in § 19 Abs. 5 n.F. geregelt, dass die Einlagen auf die neuen Geschäftsanteile als erbracht gelten, wenn die abredegemäße Leistung an den Übernehmer durch einen **vollwertigen Rückgewährsanspruch** gedeckt ist.

14   Voraussetzung ist, dass der vorgenannte Anspruch aber auch liquide ist, d.h. jederzeit fällig ist oder durch fristlose Kündigung fällig werden kann. Mit dieser Regelung hat der Gesetzgeber dem Umstand Rechnung getragen, dass viele Darlehensverträge in der Praxis eine längere Laufzeit haben und die Vollwertigkeit des Rückzahlungsanspruchs daher fraglich erscheint.

---

11   Siehe eine Auflistung typischer Fälle des Hin- und Herzahlens bei Bormann in Bormann/Kauka/Ockelmann, Hdb. GmbH-Recht, Kap. 4 Rn. 34.

12   BGH, 21.11.2005 – II ZR 140/04, GmbHR 2006, 43.

13   BGH, 21.11.2005 – II ZR 140/04, GmbHR 2006, 43; ausführlich zu den Fallgruppen des Hin- und Herzahlens sowie Cash-Pooling s. Heckschen in Wachter, FA Handels- und GesellschaftsR, Teil 1, 2. Kap. Rn. 312 ff.

Liegt der Fall eines solchen Hin- und Herzahlens vor, haben die Geschäfts- 15
führer nach der Neuregelung des § 19 Abs. 5 Satz 2 dies dem Gericht
offenzulegen und in der Anmeldung der Kapitalerhöhung zum Handelsregister einen entsprechenden Hinweis aufzunehmen. Dies setzt voraus, dass
dem Rückgewährsanspruch eine hinreichend klare Abrede zwischen der
Gesellschaft und den Gesellschaftern bzw. den Gesellschaftern untereinander zugrunde liegt, auf die die Geschäftsführer in der Anmeldung Bezug
nehmen können. Liegt eine solche Abrede nicht vor, oder wird sie erst nach
der Anmeldung zum Handelsregister vereinbart, kann eine befreiende Wirkung nach § 19 Abs. 5 nicht erreicht werden.[14]

Das Gericht hat zu prüfen, ob der Rückzahlungsanspruch vollwertig ist. 16
Maßgeblicher Zeitpunkt für die Beurteilung der Vollwertigkeit ist der Zeit-
punkt der Leistung der Einlage.[15] Hat das Gericht erhebliche Zweifel an der
Vollwertigkeit der Leistung, kann es nach § 8 Abs. 2 Satz 2 entsprechende
Nachweise von der Gesellschaft verlangen (zum Umfang der Prüfungs-
pflicht des Gerichts nach der Neuregelung des § 8 Abs. 2 Satz 2 s. § 57
Rn. 25 und § 8 Rn. 18).

Praxistipp:

Durch die Neufassung der Vorschriften über die Kapitalaufbringung
hat der Gesetzgeber die Theorie der realen Leistungsaufbringung durch
eine rein bilanzielle Betrachtungsweise ersetzt. Die Gerichte werden
daher in Zukunft ein besonderes Augenmerk auf die Vollwertigkeit des
Gegenleistungs- bzw. Rückgewährsanspruchs legen. Bei der Aufstellung, Prüfung und Feststellung des Jahresabschlusses ist daher genau
darauf achten, dass der vorgenannte Anspruch im Jahresabschluss mit
seinem richtigen Wert ausgewiesen ist.

Es ist zu beachten, dass § 19 Abs. 5 nicht für den Fall der verdeckten 17
Sacheinlage gilt. In diesem Fall findet die Sonderregelung des § 19 Abs. 4
Anwendung. Die verdeckte Sacheinlage ist dadurch charakterisiert, dass
zwar formal eine Kapitalerhöhung gegen Bareinlage beschlossen wurde,
bei wirtschaftlicher Betrachtung des Sachverhalts aber in Wahrheit eine
Sacheinlage eingebracht wurde. Der Fall des Hin- und Herzahlens stellt
dann eine verdeckte Sacheinlage dar, wenn im Zeitpunkt der Leistung der
Bareinlage bereits eine sacheinlagefähige Forderung des Gesellschafters

---

14   Bormann in Bormann/Kauka/Ockelmann, Hdb. GmbH-Recht, Kap. 4 Rn. 36.
15   BGH, 12.01.1998 – II ZR 82/93, BGHZ 137, 378, 380 = NJW 1998, 1559.

bestand, auf die nach Leistung der Bareinlage unter Umgehung der Sacheinlagevorschriften durch die Gesellschaft gezahlt wird (zur Problematik der verdeckten Sacheinlage s.a. § 19 Rn. 37 ff. sowie § 56 Rn. 24 ff.).[16]

Beispiel 2:

Wie Beispiel 1: Der Gesellschafter erbringt wiederum eine ordnungsgemäße Bareinlage. Aber nun wird die Einlageleistung im geringen zeitlichen Abstand an den Gesellschafter zur Tilgung eines bereits vor dem Zeitpunkt der Erbringung der Einlage bestehenden Darlehens an den Gesellschafter wieder ausgezahlt. In diesem Fall bestand bei Erbringung der Bareinlage bereits eine einlagefähige Darlehensforderung, die der Gesellschafter im Wege der Sachkapitalerhöhung ordnungsgemäß hätte einbringen können.

IV.   Sonderfall: Vorleistungen auf eine noch zu beschließende Kapitalerhöhung

18   In Notsituationen der Gesellschaft kann es geschehen, dass die Gesellschafter Bar- und/oder Sachmittel ad hoc zur Verfügung stellen, ohne dass bereits eine Kapitalerhöhung von ihnen beschlossen wurde (sog. **Vorleistung** oder **Zahlung auf künftige Einlageschuld**).[17]

19   Es stellt sich dann die Frage, ob die geleisteten Mittel bzgl. der im Nachhinein beschlossenen Kapitalerhöhung als Einlagen verwendet werden können und insoweit befreiende Wirkung haben.

20   Vorleistungen haben unstreitig noch dann befreiende Wirkung, wenn sie im Zeitpunkt des Kapitalerhöhungsbeschlusses noch wertmäßig vorhanden sind. Sind die Vorleistungen im Zeitpunkt des Kapitalerhöhungsbeschlusses nicht mehr vorhanden, haben sie grds. keine befreiende Wirkung.[18] Dies gilt sowohl für Vorleistungen in bar als auch für Sacheinlagen. Zahlungen auf eine künftige Bareinlageschuld müssen sich daher am Tag der Beurkundung des Kapitalerhöhungsbeschlusses noch in der Kasse der Gesellschaft befinden. Wurde der geschuldete Betrag auf ein Konto der Gesellschaft gezahlt, muss dieses Konto fortwährend bis zur Fassung des Kapitalerhöhungsbeschlusses ein Guthaben in der entsprechenden Höhe ausweisen.[19] Bereits

---

16   BGH, 21.11.2005 – II ZR 140/04, GmbHR 2006, 43.

17   Ausführlich zur Problematik der Voreinzahlung auf eine künftige Kapitalerhöhung: Heckschen in Wachter, FA Handels- und GesellschaftsR, Teil 1, 2. Kap. Rn. 316 ff.; Wülfing, GmbHR 2007, 1124, 1127.

18   BGH, 15.03.2004 – II ZR 210/01, BGHZ 158, 283 = GmbHR 2004, 736 mit Komm. Heidinger (für den Bareinlage); BGH, 14.06.2004 – II ZR 121/02, GmbHR 2004, 1219 mit Komm. Manger (für den Fall einer Sacheinlage).

19   BGH, 15.03.2004 – II ZR 210/01, BGHZ 158, 283 = GmbHR 2004, 736 mit Komm. Heidinger.

im Voraus erbrachte Sacheinlagen müssen dementsprechend fortwährend bis zum Tag der Beschlussfassung im Eigentum der Gesellschaft stehen.[20]

> **Praxistipp:**
>
> Sofern Vorleistungen in bar erbracht werden, ist darauf zu achten, dass die Einlage auf ein gesondertes Konto der Gesellschaft eingezahlt wird.
>
> Dabei darf es sich **nicht um ein debitorisches Konto handeln,** denn durch die Einzahlung auf ein solches Konto wird nach der Rechtsprechung des BGH selbst dann keine Tilgungswirkung erzielt, wenn die Bank eine abermalige Verfügung über das Konto in Höhe des Einlagebetrages einräumt.[21]
>
> Die Einzahlung muss ferner für Dritte erkennbar (z.B. durch die Bezeichnung des Kontos und des Auftrages an die Bank) auf die noch zu beschließende Kapitalerhöhung erfolgen. Dies dient als Sicherheit für den Fall, dass die Einlage aus irgendeinem Grund im Zeitpunkt des Kapitalerhöhungsbeschlusses nicht mehr vorhanden ist.

Der BGH hat sich nun in seiner jüngsten Rechtsprechung in den wesentlichen Punkten der h.M. in der Rechtsprechung[22] und Literatur[23] angeschlossen und in Fällen der Sanierung der Gesellschaft ausnahmsweise eine befreiende Wirkung von **Vorleistungen in Form von Bareinlagen** unter den folgenden Voraussetzungen anerkannt:[24] 21

- **Vorliegen eines akuten Sanierungsfalls**. Ziel der Gesellschafter muss es sein, durch die Vorleistung eine Überschuldung oder Zahlungsfähigkeit

---

20 BGH, 14.06.2004 – II ZR 121/02, GmbHR 2004, 1219 mit Komm. Manger.

21 BGH, 15.03.2004 - II ZR 210/01, BGHZ 158, 283, 286 = GmbHR 2004, 736 mit Komm. Heidinger.

22 OLG Celle, 16.11.2005 – 9 U 69/05, GmbHR 2006, 433; OLG München, 10.08.1998 – 17 U 6479/97, GmbHR 1999, 294; OLG Köln, 02.12.1998 – 27 U 18/98, GmbHR 1999, 288, 291; OLG Karlsruhe, 20.08.1999 – 10 U 89/99, GmbHR 1999, 1298; OLG Düsseldorf, 25.11.1999 – 6 U 166/98, GmbHR 2000, 564; OLG Schleswig, 07.09.2000 – 5 U 71/99, NZG 2001, 137; OLG Köln, 17.05.2001 – 18 U 17/01, NZG 2001, 1042.

23 Lutter/Hommelhoff in Lutter/Hommelhoff, GmbHG, § 56 Rn. 19 f.; Zöllner in Baumbach/Hueck, GmbHG, § 56a Rn. 9 ff.

24 BGH, 26.06.2006 – II ZR 43/05, BGHZ 168, 201 = GmbHR 2006, 1328 mit Komm. Werner; Bormann in Bormann/Kauka/Ockelmann, Hdb. GmbH-Recht, Kap. 4 Rn. 328 sieht in der Rspr. des BGH ein deutliches Überschreiten der durch die Obergerichte festgelegten Voraussetzungen und hält die Anforderungen des BGH in der Praxis für kaum erfüllbar.

der Gesellschaft abzuwenden. Voraussetzung ist, dass andere Maßnahmen als die Vorleistung (z.B. Einzahlungen in die Kapitalrücklage) nicht möglich sind und die Gesellschaft sofort über die Mittel verfügen muss.

- **Handeln mit Sanierungswillen.** Der Einleger muss die Vorauszahlung zum Zweck der Sanierung tätigen. Der gute Wille allein reicht aber nicht. Die Vorleistung muss auch objektiv geeignet sein, die Gesellschaft durchgreifend zu sanieren. Grundvoraussetzung ist insoweit, dass die Gesellschaft noch sanierungsfähig ist.

- **Kapitalerhöhung als Tilgungszweck.** Die Leistung der Einlagen muss für Dritte erkennbar eindeutig im Hinblick auf die **künftige Kapitalerhöhung** erfolgt und als solche auch gekennzeichnet sein (z.B. durch Einzahlung auf ein gesondertes Kapitalerhöhungskonto der Gesellschaft).

- Vorliegen eines **engen zeitlichen Zusammenhangs** zwischen Vorleistung und Kapitalerhöhungsbeschluss. Dieser ist zu bejahren, wenn im Zeitpunkt der Vorleistung ein Notartermin für die Beurkundung des Kapitalerhöhungsbeschlusses bereits vereinbart ist bzw. zur entsprechenden Gesellschafterversammlung eingeladen wurde. Ein engerer Zeitrahmen kann sich bei einer personalistisch strukturierten GmbH ergeben. In diesem Fall darf die satzungsmäßige Einladungsfrist nicht eingehalten werden, wenn es den Gesellschaftern schon vorab möglich ist, eine Gesellschafterversammlung unter Verzicht auf Frist und Form abzuhalten.

- Leistung der Einlagen muss **in der Krise** der Gesellschaft erfolgt sein,

- **Publizität.** Im Hinblick auf hinreichende Publizität und eine wirksame Registerkontrolle ist ein **Hinweis** über die Tatsache und die Gründe der Vorleistung im Kapitalerhöhungsbeschluss sowie in der Handelsregisteranmeldung bzw. Versicherung der Geschäftsführer (§ 57 Abs. 2) aufzunehmen.

22   Der BGH hat noch nicht entschieden, ob die vorgenannte Ausnahme auch für Vorleistungen in Form der Sacheinlage gelten soll. Dies wird teilweise unter Hinweis auf die erhöhten Voraussetzungen der Sacheinlage abgelehnt, insbes. mit dem Argument, dass die verbrauchte Sacheinlage im Nachhinein nicht mehr bewertet werden könne und eine nachträgliche Bewertung einer Sacheinlage der Prüfungspflicht des Registergerichts nach § 9c Abs. 1 Satz 2 widerspricht.[25] Dem kann nicht gefolgt werden. Wenn man sich grds. dafür entscheidet, die Tilgungswirkung von Vorleistungen zum Zweck der Sanierung von Gesellschaften unter bestimmten Voraussetzungen anzuerkennen, kann es keinen Unterschied machen, ob diese in Form der Bar- oder

---

25   Wülfing, GmbHR 2007, 1124, 1127.

Sacheinlage erfolgten. Darüber hinaus sieht § 19 Abs. 4 seit dem Inkrafttreten des MoMiG im Fall der verdeckten Sacheinlage ausdrücklich die Möglichkeit der nachträglichen Bewertung einer Sacheinlage vor.

V. Haftung bei fehlenden Einlagen

Nach §§ 56, 9 haften die Übernehmer einer Sacheinlage für den Differenzbetrag, wenn der Wert des eingebrachten Gegenstandes den Nennbetrag des übernommenen Geschäftsanteils nicht erreicht (im Einzelnen zur Differenzhaftung s. § 56 Rn. 20 ff. und § 9 Rn. 1 ff.). 23

Darüber hinaus haften die übrigen Gesellschafter nach § 24 für Einlagen, die von den Übernehmern nicht geleistet wurden (im Einzelnen zur Ausfallhaftung der Gesellschafter s. § 24 Rn. 5 ff.). 24

§ 57 GmbHG   Anmeldung der Erhöhung

(1) Die beschlossene Erhöhung des Stammkapitals ist zur Eintragung in das Handelsregister anzumelden, nachdem das erhöhte Kapital durch Übernahme von Geschäftsanteilen gedeckt ist.

(2) ¹In der Anmeldung ist die Versicherung abzugeben, dass die Einlagen auf das neue Stammkapital nach § 7 Abs. 2 Satz 1 und Abs. 3 bewirkt sind und dass der Gegenstand der Leistungen sich endgültig in der freien Verfügung der Geschäftsführer befindet. ²§ 8 Abs. 2 Satz 2 gilt entsprechend.

(3) Der Anmeldung sind beizufügen:

1. die in § 55 Abs. 1 bezeichneten Erklärungen oder eine beglaubigte Abschrift derselben;

2. eine von den Anmeldenden unterschriebene Liste der Personen, welche die neuen Geschäftsanteile übernommen haben; aus der Liste müssen die Nennbeträge der von jedem übernommenen Geschäftsanteile ersichtlich sein;

3. bei einer Kapitalerhöhung mit Sacheinlagen die Verträge, die den Festsetzungen nach § 56 zu Grunde liegen oder zu ihrer Ausführung geschlossen worden sind.

(4) Für die Verantwortlichkeit der Geschäftsführer, welche die Kapitalerhöhung zur Eintragung in das Handelsregister angemeldet haben, finden § 9a Abs. 1 und 3, § 9b entsprechende Anwendung.

I.   Einführung

1   Die Norm behandelt die Anmeldung der Kapitalerhöhung zum Handels-register.

2   Seit dem MoMiG verwendet die Vorschrift ebenfalls einheitlich den Begriff des „Geschäftsanteils" und ersetzt damit den veralteten Begriff der „Stamm-einlage". Materiellrechtlich ergeben sich dadurch keine Änderungen.

3   Nach Abs. 1 darf die Handelsregisteranmeldung erst dann erfolgen, wenn sämtliche der neuen Geschäftsanteile übernommen wurden.

4   Wesentlicher Inhalt der Handelsregisteranmeldung ist die Versicherung der Geschäftsführer gem. Abs. 2, dass die Einlagen auf die neuen Geschäfts-anteile gem. § 7 Abs. 2 Satz 1 und Abs. 3 erbracht wurden und endgültig zur freien Verfügung der Geschäftsführer stehen.

5   Seit dem MoMiG verweist Abs. 2 Satz 1 nur noch auf § 7 Abs. 2 Satz 1 und Abs. 3. Hierbei handelt es sich um eine Folgeänderung zu den Änderungen in § 7 Abs. 2, wonach die besonderen Anforderungen an die Einmanngesell-schaft gem. § 7 Abs. 2 Satz 3 a.F. ersatzlos weggefallen sind.

6   Abs. 2 wurde ferner durch das MoMiG ergänzt und verweist nun auf den ebenfalls durch das MoMiG neu eingefügten § 8 Abs. 2 Satz 2. Damit wird auch i.R.d. Kapitalerhöhung klarstellt, dass die Gerichte zur Beschleunigung des Eintragungsverfahrens bei der **Prüfung**, ob die Übernehmer neuer Geschäftsanteile ihre Einlageschuld erfüllt haben, seit dem MoMiG zunächst auf die Richtigkeit der Versicherung der Geschäftsführer nach

Abs. 2 vertrauen und nur bei erheblichen Zweifeln an der Werthaltigkeit der Einlagen gesonderte Nachweise über die Erbringung der Einlagenleistung anfordern sollen (§ 8 Abs. 2 Satz 2).

Darüber hinaus ist seit dem MoMiG bei der Formulierung der Anmeldung die Neuregelung des § 19 Abs. 5 Satz 2 zu beachten. Danach haben die Geschäftsführer das Gericht darauf hinzuweisen, wenn Einlageleistungen wieder an den Übernehmer zurückgeflossen sind (sog. Fall des Hin- und Herzahlens).   7

Der Handelsregisteranmeldung sind die in Abs. 3 genannten Anlagen bei-zufügen.   8

Wie bei der Gründung der Gesellschaft haften die Geschäftsführer entspre-chend der §§ 9a Abs. 1 und 3, sowie 9b für falsche Angaben i.R.d. Handels-registeranmeldung.   9

II.   Übernahme sämtlicher neuer Geschäftsanteile (Abs. 1)

Haben die Gesellschafter die Erhöhung des Stammkapitals beschlossen, können die Geschäftsführer die beschlossene Kapitalerhöhung erst dann zur Eintragung im Handelsregister anmelden, wenn sämtliche der neuen Geschäftsanteile übernommen wurden (§ 55 Abs. 1). Ist dies nicht der Fall, hat das Gericht die Eintragung zurückzuweisen (zur Übernahmeerklärung im Einzelnen s. § 55 Rn. 45 ff.).   10

Darüber hinaus müssen alle Mindesteinlagen auf die Geschäftsanteile geleistet worden sein (§ 56a). Andernfalls können die Geschäftsführer nicht die Versicherung nach Abs. 2 abgeben (zur Leistung der Einlagen im Einzelnen s. § 56a Rn. 4 ff.).   11

Abs. 1 ist insoweit missverständlich, als dass man aus dem Wortlaut („ist anzumelden") schließen könnte, dass nach der Vorlage der Übernahme-erklärungen und Leistung eine Pflicht der Geschäftsführer besteht, die Kapitalerhöhung zum Handelsregister anzumelden. Eine solche Pflicht wird durch Abs. 1 weder gegenüber der Gesellschaft noch gegenüber dem Handelsregister begründet[1] (aber zur Pflicht der zügigen Anmeldung der Kapitalerhöhung aus dem Übernahmevertrag s. § 55 Rn. 41).   12

III.   Handelsregisteranmeldung (Abs. 2)

1.   Inhalt und Form

Die **Handelsregisteranmeldung** hat nach dieser Vorschrift regelmäßig den folgenden Inhalt: 13

---

1   Zöllner in Baumbach/Hueck, GmbHG, § 57 Rn. 4.

- Auflistung der Anlagen,
- Anmeldung der Kapitalerhöhung durch Angabe des Kapitalerhöhungsbetrags sowie des neuen Stammkapitals,[2]
- Versicherung der Geschäftsführer nach Abs. 2,
- Anmeldung, dass der Gesellschaftsvertrag entsprechend geändert wurde,
- Bei Vorliegen eines Fall des Hin- und Herzahlens Aufnahme eines Hinweises nach § 19 Abs. 5 Satz 2.

> **Praxistipp:**
>
> Nach allgemeiner Meinung ist die Satzungsänderung in der Anmeldung der Kapitalerhöhung enthalten.[3] Es empfiehlt sich jedoch, die Änderung des Stammkapitals in der Anmeldung ebenfalls zu erwähnen.[4]

14 Möglich ist auch die Anmeldung mehrerer aufeinander aufbauender Kapitalerhöhungsbeschlüsse in einer Anmeldung. Die Zusammenfassung in einer Anmeldung ändert aber nichts an der Rechtslage, dass es sich jeweils um getrennte Kapitalerhöhungen handelt, deren Voraussetzungen getrennt voneinander vorliegen müssen.[5]

15 Die Handelsregisteranmeldung ist von sämtlichen Geschäftsführern in **notariell beglaubigter Form** zu unterzeichnen (§ 78). Die Geschäftsführer können sich hierbei vertreten lassen, sofern die Vollmacht ebenfalls in notarieller Form erteilt wurde.[6] Dies gilt jedoch nicht für die Versicherung nach Abs. 2 Satz 1. Diese ist von den Geschäftsführern höchstpersönlich ebenfalls stets in notariell beglaubigter Form abzugeben.[7]

---

2   Lutter/Hommelhoff in Lutter/Hommelhoff, GmbHG, § 57 Rn. 4; a.A. Zöllner in Baumbach/Hueck, GmbHG, § 57 Rn. 7: lediglich Angabe des Erhöhungsbetrages.

3   Lutter/Hommelhoff in Lutter/Hommelhoff, GmbHG, § 57 Rn. 4; Zöllner in Baumbach/Hueck, GmbHG, § 57 Rn. 7.

4   Lutter/Hommelhoff in Lutter/Hommelhoff, GmbHG, § 57 Rn. 4.

5   Zöllner in Baumbach/Hueck, GmbHG, § 57 Rn. 8.

6   OLG Köln, 01.10.1986 – 2 Wx 53/86, NJW 1987, 135.

7   Zöllner in Baumbach/Hueck, GmbHG, § 57 Rn. 9; Roth/Altmeppen, GmbHG, § 78 Rn. 5.

> **Praxistipp:**
>
> Häufig ist die Versicherung nach Abs. 2 Satz 1 Bestandteil des Textes der Handelsregisteranmeldung. Dies ist entgegen dem Wortlaut des Abs. 2 („In der Anmeldung") aber nicht zwingend erforderlich. Die Versicherung kann auch in einem gesonderten Dokument erfolgen und der Anmeldung als Anlage beigefügt werden. Sofern die Handelsregisteranmeldung durch Bevollmächtigte unterzeichnet werden soll, kann die Versicherung der Geschäftsführer nur als Anlage beigefügt werden.[8]

Eine Anmeldung in **unechter Gesamtvertretung** unter Mitwirkung von Prokuristen ist unzulässig.[9] — 16

Seit dem Inkrafttreten des EHUG wird das Handelsregister in elektronischer Form geführt (§ 8 Abs. 1 HGB). Anmeldungen zum Handelsregister werden daher durch die Notare elektronisch in öffentlich beglaubigter Form eingereicht (§ 12 Abs. 1 HGB). — 17

2. Versicherung der Geschäftsführer

Nach Abs. 2 haben die Geschäftsführer zu versichern, dass die Einlagen auf die neuen Geschäftsanteile geleistet wurden und dass sämtliche Einlagen zur freien Verfügung der Geschäftsführer stehen. Die Versicherung ist durch sämtliche Geschäftsführer abzugeben.[10] — 18

Nach Abs. 2 Satz 1 haben die Geschäftsführer daher zu versichern, dass — 19

- im Fall der Kapitalerhöhung gegen **Bareinlage** auf jeden Geschäftsanteil **mindestens ein Viertel des Nennbetrages** eingezahlt wurde (§ 7 Abs. 2 Satz 1) oder

- im Fall der Kapitalerhöhung gegen **Sacheinlage** sämtliche Sacheinlagen vollständig geleistet wurden (§ 7 Abs. 3) oder

- im Fall einer **gemischten Bar- und Sacheinlage** die Sacheinlage voll geleistet wurde und die Bareinlage i.Ü. in einer Höhe eingezahlt wurde, dass die Summe aus Bar- und Sacheinlage ein Viertel des Nennbetrages der übernommenen Geschäftsanteile erreicht.

Abs. 2 Satz 1 verweist seit dem Inkrafttreten des MoMiG nur noch auf § 7 Abs. 2 Satz 1 und Abs. 3. Hierbei handelt es sich um eine Folgeänderung zu den Änderungen in § 7 Abs. 2, wonach die besonderen Einlagenforderungen — 20

---

8   Zöllner in Baumbach/Hueck, GmbHG, § 57 Rn. 14.

9   Schulze in HK-GmbHG, § 57i Rn. 3.

10 Zöllner in Baumbach/Hueck, GmbHG, § 57 Rn. 9; Roth/Altmeppen, GmbHG, § 57n Rn. 7.

bei der Einmanngesellschaft gem. § 7 Abs. 2 Satz 3 GmbHG a.F. (Volleinzahlung oder Einzahlung von 25 % der Einlagen plus Sicherheit für die restlichen Einlagen) ersatzlos gestrichen wurden. Damit ist auch eine entsprechende Versicherung der Geschäftsführer weggefallen.

21 Obwohl dies gesetzlich nicht gefordert ist, muss die Versicherung die Angabe des **ziffernmäßigen Betrags** der Einlagen, die jeder Gesellschafter geleistet hat, enthalten.[11] Sind die Einlagen auf die neuen Geschäftsanteile vollständig zu leisten, reicht die Versicherung, dass die Einlagen vollständig erbracht sind.[12]

22 Die Geschäftsführer haben dagegen nicht zu versichern, *wie* die Leistung der Einlagen erfolgt ist.[13] Trotzdem wird in der Praxis häufig die Art der Einlagenleistung genannt (z.B. dass die Einlagen durch Überweisung auf ein Konto der Gesellschaft erfolgt sind).

23 Anders als bei der Gründung der GmbH müssen die Geschäftsführer nicht versichern, dass die Einlagenleistungen **im Zeitpunkt der Handelsregisteranmeldung noch vorhanden** sind. Seit der Abkehr des BGH von dem Grundsatz der wertgleichen Deckung[14] reicht es aus, wenn die Geschäftsführer versichern, dass die geleisteten Einlagen zur freien Verfügung der Geschäftsführer eingezahlt und in der Folgezeit nicht an die Übernehmer zurückgezahlt wurden (vgl. hierzu § 56a Rn. 11).

24 Einlagenleistungen gelten nach dem durch das MoMiG neugefassten § 19 Abs. 5 auch dann als erbracht und stehen damit zur freien Verfügung der Gesellschaft, wenn die Einlagen abredegemäß nach ihrer Leistung wieder an den Gesellschafter zurückgeflossen sind (sog. **Hin- und Herzahlen**). Voraussetzung ist aber, dass die Leistung an den übernehmenden Gesellschafter durch einen **vollwertigen Gegenleistungs- oder Rückgewährsanspruch** gedeckt ist und es sich nicht um einen Fall der verdeckten Sacheinlage handelt. Liegt ein solcher Fall des Hin- und Herzahlens vor, haben die Geschäftsführer dies dem Handelsregister gegenüber offenzulegen und nach der Neufassung des § 19 Abs. 5 Satz 2 einen entsprechenden **Hinweis**

---

11   OLG Hamm, 24.02.1982 – 15 W 114/81, DB 1982, 945; OLG Celle, 07.01.1986
      – 1 W 37/85, NJW 1986, 309.

12   OLG Düsseldorf, 25.09.1985 – 3 Wx 363/85, GmbHR 1986, 267.

13   Schulze in HK-GmbHG, § 57 Rn. 4.

14   BGH, 18.03.2002 – II ZR 363/00, NZG 2002, 522.

in der Handelsregisteranmeldung aufzunehmen.[15] Ausführlich zur Problematik des Hin- und Herzahlens s. § 56a Rn. 12 ff. sowie zur verdeckten Sacheinlage § 56 Rn. 24 ff. und § 19 Rn. 37 ff.

Seit dem **MoMiG** haben die Geschäftsführer grds. keine Nachweise mehr   25
für die Erbringung der Einlagen auf die neuen Geschäftsanteile einzureichen. Dies stellt der Verweis auf § 8 Abs. 2 Satz 2 klar. Um den Eintragungsprozess zu beschleunigen, haben die Gerichte nach der neuen Rechtslage von der Richtigkeit der Versicherung auszugehen. Nach der Gesetzesbegründung reicht die Strafbewährung der Versicherung als Schutz aus. Nur wenn das Gericht erhebliche Zweifel an der Richtigkeit der Versicherung hat, kann es Nachweise von der Gesellschaft anfordern (im Einzelnen zur Prüfungspflicht der Gerichte s. § 57a und § 9c, zur Prüfungspflicht der Gerichte in Bezug auf die Erbringung der Einlagenleistungen und die neue Rechtslage nach dem MoMiG s. § 57a Rn. 9 f.).

IV. Anlagen zur Handelsregisteranmeldung (Abs. 3)

1. Übersicht

Der Handelsregisteranmeldung sind die notwendigen Unterlagen als Anlagen beizufügen.   26

Checkliste: Anlagen zur Handelsregisteranmeldung

> ☐ Kapitalerhöhungsbeschluss
> ☐ Übernahmeerklärungen der Gesellschafter
> ☐ Liste der Übernehmer der neuen Geschäftsanteile
> ☐ aktuelle Gesellschafterliste nach § 40 Abs. 1
> ☐ sofern es sich um eine Sachkapitalerhöhung handelt, Verträge, die den Festsetzungen der Sacheinlage zugrunde liegen
> ☐ aktueller Wortlaut der Satzung mit Satzungsbescheinigung

Seit dem **EHUG** sind sämtliche Anlagen durch den Notar elektronisch   27
einzureichen (vgl. § 12 Abs. 2 HGB).

---

15   Ein Muster einer Versicherung im Fall des Hin- und Herzahlens findet sich bei Bormann in Bormann/Kauka/Ockelmann, Hdb. GmbH-Recht, Kap. 4 Rn. 38.

2.   Kapitalerhöhungsbeschluss

28   Der Handelsregisteranmeldung ist zunächst die notarielle Niederschrift der Gesellschafterversammlung mit dem Kapitalerhöhungsbeschluss beizufügen (vgl. § 55 Abs. 1).

3.   Übernahmeerklärungen (Abs. 3 Nr. 1)

29   Abs. 3 Nr.1 fordert eine Einreichung der **notariell beglaubigten Übernahmeerklärungen** sämtlicher Übernehmer (§ 55 Abs. 1). Die Einreichung einer beglaubigten Abschrift derselben ist ausreichend. Ist die Übernahme der Geschäftanteile bereits in der notariellen Urkunde über den Kapitalerhöhungsbeschluss enthalten, entfällt diese Anlage.

4.   Liste der Übernehmer der Geschäftsanteile (Abs. 3 Nr. 2) und aktuelle Gesellschafterliste

30   Der Handelsregisteranmeldung ist eine von den Geschäftsführern unterschriebene Liste der Übernehmer sämtlicher Geschäftsanteile beizufügen. Die Liste ist von sämtlichen Geschäftsführern zu unterzeichnen.[16] Hieraus müssen sich auch die Nennbeträge der von jedem Übernehmer übernommenen Geschäftsanteile ergeben. Insoweit hat sich durch das MoMiG materiell nichts geändert. Der Gesetzgeber hat lediglich auch hier konsequent von dem veralteten Begriff der Stammeinlage Abstand genommen.

31   Im Übrigen hat die Liste die gleichen Angaben zu enthalten wie die i.R.d. Gründung der GmbH einzureichende Gesellschafterliste gem. § 8 Abs. 1 Nr. 3 (zum Inhalt der Gesellschafterliste s. § 8 Rn. 5 ff.). Eine Nummerierung der Geschäftsanteile wie in § 8 Abs. 1 Nr. 3 vorgesehen, ist in der Liste der Übernehmer allerdings nicht erforderlich. Die Nummerierung hat dann aber in der aktuellen Gesellschafterliste zu erfolgen, die die Geschäftsführer gem. § 40 Abs. 1 ebenfalls zum Handelsregister einzureichen haben.

5.   Verträge über Sacheinlagen (Abs. 3 Nr. 3)

32   Handelt es sich bei der Kapitalerhöhung um eine Kapitalerhöhung gegen Sacheinlagen, so sind der Handelsregisteranmeldung nach Abs. 3 Nr. 3 auch die Verträge beizufügen, die den Festsetzungen nach § 56 zugrunde liegen oder zur Ausführung der Sachkapitalerhöhung erforderlich sind (s. hierzu im Einzelnen § 8 Rn. 8 ff.).

---

16   Lutter/Hommelhoff in Lutter/Hommelhoff, GmbHG, § 57 Rn. 9; Zöllner in Baumbach/Hueck, GmbHG, § 57 Rn. 19; Schulze in HK-GmbHG, § 57 Rn. 6.

Gemeint ist hiermit im Wesentlichen der **Einbringungsvertrag**, der die schuldrechtliche und dingliche Übertragung des Einlagegegenstandes in die Gesellschaft regelt (z.B. Vertrag zwischen der Gesellschaft und dem Übernehmer betreffend die Einbringung, d.h. den Verkauf und die Abtretung der Geschäftsanteile an der Y-GmbH gegen Gewährung von neuen Geschäftsanteilen an der Gesellschaft). 33

Im Rahmen der der Kapitalerhöhung ist nach h.M. ein dem Sachgründungsbericht vergleichbarer „Sacherhöhungsbericht" nicht erforderlich (vgl. § 57a Rn. 11). 34

6.   Aktueller Wortlaut des Gesellschaftsvertrags

Da sich aufgrund der Kapitalerhöhung eine Änderung der Stammkapitalziffer ergibt, ist der **Wortlaut des Gesellschaftsvertrages** entsprechend **anzupassen** und in aktueller Fassung mit der Bescheinigung des Notars nach § 54 Abs. 1 Satz einzureichen.[17] 35

Nach h.M. sind die neuen Geschäftsanteile nicht im Gesellschaftsvertrag ausdrücklich aufzuführen. § 3 Abs. 1 Nr. 4 findet auf die Kapitalerhöhung keine Anwendung.[18] 36

V.   Prüfungspflicht des Registergerichts

Das Registergericht prüft die Handelsregisteranmeldung und die beigefügten Anlagen von Amts wegen, § 12 FGG (vgl. hierzu im Einzelnen § 57a). 37

VI.   Haftung der Geschäftsführer für falsche Angaben in der Handelsregisteranmeldung (Abs. 4)

Die Vorschriften der §§ 9a Abs. 1 und 3 sowie 9b finden auf die Handelsregisteranmeldung der Kapitalerhöhung entsprechende Anwendung. Die Geschäftsführer haften daher nach § 9 Abs. 1, wenn sie in der Handelsregisteranmeldung oder in der Versicherung falsche Angaben gemacht haben, es sei denn es fehlt ihnen die entsprechende Kenntnis (§ 9 Abs. 3). 38

---

17   Herrschende Meinung: Zöllner in Baumbach/Hueck, GmbHG, § 57 Rn. 21; Lutter/Hommelhoff in Lutter/Hommelhoff, GmbHG, § 57 Rn. 11; a.A. Roth/Altmeppen, GmbHG, § 57 Rn. 5, der die Vorlage des vollständigen Vertrages nur verlangt, wenn außer der Stammkapitalziffer weitere Bestimmung des Gesellschaftsvertrages geändert wurden.

18   BayObLG, 17.09.1981 – BReg 1 Z 69/81, DNotZ 1982, 177 = GmbHR 1982, 185.

39   Haben die Geschäftsführer vorsätzlich gehandelt, führt dies ferner zur Strafbar-
      keit nach § 82 Abs. 1 Nr. 3 und ggf. einer Schadensersatzpflicht der Geschäfts-
      führer ggü. Dritten nach §§ 823 Abs. 2 BGB, 82 Abs. 1 Nr. 3. Vorsätzliche
      und auch fahrlässige Falschangaben begründen darüber hinaus einen Schadens-
      ersatzanspruch der Gesellschaft nach § 43 Abs. 2 gegen die Geschäftsführer.

40   Eine Haftung der Gesellschafter ist i.R.d. Handelsregisteranmeldung der
      Kapitalerhöhung nicht vorgesehen. Die Vorschriften des § 9a Abs. 1 und 3
      gelten ausdrücklich nach dem Wortlaut des Abs. 4 nur für die Geschäfts-
      führer (vgl. zur Haftung der Geschäftsführer im Einzelnen § 9a Rn. 2, zum
      Ausschluss der Haftung bei fehlender Kenntnis § 9a Rn. 13. Zum Verzicht
      der Gesellschaft auf Ersatzansprüche gegen die Geschäftsführer nach § 9a
      Abs. 1 s. die Ausführungen zu § 9b Rn. 3 ff.).

VII.   Eintragung der Kapitalerhöhung im Handelsregister

41   Wenn alle Voraussetzungen für eine Erhöhung des Stammkapitals gegeben
      sind, trägt das Registergericht die Kapitalerhöhung ins Handelsregister ein.
      Eingetragen werden lediglich das Datum der Eintragung sowie die schlichte
      Bemerkung, auf welchen Betrag das Stammkapital erhöht worden ist.
      Gleichzeitig wird die Stammkapitalziffer bereinigt.[19]

42   Da es sich bei der Kapitalerhöhung gegen Einlagen um eine Satzungs-
      änderung handelt, wirkt die Eintragung im Handelsregister **konstitutiv**
      (§ 54 Abs. 3). Die neuen Geschäftsanteile entstehen daher kraft Gesetzes
      erst mit dem Tag der Eintragung der Kapitalerhöhung im Handelsregister.

VIII.   Bekanntmachung der Kapitalerhöhung

43   Die Eintragung der Kapitalerhöhung ist durch das Gericht gem. § 10 HGB
      bekannt zu machen.

44   Vor Inkrafttreten des MoMiG enthielt § 57b darüber hinaus eine Sonder-
      regelung für die Bekanntmachung der Kapitalerhöhung gegen Sacheinlagen
      durch das Registergericht. Diese Regelung wurde in Fortsetzung des durch
      das EHUG begonnenen Verzichts auf Zusatzbekanntmachungen ersatzlos
      gestrichen.

---

19   Zöllner in Baumbach/Hueck, GmbHG, § 57 Rn. 25.

IX. Muster

Vorlage für eine Handelsregisteranmeldung (Bareinlage) 45

An das Amtsgericht

– Registergericht –

..... GmbH, HRB .....

Es werden vorgelegt:

1. notarielle Niederschrift über die außerordentliche Gesellschafterversammlung vom ..... (UR-Nr. ..... der Notarin ..... in .....),
2. notariell beglaubigte Übernahmeerklärung des Herrn .....,
3. notariell beglaubigte Übernahmerklärung der ..... GmbH,
4. Liste der Übernehmer der neuen Geschäftsanteile,
5. aktuelle Gesellschafterliste,
6. vollständiger Wortlaut des Gesellschaftsvertrages mit der Bescheinigung des Notars nach § 54 Abs. 1 Satz 2 GmbHG.

Zur Eintragung im Handelsregister wird angemeldet:

Das Stammkapital der Gesellschaft ist von ..... € um ..... € auf ..... € erhöht worden. §§ ..... des Gesellschaftsvertrages sind entsprechend geändert worden.

Wir versichern, dass sämtliche Einlagen auf das neue Stammkapital zur freien Verfügung der Geschäftsführung von den Übernehmern Herrn ..... und ..... GmbH jeweils durch Überweisung auf ein gesondertes Kapitalerhöhungskonto der Gesellschaft vollständig bewirkt und in der Folgezeit nicht an die Übernehmer zurückgezahlt worden sind.

[ggf. Vollmacht an die Mitarbeiter des Notars, die Handelsregisteranmeldung bei formellen Beanstandungen zu ändern]

....., den .....

[Unterschriften sämtlicher Geschäftsführer]

[Beglaubigungsvermerk]

Vorlage für eine Handelsregisteranmeldung (Sacheinlage) 46

An das Amtsgericht

– Registergericht –

..... GmbH, HRB .....

Es werden vorgelegt:

1. notarielle Niederschrift über die außerordentliche Gesellschafterversammlung vom ..... (UR-Nr. ..... der Notarin ..... in .....),

2. notariell beglaubigte Übernahmerklärung der ..... GmbH,

3. Liste der Übernehmer der neuen Geschäftsanteile,

4. Verträge über die Festsetzungen der Sacheinlagen,

5. *[ggf. Beifügung eines Nachweises über die Werthaltigkeit der Sacheinlage]*

6. vollständiger Wortlaut des Gesellschaftsvertrages mit der Bescheinigung des Notars nach § 54 Abs. 1 Satz 2 GmbHG.

Zur Eintragung im Handelsregister wird angemeldet:

Das Stammkapital der Gesellschaft wurde von ..... € um ..... € auf ..... € erhöht. § ..... des Gesellschaftsvertrages wurde entsprechend geändert.

Wir versichern, dass die Einlagen auf das neue Stammkapital von der Übernehmerin, der ..... GmbH, zur freien Verfügung der Geschäftsführer vollständig bewirkt wurden.

[ggf. Vollmacht an die Mitarbeiter des Notars, die Handelsregisteranmeldung bei formellen Beanstandungen zu ändern]

....., den .....

[Unterschriften sämtlicher Geschäftsführer]

[Beglaubigungsvermerk]

§ 57a GmbHG   Ablehnung der Eintragung

Für die Ablehnung der Eintragung durch das Gericht findet § 9c Abs. 1 entsprechende Anwendung.

I. Einführung

Die Norm behandelt die Prüfungspflicht des zuständigen Registergerichts 1 vor Eintragung der Kapitalerhöhung im Handelsregister.

Im Fall der Kapitalerhöhung gegen Sacheinlage hat das Gericht in entspre- 2 chender Anwendung des § 9c Abs. 1 insbes. zu prüfen, ob der Nennbetrag der neuen Geschäftsanteile durch den Wert des Sacheinlagegegenstandes gedeckt ist.

Seit dem Inkrafttreten des MoMiG hat das Gericht nur noch dann eine 3 umfassende Prüfung der Bewertung des Sacheinlagegegenstandes durchzuführen, wenn begründete Zweifel bestehen, dass der Einlagegegenstand wesentlich überbewertet ist (vgl. § 9c Abs. 1 Satz 2). Dieser **eingeschränkte Prüfungsumfang** findet durch den Verweis auf § 9c Abs. 1 daher auch bei der Kapitalerhöhung Anwendung.

II. Allgemeine Prüfungspflicht des Registergerichts

Um die Eintragung der Kapitalerhöhung im Handelsregister vollziehen zu 4 können, hat das Registergericht nach der entsprechenden Anwendung des § 9c Abs. 1 zu prüfen, ob die Kapitalerhöhung in formeller und materieller Hinsicht ordnungsgemäß erfolgt ist.[1] Das Gericht prüft in diesem Zusammenhang insbes. die nach § 57 eingereichten Dokumente, d.h. den Kapitalerhöhungsbeschluss, die Übernahmeerklärungen sowie die Handelsregisteranmeldung einschließlich Versicherung.[2] Daneben hat das Gericht auch zu prüfen, ob die Einlagen auf die neuen Geschäftsanteile ordnungsgemäß erbracht wurden (zum Prüfungsumfang des Gerichts s. auch die Ausführungen zu § 54 Rn. 20 ff.).

Bei Zweifeln ist das Gericht verpflichtet, zusätzliche Ermittlungen anzustel- 5 len und ggf. weitere Nachweise und Dokumente zu verlangen (§ 12 FGG). Dies gilt insbes. für den Nachweis der Erbringung der Einlagen auf die neuen Geschäftsanteile.[3]

Sind die eingereichten Unterlagen unvollständig oder fehlerhaft, ergeht 6 i.d.R. eine Zwischenverfügung des Gerichts, wobei die Gesellschaft unter Fristsetzung aufgefordert wird, die fehlenden Unterlagen nachzureichen bzw. die festgestellten Mängel zu beheben. Kommen die Geschäftsführer dieser Aufforderung nicht nach, hat das Gericht die Eintragung der Kapitalerhöhung abzulehnen (vgl. § 9c Abs. 1 Satz 1).

---

1   Roth/Altmeppen, GmbHG, § 57a Rn. 1.
2   Lutter/Hommelhoff in Lutter/Hommelhoff, GmbHG, § 57a Rn. 1.
3   Zöllner in Baumbach/Hueck, GmbHG, § 57a Rn. 8.

III. Besondere Prüfungspflicht bei der Kapitalerhöhung gegen Sacheinlage

7   Im Rahmen der Kapitalerhöhung gegen Sacheinlage kommt dem Gericht eine **besondere Prüfungspflicht** zu. Insoweit hat es zu prüfen, ob die Nennbeträge der neuen Geschäftsanteile durch den Wert der Einlagegegenstände gedeckt sind.[4]

8   Durch den Verweis auf § 9c Abs. 1 ist dabei der gleiche Prüfungsumfang anzuwenden wie bei der Gründung der GmbH gegen Sacheinlagen. Dieser Prüfungsumfang wurde durch das MoMiG wesentlich abgeschwächt. Nach § 9c Abs. 1 Satz 2 GmbHG a.F. hatte das Registergericht bislang eine umfassende Prüfungspflicht und musste die Eintragung der Kapitalerhöhung selbst dann ablehnen, wenn der Wert des Einlagegegenstandes den Nennbetrag des Geschäftsanteils nur geringfügig unterschritten hat.[5] In der Praxis waren die Gerichte jedoch kaum in der Lage, dieser umfassenden Prüfungspflicht nachzukommen. Dazu war es nicht selten der Fall, dass übervorsichtige Registerrichter die zur Bewertung der Sacheinlage eingereichten Nachweise nicht anerkannten und zusätzliche Nachweise in Form von Sachverständigengutachten anforderten. Diese Unsicherheiten machten den Vorgang der Sachkapitalerhöhung zu einem sehr kosten- und zeitaufwendigen Prozess, was im Ergebnis häufig auch ein Grund für Umgehungsversuche der Beteiligten war, die u.a. in der Problematik der verdeckten Sacheinlage mündeten.

9   Seit dem MoMiG ist der **Prüfungsumfang wesentlich abgeschwächt**. Nach § 9c Abs. 1 Satz 2 hat das Gericht die Eintragung der Kapitalerhöhung nur noch dann abzulehnen, wenn die Sacheinlagen wesentlich **überbewertet** werden. Für den Umfang der Prüfung bedeutet dies, dass die Gerichte als Ausgangspunkt ihrer Prüfung darauf vertrauen sollen, dass die Versicherung der Geschäftsführer nach § 57 Abs. 2 richtig ist. **Zusätzliche Nachweise** sollen sie darüber hinaus nur noch dann anfordern, wenn begründete Zweifel an der Werthaltigkeit der Sacheinlage bestehen. Die Strafbewehrung der Versicherung der Geschäftsführer bietet insoweit genügend Schutz. Sollten im Einzelfall dann doch Zweifel bestehen, bleibt es bei der alten Rechtslage und die Gerichte können nach den **Grundsätzen der Amtsermittlung** (§ 12 FGG) weitere Informationen von der Gesellschaft fordern (z.B. das einer Kapitalerhöhung zugrunde liegende Investors – Agreement)[6] oder eigene Ermittlungen einleiten.

---

4   Zu Bewertungsproblemen bei der Einlage von Darlehensforderungen s. Schulze in HK-GmbHG, § 57a Rn. 3.

5   Zöllner in Baumbach/Hueck, GmbHG, § 9c Rn. 7.

6   BayObLG, 27.02.2002 – 32 BR 35/02, ZIP 2002, 1484.

Ein dem Sachgründungsbericht vergleichbarer „Sacherhöhungsbericht" ist   10
nach h.M. allerdings nicht vorzulegen, da das Gesetz in den Vorschriften der
§§ 56 ff. keinen Verweis auf die i.R.d. Gründung anzuwendende Regelung
des § 5 Abs. 4 enthält und ein gesetzgeberisches Versehen fernliegt.[7]

IV.   Stichtag für die Prüfung der Sacheinlage

Anders als bei der Gründung der GmbH durch Sacheinlage ist der maßgeb-   11
liche Zeitpunkt für die Beurteilung der Werthaltigkeit der Sacheinlagen bei
der Kapitalerhöhung der Tag der Anmeldung des Sachkapitalerhöhungs-
beschlusses zum Handelsregister und nicht wie i.R.d. Gründung der Tag der
Eintragung im Handelsregister.[8] Zur Differenzhaftung s. § 56 Rn. 20 ff.

V.   Prozessuales

Erlässt das Registergericht nach seiner Prüfung eine Zwischenverfügung   12
oder lehnt es die Eintragung der Kapitalerhöhung wegen Mängel des
Kapitalerhöhungsbeschlusses oder der Handelsregisteranmeldung ab, kann
die Gesellschaft hiergegen Beschwerde beim zuständigen LG sowie ggf.
weitere Beschwerde beim zuständigen OLG einlegen. Es besteht bis zum
Abschluss des Beschwerdeverfahrens die Möglichkeit, die Mängel zu beseitigen.[9]

§ 57b GmbHG (weggefallen)

In Ergänzung des durch das EHUG zum 01.01.2007 aufgehobenen § 54 Abs. 2   1
Satz 2 a.F. regelte diese Norm zusätzliche Anforderungen an die Bekanntmachung der Kapitalerhöhung mit Sacheinlagen durch das Registergericht. Die

---

7   OLG Köln, 13.02.1996 - 3 U 98/95, NJW RR-1996, 1250; Zöllner in Baum-
     bach/Hueck, GmbHG, § 56 Rn. 17; Lutter/Hommelhoff in Lutter/Hommel-
     hoff, GmbHG, § 56 Rn. 7, § 57a Rn. 2; Schulze in HK-GmbHG, § 56 Rn. 2;
     einschränkend OLG Stuttgart, 19.01.1982 – 8 W 295/81, BB 1982, 397,
     wonach das Registergericht einen Sacherhöhungsbericht gem. Amtsermitt-
     lungsgrundsatz verlangen kann; ebenso Roth/Altmeppen, GmbHG, § 57a
     Rn. 1; im Ergebnis offen gelassen BGH, 14.06.2004 – II ZR 121/02,
     GmbHR 2004, 1219.
8   OLG Düsseldorf, 10.01.1996 – 3 Wx 274/95, BB 1996, 369; Lutter/Hom-
     melhoff in Lutter/Hommelhoff, GmbHG, § 57c Rn. 3; Zöllner in Baumbach/
     Hueck, GmbHG, § 57a Rn. 11.
9   Lutter/Hommelhoff in Lutter/Hommelhoff, GmbHG, § 57a Rn. 6.

Norm wurde daher durch das MoMiG in Fortsetzung des durch das EHUG
begonnenen Verzichts auf Zusatzbekanntmachungen ersatzlos gestrichen. Zur
Regelung des § 54 Abs. 2 Satz 2 a.F. s. § 54 Rn. 31.

§ 57c GmbHG   Kapitalerhöhung aus Gesellschaftsmitteln

**(1) Das Stammkapital kann durch Umwandlung von Rücklagen in
Stammkapital erhöht werden (Kapitalerhöhung aus Gesellschaftsmitteln).**

**(2) Die Erhöhung des Stammkapitals kann erst beschlossen werden,
nachdem der Jahresabschluss für das letzte vor der Beschlussfassung
über die Kapitalerhöhung abgelaufene Geschäftsjahr (letzter Jahresabschluss) festgestellt und über die Ergebnisverwendung Beschluss
gefasst worden ist.**

**(3) Dem Beschluss über die Erhöhung des Stammkapitals ist eine Bilanz
zu Grunde zu legen.**

**(4) Neben den §§ 53 und 54 über die Abänderung des Gesellschafts-
vertrags gelten die §§ 57d bis 57o.**

I.   Einführung

1   §§ 57c ff. regeln die sog. **Kapitalerhöhung aus Gesellschaftsmitteln,** d.h.
die Erhöhung des Stammkapitals der GmbH durch die Umwandlung von
Rücklagen (auch **nominale Kapitalerhöhung** genannt).

Die Kapitalerhöhung aus Gesellschaftsmitteln war zunächst in den §§ 1   2
bis 17 KapErhG geregelt und wurde durch Art. 4 UmwBerG zum
01.01.1995 in das GmbHG (§§ 57c bis 57o) integriert. Es besteht weitest-
gehende Übereinstimmung der §§ 1 bis 17 KapErhG mit den §§ 57c bis
57o.[1]

Die Kapitalerhöhung aus Gesellschaftsmitteln zeichnet sich dadurch aus,   3
dass der Gesellschaft kein zusätzliches Vermögen von außen zugeführt wird.
Die Kapitalerhöhung erfolgt vielmehr durch bereits vorhandene, in den
Rücklagen der Gesellschaft „gespeicherte", ausschüttungsfähige Mittel, die
in Stammkapital umgewandelt werden.

§ 57c eröffnet den Regelungsbereich der Kapitalerhöhung aus Gesell-   4
schaftsmitteln (Abs. 1) und behandelt deren Eckpunkte, d.h. den Kapitalerhöhungsbeschluss (Abs. 2) sowie die zugrunde liegende Bilanz (Abs. 3),
die die umwandlungsfähigen Rücklagen ausweisen muss.

Die Kommentierung zur Kapitalerhöhung aus Gesellschaftsmitteln bei der   5
AG (§§ 207 ff. AktG) kann wegen inhaltlicher und textlicher Nähe der
§§ 57c ff. zu den aktienrechtlichen Vorschriften zur Auslegung der
§§ 57c ff. verwendet werden.[2]

II.   Voraussetzungen der Kapitalerhöhung aus Gesellschaftsmitteln (Abs. 1 und 4)

Die Kapitalerhöhung aus Gesellschaftsmitteln bedarf einer Vielzahl von   6
Voraussetzungen, die über die §§ 57c ff. verteilt geregelt sind. Daneben
finden die allgemeinen Vorschriften der §§ 53 und 54 Anwendung, da es
sich bei der Kapitalerhöhung aus Gesellschaftsmitteln um eine satzungsändernde Maßnahme handelt (vgl. Abs. 4).

Grundlegende Voraussetzung der Kapitalerhöhung aus Gesellschaftsmitteln   7
ist zunächst ein notarieller Beschluss der Gesellschafter über die Erhöhung
des Stammkapitals durch die Umwandlung von Rücklagen (§§ 53, 57c).
Dieser darf erst nach den Beschlussfassungen über die Feststellung des
Jahresabschlusses sowie die Ergebnisverwendung betreffend das letzte vor
der Kapitalerhöhung abgelaufene Geschäftsjahr erfolgen (§ 57c Abs. 2).

Aus der Natur der Sache ergibt sich, dass die Kapitalerhöhung aus Gesell-   8
schaftsmitteln nur dann möglich ist, wenn den Gesellschaftern entsprechende
umwandlungsfähige Rücklagen zur Verfügung stehen (§ 57c Abs. 1).

---

1   Zur Entwicklung der §§ 57c ff. aus den Vorschriften des KapErhG ausführlich
    mit Synopse Lutter/Hommelhoff in Lutter/Hommelhoff, GmbHG, § 57c Rn. 2;
    Zöllner in Baumbach/Hueck, GmbHG, vor § 57c Rn. 1 und 2.
2   Zöllner in Baumbach/Hueck, GmbHG, vor § 57c Rn. 1.

9   Die Rücklagen müssen in der letzten Jahresbilanz oder in einer gesondert aufzustellenden Zwischenbilanz (auch Sonder- oder Stichtagsbilanz genannt) ausgewiesen sein (§ 57d Abs. 1). Die entsprechende Bilanz muss den Anforderungen der §§ 57e bis 57g entsprechen und ist dem Kapitalerhöhungsbeschluss zugrunde zu legen.

10   Die Kapitalerhöhung kann sowohl durch die Bildung neuer Geschäftsanteile als auch durch die Erhöhung der bereits bestehenden Geschäftsanteile erfolgen (§ 57h). Bei **teileingezahlten Geschäftsanteilen** ist jedoch nur eine Kapitalerhöhung durch Aufstockung der Nennbeträge der bestehenden Geschäftsanteile möglich (§ 57l Abs. 2 Satz 2).

11   In jedem Fall erfolgt die **Kapitalerhöhung** aber **proportional** zu den bestehenden Geschäftsanteilen, d.h. die Beteiligungsverhältnisse bleiben bei der Kapitalerhöhung aus Gesellschaftsmitteln unberührt (§ 57j Satz 1). Ein hiervon abweichender Beschluss ist selbst mit Zustimmung aller Gesellschafter nichtig (§ 57j Satz 2).

12   Die Kapitalerhöhung wird erst mit **Eintragung im Handelsregister** wirksam. Der Kapitalerhöhungsbeschluss ist daher zur Eintragung im Handelsregister anzumelden (§ 54, 57i). Dabei ist zu beachten, dass die Handelsregisteranmeldung **innerhalb von acht Monaten** nach dem Bilanzstichtag erfolgt, denn das Registergericht darf den Kapitalerhöhungsbeschluss nur dann eintragen, wenn die zugrunde liegende Bilanz (letzte Jahresbilanz oder Zwischenbilanz) für einen höchstens acht Monate vor dem Anmeldung liegenden Zeitpunkt aufgestellt ist (§ 57i Abs. 2).

13   **Checkliste: Voraussetzungen der Kapitalerhöhung aus Gesellschaftsmitteln**

☑

> ☐ Wirksamer Kapitalerhöhungsbeschluss (§§ 53, 57c)
> ☐ Fassung des Kapitalerhöhungsbeschlusses erst nach den Beschlussfassungen über die Feststellung des Jahresabschlusses sowie die Ergebnisverwendung betreffend das letzte vor der Kapitalerhöhung abgelaufene Geschäftsjahr (§ 57c Abs. 2)
> ☐ Vorhandensein umwandlungsfähiger Rücklagen ggf. verringert durch einen bestehenden Verlust oder Verlustvortrag (§ 57d)
> ☐ Zugrundelegung der letzten Jahresbilanz oder einer Zwischenbilanz (§§ 57c Abs. 3, 57d, 57e)
> ☐ fristgerechte Anmeldung der Kapitalerhöhung zum Handelsregister (§§ 54, 57i)
> ☐ Eintragung der Kapitalerhöhung im Handelsregister der Gesellschaft (§ 54 Abs. 3)

III.   Kapitalerhöhungsbeschluss (Abs. 2)

1.   Satzungsänderung

Grundlage der Kapitalerhöhung aus Gesellschaftsmitteln ist der Kapital-   14
erhöhungsbeschluss der Gesellschafter. Da die Kapitalerhöhung aus Gesellschaftsmitteln wie die Kapitalerhöhung gegen Einlagen zu einer Erhöhung
der Stammkapitalziffer führt, stellt sie ebenfalls eine satzungsändernde
Maßnahme dar. Der Kapitalerhöhungsbeschluss bedarf daher wie jeder
satzungsändernde Beschluss der notariellen Beurkundung[3] sowie einer
Mehrheit von 75 % der abgegebenen Gesellschafterstimmen (§ 53).

**2.   Feststellung des letzten Jahresabschlusses und des Beschlusses
über die Ergebnisverwendung**

Der Kapitalerhöhungsbeschluss kann gem. Abs. 2 dieser Vorschrift erst   15
gefasst werden, nachdem der Jahresabschluss für das letzte vor der
Beschlussfassung über die Kapitalerhöhung abgelaufene Geschäftsjahr feststellt wurde und die Gesellschafter über die Ergebnisverwendung Beschluss
gefasst haben (vgl. § 29).

Daraus ergibt sich die folgende **zwingende Reihenfolge**, wobei die Beschluss-   16
fassungen auch in einer Gesellschafterversammlung stattfinden können:[4]

• Zunächst Beschlussfassung über die Feststellung des Jahresabschlusses
  betreffend das letzte vor der Beschlussfassung über die Kapitalerhöhung
  abgelaufene Geschäftsjahr, sodann

• Beschlussfassung über die Ergebnisverwendung betreffend das letzte vor
  der Beschlussfassung über die Kapitalerhöhung abgelaufene Geschäftsjahr und schließlich

• Beschlussfassung über die Kapitalerhöhung.

Wird die vorgenannte Reihenfolge nicht eingehalten, so ist der Kapital-   17
erhöhungsbeschluss nach h.M. analog § 241 Nr. 3 AktG nichtig.[5] Zulässig
ist es aber, den Kapitalerhöhungsbeschluss unter der aufschiebenden Bedin-

---

3   Zur Frage der Zulässigkeit der Beurkundung der Kapitalerhöhung aus Gesell-
     schaftsmitteln durch einen ausländischen Notar: zustimmend Lutter/Hommel-
     hoff in Lutter/Hommelhoff, GmbHG, § 57c Rn. 7; ablehnend Hermanns in
     Michalski, GmbHG, § 57c Rn. 7.

4   Schulze in HK-GmbHG, § 57c Rn. 4.

5   Zustimmend Schulze in HK-GmbHG, § 57c Rn. 4; Priester in Scholz,
     GmbHG, § 57c Rn. 13; a.A.: Zöllner in Baumbach/Hueck, GmbHG, § 57c
     Rn. 5, der mangels Inhaltsverstoß Nichtigkeit ablehnt.

gung zu fassen, dass der Jahresabschluss geprüft, festgestellt und mit dem uneingeschränkten Bestätigungsvermerk versehen ist und die umzuwandeln-den Rücklagen aufweist. [6]

18   Eine Ausnahme zu Abs. 2 enthält § 57n (s. dort Rn. 7).

3.   Inhalt des Kapitalerhöhungsbeschlusses

19   Der Kapitalerhöhungsbeschluss hat die folgenden Angaben zu enthalten:

- Nennung des Erhöhungsbetrags und der neuen Stammkapitalziffer, [7]
- Hinweis, dass es sich bei der Kapitalerhöhung um eine Kapitalerhöhung aus Gesellschaftsmitteln handelt,
- Nennung der Bilanz, die der Kapitalerhöhung zugrunde gelegt wird,
- Nennung der Rücklagenposition, die in Stammkapital umgewandelt wird, und
- Entscheidung, ob die Kapitalerhöhung durch die Bildung neuer Geschäftsanteile oder die Nennbetragserhöhung der bereits bestehenden Anteile erfolgt (§ 57h Abs. 2 Satz 1).

20   Darüber hinaus kann der Kapitalerhöhungsbeschluss weitere Angaben ent-halten, z.B. ein abweichender Beginn der Gewinnbeteiligung (vgl. § 57n).

21   Die Angabe eines genauen Erhöhungsbetrages ist erforderlich. Eine Kapital-erhöhung in den Grenzen eines Mindest- und Höchstbetrages ist unzulässig.[8]

IV.   Vorhandensein umwandlungsfähiger Rücklagen

22   Charakteristisches Merkmal der Kapitalerhöhung aus Gesellschaftsmitteln ist die Tatsache, dass der Gesellschaft kein neues Vermögen von außen zugeführt, sondern bereits **bestehendes Vermögen in Stammkapital umge-wandelt** wird (Abs. 1).

23   Welches Vermögen in Stammkapital umgewandelt werden kann, regelt § 57d. Nach § 57d Abs. 1 sind nur Rücklagen umwandlungsfähig, die in der letzten Jahresbilanz oder, sofern der Kapitalerhöhung eine Zwischen-bilanz zugrunde gelegt wird, in dieser und in der letzten Jahresbilanz unter „Kapitalrücklage" oder „Gewinnrücklage" ausgewiesen sind.

---

6   LG Duisburg, 09.12.1988 – 12 T 8/88, GmbHR 1990, 85.

7   Ebenso Lutter/Hommelhoff in Lutter/Hommelhoff, GmbHG, § 57c Rn. 10; ablehnend wohl die hM Zöllner in Baumbach/Hueck, GmbHG, § 57c Rn. 3; Roth/Altmeppen, GmbHG, § 57c Rn. 10: Angabe des Erhöhungsbetrages ist ausreichend.

8   Zöllner in Baumbach/Hueck, GmbHG, § 57c Rn. 3; Lutter/Hommelhoff in Lutter/Hommelhoff, GmbHG, § 57c Rn. 10.

Berücksichtigt werden können auch Zuführungen zu diesen Rücklagen 24
gemäß dem letzten Gewinnverwendungsbeschluss der Gesellschafter. Daneben können auch andere Gewinnrücklagen, die einem bestimmten Zweck zu dienen bestimmt sind, in Stammkapital umgewandelt werden. Dies setzt allerdings voraus, dass die Umwandlung mit der Zweckbestimmung vereinbar ist (§ 57d Abs. 3).

Eine Umwandlung von Rücklagen ist nicht möglich, soweit die maßgebliche 25
Bilanz einen Verlust oder Verlustvortrag ausweist.

Im Einzelnen zu den umwandlungsfähigen Rücklagen s. § 57d Rn. 7 ff. 26

V. Zugrunde liegende Bilanz (Abs. 3)

Dem Kapitalerhöhungsbeschluss ist nach Abs. 3 eine Bilanz zugrunde zu 27
legen. In dieser Bilanz müssen die umzuwandelnden Rücklagen ausgewiesen sein.

Dem Kapitalerhöhungsbeschluss kann entweder die letzte Jahresbilanz 28
(§ 57e) oder eine gesondert aufzustellende Zwischenbilanz (§ 57f) zugrunde gelegt werden.

> **Praxistipp:**
>
> Die Gesellschafter werden der Kapitalerhöhung aus Gesellschaftsmitteln in aller Regel die letzte Jahresbilanz zugrunde legen, denn diese ist ohnehin nach den §§ 264 ff. HGB zu erstellen und eine gesonderte Zwischenbilanz würde zusätzliche Kosten und Verzögerungen hervorrufen. Die Zugrundelegung einer Zwischenbilanz ist daher der Ausnahmefall und kommt i.d.R. nur dann in Betracht, wenn die letzte Jahresbilanz aufgrund Ablaufes der 8-Monatsfrist (§ 57e Abs. 1) nicht mehr verwendet werden kann.

Wird dem Kapitalerhöhungsbeschluss keine Bilanz zugrunde gelegt oder ist 29
die zugrunde gelegte Bilanz nichtig, so ist der Kapitalerhöhungsbeschluss nach § 241 Nr. 3 AktG analog nichtig.[9]

Zu den besonderen Anforderungen an die letzte Jahresbilanz und die 30
Zwischenbilanz s. §§ 57e bis 57g.

VI. Kombination mit anderen Kapitalmaßnahmen

Die Kapitalerhöhung aus Gesellschaftsmitteln kann mit einer **Kapitalerhö-** 31
hung gegen Einlagen verbunden werden. Erforderlich sind jedoch zwei

---

9   Zöllner in Baumbach/Hueck, GmbHG, § 57c Rn. 7; Schulze in HK-GmbHG,
     § 57c Rn. 6.

getrennte Kapitalerhöhungsbeschlüsse, aus denen sich die Reihenfolge der Kapitalerhöhungen ergibt. Die jeweiligen Kapitalerhöhungsbeschlüsse können auch getrennt in einer Gesellschafterversammlung gefasst werden.[10] Umstritten ist jedoch, ob die beiden Kapitalerhöhungen auch in einem einheitlichen Gesellschafterbeschluss erfolgen können. Entgegen der h.M. in der Literatur [11] lässt die Rechtsprechung einen solchen Beschluss zu, wenn kumulativ alle Voraussetzungen beider Erhöhungsarten vorliegen und alle Gesellschafter zugestimmt haben.[12]

32   Unzulässig ist dagegen die Durchführung einer Kapitalerhöhung gegen Einlagen durch Umwandlung von Rücklagen (sog. **verdeckte Kapitalerhöhung aus Gesellschaftsmitteln**).[13]

33   Die Kombination von Kapitalerhöhung aus Gesellschaftsmitteln und Kapitalherabsetzung ist nicht möglich. Die Verbindung mit einer ordentlichen Kapitalherabsetzung scheitert daran, dass die Kapitalerhöhung aus Gesellschaftsmitteln innerhalb von acht Monaten nach dem Stichtag der zugrunde gelegten Bilanz angemeldet werden muss, während die ordentliche Kapitalherabsetzung erst nach Ablauf der Jahresfrist gem. § 58 Abs. 1 Nr. 3 zum Handelsregister angemeldet werden kann.[14]

34   Eine **Verbindung von Kapitalerhöhung aus Gesellschaftsmitteln und vereinfachter Kapitalherabsetzung** scheitert in der Praxis daran, dass im Fall der vereinfachten Kapitalherabsetzung der wesentliche Teil der Rücklagen vor dem Kapitalherabsetzungsbeschluss gem. § 58a Abs. 2 Satz 1 aufgelöst sein muss.[15]

---

10   Zöllner in Baumbach/Hueck, GmbHG, § 57c Rn. 8; Roth/Altmeppen, GmbHG, § 57c Rn. 7; Lutter/Hommelhoff in Lutter/Hommelhoff, GmbHG, § 57c Rn. 13.

11   Zöllner in Baumbach/Hueck, GmbHG, § 57c Rn. 8; Zimmermann in Rowedder/Schmidt-Leithoff, GmbHG, § 57c Rn. 13; Schulze in HK-GmbHG, § 57c Rn. 1

12   OLG Düsseldorf, 25.10.1985 – 3 Wx 365/85, NJW 1986, 2060

13   Ausführlich zur Problematik der verdeckten Kapitalerhöhung aus Gesellschaftsmitteln: Zöllner in Baumbach/Hueck, GmbHG, § 57c Rn. 9; zur Heilung s. Priester, GmbHR 1998, 861.

14   Zöllner in Baumbach/Hueck, GmbHG, § 57c Rn. 10.

15   Lutter/Hommelhoff in Lutter/Hommelhoff, GmbHG, § 57c Rn. 16; im Ergebnis ebenso Zöllner in Baumbach/Hueck, GmbHG, § 57c Rn. 10, der die zwar in den Grenzen des § 58a Abs. 2 Satz 1 theoretisch mögliche Kombination als sinnwidrig und irreführend betrachtet.

VII.   Liquidation

Nach h.M. ist eine Kapitalerhöhung in der Liquidation nicht mehr zulässig, 35
auch wenn sie bereits vor dem Liquidationsstadium beschlossen wurde.[16]

VIII. Muster

Vorlage Kapitalerhöhungsbeschluss (Kapitalerhöhung aus Gesell-   36
schaftsmitteln)

[notarieller Vorspann]

Die Erschienenen baten um Beurkundung der folgenden

Gesellschafterversammlung der

..... GmbH.

I.   Vorbemerkung

Die Erschienenen sind sämtliche Gesellschafter der ..... GmbH mit dem
Sitz in ....., eingetragen im Handelsregister des ..... unter HRB .....
(nachstehend die „Gesellschaft").

Das Stammkapital der Gesellschaft beträgt ..... € und ist voll eingezahlt. Hieran sind die Erschienenen wie folgt beteiligt: .....

Die Erschienenen beabsichtigen, die im letzten Jahresabschluss der
Gesellschaft zum ..... ausgewiesene Kapitalrücklage in Höhe von ..... €
in Höhe eines Betrages von ..... € in Stammkapital im Wege der
Kapitalerhöhung aus Gesellschaftsmitteln umzuwandeln.

Der Kapitalerhöhung soll der vorgenannte Jahresabschluss zugrunde
gelegt werden. Die Feststellung dieses Jahresabschlusses erfolgte nebst
Beschlussfassung über die Ergebnisverwendung mit Gesellschafterbeschluss vom ......

II.   Gesellschafterversammlung

Unter Verzicht auf alle nicht zwingenden gesetzlichen und satzungsmäßigen Frist- und Formvorschriften für die Einberufung und Durchführung einer Gesellschafterversammlung halten wir hiermit eine
Gesellschafterversammlung der Gesellschaft ab und beschließen, was
folgt:

1. Die in der letzten Jahresbilanz der Gesellschaft zum 31.12. ......
   ausgewiesene Kapitalrücklage in Höhe von ..... € wird in Stamm-

---

16   Roth/Altmeppen, GmbHG, § 57c Rn. 6; Zöllner in Baumbach/Hueck,
     GmbHG, vor § 57c Rn. 5.

kapital umgewandelt. Das Stammkapital der Gesellschaft erhöht sich damit von ..... € um ..... € auf ..... €.

2. Die Kapitalerhöhung aus Gesellschaftsmitteln wird wie folgt ausgestaltet:

   - es wird ein neuer Geschäftsanteil in Höhe von ..... € gebildet. Dieser steht dem Gesellschafter Herrn [A] zu,

   - der Nennbetrag des Geschäftsanteils der [C] GmbH in Höhe von ..... € wird um ..... € auf ..... € erhöht.

3. § ..... des Gesellschaftsvertrages wird wie folgt neu gefasst:

   „§ ..... **Stammkapital**

   Das Stammkapital der Gesellschaft beträgt ..... €.

Weitere Beschlüsse wurden nicht gefasst. Die Gesellschafterversammlung ist damit beendet.

Die Notarin wies die Erschienenen darauf hin .....

[ggf. Vollmacht an die Mitarbeiter des Notars zur Änderung der Urkunde bei Beanstandungen des Registergerichts]

[Notarielle Schlussformel]

[Unterschriften]

---

§ 57d GmbHG **Ausweisung von Kapital- und Gewinnrücklagen**

(1) Die Kapital- und Gewinnrücklagen, die in Stammkapital umgewandelt werden sollen, müssen in der letzten Jahresbilanz und, wenn dem Beschluss eine andere Bilanz zu Grunde gelegt wird, auch in dieser Bilanz unter „Kapitalrücklage" oder „Gewinnrücklagen" oder im letzten Beschluss über die Verwendung des Jahresergebnisses als Zuführung zu diesen Rücklagen ausgewiesen sein.

(2) Die Rücklagen können nicht umgewandelt werden, soweit in der zu Grunde gelegten Bilanz ein Verlust, einschließlich eines Verlustvortrags, ausgewiesen ist.

(3) Andere Gewinnrücklagen, die einem bestimmten Zweck zu dienen bestimmt sind, dürfen nur umgewandelt werden, soweit dies mit ihrer Zweckbestimmung vereinbar ist.

I. Einführung

§ 57d regelt, welche Vermögenspositionen i.R.d. Kapitalerhöhung aus Gesellschaftsmitteln in Stammkapital umgewandelt werden können und wann eine solche Umwandlung nicht möglich ist. Danach sind nur Rücklagen **umwandlungsfähig**, die in der letzten Jahresbilanz oder, sofern der Kapitalerhöhung eine gesondert aufzustellende Zwischenbilanz zugrunde gelegt wird, in dieser und in der letzten Jahresbilanz unter „**Kapitalrücklage**" oder „**Gewinnrücklage**" ausgewiesen sind.

Berücksichtigt werden können auch **Zuführungen zu den vorgenannten Rücklagen** gemäß dem letzten Gewinnverwendungsbeschluss der Gesellschafter (Abs. 1).

Hat die Gesellschaft einen **Verlust** oder **Verlustvortrag**, so ist in dieser Höhe eine Umwandlung der Rücklagen nicht möglich (Abs. 2).

Zweckbestimmte Rücklagen können auch umgewandelt werden, allerdings nur, wenn die Zweckbestimmung dies erlaubt.

Der Vorschrift kommt innerhalb der §§ 57c ff. eine zentrale Bedeutung zu, denn die Kapitalerhöhung aus Gesellschaftsmitteln zeichnet sich gerade dadurch aus, dass der Gesellschaft kein neues Vermögen von außen zugeführt, sondern bereits bestehendes Vermögen in Stammkapital umgewandelt wird.

II. Umwandlungsfähige Vermögenspositionen (Abs. 1)

1. Kapitalrücklagen und Gewinnrücklagen

Nach Abs. 1 können sowohl die Kapitalrücklage (§ 266 Abs. 3 A. II. HGB) als auch die Gewinnrücklagen (§ 266 Abs. 3 A. III. HGB) in Stammkapital umgewandelt werden.

Möglich ist darüber hinaus auch eine Umwandlung anderer Gewinnrücklagen i.S.v. § 266 Abs. 3 A. III. Nr. 4 HGB, allerdings nur, sofern es deren **Zweckbestimmung** zulässt.

8　Eine Umwandlung der gesetzlichen Rücklage i.S.v. § 266 Abs. 3 A. III. Nr. 1 HGB kommt nicht in Betracht, da das GmbHG keine gesetzliche Rücklage kennt.[1]

9　Eine Umwandlung der **Rücklagen für eigene Anteile** (§ 266 Abs. 3 A. III. Nr. 2 HGB) ist wegen deren ständiger Zweckbestimmung regelmäßig nicht zulässig, es sei denn, diese Zweckbestimmung entfällt (z.B. bei Veräußerung oder Einziehung der Anteile).[2]

10　Eine Umwandlung eines **Gewinnvortrages**,[3] **stiller Rücklagen bzw. stiller Reserven** ist erst nach deren Auflösung und Umwandlung in Rücklagen i.S.d. § 266 HGB zulässig.[4]

11　**Nachschusskapital** ist erst nach Einzahlung in die Kapitalrücklage umwandlungsfähig.[5]

12　Ein **Sonderposten mit Rücklagenanteil** ist nicht umwandlungsfähig.[6]

2.　Ausweisung der Rücklagen in der Bilanz oder Zuführung im Beschluss über die Ergebnisverwendung

13　Der Kapitalerhöhung aus Gesellschaftsmitteln ist gem. Abs. 1 stets eine Bilanz zugrunde zu legen, in der die umwandlungsfähigen Rücklagen ausgewiesen sind (§ 57c Abs. 3).

14　Handelt es sich bei der zugrunde gelegten Bilanz um die **letzte Jahresbilanz** (§ 57e), müssen die umwandlungsfähigen Rücklagen als „Kapitalrücklage" oder „Gewinnrücklage" in dieser Bilanz ausgewiesen sein. Alternativ dazu reicht es auch aus, wenn Teile des Jahresergebnisses im letzten Beschluss über die Verwendung des Jahresergebnisses als Zuführung zu diesen Rücklagen ausgewiesen sind.

1　Schulze in HK-GmbHG, § 57d Rn. 2.

2　Zöllner in Baumbach/Hueck, GmbHG, § 57d Rn. 1; Roth/Altmeppen, GmbHG, § 57d Rn. 6; Lutter/Hommelhoff in Lutter/Hommelhoff, GmbHG, § 57d Rn. 8.

3　Lutter/Hommelhoff in Lutter/Hommelhoff, GmbHG, § 57d Rn. 15; Schulze in HK-GmbHG, § 57d Rn. 1.

4　Lutter/Hommelhoff in Lutter/Hommelhoff, GmbHG, § 57d Rn. 4; Zöllner in Baumbach/Hueck, GmbHG, § 57d Rn. 1; Bormann in Bormann/Kauka/Ockelmann, Hdb. GmbH-Recht, Kap. 4 Rn. 365; Roth/Altmeppen, GmbHG, § 57d Rn. 3; Schulze in HK-GmbHG, Rn. 1.

5　Lutter/Hommelhoff in Lutter/Hommelhoff, GmbHG, § 57d Rn. 5; Zöllner in Baumbach/Hueck, GmbHG, § 57d Rn. 2; Roth/Altmeppen, GmbHG, § 57d Rn. 10.

6　Lutter/Hommelhoff in Lutter/Hommelhoff, GmbHG, § 57d Rn. 6; Zöllner in Baumbach/Hueck, GmbHG, § 57d Rn. 1; Roth/Altmeppen, GmbHG, § 57d Rn. 8; Zimmermann in Rowedder/Schmidt-Leithoff, GmbHG, § 57d Rn. 11.

Wird der Kapitalerhöhung dagegen eine **Zwischenbilanz** i.S.v. § 57f zu-   15
grunde gelegt, müssen die umwandlungsfähigen Rücklagen sowohl in der
letzten Jahresbilanz (bzw. im letzten Ergebnisverwendungsbeschluss) als
auch in der Zwischenbilanz ausgewiesen sein.

III. Unmöglichkeit der Umwandlung
1. Bestehen eines Verlusts oder Verlustvortrags (Abs. 2)

Eine Verwendung an sich umwandlungsfähiger Rücklagen kommt nach   16
Abs. 2 der Vorschrift dann nicht in Betracht, wenn die zugrunde gelegte
Bilanz einen **Verlust** oder einen **Verlustvortrag** ausweist.

Das Verbot des Abs. 2 bedeutet aber nicht, dass bei der Ausweisung eines   17
Verlusts oder Verlustvortrags eine Kapitalerhöhung aus Gesellschaftsmitteln gänzlich ausgeschlossen ist.[7] Gemeint ist lediglich, dass eine Umwandlung i.H.d. entsprechenden Verlusts oder Verlustvortrags unzulässig ist. Der
den Verlust oder Verlustvortrag **übersteigende** Betrag an Rücklagen kann
somit für eine Kapitalerhöhung aus Gesellschaftsmitteln verwendet werden.

Liegt der Kapitalerhöhung aus Gesellschaftsmitteln nicht die letzte Jahres-   18
bilanz, sondern eine **Zwischenbilanz** zugrunde, ist für die Höhe des entsprechenden Verlusts bzw. Verlustvortrages diese Zwischenbilanz entscheidend.[8] Eine Veränderung in der Höhe des Verlusts/Verlustvortrags zwischen
dem Stichtag der Jahresbilanz und dem Stichtag der Zwischenbilanz kann
sich daher für die Gesellschafter sowohl nachteilig (bei einer Erhöhung der
Verluste/Verlustvorträge vermindert sich die Umwandlungsfähigkeit) als
auch vorteilhaft auswirken (bei Verminderung der Verluste/Vorträge in der
Zwischenzeit erhöht sich die Umwandlungsfähigkeit). Zum Problem der
sog. Unterdeckung (Vermögensminderung nach Beschlussfassung über die
Kapitalerhöhung) s. Rn. 27.

2. Entgegenstehende Zweckbestimmung bei anderen Gewinnrücklagen (Abs. 3)

Nach Abs. 3 dürfen andere Gewinnrücklagen i.S.v. § 266 Abs. 3 A. III.   19
Nr. 4 HGB, die einem bestimmten Zweck zu dienen bestimmt sind, nur
dann umgewandelt werden, wenn die Umwandlung mit dieser Zweckbestimmung vereinbar ist. Entscheidendes Merkmal für die Umwandlungsfähigkeit ist, ob die Gewinnrücklage aktivierungsfähig ist.[9]

---

7   Zöllner in Baumbach/Hueck, GmbHG, § 57d Rn. 6.

8   Roth/Altmeppen, GmbHG, § 57d Rn. 11.

9   Roth/Altmeppen, GmbHG, § 57d Rn. 7; Zöllner in Baumbach/Hueck, GmbHG,
    § 57d Rn. 10; Lutter/Hommelhoff in Lutter/Hommelhoff, GmbHG, § 57d Rn. 10.

Beispiel:

Dient die Rücklage Investitionszwecken, so ist sie aktivierungsfähig und damit umwandelbar. Rücklagen, die sozialen Zwecken zu dienen bestimmt sind, sind dementsprechend nicht umwandelbar, da sie nicht aktivierungsfähig sind.

20 Die Gesellschafter können eine Zweckbestimmung auch wieder aufheben. Die Art der Aufhebung hängt davon ab, auf welchem Weg die Zweckbestimmung seinerzeit erfolgt ist.

21 Ist die Zweckbestimmung durch Gesellschafterbeschluss erfolgt, so ist lediglich ein entsprechender **Aufhebungsbeschluss** der Gesellschafter erforderlich, der – vorbehaltlich abweichender Bestimmungen im Gesellschaftsvertrag – in privatschriftlicher Form mit einfacher Mehrheit gefasst werden kann. Der Kapitalerhöhungsbeschluss beinhaltet konkludent die Aufhebung einer Zweckbestimmung, die durch Gesellschafterbeschluss gefasst worden ist.[10]

22 Ist die Zweckbestimmung dagegen in der Satzung der Gesellschaft erfolgt, so bedarf es eines **satzungsändernden Beschlusses** (§ 53).

23 Bei Aufhebung der Zweckbestimmung durch Satzungsänderung ist keine Eintragung der Aufhebung der Zweckbestimmung im Handelsregister vor dem Kapitalerhöhungsbeschluss erforderlich, sodass der Beschluss über die Aufhebung der Zweckbestimmung gleichzeitig mit dem Kapitalerhöhungsbeschluss gefasst werden kann.[11]

IV. Rechtsfolgen

24 Eine Beschlussfassung über die Umwandlung von Rücklagen unter Verstoß gegen Abs. 1 oder Abs. 2 führt aufgrund der gläubigerschützenden Wirkung der Abs. 1 und 2 zur **Nichtigkeit** des Kapitalerhöhungsbeschlusses gem. § 241 Nr. 3 AktG analog und somit zu einem Eintragungshindernis.[12]

---

10 Lutter/Hommelhoff in Lutter/Hommelhoff, GmbHG, § 57d Rn. 11; Zöllner in Baumbach/Hueck, GmbHG, § 57d Rn. 10; Priester in Scholz, GmbHG, § 57d Rn. 17.

11 Lutter/Hommelhoff in Lutter/Hommelhoff, GmbHG, § 57d Rn. 12; Zöllner in Baumbach/Hueck, GmbHG, § 57d Rn. 11; Zimmermann in Rowedder/Schmidt-Leithoff, GmbHG, § 57d Rn. 12; Priester in Scholz, GmbHG, § 57c Rn. 17.

12 Lutter/Hommelhoff in Lutter/Hommelhoff, GmbHG, § 57d Rn. 16; Roth/Altmeppen, GmbHG, § 57d Rn. 12; Schulze in HK-GmbHG, § 57d Rn. 4; einschränkend Zöllner in Baumbach/Hueck, GmbHG, § 57 Rn. 4: im Fall des Verstoßes gegen Abs. 1 Nichtigkeit nur, wenn der Ausweis der Rücklagen in der letzten Jahresbilanz fehlt, nicht aber in der Zwischenbilanz.

Verstoßen die Gesellschafter gegen eine etwaige Zweckbestimmung nach   25
Abs. 3, so ist der Kapitalerhöhungsbeschluss lediglich **anfechtbar**.[13] Hier
ist keine Nichtigkeitsfolge erforderlich, da Abs. 3 lediglich Gesellschafter-
interessen betrifft.

Ein **Sonderproblem** stellt der im Gesetz nicht geregelte **Fall der sog.**   26
Unterdeckung dar. Hierbei handelt es sich um die Situation, dass die der
Kapitalerhöhung zugrunde liegende Bilanz die umzuwandelnden Rücklagen
zwar ausweist, tatsächlich diese Rücklagen aber bereits teilweise oder ganz
aufgebraucht sind.

Ist diese Vermögensminderung für die Gesellschafter bereits **im Zeitpunkt**   27
der Beschlussfassung über die Kapitalerhöhung erkennbar, dürfen sie den
Beschluss nicht mehr fassen.

Wird die Vermögensminderung erst nach Beschlussfassung, aber **bis zum**   28
Tag der Handelsregisteranmeldung erkennbar, dürfen die Geschäftsführer die beschlossene Kapitalerhöhung nicht mehr zum Handelsregister
anmelden, da sie andernfalls eine falsche Versicherung nach § 57i Abs. 1
Satz 2 abgeben würden.

War die Vermögensminderung dagegen **nicht erkennbar**, so ist der Kapital-   29
erhöhungsbeschluss nach der h.M. nicht nichtig. Etwas anderes gilt, wenn
die zugrunde liegende Bilanz bereits nichtig ist, weil die umzuwandelnden
Rücklagen schon am Bilanzstichtag erkennbar nicht mehr vorhanden waren.
In diesem Fall würde die nichtige Bilanz den Kapitalerhöhungsbeschluss
„infizieren".[14]

Ist der Kapitalerhöhungsbeschluss mangels Erkennbarkeit der Vermögens-   30
minderung nicht nichtig, so besteht auch keine Erstattungspflicht oder Differenzhaftung der Gesellschafter. Anders als im Aktienrecht sind die Gesellschafter auch nicht verpflichtet, eine Kapitalerhöhung zur Deckung der
Vermögensminderung zu beschließen. Als Rechtsfolge verbleibt im Ergebnis
nach der h.M. nur ein Ausschüttungsverbot, wonach die Gesellschafter gehindert sind, etwaige zukünftige Jahresüberschüsse i.R.d. Ergebnisverwendung
an sich auszuschütten, bis die Vermögensminderung gedeckt ist.[15]

---

13   Zöllner in Baumbach/Hueck, GmbHG, § 57d Rn. 11; Roth/Altmeppen,
      GmbHG, § 57d Rn. 12; Lutter/Hommelhoff in Lutter/Hommelhoff, GmbHG,
      § 57d Rn. 16; Schulze in HK-GmbHG, § 57d Rn. 5.
14   Zöllner in Baumbach/Hueck, GmbHG, § 57d Rn. 9.
15   Ausführlich zur Problematik der Unterdeckung: Zöllner in Baumbach/Hueck,
      GmbHG, § 57d Rn. 8 f.; Roth/Altmeppen, GmbHG, § 57; Rn 13.

§ 57e GmbHG   Zugrundelegung der letzten Jahresbilanz; Prüfung

(1) Dem Beschluss kann die letzte Jahresbilanz zu Grunde gelegt werden, wenn die Jahresbilanz geprüft und die festgestellte Jahresbilanz mit dem uneingeschränkten Bestätigungsvermerk der Abschlussprüfer versehen ist und wenn ihr Stichtag höchstens acht Monate vor der Anmeldung des Beschlusses zur Eintragung in das Handelsregister liegt.

(2) Bei Gesellschaften, die nicht große im Sinne des § 267 Abs. 3 des Handelsgesetzbuchs sind, kann die Prüfung auch durch vereidigte Buchprüfer erfolgen; die Abschlussprüfer müssen von der Versammlung der Gesellschafter gewählt sein.

I.   Einführung

1 Die Kapitalerhöhung aus Gesellschaftsmitteln kann nach § 57c Abs. 3 nur auf der Grundlage einer Bilanz erfolgen. Dies kann nach § 57d Abs. 1 entweder die letzte Jahresbilanz oder eine Zwischenbilanz sein. Erfolgt die Kapitalerhöhung auf der Grundlage der letzten Jahresbilanz, so muss diese den in dieser Vorschrift genannten Anforderungen entsprechen.

2 Wird der Kapitalerhöhung aus Gesellschaftsmitteln eine Zwischenbilanz zugrunde gelegt, so sind insoweit die Regelungen der §§ 57f und 57g zu beachten.

II.   Anforderungen an die Jahresbilanz

1.   Überblick

3 Die Gesellschafter werden der Kapitalerhöhung aus Gesellschaftsmitteln i.d.R. die letzte Jahresbilanz zugrunde legen, denn diese ist ohnehin nach den §§ 242, 264 HGB für die Gesellschaft aufzustellen, und nach § 316 Abs.1 HGB für mittelgroße und große Gesellschaften (§ 267 Abs. 2 und 3 HGB) auch prüfungspflichtig.

Die Aufstellung einer Zwischenbilanz kommt daher in der Praxis nur vor,   4
wenn die letzte Jahresbilanz wegen Überschreitung der 8-Monatsfrist nach
Abs. 1 nicht zugrunde gelegt werden kann.

Die letzte Jahresbilanz kann dem Kapitalerhöhungsbeschluss nur dann   5
zugrunde gelegt werden, wenn sie die **folgenden Anforderungen** erfüllt:

- Prüfung der Jahresbilanz plus Bestätigungsvermerk,

- Feststellung der Jahresbilanz durch die Gesellschafterversammlung, und

- Wahrung der 8-Monatsfrist.

2. Prüfung der Jahresbilanz

a) Grundsatz der Prüfungspflicht

Die letzte Jahresbilanz muss geprüft (§§ 316 ff. HBG) und mit dem uneinge-   6
schränkten Bestätigungsvermerk des Abschlussprüfers (§ 322 HGB) versehen sein. Fehlt eine Prüfung oder der Bestätigungsvermerk, ist der Kapitalerhöhungsbeschluss entsprechend § 241 Nr. 3 AktG nichtig.[1] Wird der
Kapitalerhöhungsbeschluss dennoch ins Handelsregister eingetragen, kann
nach § 242 Abs. 2 AktG analog Heilung erfolgen.[2]

Für mittelgroße und große Gesellschaften (§ 267 Abs. 2 und 3 HGB)   7
ergeben sich durch Abs. 1 keine Besonderheiten, denn deren Jahresabschlüsse sind nach § 316 Abs. 1 HGB ohnehin zu prüfen und zu testieren.

Abs. 1 hat daher nur für kleine Gesellschaften (§ 267 Abs. 1 HGB) Bedeutung,   8
die grds. keiner Prüfungspflicht unterliegen (§ 316 Abs. 1 HGB), es sei denn die
Gesellschafter haben sich selbst eine Prüfungspflicht im Gesellschaftsvertrag
auferlegt. Mit Ausnahme der in dieser Vorschrift genannten Regelungen finden
daher auf kleine Gesellschaften die §§ 316 ff. HGB analoge Anwendung.[3]

b) Abschlussprüfer

Bei großen Gesellschaften i.S.d. § 267 Abs. 3 HGB muss die Prüfung durch   9
öffentlich bestellte Wirtschaftsprüfer oder Wirtschaftsprüfungsgesellschaften erfolgen (§ 319 Abs. 1 Satz 1 HGB). Für alle anderen Gesellschaften
lässt Abs. 2, 1. Halbs. auch eine Prüfung durch einen vereidigten Buchprüfer

---

1   BayObLG, 09.04.2002 – 3 Z BR 39/02, ZIP 2002, 1398, 1400 zur AG; Zöll-
     ner in Baumbach/Hueck, GmbHG, § 57e Rn. 5; Lutter/Hommelhoff in Lutter/
     Hommelhoff, GmbHG, § 57g Rn 11; Schulze in HK-GmbHG, § 57e Rn. 1.

2   Roth/Altmeppen, GmbHG, § 57e Rn. 8.

3   Ebenso Lutter/Hommelhoff in Lutter/Hommelhoff, GmbHG, § 57e Rn. 3;
     abweichend wohl die h.M. wonach nur die in § 57f Abs. 3 Satz 2 genannten
     Vorschriften zu beachten sind, s. Roth/Altmeppen, GmbHG, § 57e Rn. 4;
     Zöllner in Baumbach/Hueck, GmbHG, § 57e Rn. 2.

oder Buchprüfungsgesellschaften (vgl. §§ 128 ff. WPO) zu. Diese Regelung hat ebenfalls nur Bedeutung für kleine Gesellschaften, denn § 319 Abs. 1 Satz 2 HGB enthält bereits eine entsprechende Regelung für mittelgroße Gesellschaften.

c)   Zuständigkeit für die Wahl des Abschlussprüfers

10   Nach Abs. 2, 2. Halbs. ist der Abschlussprüfer von den Gesellschaftern zu wählen, sofern der Gesellschaftsvertrag keine anderweitige Regelung enthält (§ 318 Abs. 1 Satz 2 HGB). Auch wenn Abs. 2, 2. Halbs. ausdrücklich eine Versammlung der Gesellschafter erwähnt, so kann nach allg.M. die Wahl des Abschlussprüfers auch im schriftlichen Verfahren erfolgen, sofern die Voraussetzungen des § 48 Abs. 2 vorliegen.[4] Darüber hinaus kann der Gesellschaftsvertrag weitere Möglichkeiten der Beschlussfassung zulassen (z.B. die telefonische Beschlussfassung mit anschließender Niederschrift des Ergebnisses der Beschlussfassung).[5]

d)   Zeitpunkt der Prüfung

11   Die Prüfung des Jahresabschlusses erfolgt grds. vor der Feststellung durch die Gesellschafterversammlung. Dies gilt nicht für kleine Gesellschaften. Hier kann die Prüfung auch nach der bereits erfolgten Feststellung veranlasst werden. Allerdings muss die Prüfung vor dem Kapitalerhöhungsbeschluss erfolgen (vgl. § 57c Abs. 2).[6]

e)   Bestätigungsvermerk

12   Der Inhalt des Bestätigungsvermerks bestimmt sich für große und mittelgroße Gesellschaften nach § 322 HGB.

13   Auf kleine Gesellschaften findet § 322 HGB nach allg. M. keine Anwendung, auch nicht analog.[7]

3.   Feststellung der Jahresbilanz durch die Gesellschafter

14   Die Jahresbilanz muss durch die Gesellschafter festgestellt sein (§ 46 Nr. 1). Insoweit gilt die allg. Regelung des § 42.

---

4   Zöllner in Baumbach/Hueck, GmbHG, § 57e Rn. 2; Roth/Altmeppen, GmbHG, § 57e Rn. 5; Lutter/Hommelhoff in Lutter/Hommelhoff, GmbHG, § 57g Rn. 3.

5   Zöllner in Baumbach/Hueck, GmbHG, § 57e Rn. 2; Zimmermann in Rowedder/Schmidt-Leithoff, GmbHG, § 57g Rn. 7.

6   Roth/Altmeppen, GmbHG, § 57e Rn. 4.

7   Zöllner in Baumbach/Hueck, GmbHG, § 57e Rn. 2.

> **Praxistipp:**
>
> Die Gesellschafter werden der Kapitalerhöhung aus Gesellschaftsmitteln in aller Regel die letzte Jahresbilanz zugrunde legen, denn diese ist ohnehin nach den §§ 242, 264 HGB zu erstellen und eine gesonderte Zwischenbilanz würde zusätzliche Kosten und Verzögerungen hervorrufen. Die Zugrundelegung einer Zwischenbilanz ist daher der Ausnahmefall und kommt i.d.R. nur dann in Betracht, wenn die letzte Jahresbilanz aufgrund Ablaufes der 8-Monatsfrist (§ 57e Abs. 1) nicht mehr verwendet werden kann.

II. Anforderung an die Zwischenbilanz

1. Überblick

Die Zwischenbilanz muss im Grunde den gleichen Anforderungen genügen 2
wie die letzte Jahresbilanz.

Eine Zwischenbilanz kann dem Kapitalerhöhungsbeschluss daher nur dann 3
zugrunde gelegt werden, wenn sie die folgenden **Anforderungen** erfüllt:

- Prüfung der Zwischenbilanz plus Bestätigungsvermerk,
- Feststellung der Zwischenbilanz durch die Gesellschafterversammlung und
- Wahrung der 8-Monats-Frist.

2. Anwendbare Vorschriften

Die **Zwischenbilanz** beschreibt den Zeitraum vom Stichtag der letzten 4
Jahresbilanz bis zum Stichtag der Zwischenbilanz.

> *Beispiel:*
>
> *Geschäftsjahr einer Gesellschaft ist das Kalenderjahr. Stichtag der Jahresbilanz ist daher der 31.12. eines jeden Jahres für den Bilanzzeitraum 01.01. bis 31.12. Wird nun eine Zwischenbilanz zum 31.10. des Jahres aufgestellt, so beschreibt diese den Zeitraum 01.01. bis 31.10.*

Für den Bilanzzeitraum müssen Gliederung und Wertansätze der Zwischen- 5
bilanz nach Abs. 1 Satz 1 den auf die Jahresbilanz anzuwendenden Vorschriften entsprechen. Nach Zöllner sind darüber hinaus auch der Grundsatz der Bilanzkontinuität sowie die Regeln über Bilanzansatz zu beachten.[1] Im Übrigen finden die in Abs. 3 Satz 2 genannten Vorschriften des HGB entsprechende Anwendung.

---

1   Zöllner in Baumbach/Hueck, GmbHG, § 57f Rn. 2.

6 Die Aufstellung einer gesonderten Gewinn- und Verlustrechnung ist nicht erforderlich.[2]

3.   Prüfung der Zwischenbilanz
a)   Grundsatz der Prüfungspflicht

7 Die Zwischenbilanz ist nach Abs. 2 unabhängig von der Größe der Gesellschaft stets zu prüfen.

8 Gegenstand der Prüfung ist insbes. die Frage, ob die Zwischenbilanz den in Abs. 1 Satz 1 genannten Grundsätzen entspricht.

9 Nach Abschluss der Prüfung haben die Prüfer die Zwischenbilanz mit einem entsprechenden Bestätigungsvermerk zu versehen (Abs. 2 Satz 2). Der Wortlaut des Bestätigungsvermerks ist im Gesetz nicht geregelt. Daraus kann nicht abgeleitet werden, dass der Bestätigungsvermerk vom Prüfer nach seinem Ermessen formuliert werden kann. Der Vermerk muss sich vielmehr so eng wie möglich an dem Wortlaut des gesetzlichen Bestätigungsvermerks nach § 322 HGB anlehnen.[3] Im Übrigen finden i.R.d. Prüfung die in Abs. 3 Satz 2 genannten Vorschriften des HGB Anwendung.

10 So ist die Geschäftsführung der GmbH u.a. verpflichtet, dem Prüfer eine Prüfung der Bücher sowie der Vermögensgegenstände und der Schulden der Gesellschaft zu gestatten (§ 320 Abs. 1 Satz 2 HGB). Korrespondierend dazu steht dem Prüfer ein entsprechendes Auskunftsrecht gegenüber den Geschäftsführern als gesetzliche Vertreter der GmbH zu (§ 320 Abs. 2 HGB).

11 Der Prüfer hat einen Bericht über seine Prüfung zu erstellen, in dem er Art und Umfang der Prüfung sowie das Ergebnis der Prüfung darstellt (§ 321 HGB).

12 **Pflichten und Verantwortlichkeit des Prüfers** ergeben sich aus § 323 HGB. Danach ist der Prüfer auch bei der Zwischenbilanz zur gewissenhaften und unparteilichen Prüfung sowie zur Verschwiegenheit verpflichtet. Bei einer vorsätzlichen oder fahrlässigen Verletzung dieser Pflichten kommt ein Schadensersatzanspruch der Gesellschaft nach § 323 HGB in Betracht, welcher vertraglich weder ausgeschlossen noch eingeschränkt werden kann (§ 323 Abs. 4 HGB).

---

2   Lutter/Hommelhoff in Lutter/Hommelhoff, GmbHG, § 57g Rn. 4; Zöllner in Baumbach/Hueck, GmbHG, § 57f Rn. 1.

3   AG Duisburg, 31.12.1993 – 23 HR B 3193, DB 1994, 466 zur AG.

b) Prüfer

Bei großen Gesellschaften i.S.d. § 267 Abs. 3 HGB muss die Prüfung durch **13** **öffentlich bestellte Wirtschaftsprüfer oder Wirtschaftsprüfungsgesellschaften** erfolgen (§ 319 Abs. 1 Satz 1 HGB). Für alle anderen Gesellschaften lässt Abs. 3 Satz 3 auch eine Prüfung durch einen vereidigten Buchprüfer zu. Diese Regelung hat nur Bedeutung für kleine Gesellschaften, denn § 319 Abs. 1 Satz 2 HGB enthält bereits eine entsprechende Regelung für mittelgroße Gesellschaften. Die Ausschlussgründe des §§ 319 Abs. 2 bis 4 und § 319a Abs. 1 HGB finden gem. Abs. 3 Satz 2 entsprechende Anwendung.

c) Zuständigkeit für die Wahl des Abschlussprüfers

Die Prüfer werden nach Abs. 3 Satz 1, 1. Halbs. **von den Gesellschaftern** **14** **gewählt**, sofern der Gesellschaftsvertrag keine anderweitige Regelung enthält (§ 318 Abs. 1 Satz 2 HGB). Die Beschlussfassung kann auch im schriftlichen Verfahren (§ 48 Abs. 2) oder auf andere Weise erfolgen (z.B. telefonisch), wenn die Satzung eine entsprechende Beschlussfassung vorsieht.[4] Entfällt eine solche Wahl und ist die Gesellschaft prüfungspflichtig, so gelten nach Abs. 3 Satz 1, 2. Halbs. die Prüfer gewählt, die für die letzte Jahresbilanz als Abschlussprüfer gewählt oder vom Gericht bestellt wurden.

4. Feststellung der Zwischenbilanz durch die Gesellschafter

Nach h.M. bedarf die Zwischenbilanz wie die letzte Jahresbilanz ebenfalls **15** einer förmlichen Feststellung durch die Gesellschafter.[5] Diese Feststellung hat mit gesondertem Beschluss vor dem Kapitalerhöhungsbeschluss zu erfolgen.[6] Die Beschlussfassung über die Kapitalerhöhung enthält keine konkludente Feststellung der Zwischenbilanz.[7]

---

4   Zöllner in Baumbach/Hueck, GmbHG, § 57f Rn. 7; Roth/Altmeppen, GmbHG, § 57f Rn. 4.

5   Zöllner in Baumbach/Hueck, GmbHG, § 57f Rn. 12; Roth/Altmeppen, GmbHG, § 57f Rn. 2.

6   Zöllner in Baumbach/Hueck, GmbHG, § 57f Rn. 12; Zimmermann in Rowedder/Schmidt-Leithoff, GmbHG, § 57g Rn. 10, Priester in Scholz, GmbHG, § 57f Rn. 3.

7   Zöllner in Baumbach/Hueck, GmbHG, § 57f Rn. 12; Hermanns in Michalski, GmbHG, § 57f Rn. 5; Lutter/Hommelhoff in Lutter/Hommelhoff, GmbHG, § 57g Rn. 5; für die Zulässigkeit einer konkludenten Beschlussfassung dagegen Roth/Altmeppen, GmbHG, § 57f Rn. 2, Priester in Scholz, GmbHG, § 57f Rn. 3; Zimmermann in Rowedder/Schmidt-Leithoff, GmbHG, § 57g Rn. 10.

5.   Wahrung der 8-Monats-Frist

16   Ebenso wie bei der letzten Jahresbilanz (§ 57e Abs. 1) gilt nach Abs. 1 bei der Zwischenbilanz die 8-Monats-Frist. Der Stichtag der Zwischenbilanz darf also auch hier höchstens acht Monate vor der Anmeldung des Beschlusses zur Eintragung in das Handelsregister liegen.

> *Beispiel:*
>
> *Ist Stichtag der Zwischenbilanz der 31.10. eines Jahres, so hat die Anmeldung spätestens bis zum 30.06. des Folgejahres zu erfolgen.*

III.   Rechtsfolgen

17   Zu den Rechtsfolgen bei Überschreiten der 8-Monats-Frist s. die Ausführungen zu § 57e Rn. 16.

§ 57g GmbHG   Vorherige Bekanntgabe des Jahresabschlusses

Die Bestimmungen des Gesellschaftsvertrags über die vorherige Bekanntgabe des Jahresabschlusses an die Gesellschafter sind in den Fällen des § 57f entsprechend anzuwenden.

I.   Einführung

1   Die Norm regelt die Bekanntgabe der Zwischenbilanz an die Gesellschafter. Danach finden etwaige in der Satzung der Gesellschaft enthaltene und vom Gesetz abweichende Regelungen über die Bekanntgabe der Jahresbilanz **auch** auf die i.R.d. Kapitalerhöhung aus Gesellschaftsmitteln zugrunde gelegte **Zwischenbilanz** Anwendung.

II.   Bekanntgabe der Zwischenbilanz

2   Liegt der Kapitalerhöhung aus Gesellschaftsbilanz nicht die letzte Jahresbilanz, sondern eine gesonderte Zwischenbilanz zugrunde, so gelten für die Bekanntgabe dieser Zwischenbilanz an die Gesellschafter die auf die Jahresbilanz der Gesellschaft anzuwendenden Vorschriften.

Das GmbHG verlangt insoweit grds., dass die Jahresbilanz als Teil des **3** Jahresabschlusses zusammen mit dem Lagebericht (und ggfs. zusammen mit dem Prüfungsbericht des Abschlussprüfers sowie dem Bericht des Aufsichtsrats) unverzüglich nach der Aufstellung des Jahresabschlusses durch die Geschäftsführer den Gesellschaftern zum Zweck der Feststellung vorgelegt wird (§ 42a Abs. 1).

Haben die Gesellschafter im Gesellschaftsvertrag darüber hinaus zusätzliche **4** Regelungen betreffend die Vorlage des Jahresabschlusses an die Gesellschafter vorgesehen, so gelten die Regelungen der Satzung nach dieser Vorschrift auch für die i.R.d. Kapitalerhöhung aus Gesellschaftsmitteln zugrunde gelegte Zwischenbilanz.

Eine Offenlegung der Zwischenbilanz nach § 325 HGB ist nicht erforderlich.[1] **5**

III. Rechtsfolgen

Bei einem Verstoß gegen die Pflicht zur vorherigen Bekanntgabe der **6** Zwischenbilanz sind die Gesellschafter zur Anfechtung berechtigt.[2]

§ 57h GmbHG   Arten der Kapitalerhöhung

(1) ¹Die Kapitalerhöhung kann vorbehaltlich des § 57l Abs. 2 durch Bildung neuer Geschäftsanteile oder durch Erhöhung des Nennbetrags der Geschäftsanteile ausgeführt werden. ²Die neuen Geschäftsanteile und die Geschäftsanteile, deren Nennbetrag erhöht wird, müssen auf einen Betrag gestellt werden, der auf volle Euro lautet.

(2) Der Beschluss über die Erhöhung des Stammkapitals muss die Art der Erhöhung angeben. Soweit die Kapitalerhöhung durch Erhöhung des Nennbetrags der Geschäftsanteile ausgeführt werden soll, ist sie so zu bemessen, dass durch sie auf keinen Geschäftsanteil, dessen Nennbetrag erhöht wird, Beträge entfallen, die durch die Erhöhung des Nennbetrags des Geschäftsanteils nicht gedeckt werden können.

---

1   Zöllner in Baumbach/Hueck, GmbHG, § 57g Rn. 2; Roth/Altmeppen, GmbHG, § 57g.

2   Schulze in HK-GmbHG, § 57g Rn. 1.

I. Einführung

1 Die Norm beschreibt die Möglichkeiten der Ausgestaltung der Kapitalerhöhung aus Gesellschaftsmitteln.

2 Die Gesellschafter haben grds. zwei Möglichkeiten, eine Kapitalerhöhung aus Gesellschaftsmitteln auszuführen, zum einen durch die Bildung neuer Geschäftsanteile und zum anderen durch Nennbetragserhöhung der bereits bestehenden Geschäftsanteile (Abs. 1).

3 Im Kapitalerhöhungsbeschluss ist die Art der Ausgestaltung anzugeben (Abs. 2 Satz. 1).

4 Die durch das MoMiG eingefügten Regelungen zur Liberalisierung der Bildung von Geschäftsanteilen finden auch auf die Ausgestaltung der Kapitalerhöhung aus Gesellschaftsmitteln Anwendung. Nach Abs. 1 Satz 2 müssen sowohl die neu gebildeten Geschäftsanteile als auch die Geschäftsanteile, deren Nennbeträge erhöht werden, nur noch auf volle Euro lauten.

II. Ausgestaltung der Kapitalerhöhung aus Gesellschaftsmitteln (Abs. 1)

1. Arten der Ausgestaltung

5 Nach Abs. 1 kann die Kapitalerhöhung aus Gesellschaftsmitteln durch die Bildung neuer Geschäftsanteile oder durch die Erhöhung der Nennbeträge der bereits bestehenden Geschäftsanteile erfolgen.

6 Unabhängig von der gewählten Art, erfolgt die Ausgestaltung der Kapitalerhöhung stets **proportional zur bisherigen Beteiligung** der Gesellschafter (§ 57j).

7 Dritte Personen können an der Kapitalerhöhung aus Gesellschaftsmitteln nicht teilnehmen.[1]

8 Die Gesellschafter bestimmen die Art der Ausgestaltung im Kapitalerhöhungsbeschluss (Abs. 2). Es besteht folglich kein Anspruch auf eine bestimmte Art der Kapitalerhöhung. Nach Lutter/Hommelhoff soll aber ein solcher Anspruch bestehen, wenn ein Gesellschafter mehrere Geschäfts-

---

1   Schulze in HK-GmbHG, § 57h Rn. 2.

anteile hält und diese Geschäftsanteile mit verschiedenen Rechten ausgestattet sind. In diesem Fall soll er in der Lage sein, durch die Bestimmung der Art der Ausgestaltung der Kapitalerhöhung die Rechtslage an den neuen Geschäftsanteilen fortzusetzen.[2]

Die Gesellschafter können die Art der Ausgestaltung bis zur Handelsregistereintragung ändern.[3] 9

2. Bildung neuer Geschäftsanteile

Bei der Bildung neuer Geschäftsanteile erhält jeder Gesellschafter zusätzlich 10
einen weiteren Geschäftsanteil.

Beispiel 1:

Gesellschafter A hält einen Geschäftsanteil i.H.v. 50.000 € am Stammkapital der Gesellschaft i.H.v. insgesamt 100.000 €. Wird das Stammkapital nun durch Kapitalerhöhung aus Gesellschaftsmitteln um 100.000 € erhöht, so erhält Gesellschafter A einen weiteren Geschäftsanteil i.H.v. 50.000 €.

Hält der Gesellschafter bereits vor der Kapitalerhöhung mehrere Geschäfts- 11
anteile, so erhält er zu jedem seiner bestehenden Geschäftsanteile einen weiteren Geschäftsanteil.[4] Der Kapitalerhöhungsbeschluss kann allerdings auch vorsehen, dass der betroffene Gesellschafter lediglich einen neuen Geschäftsanteil erhält, sofern er einem solchen Vorgehen zustimmt.[5]

Beispiel 2:

Wie Beispiel 1, nur Gesellschafter A hält zwei Geschäftsanteile i.H.v. 25.000 €. Nun werden ihm grds. zwei weitere Geschäftsanteile i.H.v. je 25.000 € zugeteilt. Stimmt der Gesellschafter A zu, können die Gesellschafter aber auch beschließen, dass A nur einen neuen Geschäftsanteil i.H.v. 50.000 € erhält.

3. Nennbetragserhöhung

Bei der Nennbetragserhöhung werden die Nennbeträge der bereits existie- 12
renden Geschäftsanteile proportional erhöht.

---

2 Lutter/Hommelhoff in Lutter/Hommelhoff, GmbHG, § 57h Rn. 6.

3 Lutter/Hommelhoff in Lutter/Hommelhoff, GmbHG, § 57 Rn. 6; Roth/Altmeppen, GmbHG, § 57h Rn. 9.

4 Zöllner in Baumbach/Hueck, GmbHG, § 57h Rn. 5; Roth/Altmeppen, GmbHG, § 57h Rn. 4; Hermanns in Michalski, GmbHG, § 57h Rn. 4; Zimmermann in Rowedder/Schmidt-Leithoff, GmbHG, § 57d Rn. 19.

5 Zöllner in Baumbach/Hueck, GmbHG, § 57h Rn. 5.

Beispiel 3:

Wie Beispiel 1, aber nun erfolgt die Kapitalerhöhung aus Gesellschaftsmitteln im Wege der Nennbetragserhöhung. Der Geschäftsanteil des Gesellschafters A wird damit von 50.000 € auf 100.000 € erhöht.

Beispiel 4:

Wie Beispiel 2, aber nun erfolgt die Kapitalerhöhung aus Gesellschaftsmitteln im Wege der Nennbetragserhöhung. Die beiden Geschäftsanteile von je 25.000 € werden folglich auf je 50.000 € erhöht.

4. Kombination der beiden Ausgestaltungsarten

13 Zulässig ist auch eine Kombination aus der Bildung neuer Geschäftsanteile sowie der Aufstockung der bereits bestehenden.

14 Insoweit können die Gesellschafter zunächst beschließen, den Kapitalerhöhungsbetrag teilweise zur Erhöhung der Nennbeträge der bereits bestehenden Geschäftsanteile zu verwenden und teilweise zur Bildung neuer Geschäftsanteile.[6]

Beispiel 5:

Eine Gesellschaft mit einem Stammkapital von 100.000 € hat zwei Gesellschafter A und B, die jeweils einen Geschäftsanteil von 50.000 € halten. Wird das Stammkapital nun um 100.000 € auf 200.000 € erhöht, so können die Gesellschafter beschließen, dass die bestehenden Geschäftsanteile auf jeweils 75.000 € erhöht werden und jeder Gesellschafter einen zusätzlichen Geschäftsanteil i.H.v. 25.000 € erhält.

15 Daneben besteht die Möglichkeit, dass bzgl. eines Gesellschafters die Kapitalerhöhung durch die Bildung eines neuen Geschäftsanteils durchgeführt wird, während der Geschäftsanteil eines anderen Gesellschafters erhöht wird. Da diese Kombination eine Ungleichbehandlung der Gesellschafter darstellt, ist sie nur dann zulässig, wenn alle Gesellschafter zustimmen.[7]

Beispiel 6:

Wie Beispiel 5, aber nun beschließen die Gesellschafter, dass der Geschäftsanteil des Gesellschafters A auf 100.000 € erhöht wird, während Gesellschafter B einen weiteren Geschäftsanteil von 50.000 € erhält.

---

6   Zöllner in Baumbach/Hueck, GmbHG, § 57h Rn. 8; Roth/Altmeppen. GmbHG, § 57h Rn. 6; Schulze in HK-GmbHG, § 57h Rn. 2.

7   Zöllner in Baumbach/Hueck, GmbHG, § 57h Rn. 8; Roth/Altmeppen, GmbHG, § 57h Rn. 6; Priester in Scholz, GmbHG, § 57h Rn. 13.

5.   Teileingezahlte Geschäftsanteile

Die vorgenannte Wahlmöglichkeit gilt nicht für **teileingezahlte Geschäfts-** 16
anteile. Bei diesen kann die Kapitalerhöhung aus Gesellschaftsmitteln nur
durch Erhöhung des Nennbetrags der Geschäftsanteile ausgeführt werden
(§ 57l Abs. 2 Satz 2).

6.   Grundsatz der proportionalen Teilnahme

Sämtliche Gesellschafter nehmen an der Kapitalerhöhung aus Gesellschafts- 17
mitteln immer im Verhältnis ihrer bereits bestehenden Geschäftsanteile teil.
Von dieser Regel können die Gesellschafter selbst mit Zustimmung der
betroffenen oder aller Gesellschafter nicht abweichen (§ 57j).

7.   Bildung der Geschäftsanteile

Seit dem MoMiG sind die neuen Geschäftsanteile sowie die Geschäfts- 18
anteile, deren Nennbeträge erhöht werden, so zu gestalten, dass sie auf volle
Euro lauten (Abs. 1 Satz 2). Hierbei handelt es sich um eine Folgeänderung
zu den Neuregelungen über die Liberalisierung des Stammkapitals (vgl.
§ 5). Bis zum Inkrafttreten des MoMiG mussten die neuen Geschäftsanteile
bzw. die Geschäftsanteile, deren Nennbeträge erhöht worden sind, auf jeden
durch zehn teilbaren Betrag gestellt werden und auf mindestens 50 € lauten.

Bei der Kapitalerhöhung im Wege der Nennbetragserhöhung ist ferner 19
darauf zu achten, dass auf einen erhöhten Geschäftsanteil keine Beträge
entfallen, die durch die Nennbetragserhöhung nicht gedeckt sind (**Gebot der**
Vermeidung sog. Spitzenbeträge). Mit anderen Worten: der Kapitalerhöhungsbetrag muss vollständig dem Erhöhungsbetrag der Nennbeträge entsprechen (Abs. 2 Satz 2). Diese Regelung hat seit dem MoMiG nur noch
theoretische Bedeutung. Bislang war es in Ausnahmefällen aufgrund der
Vorschriften über die Bildung von Geschäftsanteilen nach Abs. 1 Satz 2 a.F.
(Teilbarkeit durch zehn, Mindestnennbetrag 50 €) sowie der gesetzlichen
Vorgabe der proportionalen Verteilung des Erhöhungsvertrags theoretisch
möglich, dass der Betrag der umzuwandelnden Rücklage nicht ausreichte,
um die Nennbetragserhöhung zu decken. Dies konnte dann geschehen, wenn
die Gesellschafter einen Betrag zur Umwandlung ausgewählt haben, der sich
nicht exakt auf die bestehenden Geschäftsanteile verteilen ließ. In der Praxis
wurde daher der Betrag der umzuwandelnden Rücklagen bislang so ausgewählt, dass keine Spitzenbeträge entstanden. Durch die Neuregelungen
des Abs. 1 Satz 2, wonach die Geschäftsanteile nur noch auf volle Euro
lauten müssen, können die Gesellschafter nun seit dem MoMiG völlig
problemlos einen Umwandlungsbetrag wählen, der sich verteilen lässt.

Zur rechtlichen Behandlung von Spitzenbeträgen s. § 57k. 20

III.   Angaben im Kapitalerhöhungsbeschluss (Abs. 2)

21   Im Kapitalerhöhungsbeschluss ist anzugeben, auf welche der vorgenannten Arten die Kapitalerhöhung ausgestaltet werden soll (Abs. 2 Satz 1).

22   Darüber hinaus muss der Kapitalerhöhungsbeschluss bei einer Kombination aus der Bildung neuer Geschäftsanteile und Nennbetragserhöhung stets Anzahl und Höhe der neuen bzw. erhöhten Geschäftsanteile angeben.[8]

> **Praxistipp:**
>
> Es ist immer zu empfehlen im Kapitalerhöhungsbeschluss nicht nur die Art der Ausgestaltung anzugeben, sondern auch die rechnerische Ausführung (Höhe und Anzahl neuen Geschäftsanteile bzw. Umfang der Nennbetragserhöhung) anzugeben, denn so ist für die Gesellschafter und auch für den prüfenden Registerrichter die inhaltliche Ausgestaltung der Kapitalerhöhung eindeutig erkennbar.[9]

IV.   Eigene Geschäftsanteile

23   Die vorstehend genannten Grundsätze gelten auch für eigene Geschäftsanteile der Gesellschaft (§ 57l Abs. 1).

V.   Rechtsfolgen

24   Ein Verstoß gegen die Vorschriften zur Teilbarkeit und Höhe der Geschäftsanteile nach Abs. 1 Satz 2 führte nach der alten Rechtslage nach allgemeiner Meinung zur Nichtigkeit des Kapitalerhöhungsbeschlusses nach § 241 Nr. 3 AktG analog.[10] Dies gilt auch für einen Verstoß gegen die Neuregelung des Abs. 1 Satz 2 wobei ein solcher Verstoß in der Praxis selten vorkommen wird, da die Vorschrift nur noch wenig Raum für eine Verletzung lässt. Es werden wohl nur die wenigsten Gesellschafter auf die Idee kommen, einen Erhöhungsbetrag zu wählen, der bei proportionaler Verteilung zu Bruchteilen von 1 € führt.

---

8   Lutter/Hommelhoff in Lutter/Hommelhoff, GmbHG, § 57h Rn. 7; Zöllner in Baumbach/Hueck, GmbHG, § 57h Rn. 9.

9   Anders die h.M., die eine solche Angabe nur verlangt, wenn sich Höhe und Verhältnis der Geschäftsanteile nach der Kapitalerhöhung rechnerisch eindeutig bestimmen lassen, s. Zöllner in Baumbach/Hueck, GmbHG, § 57h Rn. 9; Roth/Altmeppen, GmbHG, § 57h Rn. 13; Priester in Scholz, GmbHG, § 57h Rn. 9.

10   Lutter/Hommelhoff in Lutter/Hommelhoff, GmbHG, § 57h Rn. 6; Zöllner in Baumbach/Hueck, GmbHG, § 57h Rn. 10; Roth/Altmeppen, GmbHG, § 57h Rn. 13; Schulze in HK-GmbHG, § 57h Rn. 5.

Ein Verstoß gegen Abs. 2 Satz 2 führte bislang ebenfalls zur Nichtigkeit des   25
Kapitalerhöhungsbeschlusses nach § 241 Nr. 3 AktG analog.[11] Daran hat
sich auch seit dem MoMiG nichts geändert, wobei Verstöße aus den
sogenannten Gründen (s. Rn 20 ff.) in der Praxis nicht mehr vorkommen
dürften.

Enthält der Kapitalerhöhungsbeschluss nicht die Angabe der Art der Aus-   26
gestaltung der Kapitalerhöhung nach Abs. 2 Satz 1, ist er nach § 241
Nr. 3 AktG analog nichtig.[12]

§ 57i GmbHG   Anmeldung und Eintragung des Erhöhungsbeschlusses

(1) [1]**Der Anmeldung des Beschlusses über die Erhöhung des Stammkapitals zur Eintragung in das Handelsregister ist die der Kapitalerhöhung zu Grunde gelegte, mit dem Bestätigungsvermerk der Prüfer
versehene Bilanz, in den Fällen des § 57f außerdem die letzte Jahresbilanz, sofern sie noch nicht nach § 325 Abs. 1 des Handelsgesetzbuchs
eingereicht ist, beizufügen. [2]Die Anmeldenden haben dem Registergericht gegenüber zu erklären, dass nach ihrer Kenntnis seit dem Stichtag
der zu Grunde gelegten Bilanz bis zum Tag der Anmeldung keine
Vermögensminderung eingetreten ist, die der Kapitalerhöhung entgegenstünde, wenn sie am Tag der Anmeldung beschlossen worden
wäre.**

**(2) Das Registergericht darf den Beschluss nur eintragen, wenn die der
Kapitalerhöhung zu Grunde gelegte Bilanz für einen höchstens acht
Monate vor der Anmeldung liegenden Zeitpunkt aufgestellt und eine
Erklärung nach Absatz 1 Satz 2 abgegeben worden ist.**

**(3) Zu der Prüfung, ob die Bilanzen den gesetzlichen Vorschriften
entsprechen, ist das Gericht nicht verpflichtet.**

**(4) Bei der Eintragung des Beschlusses ist anzugeben, dass es sich um
eine Kapitalerhöhung aus Gesellschaftsmitteln handelt.**

---

11   Lutter/Hommelhoff in Lutter/Hommelhoff, GmbHG, § 57h Rn. 6; Roth/Alt-
meppen, GmbHG, § 57h Rn. 13; Priester in Scholz, GmbHG, § 57h Rn. 11,
a.A. Zöllner in Baumbach/Hueck, GmbHG, § 57h Rn.10; Schulze in HK-
GmbHG, § 57h Rn. 5: Anfechtbarkeit.

12   Zöllner in Baumbach/Hueck, GmbHG, § 57h Rn. 10; Roth/Altmeppen,
GmbHG, § 57h Rn. 13; Lutter/Hommelhoff in Lutter/Hommelhoff, GmbHG,
§ 57h Rn. 6; Schulze in HK-GmbHG, § 57h Rn. 5.

I.   Einführung

1   Die Vorschrift befasst sich mit der Anmeldung und Eintragung der Kapitalerhöhung aus Gesellschaftsmitteln im Handelsregister des zuständigen Registergerichts.

2   Der Handelsregisteranmeldung sind die in Abs. 1 genannten Unterlagen zur Prüfung durch das Gericht beizufügen.

3   Das Registergericht hat insbes. zu prüfen, dass der Stichtag der zugrunde gelegten Bilanz nicht mehr als acht Monate vor dem Tag der Handelsregisteranmeldung liegt (Abs. 2). Das Gericht prüft dagegen nicht, ob die Bilanz den gesetzlichen Vorschriften entspricht (Abs. 3).

4   Bei der Eintragung des Kapitalerhöhungsbeschlusses im Handelsregister ist zu vermerken, dass es sich um eine Kapitalerhöhung aus Gesellschaftsmitteln handelt (Abs. 4).

II.   Handelsregisteranmeldung (Abs. 1)

1.   Inhalt und Form

5   Da es sich bei der Kapitalerhöhung aus Gesellschaftsmitteln um eine Satzungsänderung (vgl. § 53) handelt, ist der Kapitalerhöhungsbeschluss zur Eintragung im Handelsregister anzumelden (vgl. § 54). Die allgemeinen Regelungen des § 54 sind daher ergänzend zu beachten.

6   Die **Handelsregisteranmeldung** hat regelmäßig den folgenden Inhalt:

- Auflistung der Anlagen,

- Anmeldung, dass das Stammkapital der Gesellschafter im Wege der Kapitalerhöhung aus Gesellschaftsmitteln erhöht wurde,

- Angabe des Erhöhungsbetrages oder Bezugnahme auf den Kapitalerhöhungsbeschluss,
- Anmeldung, dass die Satzung entsprechend der Kapitalerhöhung geändert wurde und
- Versicherung der Geschäftsführer nach Abs. 1 Satz 2.

Die Handelsregisteranmeldung ist von sämtlichen Geschäftsführern in **nota-**   7
riell beglaubigter Form zu unterzeichnen (§ 78). Die Geschäftsführer
können sich hierbei vertreten lassen. Dies gilt jedoch nicht für die Versicherung nach Abs. 1 Satz 2. Diese ist von den Geschäftsführern **höchstpersönlich** abzugeben.[1]

> **Praxistipp:**
>
> Häufig ist die Versicherung nach Abs. 1 Satz 2 Bestandteil des Textes der Handelsregisteranmeldung. Sofern die Handelsregisteranmeldung durch Bevollmächtigte unterzeichnet wird, ist der Handelsregisteranmeldung die Versicherung der Geschäftsführer als Anlage beizufügen.

Eine Anmeldung in **unechter Gesamtvertretung** unter Mitwirkung von   8
Prokuristen ist unzulässig.[2]

Seit dem Inkrafttreten des EHUG wird das Handelsregister in elektronischer   9
Form geführt (§ 8 Abs. 1 HGB). Anmeldungen zum Handelsregister werden
daher durch die Notare elektronisch in öffentlich beglaubigter Form eingereicht (§ 12 Abs. 1 HGB).

2.   Versicherung der Geschäftsführer (Abs. 1 Satz 2)

Die Handelsregisteranmeldung hat nach Abs. 1 Satz 2 eine **Versicherung**   10
der Geschäftsführer zu enthalten, dass nach deren Kenntnis seit dem
Stichtag der zugrunde gelegten Bilanz bis zum Tag der Handelsregisteranmeldung keine Vermögensminderung eingetreten ist, die der Kapitalerhöhung aus Gesellschaftsmitteln entgegenstehen würde, wenn diese am
Tag der Handelsregisteranmeldung beschlossen worden wäre.

---

1   Zöllner in Baumbach/Hueck, GmbHG, § 57i Rn. 7.

2   Roth/Altmeppen, GmbHG, § 57i Rn. 2; Schulze in HK-GmbHG, § 57i Rn. 3; Schulze-Osterloh/Servatius in Baumbach/Hueck, GmbHG, § 78 Rn. 3.

11   Die Versicherung ist regelmäßig Bestandteil des Wortlauts der Handelsregisteranmeldung, kann aber der Handelsregisteranmeldung auch separat
als Anlage beigefügt werden. Sie ist stets in **notariell beglaubigter** Form
durch alle Gesellschafter abzugeben.[3]

12   Die Versicherung bezieht sich auf die Regelungen des § 57d Abs. 1 und 2.
Danach darf eine Umwandlung der Rücklagen zur Kapitalerhöhung aus
Gesellschaftsmitteln nur dann erfolgen, wenn die zugrunde gelegte Bilanz
entsprechende umwandelbare Rücklagen aufweist, die nicht durch einen
Verlust oder Verlustvortrag gemindert sind. Abs. 1 Satz 2 will daher sicher-
stellen, dass dieser Grundsatz auch noch zum Zeitpunkt der Handelsregisteranmeldung gilt. Da der Kapitalerhöhung aus Gesellschaftsmitteln eine
Bilanz zugrunde gelegt wird, deren Stichtag bis zu acht Monate alt sein
kann, besteht die Gefahr, dass die Rücklagen in der Zwischenzeit bis zur
Handelsregisteranmeldung vermindert sind und nicht mehr in der im Kapi-
talerhöhungsbeschluss vorgesehenen Höhe bestehen (**sog. Unterdeckung**).
Dies soll vermieden werden. Durch die Pflicht zur Abgabe einer entspre-
chenden Versicherung sind die Geschäftsführer daher angehalten, sich
Kenntnis davon zu verschaffen, ob in der Zeit zwischen Bilanzstichtag und
Handelsregisteranmeldung eine Vermögensminderung eingetreten ist. (zur
Problematik der Unterdeckung und deren Rechtsfolgen s. im Einzelnen
§ 57d Rn. 27 ff.).

13   Die Geschäftsführer haften für falsche Angaben im Zusammenhang mit der
Abgabe der Versicherung nach Abs. 1 Satz 2. Machen die Geschäftsführer
vorsätzlich falsche Angaben, führt dies zur Strafbarkeit nach § 82 Abs. 1
Nr. 4 und ggf. einer Schadensersatzpflicht der Geschäftsführer gegenüber
Dritten nach §§ 823 Abs. 2 BGB und 82 Abs. 1 Nr. 4. Vorsätzliche und
auch fahrlässige Falschangaben begründen darüber hinaus einen Schadensersatzanspruch der Gesellschaft nach § 43 Abs. 2 gegenüber den Geschäftsführern. Die Gesellschafter trifft daneben keine Haftung.[4]

3.   Anlagen

a)   Überblick

14   Der Handelsregisteranmeldung nach § 57i sind die folgenden Unterlagen als
Anlagen beizufügen:

• Kapitalerhöhungsbeschluss,

• zugrunde gelegte Bilanz,

---

3   Zöllner in Baumbach/Hueck/Zöllner, GmbHG, § 57i Rn. 7.
4   Roth/Altmeppen, GmbHG, § 57i Rn. 7.

- aktueller Wortlaut des Gesellschaftsvertrags
- aktuelle Gesellschafterliste und
- ggf. Versicherung der Geschäftsführer nach Abs. 1 Satz 2 (wenn nicht schon im Anmeldungstext vorhanden).

Seit dem EHUG sind sämtliche Anlagen durch den Notar elektronisch einzureichen (vgl. § 12 Abs. 2 HGB).   15

Da die neuen Anteilsrechte i.R.d. Kapitalerhöhung aus Gesellschaftsmitteln   16
automatisch kraft Gesetzes mit Eintragung der Kapitalerhöhung im Handelsregister entstehen (vgl. § 57i Rn. 3) ist keine Übernehmerliste zu erstellen. Allerdings haben die Geschäftsführer der Gesellschaft eine aktualisierte Gesellschafterliste gem. § 40 Abs. 1 zum Handelsregister einzureichen (zu Inhalt und Form der Gesellschafterliste s. § 40).[5]

b) Kapitalerhöhungsbeschluss

Der Handelsregisteranmeldung ist zunächst die **notarielle Niederschrift** der   17
Gesellschafterversammlung beizufügen, in der der **Beschluss über die Kapitalerhöhung** aus Gesellschaftsmitteln gefasst wurde. Dies erfolgt durch Einreichung einer Ausfertigung oder einer beglaubigten Abschrift der Niederschrift.

c) Zugrunde gelegte Bilanz

Neben dem Kapitalerhöhungsbeschluss ist Kernstück der Anlagen die zu-   18
grunde gelegte Bilanz (§§ 57c Abs. 3). Dies ist entweder die letzte Jahresbilanz (§ 57e) oder eine gesonderte Zwischenbilanz (§ 57f). Ist die zugrunde gelegte Bilanz eine Zwischenbilanz nach § 57f, so ist zusätzlich die letzte Jahresbilanz einzureichen.

Nach Abs. 1 Satz 1 ist die letzte Jahresbilanz seit dem Inkrafttreten des   19
EHUG zum 01.01.2007 nicht mehr einzureichen, wenn die Einreichung bereits gemäß den Vorschriften der § 325 Abs. 1 HGB erfolgte.

d) Aktueller Wortlaut des Gesellschaftsvertrags

Da sich aufgrund der Kapitalerhöhung eine Änderung der Stammkapitalzif-   20
fer ergibt, ist der Wortlaut des Gesellschaftsvertrages entsprechend anzu-

---

5   Zöllner in Baumbach/Hueck/Zöllner, GmbHG, § 57i Rn. 12; Lutter/Hommelhoff in Lutter/Hommelhoff, GmbHG, § 57i Rn. 3.

passen und in aktueller Fassung mit der Bescheinigung des Notars nach § 54 Abs. 1 Satz 2 einzureichen[6] (zur Bescheinigung des Notars s. § 54 Rn. 15).

e) Versicherung der Geschäftsführer (Abs. 1 Satz 2)

21   Die Versicherung der Geschäftsführer ist regelmäßig keine Anlage zur Handelsregisteranmeldung, sondern Bestandteil des Wortlauts der Handelsregisteranmeldung. Möglich ist es aber auch, die Versicherung separat zu erklären und der Handelsregisteranmeldung als Anlage beizufügen. Zwingend ist dies erforderlich, wenn die Handelsregisteranmeldung nicht durch die Geschäftsführer, sondern **durch Bevollmächtigte** unterzeichnet wird (so oben Rn. 7).

III.   Prüfungspflicht des Registergerichts (Abs. 2 und 3)

22   Das Registergericht prüft die Handelsregisteranmeldung und die beigefügten Anlagen von Amts wegen (§ 12 FGG).

23   Das Gericht ist allerdings nicht verpflichtet zu prüfen, ob die zugrunde gelegte Bilanz nach den gesetzlichen Vorschriften erstellt wurde (Abs. 3). Das Gericht prüft vielmehr, ob die bilanziellen Voraussetzungen der Kapitalerhöhung aus Gesellschaftsmitteln gegeben sind, d.h. insbes. ob und wie im Kapitalerhöhungsbeschluss vorgesehen, ausreichende umwandelbare Rücklagen ausgewiesen sind und kein Verlust bzw. Verlustvortrag besteht. Ferner prüft das Gericht, ob die Bilanz festgestellt worden ist[7] und der Bestätigungsvermerk vorliegt.[8]

24   Darüber hinaus muss das Registergericht nach Abs. 2 prüfen, ob die 8-Monats-Frist für die zugrunde gelegte Bilanz gewahrt ist[9] und die Geschäftsführer eine ordentliche Versicherung i.S.v. Abs. 1 Satz 2 abgegeben haben (zur 8-Monats-Frist s. § 57e Rn. 16 ff., § 57f Rn. 16).

25   Wahrt die zugrunde gelegte Bilanz nicht die 8-Monats-Frist oder fehlt es an der Versicherung der Geschäftsführer nach Abs. 1 Satz 2, so stellt dies ein Eintragungshindernis dar (Abs. 2).

---

6   Ebenso Zöllner in Baumbach/Hueck, GmbHG, § 57i Rn. 11; Lutter/Hommelhoff in Lutter/Hommelhoff, GmbHG, § 57i Rn. 3; a.A. Roth/Altmeppen, GmbHG, § 57i Rn. 6: Einreichung nicht erforderlich, wenn außer der neuen Stammkapitalziffer keine weiteren Änderungen anzumelden sind.

7   Zöllner in Baumbach/Hueck/Zöllner, GmbHG, § 57i Rn. 13.

8   Zöllner in Baumbach/Hueck/Zöllner, GmbHG, § 57i Rn. 13; Schulze in HK-GmbHG, § 57i Rn. 7.

9   LG Essen, 08.06.1982 – 45 T 2/82, BB 1982, 1901.

IV. Eintragung der Kapitalerhöhung im Handelsregister (Abs. 4)

Wenn alle Voraussetzungen für eine Erhöhung des Stammkapitals aus Gesellschaftsmitteln gegeben sind, trägt das Registergericht die Kapitalerhöhung ins Handelsregister ein, wobei es darauf zu achten hat, dass im Handelsregister vermerkt wird, dass es sich bei der Kapitalerhöhung um eine Kapitalerhöhung aus Gesellschaftsmitteln handelt. 26

Da es sich bei der Kapitalerhöhung aus Gesellschaftsmitteln wie bei jeder anderen Form der Kapitalerhöhung um eine Satzungsänderung handelt, wirkt die Eintragung im Handelsregister **konstitutiv** (§ 54 Abs. 3). Die neuen Rechte entstehen daher erst mit Eintragung der Kapitalerhöhung im Handelsregister. 27

V. Heilung von Mängeln durch Eintragung im Handelsregister

Erfolgt die Eintragung des Kapitalerhöhungsbeschlusses im Handelsregister der Gesellschaft und hat das Registergericht übersehen, dass die 8-Monats-Frist gem. Abs. 2 bzgl. der zugrunde gelegten Bilanz nicht gewahrt ist, so gilt der Mangel gem. § 242 AktG analog nach entsprechendem Fristablauf als geheilt.[10] Dies gilt auch für den Fall einer Handelsregistereintragung trotz fehlender oder unrichtiger Versicherung der Gesellschafter nach Abs. 1 Satz 2.[11] 28

VI. Bekanntmachung

Die Eintragung der Kapitalerhöhung ist durch das Gericht gem. § 10 HGB bekannt zu machen. 29

VII. Muster

Vorlage für eine Handelsregisteranmeldung (Kapitalerhöhung aus Gesellschaftsmitteln) 30

> An das Amtsgericht
> – Registergericht –
> **..... GmbH, HRB .....**
> Es werden vorgelegt:
> 1. Niederschrift über die außerordentliche Gesellschafterversammlung vom ..... (UR-Nr. ..... der Notarin ..... in .....),

---

10 Zöllner in Baumbach/Hueck, GmbHG, § 57i Rn. 19; Schulze in HK-GmbHG, § 57i Rn. 7.

11 Roth/Altmeppen, GmbHG, § 57i Rn. 12.

2. die dem Kapitalerhöhungsbeschluss zugrunde gelegte Jahresbilanz zum 31.12. ..... mit dem uneingeschränkten Bestätigungsvermerk der ..... Wirtschaftsprüfungsgesellschaft,

3. beglaubigte Abschrift der Niederschrift über die Gesellschafterversammlung vom ....., die die Feststellung des Jahresabschlusses zum 31.12. ....., den Beschluss über die Ergebnisverwendung für das Geschäftsjahr ..... sowie die Wahl des Abschlussprüfers enthält,

4. vollständiger Wortlaut des Gesellschaftsvertrages mit der Bescheinigung des Notars nach § 54 Abs. 1 Satz 2 GmbHG,

5. aktuelle Gesellschafterliste.

Zur Eintragung im Handelsregister wird angemeldet:

Das Stammkapital der Gesellschaft wurde von ..... € um ..... € auf ..... € erhöht. § ..... des Gesellschaftsvertrages wurde entsprechend geändert.

Wir versichern, dass nach unserer Kenntnis seit dem Stichtag der zugrunde gelegten Jahresbilanz zum 31.12. ..... bis zum Tag dieser Handelsregisteranmeldung keine Vermögensminderung eingetreten ist, die der Kapitalerhöhung entgegenstünde, wenn sie am Tag der Handelsregisteranmeldung beschlossen worden wäre.

[ggf. Vollmacht an die Mitarbeiter des Notars, die Handelsregisteranmeldung bei formellen Beanstandungen zu ändern]

....., den .....

[Unterschriften sämtlicher Geschäftsführer]

[Beglaubigungsvermerk]

§ 57j GmbHG   Verteilung der Geschäftsanteile

[1]Die neuen Geschäftsanteile stehen den Gesellschaftern im Verhältnis ihrer bisherigen Geschäftsanteile zu. [2]Ein entgegenstehender Beschluss der Gesellschafter ist nichtig.

I. Einführung

Die Norm bestimmt, dass der Kapitalerhöhungsbetrag i.R.d. Kapitalerhöhung aus Gesellschaftsmitteln kraft Gesetzes den bisherigen Gesellschaftern entsprechend ihrer Beteiligung am Stammkapital der Gesellschaft zuwächst (Satz 1). Diese Rechtsfolge steht nicht zur Disposition der Gesellschafter. 1

Ein Gesellschafterbeschluss, der eine abweichende Verteilung vorsieht, ist nichtig (Satz 2). 2

II. Erwerb im Verhältnis der bisherigen Geschäftsanteile (Satz 1)

Beschließen die Gesellschafter eine Kapitalerhöhung aus Gesellschaftsmitteln, so wächst mit der **Eintragung der Kapitalerhöhung** im Handelsregister der **Erhöhungsbetrag kraft Gesetzes (ipso iure) jedem Gesellschafter pro rata** seiner bisherigen Beteiligung an der Gesellschaft zu.[1] Mit anderen Worten: Ohne dass es einer Übernahmeerklärung, Zuteilung oder eines sonstigen Erwerbsaktes bedarf, werden automatisch je nach Bestimmung durch die Gesellschafter im Kapitalerhöhungsbeschluss die Nennbeträge der bestehenden Geschäftsanteile entweder entsprechend der bisherigen Beteiligungsverhältnisse aufgestockt oder die Gesellschafter erhalten einen entsprechend großen neuen Geschäftsanteil. Denkbar ist auch eine Kombination aus Nennbetragserhöhung und Zuteilung neuer Geschäftsanteile (vgl. § 57h). Im Ergebnis bleiben die bisherigen Beteiligungsverhältnisse aber immer gewahrt. 3

Beispiel:

Gesellschaft hat ein Stammkapital i.H.v. 100.000 €, das sich wie folgt aufteilt: Gesellschafter A einen Geschäftsanteil von nominal 25.0000 €, Gesellschafter B einen Geschäftsanteil von nominal 15.000 €, Gesellschafter C zwei Geschäftsanteile von je nominal 5.000 € und Gesellschafter D einen Geschäftsanteil von 50.0000 €. Durch die Kapitalerhöhung aus Gesellschaftsmitteln soll das Stammkapital um 400.000 € auf 500.000 € im Wege der Erhöhung der Nennbeträge steige.

---

1   Zöllner in Baumbach/Hueck, GmbHG, § 57j Rn. 1; Roth/Altmeppen, GmbHG, § 57j Rn. 1; Lutter/Hommelhoff in Lutter/Hommelhoff, GmbHG, § 57j Rn. 1.

4 Übersicht

Gesell-schaf-ter	Geschäfts-anteile vor Kapitaler-höhung	Proportio-naler Anteil der Gesell-schafter am Stammka-pital vor Kapital-erhöhung	Erhöhungs-betrag je Ge-sellschafter	Geschäftsan-teile nach der Kapital-erhöhung, z.B. im Wege der Nenn-betragserhö-hung	Propor-tionaler Anteil am Stamm-kapital nach Kapitaler-höhung
A	25.000 €	25%	100.000 €	125.000 €	25%
B	15.000 €	15%	60.000 €	75.000 €	15%
C	5.000 € 5.000 €	10%	40.000 € (2 × 20.000 €)	25.000 € 25.000 €	10%
D	50.000 €	50%	200.000 €	250.000 €	50%
Gesamt	**100.000 €**	**100%**	**400.000 €**	**500.000 €**	**100%**

5   Satz 1 gilt selbst dann, wenn ein Gesellschafter gegen die Kapitalerhöhung aus Gesellschaftsmitteln stimmt. Wird die **erforderliche Beschlussmehr-heit** erreicht, erhöht sich die Beteiligung des widersprechenden Gesell-schafters ebenfalls proportional zu seiner bisherigen Beteiligung.[2]

6   Aufgrund der Kapitalerhöhung kraft Gesetzes ist es den Gesellschaften nicht möglich, die Nennbetragserhöhung der bereits bestehenden Geschäftsanteile bzw. den Erwerb der neu zu bildenden Geschäftsanteile unter Bedingungen oder anderen Erwerbsbeschränkungen zu beschließen.[3]

7   Eigene Geschäftsanteile nehmen ebenfalls an der Kapitalerhöhung aus Gesellschaftsmitteln teil. Dies gilt auch für teileingezahlte Geschäftsanteile (siehe hierzu im Einzelnen § 57l).

8   Mit den bisherigen Geschäftsanteilen verbundene Rechte und Pflichten bleiben durch die Kapitalerhöhung aus Gesellschaftsmitteln unberührt (s. § 57m).

9   Werden die bisherigen Geschäftsanteile zwischen Beschlussfassung über die Kapitalerhöhung und Eintragung im Handelsregister abgetreten, stehen die neuen Anteilsrechte dem Erwerber zu.[4]

---

2   Schulze in HK-GmbHG, § 57j Rn. 2.

3   Zöllner in Baumbach/Hueck, GmbHG, § 57j Rn. 4.

4   Habel, GmbHR, 2000, 269.

III.   Nichtigkeit abweichender Vereinbarungen (Satz 2)

Die Gesellschafter können keine von Satz 1 abweichende Vereinbarung   10
treffen. Insoweit erlaubt das Gesetz keine Ausnahme. Eine andere als die
proportionale Zuteilung des Erhöhungsbetrages ist daher auch mit Zustimmung der benachteiligten oder aller Gesellschafter nicht zulässig. Die
Gegenmeinung, dass eine abweichende Vereinbarung mit Zustimmung aller
Gesellschafter zulässig sei, ist mit dem eindeutigen Wortlaut des Gesetzes
abzulehnen.[5] Dies gilt auch für ganz geringfügige Abweichungen, die keine
maßgeblichen Verschiebungen in den Anteils- und Mehrheitsverhältnissen
hervorrufen. Die Gesellschafter können auch in der Satzung der Gesellschaft
keine abweichende Regelung treffen.[6]

IV.   Rechtsfolgen

Jeder Gesellschafterbeschluss der gegen Satz 1 verstößt, ist nichtig, wobei   11
sich die Frage der Teil- oder Gesamtnichtigkeit nach h.M. nach der allgemeinen Regelung des § 139 BGB richtet.[7] Wird der Kapitalerhöhungsbeschluss dennoch ins Handelsregister eingetragen, kann nach § 242 Abs. 2
AktG analog Heilung erfolgen.[8]

§ 57k GmbHG   Teilrechte; Ausübung der Rechte

**(1) Führt die Kapitalerhöhung dazu, dass auf einen Geschäftsanteil nur
ein Teil eines neuen Geschäftsanteils entfällt, so ist dieses Teilrecht
selbstständig veräußerlich und vererblich.**

**(2) Die Rechte aus einem neuen Geschäftsanteil, einschließlich des
Anspruchs auf Ausstellung einer Urkunde über den neuen Geschäftsanteil, können nur ausgeübt werden, wenn Teilrechte, die zusammen
einen vollen Geschäftsanteil ergeben, in einer Hand vereinigt sind oder**

---

5   Herrschende Meinung: vgl. OLG Dresden, 09.02.2001 – 15 W 129/01, NZG
     2001, 756 zur AG; Lutter/Hommelhoff in Lutter/Hommelhoff, GmbHG, § 57j
     Rn. 6; Zöllner in Baumbach/Hueck, GmbHG, § 57j Rn. 4; Roth/Altmeppen,
     GmbHG, § 57j Rn. 3; Schulze in HK-GmbHG, § 57j Rn. 1 und 4; für die
     Zulässigkeit geringfügiger Abweichungen: Priester in Scholz, GmbHG, § 57j
     Rn. 3.

6   Zöllner in Baumbach/Hueck, GmbHG, § 57j Rn. 1.

7   Roth/Altmeppen, GmbHG, § 57j Rn. 4; Zöllner in Baumbach/Hueck, GmbHG,
     § 57j Rn. 4; Lutter/Hommelhoff in Lutter/Hommelhoff, GmbHG, § 57j Rn. 6;
     Schulze in HK-GmbHG, § 57j Rn. 5; a.A. Hachenburg/Ulmer, Anh. § 57b § 9
     KapErhG Rn. 7.

8   Roth/Altmeppen, GmbHG, § 57j Rn. 4.

wenn sich mehrere Berechtigte, deren Teilrechte zusammen einen vollen Geschäftsanteil ergeben, zur Ausübung der Rechte (§ 18) zusammenschließen.

I.   Einführung

1   Die Norm befasst sich mit der rechtlichen Behandlung von Teilrechten an Geschäftsanteilen, sog. **Spitzenbeträgen**, die bei der Kapitalerhöhung aus Gesellschaftsmitteln entstanden sind.

2   Nach Abs. 1 sind solche Spitzenbeträge selbstständig veräußerlich und vererblich.

3   Die Ausübung der mitgliedschaftlichen Rechte aus Spitzenbeträgen ist nur dann möglich, wenn sich die Teilrechte entweder in der Hand eines Gesellschafters zu einem vollen Geschäftsanteil i.S.v. § 57h Abs. 1 Satz 2 vereinigen oder wenn sich mehrere Gesellschafter zur Ausübung ihrer Teilrechte gem. § 18 zusammenschließen.

II.   Entstehung und rechtliche Behandlung von Spitzenbeträge

4   Aufgrund des Grundsatzes der proportionalen Verteilung des Kapitalerhöhungsbetrags nach § 57j kann es vorkommen, dass eine Aufteilung des Kapitalerhöhungsbetrags pro rata nicht möglich ist.

5   *Beispiel 1:*

Eine GmbH hat ein Stammkapital i.H.v. 30.000 €. Jeder der drei Gesellschafter hält einen Geschäftsanteil i.H.v. 10.000 €. Die Gesellschafter wollen nun das Kapital um 100.000 € im Wege der Kapitalerhöhung aus Gesellschaftsmitteln erhöhen. Nach dem Grundsatz der Proportionalität lassen sich nur 33.333 € auf jeden Gesellschafter verteilen. Der verbleibende 1 € wäre ebenfalls unter den Gesellschaftern pro rata aufzuteilen, allerdings widerspricht dies der Neuregelung des § 57 Abs. 1 Satz 2, wonach jeder Geschäftsanteil auf mindestens 1 € lauten muss. Es entstehen daher drei Teilrechte mit zahlreichen Kommastellen, die jedes für sich genommen keinen vollwertigen Geschäftsanteil darstellen.

Spitzenbeträge sind nach Abs. 1 selbständige Rechte und können veräußert 6
und vererbt werden. Die Teilrechte sind ferner selbstständig belastbar.[1] § 15
findet nach allg. M. auf die Übertragung bzw. Belastung von Teilrechten
entsprechende Anwendung.[2]

III.   Ausübung der Mitgliedschaftsrechte

Auch wenn sich bei den Teilrechten um selbstständige Rechte handelt, können 7
Mitgliedschaftsrechte daraus nicht selbstständig ausgeübt werden. Die Gesellschafter müssen sich vielmehr zusammenschließen, um Mitgliedschaftsrechte
aus Spitzenbeträgen auszuüben, wobei ihnen die in Abs. 2 genannten Möglichkeiten zur Verfügung stehen. Bis dahin ruhen die Mitgliedschaftsrechte aus den
Teilrechten.[3]

Zum einen besteht die Möglichkeit, dass sich die Teilrechte in der Hand eines 8
Gesellschafter vereinigen und dort einen vollwertigen Geschäftsanteil ergeben.

Beispiel 2:

*Sachverhalt wie Beispiel 1. Nach Eintragung der Kapitalerhöhung übertragen
zwei der Gesellschafter ihre Teilrechte auf den dritten Gesellschafter. In der Hand
dieses Gesellschafters befinden sich damit drei Teilrechte, die gemeinsam einen
vollwertigen Geschäftsanteil ergeben.*

Daneben besteht die Möglichkeit, dass sich mehrere Gesellschafter nach 9
§ 18 zusammenschließen, um gemeinsam die Rechte aus den Spitzenbeträgen auszuüben. Voraussetzung ist jedoch, dass die Teilrechte der sich
zusammenschließenden Gesellschafter insgesamt einen vollwertigen
Geschäftsanteil bilden. Insoweit ist es ausreichend, wenn die Gesellschafter
die Mitgliedschaftsrechte aus den Teilrechten in Form einer BGB-Innengesellschaft ausüben. Die Überführung der Teilrechte in Gesamthandseigen-
tum ist darüber hinaus zulässig, aber nicht erforderlich.[4]

Beispiel 3:

*Sachverhalt wie Beispiel 1. Nach Eintragung der Kapitalerhöhung vereinbaren die
Gesellschafter, deren Teilrechte zusammen einen Geschäftsanteil i.H.v. 1 € ergibt,
die Mitgliedschaftsrechte aus dem Geschäftsanteil gemeinsam auszuüben.*

---

1   Lutter/Hommelhoff in Lutter/Hommelhoff, GmbHG, § 57k Rn. 2; Roth/
    Altmeppen, GmbHG, § 57k Rn. 5.

2   Zöllner in Baumbach/Hueck, § 57k Rn. 6; Lutter/Hommelhoff in Lutter/Hom-
    melhoff, GmbHG, § 57k Rn. 3; Priester in Scholz, GmbHG, § 57k Rn. 7;
    Roth/Altmeppen, GmbHG, § 57k Rn. 5.

3   Zöllner in Baumbach/Hueck, § 57k Rn. 7.

4   Zöllner in Baumbach/Hueck, § 57k Rn. 7; Roth/Altmeppen, GmbHG, § 57k
    Rn. 8; Lutter/Hommelhoff in Lutter/Hommelhoff, GmbHG, § 57k Rn. 3.

IV. Relevanz der Norm

10 Die Norm hat durch die Änderungen des MoMiG seine Bedeutung verloren.

11 Bis zum Inkrafttreten des MoMiG konnten Spitzenbeträge eher entstehen, denn die neuen Geschäftsanteile bzw. die Nennbeträge der erhöhten Geschäftsanteile mussten bei Kapitalerhöhung aus Gesellschaftsmitteln auf mindestens 50 € lauten und durch zehn teilbar sein (§ 57h Abs. 1 Satz 2 a.F.). Seit der Neufassung des § 57h Abs. 1 Satz 2 ist es ausreichend, wenn neuen Geschäftsanteile bzw. die Geschäftsanteile, deren Nennbeträge erhöht werden, nur noch auf volle Euro lauten. Die Entstehung von Spitzenbeträgen ist damit nur noch in Ausnahmefällen möglich.

12 Darüber hinaus kam die Vorschrift aber schon vor dem MoMiG in der Praxis nur selten zur Anwendung, da die Gesellschafter i.d.R. einen Betrag aus den umwandelbaren Rücklagen ausgewählt haben, der sich exakt auf die bestehenden Gesellschafter entsprechend ihrer Beteiligungsquoten aufteilen ließ. Diese Praxis wurde durch die Schaffung des 1-€-Anteils vereinfacht, sodass die Norm zukünftig nur noch für Altfälle praktische Relevanz hat.

§ 57l GmbHG   Teilnahme an der Erhöhung des Stammkapitals

(1) Eigene Geschäftsanteile nehmen an der Erhöhung des Stammkapitals teil.

(2) ¹Teileingezahlte Geschäftsanteile nehmen entsprechend ihrem Nennbetrag an der Erhöhung des Stammkapitals teil. ²Bei ihnen kann die Kapitalerhöhung nur durch Erhöhung des Nennbetrags der Geschäftsanteile ausgeführt werden. ³Sind neben teileingezahlten Geschäftsanteilen vollständig eingezahlte Geschäftsanteile vorhanden, so kann bei diesen die Kapitalerhöhung durch Erhöhung des Nennbetrags der Geschäftsanteile und durch Bildung neuer Geschäftsanteile ausgeführt werden. ⁴Die Geschäftsanteile, deren Nennbetrag erhöht wird, können auf jeden Betrag gestellt werden, der auf volle Euro lautet.

I. Einführung

Die Norm behandelt die Auswirkungen der Kapitalerhöhung aus Gesell- 1
schaftsmitteln auf eigene und teileingezahlte Geschäftsanteile.

Grundsätzlich nehmen sowohl eigene Geschäftsanteile (Abs. 1) als auch 2
teileingezahlte Geschäftsanteile (Abs. 2 Satz 1) an der Kapitalerhöhung aus
Gesellschaftsmitteln teil.

Bei teileingezahlten Geschäftsanteilen ist nur eine Kapitalerhöhung durch 3
Aufstockung der Nennbeträge der bereits bestehenden Geschäftsanteile
möglich (Abs. 2 Satz 2).

Bestehen dagegen neben teileingezahlten Geschäftsanteilen auch volleinge- 4
zahlte Geschäftsanteile, so können die Gesellschafter nach Abs. 2
Satz 3 wählen, ob sie diesbezüglich die Kapitalerhöhung durch Bildung
neuer Geschäftsanteile oder durch Erhöhung der Nennbeträge durchführen
(vgl. § 57h Abs. 1).

Seit dem MoMiG können ebenfalls teileingezahlte Geschäftsanteile, deren 5
Nennbeträge erhöht werden, auf jeden Betrag gestellt werden, der auf volle
Euro lautet (Abs. 2 Satz 4).

II. Teilnahme eigener Geschäftsanteile an der Kapitalerhöhung aus Gesellschaftsmitteln (Abs. 1)

Hat die Gesellschaft **eigene Geschäftsanteile** (§ 33), nehmen diese nach Abs. 1 6
an der **Kapitalerhöhung aus Gesellschaftsmitteln** teil. Eigentlich stellt dies
einen Verstoß gegen den Grundsatz dar, dass der Gesellschaft aus eigenen
Gesellschaftsanteilen keine Rechte zufließen dürfen (s. hierzu § 33 Rn. 9 ff.).
Eine Berücksichtigung eigener Geschäftsanteile ist aber erforderlich, denn nach
§ 57j Satz 1 stehen i.R.d. Kapitalerhöhung aus Gesellschaftsmitteln die neuen
Geschäftsanteile kraft Gesetzes automatisch den bisherigen Gesellschaftern entsprechend ihrer bisherigen Beteiligung zu (**Grundsatz der Proportionalität**).
Die Einbeziehung eigener Geschäftsanteile ist daher konsequent, da andernfalls
die Beteiligungsverhältnisse nicht gewahrt blieben.[1]

Beispiel 1:

Eine GmbH mit einem Stammkapital von 100.000 € hat zwei Gesellschafter.
Gesellschafter A hält einen Geschäftsanteil von nominal 40.000 € (= 40 % am
Stammkapital) und Gesellschafter B einen Geschäftsanteil von nominal 50.000 €
(= 50 % am Stammkapital). Daneben hält die Gesellschaft einen eigenen
Geschäftsanteil von 10.000 € (= 10 % am Stammkapital). Wollen die Gesellschaf-
ter nun das Kapital um 100.000 € im Wege der Aufstockung der Nennbeträge der
bisherigen Geschäftsanteile erhöhen, nimmt der eigene Geschäftsanteil gem.

---

1 Roth/Altmeppen, GmbHG, § 57l Rn. 1.

Abs. 1 und § 57j Satz 1 an der Kapitalerhöhung teil. Mit Eintragung der Kapital-
erhöhung aus Gesellschaftsmitteln im Handelsregister beträgt das Stammkapital
200.000 €, wovon Gesellschafter A einen Geschäftsanteil von nominal 80.000 €
(= 40 % am Stammkapital) hält und Gesellschafter B einen Geschäftsanteil von
nominal 100.000 € (= 50 % am Stammkapital). Der eigene Geschäftsanteil
beträgt nach der Kapitalerhöhung 20.000 € (= 10 % am Stammkapital). Somit
bleibt der Grundsatz der Proportionalität gewahrt.

III. Teilnahme teileingezahlter Geschäftsanteile an der Kapitalerhöhung aus Gesellschaftsmitteln (Abs. 2)

7   Grundsätzlich können nicht nur volleingezahlte, sondern auch **teileinge-zahlte Geschäftsanteile** an der Kapitalerhöhung aus Gesellschaftsmitteln teilnehmen (Abs. 2 Satz 1).

8   Der Umwandlungsbetrag darf allerdings nicht zur Erfüllung der Einlagenleis-tung verwendet werden. Andernfalls läge ein Verstoß gegen § 19 Abs. 2 vor.[2]

9   In Ausnahme zu § 57h ist die Kapitalerhöhung aus Gesellschaftsmitteln bei nur teileingezahlten Geschäftsanteilen jedoch nur durch Aufstockung der Nennbeträge der bereits bestehenden, teileingezahlten Geschäftsanteile und nicht durch die Bildung neuer Geschäftsanteile zulässig (Abs. 2 Satz 2).

Beispiel 2:

Eine GmbH mit einem Stammkapital von 50.000 € hat zwei Gesellschafter. Gesell-
schafter A hält einen Geschäftsanteil von nominal 40.000 € und Gesellschafter B
einen Geschäftsanteil von nominal 10.000 €. Beide Geschäftsanteile sind nur zur
Hälfte eingezahlt. Wollen die Gesellschafter nun das Kapital um 100.000 € erhöhen,
bleibt ihnen nach Abs. 2 Satz 2 nur der Weg der Nennbetragserhöhung, da die
Geschäftsanteile nicht voll eingezahlt sind. Mit Eintragung der Kapitalerhöhung aus
Gesellschaftsmitteln im Handelsregister beträgt das Stammkapital 150.000 €, wovon
Gesellschafter A einen Geschäftsanteil von nominal 120.000 € hält und Gesellschaf-
ter B einen Geschäftsanteil von nominal 30.000 €.

IV. Bestehen von teileingezahlten und volleingezahlten Geschäftsanteilen

10   Bestehen neben teileingezahlten Geschäftsanteilen **auch volleingezahlte Geschäftsanteile**, so verbleibt es nach Abs. 2 Satz 3 für die volleingezahlten Geschäftsanteile beim Grundsatz des § 57h. Bei diesen kann die Kapital-erhöhung aus Gesellschaftsmitteln daher sowohl durch die Erhöhung ihrer Nennbeträge als auch durch die Bildung neuer Geschäftsanteile erfolgen.

---

2   Zöllner in Baumbach/Hueck, GmbHG, § 57l Rn. 2; Roth/Altmeppen, GmbHG, § 57l Rn. 3; Schulze in HK-GmbHG, § 57l Rn. 2.

V.   Bildung der Nennbeträge

Als Folgeregelung zu den Neufassungen der §§ 5 Abs. 2, 57h Abs. 1   11
Satz 2 können seit dem MoMiG die Geschäftsanteile, deren Nennbeträge
nach dieser Vorschrift erhöht werden, auf jeden Betrag gestellt werden, der
auf volle Euro lautet (Abs. 2 Satz 4). Bislang sah das Gesetz vor, Nennbeträge zu bilden, die durch fünf teilbar sind (Abs. 2 Satz 4 a.F.). Damit
hatte der Gesetzgeber vor dem Inkrafttreten des MoMiG die Bildung von
Nennbeträgen bei der Kapitalerhöhung von lediglich teileingezahlten
Geschäftsanteile privilegiert, um das Entstehen von Spitzenbeträgen zu
vermeiden. Einer solchen Privilegierung bedarf es nun nicht mehr, da es
seit dem MoMiG einheitlich ausreicht, dass neue oder erhöhte Geschäftsanteile auf volle Euro lauten. Damit ist eine Bildung von Spitzenbeträgen bei
der Kapitalerhöhung aus Gesellschaftsmitteln praktisch undenkbar, denn es
wird den Gesellschaftern immer möglich sein, einen umzuwandelnden
Betrag der Rücklage auszuwählen, der sich so aufteilen lässt, dass sämtliche
an der Kapitalerhöhung teilnehmenden Geschäftsanteile auf volle Euro
lauten.

IV.   Rechtsfolgen

Verstoßen die Gesellschafter bei der Beschlussfassung gegen Abs. 1 so ist   12
der Kapitalerhöhungsbeschluss nichtig.[3]

Beschließen die Gesellschafter entgegen Abs. 2 Satz 2 eine Kapitalerhö-   13
hung durch Bildung neuer Geschäftsanteile, führt dies analog § 241
Nr. 3 AktG zur Nichtigkeit des Kapitalerhöhungsbeschlusses, wobei sich
die Frage der Teil- oder Gesamtnichtigkeit nach der allgemeinen Regelung
des § 139 BGB richtet.[4]

§ 57m GmbHG   Verhältnis der Rechte; Beziehungen zu Dritten

**(1) Das Verhältnis der mit den Geschäftsanteilen verbundenen Rechte
zueinander wird durch die Kapitalerhöhung nicht berührt.**

---

3   Zöllner in Baumbach/Hueck, GmbHG, § 57l Rn. 1; Lutter/Hommelhof in
      Lutter/Hommelhoff, GmbHG, § 57l Rn. 4; Roth/Altmeppen, GmbHG, § 57l
      Rn. 5.
4   Zöllner in Baumbach/Hueck, GmbHG, § 57l Rn. 3; Scholz/Priester, GmbHG,
      § 57l Rn. 9; a.A. Ulmer in Hachenburg, GmbHG, Anh § 57b § 12 KapErhG
      Rn. 9: lediglich Teilnichtigkeit der gegen Abs. 2 Satz 2 verstoßenden Be-
      schlussteile; Roth/Altmeppen, GmbHG, § 57l Rn. 5; Zimmermann in Rowed-
      der/Schmidt-Leithoff, GmbHG, § 57l Rn. 4; Hermanns in Michalski, GmbHG,
      § 57l Rn. 9: immer Gesamtnichtigkeit.

(2) [1]Soweit sich einzelne Rechte teileingezahlter Geschäftsanteile, insbesondere die Beteiligung am Gewinn oder das Stimmrecht, nach der je Geschäftsanteil geleisteten Einlage bestimmen, stehen diese Rechte den Gesellschaftern bis zur Leistung der noch ausstehenden Einlagen nur nach der Höhe der geleisteten Einlage, erhöht um den auf den Nennbetrag des Stammkapitals berechneten Hundertsatz der Erhöhung des Stammkapitals, zu. [2]Werden weitere Einzahlungen geleistet, so erweitern sich diese Rechte entsprechend.

(3) Der wirtschaftliche Inhalt vertraglicher Beziehungen der Gesellschaft zu Dritten, die von der Gewinnausschüttung der Gesellschaft, dem Nennbetrag oder Wert Ihrer Geschäftsanteile oder ihres Stammkapitals oder in sonstiger Weise von den bisherigen Kapital- oder Gewinnverhältnissen abhängen, wird durch die Kapitalerhöhung nicht berührt.

I.   Einführung

1   In Ergänzung zu § 57j stellt die Norm klar, dass Rechte, die mit bestehenden Geschäftsanteilen verbunden sind, durch eine Kapitalerhöhung aus Gesellschaftsmitteln unberührt bleiben und sich an den neuen bzw. erhöhten Geschäftsanteilen fortsetzen (Abs. 1).

2   Abs. 1 gilt auch für **teileingezahlte Geschäftsanteile**, es sei denn, es werden gleichzeitig weitere Einzahlungen auf den betreffenden Geschäftsanteil eingezahlt, wodurch sich die Rechte selbstständig erweitern (Abs. 2).

3   Unberührt durch die Kapitalerhöhung aus Gesellschaftsmitteln bleiben auch **schuldrechtliche Vereinbarungen** zwischen der Gesellschaft und Dritten, die in irgendeiner Weise an die Kapital- oder Gewinnverhältnisse in der Gesellschaft anknüpfen (Abs. 3).

II. Schicksal von Rechten, die mit den bestehenden Geschäftsanteilen verbunden sind

1. Grundsatz des Fortbestands der Rechte (Abs. 1)

Die Norm spezifiziert den **Grundsatz der Proportionalität** nach § 57j. 4
Danach bleiben die Beteiligungsverhältnisse der bestehenden Gesellschafter durch die Kapitalerhöhung aus Gesellschaftsmitteln gewahrt, da der Kapitalerhöhungsbetrag kraft Gesetzes jedem Gesellschafter pro rata seiner bisherigen Beteiligung an der Gesellschaft zuwächst.

Abs. 1 stellt nun ergänzend klar, dass sich alle mitgliedschaftlichen Rechte, 5
die mit den bestehenden Geschäftsanteilen verbunden sind, ebenfalls nicht verändern und kraft Gesetzes pro rata an den neuen bzw. erhöhten Geschäftsanteilen fortsetzen. Mit anderen Worten: jeder Gesellschafter muss nach der Kapitalerhöhung in materieller Hinsicht das gleiche Maß an Rechten und Pflichten haben wie zuvor. Dies gilt auch für Sonderrechte einzelner Gesellschafter (z.B. Mehrstimmrecht oder Dividendenvorrecht).[1]

In der Regel sind Satzungen so formuliert, dass die Rechte der Gesellschaf- 6
ter an eine bestimmte Beteiligungsquote der Gesellschafter am Stammkapital der Gesellschaft anknüpfen. In diesem Fall lässt sich Abs. 1 problemlos anwenden.

Beispiel 1:

Die Satzung einer GmbH mit einem Stammkapital von 1.000.000 € sieht vor, dass jeder Gesellschafter, der mindestens 25 % des Stammkapitals hält, das Recht hat, einen Geschäftsführer zu benennen. Erhöht sich nun das Stammkapital durch die Kapitalerhöhung aus Gesellschaftsmitteln auf 2.000.000 €, so ändert sich für die Gesellschafter dadurch nichts, da ihre Beteiligungsquote gem. § 57j proportional mitwächst. Hatte der Gesellschafter A daher z.B. vor der Kapitalerhöhung eine Beteiligung im Gesamtwert von nominal 500.000 € (= 50 %) und damit das Recht einen Geschäftsführer zu benennen, so erhöht sich dessen Beteiligung durch die Kapitalerhöhung proportional auf 1.000.000 € (= 50 %). Das Recht, einen Geschäftsführer zu benennen, bleibt durch die Kapitalerhöhung aufgrund der unveränderten Beteiligungsquote unberührt.

Abs. 1 bereitet üblicherweise auch keine Probleme bei der Berechnung von 7
Stimmrechten, die in den meisten Satzungen an einen bestimmten Bruchteil eines Geschäftsanteils anknüpfen.

Beispiel 2:

Das Stammkapital einer Gesellschaft beträgt 100.000 €. Nach der Satzung gewähren je 100 € eines Geschäftsanteils eine Stimme. Gesellschafter A hält

---

1   Zöllner in Baumbach/Hueck, GmbHG, § 57m Rn. 5; Schulze in HK-GmbHG, § 57m Rn. 2.

einen Geschäftsanteil i.H.v. 50.000 €, somit 50 % vom Stammkapital und damit 50 % der Stimmen, nämlich 500. Wird das Stammkapital nun durch die Kapitalerhöhung aus Gesellschaftsmitteln im Wege der Aufstockung der Nennbeträge der bestehenden Geschäftsanteile oder durch Bildung neuer Geschäftsanteile auf 200.000 € erhöht, so hält der Gesellschafter A nach der Kapitalerhöhung einen Geschäftsanteil von 100.000 € bzw. einen weiteren Geschäftsanteile i.H.v. 50.000 €. Insgesamt entspricht dies wiederum 50 % am Stammkapital und auch 50 % der Stimmen, denn die Anzahl der Stimmen hat sich gleichfalls auf 1.000 erhöht. Der Gesellschafter A ist folglich nach der Kapitalerhöhung mit den gleichen Rechten ausgestattet wie vor der Kapitalerhöhung.

8   Schwieriger ist die Anwendung von Abs. 1, wenn die Rechte der Gesellschafter nicht an eine bestimmte Beteiligungsquote, sondern an den Nennwert der Beteiligung anknüpfen. In diesem Fall führt Abs. 1 zu einer Anpassungspflicht der Satzung.[2]

Beispiel 3:

Die Gesellschaft hat ein Stammkapital in Höhe von 200.000 €. Gesellschafter A hat gemäß Satzung ein Recht auf eine Vorzugsdividende in Höhe von 4 % auf seinen Geschäftsanteil in Höhe von 100.000 € (= 4.000 €). Wird das Stammkapital nun um weitere 200.000 € erhöht, so erhöht sich gleichzeitig der Nennwert der Beteiligung des A auf 200.000 €. Bei gleichbleibender Vorzugsdividende von 4 % würde die Kapitalerhöhung die übrigen Gesellschafter gegenüber A benachteiligen. A kann daher nach der Kapitalerhöhung nur eine Vorzugsdividende in Höhe von 2 % seiner Beteiligung zustehen.[3]

9   Sofern Rechte an einzelne Geschäftsanteile unabhängig von deren Höhe anzuknüpfen, ist darauf zu achten, dass sich diese Rechte nicht vermehren, wenn die Kapitalerhöhung aus Gesellschaftsmitteln durch Bildung neuer Geschäftsanteile erfolgt und die einzelnen Gesellschafter jeweils einen neuen Geschäftsanteil erhalten.[4] Auch in diesem Fall wird die Satzung unrichtig und ist durch die Gesellschafter anzupassen.

10   Abs. 1 gilt auch für Pflichten, soweit diese an die Beteiligung der Gesellschafter anknüpfen.[5]

---

2   Zöllner in Baumbach/Hueck, GmbHG, § 57m Rn. 3 ff; Lutter/Hommelhoff in Lutter/Hommelhoff, GmbHG, § 57m Rn. 10.

3   Siehe auch die Beispiele bei Zöllner in Baumbach/Hueck, GmbHG, § 57m Rn. 2 und Lutter/Hommelhoff in Lutter/Hommelhoff, GmbHG, § 57m Rn. 6.

4   Roth/Altmeppen, GmbHG, § 57m Rn. 4.

5   Zöllner in Baumbach/Hueck, GmbHG, § 57m Rn. 5; Schulze in HK-GmbHG, § 57m Rn. 3.

2. Wahrung der Proportionalität bei teileingezahlten Geschäftsanteilen (Abs. 2)

Der Grundsatz des Abs. 1 sowie der Grundsatz der Proportionalität nach § 57j   11
gelten auch für teileingezahlte Geschäftsanteile. Auch insoweit bleiben die mit
den teileingezahlten Geschäftsanteilen verbundenen Rechte der Gesellschafter
durch die Kapitalerhöhung aus Gesellschaftsmitteln unberührt.

In den meisten Fällen hat es keine Bedeutung für die Rechte eines Gesell-   12
schafters, ob dessen Geschäftsanteile voll- oder teileingezahlt sind, denn
nach dem Gesetz und nach dem überwiegenden Teil der in der Praxis
verwendeten GmbH-Satzungen knüpfen Rechte eines Gesellschafters an
eine bestimmte Beteiligungshöhe, den Nominalbetrag der gehaltenen Beteil-
ligung eines bestimmten Geschäftsanteils oder die Person des Gesellschafters an, nicht dagegen an den Betrag der geleisteten Einzahlungen auf einen
Geschäftsanteil.

Anders ist die rechtliche Situation, wenn die Satzung einer GmbH **aus-**   13
nahmsweise Mitgliedschaftsrechte an die Höhe der Leistungen auf einen
Geschäftsanteil knüpft. In diesem Fall kommt der Abs. 2 zur Anwendung,
wonach sich die Rechte an der Höhe der Einzahlung, proportional erhöht um
den auf den Nennbetrag des Stammkapitals berechneten Prozentsatz des
Stammkapitals, richten. Auch insoweit müssen die Rechte der Gesellschafter durch die Kapitalerhöhung aus Gesellschaftsmitteln unverändert bleiben.

Beispiel 4:

*Wie Beispiel 2 oben (Stammkapital der GmbH beträgt 100.000 €), aber nun
gewähren je 100 € **eingezahlten** Stammkapitals eine Stimme. Gesellschafter A
hält wiederum einen Geschäftsanteil i.H.v. 50.000 €, somit 50 % vom Stammkapital, hat aber nur 25.000 € davon eingezahlt. Folglich hält er auch nur 25 %
der Stimmen, nämlich 250 von 1.000. Wird das Stammkapital nun durch die
Kapitalerhöhung aus Gesellschaftsmitteln im Wege der Aufstockung der Nennbeträge der bestehenden Geschäftsanteile auf 200.000 € erhöht, so hält der
Gesellschafter A nach der Kapitalerhöhung einen Geschäftsanteil von 100.000 €,
der zu 75.000 € eingezahlt ist. Rein rechnerisch ist Gesellschafter A nun durch die
Kapitalerhöhung besser gestellt, denn er hat nun bei einer geleisteten Einzahlung
von 75.000 € eine Anzahl von 750 Stimmen aus insgesamt 2.000 Stimmen
(= 37,5 % der Stimmen). Dies ist aber nach Abs. 2 der Vorschrift nicht erlaubt.
Gesellschafter A muss nach der Kapitalerhöhung die gleiche Rechtsposition
innehaben wie vor der Kapitalerhöhung. Er wird daher weiterhin behandelt als
hätte er nur 25 % der Stimmen (also 500).*

Leistet der Gesellschafter später weitere Einzahlungen auf seinen Geschäfts-   14
anteil, so erhöhen sich seine Rechte entsprechend (Abs. 2 Satz 2). Hierbei
handelt es sich allerdings um einen allgemeinen Grundsatz, der unabhängig
von der Kapitalerhöhung aus Gesellschaftsmitteln gilt.

Beispiel 5:

Wie Beispiel 3, aber Gesellschafter A leistet nun im Anschluss an die Kapital-erhöhung die verbleibenden 25.000 € auf seinen Geschäftsanteil. Nun ist der Geschäftsanteil mit 100.000 € voll einbezahlt, sodass dem Gesellschafter die aus seinem Anteil von 100.000 € volle mögliche Stimmenzahl zusteht, nämlich 1.000. A hat nun 50 % der Stimmrechte, entsprechend seinem Anteil am Stammkapital.

3.　　Vertragliche Rechtsbeziehungen der Gesellschaft zu Dritten (Abs. 3)

15　Abs. 3 stellt klar, dass die Kapitalerhöhung aus Gesellschaftsmitteln auch die vertraglichen Rechte Dritter gegenüber der Gesellschaft unberührt lässt, sofern diese Rechte an die Kapital- oder Gewinnverhältnisse in der Gesellschaft anknüpfen (z.B. Tantiemenansprüche von Organmitgliedern oder Ansprüche Dritter aus Genussrechten).

16　Vertragliche Rechte Dritter werden daher nach allg. M. ebenfalls kraft Gesetzes mit Eintragung der Kapitalerhöhung im Handelsregister ange-passt.[6] Diese Rechtsfolge ist aber nicht zwingend. Die Vertragsparteien können eine von Abs. 3 abweichende Regelung im Vertrag treffen.[7]

17　Vertragliche Beziehungen zwischen Gesellschaftern und Dritten werden von Abs. 3 nicht erfasst. Sie gelten aber im Zweifel auch für die neue bzw. erhöhte Beteiligung, es sei denn, die Auslegung der entsprechenden Verein-barung führt zu einem anderen Ergebnis.[8] In der Praxis sind die vertrag-lichen Rechte jedoch häufig derart gestaltet, dass sie sich auch auf die erhöhte Beteiligung des Gesellschafters beziehen (z.B. Regelungen einer Kaufoption für alle bestehenden und zukünftigen bzw. erhöhten Geschäfts-anteile eines Gesellschafters).

18　Dingliche Rechte Dritter an den alten Geschäftsanteilen (z.B. Pfandrecht und Nießbrauch) beziehen sich auch auf die neuen bzw. erhöhten Geschäfts-anteile.[9]

6　Zöllner in Baumbach/Hueck, GmbHG, § 57m Rn. 12; Lutter/Hommelhoff in Lutter/Hommelhoff, GmbHG, § 57m Rn. 7.

7　Zöllner in Baumbach/Hueck, GmbHG, § 57m Rn. 12.

8　Lutter/Hommelhoff in Lutter/Hommelhoff, GmbHG, § 57j Rn. 5; Zöllner in Baumbach/Hueck, GmbHG, § 57m Rn. 13.

9　Lutter/Hommelhoff in Lutter/Hommelhoff, GmbHG, § 57j Rn. 4; Priester in Scholz, GmbHG, § 57m Rn. 24; Zöllner in Baumbach/Hueck, GmbHG, § 57m Rn. 14; Roth/Altmeppen, GmbHG, § 57m Rn. 13; Bormann in Bormann/Kau-ka/Ockelmann, Hdb. GmbH-Recht, Kap. 4 Rn. 373.

III. Rechtsfolgen

Treffen die Gesellschafter unter Verstoß gegen die Abs. 1 und 2 eine vom Grundsatz der Proportionalität abweichende Vereinbarung, ist der Kapitalerhöhungsbeschluss der Gesellschafter anfechtbar. Er ist darüber hinaus wegen Eingriffs in die Sonderrechte eines Gesellschafters unwirksam, wenn Anpassungen in Abweichung von Abs. 1 und 2 ohne Zustimmung des betroffenen Gesellschafters erfolgten.[10]   **19**

---

§ 57n GmbHG   Gewinnbeteiligung der neuen Geschäftsanteile

(1) Die neuen Geschäftsanteile nehmen, wenn nichts anderes bestimmt ist, am Gewinn des ganzen Geschäftsjahres teil, in dem die Erhöhung des Stammkapitals beschlossen worden ist.

(2) [1]Im Beschluss über die Erhöhung des Stammkapitals kann bestimmt werden, dass die neuen Geschäftsanteile bereits am Gewinn des letzten vor der Beschlussfassung über die Kapitalerhöhung abgelaufenen Geschäftsjahres teilnehmen. [2]In diesem Fall ist die Erhöhung des Stammkapitals abweichend von § 57c Abs. 2 zu beschließen, bevor über die Ergebnisverwendung für das letzte vor der Beschlussfassung abgelaufene Geschäftsjahr Beschluss gefasst worden ist. [3]Der Beschluss über die Ergebnisverwendung für das letzte vor der Beschlussfassung über die Kapitalerhöhung abgelaufene Geschäftsjahr wird erst wirksam, wenn das Stammkapital erhöht worden ist. [4]Der Beschluss über die Erhöhung des Stammkapitals und der Beschluss über die Ergebnisverwendung für das letzte vor der Beschlussfassung über die Kapitalerhöhung abgelaufene Geschäftsjahr sind nichtig, wenn der Beschluss über die Kapitalerhöhung nicht binnen drei Monaten nach der Beschlussfassung in das Handelsregister eingetragen worden ist; der Lauf der Frist ist gehemmt, solange eine Anfechtungs- oder Nichtigkeitsklage rechtshängig ist oder eine zur Kapitalerhöhung beantragte staatliche Genehmigung noch nicht erteilt worden ist.

---

10   Zöllner in Baumbach/Hueck, GmbHG, § 57m Rn. 10.

I. Einführung

1   Die Vorschrift regelt die Teilnahme der durch die Kapitalerhöhung aus Gesellschaftsmitteln entstandenen neuen Geschäftsanteile am Gewinn.

2   Nach Abs. 1 nehmen die Gesellschafter mangels abweichender Beschlussfassung am Gewinn des gesamten Geschäftsjahres teil, in dem die Kapitalerhöhung beschlossen wurde.

3   Die Gesellschafter können unter Einhaltung der in Abs. 2 geregelten Voraussetzungen im Kapitalerhöhungsbeschluss aber auch festlegen, dass die neuen Geschäftsanteile bereits am Gewinn des Vorjahres teilnehmen.

II.   Teilnahme der neuen Geschäftsanteile am Gewinn (Abs. 1)

4   Sofern die Gesellschafter im Kapitalerhöhungsbeschluss keine abweichende Regelung treffen, nehmen die im Wege der Kapitalerhöhung aus Gesellschaftsmitteln neu geschaffenen Geschäftsanteile am Gewinn des gesamten Geschäftsjahres teil, **in dem die Kapitalerhöhung beschlossen wurde**.

5   Maßgeblicher Anknüpfungspunkt für die Norm ist der Kapitalerhöhungsbeschluss. Auf den Zeitpunkt der Eintragung der Kapitalerhöhung kommt es nicht an.

6   Die Gesellschafter können im Gesellschaftsvertrag oder im Kapitalerhöhungsbeschluss von dem Grundsatz des Abs. 1 abweichen und festlegen, dass die neuen Geschäftsanteile entweder gar nicht oder nur teilweise am Gewinn des Geschäftsjahres, in dem die Kapitalerhöhung beschlossen wurde, teilnehmen. Nach Zöllner können die Gesellschafter darüber hinaus auch beschließen, dass die Geschäftsanteile am **Gewinn des Geschäftsjahres, in dem die Kapitalerhöhung eingetragen wird**, nur anteilig teilnehmen sollen.[1]

---

[1]   Zöllner in Baumbach/Hueck, GmbHG, § 57n Rn. 2.

III. Regelung abweichender Teilnahme am Gewinn des Vorjahres (Abs. 2)

1. Voraussetzungen für eine Teilnahme am Gewinn des Vorjahres

Die Gesellschafter können im Kapitalerhöhungsbeschluss auch beschließen, dass die neuen Geschäftsanteile bereits am Gewinn des letzten, vor dem Kapitalerhöhungsbeschluss abgelaufenen Geschäftsjahres teilnehmen. Dies setzt allerdings **kumulativ** voraus, dass   7

1. der Kapitalerhöhungsbeschluss *vor* dem Beschluss über die Gewinnverwendung des Vorjahres gefasst wird (Abs. 2 Satz 2) und

2. die Kapitalerhöhung binnen *drei Monaten* nach der Beschlussfassung im Handelsregister eingetragen ist (Abs. 2 Satz 4).

Der Beschluss über die Gewinnverwendung des Vorjahres wird nach Abs. 2 Satz 3 erst dann wirksam, wenn das Stammkapital erhöht worden ist, d.h. der Kapitalerhöhungsbeschluss im Handelsregister eingetragen wurde.   8

Dabei ist zu beachten, dass der Gewinnverwendungsbeschluss nicht innerhalb der 3-Monats-Frist gefasst werden muss.[2]   9

2. Rechtsfolge bei Verstoß gegen die Reihenfolge des Abs. 2 Satz 2

Wollen die Gesellschafter erreichen, dass die neuen Geschäftsanteile auch am Gewinn des Vorjahres teilnehmen, so müssen sie den Kapitalerhöhungsbeschluss zwingend vor dem Gewinnverwendungsbeschluss fassen.   10

Beschließen die Gesellschafter die Kapitalerhöhung erst, nachdem der Gewinnverwendungsbeschluss bereits gefasst wurde und legen sie gleichzeitig im Kapitalerhöhungsbeschluss fest, dass die neuen Geschäftsanteile am Gewinn des Vorjahres teilnehmen sollen, so sind die Rechtsfolgen umstritten. Haben nicht alle Gesellschafter der Beschlussfassung zugestimmt, so ist der Kapitalerhöhungsbeschluss wegen Eingriffs in bereits entstandene Gläubigerrechte aufgrund eines bereits gefassten Gewinnverwendungsbeschlusses nichtig.[3] Mit der Fassung des Gewinnverwendungsbeschlusses sind nämlich bereits die Zahlungsansprüche der einzelnen, teilnehmenden Gesellschafter als deren Gläubigerrechte entstanden, die sodann durch die nachfolgende Beschlussfassung über die Kapitalerhöhung abgeändert werden.[4] In diesem Zusammenhang wird aber gem. § 139 BGB   11

---

2   Zöllner in Baumbach/Hueck, GmbHG, § 57n Rn. 5; a.A. Ulmer in Hachenburg, GmbHG, Anh. § 57b § 14 KapErhG Rn. 4.

3   Ausführlich hierzu Zöllner in Baumbach/Hueck, GmbHG, § 57n Rn. 5; ebenso Lutter/Hommelhoff in Lutter/Hommelhoff, GmbHG, § 57n Rn. 2.

4   Zöllner in Baumbach/Hueck, GmbHG, § 57n Rn. 5.

regelmäßig nur die Bestimmung im Kapitalerhöhungsbeschluss über die Teilnahme am Gewinn des Vorjahres nichtig sein, da davon auszugehen ist, dass die Gesellschafter die Kapitalerhöhung trotzdem beschließen wollten.[5]

12 Haben dagegen alle Gesellschafter der Vorgehensweise zugestimmt, so ist der Kapitalerhöhungsbeschluss wirksam, da dann kein Eingriff in bereits bestehende Gläubigerrechte vorliegt.[6]

13 Ein Verstoß gegen die Reihenfolge der Beschlussfassung führt daneben als Verfahrensverstoß auch zur Anfechtbarkeit des Beschlusses über die Kapitalerhöhung.[7]

3. Eintragung der Kapitalerhöhung binnen 3-Monats-Frist

14 Der Beschluss über die Kapitalerhöhung muss im Fall des Abs. 2 zwingend innerhalb von drei Monaten im Handelsregister eingetragen werden. Die Anmeldung zum Handelsregister ist nicht ausreichend. Es ist allerdings nicht erforderlich, den Gewinnverwendungsbeschluss zum Handelsregister einzureichen.

15 Wird der Kapitalerhöhungsbeschluss nicht binnen drei Monaten im Handelsregister eingetragen, ist nicht nur der Kapitalerhöhungsbeschluss, sondern auch der Gewinnverwendungsbeschluss über den Gewinn des Vorjahres nichtig (Abs. 2 Satz 4, 1. Halbs.).

16 Nach Abs. 2 Satz 4, 2. Halbs. wird die 3-Monats-Frist durch eine anhängige Anfechtungs- oder Nichtigkeitsklage bzw. eine beantragte, aber noch nicht erteilte staatliche Genehmigung gehemmt (vgl. § 209 BGB).

§ 57o GmbHG Anschaffungskosten

[1]Als Anschaffungskosten der vor der Erhöhung des Stammkapitals erworbenen Geschäftsanteile und der auf sie entfallenden neuen Geschäftsanteile gelten die Beträge, die sich für die einzelnen Geschäftsanteile ergeben, wenn die Anschaffungskosten der vor der Erhöhung des Stammkapitals erworbenen Geschäftsanteile auf diese und auf die auf sie entfallenden neuen Geschäftsanteile nach dem Verhältnis der Nennbeträge verteilt werden. [2]Der Zuwachs an Geschäftsanteilen ist nicht als Zugang auszuweisen.

---

5 Zöllner in Baumbach/Hueck, GmbHG, § 57n Rn. 6; a.A. Ulmer in Hachenburg, GmbHG, Anh. § 57b § 14 KapErhG Rn. 4.

6 Zöllner in Baumbach/Hueck, GmbHG, § 57n Rn. 5.

7 Zöllner in Baumbach/Hueck, GmbHG, § 57n Rn. 6; Priester in Scholz, GmbHG, § 57n Rn. 4.

I.   Einführung

Die Vorschrift behandelt die bilanziellen Folgen der Kapitalerhöhung aus   1
Gesellschaftsmitteln für die Geschäftsanteile eines Gesellschafters und hat
damit **rein bilanzrechtlichen Charakter**. Insoweit regelt Satz 1 die Verteilung der Anschaffungskosten auf die alten und neuen Geschäftsanteile,
während Satz 2 feststellt, dass der durch die Kapitalerhöhung erfolgte
Zuwachs an Geschäftsanteilen nicht als Zugang auszuweisen ist. Eine
entsprechende steuerrechtliche Regelung findet sich in § 3 KapErhStG.

II.   Anwendungsbereich der Norm

Die Vorschrift betrifft nicht jeden Gesellschafter, der an der Kapitalerhö-   2
hung aus Gesellschaftsmitteln teilnimmt, sondern **nur bilanzierungspflich-
tige Gesellschafter**, deren Geschäftsanteile zum Betriebsvermögen gehören. Solche Gesellschafter sind verpflichtet, die Geschäftsanteile in ihrer
Bilanz aufzuführen, wobei allerdings darauf zu achten ist, dass die
Geschäftsanteile höchstens in Höhe ihrer Anschaffungskosten in der Bilanz
ausgewiesen werden können.

III.   Verteilung der Anschaffungskosten (Satz 1)

Trotz nominaler Erhöhung der Beteiligung eines Gesellschafters durch die   3
Kapitalerhöhung aus Gesellschaftsmitteln verändert sich der wirtschaftliche
Wert der Beteiligung des Gesellschafters nicht. Es darf folglich auch
bilanziell kein Wertzuwachs erfolgen. Neue Anschaffungskosten dürfen
nicht ausgewiesen werden. Die Anschaffungskosten für die vor der Kapitalerhöhung erworbenen Geschäftsanteile sind daher auf die alten und die
neuen Geschäftsanteile entsprechend dem Verhältnis der Nominalwerte der
Geschäftsanteile zu verteilen. Hat ein Gesellschafter mehrere Geschäftsanteile, die er vor der Kapitalerhöhung zu verschiedenen Zeitpunkten
erworben hat und die daher auch zu verschiedenen Buchwerten in der Bilanz
ausgewiesen sind, so sind die verschiedenen Buchwerte bei der Verteilung
der Anschaffungskosten zu berücksichtigen.[1]

---

1   Ausführliches Beispiel bei Zöllner in Baumbach/Hueck, GmbHG, § 57o Rn. 2.

4   Im Rahmen der Verteilung der Anschaffungskosten sind etwaige Abschrei-
    bungen zu berücksichtigen. Hat sich der Wert der Geschäftsanteile daher
    zwischenzeitlich durch Abschreibungen reduziert, kann nur der durch die
    Abschreibungen reduzierte Wert auf die nach der Kapitalerhöhung beste-
    henden Geschäftsanteile verteilt werden.[2]

5   Die vorgenannten Regelungen gelten nur, wenn die Kapitalerhöhung aus
    Gesellschaftsmitteln durch die **Bildung neuer Geschäftsanteile** erfolgte.
    Eine Kapitalerhöhung aus Gesellschaftsmitteln durch Aufstockung der
    Nennbeträge bereits bestehender Geschäftsanteile hat dagegen keine bilan-
    ziellen Auswirkungen (zur Möglichkeit der Durchführung der Kapitalerhö-
    hung aus Gesellschaftsmitteln im Wege der Bildung neuer Geschäftsanteile
    s. die Ausführungen zu § 57h).[3]

IV.   Behandlung des Zuwachses an Geschäftsanteilen (Satz 2)

6   Da sich der Wert der Beteiligung eines Gesellschafters durch die Kapital-
    erhöhung aus Gesellschaftsmitteln nicht erhöht, dürfen die neuen Geschäfts-
    anteile bzw. die Aufstockung bereits bestehender Geschäftsanteile nicht als
    Zugang (vgl. 268 Abs. 2 HGB) in der Bilanz ausgewiesen werden.

7   Dies gilt allerdings nicht für den Fall des § 57k. Erwirbt ein Gesellschafter
    ein Teilrecht nach § 57k Abs. 1 mit dem Ziel der Rechtsausübung nach
    § 57k Abs. 2, 1. Alt., liegt hierin ein materieller Wertzuwachs, der in der
    Bilanz als Zugang auszuweisen ist.[4]

§ 58 GmbHG   Herabsetzung des Stammkapitals

**(1) Eine Herabsetzung des Stammkapitals kann nur unter Beobachtung
der nachstehenden Bestimmungen erfolgen:**

**1. der Beschluss auf Herabsetzung des Stammkapitals muss von den
Geschäftsführern zu drei verschiedenen Malen in den Gesellschaftsblättern bekanntgemacht werden; in diesen Bekanntmachungen sind
zugleich die Gläubiger der Gesellschaft aufzufordern, sich bei derselben zu melden; die aus den Handelsbüchern der Gesellschaft ersicht-
lichen oder in anderer Weise bekannten Gläubiger sind durch besondere Mitteilung zur Anmeldung aufzufordern;**

---

2   Zöllner in Baumbach/Hueck, GmbHG, § 57o Rn. 2.

3   Roth/Altmeppen, GmbHG, § 57a Rn. 1.

4   Zöllner in Baumbach/Hueck, GmbH, § 57o Rn. 3.

2. die Gläubiger, welche sich bei der Gesellschaft melden und der Herabsetzung nicht zustimmen, sind wegen der erhobenen Ansprüche zu befriedigen oder sicherzustellen;

3. die Anmeldung des Herabsetzungsbeschlusses zur Eintragung in das Handelsregister erfolgt nicht vor Ablauf eines Jahres seit dem Tage, an welchem die Aufforderung der Gläubiger in den Gesellschaftsblättern zum dritten Mal stattgefunden hat;

4. mit der Anmeldung sind die Bekanntmachungen des Beschlusses einzureichen; zugleich haben die Geschäftsführer die Versicherung abzugeben, dass die Gläubiger, welche sich bei der Gesellschaft gemeldet und der Herabsetzung nicht zugestimmt haben, befriedigt oder sichergestellt sind.

(2) ¹Die Bestimmung in § 5 Abs. 1 über den Mindestbetrag des Stammkapitals bleibt unberührt. ²Erfolgt die Herabsetzung zum Zweck der Zurückzahlung von Einlagen oder zum Zweck des Erlasses zu leistender Einlagen, dürfen die verbleibenden Nennbeträge der Geschäftsanteile nicht unter den in § 5 Abs. 2 und 3 bezeichneten Betrag herabgehen.

I.   Einführung

1   Die Norm behandelt die Herabsetzung des Stammkapitals der GmbH im
Wege der **sog. ordentlichen Kapitalherabsetzung**. Die ordentliche Kapi-
talherabsetzung ist eine Satzungsänderung, da sie eine betragsmäßige
Herabsetzung der Stammkapitalziffer zur Folge hat, die im Gesellschafts-
vertrag nachzuvollziehen ist. Die §§ 53, 54 finden daher entsprechende
Anwendung.

2   Im Ergebnis führt die Kapitalherabsetzung zu einer Verringerung der
Bilanzposition „Stammkapital" (vgl. § 267 Abs. 3 A. I. HGB). Mit der
Kapitalherabsetzung ist i.d.R. auch eine Verringerung des Vermögens der
Gesellschaft verbunden. Die Vermögensminderung erfolgt jedoch nicht
durch die Kapitalherabsetzung selbst, sondern durch eine Verwendung der
herabgesetzten Beträge, so z.B. wenn diese an die Gesellschafter zurückgezahlt werden. Zwingend ist eine Vermögensminderung aber nicht. Die
Gesellschafter können die freigewordenen Beträge z.B. auch der Kapitalrücklage zuführen.[1]

3   Die Zwecke einer ordentlichen Kapitalherabsetzung sind vielfältig. Abs. 2
Satz 2 nennt als die wichtigsten Zwecke die Rückzahlung von geleisteten
und den Erlass von nichtgeleisteten Einlagen.

4   Grundlage für die ordentliche Kapitalherabsetzung ist der Kapitalherabsetzungsbeschluss der Gesellschafter (Abs. 1 Nr. 1).

5   Bei der Durchführung der Kapitalherabsetzung sind gem. Abs. 2 die Vorschriften über den Mindestbetrag des Stammkapitals sowie die Bildung von
Geschäftsanteilen zu beachten (§ 5 Abs. 1 bis 3).

6   Da die ordentliche Kapitalherabsetzung eine Reduzierung des Haftkapitals
zur Folge haben, enthält die Norm eine Vielzahl von **gläubigerschützenden**
Vorschriften.

7   Nach seiner Fassung ist der Kapitalherabsetzungsbeschluss daher zunächst
in den Gesellschaftsblättern zu drei verschiedenen Malen bekanntzumachen.
In der Bekanntmachung sind die Gläubiger der Gesellschaft aufzufordern,
sich bei der Gesellschaft zu melden. Daneben sind die der Gesellschaft
bereits bekannten Gläubiger gesondert aufzufordern (Abs. 1 Nr. 1).

---

[1]   Ausführlich zu den finanziellen und bilanziellen Folgen der Kapitalherabsetzung s. Zöllner in Baumbach/Hueck, GmbHG, § 58 Rn. 13 ff.; Roth/Altmep-
pen, GmbHG, § 58 Rn. 3 ff.

Die Gläubiger der Gesellschaft können sich daraufhin mit ihren Ansprüchen 8
bei der Gesellschaft melden und der Kapitalherabsetzung widersprechen. In
diesem Fall sind die Ansprüche der Gläubiger von der Gesellschaft zu
befriedigen oder i.S.d. §§ 232 ff. BGB sicherzustellen, bevor die Kapitalherabsetzung zum Handelsregister angemeldet werden kann (Abs. 1 Nr. 2).

Die Handelsregisteranmeldung kann erst nach Ablauf eines sog. Sperrjahres 9
erfolgen (Abs. 1 Nr. 3).

Die Geschäftsführer der Gesellschaft haben mit der Handelsregisteranmel- 10
dung eine Versicherung abzugeben, dass die Gläubiger, die sich auf die
Bekanntmachung hin gemeldet und der Kapitalherabsetzung widersprochen
haben, befriedigt oder sichergestellt wurden (Abs. 1 Nr. 4).

Wie jede Satzungsänderung wird auch die Kapitalherabsetzung erst mit der 11
Eintragung im Handelsregister wirksam.

Neben der ordentlichen Kapitalherabsetzung kennt das GmbHG noch die 12
vereinfachte Kapitalherabsetzung (§§ 58a ff.). Die vereinfachte Kapitalherabsetzung kann allerdings nicht dazu verwendet werden, freies Vermögen an die Gesellschafter auszukehren. Sie dient ausschließlich zum
Zweck der Sanierung der Gesellschaft, d.h. zum Ausgleich von Wertminderungen und zur Deckung sonstiger Verluste (§ 58a Abs. 1). Um diesen
Zweck zu erreichen und die Kapitalherabsetzung zügig durchzuführen, sieht
§ 58a Vereinfachungen von den gläubigerschützenden Regelungen der
ordentlichen Kapitalherabsetzung vor. Insoweit ist insbes. die Aufforderung
an die Gläubiger und deren Befriedigung bzw. Sicherstellung sowie die
Einhaltung eines Sperrjahres vor Anmeldung der Kapitalherabsetzung zum
Handelsregister nicht erforderlich. Im Gegenzug enthalten die §§ 58b ff.
zusätzliche gläubigerschützende Vorschriften für den Zeitraum nach der
Durchführung der vereinfachten Kapitalherabsetzung.

Eine Kapitalherabsetzung durch Einziehung von Geschäftsanteilen, ver- 13
gleichbar §§ 237 ff. AktG, kennt das GmbHG nicht.

Checkliste: Voraussetzungen der ordentlichen Kapitalherabsetzung 14

☑

☐ Kapitalherabsetzungsbeschluss der Gesellschafter,

☐ Bekanntmachung des Kapitalherabsetzungsbeschlusses in den
Gesellschaftsblättern zu drei verschiedenen Malen,

☐ Aufforderung an die Gläubiger bzw. Mitteilung an bekannte Gläubiger,

☐ Befriedigung oder Sicherstellung der Kapitalherabsetzung wider-
sprechender Gläubiger,

> ☐ Anmeldung der Kapitalherabsetzung zum Handelsregister,
> ☐ Eintragung der Kapitalherabsetzung im Handelsregister.

II. Kapitalherabsetzungsbeschluss

1. Zustandekommen und Form

15 Da sich die Stammkapitalziffer bei der Kapitalherabsetzung verringert, ist der Gesellschafterbeschluss über die Herabsetzung des Stammkapitals ein satzungsändernder Beschluss, der einer **Mehrheit von 75 %** der abgegebenen Gesellschafterstimmen sowie der **notariellen Beurkundung** bedarf. Die §§ 53 und 54 finden entsprechende Anwendung. Der Kapitalherabsetzungsbeschluss enthält bereits die durch die Kapitalherabsetzung resultierende Änderung des Gesellschaftsvertrags, sodass es keines gesonderten Satzungsänderungsbeschlusses mehr bedarf. Im Kapitalherabsetzungsbeschluss ist aber die Änderung des Gesellschaftsvertrags aufzunehmen (siehe Rn. 16).[2]

2. Inhalt

16 Der Kapitalherabsetzungsbeschluss über die ordentliche Herabsetzung des Stammkapitals hat die folgenden Angaben zu enthalten:

- Feststellung des Zwecks der Kapitalherabsetzung,
- Feststellung des Herabsetzungsbetrags und des neuen Stammkapitals,[3]
- Beschreibung der Auswirkungen der Kapitalherabsetzung auf die bestehenden Geschäftsanteile, sofern die Herabsetzung nicht proportional der Beteiligungshöhe erfolgt[4] und
- Satzungsänderung zur Anpassung der Stammkapitalziffer.

17 Es ist zulässig, im Kapitalherabsetzungsbeschluss einen variablen Herabsetzungsbetrag in Form eines Maximalbetrags bzw. einer Niedrigstgrenze festzulegen und die Geschäftsführer zu ermächtigen, den endgültigen Betrag gemäß den im Beschluss festgelegten Grenzen zu bestimmen. Erforderlich ist allerdings, dass der Herabsetzungsbetrag nach der Formulierung des

---

2   OLG Stuttgart, OLGZ 1973, 413; OLG Düsseldorf, GmbHR 1968, 223, OLG Frankfurt a.M., GmbHR 1964, 248.

3   Lutter/Hommelhoff in Lutter/Hommelhoff, GmbHG, § 58 Rn. 6; a.A. Zöllner in Baumbach/Hueck, GmbHG, § 58 Rn. 20: ausreichend ist die Angabe des Herabsetzungsbetrags.

4   Zimmermann in Rowedder/Schmidt-Leithoff, GmbHG, § 58 Rn. 16.

Kapitalherabsetzungsbeschlusses hinreichend bestimmbar ist und den Geschäftsführern bzgl. der Festsetzung kein Ermessen zusteht.[5]

> **Praxistipp:** 18
>
> Sofern die Gesellschafter keine abweichende Regelung treffen, führt die Kapitalherabsetzung kraft Gesetzes zu einer Anpassung der Geschäftsanteile pro rata der Beteiligung am Gesamtkapital. In diesem Fall ist es zwar nicht notwendig, aber aus Klarstellungs- und Informationsgründen zu empfehlen, die Anpassung der Geschäftsanteile im Kapitalherabsetzungsbeschluss zu beschreiben.[6] Für den Fall, dass die Gesellschafter beschließen, dass sich die Kapitalherabsetzung in Abweichung vom Gesetz nicht quotal, sondern unterschiedlich auf die Geschäftsanteile auswirkt, ist die Anpassung der Geschäftsanteile zwingend in den Gesellschafterbeschluss über die Kapitalherabsetzung aufzunehmen.[7]

3. Zweck

Die Gründe für eine Kapitalherabsetzung sind vielfältig. Abs. 2 Satz 2 nennt 19 beispielhaft die wichtigsten Zwecke, nämlich die Rückgewährung von Einlagen an die Gesellschafter sowie der Erlass von offenen Einlageverpflichtungen.[8]

> **Praxistipp:** 20
>
> Eine Auszahlung von Einlagen an die Gesellschafter bei bestehenden offenen Einlageverpflichtungen ist grds. zulässig. Jedoch haben die Gesellschafter in diesem Fall zu beachten, dass durch die Auszahlung der Einlagen, die Grenze des § 7 Abs. 2 nicht unterschritten wird.[9]

---

5   Zöllner in Baumbach/Hueck, GmbHG, § 58 Rn. 18; Lutter/Hommelhoff in Lutter/Hommelhoff, GmbHG, § 58 Rn. 7; Schulze in HK-GmbHG, § 58 Rn. 8.

6   Ebenso Heidenhain in MüVertragsHdb, GesellschaftsR, IV. 93 Rn. 5.

7   Zöllner in Baumbach/Hueck, GmbHG, § 58 Rn. 19.

8   Weitere Zwecke s. bei Zöllner in Baumbach/Hueck, § 58 Rn. 1; Schulze in HK-GmbHG, § 58 Rn. 2.

9   Roth/Altmeppen, GmbHG, § 58 Rn. 8.

21 Nach h.M. ist der Zweck im Interesse der Gesellschafter und der Gläubiger im Kapitalherabsetzungsbeschluss aufzuführen, auch wenn das Gesetz dies nicht ausdrücklich vorschreibt.[10]Der Kapitalerhöhungsbeschluss kann auch mehrere Zwecke nennen.[11] Die Gesellschafter können den Zweck zwischen Beschlussfassung und Eintragung der Kapitalherabsetzung im Handelsregister ändern. Da es sich hierbei um eine inhaltliche Änderung handelt, bedarf die Änderung eines notariellen Beschlusses der Gesellschafter, der mit satzungsändernder Mehrheit gefasst wurde (vgl. § 53 Abs. 2 Satz 1).[12]

22 Der Kapitalherabsetzungsbeschluss kann durch die Gesellschafter angefochten werden, wenn der angegebene Zweck nicht erreichbar ist.[13]

4. Beachtung der Vorschriften über das Mindestkapital und Anpassung der Geschäftsanteile (Abs. 2)

a) Beachtung der Vorschriften über das Mindestkapital

23 Bei der Kapitalherabsetzung ist die Vorschrift des § 5 Abs. 1 über das Mindestkapital (25.000 €) zu beachten (Abs. 2).

24 Anders als im Aktienrecht (§ 228 AktG) ist nach h.M. eine **Kombination von ordentlicher Kapitalherabsetzung und Kapitalerhöhung** derart, dass das Stammkapital zunächst unter den Betrag des Mindestkapitals nach § 5 Abs. 1 herabgesetzt und sodann im Wege der Kapitalerhöhung wieder bis oder über den Betrag des Mindestkapitals hinaus erhöht wird, unzulässig.[14] Allerdings sieht § 58a Abs. 4 für den Fall der Sanierung eine Kombination aus vereinfachter Kapitalherabsetzung unter das Mindestkapital mit anschließender Kapitalerhöhung vor (s. hierzu im Einzelnen die Ausführungen zu §§ 58a und 58f).

---

10   BayObLG, 16.01.1979 – BReg. 1 Z 127/7, BB 1979, 240; Roth/Altmeppen, GmbHG, § 58 Rn. 15; ablehnend: Zöllner in Baumbach/Hueck, GmbHG, § 58 Rn. 20.

11   Lutter/Hommelhoff in Lutter/Hommelhoff, GmbHG, § 58 Rn. 2.

12   Lutter/Hommelhoff in Lutter/Hommelhoff, GmbHG, § 58 Rn. 8; a.A. Zöllner in Baumbach/Hueck, GmbHG, § 58 Rn. 20.

13   LG Hannover, 09.03.1995 – 21 O 84/94, WM 1995, 2098.

14   LG Saarbrücken, 11.06.1991 – 7 T 3/91 IV, GmbHR 1992, 380; Lutter/Hommelhoff in Lutter/Hommelhoff, GmbHG, § 58 Rn. 6; für Zulässigkeit; dagegen Zöllner in Baumbach/Hueck, GmbHG, § 58 Rn. 4.

Daneben ist eine Kombination von ordentlicher Kapitalherabsetzung und   25
Kapitalerhöhung grds. zwar denkbar und rechtlich zulässig. Eine solche
Kombination hat in der Praxis aber keine Bedeutung, da beide Beschlüsse
erst nach Ablauf des Sperrjahres nach Abs. 1 Nr. 3 angemeldet und eingetragen werden können.[15]

b)   Anpassung der Geschäftsanteile

Durch die Herabsetzung des Stammkapitals ist eine Anpassung der einzel-   26
nen Geschäftsanteile erforderlich, da der Gesamtbetrag aller Geschäftsanteile nach der Neufassung des § 5 Abs. 3 Satz 2 immer dem Betrag des
Stammkapitals entsprechen muss.

Die Herabsetzung der einzelnen Geschäftsanteile erfolgt grds. gemäß dem   27
Gleichbehandlungsgebot kraft Gesetzes proportional zur Beteiligung der
einzelnen Gesellschafter am Stammkapital der Gesellschaft (Abs. 2). In
diesem Fall brauchen die Auswirkungen der Kapitalherabsetzung auf die
bestehenden Geschäftsanteile im Kapitalherabsetzungsbeschluss nicht aufgeführt zu werden.[16]

Die Gesellschafter können aber auch beschließen, den Herabsetzungsbetrag   28
auf die einzelnen Gesellschafter ungleich zu verteilen. Für eine ungleiche
Verteilung des Kapitalherabsetzungsbetrages bedarf es der Zustimmung des
belasteten Gesellschafters.[17]Die Ausgestaltung der Geschäftsanteile durch
die Kapitalherabsetzung ist im Fall der ungleichen Verteilung im Kapitalherabsetzungsbeschluss zu beschreiben.

Im Übrigen müssen die Nennbeträge von Geschäftsanteilen seit dem   29
MoMiG lediglich auf volle Euro lauten (§ 5 Abs. 2 Satz 1). Diese mussten
vor Inkrafttreten des MoMiG auf mindestens 100 € lauten (§ 5 Abs. 1,
2. Halbs. a.F.) und durch 50 teilbar sein (§ 5 Abs. 3 Satz 2 a.F.). Die durch
das MoMiG eingefügte Liberalisierung der Bildung von Geschäftsanteilen
findet daher auch bei der Durchführung der Kapitalherabsetzung Anwendung. Damit hat sich in der Praxis gleichzeitig die Problematik der Entstehung von Spitzenbeträgen durch die Kapitalherabsetzung erledigt, da die

---

15   Zöllner in Baumbach/Hueck, GmbHG, § 58 Rn. 4; Schulze in HK-GmbHG,
     § 58 Rn. 6.

16   Zimmermann in Rowedder/Schmidt-Leithoff, GmbHG, § 58 Rn. 16.

17   Lutter/Hommelhoff in Lutter/Hommelhoff, GmbHG, § 58 Rn. 11; Schulze in
     HK-GmbHG, § 58 Rn. 7; Roth/Altmeppen, GmbHG, § 58 Rn. 14; Zöllner in
     Baumbach/Hueck, GmbHG, § 58 Rn. 4.

Gesellschafter in Zukunft keine Probleme mehr haben werden, einen Kapitalherabsetzungsbetrag zu wählen, der sich rechnerisch auf die einzelnen Gesellschafter verteilen lässt.

III. Bekanntmachung des Kapitalherabsetzungsbeschlusses und Aufforderung an die Gläubiger (Abs. 1 Nr. 1)

1. Bekanntmachung des Kapitalherabsetzungsbeschlusses

30 Der von den Gesellschaftern gefasste Kapitalherabsetzungsbeschluss ist von den Geschäftsführern in den Gesellschaftsblättern (§ 12) bekannt zu machen. Alternativ kann eine Bekanntmachung auch in den Blättern des zuständigen Registergerichts (§§ 10, 11 HGB) erfolgen.

31 Eine wörtliche Bekanntmachung des Beschlusses ist nicht erforderlich, die Wiedergabe des Inhaltes reicht aus.[18]

32 Die Bekanntmachung hat zu drei verschiedenen Malen zu erfolgen. Dazu ist die Bekanntmachung in drei aufeinander folgenden Ausgaben des betreffenden Gesellschaftsblattes ausreichend.[19]

33 Die Nennung des Zweckes der Kapitalherabsetzung in der Bekanntmachung ist nach h.M nicht erforderlich.[20]

2. Aufforderung an die Gläubiger

34 Die Bekanntmachungen des Herabsetzungsbeschlusses sollen eine Aufforderung der Geschäftsführer an etwaige Gläubiger enthalten, sich bei der Gesellschaft zu melden.

35 Die Bekanntmachungen müssen keinen Hinweis an die Gläubiger auf ihre Rechte enthalten.[21]

---

18 Zöllner in Baumbach/Hueck, GmbHG, § 58 Rn. 23; Schulze in HK-GmbHG, § 58 Rn. 10; ablehnend Roth in Roth/Altmeppen, GmbHG, § 58 Rn. 16: Wiedergabe des gesamten Beschlusses einschließlich Zweckangabe.

19 Lutter/Hommelhoff in Lutter/Hommelhoff, GmbHG, § 58 Rn. 15; Zöllner in Baumbach/Hueck, GmbHG, § 58 Rn. 23.

20 Lutter/Hommelhoff in Lutter/Hommelhoff, GmbHG, § 58 Rn. 15; Priester in Scholz, GmbHG, § 58 Rn. 47; Zöllner in Baumbach/Hueck, GmbHG, § 58 Rn. 23; Schulze in HK-GmbHG, § 58 Rn. 10; Ulmer in Hachenburg, GmbHG, § 58 Rn. 43; a.A. Roth/Altmeppen, GmbHG, § 58 Rn. 16.

21 Lutter/Hommelhoff in Lutter/Hommelhoff, GmbHG, § 58 Rn. 15; Zimmermann in Rowedder/Schmidt-Leithoff, GmbHG, § 58 Rn. 22; Zöllner in Baumbach/Hueck, GmbHG, § 58 Rn. 23.

3. Gesonderte Mitteilung an bekannte Gläubiger

Sind der Gesellschaft bereits durch Einsicht in die Handelsbücher oder durch 36
sonstige Weise Gläubiger bekannt, so sind diese durch eine gesonderte
Mitteilung zur Anmeldung ihrer Ansprüche aufzufordern.

Eine besondere Form oder Frist für die gesonderte Mitteilung sieht das 37
GmbHG nicht vor, die Benachrichtigung sollte jedoch kurzfristig nach der
allgemeinen Bekanntmachung in schriftlicher Form erfolgen und die gleichen Angaben enthalten wie die allgemeine Bekanntmachung.[22] Die gesonderte Mitteilung muss daher ebenfalls keinen Hinweis an die Gläubiger auf
ihre Rechte enthalten.[23]

Die Zahl der infrage kommenden Gläubiger bestimmt sich nach h.M. nach 38
dem Tag der dritten Bekanntmachung an die Gläubiger.[24] Eine Bekanntmachung hat an alle bekannten Gläubiger zu erfolgen, unabhängig von der
Fälligkeit oder Durchsetzbarkeit ihrer Ansprüche.[25]

Die unzureichende Durchsicht der Handelsbücher nach bekannten Gläubi- 39
gern kann eine **Schadensersatzpflicht** der Gesellschaft gegenüber den
Gläubigern sowie der Geschäftsführer gegenüber der Gesellschaft (§ 43)
und den Gläubigern (§ 823 Abs. 2 BGB i.V.m. Abs. 1 Nr. 1) begründen.[26]

IV. Befriedung bzw. Sicherstellung der Gläubiger (Abs. 1 Nr. 2)

Meldet sich ein Gläubiger auf die Bekanntmachung oder auf gesonderte 40
Mitteilung hin bei der Gesellschaft und widerspricht er der Kapitalherab-
setzung, so hat die Gesellschaft den geltend gemachten Anspruch des
Gläubigers zu befriedigen oder Sicherheit zu leisten. Andernfalls darf der
Kapitalherabsetzungsbeschluss nicht zum Handelsregister angemeldet und
auch nicht im Handelsregister eingetragen werden.[27]

Es besteht keine Verpflichtung eines Gläubigers sich innerhalb einer 41
bestimmten Frist zu melden und **Widerspruch** zu äußern. Er sollte dies
jedoch **vor der Einreichung der Anmeldung** zum Handelsregister tun,

---

22 Zöllner in Baumbach/Hueck, GmbHG, § 58 Rn. 24, 25.

23 Anderer Ansicht: Schulze in HK-GmbHG, § 58 Rn. 11.

24 Priester in Scholz, GmbHG, § 58 Rn. 51; Lutter/Hommelhoff in Lutter/Hom-
melhoff, GmbHG, § 58 Rn. 16; weitergehend Zöllner in Baumbach/Hueck,
GmbHG, § 58 Rn. 24: Bekanntgabe bis zur Handelsregisteranmeldung.

25 Schulze in HK-GmbHG, § 58 Rn. 11; Roth/Altmeppen, GmbHG, § 58 Rn. 18.

26 BayObLG, 20.09.1974 – BReg 2 Z 43/74, BB 1974, 1362.

27 Lutter/Hommelhoff in Lutter/Hommelhoff, GmbHG, § 58 Rn. 20; Zöllner in
Baumbach/Hueck, GmbHG, § 58 Rn. 26.

denn nach h.M. hindert ein nach der Handelsregisteranmeldung erfolgter Widerspruch die Eintragung des Kapitalherabsetzungsbeschlusses nicht mehr.[28]

42 Die Rechtsnatur des Gläubigerverhaltens ist umstritten.[29] Dieser Streit ist jedoch rein rechtstheoretischer Natur. In der Praxis ist es ausreichend, wenn der Gläubiger in seiner Meldung an die Gesellschaft deutlich macht, dass er mit der Kapitalherabsetzung nicht einverstanden ist und/oder mit seinem Anspruch vorab befriedigt oder sichergestellt werden will.[30]

43 Die Gesellschaft ist nur verpflichtet, die Meldung und Widersprüche solcher Gläubiger zu berücksichtigen, die spätestens am Tag der dritten Bekanntmachung einen Anspruch gegen die Gesellschaft haben.[31] Als Gläubiger i.S.d. Vorschrift gelten **nur Forderungsgläubiger**, nicht dinglich Berechtigte.[32]

44 Die Geschäftsführung hat die Ansprüche nach pflichtgemäßem Ermessen zu prüfen und ggf. zu befriedigen bzw. sicherzustellen oder eine Befriedigung bzw. Sicherstellung abzulehnen. Insoweit hat die Gesellschaft ein Wahlrecht, ob sie den Anspruch des Gläubigers befriedigt oder sicherstellt. Eine Befriedigung, d.h. eine Maßnahme, die zum Erlöschen des Anspruchs führt,[33] erfolgt i.d.R. bei fälligen Ansprüchen, die Sicherstellung dagegen bei Ansprüchen, die noch nicht fällig sind. Sicherstellung i.S.d. Vorschrift meint Sicherstellung nach §§ 232 ff. BGB.[34] Eine Sicherheit ist nicht zu leisten, wenn die Gesellschaft dem Gläubiger schon aus anderem Grund eine Sicherheit nach den §§ 232 ff. BGB oder eine gleichwertige Sicherheit bestellt hat.[35] Ebenfalls ist unter analoger Anwendung des § 58d Abs. 2

---

28   Zöllner in Baumbach/Hueck, GmbHG, § 58 Rn. 29; Lutter/Hommelhoff in Lutter/Hommelhoff, § 58 Rn. 18; a.A. Roth/Altmeppen, GmbHG, § 58 Rn. 25: auch Berücksichtigung von Gläubigern, die sich nach dem Sperrjahr und der Anmeldung zum Handelsregister melden, dann ggf. unzulässige Rechtsausübung nach § 242 BGB.

29   Ausführlich zum Streit s. Zöllner in Baumbach/Hueck, GmbHG, § 58 Rn. 27.

30   Zöllner in Baumbach/Hueck, GmbHG, § 58 Rn. 27.

31   Priester in Scholz, GmbHG, § 58 Rn. 55; a.A. Zöllner in Baumbach/Hueck, GmbHG, § 58 Rn. 30: alle Gläubiger, deren Anspruch vor der Handelsregisteranmeldung begründet wurde.

32   Zöllner in Baumbach/Hueck, GmbHG, § 58 Rn. 30.

33   Zöllner in Baumbach/Hueck, GmbHG, § 58 Rn. 32.

34   Zöllner in Baumbach/Hueck, GmbHG, § 58 Rn. 33.

35   Schulze in HK-GmbHG, § 58 Rn. 12.

Satz 2 eine Sicherstellung im Insolvenzverfahren dann nicht erforderlich, wenn der Gläubiger ein Recht auf vorzugsweise Befriedigung aus der Deckungsmasse hat.[36]

Die Geschäftsführung ist verpflichtet, die Erfolgsaussichten des Gläubigeranspruchs sorgfältig zu prüfen, denn die Geschäftsführer sind nach Abs. 1 Nr. 4 verpflichtet, mit der Handelsregisteranmeldung eine Versicherung abzugeben, dass die Ansprüche aller Gläubiger, die sich gemeldet und der Kapitalherabsetzung widersprochen haben, befriedigt oder sichergestellt wurden. — 45

Ein einklagbarer Anspruch des Gläubigers auf Befriedigung oder Sicherstellung besteht nicht.[37] Fühlt sich ein Gläubiger mit seinem Anspruch zu Unrecht abgelehnt, kann er das zuständige Registergericht durch einfache Benachrichtigung von einer bestrittenen Forderung in Kenntnis setzen, um eine Prüfung des Gerichts auszulösen.[38] Zur Prüfungspflicht des Registergerichts s.u. Rn. 47 ff. Daneben bleibt es dem Gläubiger selbstverständlich unbenommen, seinen fälligen Anspruch jederzeit vor Gericht einzuklagen.[39] — 46

V. Handelsregisteranmeldung (Abs. 1 Nr. 3 und 4)

1. Inhalt

Wie jede Satzungsänderung ist auch der Beschluss über die ordentliche Kapitalherabsetzung zur Eintragung im Handelsregister anzumelden (vgl. Abs. 1 Nr. 3 und 4). Die Handelsregisteranmeldung hat regelmäßig folgenden Inhalt: — 47

- Auflistung der Anlagen,

- Anmeldung, der Kapitalherabsetzung durch Nennung des Herabsetzungsbetrags und des neuen Stammkapitals; die Nennung des Zwecks der Kapitalherabsetzung ist nicht erforderlich, [40]

- Anmeldung, dass die Satzung entsprechend der Kapitalherabsetzung geändert wurde und

- Versicherung der Geschäftsführer (Abs. 1 Nr. 4 Satz 2).

---

36 Zöllner in Baumbach/Hueck, GmbHG, § 58 Rn. 33.

37 Zöllner in Baumbach/Hueck, GmbHG, § 58 Rn. 26; Priester in Scholz, GmbHG, § 58 Rn. 53; Roth/Altmeppen, GmbHG, § 58 Rn. 21; a.A. Schulze in HK-GmbHG, § 8 Rn. 12.

38 Herrschende Meinung: vgl. Lutter/Hommelhoff in Lutter/Hommelhoff, GmbHG, § 58 Rn. 24; a.A. Zöllner in Baumbach/Hueck, GmbHG, § 58 Rn. 28: nur Benachrichtigung des Gerichts, keine registerverfahrensrechtliche Rechtsstellung und Recht, die Eintragung zu verhindern.

39 Roth/Altmeppen, GmbHG, § 58 Rn. 21.

40 Lutter/Hommelhoff in Lutter/Hommelhoff, GmbHG, § 58 Rn. 23.

48   Die Handelsregisteranmeldung hat gem. § 78 durch sämtliche Geschäftsführer der Gesellschaft in notariell beglaubigter Form zu erfolgen.

49   Die Geschäftsführer können sich hierbei vertreten lassen. Dies gilt jedoch nicht für die Versicherung nach Abs. 1 Satz 2. Diese ist von den Geschäftsführern höchstpersönlich abzugeben.

> **Praxistipp:**
>
> Die Versicherung ist i.d.R. ein Teil des Wortlauts der Handelsregisteranmeldung, sodass in der Praxis eine Vertretung in den meisten Fällen nicht möglich ist. Die Versicherung kann aber auch in einem gesonderten Dokument erfolgen und der Handelsregisteranmeldung als Anlage beigefügt werden.

50   Seit dem Inkrafttreten des EHUG wird das Handelsregister in elektronischer Form geführt (§ 8 Abs. 1 HGB). Anmeldungen zum Handelsregister werden daher durch die Notare elektronisch in öffentlich beglaubigter Form eingereicht (§ 12 Abs. 1 HGB).

2.   Sperrjahr

51   Die Handelsregisteranmeldung kann gem. Abs. 1 Nr. 3 nicht vor Ablauf eines Jahres seit dem Tag, an dem die Kapitalherabsetzung zum 3. Mal in den Gesellschaftsblättern erfolgt ist, zum Handelsregister eingereicht werden (sog. Sperrjahr).[41]

52   Die gesonderten Mitteilungen an die bekannten Gläubiger werden bei Berechnung der Sperrfrist nicht berücksichtigt.[42]

53   Bei Handelsregisteranmeldung vor Ablauf der Sperrfrist erfolgt keine Aussetzung, sondern Zurückweisung der Anmeldung.[43]

3.   Versicherung der Geschäftsführer (Abs. 1 Nr. 4)

54   Nach Abs. 1 Nr. 4 haben die Geschäftsführer eine allgemeine Versicherung abzugeben, dass die Gläubiger, die sich bei der Gesellschaft auf die Aufforderung hin gemeldet und der Kapitalherabsetzung nicht zugestimmt haben, befriedigt oder sichergestellt wurden. Es ist nach h.M. nicht erforder-

---

41   Zu den Versuchen, die Sperrfrist durch sog. Umwandlungs- und Darlehensmodelle zu umgehen s. Heckschen in Wachter, FA Handels- und Gesellschaftsrecht, Teil 1, 2. Kap. Rn. 349.

42   BayObLG, 20.09.1974 – BReg 2 Z 43/74, BB 1974, 1362.

43   Priester in Scholz, GmbHG, § 58 Rn. 63; Zöllner in Baumbach/Hueck, GmbHG, § 58 Rn. 34.

fertig abgewiesen und folglich nicht befriedig bzw. sichergestellt hat), so kann das Gericht weitere Prüfungen einleiten. Nach der Prüfung muss das Gericht dann entscheiden, ob es die Kapitalherabsetzung trotzdem einträgt, oder den Gläubiger nach § 127 FGG unter Fristsetzung zur Klageerhebung auffordert und die Eintragung in der Zwischenzeit aussetzt. Das Registergericht ist auch berechtigt, einen streitigen Anspruch selbst zu prüfen.[53]

VII. Eintragung der ordentlichen Kapitalherabsetzung im Handelsregister

Wie jede Satzungsänderung wird auch die ordentliche Kapitalherabsetzung erst mit Eintragung im Handelsregister wirksam (§ 54 Abs. 3). **66**

VIII. Bekanntmachung der Eintragung im Handelsregister

Die Eintragung der ordentlichen Kapitalherabsetzung ist durch das Gericht gem. § 10 HGB bekannt zu machen. **67**

IX. Kapitalherabsetzung in der Liquidation und der Insolvenz

Nach h.M. ist eine Herabsetzung des Stammkapitals im Wege der ordentlichen Kapitalherabsetzung während der Liquidation unter Beachtung der Sperrfrist zulässig.[54] Dies gilt grds. auch für den Fall der Insolvenz. Allerdings macht eine Kapitalherabsetzung zur Rückzahlung von Einlagen an die Gesellschafter im Stadium der Insolvenz praktisch keinen Sinn mehr.[55] **68**

X. Rechtsfolgen

Beschließen die Gesellschafter die Kapitalherabsetzung ohne Angabe des Zwecks, ist die Eintragung der Kapitalherabsetzung abzulehnen.[56] Fehlen die übrigen nach dieser Norm erforderlichen Angaben im Kapitalherabsetzungsbeschluss, ist dieser anfechtbar. Sieht der Kapitalherabsetzungsbeschluss eine **69**

---

53 Zöllner in Baumbach/Hueck, GmbHG, § 58 Rn. 44; Roth/Altmeppen, GmbHG, § 58 Rn. 26.

54 Ebenso Lutter/Hommelhoff in Lutter/Hommelhoff, GmbHG, § 58 Rn. 28, der eine Kapitalherabsetzung aber für sinnlos hält, weil die Regelungen des § 58 zu den Schutzregeln der Liquidation zusätzlichen Aufwand bedeuten.

55 Schulze in HK-GmbHG, § 58 Rn. 7; Roth/Altmeppen, GmbHG, § 58 Rn. 10; ebenso für den Fall der Rückzahlung von Einlagen Zöllner in Baumbach/Hueck, GmbHG, § 58 Rn. 12.

56 BayObLG, 16.01.1979 – BReg. 1 Z 127/7, BB 1979, 240.

Unterschreitung des Mindestkapitals von 25.000 € vor, begründet dies die Nichtigkeit des Kapitalherabsetzungsbeschlusses. [57] Zur Rechtsfolge fehlender Befriedigung oder Sicherstellung der Gläubiger s. Rn. 41.

XI.   Muster

70 **Muster 1: Vorlage Kapitalherabsetzungsbeschluss (ordentliche Kapitalherabsetzung)**

[notarieller Vorspann]

Die Erschienenen baten um Beurkundung der folgenden

Gesellschafterversammlung der

..... GmbH.

I.   Vorbemerkung

Die Erschienenen sind sämtliche Gesellschafter der ..... GmbH mit dem Sitz in ....., eingetragen im Handelsregister des ...... unter HRB ...... (nachstehend die „**Gesellschaft**").

Das Stammkapital der Gesellschaft beträgt ..... €. Hieran sind die Erschienenen wie folgt beteiligt: ..... .

II.   Gesellschafterversammlung

Unter Verzicht auf alle nicht zwingenden gesetzlichen und satzungsmäßigen Frist- und Formvorschriften für die Einberufung und Durchführung einer Gesellschafterversammlung halten wir hiermit eine Gesellschafterversammlung der Gesellschaft ab und beschließen was folgt:

1. Das Stammkapital der Gesellschaft wird von ..... € um ..... € auf ..... € herabgesetzt.

2. Die Kapitalherabsetzung erfolgt zum Zweck der teilweisen Zurückzahlung von Einlagen.

3. Die Kapitalherabsetzung wird wie folgt durchgeführt:

   • Herrn (A) wird die geleistete Einlage in Höhe von ..... €, und

   • der (C) GmbH die geleistete Einlage in Höhe von ..... € zurückgezahlt.

4. Die Nennbeträge der von den vorgenannten Gesellschaftern lauten nach Herabsetzung des Stammkapitals wie folgt:

   • Herr (A) ein Geschäftsanteil im Nennbetrag von ...... €, und

   • die (C) GmbH ein Geschäftsanteil im Nennbetrag von ..... €.

---

57   Roth/Altmeppen, GmbHG, § 58 Rn. 28.

5. § ..... des Gesellschaftsvertrags wird wie folgt neu gefasst:
„§ ....."

Stammkapital

„Das Stammkapital der Gesellschaft beträgt ..... €."

Weitere Beschlüsse wurden nicht gefasst. Die Gesellschafterversammlung ist damit beendet.

Die Notarin wies die Erschienenen darauf hin ..... .

(ggf. Vollmacht an die Mitarbeiter des Notars zur Änderung der Urkunde bei Beanstandungen des Registergerichts)

(Notarielle Schlussformel)

(Unterschriften)

Muster 2: Bekanntmachung 71

Das Stammkapital der ..... GmbH mit dem Sitz in ......, eingetragen im Handelsregister des Amtsgerichts ..... unter HRB ..... ist durch notariellen Beschluss der Gesellschafter vom ..... von ..... € um ..... € auf ..... € herabgesetzt worden.

Die Gläubiger der Gesellschaft werden aufgefordert, sich bei der Gesellschaft zu melden.

....., den .....

..... GmbH

Geschäftsführer

Muster 3: Handelsregisteranmeldung (ordentliche Kapitalherabsetzung) 72

An das Amtsgericht

– Registergericht –

..... **GmbH, HRB** .....

Es werden vorgelegt:

1. Niederschrift über die außerordentliche Gesellschafterversammlung vom ..... (UR-Nr. ..... der Notarin ..... in .....),

2. Belegexemplare des Bundesanzeigers vom ....., welche die Bekanntmachung des Kapitalherabsetzungsbeschlusses und die Aufforderung an die Gläubiger der Gesellschaft enthalten,

3. vollständiger Wortlaut des Gesellschaftsvertrages mit der Bescheinigung des Notars nach § 54 Abs. 1 Satz 2 GmbHG,

4. aktuelle Gesellschafterliste.

Zur Eintragung im Handelsregister wird angemeldet:

Das Stammkapital der Gesellschaft wurde von ..... € um ..... € auf ..... € herabgesetzt. § ..... des Gesellschaftsvertrages wurde entsprechend geändert.

Wir versichern, dass sämtliche Gläubiger, welche sich bei der Gesellschaft gemeldet und der Kapitalherabsetzung nicht zugestimmt haben, befriedigt oder sichergestellt sind.

(ggf. Vollmacht an die Mitarbeiter des Notars, die Handelsregisteranmeldung bei formellen Beanstandungen zu ändern)

....., den .....

(Unterschriften sämtlicher Geschäftsführer)

           (Beglaubigungsvermerk)

§ 58a GmbHG   Vereinfachte Kapitalherabsetzung

(1) Eine Herabsetzung des Stammkapitals, die dazu dienen soll, Wertminderungen auszugleichen oder sonstige Verluste zu decken, kann als vereinfachte Kapitalherabsetzung vorgenommen werden.

(2) ¹Die vereinfachte Kapitalherabsetzung ist nur zulässig, nachdem der Teil der Kapital- und Gewinnrücklagen, der zusammen über zehn vom Hundert des nach der Herabsetzung verbleibenden Stammkapitals hinausgeht, vorweg aufgelöst ist. ²Sie ist nicht zulässig, solange ein Gewinnvortrag vorhanden ist.

(3) ¹Im Beschluss über die vereinfachte Kapitalherabsetzung sind die Nennbeträge der Geschäftsanteile dem herabgesetzten Stammkapital anzupassen. ²Die Geschäftsanteile müssen auf einen Betrag gestellt werden, der auf volle Euro lautet.

(4) ¹Das Stammkapital kann unter den in § 5 Abs. 1 bestimmten Mindestnennbetrag herabgesetzt werden, wenn dieser durch eine Kapitalerhöhung wieder erreicht wird, die zugleich mit der Kapitalherabsetzung beschlossen ist und bei der Sacheinlagen nicht festgesetzt sind. ²Die Beschlüsse sind nichtig, wenn sie nicht binnen drei Monaten nach der Beschlussfassung in das Handelsregister eingetragen worden sind. ³Der Lauf der Frist ist gehemmt, solange eine Anfechtungs- oder Nichtig-

keitsklage rechtshängig ist oder eine zur Kapitalherabsetzung oder Kapitalerhöhung beantragte staatliche Genehmigung noch nicht erteilt ist. ⁴Die Beschlüsse sollen nur zusammen in das Handelsregister eingetragen werden.

(5) Neben den §§ 53 und 54 über die Abänderung des Gesellschaftsvertrags gelten die §§ 58b bis 58f.

I. Einführung

Die Norm behandelt die Voraussetzungen der Herabsetzung des Stammkapitals im Wege der sog. vereinfachten Kapitalherabsetzung.[1]   **1**

Im Gegensatz zur ordentlichen Kapitalherabsetzung nach § 58 dient die vereinfachte Kapitalherabsetzung nicht der Auskehr von freiem Vermögen an die Gesellschafter, sondern ausschließlich dem Zweck der Sanierung der Gesellschaft, d.h. zum Ausgleich von Wertminderungen oder zur Deckung sonstiger Verluste (Abs. 1).[2]   **2**

Die vereinfachte Kapitalherabsetzung ist unzulässig, wenn ausreichende Rücklagen oder ein Gewinnvortrag vorhanden sind. Diese Positionen sind gem. Abs. 2 zunächst zur Verlustdeckung zu verwenden.   **3**

---

1   Darstellung eines praktischen Falls zur vereinfachten Kapitalherabsetzung s. Meier, GmbHR 2007, 638; i.E. zur vereinfachten Kapitalherabsetzung s. auch Maser/Sommer, GmbHR 1996, 22.

2   Roth/Altmeppen, GmbHG, § 58 Rn. 2 bezeichnet die vereinfachte Kapitalherabsetzung daher als das Gegenstück zur Kapitalerhöhung aus Gesellschaftsmitteln, da effektiv kein Kapital zu- oder abfließt, sondern lediglich eine Verschiebung von Bilanzpositionen erfolgt.

4   Die vereinfachte Kapitalherabsetzung stellt ebenfalls eine Satzungsände-
    rung dar, da sich die Stammkapitalziffer verringert. Die §§ 53, 54 finden
    daher entsprechende Anwendung (Abs. 5).

5   Grundlage der Kapitalherabsetzung ist der Kapitalherabsetzungsbeschluss
    der Gesellschafter. Dieser ist durch alle Geschäftsführer zur Eintragung im
    Handelsregister anzumelden. Wie jede Satzungsänderung wird auch die
    vereinfachte Kapitalherabsetzung erst mit ihrer Eintragung im Handels-
    register wirksam.

6   Da sich die Stammkapitalziffer verringert, haben die Gesellschafter die
    bestehenden Geschäftsanteile entsprechend anzupassen. Seit dem MoMiG
    müssen diese lediglich auf einen Betrag gestellt werden, der auf volle Euro
    lautet (Abs. 3 Satz 2).

7   Abs. 4 der Vorschrift eröffnet die Möglichkeit, das Stammkapital unter den
    Mindestbetrag des § 5 Abs. 1 von 25.000 € herabzusetzen, wenn zugleich
    eine Kapitalerhöhung beschlossen wird, durch der der Mindestbetrag wieder
    erreicht wird.

8   Im Übrigen finden die strengen gläubigerschützenden Vorschriften des § 58
    auf die vereinfachte Kapitalherabsetzung keine Anwendung. So ist insbes.
    eine Aufforderung an die Gläubiger und deren Befriedigung bzw. Sicher-
    stellung sowie die Einhaltung eines Sperrjahres vor Anmeldung der Kapital-
    herabsetzung zum Handelsregister nicht erforderlich. Im Gegenzug enthal-
    ten die §§ 58b bis 58f aber für den Zeitraum nach Durchführung der
    vereinfachten Kapitalherabsetzung eine Reihe von zusätzlichen Vorschrif-
    ten, die der Gesundung der Gesellschaft und damit dem Schutz der Gläubi-
    ger dienen (Abs. 5).

9   Die §§ 58a bis 58f sind erst im Zuge der Insolvenzrechtsreform zum Zweck
    der Sanierung von Gesellschaften in der Rechtsform der GmbH in das
    GmbHG eingeführt und an die Vorschriften des AktG angelehnt worden
    (§§ 229 bis 236 AktG). Die Kommentierung dieser Vorschriften kann daher
    zur Auslegung der §§ 58a bis 58f herangezogen werden.

II.   Übersicht über die Voraussetzungen der vereinfachten Kapitalherabsetzung

10 Die Voraussetzungen der vereinfachten Kapitalherabsetzung entsprechen im
    Wesentlichen denen der ordentlichen Kapitalherabsetzung nach § 58 (vgl.
    dazu im Einzelnen § 58 Rn. 14).

11 Zur Vereinfachung entfallen aber der Gläubigeraufruf sowie eine etwaige
    Befriedigung bzw. Sicherstellung der Gläubiger und folglich auch das
    Sperrjahr.

Die Norm enthält daneben gesonderte Voraussetzungen für die Beschluss- 12
fassung und Durchführung der Kapitalherabsetzung, sodass sich die folgende Checkliste ergibt.

Checkliste: Voraussetzungen der vereinfachten Kapitalherabsetzung 13

> ☐ Sanierungszweck (Abs. 1)
>
> ☐ keine anderweitige Deckung der Verluste (Abs. 2)
>
> ☐ Beschlussfassung der Gesellschafter über die Herabsetzung des Stammkapitals (Abs. 3)
>
> ☐ Beachtung der Vorschriften über das Mindeststammkapital und die Bildung von Geschäftsanteilen (Abs. 3 und 4)
>
> ☐ Anmeldung des Kapitalherabsetzungsbeschlusses zum Handelsregister der Gesellschaft
>
> ☐ Eintragung der vereinfachten Kapitalherabsetzung im Handelsregister der Gesellschaft (im Fall des Abs. 4 Eintragung von Kapitalherabsetzung und Kapitalerhöhung innerhalb von drei Monaten nach Beschlussfassung)

III. Zweck der vereinfachten Kapitalherabsetzung

1. Verlustdeckung

Die Herabsetzung des Stammkapitals im Wege der vereinfachten Kapital- 14
herabsetzung ist nur dann nach Abs. 1 zulässig, wenn sie zum Ausgleich von Wertminderungen oder der Deckung sonstiger Verluste erfolgt. Dabei ist die Wertminderung nur als eine mögliche Ursache für den Eintritt eines Verlusts genannt. Zweck der Norm ist damit die Verlustdeckung.[3]

Die Formulierung von Abs. 1 ist irreführend, denn erfasst wird nicht jeder 15
Verlust. Zulässig ist die vereinfachte Kapitalherabsetzung nach allg.M. nur bei **nicht nur vorübergehenden Verlusten**, die durch offenes Eigenkapital der Gesellschaft nicht gedeckt werden können.[4] Dabei ist es ohne Belang, wie der Verlust entstanden ist.[5] Entscheidend ist, dass die Verluste zum

---

3 Lutter/Hommelhoff in Lutter/Hommelhoff, GmbHG, § 58a Rn. 9; Roth/Altmeppen, GmbHG, § 58a Rn. 4.

4 Schulze in HK-GmbHG, § 58a Rn. 2.

5 Schulze in HK-GmbHG, § 58a Rn. 3.

Zeitpunkt der Beschlussfassung tatsächlich entstanden sind[6] und das Eigenkapital (Stammkapital plus Kapital- und Gewinnrücklagen) zzgl. eines
eventuellen Gewinnvortrags soweit angegriffen haben, dass nach Durchführung der Kapitalherabsetzung höchstens ein Betrag in Höhe des Stammkapitals zzgl. 10% verbleibt.[7]

16   Der Verlust muss weder im letzten Jahresabschluss ausgewiesen sein, noch
      besteht eine Pflicht zur Aufstellung einer Verlustbilanz.[8] Wird eine Zwi-
      schenbilanz erstellt, muss diese weder geprüft noch testiert sein.[9]

17   Sofern der Verlust nicht in einer Bilanz ausgewiesen ist, reicht als Nachweis
      ein Rechenwerk, das ausgehend von der letzten Jahresbilanz den Verlust
      plausibel darstellt.[10] Die bloße Schätzung oder Vermutung von Verlusten
      reicht allerdings für eine Begründung der Herabsetzung des Stammkapitals
      nicht aus.

18   Zulässig ist die vereinfachte Kapitalherabsetzung auch bei drohenden Ver-
      lusten. Voraussetzung ist, dass sich die Verluste so konkret abzeichnen, dass
      eine Bildung von Rückstellungen in der Bilanz erforderlich erscheint.[11] Die
      Gesellschafter müssen dann aber den Eintritt oder das Drohen der Verluste
      plausibel und nachvollziehbar darlegen.[12]

19   Andere Zwecke dürfen mit der vereinfachten Kapitalherabsetzung nicht
      verlangt werden. So ist z.B. ein Kapitalherabsetzungsbeschluss anfechtbar,
      wenn dieser mit dem Ziel gefasst wurde, die Minderheitsgesellschafter zu
      beseitigen.[13]

---

6   OLG Frankfurt a.M., 10.05.1988 – 5 U 285/86, WM 1989, 1690; Roth/Altmep-
      pen, GmbHG, § 58a Rn. 4; Zöllner in Baumbach/Hueck, GmbHG, § 58a
      Rn. 7.

7   Zöllner in Baumbach/Hueck, GmbHG, § 58a Rn. 7; Roth/Altmeppen, GmbHG,
      § 58a Rn. 6.

8   Lutter/Hommelhoff in Lutter/Hommelhoff, GmbHG, § 58a Rn. 9.

9   Schulze in HK-GmbHG, § 58a Rn. 24; Zöllner in Baumbach/Hueck, GmbHG,
      § 58a Rn. 19.

10   Zöllner in Baumbach/Hueck, GmbHG, § 58a Rn. 10.

11   BGH, 05.10.1992 – II ZR 172/91, WM 1992, 1907; Roth/Altmeppen, GmbHG,
      § 58a Rn. 4.

12   OLG Frankfurt a.M., 10.05.1988 – 5 U 285/86, WM 1989, 1690.

13   LG München, 19.01.1995 – HKO 12980/94, ZIP 1995, 1013, 1016 zur AG.

2. Vorherige Auflösung von Rücklagen

Die vereinfachte Kapitalherabsetzung ist unzulässig, wenn der Gesellschaft   20
ausreichende Mittel zur Verfügung stehen, die zur Verlustdeckung verwendet werden können.

Gem. Abs. 2 sind daher vor Durchführung der Kapitalherabsetzung beste-   21
hende Kapital- und Gewinnrücklagen bis zu einem Betrag aufzulösen, der
zusammen über 10 % des nach der Kapitalherabsetzung verbleibenden
Stammkapitals hinausgeht (Abs. 2 Satz 1).

Rücklagen für eigene Anteile und stille Reserven müssen nicht aufgelöst   22
werden.[14]

Daneben ist die vereinfachte Kapitalherabsetzung nicht zulässig, wenn ein   23
Gewinnvortrag vorhanden ist (Abs. 1 Satz 2). Hat die Gesellschaft einen
Gewinnvortrag, so ist dieser bei der Berechung des Verlustes zu berück-
sichtigen und ebenfalls vorweg zu beseitigen.[15]

IV. Kapitalherabsetzungsbeschluss (Abs. 3)

1. Zustandekommen und Form

Da sich die Stammkapitalziffer bei der Kapitalherabsetzung verändert, ist   24
der Gesellschafterbeschluss über die Herabsetzung des Stammkapitals ein
satzungsändernder Beschluss, der einer Mehrheit von 75 % der abgegebenen Gesellschafterstimmen sowie der notariellen Beurkundung bedarf. Die
§§ 53 und 54 finden entsprechende Anwendung. Der Kapitalherabsetzungsbeschluss enthält bereits die aus der Kapitalherabsetzung resultierende
Änderung des Gesellschaftsvertrags, sodass es keines gesonderten Satzungsänderungsbeschlusses mehr bedarf. Im Kapitalherabsetzungsbeschluss ist
aber die Änderung des Gesellschaftsvertrags aufzunehmen (siehe Rn 16).[16]

2. Inhalt

Der Gesellschafterbeschluss über die vereinfachte Herabsetzung des   25
Stammkapitals hat die folgenden Angaben zu enthalten:

- Feststellung, dass die Kapitalherabsetzung im Wege der vereinfachten
  Kapitalherabsetzung zum Zweck des Ausgleichs von Wertminderungen
  bzw. der Deckung sonstiger Verluste erfolgt,

---

14   Lutter/Hommelhoff in Lutter/Hommelhoff, GmbHG, § 58a Rn. 12; Zöllner in
     Baumbach/Hueck, GmbHG, § 58a Rn. 14.

15   Zöllner in Baumbach/Hueck, GmbHG, § 58a Rn. 15.

16   OLG Stuttgart, OLGZ 1973, 413; OLG Düsseldorf, GmbHR 1968, 223; OLG
     Frankfurt a.M., GmbHR 1964, 248.

- Angabe des Herabsetzungsbetrages sowie des neuen Gesamtkapitals, [17]
- Regelung zur Anpassung der Geschäftsanteile (Abs. 3) und
- Satzungsänderung zur Anpassung der Stammkapitalziffer.

26   Es ist umstritten, ob bei der vereinfachten Kapitalherabsetzung eine Angabe des Zweckes erforderlich ist. Um eine Abgrenzung zur ordentlichen Kapitalherabsetzung herzustellen, ist mit der h.M. eine Zweckangabe zu fordern und im Herabsetzungsbeschluss darauf hinzuweisen, dass es sich um einen Fall der vereinfachten Kapitalherabsetzung handelt, die zum Zweck des Ausgleichs von Wertminderungen bzw. zur Deckung von Verlusten erfolgt. Die schlichte Angabe, dass es sich um eine vereinfachte Kapitalherabsetzung handelt, reicht nach h.M. nicht aus.[18] Eine Konkretisierung der Wertminderungen bzw. Verluste ist nicht erforderlich.[19]

27   Neben der Feststellung eines genauen Herabsetzungsbetrages ist ferner zulässig, einen Maximalbetrag bzw. eine Niedrigstgrenze festzulegen und die Geschäftsführer zu ermächtigen, den endgültigen Betrag in den im Beschluss festgelegten Grenzen zu bestimmen. Voraussetzung ist aber wie bei § 58, dass die Geschäftsführer kein freies Ermessen haben und der Herabsetzungsbetrag nach der Formulierung des Kapitalherabsetzungsbeschlusses bestimmbar ist.[20]

> **Praxistipp:**
>
> Es ist zu empfehlen in der Präambel des Beschlusses kurz festzustellen, dass sämtliche Kapital- und Gewinnrücklagen aufgebraucht sind und ein Gewinnvortrag nicht besteht. Diese Angaben dienen den Gesellschaftern als Kontrolle und signalisieren gleichzeitig dem Registergericht, dass die Gesellschafter Abs. 2 bei der Kapitalherabsetzung beachtet haben.

---

17   Lutter/Hommelhoff in Lutter/Hommelhoff, GmbHG, § 58a Rn. 17; a.A. Zöllner in Baumbach/Hueck, GmbHG, § 58a Rn. 19: Angabe des Herabsetzungsbetrags ist ausreichend.

18   Lutter/Hommelhoff in Lutter/Hommelhoff, GmbHG, § 55a Rn. 18; krit. hierzu Zöllner in Baumbach/Hueck, GmbHG, § 58a Rn. 19.

19   Schulze in HK-GmbHG, § 58a Rn. 15.

20   Schulze in HK-GmbHG, § 58a Rn. 13; Zöllner in Baumbach/Hueck, GmbHG, § 58a Rn. 17; a.A. Lutter/Hommelhoff in Lutter/Hommelhoff, GmbHG, § 58a Rn. 9: grds. unzulässig.

3. Anpassung der Geschäftsanteile

Durch die Herabsetzung des Stammkapitals ist eine Anpassung der einzel- 28
nen Geschäftsanteile erforderlich, da der Gesamtnennbetrag aller Geschäftsanteile immer dem Betrag des Stammkapitals entsprechen muss (§ 5 Abs. 3
Satz 2).

Die Anpassung der Geschäftsanteile ist im Kapitalherabsetzungsbeschluss 29
aufzuführen (Abs. 3 Satz 1). Nach wohl h.M. sind die genauen Beträge der
Geschäftsanteile nach Kapitalherabsetzung nicht aufzuführen, ausreichend
ist die Festsetzung, wie die Anpassung der Geschäftsanteile erfolgt. [21]

Nach dem Gebot der Gleichbehandlung erfolgt die Kapitalherabsetzung 30
grds. proportional zur Beteiligung des einzelnen Gesellschafters am Stammkapital der Gesellschaft.

Die Gesellschafter können vom Gebot der Gleichbehandlung abweichen und 31
den Kapitalherabsetzungsbetrag ungleich auf die einzelnen Gesellschafter
verteilen, wenn die benachteiligten Gesellschafter zustimmen.[22]

Nach Abs. 3 Satz 2 müssen die Nennbeträge der angepassten Geschäft- 32
anteile nur noch auf volle Euro lauten. Dabei handelt es sich um eine
Folgeänderung zu der in § 5 durch das MoMiG eingeführten Liberalisierung
der Bildung von Geschäftsanteilen. Dadurch sind die Gesellschafter nun
auch bei der Anpassung der Geschäftsanteile i.R.d. vereinfachten Kapitalherabsetzung flexibler.

Mit der Neufassung des Abs. 3 Satz 2 hat sich gleichzeitig das Thema der 33
Behandlung von Spitzenbeträgen erledigt. Bislang sahen die Sätze 3 und 4
a.F. unter bestimmten Voraussetzungen eine Vereinigung von Spitzenbeträgen vor, die durch die Kapitalherabsetzung nach der alten Rechtslage
entstehen konnten. Diese Bestimmungen sind durch das MoMiG ersatzlos
gestrichen worden, da die angepassten Geschäftsanteile seit dem MoMiG
nur noch auf volle Euro lauten müssen. Zwar ist die Entstehung von Spitzenbeträgen theoretisch noch denkbar, es wird den Gesellschaftern seit der
Neuregelung des Abs. 3 Satz 2 aber stets möglich sein, den Herabsetzungsbetrag so zu errechnen, dass Spitzenbeträge nicht entstehen.

---

21   Zöllner in Baumbach/Hueck, GmbHG, § 58a Rn 18.
22   Zöllner in Baumbach/Hueck, GmbHG, § 58a Rn. 18; Waldner in Michalski,
     GmbHG, § 58a Rn. 15; ablehnend Lutter/Hommelhoff in Lutter/Hommelhoff,
     GmbHG, § 58a Rn. 20: erforderlich ist die Zustimmung aller Gesellschafter.

**V.   Kombination von vereinfachter Kapitalherabsetzung und
        Kapitalerhöhung (Abs. 4)**

34   Auch bei der vereinfachten Kapitalherabsetzung ist grds. der Mindestnenn-
      betrag des Stammkapitals i.H.v. 25.000 € zu beachten.

35   Nach Abs. 4 kann die vereinfachte Kapitalherabsetzung ausnahmsweise in
      einer Stammkapitalziffer resultieren, die unter dem Nennbetrag des Min-
      deststammkapitals liegt. Voraussetzung hierfür ist jedoch, dass zugleich mit
      dem Beschluss über die vereinfachte Kapitalherabsetzung eine Kapitalerhö-
      hung beschlossen wird, wodurch mindestens der gesetzliche Mindestnenn-
      betrag des Stammkapitals wieder erreicht wird.

36   Kapitalherabsetzung und Kapitalerhöhung müssen im Fall des Abs. 4
      zugleich, d.h. in einer Gesellschafterversammlung beschlossen werden. Die
      Beschlussfassung kann aber in getrennten Beschlüssen erfolgen.[23]

37   Die Kombination nach Abs. 4 ist ferner nur dann zulässig, wenn die Kapital-
      erhöhung gegen Bareinlage erfolgt. Möglich ist es aber, das Stammkapital
      auf den gesetzlichen Mindestbetrag durch die Leistung von Bareinlagen zu
      erhöhen und einen darüber hinaus gehenden Erhöhungsbetrag durch die
      Gewährung von Sacheinlagen zu erbringen.[24]

38   Bezugsrechte aus der Kapitalerhöhung bestimmen sich nach dem Anteil des
      Gesellschafters am Stammkapital vor der Kapitalherabsetzung.[25]

39   Zur bilanziellen Rückbeziehung der Kapitalerhöhung im Jahresabschluss
      des Vorjahres s. § 58f.

VI.   Anmeldung der Kapitalherabsetzung zum Handelsregister

40   Wie jede Satzungsänderung ist auch der Beschluss über die vereinfachte
      Kapitalherabsetzung zur Eintragung im Handelsregister anzumelden (vgl.
      § 54). Die Handelsregisteranmeldung hat regelmäßig folgenden Inhalt:

• Auflistung der Anlagen,

• Anmeldung der Herabsetzung des Stammkapitals im Wege der vereinfachten Kapitalherabsetzung unter Angabe des Herabsetzungsbetrags und
  des neuen Stammkapitals und

• Anmeldung, dass die Satzung entsprechend der Kapitalherabsetzung
  geändert wurde.

---

23   Zöllner in Baumbach/Hueck, GmbHG, § 58a Rn. 34.

24   Schulze in HK-GmbHG, § 58a Rn. 28; ebenso Zöllner in Baumbach/Hueck,
      GmbHG, § 58a Rn. 34, der aber aufgrund zusätzlicher Anfechtungs- und
      Eintragungsrisiken von einem solchen Vorgehen abrät.

25   Zöllner in Baumbach/Hueck, GmbHG, § 58a Rn. 35.

Seit dem Inkrafttreten des EHUG wird das Handelsregister in elektronischer 41
Form geführt (§ 8 Abs. 1 HGB). Anmeldungen zum Handelsregister werden
daher durch die Notare elektronisch in öffentlich beglaubigter Form eingereicht (§ 12 Abs. 1 HGB).

Die Handelsregisteranmeldung hat durch die Geschäftsführer in vertretungs- 42
berechtigter Anzahl in notariell beglaubigter Form zu erfolgen. Eine Anmeldung durch sämtliche Geschäftsführer ist anders als bei der ordentlichen
Kapitalherabsetzung (vgl. § 58 Abs. 1 Nr. 3) nicht erforderlich, da die
Geschäftsführer im Fall der vereinfachten Kapitalherabsetzung keine der in
§ 58 Abs. 1 Nr. 4 vergleichbaren Versicherung abgeben müssen (vgl.
§ 78).[26]

Die Geschäftsführer können sich bei Anmeldung vertreten lassen. Diese 43
Vollmacht bedarf der öffentlichen Beglaubigung.

Eine Anmeldung in unechter Gesamtvertretung ist zulässig. 44

Praxistipp:

Bei einer Kombination aus vereinfachter Kapitalherabsetzung und
anschließender Kapitalerhöhung werden die beiden Maßnahmen in der
Praxis gemeinsam zur Eintragung im Handelsregister angemeldet. Da
bei Kapitalerhöhung nach § 78 eine Anmeldung durch alle Geschäftsführer erforderlich ist, ist dieses Erfordernis dann auch für die Anmeldung der kombinierten Maßnahmen zu beachten.

Als Anlagen sind der Handelsregisteranmeldung eine Ausfertigung oder 45
eine beglaubigte Abschrift des Kapitalherabsetzungsbeschlusses sowie der
aktuelle Wortlaut des Gesellschaftsvertrages mit notarieller Bestätigung
nach § 54 Abs. 1 Satz 2[27] beizufügen. Ferner haben die Geschäftsführer
eine aktuelle Gesellschafterliste gem. § 40 Abs. 1 einzureichen, da sich der
Umfang der Beteiligung der Gesellschafter verändert hat. Diese sind seit
dem EHUG ebenfalls durch den Notar elektronisch einzureichen (vgl. § 12
Abs. 2 HGB).

---

26   Zustimmend: Schulze in HK-GmbHG, § 58a Rn. 21; Priester in Scholz,
     GmbHG, § 58a Rn. 32; ablehnend: Zöllner in Baumbach/Hueck, GmbHG,
     § 58a Rn. 30; Lutter/Hommelhoff in Lutter/Hommelhoff, GmbHG, § 58a
     Rn. 23.
27   Lutter/Hommelhoff in Lutter/Hommelhoff, GmbHG, § 58 Rn. 25; Zöllner in
     Baumbach/Hueck, GmbHG, § 58 Rn. 30.

VII.   Prüfungspflicht des Registergerichts

46   Das Registergericht prüft die Handelsregisteranmeldung und die beigefügten Anlagen von Amts wegen (§ 12 FGG). Prüfungsgegenstand ist daher, ob die Voraussetzungen der vereinfachten Kapitalherabsetzung vorliegen und die Geschäftsanteile ordnungsgemäß angepasst wurden. Liegt eine Kombination aus vereinfachter Kapitalherabsetzung und Kapitalerhöhung gem. Abs. 4 vor, prüft das Gericht zusätzlich die Zulässigkeit dieser Kombination sowie die Einhaltung der Vorschriften zur Kapitalerhöhung.

47   Sofern sich die Wertminderungen bzw. Verluste nicht schon aus der dem Gericht vorliegenden Jahresbilanz ergeben, kann das Gericht einen Nachweis über deren Vorliegen anfordern. Insofern ist das erwähnte Rechenwerk einzureichen, das bereits der Entscheidung der Gesellschafter zur Vornahme der vereinfachten Kapitalherabsetzung zugrunde lag (s. oben Rn. 16).

VIII.   Eintragung der Kapitalherabsetzung im Handelsregister

48   Als Satzungsänderung wird die vereinfachte Kapitalherabsetzung erst mit ihrer Eintragung im Handelsregister der Gesellschaft wirksam.

49   Die Beschlüsse einer Kombination aus vereinfachter Kapitalherabsetzung und Kapitalerhöhung sind nach Abs. 4 Satz 2 innerhalb von drei Monaten nach dem Tag der Beschlussfassung im Handelsregister der Gesellschaft einzutragen. Eine rechtshängige Anfechtungs- oder Nichtigkeitsklage hemmt die 3-Monats-Frist, ebenso eine beantragte, aber noch nicht erteilte staatliche Genehmigung (Abs. 4 Satz 3). Fristbeginn ist das Datum der Gesellschafterversammlung, die beide Beschlüsse enthalten muss.

50   Bei einer Kombination aus vereinfachter Kapitalherabsetzung und anschließender Kapitalerhöhung nach Abs. 4 sind beide Beschlüsse gemeinsam im Handelsregister einzutragen (Abs. 4 Satz 4).

51   Die Eintragung der vereinfachten Kapitalherabsetzung und der Kapitalerhöhung ist durch das Gericht gem. § 10 HGB bekannt zu machen.

IX.   Rechtsfolgen

52   Fehlt im Kapitalherabsetzungsbeschluss der Betrag der Herabsetzung oder ist er im Fall der Festlegung eines Maximalbetrages nicht ausreichend bestimmbar formuliert, ist der Beschluss nichtig.[28] Im Übrigen ist der Kapitalherabsetzungsbeschluss anfechtbar, wenn die Voraussetzungen der

---

28   Zöllner in Baumbach/Hueck, GmbHG, § 58a Rn. 22; Lutter/Hommelhoff in Lutter/Hommelhoff, GmbHG, § 58b Rn. 27.

Abs. 1 bis 3 nicht erfüllt sind (fehlender Sanierungszweck, anderweitige Deckung der Verluste möglich, oder fehlender Anpassung der Geschäftsanteile).[29]

Stellt sich im Nachhinein heraus, dass ein Verlust zu hoch angenommen   53
wurde, führt dies nicht zur Anfechtungsmöglichkeit. In diesem Fall gelten
die §§ 58b Abs. 3 und 58c.

Wird die Kombination von Kapitalherabsetzung unter den Mindestbetrag   54
bei gleichzeitiger Kapitalerhöhung nicht innerhalb von drei Monaten nach
der Beschlussfassung im Handelsregister der Gesellschafter eingetragen,
sind sowohl der Kapitalherabsetzungs- als auch der Kapitalerhöhungsbeschluss nichtig (Abs. 4 Satz 2).

Ein Verstoß gegen die Pflicht zur gemeinsamen Eintragung der beiden   55
Beschlüsse nach Abs. 4 Satz 4 bleibt ohne Folgen, wenn die Eintragung
beider Beschlüsse innerhalb der 3-Monats-Frist erfolgt.[30]

X.   Muster

**Muster 1: Vorlage Kapitalherabsetzungsbeschluss (vereinfachte Kapi-   56
talherabsetzung)**

(notarieller Vorspann)

Die Erschienenen baten um Beurkundung der folgenden

Gesellschafterversammlung der

..... **GmbH**.

I.   Vorbemerkung

Die Erschienenen sind sämtliche Gesellschafter der ..... GmbH mit dem
Sitz in ....., eingetragen im Handelsregister des ..... unter HRB .....
(nachstehend die „**Gesellschaft**").

Das Stammkapital der Gesellschaft beträgt .....€. Hieran sind die
Erschienenen wie folgt beteiligt: ..... .

---

29   Zöllner in Baumbach/Hueck, GmbHG, § 58a Rn. 22; Lutter/Hommelhoff in
       Lutter/Hommelhoff, GmbHG, § 58a Rn. 27.

30   Zöllner in Baumbach/Hueck, GmbHG, § 58a Rn. 37; Schulze in HK-GmbHG,
       § 58b Rn. 33.

Zum ...... ergibt sich für das laufende Geschäftsjahr ein Verlust in Höhe von .....€. Damit hat sich das Eigenkapital seit der Jahresbilanz zum 31.12. ..... um .....€ auf .....€ verringert. Sämtliche Kapital- und Gewinnrücklagen sind aufgebraucht. Ein Gewinnvortrag ist nicht vorhanden.

II.   Gesellschafterversammlung

Unter Verzicht auf alle nicht zwingenden gesetzlichen und satzungsmäßigen Frist- und Formvorschriften für die Einberufung und Durchführung einer Gesellschafterversammlung halten wir hiermit eine Gesellschafterversammlung der Gesellschaft ab und beschließen was folgt:

1. Das Stammkapital der Gesellschaft wird von .....€ um .....€ auf .....€ herabgesetzt

2. Die Kapitalherabsetzung erfolgt im Wege der vereinfachten Kapitalherabsetzung zum Zweck der Deckung der Verluste der Gesellschaft.

3. Die Kapitalherabsetzung wird durchgeführt, indem die Nennbeträge der Geschäftsanteile der Gesellschafter wie folgt herabgesetzt werden:

   • der Geschäftsanteil des Herrn (A) im Nennbetrag von .....€ wird um .....€ auf .....€ herabgesetzt, und

   • der Geschäftsanteil der (C) GmbH im Nennbetrag von .....€ wird um .....€ auf .....€ herabgesetzt.

4. § ..... des Gesellschaftsvertrages wird wie folgt neu gefasst:

   „§.....

   Stammkapital

   Das Stammkapital der Gesellschaft beträgt .....€."

Weitere Beschlüsse wurden nicht gefasst. Die Gesellschafterversammlung ist damit beendet.

Der Notar wies die Erschienenen darauf hin ..... .

(ggf. Vollmacht an die Mitarbeiter des Notars zur Änderung der Urkunde bei Beanstandungen des Registergerichts)

(Notarielle Schlussformel)

(Unterschriften)

Muster 2: Vorlage Handelsregisteranmeldung (vereinfachte Kapital- 57
herabsetzung)

An das Amtsgericht

– Registergericht –

..... **GmbH, HRB** .....

Es werden vorgelegt:

1. Niederschrift über die Gesellschafterversammlung vom ..... (UR-Nr. ..... des Notars ..... in .....),

2. vollständiger Wortlaut des Gesellschaftsvertrages mit der Bescheinigung des Notars nach § 54 Abs. 1 Satz 2 GmbHG,

3. aktuelle Gesellschafterliste.

Zur Eintragung im Handelsregister wird angemeldet:

Das Stammkapital der Gesellschaft wurde von .....€ um .....€ auf .....€ herabgesetzt. § ..... des Gesellschaftsvertrages wurde entsprechend geändert.

(ggf. Vollmacht an die Mitarbeiter des Notars, die Handelsregisteranmeldung bei formellen Beanstandungen zu ändern)

....., den

(Unterschriften sämtlicher Geschäftsführer)

(Beglaubigungsvermerk)

---

§ 58b GmbHG   Beträge aus Rücklagenauflösung und
Kapitalherabsetzung

(1) Die Beträge, die aus der Auflösung der Kapital- oder Gewinnrücklagen und aus der Kapitalherabsetzung gewonnen werden, dürfen nur verwandt werden, um Wertminderungen auszugleichen und sonstige Verluste zu decken.

(2) ¹Daneben dürfen die gewonnenen Beträge in die Kapitalrücklage eingestellt werden, soweit diese zehn vom Hundert des Stammkapitals nicht übersteigt. ²Als Stammkapital gilt dabei der Nennbetrag, der sich durch die Herabsetzung ergibt, Mindestens aber der nach § 5 Abs. 1 zulässige Mindestnennbetrag.

(3) Ein Betrag, der auf Grund des Absatzes 2 in die Kapitalrücklage eingestellt worden ist, darf vor Ablauf des fünften nach der Beschluss-

fassung über die Kapitalherabsetzung beginnenden Geschäftsjahrs nur verwandt werden

1. **zum Ausgleich eines Jahresfehlbetrags, soweit er nicht durch einen Gewinnvortrag aus dem Vorjahr gedeckt ist und nicht durch Auflösung von Gewinnrücklagen ausgeglichen werden kann;**

2. **zum Ausgleich eines Verlustvortrags aus dem Vorjahr, soweit er nicht durch einen Jahresüberschuß gedeckt ist und nicht durch Auflösung von Gewinnrücklagen ausgeglichen werden kann;**

3. **zur Kapitalerhöhung aus Gesellschaftsmitteln.**

I.   Einführung

1   Zum Schutz der Gläubiger beschränkt die Norm die Verwendung der i.R.d. vereinfachten Kapitalherabsetzung gewonnenen Mittel, um eine Ausschüttung dieser Mittel an die Gesellschafter ohne entsprechende Gegenleistung zu verhindern.

2   Nach Abs. 1 dürfen die aus der vereinfachten Kapitalherabsetzung, insbes. die gem. § 58a Abs. 2 GmbHG durch Auflösung von Kapital- oder Gewinnrücklagen gewonnenen Beträge, grds. nur verwendet werden, um Wertminderungen auszugleichen und sonstige Verluste zu decken.

3   Eine Einstellung in die Kapitalrücklage der Gesellschaft ist darüber hinaus nur insoweit zulässig, als die Höhe der Kapitalrücklage 10 % des Stammkapitals der Gesellschaft nicht übersteigt (Abs. 2).

4   Ist die Einstellung in die Kapitalrücklage nach Abs. 2 zulässig, dürfen die so oder gem. § 58c GmbHG eingestellten Beträge nur unter den Voraussetzungen des Abs. 3 verwendet werden.

II.   Verlustdeckung (Abs. 1)

5   Abs. 1 wiederholt noch einmal den Zweck der vereinfachten Kapitalherabsetzung. Beträge, die somit aus der Kapitalherabsetzung und einer etwaig damit verbundenen Auflösung von Kapital- und Gewinnrücklagen (vgl. § 58a Abs. 2) gewonnen werden und damit buchungstechnisch einen Gewinn der Gesellschaft darstellen, dürfen vorbehaltlich Abs. 2 nur zum

Ausgleich von Wertminderungen sowie zur Deckung sonstiger Verluste verwendet werden. Damit sollen die aus der vereinfachten Kapitalherabsetzung gewonnen Mittel der **Gesundung der Gesellschaft** dienen und somit mittelbar den gefährdeten Gläubigern der Gesellschaft zugutekommen.

Abs. 1 enthält damit ein absolutes Ausschüttungsverbot für aus der Kapital-   6
erhöhung gewonnene Beträge.[1] Verboten ist allerdings nur eine Ausschüttung der gewonnenen Beträge an die Gesellschafter ohne eine entsprechende Gegenleistung. Zulässig ist dagegen die Befriedigung von Ansprüchen der Gesellschafter aufgrund von schuldrechtlichen Verträgen.[2]

III.   Einstellung in die Kapitalrücklage (Abs. 2)

Die aus der Kapitalherabsetzung gewonnenen Beträge dürfen nach Abs. 2   7
auch zur Auffüllung der Kapitalrücklage verwendet werden, allerdings nur insoweit als die Höhe der Kapitalrücklage 10 % des Stammkapitals nicht übersteigt. Voraussetzung hierfür ist, dass die Zuführung der gewonnenen Beträge zur Kapitalrücklage bereits im Kapitalherabsetzungsbeschluss vorgesehen ist und die Kapitalrücklage nicht schon 10 % des Stammkapitals beträgt.[3]

Maßgeblich für die Berechnung der Kapitalrücklage ist die Höhe des   8
Stammkapitals, die sich durch die Kapitalherabsetzung ergibt, mindestens jedoch der nach § 5 Abs. 1 zulässige Mindestnennbetrag i.H.v. 25.000 €. Eine mit der Kapitalherabsetzung verbundene Kapitalerhöhung bleibt bei der Berechnung der Kapitalrücklage unberücksichtigt.[4]

Beispiel:

Die Gesellschafter der G-GmbH beschließen eine vereinfachte Kapitalherabsetzung von 1.000.000 € auf 50.000 €. Es können daher max. 5.000 € der aus der Kapitalherabsetzung gewonnenen Beträge in die Kapitalrücklage eingestellt werden, da die Kapitalrücklage 10 % des Stammkapitals nicht übersteigen darf.

---

1   Zöllner in Baumbach/Hueck, GmbHG, § 58b Rn. 3.
2   Schulze in HK-GmbHG, § 58b Rn. 2.
3   Schulze in HK-GmbHG, § 58b Rn. 3.
4   Zöllner in Baumbach/Hueck, GmbHG, § 58b Rn. 5; Schulze in HK-GmbHG, § 58b Rn. 4; Priester in Scholz, GmbHG, § 58 Rn. 6.

IV.   Verwendung in die Kapitalrücklage eingestellter Beträge (Abs. 3)

9   Sofern die Gesellschaft nach Abs. 2 dieser Vorschrift Beträge in die Kapitalrücklage eingestellt hat, sind diese für einen Zeitraum von fünf Jahren gebunden und können innerhalb dieses Zeitraumes nur zu den folgenden Zwecken verwendet werden:

- zum Ausgleich eines Jahresfehlbetrages (vgl. § 266 Abs. 3 A. V. HGB), soweit dieser nicht durch einen Gewinnvortrag aus dem Vorjahr gedeckt ist und nicht durch Auflösung von Gewinnrücklagen ausgeglichen werden kann (Abs. 3 Nr. 1),

- zum Ausgleich eines Verlustvortrages (vgl. § 266 Abs. 3 A. IV. HGB), soweit dieser nicht durch einen Jahresüberschuss gedeckt ist und nicht durch Auflösung von Gewinnrücklagen ausgeglichen werden kann (Abs. 3 Nr. 2) und

- zu einer Kapitalerhöhung aus Gesellschaftsmitteln (Abs. 3 Nr. 3, §§ 57c ff.).

10   Die 5-Jahres-Frist beginnt mit dem Datum des Kapitalherabsetzungsbeschlusses und endet mit Ablauf des 5. nach dem Tag der Beschlussfassung beginnenden Geschäftsjahres.

11   Die Verwendung gem. Abs. 3 gebundener Beträge im Rahmen einer Kapitalerhöhung aus Gesellschaftsmitteln und anschließender Auszahlung durch reguläre Kapitalherabsetzung stellt keinen Umgehungstatbestand dar und ist zulässig, da die Gläubiger der Gesellschaft über die Regelungen des § 58 zum Schutz der Gläubiger geschützt sind.[5] Zu den gläubigerschützenden Vorschriften des § 58 s. ausführlich § 58 Rn. 6 ff.

12   Die Verwendungsbeschränkung des Abs. 3 findet auch auf die nach § 58c in die Kapitalrücklage eingestellten Beträge Anwendung (§ 58c Satz 2).

V.   Ausnahmen von den Verwendungsbeschränkungen

13   Die in den Abs. 1 bis 3 geregelten Verwendungsbeschränkungen gelten nach dem Wortlaut der Norm nur für Beträge, die aus der vereinfachten Kapitalherabsetzung gewonnen wurden. Sofern diese gem. Abs. 2 in die Kapitalrücklage eingestellt wurden, werden sie in der Bilanz der Gesellschaft als gebundene Beträge ausgewiesen.[6]

---

5   Lutter/Hommelhoff in Lutter/Hommelhoff, GmbHG, § 58b Rn. 7; Zöllner in Baumbach/Hueck, GmbHG, § 58b Rn. 10.

6   Lutter/Hommelhoff in Lutter/Hommelhoff, GmbHG, § 58b Rn. 4; Zöllner in Baumbach/Hueck, GmbHG, § 58b Rn. 3, Priester in Scholz, § 58b Rn. 16.

Alle übrigen in die Kapitalrücklage aus anderem Grund eingestellten   14
Beträge oder zukünftige Gewinne der Gesellschaft unterliegen nicht den
Verwendungsbeschränkungen der Abs. 1 bis 3. Sollte die Gesellschaft
jedoch nach der Beschlussfassung über die vereinfachte Kapitalherabsetzung Gewinne erwirtschaften, haben die Gesellschafter die Beschränkungen
des § 58d zu beachten.[7]

VI.   Folge bei Verstößen

Verstoßen die Gesellschafter gegen die Beschränkungen der Abs. 1 bis 3,   15
führt dies zur Nichtigkeit des betroffenen Jahresabschlusses[8] sowie etwaig
gefasster Beschlüsse über die Gewinnausschüttung (§§ 256 Abs. 1
Nr. 1, 241 Nr. 3 AktG).[9]

Ein Verstoß gegen Abs. 2 durch die höhere Bildung einer Kapitalrücklage   16
begründet dagegen lediglich die Anfechtbarkeit des Kapitalherabsetzungsbeschlusses, der die entsprechende Zuweisung an die Kapitalrücklage enthält.[10]

Etwaige an die Gesellschafter unter Verstoß gegen die Abs. 1 bis 3 aus-   17
gezahlten Beträge sind durch die Gesellschafter gem. §§ 812 ff. BGB an die
Gesellschaft zurückzuzahlen.[11]

Daneben haften die Geschäftsführer (§ 43) und der Aufsichtsrat/Beirat   18
(§§ 93, 116 AktG analog) gegenüber der Gesellschaft auf Schadensersatz.[12]

Umstritten ist die Frage, ob eine Auszahlung von Beträgen an die Gesell-   19
schafter unter Verstoß gegen die Verwendungsbeschränkungen der
Abs. 1 bis 3 die vereinfachte Kapitalherabsetzung in eine ordentliche Kapitalherabsetzung umfunktioniert und so zu einer Anwendung der Regelungen
des § 58 führt. Dies ist zu verneinen, da eine Behandlung der vereinfachten
Kapitalherabsetzung als ordentliche Kapitalherabsetzung im Widerspruch zu
dem im Kapitalherabsetzungsbeschluss genannten Zweck der Sanierung
sowie zu der im Handelsregister eingetragenen Rechtslage stehen würde.[13]

---

7   Zöllner in Baumbach/Hueck, GmbHG, § 58b Rn. 7.

8   Zöllner in Baumbach/Hueck, GmbHG, § 58b Rn. 11.

9   Zöllner in Baumbach/Hueck, GmbHG, § 58b Rn. 13; Schulze in HK-GmbHG,
     § 58b Rn. 11; Priester in Scholz, GmbHG, § 58b Rn. 11.

10   Zöllner in Baumbach/Hueck, GmbHG, § 58b Rn. 12.

11   Lutter/Hommelhoff in Lutter/Hommelhoff, GmbHG, § 58b Rn. 5; a.A. Zöllner
     in Baumbach/Hueck, GmbHG, § 58b Rn. 11: Rückzahlungsanspruch gem.
     § 31.

12   Lutter/Hommelhoff in Lutter/Hommelhoff, GmbHG, § 58b Rn. 5; Schulze in
     HK-GmbHG, § 58b Rn. 13.

13   Zöllner in Baumbach/Hueck, GmbHG, § 58b Rn. 15.

Die Gläubiger sind gegenüber der Gesellschaft allerdings zum Schadensersatz berechtigt und können im diesem Rahmen Sicherstellung gem. § 58 Abs. 1 Nr. 2 verlangen, wenn die Gesellschaft den nach den Verwendungsbeschränkungen der Abs. 1 bis 3 erforderlichen Zustand nicht wiederherstellt.[14]

§ 58c GmbHG   Nichteintritt angenommener Verluste

[1]Ergibt sich bei Aufstellung der Jahresbilanz für das Geschäftsjahr, in dem der Beschluss über die Kapitalherabsetzung gefasst wurde, oder für eines der beiden folgenden Geschäftsjahre, dass Wertminderungen und sonstige Verluste in der bei der Beschlussfassung angenommenen Höhe tatsächlich nicht eingetreten oder ausgeglichen waren, so ist der Unterschiedsbetrag in die Kapitalrücklage einzustellen. [2]Für einen nach Satz 1 in die Kapitalrücklage eingestellten Betrag gilt § 58b Abs. 3 sinngemäß.

I.   Einführung

1   Die Norm behandelt den Fall einer vereinfachten Kapitalherabsetzung, die zu umfangreich ausgeführt wurde, da die zum Zeitpunkt des Kapitalherabsetzungsbeschlusses angenommen Verluste ausweislich einer späteren Bilanz tatsächlich nicht eingetreten oder ausgeglichen waren.

2   In einem solchen Fall sind etwaige Unterschiedsbeträge betreffend das Geschäftsjahr, in dem die Kapitalherabsetzung beschlossen wurde, sowie die beiden folgenden Geschäftsjahre in die Kapitalrücklage einzustellen (Satz 1).

3   Für den nach Satz 1 in die Kapitalrücklage eingestellten Unterschiedsbetrag gilt die Beschränkung des § 58b Abs. 3 entsprechend (Satz 2).

---

14   Zöllner in Baumbach/Hueck, GmbHG, § 58b Rn. 15.

Wie § 58b dient auch diese Vorschrift dem Gläubigerschutz.[1] Zweck der 4
vereinfachten Kapitalherabsetzung ist die Sanierung der Gesellschaft und
gerade nicht die Auszahlung von Stammkapital an die Gesellschafter.
Sämtliche aus einer vereinfachten Kapitalherabsetzung gewonnenen
Beträge sollen daher den Verwendungsbeschränkungen des § 58b unterliegen, selbst wenn diese für die Sanierung der Gesellschaft eigentlich nicht
benötigt werden.

II. Behandlung von nichteingetretenen oder ausgeglichenen Verlusten (Satz 1)

Stellt sich nach der Beschlussfassung über die vereinfachte Kapitalherabsetzung 5
heraus, dass die Wertminderungen und sonstigen Verluste in der angenommenen Höhe entweder erst gar nicht eingetreten sind oder durch einen unvor-
hergesehenen Umstand ausgeglichen wurden, ist der Unterschiedsbetrag zwischen den angenommenen und tatsächlich eingetretenen Wertminderungen
bzw. Verlusten nach Satz 1 in die Kapitalrücklage einzustellen.

Mangelnde Wertminderungen oder Verluste werden von Satz 1 nur dann 6
erfasst, wenn diese in der **Jahresbilanz des Geschäftsjahres, in dem der
Kapitalherabsetzungsbeschluss gefasst wurde oder in den Jahresbilan-
zen der beiden folgenden Geschäftsjahre** berücksichtigt werden. Der
Unterschiedsbetrag ist jedoch immer nur der Bilanz für das Jahr zuzuordnen,
in dem sich der Unterschiedsbetrag ergeben hat.[2]

Ein etwaiger Unterschiedsbetrag ist in voller Höhe in die Kapitalrücklage 7
einzustellen. Insbesondere findet die Höchstgrenze des § 58b Abs. 2 auf
einen nach dieser Vorschrift einzustellenden Unterschiedsbetrag keine
Anwendung.[3]

Maßgeblicher Zeitpunkt für die Bestimmung eines Unterschiedsbetrages ist 8
der Tag des Kapitalherabsetzungsbeschlusses.[4]

III. Zweckbindung der eingestellten Unterschiedsbeträge (Satz 2)

Ein nach Abs. 1 in die Kapitalrücklage eingestellter Unterschiedsbetrag 9
unterliegt den Verwendungsbeschränkungen des § 58b Abs. 3 (s. dort
Rn. 9 ff.).

---

1 Zöllner in Baumbach/Hueck, GmbHG, § 58c Rn. 1; Schulze in HK-GmbHG, § 58c Rn. 2.

2 Schulze in HK-GmbHG, § 58c Rn. 6.

3 Schulze in HK-GmbHG, § 58c Rn. 8.

4 Schulze in HK-GmbHG, § 58c Rn. 4.

IV.   Zuständigkeit für die Einstellung in die Kapitalrücklage

10   Zuständig für die Einstellung des Unterschiedsbetrages in die Kapitalrücklage ist die Gesellschafterversammlung. Dies entspricht der Kompetenz über die Feststellung des Jahresabschlusses (§ 46 Nr. 1). Ist die Kompetenz zur Feststellung des Jahresabschlusses einem anderen Organ zugewiesen, ist dieses zur Einstellung verpflichtet. Der Abschlussprüfer hat die Pflicht zu prüfen, ob § 58c bei der Erstellung der Bilanz beachtet wurde.[5]

V.   Rechtsfolgen

11   Werden Unterschiedsbeträge nicht gemäß dieser Norm in die Kapitalrücklage eingestellt, so führt dies zur Nichtigkeit des betroffenen Jahresabschlusses sowie etwaig gefasster Beschlüsse über die Gewinnausschüttung (§§ 256 Abs. 1 Nr. 1, 241 Nr. 3 AktG analog).[6]

12   Eine Gewinnausschüttung aufgrund nichtigen Jahresabschlusses und nichtigen Beschlusses über die Gewinnausschüttung führt zur Erstattungspflicht der Gesellschafter gem. §§ 812 ff. BGB.

13   Danben haften die Geschäftsführer (§ 43) und der Aufsichtsrat/Beirat (§§ 93, 116 AktG analog) der Gesellschaft gegenüber auf Schadensersatz.[7]

§ 58d GmbHG   Gewinnausschüttung

(1) [1]Gewinn darf vor Ablauf des fünften nach der Beschlussfassung über die Kapitalherabsetzung beginnenden Geschäftsjahrs nur ausgeschüttet werden, wenn die Kapital- und Gewinnrücklagen zusammen zehn vom Hundert des Stammkapitals erreichen. [2]Als Stammkapital gilt dabei der Nennbetrag, der sich durch die Herabsetzung ergibt, mindestens aber der nach § 5 Abs. 1 zulässige Mindestnennbetrag.

(2) [1]Die Zahlung eines Gewinnanteils von mehr als vier vom Hundert ist erst für ein Geschäftsjahr zulässig, das später als zwei Jahre nach der Beschlussfassung über die Kapitalherabsetzung beginnt. [2]Dies gilt nicht, wenn die Gläubiger, deren Forderungen vor der Bekanntmachung der Eintragung des Beschlusses begründet worden waren, befriedigt oder sichergestellt sind, soweit sie sich binnen sechs Monaten nach der

---

5   Lutter/Hommelhoff in Lutter/Hommelhoff, GmbHG, § 58c Rn. 7; Zöllner in Baumbach/Hueck, GmbHG, § 58c Rn. 7; Priester in Scholz, GmbHG, § 58c Rn. 10.

6   Schulze in HK-GmbHG, § 58c Rn. 9.

7   Lutter/Hommelhoff in Lutter/Hommelhoff, GmbHG, § 58c Rn. 8; Schulze in HK-GmbHG, § 58c Rn. 10 i.V.m. § 58b Rn. 13.

Bekanntmachung des Jahresabschlusses, auf Grund dessen die Gewinnverteilung beschlossen ist, zu diesem Zweck gemeldet haben. ³Einer
Sicherstellung der Gläubiger bedarf es nicht, die im Fall des Insolvenzverfahrens ein Recht auf vorzugsweise Befriedigung aus einer
Deckungsmasse haben, die nach gesetzlicher Vorschrift zu ihrem Schutz
errichtet und staatlich überwacht ist. ⁴Die Gläubiger sind in der
Bekanntmachung nach § 325 Abs. 2 auf die Befriedigung oder Sicherstellung hinzuweisen.

I.   Einführung

Die Norm befasst sich mit der Frage, ob, wann und in welcher Höhe ein   1
etwaiger Gewinn der Gesellschaft nach der Durchführung einer vereinfachten Kapitalherabsetzung an die Gesellschafter ausgeschüttet werden darf.

Vor Ablauf des 5. Jahres nach der Beschlussfassung über die Kapitalherab-   2
setzung können die Gesellschafter einen Gewinn nur dann auskehren, wenn
die Gesellschaft Kapital- und Gewinnrücklagen i.H.v. 10 % des Stammkapitals aufweist (Abs. 1).

Daneben sind die Gesellschafter aber noch für die ersten zwei Jahre nach der   3
Beschlussfassung über die vereinfachte Kapitalherabsetzung betragsmäßig
beschränkt. Selbst wenn die Rücklagen daher die nach Abs. 1 geforderte
Höhe erreicht haben, dürfen die Gesellschafter in dem vorgenannten Zeit-
raum nur einen Betrag i.H.v. bis zu 4 % des Stammkapitals ausschütten
(Abs. 2 Satz 1). Dies gilt nicht, wenn die Gesellschaft die Forderungen von
Gläubigern vorab befriedigt oder sichergestellt hat (Abs. 2 Satz 2).

Zweck dieser Vorschrift ist es, die Gläubiger der Gesellschaft zu schützen,[1]   4
indem Gewinne, die nach der Beschlussfassung über die vereinfachte Kapi-

---

[1]   Schulze in HK-GmbHG, § 58d Rn. 1.

talherabsetzung erwirtschaftet werden, für einen bestimmten Zeitraum und in bestimmter Höhe zunächst für den Vermögensaufbau der Gesellschaft verwendet werden sollen.

II.   Verbot der Gewinnausschüttung (Abs. 1)

5   Bis zum Ablauf des 5. Jahres nach der Beschlussfassung über die verein-fachte Kapitalherabsetzung dürfen Gewinne vorbehaltlich Abs. 2 nur dann an die Gesellschafter ausgeschüttet werden, wenn die Kapital- und Gewinn-rücklagen zusammen 10 % des Stammkapitals erreichen (Abs. 1 Satz 1).

6   Maßgeblich ist der sich nach der Kapitalherabsetzung ergebende Nenn-betrag des Stammkapitals, mindestens jedoch der Mindestnennbetrag gem. § 5 Abs. 1 i.H.v. 25.000 €.

7   Etwaige Kapitalerhöhungen im 5-Jahres-Zeitraum werden nicht berücksich-tigt.[2]

8   Innerhalb des 5-Jahres-Zeitraums ist die Prüfung der 10 %-Grenze nach Abs. 1 für jedes Geschäftsjahr gesondert durchzuführen. Es ist daher erforderlich, dass sich die Rücklagen in jedem Geschäftsjahr, in dem ein Gewinn an die Gesellschafter ausgeschüttet werden soll, auf 10 % des sich durch die Kapital-herabsetzung ergebenden Stammkapitals bzw. des Mindestkapitals bemessen. Reduzieren sich die Rücklagen auf einen Betrag unter die 10 %-Grenze, ist in dem betreffenden Geschäftsjahr eine Gewinnausschüttung nicht möglich, es sei denn die Rücklagen werden anderweitig aufgefüllt.[3]

9   Das Verbot erfasst sowohl echte Gewinnausschüttungen einschließlich Gewinnabführungen aufgrund eines Gewinnabführungsvertrages sowie ver-deckte Gewinnausschüttungen.[4] Zahlungen an die Gesellschafter zur Erfül-lung schuldrechtlicher Verträge,[5] gewinnabhängige Zahlungen an Dritte oder Dividendengarantien Dritter gegenüber den Gesellschaftern[6] werden dagegen von dem Verbot des Abs. 1 nicht erfasst.

---

2   Lutter/Hommelhoff in Lutter/Hommelhoff, GmbHG, § 58d Rn. 2.

3   Zöllner in Baumbach/Hueck, GmbHG, § 58d Rn. 3.

4   Zöllner in Baumbach/Hueck, GmbHG, § 58d Rn. 4; Lutter/Hommelhoff in Lutter/Hommelhoff, GmbHG, § 58d Rn. 3; Priester in Scholz, GmbHG, § 58d Rn. 3; Schulze in HK-GmbHG, § 58d Rn. 4.

5   Schulze in HK-GmbHG, § 58d Rn. 3; Zöllner in Baumbach/Hueck, GmbHG, § 58d Rn. 4.

6   Lutter/Hommelhoff in Lutter/Hommelhoff, GmbHG, § 58d Rn. 2, 10; Zöllner in Baumbach/Hueck, GmbHG, § 58d Rn. 4.

Das Verbot des Abs. 1 enthält umgekehrt keine gesetzliche Pflicht, die 10
Kapital- bzw. Gewinnrücklage aufzufüllen. Innerhalb der 5-Jahres-Frist
können Gewinne daher für andere Zwecke verwendet werden, solange keine
Ausschüttung an die Gesellschafter erfolgt.[7]

Umstritten ist, ob die 5-Jahres-Frist mit dem Tag der Beschlussfassung über 11
die Kapitalherabsetzung[8] oder mit der Eintragung der Kapitalherabsetzung
im Handelsregister beginnt.[9] Die letztere Ansicht ist abzulehnen. Eine
Anknüpfung der 5-Jahres-Frist auf den Zeitpunkt der Eintragung der Kapitalherabsetzung ist vom Wortlaut des Abs. 1 Satz 1 nicht gedeckt und geht
daher zu weit.[10]

**III. Betragsmäßige Beschränkung der Gewinnausschüttung und
Ausnahme durch Befriedigung der Gläubiger (Abs. 2)**

**1. Betragsmäßige Beschränkung der Gewinnausschüttung
(Abs. 2 Satz 1)**

Für den Fall, dass eine Gewinnausschüttung nach Abs. 1 grds. zulässig ist, 12
haben die Gesellschafter nach Abs. 2 Satz 1 eine weitere Beschränkung zu
beachten, die sich auf die Höhe des Ausschüttungsbetrages bezieht. Bis zum
Ablauf des zweiten Geschäftsjahres nach der Beschlussfassung über die
vereinfachte Kapitalherabsetzung darf die Zahlung eines Gewinnanteils
nicht mehr als **4 % des Stammkapitals** betragen.

Die Beschränkung bezieht sich damit auf höchstens drei Jahre, nämlich das 13
Geschäftsjahr der Beschlussfassung plus die beiden folgenden Geschäftsjahre.
Der Beginn der Beschränkung ist wiederum der Tag der Beschlussfassung der
Kapitalherabsetzung und nicht deren Eintragung im Handelsregister.[11]

Maßgeblich für Abs. 2 Satz 1 ist nicht der Nennbetrag des Stammkapitals, der 14
sich durch die vereinfachte Kapitalherabsetzung ergibt, sondern der **Nennbetrag des Stammkapitals zum Stichtag des betreffenden Geschäftsjahres**,

---

7 Schulze in HK-GmbHG, § 58d Rn. 7; Lutter/Hommelhoff in Lutter/Hommel-
   hoff, GmbHG, § 58d Rn. 2; Zöllner in Baumbach/Hueck, GmbHG, § 58d
   Rn. 2.

8 Zöllner in Baumbach/Hueck, GmbHG, § 58d Rn. 5; Lutter/Hommelhoff in
   Lutter/Hommelhoff, GmbHG, § 58d Rn. 3.

9 Priester in Scholz, GmbHG, § 58d Rn. 4; Schulze in HK-GmbHG, § 58d
   Rn. 5.

10 Zöllner in Baumbach/Hueck, GmbHG, § 58d Rn. 5.

11 Zöllner in Baumbach/Hueck, GmbHG, § 58d Rn. 8.

für das der Gewinn ausgeschüttet werden soll.[12] Anders als bei Abs. 1 der Vorschrift werden zwischenzeitlich stattgefundene Kapitalerhöhungen oder weitere Herabsetzungen des Stammkapitals daher berücksichtigt.[13]

> *Beispiel:*
>
> *Erfolgte die Beschlussfassung über die Kapitalherabsetzung von 2.000.000 € auf 500.000 € im Jahr 2007, so ist die betragsmäßige Beschränkung der Gewinnausschüttung für die Jahre 2007, 2008 sowie 2009 zu beachten. Beträgt das Stammkapital zum 31.12.2008 z.B. aufgrund von Kapitalerhöhung 1.000.000 € und die Kapitalrücklage nach Abs. 1 davon 10 %, also 100.000 €, so können die Gesellschafter im Jahr 2009 einen Gewinn von max. 40.000 € an sich auszahlen.*

2. Ausnahme durch Befriedigung oder Sicherstellung der Gläubiger (Abs. 2 Satz 2)

15 Die 4 %-Grenze des Abs. 2 Satz 1 ist von den Gesellschaftern nicht zu beachten, wenn die Gläubiger, deren Ansprüche vor der Bekanntmachung der Eintragung des Kapitalherabsetzungsbeschlusses über die vereinfachte Kapitalherabsetzung im Handelsregister begründet wurden, durch die Gesellschaft befriedigt oder sichergestellt werden.

16 Die Pflicht zur Befriedigung bzw. Sicherstellung durch die Gesellschaft besteht nur, wenn die Gesellschafter über die 4 %-Grenze hinaus ausschütten. Dagegen besteht kein korrespondierender Anspruch der Gläubiger auf Befriedigung oder Sicherheitsleistung durch die Gesellschaft. Die Gläubiger können daher keine Befriedigung oder Sicherstellung erzwingen, wenn die Gesellschafter innerhalb der 4 %-Grenze ausschütten.[14]

17 Die Befriedigung bzw. Sicherstellung der Gläubiger durch die Gesellschaft erfolgt im Wesentlichen wie bei der ordentlichen Kapitalerhöhung nach § 58 (im Einzelnen zur Befriedigung und Sicherstellung der Gläubiger bei der ordentlichen Kapitalherabsetzung s. § 58 Rn. 41 ff.). Allerdings sind die Gläubiger nur einmal, und zwar mit der Veröffentlichung des Jahresabschlusses im elektronischen Bundesanzeiger nach § 325 Abs. 2 auf die Möglichkeit der Befriedigung oder Sicherstellung hinzuweisen (Abs. 2 Satz 4).[15]

18 Eine gesonderte Mitteilung an bekannte Gläubiger hat nicht zu erfolgen.[16]

---

12 Zöllner in Baumbach/Hueck, GmbHG, § 58d Rn. 8.

13 Schulze in HK-GmbHG, § 58d Rn. 9; Zöllner in Baumbach/Hueck, GmbHG, § 58d Rn. 7.

14 Zöllner in Baumbach/Hueck, GmbHG, § 58d Rn. 15; Lutter/Hommelhoff in Lutter/Hommelhoff, GmbHG, § 58d Rn. 7.

15 Formulierungsbeispiel bei Zöllner in Baumbach/Hueck, GmbHG, § 58d Rn. 13.

16 Zöllner in Baumbach/Hueck, GmbHG, § 58d Rn. 11.

Ebenfalls abweichend von § 58 GmbHG sind nur die Ansprüche solcher 19
Gläubiger zu befriedigen bzw. sicherzustellen, deren Forderungen vor der
Bekanntmachung der Eintragung des Kapitalherabsetzungsbeschlusses (vgl.
§ 10 HGB) begründet worden waren **und** die sich innerhalb eines Zeitraums
von sechs Monaten nach dem Tag der Veröffentlichung des Jahresabschlusses gem. § 325 Abs. 2 im elektronischen Bundesanzeiger bei der Gesellschaft gemeldet haben (Abs. 2 Satz 2).

> **Praxistipp:**
>
> Gleichzeitig bedeutet dies für die Praxis, dass die Ausschüttung eines
> höheren Gewinns als 4 % des maßgeblichen Stammkapitals vor Ablauf
> der vorgenannten sechs Monate nicht möglich ist,[17] es sei denn, die
> Gesellschafter beschließen eine höhere Ausschüttung unter der Bedin-
> gung, dass eine ordnungsgemäße Befriedigung bzw. Sicherstellung der
> Gläubiger nach dieser Norm erfolgt.[18]

3. Ausnahme vom Erfordernis der Sicherstellung oder Befriedigung im Insolvenzverfahren (Abs. 2 Satz 3)

Wie bei der ordentlichen Kapitalherabsetzung gilt auch bei der vereinfach- 20
ten Kapitalherabsetzung allgemein der Grundsatz, dass eine Befriedigung
bzw. Sicherstellung nicht erforderlich ist, wenn der betroffene Gläubiger
bereits ausreichend anderweitig durch die Gesellschaft sichergestellt ist.

Haben die Gläubiger im Fall des Insolvenzverfahrens ein Recht auf vorzugs- 21
weise Befriedigung aus einer Deckungsmasse, die nach gesetzlichen Vorschriften zu ihrem Schutz errichtet und staatlich überwacht ist, so bedarf es
ausdrücklich nach Abs. 2 Satz 2 auch in diesem Fall keiner Befriedigung
oder Sicherstellung ihrer Ansprüche.

IV. Rechtsfolgen

Die Vorschrift ist zwingend. Beschließen die Gesellschafter die Gewinn- 22
ausschüttung unter Verstoß der Abs. 1 oder 2, ist der entsprechende Gewinn-
ausschüttungsbeschluss nichtig (§ 241 Nr. 3 AktG analog).[19]

---

17 Schulze in HK-GmbHG, § 58d Rn. 13; Zöllner in Baumbach/Hueck, GmbHG,
§ 58d Rn. 13.

18 Zöllner in Baumbach/Hueck, GmbHG, § 58d Rn. 16; Lutter/Hommelhoff in
Lutter/Hommelhoff, GmbHG, § 58d Rn. 7.

19 Schulze in HK-GmbHG, § 58d Rn. 14; Zöllner in Baumbach/Hueck, GmbHG,
§ 58d Rn. 16.

23   Eine Gewinnausschüttung aufgrund nichtigen Beschlusses über die Gewinn-
     ausschüttung führt zu Erstattungspflicht der Gesellschafter nach den
     §§ 812 ff. BGB.[20]

24   Daneben haften die Geschäftsführer (§ 43) und der Aufsichtsrat/Beirat
     (§§ 93, 116 AktG analog) gegenüber der Gesellschaft auf Schadensersatz.[21]

§ 58e GmbHG   Beschluss über die Kapitalherabsetzung

(1) [1]Im Jahresabschluss für das letzte vor der Beschlussfassung über die
Kapitalherabsetzung abgelaufene Geschäftsjahr können das Stammkapital sowie die Kapital- und Gewinnrücklagen in der Höhe ausgewiesen werden, in der sie nach der Kapitalherabsetzung bestehen sollen.
[2]Dies gilt nicht, wenn der Jahresabschluss anders als durch Beschluss
der Gesellschafter festgestellt wird.

(2) Der Beschluss über die Feststellung des Jahresabschlusses soll zugleich
mit dem Beschluss über die Kapitalherabsetzung gefasst werden.

(3) [1]Die Beschlüsse sind nichtig, wenn der Beschluss über die Kapitalherabsetzung nicht binnen drei Monaten nach der Beschlussfassung in
das Handelsregister eingetragen worden ist. [2]Der Lauf der Frist ist
gehemmt, solange eine Anfechtungs- oder Nichtigkeitsklage rechtshängig ist oder eine zur Kapitalherabsetzung beantragte staatliche Genehmigung noch nicht erteilt ist.

(4) Der Jahresabschluss darf nach § 325 des Handelsgesetzbuchs erst
nach Eintragung des Beschlusses über die Kapitalherabsetzung offengelegt werden.

---

20   Lutter/Hommelhoff in Lutter/Hommelhoff, GmbHG, § 58d Rn. 9; Zöllner in
     Baumbach/Hueck, GmbHG, § 58d Rn. 17.

21   Lutter/Hommelhoff in Lutter/Hommelhoff, GmbHG, § 58d Rn. 9; Schulze in
     HK-GmbHG, § 58d Rn. 14.; Zöllner in Baumbach/Hueck, GmbHG, § 58d
     Rn. 18.

I.   Einführung

Die Norm eröffnet die Möglichkeit der **bilanzmäßigen Rückwirkung der** 1
vereinfachten Kapitalherabsetzung.

Die Norm hat rein bilanziellen Charakter und keine Auswirkungen auf die 2
Wirksamkeit der vereinfachten Kapitalherabsetzung. Eine entsprechende
Rückwirkungsmöglichkeit ist auch im Fall der vereinfachten Kapitalherabsetzung bei gleichzeitiger Kapitalerhöhung vorgesehen (§ 58f).

Zweck dieser bilanziellen „Kosmetik" ist es, die wirtschaftlichen Verhält- 3
nisse der Gesellschaft positiv darzustellen und die Kreditwürdigkeit der
Gesellschaft zu stärken, um eine Sanierung der Gesellschaft zu[1] ermöglichen.

II.   Möglichkeit der Rückwirkung einer vereinfachten
Kapitalherabsetzung (Abs. 1 Satz 1)

Für den Fall der vereinfachten Kapitalherabsetzung kann die Gesellschaft 4
von der Möglichkeit Gebrauch machen, die Bilanzpositionen „Stammkapital" und „Kapital- und Gewinnrücklagen" im Jahresabschluss für das letzte
vor dem Kapitalherabsetzungsbeschluss abgelaufene Geschäftsjahr in der
Höhe auszuweisen, in der sie gemäß dem Herabsetzungsbeschluss nach
Wirksamwerden der Kapitalherabsetzung bestehen sollen.

Diese rückwirkende bilanzielle Berücksichtigung der Kapitalherabsetzung 5
stellt eine **Durchbrechung des Stichtagsprinzips** dar (vgl. §§ 243
Abs. 3, 251 Abs. 1 Nr. 3 HGB).[2]

Es besteht allerdings keine Verpflichtung der Gesellschaft, von der Möglich- 6
keit der Rückwirkung Gebrauch zu machen.[3]

---

1   Schulze in HK-GmbHG, § 58e Rn. 2; krit. hierzu Zöllner in Baumbach/Hueck,
     GmbHG, § 58e Rn. 1; Roth/Altmeppen, GmbHG, § 58e Rn. 1 spricht von
     einer rückwirkenden „Bilanzschönung".

2   Schulze in HK-GmbHG, § 58e Rn. 2; Zöllner in Baumbach/Hueck, GmbHG,
     § 58e Rn. 2.

3   Schulze in HK-GmbHG, § 58e Rn. 3; Zöllner in Baumbach/Hueck, GmbHG,
     § 58e Rn. 2.

III. Voraussetzungen der Rückwirkung

1. Überblick über die Voraussetzungen

7 Die bilanzielle Rückwirkung der vereinfachten Kapitalherabsetzung ist nur unter den folgenden Voraussetzungen zulässig.

- Gegenstand der Rückwirkung ist der Jahresabschluss des vor der Beschlussfassung über die Kapitalherabsetzung abgelaufenen Geschäftsjahres (Abs. 1 Satz 1),

- die Rückwirkung betrifft nur die Bilanzpositionen „Stammkapital" sowie „Kapital- und Gewinnrücklagen" (Abs. 1 Satz 1),

- Feststellung des Jahresabschlusses durch die Gesellschafterversammlung (Abs. 1 Satz 2),

- Gemeinsame Fassung des Kapitalherabsetzungsbeschlusses und des Beschlusses über die Feststellung des Jahresabschlusses in einer Gesellschafterversammlung (Abs. 2) und

- Eintragung der Kapitalherabsetzung im Handelsregister innerhalb von drei Monaten nach Beschlussfassung (Abs. 3).

2. Tauglicher Jahresabschluss (Abs. 1 Satz 1)

8 Gegenstand der Rückwirkung kann nur der Jahresabschluss des vor der Beschlussfassung über die Kapitalherabsetzung abgelaufenen Geschäftsjahres sein (Abs. 1 Satz 1).

9 Eine bilanzielle Rückwirkung für frühere Geschäftsjahre ist nach allgemeiner Meinung nicht möglich.[4]

10 Fraglich ist, ob die bilanzielle Rückwirkung auch dann zulässig ist, wenn die Kapitalherabsetzung nicht mehr im Jahr der Beschlussfassung im Handelsregister eingetragen wird. Das Gesetz trifft hierzu keine Aussage. Nach der h.M. ist Abs. 1 Satz 1 aber großzügig auszulegen und die bilanzielle Rückwirkung auch in diesem Fall nicht nur zulässig, sondern sogar geboten ist, um die Bilanzkontinuität zu wahren.[5]

3. Taugliche Bilanzpositionen

11 Die bilanzielle Rückwirkung ist nur bzgl. der Bilanzpositionen „Stammkapital" (§ 266 Abs. 3 Buchst. A I HGB) und „Kapital- und Gewinnrück-

---

4 Zöllner in Baumbach/Hueck, GmbHG, § 58e Rn. 3; Schulze in HK-GmbHG, § 58e Rn. 7.

5 Siehe hierzu ausführl. Zöllner in Baumbach/Hueck, GmbHG, § 58e Rn. 3 und 4, ebenso Lutter/Hommelhoff in Lutter/Hommelhoff, GmbHG, § 58e Rn. 8.

lagen" (§ 266 Abs. 3 Buchst. A II, III HGB). Die Vorschrift findet auf andere Bilanzpositionen keine Anwendung.[6]

4. Feststellung des Jahresabschlusses durch die Gesellschafter (Abs. 1 Satz 2)

Der Jahresabschluss für das letzte vor der Beschlussfassung über die Kapi- 12 talherabsetzung abgelaufene Geschäftsjahr muss nach Abs. 1 Satz 2 von der Gesellschafterversammlung festgestellt werden (vgl. § 46 Nr. 1 GmbHG). Wurde er auf andere Weise als durch Beschluss der Gesellschafter festgestellt (z.B. die Satzung sieht eine Feststellung durch den Beirat, Aufsichtsrat oder Gesellschafterausschuss vor), ist eine Anwendung dieser Vorschrift ausgeschlossen (Abs. 1 Satz 2).

Die nachträgliche Beseitigung des bereits festgestellten Jahresabschlusses 13 durch die Gesellschafterversammlung ist nicht möglich, wenn dieser bereits durch ein anderes Organ festgestellt wurde.[7]

> **Praxistipp:**
>
> Sieht die Satzung der Gesellschaft daher die Feststellung des Jahresabschlusses durch ein anderes Organ als die Gesellschafterversammlung vor, ist vorab die Satzung der Gesellschaft zu ändern. Denkbar wäre auch eine sog. punktuelle Satzungsdurchbrechung.[8]

5. Gemeinsame Beschlussfassung über die Feststellung des Jahresabschlusses und die Kapitalherabsetzung (Abs. 2)

Wollen die Gesellschafter von der Rückwirkungsmöglichkeit Gebrauch 14 machen, sollen der Beschluss über die Feststellung des Jahresabschlusses und der Kapitalherabsetzungsbeschluss wegen ihres sachlichen Zusammenhanges gem. Abs. 2 gemeinsam, d.h. in einer Gesellschafterversammlung gefasst werden. Zwingend ist dies aber nicht. Ein Verstoß gegen die Sollvorschrift des Abs. 2 bleibt daher ohne Folgen.[9]

---

6   Schulze in HK-GmbHG, § 58e Rn. 1; Lutter/Hommelhoff in Lutter/Hommelhoff, GmbHG, § 58e Rn. 1; Zöllner in Baumbach/Hueck, GmbHG, § 58e Rn. 2.

7   Lutter/Hommelhoff in Lutter/Hommelhoff, GmbHG, § 58e Rn. 3.

8   Zöllner in Baumbach/Hueck, GmbHG, § 58e Rn. 5; Schulze in HK-GmbHG, § 58e Rn. 6; Roth/Altmeppen § 58e Rn. 5.

9   Schulze in HK-GmbHG, § 58e Rn. 9; Lutter/Hommelhoff in Lutter/Hommelhoff, GmbHG, § 58e Rn. 4; Zöllner in Baumbach/Hueck, GmbHG, § 58e Rn. 6.

6.   Eintragung im Handelsregister (Abs. 3)

15 Sowohl die Feststellung des Jahresabschlusses als auch der Kapitalherabsetzungsbeschluss werden nur dann wirksam, wenn der Kapitalherabsetzungsbeschluss innerhalb von drei Monaten nach der Beschlussfassung im
Handelsregister eingetragen wird (Abs. 3 Satz 1). Die Handelsregisteranmeldung ist nicht ausreichend für die Fristwahrung.[10]

16 Die Fristberechnung erfolgt nach den allgemeinen zivilrechtlichen Vorschriften der §§ 187 Abs. 2, § 188 Abs. 2, 2. Alt. BGB. Bei gemeinsamer
Beschlussfassung über die Kapitalherabsetzung und Feststellung ist Fristbeginn der Tag dieser Beschlussfassung. Beschließen die Gesellschafter die
Kapitalherabsetzung und die Feststellung des Jahresabschlusses nicht in
einer Gesellschafterversammlung, sondern getrennt, beginnt die Frist mit
dem Tag des Beschlusses, der von beiden zuerst gefasst wurde.[11]

17 Eine rechtshängige Anfechtungs- oder Nichtigkeitsklage hemmt die Dreimonatsfrist (Abs. 3 Satz 2). Dies gilt sowohl für Beschlussmängelklagen
gegen den Kapitalherabsetzungsbeschluss als auch für den Beschluss über
die Feststellung des Jahresabschlusses.[12]

18 Die Dreimonatsfrist wird nach Abs. 3 Satz 2 auch durch eine beantragte,
aber noch nicht erteilte staatliche Genehmigung gehemmt. In der Praxis der
GmbH hat dieser Fall aber keine Bedeutung.[13]

IV.   Offenlegung des Jahresabschlusses (Abs. 4)

19 Die Offenlegung des Jahresabschlusses im elektronischen Bundesanzeiger
nach § 325 HGB darf gem. Abs. 4 erst erfolgen, wenn der Kapitalherabsetzungsbeschluss im Handelsregister eingetragen wurde. Der Grund für
diese Offenlegungssperre ist, dass der festgestellte Jahresabschluss erst und
nur dann wirksam ist, wenn der Kapitalherabsetzungsbeschluss gem. Abs. 3
dieser Vorschrift innerhalb von drei Monaten nach der Beschlussfassung im
Handelsregister eingetragen wird. Erst mit der fristgerechten Eintragung des
Kapitalherabsetzungsbeschlusses wird daher Sicherheit erlangt, dass der
festgestellte Jahresabschluss wirksam ist. Der Gesetzgeber will durch die
Offenlegungssperre in Abs. 4 folglich vermeiden, dass Dritte auf einen

---

10   Schulze in HK-GmbHG, § 58e Rn. 13; Lutter/Hommelhoff in Lutter/Hommel-
      hoff, GmbHG, § 58e Rn. 5.

11   Schulze in HK-GmbHG, § 58e Rn. 12; Zöllner in Baumbach/Hueck, GmbHG,
      § 58e Rn. 8; a.A. Roth/Altmeppen, GmbHG, § 58e Rn. 6: Fristbeginn mit dem
      Tag des Kapitalherabsetzungsbeschlusses.

12   Zöllner in Baumbach/Hueck, GmbHG, § 58e Rn. 9.

13   Zöllner in Baumbach/Hueck, GmbHG, § 58e Rn. 10.

vorab veröffentlichten Jahresabschluss vertrauen, der sich dann im Nachhinein mangels fristgerechter Eintragung des Kapitalherabsetzungsbeschlusses als unwirksam herausstellt.[14] Abs. 4 gilt nach h.M. analog für die Offenlegung kleiner Gesellschaften nach § 326 HGB.[15]

V.   Rechtsfolgen

Erfolgt keine Eintragung der Kapitalherabsetzung binnen drei Monaten im Handelsregister der Gesellschaft, ist nicht nur der Kapitalherabsetzungsbeschluss, sondern auch der Beschluss über die Feststellung des Jahresabschlusses nichtig (Abs. 3 Satz 1).[16]   20

Eine Heilung der Nichtigkeit des Kapitalherabsetzungsbeschlusses erfolgt gem. § 242 Abs. 3 i.V.m. Abs. 2 AktG analog bei Eintragung im Handelsregister und Ablauf von drei Jahren. Geheilt ist dann auch der Beschluss über die Feststellung des Jahresabschlusses.[17]   21

Bei einem Verstoß gegen die Offenlegungssperre nach Abs. 4 kommt grds. ein Schadensersatzanspruch Dritter gegen die Geschäftsführer der Gesellschaft aus §§ 823 Abs. 2 BGB i.V.m. § 58e Abs. 4 in Betracht. Dieser ist aber wohl eher theoretischer Natur, denn in der Praxis wird es ein Dritter schwer haben einen Kausalzusammenhang zwischen Schaden und Verstoß gegen die Offenlegungssperre darzulegen.[18]   22

---

§ 58f GmbHG   Kapitalherabsetzung bei gleichzeitiger Erhöhung des Stammkapitals

(1) [1]**Wird Im Fall des § 58e zugleich mit der Kapitalherabsetzung eine Erhöhung des Stammkapitals beschlossen, so kann auch die Kapitalerhöhung in dem Jahresabschluss als vollzogen berücksichtigt werden.** [2]**Die Beschlussfassung ist nur zulässig, wenn die neuen Geschäftsanteile übernommen, keine Sacheinlagen festgesetzt sind und wenn auf jeden**

---

14   Zöllner in Baumbach/Hueck, GmbHG, § 58e Rn. 15; Schulze in HK-GmbHG, § 58e Rn. 15.

15   Zöllner in Baumbach/Hueck, GmbHG, § 58e Rn. 16.

16   Kritisch hierzu Zöllner in Baumbach/Hueck, GmbHG, § 58e Rn. 13, der vom Zweck der Norm eine Nichtigkeit des Kapitalherabsetzungsbeschlusses als nicht notwendig erachtet.

17   Schulze in HK-GmbHG, § 58e Rn. 14; Lutter/Hommelhoff in Lutter/Hommelhof, GmbHG, § 58e Rn. 7; Zöllner in Baumbach/Hueck, GmbHG, § 58e Rn. 14.

18   Ausführlich hierzu: Zöllner in Baumbach/Hueck, GmbHG, § 58e Rn. 17.

neuen Geschäftsanteil die Einzahlung geleistet ist, die nach § 56a zur Zeit der Anmeldung der Kapitalerhöhung bewirkt sein muss. [3]Die Übernahme und die Einzahlung sind dem Notar nachzuweisen, der den Beschluss über die Erhöhung des Stammkapitals beurkundet.

(2) [1]Sämtliche Beschlüsse sind nichtig, wenn die Beschlüsse über die Kapitalherabsetzung und die Kapitalerhöhung nicht binnen drei Monaten nach der Beschlussfassung in das Handelsregister eingetragen worden sind. [2]Der Lauf der Frist ist gehemmt, solange eine Anfechtungs- oder Nichtigkeitsklage rechtshängig ist oder eine zur Kapitalherabsetzung oder Kapitalerhöhung beantragte staatliche Genehmigung noch nicht erteilt worden ist. [3]Die Beschlüsse sollen nur zusammen in das Handelsregister eingetragen werden.

(3) Der Jahresabschluss darf nach § 325 des Handelsgesetzbuchs erst offengelegt werden, nachdem die Beschlüsse über die Kapitalherabsetzung und Kapitalerhöhung eingetragen worden sind.

I. Einführung

1 Die Vorschrift erweitert die Regelung des § 58e für den Fall der **Kombination aus vereinfachter Kapitalherabsetzung und Kapitalerhöhung** und erlaubt insoweit auch die bilanzielle Rückbeziehung der Kapitalerhöhung auf den Jahresabschluss des vorangegangenen Geschäftsjahres unter den in Abs. 1 genannten Voraussetzungen.

2 Abs. 1 Satz 2 verwendet seit dem MoMiG den Begriff des Geschäftsanteils und nimmt ebenfalls von dem veralteten Begriff der „Stammeinlage" Abschied. Materiell hat sich zur alten Rechtslage dadurch nichts geändert.

II.   Möglichkeit der Rückwirkung der Kapitalerhöhung (Abs. 1 Satz 1)

Werden vereinfachte Kapitalherabsetzung und Kapitalerhöhung kombiniert, kann das Stammkapital im Jahresabschluss für das letzte vor dem Kapitalherabsetzungsbeschluss abgelaufene Geschäftsjahr in der Höhe ausgewiesen werden, in der es gemäß dem Kapitalerhöhungsbeschluss nach Wirksamwerden der Kapitalerhöhung bestehen soll.   3

Wie § 58e hat die Norm rein bilanzrechtlichen Charakter und stellt eine **Durchbrechung des Stichtagsprinzips** dar.[1]   4

Die Gesellschafter können von dieser Möglichkeit Gebrauch machen. Eine Pflicht zur rückwirkenden bilanziellen Berücksichtigung besteht nicht.[2]   5

Entscheiden sich die Gesellschafter für eine bilanzielle Rückbeziehung der Kapitalerhöhung, ist auch die Kapitalherabsetzung rückwirkend im Jahresabschluss des Vorjahres zu berücksichtigen. Ein rückwirkender Vollzug der Kapitalerhöhung ohne rückwirkende bilanzielle Berücksichtigung der Kapitalherabsetzung ist unzulässig.[3]   6

III.   Voraussetzungen für die Rückwirkung
1.   Überblick

Eine Rückwirkung der Kapitalerhöhung ist nur dann zulässig, wenn die folgenden Voraussetzungen nach Abs. 1 und 2 erfüllt sind: 7

- Gegenstand der Rückwirkung ist der Jahresabschluss des vor der Beschlussfassung über die Kapitalherabsetzung abgelaufenen Geschäftsjahres (Abs. 1 Satz 1),

- Feststellung des Jahresabschlusses durch die Gesellschafterversammlung,

- gemeinsame Fassung von Kapitalherabsetzungs- und Kapitalerhöhungsbeschluss in einer Gesellschafterversammlung (Abs. 1 Satz 1),

- Kapitalerhöhung erfolgt in Form der Kapitalerhöhung gegen Bareinlage (Abs. 1 Satz 2),

- Übernahme sämtlicher neuer Geschäftsanteile vor dem Kapitalerhöhungsbeschluss (Abs. 1 Satz 2),

- Einzahlung der Mindesteinlage durch die Übernehmer nach § 56a (Abs. 1 Satz 2),

---

1   Zöllner in Baumbach/Hueck, GmbHG, § 58f Rn. 2.

2   Schulze in HK-GmbHG, § 58f Rn. 2; Zöllner in Baumbach/Hueck, GmbHG, § 58f Rn. 3.

3   Zöllner in Baumbach/Hueck, GmbHG, § 58f Rn. 3.

- Nachweis der Übernahme und Einzahlung durch den beurkundenden Notar (Abs. 1 Satz 3) und
- gemeinsame Eintragung des Kapitalherabsetzungs- sowie Kapitalerhöhungsbeschlusses innerhalb von drei Monaten nach Beschlussfassung im Handelsregister (Abs. 2).

2. Tauglicher Jahresabschluss

8   Gegenstand der Rückwirkung kann nur der Jahresabschluss für das letzte vor der Beschlussfassung über die Kapitalherabsetzung abgelaufenen Geschäftsjahres sein (Abs. 1 Satz 1).

9   Eine bilanzielle Rückwirkung für frühere Geschäftsjahre ist nach allg.M. nicht möglich.[4]

10   Die Kapitalerhöhung ist im Jahresabschluss in der Höhe auszuweisen, in der sie nach Eintragung im Handelsregister bestehen soll. In diesem Zusammenhang ist auch die Zahlung eines etwaigen Agios im Jahresabschluss zu berücksichtigen, ebenso die Tatsache, wenn die Einlagen nicht vollständig eingezahlt wurden (vgl. §§ 56a, 7 Abs. 2).[5] Zur Frage der bilanziellen Rückwirkung für den Fall, dass Kapitalherabsetzung und Kapitalerhöhung nicht im Jahr der Beschlussfassung, sondern im Folgejahr eingetragen werden (s. § 58e Rn. 10).

3. Feststellung des Jahresabschlusses durch die Gesellschafter

11   Der Jahresabschluss für das letzte vor der Beschlussfassung über die Kapitalherabsetzung abgelaufene Geschäftsjahr muss von der Gesellschafterversammlung festgestellt werden (vgl. dazu § 58e Rn. 12).

4. Gemeinsame Beschlussfassung von Kapitalherabsetzung und Kapitalerhöhung (Abs. 1 Satz 1)

12   Anders als in § 58e Abs. 2 („soll") müssen Kapitalherabsetzung und Kapitalerhöhung nach dieser Vorschrift in einer Gesellschafterversammlung gefasst werden.[6]

---

4   Lutter/Hommelhoff in Lutter/Hommelhoff, GmbHG, § 58f Rn. 2.

5   Zöllner in Baumbach/Hueck, GmbHG, § 58f Rn. 2.

6   Schulze in HK-GmbHG, § 58f Rn. 4; krit. zu dem zwingenden Erfordernis der Beschlussfassung in einer Gesellschafterversammlung Zöllner in Baumbach/Hueck, GmbHG, § 58f Rn. 6.

IV. Offenlegung des Jahresabschlusses (Abs. 3)

Gem. Abs. 3 darf die Offenlegung des Jahresabschlusses im elektronischen   23
Bundesanzeiger nach § 325 HGB erst erfolgen, wenn sowohl der Kapitalherabsetzungsbeschluss als auch der Kapitalerhöhungsbeschluss im Handelsregister
eingetragen wurden (vgl. dazu die Ausführungen zu § 58e Rn. 19).

V. Rechtsfolgen

Ein Verstoß gegen Voraussetzungen des Abs. 1 führt zur Nichtigkeit des   24
Feststellungsbeschlusses nach § 256 Abs. 1 Nr. 1 AktG analog.[16] Zu den
Rechtsfolgen eines Verstoßes gegen die zusätzlich zu beachtenden Vor-
schriften des § 58e s. § 58e Rn. 20 ff.

Der Beschluss über die Feststellung des Jahresabschlusses sowie die   25
Beschlüsse über die vereinfachte Kapitalherabsetzung und die Kapitalerhö-
hung sind nach Abs. 2 nichtig, wenn der Kapitalherabsetzungsbeschluss und
der Kapitalerhöhungsbeschluss nicht innerhalb von drei Monaten nach der
Beschlussfassung im Handelsregister eingetragen sind.[17] Eine Heilung der
Nichtigkeit des Kapitalherabsetzungs- sowie des Kapitalerhöhungsbeschlus-
ses erfolgt gem. § 242 Abs. 3 i.V.m. Abs. 2 AktG analog bei Eintragung im
Handelsregister und Ablauf von drei Jahren. Geheilt ist dann auch der
Beschluss über die Feststellung des Jahresabschlusses (vgl. dazu § 58e
Rn. 21).

Darüber hinaus sollen nach Abs. 2 Satz 3 der Kapitalherabsetzung- und   26
Kapitalerhöhungsbeschluss im Handelsregister gemeinsam eingetragen wer-
den. Zwingend erforderlich ist dies aber nicht. Ein Verstoß hat damit keine
Folgen für die Wirksamkeit der gefassten Beschlüsse.[18]

§ 59 GmbHG [weggefallen]

Die Norm stellte eine Ausnahme zu dem ebenfalls durch das EHUG zum   1
01.01.2007 aufgehobenen § 13c Abs. 1 HGB dar und vereinfachte die
Einreichung von bestimmten Unterlagen zur Kapitalerhöhung bzw. Kapital-

---

16 Schulze in HK-GmbHG, § 58f Rn. 11; einschränkend für einen Verstoß gegen
    die Reihenfolge der Beschlussfassung nach Abs. 1 Satz 1 sowie die Vorlage
    der Nachweise nach Abs. 1 Satz 3: Zöllner in Baumbach/Hueck, GmbHG,
    § 58f Rn. 12.

17 Kritisch hierzu ebenso wie bei § 58e Zöllner in Baumbach/Hueck, GmbHG,
    § 58f Rn. 13.

18 Lutter/Hommelhoff in Lutter/Hommelhoff, GmbHG, § 58f Rn. 11; Zöllner in
    Baumbach/Hueck, GmbHG, § 58f Rn. 15.

herabsetzung beim Handelsregister für den Fall, dass die Gesellschaft eine oder mehrere Zweigniederlassungen hat. Da das neue Recht der Zweigniederlassungen nur noch eine Eintragung bei dem Gericht der Hauptniederlassung bzw. des Sitzes der Gesellschaft vorsieht (vgl. § 13 HGB), wurde die geregelte Vereinfachung mit Inkrafttreten des EHUG obsolet und als Folgeänderung ersatzlos gestrichen.

Fünfter Abschnitt. Auflösung und Nichtigkeit der Gesellschaft

Vorbemerkung zu den §§ 60 bis 77 GmbHG

Im fünften Abschnitt erläutert der Gesetzgeber zum einen die Situation 1
der Auflösung (= Liquidationsphase/Abwicklungsphase) der Gesellschaft, zum anderen die Ausnahmesituation der Nichtigkeit.

Auflösungsgründe werden im Katalog des § 60 Abs. 1 aufgeführt – sie 2
sind nicht abschließend, das stellt § 60 Abs. 2 klar, wonach im Gesellschaftsvertrag (Satzung) von den Parteien durchaus weitere Auflösungsgründe vereinbart werden können. § 61 benennt die Auflösung durch
Zivilurteil. Danach kann die Gesellschaft durch Urteil (Gestaltungsurteil)
aufgelöst werden, wenn die Zweckerreichung unmöglich wird oder andere, wichtige Gründe die Auflösung rechtfertigen. Nach § 62 kann die
Gesellschaft zudem durch die zuständige Verwal-tungsbehörde aufgelöst
werden, wenn das Gemeinwohl gefährdet wird. Die praktische Bedeutung
dieser Norm ist allerdings sehr gering.

Auflösung bedeutet nicht Beendigung der Gesellschaft. Erst mit Eintritt 3
des Doppeltatbestandes der Vermögenslosigkeit und der Löschung im
Handelsregister endet auch die Existenz der GmbH. Wurde die Gesellschaft im Handelsregister (verfrüht) gelöscht, obwohl im Löschungszeit-
punkt noch Vermögen der Gesellschaft vorhanden war, muss eine Nachtragsliquidation vorgenommen werden.

Die Ersatzpflicht des Geschäftsführers bestimmt der neugefasste § 64. 4
Der Gesetzgeber hat mit dem Inkrafttreten des MoMiG die Insolvenzantragspflicht des Geschäftsführers in den neugeschaffenen § 15a InsO
verlagert. § 64 Satz 1 und 2 normieren die persönliche Haftung des
Geschäftsführers für Zahlungen, die nach dem Eintritt der Insolvenzreife
aus dem Gesellschaftsvermögen getätigt werden. Zudem erstreckt § 64
Satz 3 die Geschäftsführerhaftung mit dem Inkrafttreten des MoMiG auch
auf solche Zahlungen an den Gesellschafter, die die Insolvenzreife erst
herbeiführen. Der Gesetzgeber will mit dieser neu geschaffenen Haftungsverschärfung das „Ausplündern" der Gesellschaft durch den Gesellschafter verhindern.

5 Nach § 65 Abs. 1 ist die Auflösung der Gesellschaft zur Eintragung in das Handelsregister anzumelden. Nach § 65 Abs. 2 ist sie dreimal zu verschiedenen Zeitpunkten bekanntzugeben – Gläubiger sollen so die Möglichkeit erhalten, sich bei der Gesellschaft zu melden und Ansprüche anzumelden.

6 In den Fällen der Auflösung (außer dem Fall des Insolvenzverfahrens) erfolgt die Liquidation durch die Geschäftsführer, wenn nicht dieselbe durch den Gesellschaftsvertrag oder durch Beschluss der Gesellschafter anderen Personen übertragen wird, § 66. Auf Antrag von Gesellschaftern, deren Geschäftsanteile zusammen mindestens dem zehnten Teil des Stammkapitals entsprechen, kann aus wichtigen Gründen die Bestellung von Liquidatoren durch das Gericht (§ 7 Abs. 1) erfolgen. Die Abberufung von Liquidatoren kann durch das Gericht unter derselben Voraussetzung wie die Bestellung stattfinden. Liquidatoren, welche nicht vom Gericht ernannt sind, können auch durch Beschluss der Gesellschafter vor Ablauf des Zeitraums, für welchen sie bestellt sind, abberufen werden.

7 Die Liquidatoren vertreten die aufgelöste Gesellschaft im Rahmen einer Gesamtvertretung, es sei denn, es wird durch Gesellschafterbeschluss anders geregelt (§ 68 GmbHG).

8 § 69 GmbHG stellt klar, dass zwischen der werbenden und der aufgelösten GmbH rechtliche Identität besteht.

9 Die §§ 70, 71 legen die Abwicklungsaufgaben der Liquidatoren fest, nämlich die Geschäftsführungsbefugnis im Innenbereich, verbunden mit der Gesellschaftsabwicklung und die Vertretung der GmbH im Außenverhältnis. Der Liquidator schließt mit der GmbH einen Dienstvertrag gemäß § 611 BGB. Gemäß § 72 wird das Gesellschaftsvermögen auf die Gesellschafter nach dem Verhältnis ihrer Geschäftsanteile verteilt, wobei die Möglichkeit besteht, im Gesellschaftsvertrag eine andere Verteilung vorzunehmen. Die Verteilung darf nicht vor Tilgung oder Sicherstellung der Schulden der Gesellschaft und nicht vor Ablauf eines Jahres seit dem Tage vorgenommen werden, an welchem die Aufforderung an die Gläubiger (§ 65 Abs. 2) in den öffentlichen Blättern zum dritten Male erfolgt ist.

10 Ist die Liquidation beendet und die Schlussrechnung gelegt, so haben die Liquidatoren den Schluss der Liquidation zur Eintragung in das Handelsregister anzumelden, § 74. Die Gesellschaft wird dann gelöscht. Nach Beendigung der Liquidation sind die Bücher und Schriften der Gesellschaft für die Dauer von zehn Jahren einem der Gesellschafter oder einem Dritten in Verwahrung zu geben.

Auch erhebliche Mängel der Satzung (= Gesellschaftsvertrag) führen nicht 11
automatisch zur Nichtigkeit der Gesellschaft, nur besonders schwerwiegende Mängel sind geeignet, eine sogenannte Nichtigkeitsklage zu tragen
(§§ 75 bis 77). Die praktische Bedeutung dieser Klage ist wohl eher gering.

§ 60 GmbHG Auflösungsgründe

(1) Die Gesellschaft mit beschränkter Haftung wird aufgelöst:

1. durch Ablauf der im Gesellschaftsvertrag bestimmten Zeit;

2. durch Beschluss der Gesellschafter; derselbe bedarf, sofern im Gesellschaftsvertrag nicht ein anderes bestimmt ist, einer Mehrheit von drei Vierteilen der abgegebenen Stimmen;

3. durch gerichtliches Urteil oder durch Entscheidung des Verwaltungs- gerichts oder der Verwaltungsbehörde in den Fällen der §§ 61 und 62;

4. durch die Eröffnung des Insolvenzverfahrens; wird das Verfahren auf Antrag des Schuldners eingestellt oder nach der Bestätigung eines Insolvenzplanes, der den Fortbestand der Gesellschaft vorsieht, auf- gehoben, so können die Gesellschafter die Fortsetzung der Gesell- schaft beschließen;

5. mit der Rechtskraft des Beschlusses, durch den die Eröffnung des Insolvenzverfahrens mangels Masse abgelehnt worden ist;

6. mit der Rechtskraft einer Verfügung des Registergerichts, durch welche nach § 144a des Gesetzes über die Angelegenheiten der frei- willigen Gerichtsbarkeit ein Mangel des Gesellschaftsvertrags fest- gestellt worden ist;

7. durch Löschung der Gesellschaft wegen Vermögenslosigkeit nach § 141a des Gesetzes über die Angelegenheiten der freiwilligen Gerichtsbarkeit.

(2) Im Gesellschaftsvertrag können weitere Auflösungsgründe fest- gesetzt werden.

I.   Einführung

1   Die Vorschrift regelt – nicht abschließend (Rn. 14) – die Möglichkeiten für die Auflösung einer GmbH. Mit Verwirklichung eines **Auflösungstatbestandes** tritt die Gesellschaft in das **Stadium der Abwicklung (Liquidation)** ein; ihre Existenz ist damit noch nicht beendet (Rn. 16).

Beispiel:

Der Antrag auf Eröffnung des Insolvenzverfahrens über das Vermögen einer GmbH wird rechtskräftig abgelehnt. Damit ist die GmbH zwar nach Abs. 1 Nr. 5 aufgelöst, existiert aber mit voller Rechts- und Parteifähigkeit weiter. Soweit noch verwertbare Aktiva vorhanden sind, muss eine Liquidation stattfinden. Erst nach Beendigung der Liquidation und Eintritt der Vermögenslosigkeit kann die Löschung der GmbH im Handelsregister erfolgen, die zur Beendigung der Gesellschaft führt.

2   Die Liquidation nach Auflösung der GmbH erfolgt im Einzelnen nach den §§ 66 bis 74. Das MoMiG hat § 60 Abs. 1 Nr. 6 insbes. hinsichtlich der Aufhebung des § 144b FGG und der Neufassung des § 19 Abs. 4 entsprechend angepasst.

II.   Einzelne Auflösungsgründe (Abs. 1)

1.   Zeitablauf (Nr. 1)

3   Die GmbH wird nach Abs. 1 Nr. 1 aufgelöst durch Ablauf der im Gesellschaftervertrag bestimmten Zeit. Der Zeitpunkt für die Auflösung der GmbH kann in der Satzung mit einem festen Datum versehen sein,[1] bspw.: *„Die Gesellschaft wird zum Ablauf des 31.12.2010 aufgelöst".* Die Auflösung muss in der Satzung nicht unbedingt datumsmäßig bestimmt werden, aber jedenfalls **objektiv bestimmbar** sein, bspw.: *„Die Gesellschaft wird aufgelöst, sobald die (zeitlich befristete) behördliche Erlaubnis endet".* In der Praxis ist die Befristung als Auflösungsgrund nur selten anzutreffen.[2] Die

---

1   Burger in Bormann/Kauka/Ockelmann, Hdb. GmbH-Recht, Kap. 11 Rn. 35.

2   Rasner in Rowedder/Schmidt-Leithoff, GmbHG, § 60 Rn. 12.

Masselosigkeit, also das Fehlen ausreichender Mittel zur Durchführung eines Insolvenzverfahrens, ist aber nicht zwingend identisch mit völliger Vermögenslosigkeit. Besitzt die Gesellschaft verwertbares Aktivvermögen, muss auch nach Ablehnung der Insolvenzeröffnung eine Liquidation nach den §§ 66 ff. stattfinden (vgl. Rn. 16 und § 66 Rn. 1 ff.). Auch relativ geringfügige Aktiva stehen der Löschung der GmbH entgegen.[15] Ein neuer Insolvenzantrag zulässig, wenn schlüssig vorgetragen wird, dass die GmbH noch verteilbares Vermögen besitzt.[16] Von Amts wegen erfolgt die Auflösungseintragung und ihres Grundes Masselosigkeit, § 65 Abs. 1 Satz 2 und 3.

Gegen den Ablehnungsbeschluss stehen dem Antragsteller und auch der Gesellschaft das Rechtmittel der **sofortigen Beschwerde** zu (§§ 26, 34 InsO i.V.m. den §§ 567 ff. ZPO). Die sofortige Beschwerde ist binnen einer Notfrist von zwei Wochen einzulegen.

6. Feststellung von Satzungsmängeln durch das Registergericht (Nr. 6)

Die Auflösung der GmbH erfolgt mit der Rechtskraft einer Verfügung des Registergerichts, durch welche nach den §§ 144a FGG ein Mangel des Gesellschaftsvertrages festgestellt worden ist. Die Vorschrift ist im Zusammenhang mit § 75 GmbHG zu sehen, der eine Nichtigkeit der Gesellschaft nach Eintragung im Handelsregister nur in sehr eng begrenzten Ausnahmefällen vorsieht. Neben der Nichtigkeitsklage eines Gesellschafters nach § 75 Abs. 1 kann auch das Registergericht gem. § 144 FGG nach pflichtgemäßem Ermessen **ein Verfahren zur Löschung** der GmbH einleiten. Das Registergericht hat nach den §§ 144a FGG ferner von Amts wegen ein Verfahren zur Feststellung bestimmter qualifizierter Mängel einzuleiten, wenn diese (z.B. durch Mitteilung eines Gesellschafters oder einer ansässigen IHK) bekannt werden.

8

Beispiele für qualifizierte Mängel i.S.d. § 144a FGG:

- *Satzung enthält keine oder eine nichtige Bestimmung der Firma oder des Sitzes, § 3 Abs. 1 Nr. 1 GmbHG i.V.m. § 144a Abs. 4 FGG.*

- *Satzung benennt keine von jedem Gesellschafter auf das Stammkapital zu leistende Einlage (Stammeinlage), § 3 Abs. 1 Nr. 4 GmbHG i.V.m. § 144a Abs. 4 FGG.*

---

15 Herrschende Meinung: vgl. Rasner in Rowedder/Schmidt-Leithoff, GmbHG, § 60 Rn. 34; a.A. OLG Frankfurt a.M., 13.12.1982 – 20 W 147/82, BB 1983, 420.

16 Herrschende Rechtsprechung: vgl. BGH, 16.12.2004 – IX ZB 6/04, NZI 2005, 225.

9   Wird der Mangel vom Registergericht rechtskräftig festgestellt, ist dies ein
    Auflösungsgrund. Die Gesellschafter können dem Mangel durch **Heilung**
    entsprechend § 76 (einstimmiger Beschluss) oder bzw. notariell zu beur-
    kundende Satzungsänderung abhelfen. Die Heilung eines Mangels ist noch
    im Rechtsbeschwerdeverfahren zulässig.[17]

7.   Vermögenslosigkeit (Nr. 7)

10 Zur Bestimmung der Vermögenslosigkeit kommt es nicht etwa auf eine
    Überschuldung oder Unterkapitalisierung der Gesellschaft an – entschei-
    dend ist allein der Umstand, ob noch verwertbares Aktivvermögen vorhan-
    den ist.[18]

11 Ist eine Gesellschaft vermögenslos, kann sie nach Abs. 1 Nr. 7 i.V.m.
    § 141a Abs. 1 Satz 1 FGG auf Antrag der Steuerbehörde oder von Amts
    wegen gelöscht werden. Gesellschaft und die Gesellschafter sind zwar nicht
    antragsbefugt, können aber ein Löschungsverfahren beim Registergericht
    anregen. Dieser Auflösungstatbestand unterscheidet sich von den übrigen
    Auflösungsgründen dadurch, dass bei der vollständig vermögenslosen
    Gesellschaft Auflösung und Beendigung mit der Löschung zusammenfallen
    und keine Abwicklung stattfindet. Nach der **Lehre vom Doppeltatbestand**
    ist für das vollständige Erlöschen der Gesellschaft die **Löschung und die
    Vermögenslosigkeit** erforderlich.[19] So gesehen ist bei jeder Amtslöschung
    die Vollbeendigung auch ungewiss, da letztlich fast nie mit absoluter
    Sicherheit feststehen kann, dass die Gesellschaft vermögenslos ist. Ist die
    vermögende Gesellschaft nach § 141a FGG gelöscht worden, ist sie nur
    aufgelöst, nicht aber vollbeendet.[20]

12 Die Anmeldung der Auflösung bei sofortiger Löschung wegen Vermögens-
    losigkeit ist nicht erforderlich.[21] Es erfolgt keine vorzeitige Löschung der
    Komplementär-GmbH, solange sie i.R.d. Abwicklung der GmbH & Co. KG
    noch mitzuwirken hat.[22]

---

17   BayObLG, 07.02.2001 – 3 Z BR 258/00, NJW-RR 2001, 1047.

18   Lutter/Kleindiek in Lutter/Hommelhoff, GmbHG, § 60 Rn. 16.

19   Karsten Schmidt in Scholz, GmbHG, § 60 Rn. 56.

20   BayObLG, 07.01.1998 – 3Z BR 491, 97, ZIP 1998, 421 f.

21   Roth/Altmeppen, GmbHG, § 75 Rn. 54.

22   Heckschen in Wachter, FA Handels- und GesellschaftsR, Teil 2, 2. Kap.
     Rn. 402, LG Frankfurt a.M., 16.06.2005 – 20 W 408/04, ZIP 2005, 2157.

III.   Weitere Auflösungsgründe

1.   Gesetzliche Auflösungsgründe

Weitere Gründe für die Auflösung einer GmbH können sich bspw. aus den §§ 75   13
GmbHG, 144 FGG, 38 KWG (Abwicklung des Kreditinstitutes bei Rücknahme
der Bankerlaubnis), §§ 3, 17 VereinsG und 22 Treuhandgesetz ergeben.

2.   Satzungsmäßig bestimmte Auflösungsgründe (Abs. 2)

Ferner kann die Satzung der GmbH nach Abs. 2 weitere Auflösungsgründe   14
vorsehen, z.B. die Auflösung durch Tod[23] oder Insolvenz eines Gesellschafters oder ein Kündigungsrecht für Gesellschafter (entsprechend § 132
HGB) oder das Auslaufen von Lizenzrechten. Zur **automatischen Auflösung** führt auch der Erwerb aller Anteile an einer GmbH durch die
Gesellschaft selbst oder die Einziehung sämtlicher Geschäftsanteile (sog.
Keinmann-GmbH). Der Erwerb oder Einziehung sämtlicher Anteile der
GmbH (Keinmann-Gesellschaft) ist zulässiger Auflösungsgrund.[24] Abge-
raten werden muss von unklaren, schwammigen Auflösungsgründen wie
etwa *„ausbleibende Rentabilität"*.[25]

IV.   Fortsetzung der Gesellschaft nach Auflösung

Ein Beschluss der Gesellschafter zur Fortsetzung der aufgelösten Gesell-   15
schaft ist nur im Fall des Abs. 1 Nr. 4 gesetzlich vorgesehen: Die Gesellschafter können die Fortsetzung der Gesellschaft beschließen, wenn das
Insolvenzverfahren auf Antrag des Schuldners eingestellt wird oder nach
der Bestätigung eines Insolvenzplanes, der den Fortbestand der Gesellschaft
vorsieht, aufgehoben wird. Ein Fortsetzungsbeschluss kommt aber auch in
weiteren Fällen grds. in Betracht (vgl. § 274 AktG). Der Fortsetzungsbeschluss bedarf zumindest einer 3/4-Mehrheit nach § 53 Abs. 2 GmbHG.
Nach Abweisung eines Insolvenzantrages mangels Masse ist ein Fortsetzungsbeschluss unzulässig.[26] Nach freiwilliger Auflösung durch Auflösungsbeschluss ist ein späterer Fortsetzungsbeschluss zulässig.[27]

---

23   Burger in Bormann/Kauka/Ockelmann, Hdb. GmbH-Recht, Kap. 11 Rn. 92.

24   Allgemeine Meinung vgl. nur Lutter/Kleindiek in Lutter/Hommelhoff,
      GmbHG, § 60 Rn. 24.

25   Schulze-Osterloh/Fastrich in Baumbach/Hueck, GmbHG, § 60 Rn. 50.

26   Herrschende Meinung: vgl. KG Berlin, 01.07.1993 – 1 W 6135/92, NJW-
      RR 1994, 229; BayObLG, 12.01.1995 – 3 Z BR 314/94, NJW-RR 1996, 417;
      a.A. Roth/Altmeppen, GmbHG, § 60 Rn. 50.

27   Allgemeine Meinung: vgl. nur BayObLG, 04.02.1998 – 3 Z BR 462/97,
      GmbHR 1998, 540.

V.   Auflösung und Beendigung, Nachtragsliquidation

16   Die Auflösung der GmbH ist nicht identisch mit ihrer Beendigung. Erst mit
     Eintritt des **Doppeltatbestandes** der **Vermögenslosigkeit** und der
     Löschung im Handelsregister endet auch die Existenz der GmbH.[28]

17   Wurde die Gesellschaft im Handelsregister gelöscht, obwohl im Löschungs-
     zeitpunkt noch Gesellschaftsvermögen vorhanden ist, muss eine **Nachtrags-
     liquidation** durchgeführt werden. Auch wenn noch Abwicklungsmaßnah-
     men vorgenommen werden müssen, kommt analog § 273 Abs. 4 Satz 1
     AktG die Nachtragsliquidation zum Zuge.

VI.   Prozessuales

18   Nach Abs. 1 Nr. 3 i.V.m. § 61 kann die Auflösung der GmbH auch durch
     Klage einer qualifizierten Gesellschafterminderheit herbeigeführt wer-
     den. Die Auflösungsklage kann nur von Gesellschaftern erhoben werden,
     deren Geschäftsanteile zusammen mindestens 10 % des Stammkapitals
     entsprechen.

§ 61 GmbHG   Auflösung durch Urteil

**(1) Die Gesellschaft kann durch gerichtliches Urteil aufgelöst werden,
wenn die Erreichung des Gesellschaftszweckes unmöglich wird, oder
wenn andere, in den Verhältnissen der Gesellschaft liegende, wichtige
Gründe für die Auflösung vorhanden sind.**

**(2) ¹Die Auflösungsklage ist gegen die Gesellschaft zu richten. ²Sie kann
nur von Gesellschaftern erhoben werden, deren Geschäftsanteile
zusammen mindestens dem zehnten Teil des Stammkapitals entsprechen.**

**(3) Für die Klage ist das Landgericht ausschließlich zuständig, in
dessen Bezirk die Gesellschaft ihren Sitz hat.**

---

28   Zur Löschung und Beendigung der Gesellschaft s. detailliert: Schmelz,
     NZG 2007, 135; K. Schmidt in Scholz, GmbHG, § 60 Rn. 56.

I. Einführung

Die Vorschrift ermöglicht bei Vorliegen wichtiger Gründe die gerichtliche 1
Auflösung der Gesellschaft auf Betreiben einer **Gesellschafterminderheit**
im Klagewege. Sie ist im Zusammenhang mit § 60 Abs. 1 Nr. 3 zu sehen:
Die GmbH ist mit Rechtskraft des Urteils zwar aufgelöst, aber noch nicht
beendet (Ausnahme: völlige Vermögenslosigkeit). Es hat vielmehr eine
Liquidation nach den §§ 65 bis 74 zu erfolgen. Statt der Auflösungsklage
wird in vielen Fällen der Ausschluss oder Austritt einzelner Gesellschafter
das unumgängliche mildere Mittel sein (vgl. § 60 Rn. 5).

II. Wichtige Gründe für die Auflösung durch das Gericht

Es muss sich nach Abs. 1 um „in den Verhältnissen der Gesellschaft 2
liegende, wichtige Gründe" handeln. Gründe auf der Ebene der Gesellschafter reichen daher regelmäßig nicht aus.

Das Gesetz nennt als Beispiel für einen wichtigen Grund, dass die **Errei-** 3
chung des Gesellschaftszwecks unmöglich wird. Der „Gesellschaftszweck" kann dabei auch den Unternehmensgegenstand nach § 3 Abs. 1
Nr. 2 umfassen. Unmöglichkeit der Zweckerreichung ist bspw. gegeben,
wenn von der GmbH eine Bank betrieben werden soll und die dafür gem.
§§ 1, 32 KWG notwendige Erlaubnis aufgehoben wird. Ist die Zweckerreichung nur vorübergehend nicht möglich, etwa aufgrund eines Streiks, so
liegt noch kein wichtiger Grund vor.[1]

Persönliche Gründe einzelner Gesellschafter sind grds. nicht ausreichend 4
für eine Auflösungsklage. Dies gilt auch dann, wenn sie für die Betroffenen
den weiteren Verbleib in der Gesellschaft unzumutbar erscheinen lassen.
Nur wenn sie nachhaltig auf die „Gesellschaftsverhältnisse" durchschlagen,
können sie ausnahmsweise Berücksichtigung finden.[2]

III. Auflösungsklage als „ultima ratio"

Der BGH hat 2006 erneut bestätigt, dass die Auflösungsklage nur unter 5
engen Voraussetzungen und damit restriktiv zu bejahen ist.[3] Sie wird grds.
abzuweisen sein, wenn der Auflösungskläger die Möglichkeit hat, seine
Beteiligung zum vollen, nicht hinter dem voraussichtlichen Liquidationserlös zurückbleibenden Wert an die übrigen Gesellschafter zu veräußern.
Ein Gesellschafter kann aus wichtigem Grund auch ohne gesellschaftsver-

---

1 Schulze-Osterloh/Fastrich in Baumbach/Hueck, GmbHG, § 61 Rn. 8.
2 BGH, 10.06.1991 – II ZR 234/89, BGHZ 80, 346, 348 = GmbHR 1991, 362;
  K. Schmidt in Scholz, GmbHG, § 61 Rn. 16.
3 BGH, 23.10.2006 – II ZR 162/05, NJW 2007, 589.

tragliche Regelung austreten oder ausgeschlossen werden.[4] Die Möglichkeit zum Ausschluss oder Austritt gegen volle Abfindung als milderes Mittel wird der Auflösungsklage grds. entgegenstehen.[5] Dies fordert schon die gegenseitige Treupflicht gegenüber dem Mitgesellschafter. Die Auflösungsklage ist bei beiderseitigem Verschulden der Gesellschafter in einer personalistischen GmbH zulässig.[6]

6   **Praxistipp:**

Die Auflösungsklage kann regelmäßig keinen Erfolg haben, wenn den Belangen des Auflösungsklägers in einer für ihn zumutbaren Weise durch eine für die anderen Gesellschafter weniger einschneidende Maßnahme Rechnung getragen werden kann, z.B. durch den Ausschluss eines anderen Gesellschafters oder den Austritt des Auflösungsklägers selbst.[7]

IV.   Abweichende Satzungsregelungen

7   Die Satzung der Gesellschaft kann die Auflösungsklage erleichtern oder mögliche wichtige Gründe für die Erhebung der Klage präzisieren, sie aber nicht erschweren oder gar ausschließen – etwa dadurch, dass nur bestimmte wichtige Gründe in der Satzung als Auflösungsgrund akzeptiert werden und andere wichtige Gründe hingegen nicht.[8] Das für eine Gesellschafterklage notwendige Quorum von 10 % kann somit nicht erhöht werden.[9] Die Satzung kann aber zusätzliche Auflösungsgründe einführen oder die Klage erleichtern. Zusätzliche Auflösungsgründe können in der Satzung aufgenommen werden, ebenso die Herabsetzung des Quorums.[10] Z.B. kann formuliert werden: *„Im Rahmen des Minderheitenschutzes besteht Einigkeit darüber, dass das für die Höhe der Auflösungsklage gesetzlich vorgesehene erforderliche Quorum (= Geschäftsanteile, die mindestens dem zehnten Teil des Stammkapitals entsprechen, § 61 Abs. 2 GmbHG) von 10 % Anteil am Stammkapital auf lediglich 7 % Anteil am Stammkapital herabgesetzt wird."*

---

4   Allgemeine Meinung: vgl. nur BGH, 20.09.1999 – II ZR 345/97, NJW 1999, 3779.

5   BGH, 23.02.1981 – II ZR 229/79, NJW 1981, 2302.

6   BGH, 15.04.1985 – II ZR 274/83, NJW 1985, 1901, 1902.

7   Burger in Bormann/Kauka/Ockelmann, Hdb. GmbH-Recht, Kap. 11 Rn. 55.

8   Rasner in Rowedder/Schmidt-Leithoff, GmbHG, § 61 Rn. 5.

9   Allgemeine Meinung: vgl. nur Nerlich in Michalski, GmbHG, § 61 Rn. 5.

10   Schulze-Osterloh/Fastrich in Baumbach/Hueck, GmbHG, § 61 Rn. 4.

Als wichtiger Grund kann im Interesse des Minderheitsgesellschafterschutzes z.B. der Fall der drohenden Unterkapitalisierung (vor dem Hintergrund der drohenden Durchgriffshaftung) vereinbart werden.[11]

V. Prozessuales

Es handelt sich entgegen dem insoweit missverständlichen Gesetzeswortlaut **8** **nicht** um eine **Ermessensentscheidung**, d.h. bei Vorliegen eines wichtigen Auflösungsgrundes muss das Gericht auflösen. Eine Auflösung durch einstweilige Verfügung ist nicht möglich.[12] Für die Auflösungsklage kann die Satzung auch die Zuständigkeit eines Schiedsgerichts vorsehen.[13] Das Gericht ist verpflichtet, die übrigen Gesellschafter über die Klage zu unterrichten.[14]

Die Auflösung erfolgt aufgrund der Klage einer qualifizierten Gesellschaf- **9** terminderheit durch **Gestaltungsurteil**:[15] *„Die (genau bezeichnete) Gesellschaft wird aufgelöst".*

Die Klage ist gegen die GmbH zu richten. **Aktivlegitimiert** sind nach Abs. 2 **10** ein oder mehrere Gesellschafter mit einem Anteil von mind. 10 % am Stammkapital, ohne dass es dabei auf ihr Stimmrecht ankommt. Ausschließlich zuständig ist nach Abs. 3 das **Landgericht** (funktionell zuständig ist die Kammer für Handelssachen, § 95 Abs. 1 Nr. 4a GVG), in dessen Bezirk die Gesellschaft ihren Sitz hat. Abweichende Gerichtsstandsvereinbarungen sind nach § 40 Abs. 2 Nr. 1 ZPO ausgeschlossen. Nicht klagende Gesellschafter können dem Verfahren als streitgenössische Nebenintervenienten nach den §§ 66, 69 ZPO beitreten. Die Rechtskraft eines klageabweisenden Sachurteils schließt Auflösungsklagen anderer Gesellschafter aus dem gleichen Grund nicht aus, auch die erneute Klage desselben Klägers wegen eines anderen wichtigen Grundes bleibt möglich. Mehrere klagende Gesellschafter sind notwendige Streitgenossen.[16]

---

11 Lutter/Kleindiek in Lutter/Hommelhoff, GmbHG, § 61 Rn. 8.

12 Allgemeine Meinung: vgl. nur Schulze-Osterloh/Fastrich in Baumbach/Hueck, GmbHG, § 61 Rn. 26.

13 Allgemeine Meinung: vgl. nur Rasner in Rowedder/Schmidt-Leithoff, GmbHG, § 61 Rn. 15.

14 BVerfG, 09.02.1982 – 1 BvR 191/81, NJW 1982, 1635, 1636.

15 Burger in Bormann/Kauka/Ockelmann, Hdb. GmbH-Recht, Kap. 11 Rn. 47.

16 Roth/Altmeppen, GmbHG, § 61 Rn. 8.

§ 62 GmbHG   Auflösung durch eine Verwaltungsbehörde

(1) Wenn eine Gesellschaft das Gemeinwohl dadurch gefährdet, dass die Gesellschafter gesetzwidrige Beschlüsse fassen oder gesetzwidrige Handlungen der Geschäftsführer wissentlich geschehen lassen, so kann sie aufgelöst werden, ohne dass deshalb ein Anspruch auf Entschädigung stattfindet.

(2) Das Verfahren und die Zuständigkeit der Behörden richtet sich nach den für streitige Verwaltungssachen [...] geltenden Vorschriften.

I.   Allgemeines

1   Die Vorschrift ist wie § 61 im Zusammenhang mit § 60 Abs. 1 Nr. 3 zu sehen. Sie erlaubt in Fällen einer Gefährdung des Gemeinwohls durch **rechtswidrige Handlungen** der Gesellschaft oder der Gesellschafter die Auflösung der GmbH durch **privatrechtsgestaltenden Verwaltungsakt.** Die Auflösung führt – wie in anderen Fällen auch – noch nicht zur Beendigung der Existenz der GmbH. Die Gesellschaft ist vielmehr aufgrund der Auflösung nach Maßgabe der §§ 66 bis 75 GmbHG abzuwickeln.

2   Die **praktische Bedeutung** des § 62 ist **denkbar gering.**[1] Ähnliche Regelungen wie in § 62 sind in § 43 BGB, § 396 AktG und § 81 GenG enthalten.

II.   Gefährdung des Gemeinwohls

3   Voraussetzung für die Auflösung ist, dass das **Gemeinwohl** (= die Interessen der Allgemeinheit oder einzelner Verkehrskreise) durch gesetzeswidrige Beschlüsse der Gesellschafter oder von diesen geduldete gesetzeswidrige Handlungen der Geschäftsführer **gefährdet** wird. Von einer Gefährdung kann dann ausgegangen werden, wenn das Gemeinwohl bereits beeinträchtigt wird oder eine solche unmittelbar bevorsteht.

Beispiele:

- *betrügerische Kapitalanlagegesellschaften,*
- *Unternehmen zur gezielten Subventionserschleichung,*
- *Unternehmen zur Veranstaltung unerlaubter Glücksspiele usw.*

---

1   K. Schmidt in Scholz, GmbHG, § 62 Rn. 1.

Der **Anwendungsbereich** des § 62 beschränkt sich auf **besonders schwer-** 4
wiegende Fälle.[2]

III. Auflösung in anderen Fällen

Eine GmbH kann zudem auch nach den §§ 3, 17 Nr. 1 VereinG oder § 38 5
KWG aufgelöst werden, insbes., wenn sich die GmbH gegen die verfas-
sungsmäßige Ordnung oder den Gedanken der Völkerverständigung richtet
oder ihre Zwecke oder ihre Tätigkeit den Strafgesetzen zuwider laufen, die
aus Gründen des Staatsschutzes erlassen sind.[3] Auch dies hat in der Praxis
keine nennenswerte Bedeutung.

IV. Prozessuales

Das Verfahren und die Zuständigkeit der Behörden richtet sich gem. Abs. 2 6
nach den für streitige Verwaltungsverfahren landesgesetzlich geltenden
Vorschriften. Zuständig ist analog § 396 Abs. 1 AktG die oberste **Landes-**
behörde, regelmäßig das Regierungspräsidium oder das Wirtschaftsminis-
terium. In Bayern ist nach Art. 74 AGBGB die Kreisverwaltungsbehörde
zuständig. Das Übermaßverbot ist bei der Entscheidung zu beachten, es
dürfen keine milderen Mittel als die Auflösung der GmbH in Betracht
kommen. Regelmäßig wird es genügen, das beanstandete Verhalten behörd-
lich zu untersagen, denn die Untersagung des gesetzwidrigen Handelns ist
regelmäßig milderes Mittel gegenüber der Auflösung.[4] Die Auflösungsver-
fügung der Behörde ist privatrechtsgestaltender Verwaltungsakt.[5] Sie ist
sowohl der Gesellschaft und jedem einzelnen Gesellschafter zuzustellen
(§ 41 VwVfG). Die Auflösung ist auch dem Handelsregister mitzuteilen
(§ 65).

Gegen die Verfügung ist die **Anfechtungsklage** gem. § 42 Abs. 1 VwGO 7
statthaft. Nach § 42 Abs. 2 VwGO ist sowohl die Gesellschaft als auch jeder
einzelne Gesellschafter klagebefugt. Gem. § 80 VwGO kommt der Klageerhebung gegen die angegangene Verfügung aufschiebende Wirkung zu. Die
Rechtskraft des klagestattgebenden Urteils beendet die Abwicklung der
Gesellschaft. Ein Fortsetzungsbeschluss durch die Gesellschafter muss
dazu nicht gefasst werden.[6]

---

2 Rasner in Rowedder/Schmidt-Leithoff, GmbHG, § 62 Rn. 3.

3 Rasner in Rowedder/Schmidt-Leithoff, GmbHG, § 61 Rn. 12 ff.

4 Allgemeine Meinung: vgl. nur Rasner in Rowedder/Schmidt-Leithoff,
   GmbHG, § 62 Rn. 6 ff.

5 Allgemeine Meinung: vgl. nur Lutter/Kleindiek in Lutter/Hommelhoff,
   GmbHG, § 62 Rn. 2.

6 K. Schmidt in Scholz, GmbHG, § 62 Rn. 12.

§ 63 GmbHG [weggefallen]

1   Die Vorschrift ist aufgrund des Art. 48 Nr. 6 des Einführungsgesetzes zur Insolvenzordnung vom 05.10.1994 mit Wirkung zum 01.01.1999 weggefallen.

Die Vorschrift des § 63 GmbHG a.F. vom 31.12.1963 lautete wie folgt:

§ 63 GmbHG – Konkursverfahren

(1) Über das Vermögen der Gesellschaft findet das Konkursverfahren außer dem Fall der Zahlungsunfähigkeit auch in dem Fall der Überschuldung statt.

(2) Die auf das Konkursverfahren über das Vermögen einer Aktiengesellschaft bezüglichen Vorschriften in § 207 Abs. 2, § 208 der Konkursordnung finden auf die Gesellschaft mit beschränkter Haftung entsprechende Anwendung.

2   Die Vorschrift stellte klar, dass die GmbH überhaupt insolvenzfähig (früher: konkursfähig) ist und nannte die seinerzeitigen Konkursgründe. Zudem würde die entsprechende Anwendung der für die Aktiengesellschaft geltenden Vorschriften der (aufgehobenen) Konkursordnung angeordnet. Diese Regelungen sind zum 01.01.1999 i.R.d. Insolvenzrechtsreform **in die §§ 11, 17 bis 19 InsO integriert** worden.

§ 64 GmbHG   Haftung für Zahlungen nach Zahlungsunfähigkeit oder Überschuldung

¹Die Geschäftsführer sind der Gesellschaft zum Ersatz von Zahlungen verpflichtet, die nach Eintritt der Zahlungsunfähigkeit der Gesellschaft oder nach Feststellung ihrer Überschuldung geleistet werden. ²Dies gilt nicht von Zahlungen, die auch nach diesem Zeitpunkt mit der Sorgfalt eines ordentlichen Geschäftsmannes vereinbar sind. ³Die gleiche Verpflichtung trifft die Geschäftsführer für Zahlungen an Gesellschafter, soweit diese zur Zahlungsunfähigkeit der Gesellschaft führen mussten, es sei denn, dies war auch bei Beachtung der in Satz 2 bezeichneten Sorgfalt nicht erkennbar. ⁴Auf den Ersatzanspruch finden die Bestimmungen in § 43 Abs. 3 und 4 entsprechende Anwendung.

I.　Einführung

Mit der Neuschaffung des § 15a Abs. 1 InsO verlagert der Gesetzgeber den 1 bisherigen § 64 Abs. 1 in die InsO und führt eine rechtsformneutrale Insolvenzantragspflicht ein. Damit ersetzt der Gesetzgeber die bislang geltenden Antragspflichtvorschriften der §§ 64 Abs. 1, § 92 Abs. 2, § 130a Abs. 1 HGB und § 99 Abs. 1 GenG. § 15a Abs. 1 InsO entspricht dem bisherigen § 64 Abs. 1.[1]

§ 64 Satz 1 und 2 regeln die persönliche Haftung von Geschäftsführern für 2 Zahlungen, die nach dem Eintritt der Insolvenzreife aus dem Gesellschaftsvermögen geleistet wurden. Zudem erweitert § 64 Satz 3 die Geschäftsführerhaftung nunmehr auch um Zahlungen an Gesellschafter, die zur Illiquidität der Gesellschaft führen. Dadurch soll das **„Ausplündern" der Gesellschaft** durch die (weisungsberechtigten) Gesellschafter vermeiden.

II.　Änderungen durch das MoMiG: Insolvenzantragspflicht des Gesellschafters gem. § 15a InsO

Das MoMiG verortet die Pflicht zur Stellung des Insolvenzantrages des **§ 64** 3 **Abs. 1 GmbHG a.F.** in den neu geschaffenen § 15a InsO.

Ist die Gesellschaft zahlungsunfähig oder liegt ein Fall der Überschuldung 4 vor, so muss der Geschäftsführer gem. § 15a Abs. 1 InsO **Insolvenzantrag** stellen. Ist der Geschäftsführer „abgetaucht" oder hat die Gesellschaft keinen Geschäftsführer mehr, so geht die Insolvenzantragspflicht automatisch und ohne weiteren Rechtsakt auf den Gesellschafter über. Dies gilt nur dann nicht, wenn der Gesellschafter vom Insolvenzgrund und der Führungslosigkeit keine Kenntnis hat. § 15a Abs. 3 InsO begründet also nunmehr eine **Ersatzzuständigkeit des Gesellschafters**.

Der Regierungsentwurf zum MoMiG führt dazu aus:[2] 5

> *„Gesellschafter werden nun im Wege einer Ersatzzuständigkeit selbst in die Pflicht genommen werden, bei Zahlungsunfähigkeit bzw. Überschuldung einen Insolvenz-*

1　Poertzgen, NZI 2008, 9, 11.

2　RegE MoMiG, BR-Drucks. 354/07, S. 129.

> *antrag zu stellen. Diese Pflicht trifft die Gesellschafter bei Führungslosigkeit der Gesellschaft. Die Antragspflicht schon im Vorfeld der Vertreterlosigkeit, wenn der Aufenthalt der Geschäftsführer für die Gesellschafter unbekannt ist, war im Referentenentwurf noch vorgesehen, ist aber wegen zu vieler Zweifelsfragen fallengelassen worden. Sobald für die Gesellschaft wieder ein Geschäftsführer wirksam bestellt worden ist, geht die Antragspflicht auf diesen über. Die Gesellschafter stehen somit nur dann in der Pflicht, wenn die Gesellschaft keinen Geschäftsführer hat. Die Bestimmung trägt dem Gedanken Rechnung, dass die Gesellschafter einer GmbH zwar grundsätzlich als Kapitalgeber die Geschäftsleitung an angestellte Geschäftsführer delegieren können, dass sie aber auch die Verpflichtung haben, die Gesellschaft nicht zum Schaden des Rechtsverkehrs führungslos zu lassen."*

6   § 64 Abs. 1 GmbHG a.F. regelte bislang die Insolvenzantragspflicht. Das MoMiG regelt mit der Verortung der Antragspflicht in die InsO die Ausgestaltung der Insolvenzantragspflicht rechtsformneutral und stellt dabei auf den Zweck der Insolvenzantragspflicht ab, nämlich eines möglichst effektiven Gläubigerschutzes. Der fristgerechte Antrag soll das Insolvenzverfahren rechtzeitig einleiten, um bisherige Gläubiger vor einer noch weiter gehenden Schmälerung der Haftungsmasse zu bewahren. Potenzielle Neugläubiger sollen zudem von einem Vertragsabschluss mit der insolventen Gesellschaft zumindest gewarnt, ggf. auch abgehalten werden.

7   Die Antragspflicht trifft den Gesellschafter allerdings dann nicht, wenn er von der Zahlungsunfähigkeit und der Überschuldung oder der Führungslosigkeit **keine Kenntnis** hat. Nur trifft den Gesellschafter hierfür die **volle Darlegungs- und Beweislast**. Kenntnis meint positive Kenntnis, das bewusste Verschließen vor der Kenntnis reicht für die Annahme der Kenntnis aus, regelmäßig aber nicht das bloße Kennenmüssen.

8   Der Regierungsentwurf zum MoMiG führt dazu aus:[3]

> *„Der Geschäftsführer muss deshalb darlegen, dass er die Umstände, die auf die Zahlungsunfähigkeit, die Überschuldung und die Geschäftsführerlosigkeit schließen lassen, nicht kannte. Die Antragspflicht des Gesellschafters entfällt, wenn der Gesellschafter nur eines der beiden Elemente – entweder den Insolvenzgrund oder die Führungslosigkeit – nicht kennt. Eine ausufernde Nachforschungspflicht wird dem einzelnen Gesellschafter hiermit nicht auferlegt. Hat der Gesellschafter Kenntnis vom Insolvenzgrund, so ist dies für ihn freilich Anlass nachzuforschen, warum der Geschäftsführer keinen Insolvenzantrag stellt. Der Gesellschafter wird dann meist die Führungslosigkeit erkennen. Umgekehrt hat der Gesellschafter, der die Führungslosigkeit kennt, Anlass nachzuforschen, wie es um die Vermögensverhältnisse der Gesellschaft steht. Dabei hat naturgemäß der kleinbeteiligte Gesellschafter (10%) weniger oder keinen Anlass zu solchen Überlegungen,*

---

3   RegE MoMiG, BR-Drucks. 354/07, S. 128.

weshalb ihm die Entlastung regelmäßig und ohne Schwierigkeiten gelingen wird. Mit Kenntnis im Sinne der Vorschrift ist die positive Kenntnis gemeint; Kennenmüssen genügt grundsätzlich nicht. Die Rechtsprechung lässt es allerdings in vergleichbaren Fällen genügen, dass sich die Person, auf deren Kenntnis es ankommt, bewusst der Kenntnis verschlossen hat. Nach der Intention des MoMiGs soll dieses bewusste Verschließen vor der Kenntnis auch in Bezug auf die Insolvenzantragspflicht der Gesellschafter der positiven Kenntnis gleichstehen."

III.   Geschäftsführerhaftung

1.   Allgemeines

§ 64 Satz 1 und 2 regeln die persönliche Haftung von Geschäftsführern für   9
Zahlungen, die nach dem Eintritt der Insolvenzreife aus dem Gesellschaftsvermögen geleistet wurden. Der neu hinzugekommene § 64 Satz 3 (mit der Exkulpationsmöglichkeit) erweitert die Geschäftsführerhaftung noch um solche Zahlungen, die in der Krise (also vor Eintritt der Insolvenzreife) vorgenommen wurden und dadurch die Insolvenzreife ausgelöst haben. Davon ist die Haftung von Geschäftsführern aus Insolvenzverschleppung, die ihre Grundlage in § 823 Abs. 2 BGB i.V.m. § 15a Abs. 1 InsO (bisheriger § 64 Abs. 1) findet, zu unterscheiden.

2.   Haftung nach § 64

a)   Ersatz von (Dritt-) Zahlungen (Satz 1)

Satz 1 formuliert einen **Haftungsanspruch** der Gesellschaft gegen ihren   10
Geschäftsführer.

Sinn und Zweck des in § 64 zum Ausdruck kommenden **Zahlungsverbots**   11
(Zahlungssperre) ist es, die verteilungsfähige Vermögensmasse der insolvenzreifen Gesellschaft im Interesse der Gesamtheit ihrer Gläubiger zu erhalten und eine zu ihrem Nachteil gehende, bevorzugte Befriedigung einzelner Gläubiger zu verhindern.[4] Nach Eintritt des Insolvenzgrundes der Zahlungsunfähigkeit bzw. der Überschuldung hat der Geschäftsführer **besonders strenge Anforderungen an seine Sorgfalt** zu stellen (Satz 2). Nur noch solche Zahlungen sind ihm gestattet, die auch ein **sorgfältiger Geschäftsmann** vornehmen würde.

Unter der **verbotenen Zahlung** sind auch solche Zahlungen zu verstehen,   12
die zwar das zur Erhaltung des Stammkapitals erforderliche Gesellschaftsvermögen nicht antasten, dennoch aber die Zahlungsunfähigkeit herbeiführen. Hier genügt bereits der kausale Zusammenhang zwischen Zahlung und

---

4   BGH, 26.03.2007 – II ZR 310/05, BGHZ 143, 184, 186 = BB 2007, 1241.

Insolvenz. Der Begriff Zahlungen ist vom Telos her weit auszulegen. Unter Zahlungen sind neben Geldleistungen auch andere vergleichbare Leistungen zum Nachteil des Gesellschaftsvermögens zu verstehen.[5]

13 Die Begründung des Regierungsentwurfes zum MoMiG[6] spricht hier von *„sonstigen vergleichbaren Leistungen zu Lasten des Gesellschaftsver-mögens, durch die der Gesellschaft im Ergebnis Liquidität entzogen wird. Der erweiterte § 64 GmbHG wendet sich damit gegen den Abzug von Vermögenswerten, welche die Gesellschaft bei objektiver Betrachtung zur Erfüllung ihrer Verbindlichkeiten benötigt“.*

14 **Praxistipp:**

Will der Geschäftsführer in der akuten Krise Zahlungen tätigen, wird man ihm zuvor zu einer **Überschuldungsbilanz, Fortführungsprog-nose** und zur vorherigen Erstellung eines **Liquiditätsplans** raten müs-sen.[7] Verstößt der Geschäftsführer unter Schadenseintritt gegen diese Sorgfaltspflichten, so haftet er zugleich nach § 43 GmbHG.[8]

15 Die Vorschrift erfasst über ihren Wortlaut hinaus nicht nur Zahlungen, sondern auch sonstige Schmälerungen des Gesellschaftsvermögens wie z.B. Lieferung von Waren, Übertragung von Rechten, Scheckeinlösung auf debitorische Konten,[9] Dienstleistungen, Begründung neuer Verbindlichkei-ten. Entscheidend ist der Liquiditätsentzug zulasten der Gesellschaft. Die Haftung trifft auch den faktischen Geschäftsführer.[10]

b)   **Entlastungsmöglichkeit (Satz 2)**

16 Satz 2 sieht zugunsten des Geschäftsführers eine Entlastungsmöglichkeit (Exkulpation) vor, wenn er die drohende Zahlungsunfähigkeit im Drittver-gleich mit dem „Idealgeschäftsführer", dem sorgfältigen ordentlichen Kauf-mann, nicht erkennen konnte. Eine entsprechende Exkulpationsregelung sieht Satz 3 bei Zahlungen an den Gesellschafter vor (s. Rn. 20 ff.).

---

5   Ockelmann/Pieperjohanns/Hölck in Bormann/Kauka/Ockelmann, Hdb. GmbH-Recht, Kap. 7 Rn. 163.

6   RegE MoMiG, BR-Drucks. 354/07, S. 106.

7   Hölzle, GmbHR 2007, 729, 731.

8   Hölzle, GmbHR 2007, 729, 731: Doppelnormcharakter des Satz 3.

9   BGH, 29.11.1999 – II ZR 273/98, NJW 2000, 668.

10 BGH, 11.07.2005 – II ZR 235/03, DStR 2005, 1704.

Die Haftung tritt nicht ein, wenn die nach dem Eintritt der Insolvenzreife 17
vorgenommenen Handlungen mit der Sorgfalt eines ordentlichen Kaufman-
nes vereinbar sind. Das sind insbes. Zahlungen, die geleistet werden, um den
Geschäftsbetrieb für die Zwecke des Insolvenzverfahrens oder einer Sanierung[11] aufrechtzuerhalten.[12]

Der Ersatzanspruch setzt Verschulden[13] voraus, wobei Fahrlässigkeit genügt. 18
Auch hinsichtlich der Insolvenzreife ist positive Kenntnis des Geschäftsführers
nicht erforderlich, Erkennbarkeit reicht.[14] Das Verschulden des Geschäftsführers wird bei Zahlungen nach Insolvenzreife vermutet.[15]

Gläubiger des Ersatzanspruches ist die GmbH, auch wenn Normzweck in 19
erster Linie der Gläubigerschutz ist. Ein Vermögensschaden der GmbH ist
nicht erforderlich, eine Masseschmälerung genügt. Ob Gegenleistungen, die
in die Masse fließen oder dort wertmäßig erhalten bleiben, zu berücksichtigen sind, ist umstritten.[16] Ebenso ungeklärt ist, wie sich die mögliche
Anfechtung des Rechtsgeschäfts durch den Insolvenzverwalter auf den
Ersatzanspruch auswirkt. Überwiegend wird angenommen, dass die Insol-
venzanfechtung dem Ersatzanspruch vorgeht.[17] Der Geschäftsführer ist
nicht befugt, die Insolvenzquote in Abzug zu bringen, die der durch seine
Zahlung begünstigte Gläubiger bekommen hätte.[18] Aufgrund der Verweisung des § 64 Satz 4 auf § 43 Abs. 3 und 4 ist ein Verzicht der Gesellschaft
auf Ersatzansprüche ausgeschlossen.

c) Ersatz von Zahlungen an den Gesellschafter (Satz 3)

Satz 3 formuliert einen weiteren **Haftungsanspruch** der Gesellschaft gegen 20
den Geschäftsführer.

---

11 Ockelmann/Pieperjohanns/Hölck in Bormann/Kauka/Ockelmann, Hdb. GmbH-
    Recht, Kap. 7 Rn. 164.

12 BGH, 08.01.2002 – II ZR 88/89, NJW 2001, 1280, 1282.

13 Ockelmann/Pieperjohanns/Hölck in Bormann/Kauka/Ockelmann, Hdb. GmbH-
    Recht, Kap. 7 Rn. 165.

14 BGH, 29.11.1999 – II ZR 273/98, NJW 2000, 668; a.A. Schulze-Osterloh/
    Fastrich in Baumbach/Hueck, GmbHG, § 64 Rn. 38.

15 BGH, 08.01.2002 – II ZR 88/89, NJW 2001, 1280, 1282.

16 BGH, 08.01.2001 – II ZR 88/89, NJW 2001, 1280, 1282; a.A. Schulze-Oster-
    loh/Fastrich in Baumbach/Hueck, GmbHG, § 64 Rn. 76; offen gelassen: BGH,
    31.03.2003 – ZR 150/02, NJW 2003, 2316.

17 OLG Hamm, 25.01.1993 – 8 U 250/91, NJW-RR 1993, 1445,1447 m.w.N.;
    a.A. Lutter/Kleindiek in Lutter/Hommelhoff, GmbHG, § 64 Rn. 64.

18 BGH, 06.06.1994 – II ZR 292/91, NJW 1994, 2220, 2224; Ockelmann/Pieper-
    johanns/Hölck in Bormann/Kauka/Ockelmann, Hdb. GmbH-Recht, Kap. 7 Rn. 166.

21   Die Neufassung des § 64 durch das MoMiG will das **„Ausplündern" der Gesellschaft** zum Nachteil der Gläubiger durch die (weisungsberechtigten) Gesellschafter vermeiden. Sie führt damit zu einer Haftungsverschärfung des Geschäftsführers, der nunmehr in einem stärkeren Spannungsverhältnis zwischen den Interessen der Gesellschaft einerseits und den Interessen des Gesellschafters andererseits steht. Der Geschäftsführer haftet für Zahlungen an Gesellschafter, die die Zahlungsunfähigkeit der Gesellschaft zur Folge haben (verbotene Zahlung) – es sei denn, dass die drohende Zahlungsunfähigkeit aus Sicht eines sorgfältigen Geschäftsführers nicht erkennbar war. Der Gesetzgeber legt hier mit dem Vergleich eines sorgfältigen Geschäftsführers einen (objektiven) Drittmaßstab an.

22   Die Geschäftsführerhaftung bei Zahlungen an den Geschäftsführer verlangt nach Satz 3 neben der Zahlung als weiteres Tatbestandsmerkmal die **Kausalität für den Eintritt der Zahlungsunfähigkeit**. Kausalität ist gegeben, wenn der Gesellschaft nicht im Gegenzug – so auch die Begründung im Regierungsentwurf[19] – im gleichen Maß liquide Vermögenswerte zugeführt werden.

23   Die Begründung führt hierzu weiterhin aus:[20]

> *„Weiter soll der Geschäftsführer keineswegs verpflichtet werden, jegliche Zahlungen an Gesellschafter zu ersetzen, die in irgendeiner Weise kausal für eine - möglicherweise erst mit erheblichem zeitlichem Abstand eintretende - Zahlungsunfähigkeit der Gesellschaft geworden sind. Vielmehr muss die Zahlung ohne Hinzutreten weiterer Kausalbeiträge zur Zahlungsunfähigkeit der Gesellschaft führen. Das bedeutet nicht, dass im Moment der Leistung die Zahlungsunfähigkeit eintreten muss, es muss sich in diesem Moment aber klar abzeichnen, dass die Gesellschaft unter normalem Verlauf der Dinge ihre Verbindlichkeiten nicht mehr wird erfüllen können. Außergewöhnliche Ereignisse, die die Zahlungsfähigkeit hätten retten können, mit denen man aber im Moment der Auszahlung nicht rechnen konnte, bleiben außer Betracht. Das Tatbestandsmerkmal „führen musste" macht umgekehrt aber unmissverständlich deutlich, dass nicht jede Leistung gemeint ist, die erst nach Hinzutretenden weiterer im Moment der Zahlung noch nicht feststehender Umstände zur Zahlungsunfähigkeit führt. Die Ersatzpflicht besteht zudem nur in dem Umfang („soweit"), wie der Gesellschaft tatsächlich liquide Vermögensmittel entzogen und nicht z.B. durch eine Gegenleistung des Gesellschafters ausgeglichen worden sind."*

---

19   RegE MoMiG, BR-Drucks. 354/07, S. 106.

20   RegE MoMiG, BR-Drucks. 354/07, S. 106 f.

> **Praxistipp:**
>
> Will der Geschäftsführer in der Krise Zahlungen an die Gesellschafter auskehren, wird man ihm – wie ebenfalls bei Zahlungen an Dritte (s. Rn. 14) – zuvor zu einer Überschuldungsbilanz, Fortführungsprognose und zur vorherigen Erstellung eines Liquiditätsplans raten müssen.[21] Verstößt der Geschäftsführer unter Schadenseintritt gegen diese Sorgfaltspflichten, so haftet er zugleich nach § 43.[22]

Die Begründung zum Regierungsentwurf des MoMiG[23] will die **Haftungs-** 24 **erweiterung** nur **restriktiv** annehmen und verweist auch auf das Weisungsrecht, dem der Geschäftsführer bis zu gewissen Grenzen unterliegt und verlangt ggf. die Amtsniederlegung des Geschäftsführers (mit der möglichen Folge der Führungslosigkeit und der übergehenden Insolvenzantragspflicht auf den Gesellschafter). Die Begründung führt dazu aus:

> *„Die Erweiterung der Haftung der Geschäftsführer ist nur mit Vorsicht und Zurückhaltung vorzunehmen, weil Geschäftsführer grundsätzlich an Weisungen der Gesellschafter gebunden sind und im Falle der Fremdgeschäftsführung ein wirtschaftliches Abhängigkeitsverhältnis zum Gesellschafter bestehen kann. Grundsätzlich muss der Geschäftsführer Weisungen auch dann befolgen, wenn er sie für unternehmerisch verfehlt hält. Die Weisungsgebundenheit endet jedoch dort, wo der Geschäftsführer durch Ausführung der Weisung eine ihn treffende gesetzliche Pflicht verletzen und sich selbst gegenüber der Gesellschaft ersatzpflichtig machen würde. Dementsprechend schneidet § 43 Abs. 3, auf den § 64 verweist, dem Geschäftsführer den Einwand ab, er habe einen Beschluss der Gesellschafter befolgt. Zweifelt der Geschäftsführer, ob eine Zahlung an die Gesellschafter gegen den erweiterten § 64 verstoßen würde, muss er sein Amt niederlegen, statt die von den Gesellschaftern gewünschte Zahlung vorzunehmen. Die hier vorgeschlagene Regelung ist in ihrem Anwendungsbereich eng begrenzt und in ihren Voraussetzungen klar erkennbar und stellt damit keine Überforderung der Geschäftsführer dar.“*

Zugleich gewährt die Haftungsanordnung des Satz 3 dem Geschäftsführer 25 ein **Leistungsverweigerungsrecht**, das zu einer Zahlungssperre (Ausschüttungssperre) führt.[24] Leistungsverweigerungsrecht steht zwar leider nicht wortwörtlich im Satz 3, ist aber dem Sinn und Zweck der Norm, nämlich Erhalt der Masse zugunsten der Gläubiger, durchaus zu entnehmen.

---

21   Hölzle, GmbHR 2007, 729, 731; Ockelmann/Pieperjohanns/Hölck in Bormann/Kauka/Ockelmann, Hdb. GmbH-Recht, Kap. 7 Rn. 175.

22   Hölzle, GmbHR 2007, 729, 731: Doppelnormcharakter des Satz 3.

23   RegE MoMiG, BR-Drucks. 354/07, S. 107.

24   Hölzle, GmbHR 2007, 729, 732; Bormann, DB 2006, 2616.

26   Die Zahlungssperre und das darin innewohnende Leistungsverweigerungsrecht des Geschäftsführers kann ein Gesellschafter auch nicht durch Weisung gegenüber dem Geschäftsführer dadurch umgehen, dass er ihn z.B. von
der Haftung wirksam freistellt.

27   Die **Haftung nach Satz 3** ist wohl **auflösend bedingt**, wenn die Zahlung
zwar ursächlich für den Insolvenzgrund war, dennoch aber kein Insolvenzantrag gestellt wird und es gelingt, die Gesellschaft erfolgreich zu sanieren.[25] Denn die Gesellschaftsgläubiger werden in diesem Fall alle befriedigt,
sodass bei ihnen letztlich kein Schaden eintritt.

d)   Darlegungs- und Beweislast

28   Die Darlegungs- und Beweislast bei der angestrebten Exkulpation nach
Satz 2 liegt beim Geschäftsführer. Satz 2 formuliert also eine **Haftung für
ein vermutetes Verschulden**.

29   Der in Anspruch genommene Geschäftsführer wird darlegen und ggf.
beweisen müssen, dass die vorgenommenen Zahlungen, die nach Eintritt
der Zahlungsunfähigkeit der Gesellschaft oder nach Feststellung ihrer Überschuldung geleistet wurden, mit der Sorgfalt eines ordentlichen Geschäftsmannes vereinbar waren. Bei Zahlungen an die Gesellschafter, die zur
Zahlungsunfähigkeit nach Satz 3 führen mussten, hat der Geschäftsführer
darzulegen und ggf. zu beweisen, das diese Folge auch bei Beachtung der in
Satz 2 bezeichneten Sorgfalt (objektiv) nicht erkennbar war. Es gilt hier ein
objektiver Maßstab.

3.   Haftung wegen Insolvenzverschleppung, § 823 Abs. 2 BGB i.V.m. § 15a Abs. 1 InsO

a)   Allgemeines

30   § 15a Abs. 1 InsO ist (wie § 64 Abs. 1 a.F.) ein Schutzgesetz i.S.v. § 823
Abs. 2 BGB zugunsten der Gläubiger. Die Insolvenzverschleppungshaftung
ist eigenständig und tritt ggf. neben die Haftung aus § 64.

b)   Alt- und Neugläubiger

31   Zu unterscheiden ist dabei zwischen Alt- und Neugläubigern. **Altgläubiger**
sind diejenigen, die bei Eintritt der Insolvenzreife und Beginn der Antragspflicht bereits Gläubiger waren. Ihnen gegenüber ist die Ersatzpflicht des
Geschäftsführers auf den sog. **Quotenschaden** beschränkt.[26] Das ist der

---

25   Hölzle, GmbHR 2007, 729, 732.
26   Allgemeine Meinung vgl. nur BGH, 06.06.1994 – II ZR 292/91, NJW
      1994, 2224.

Betrag, um den sich die Insolvenzquote durch die Insolvenzverschleppung verringert hat. Bezüglich der **Neugläubiger**, die ihre Gläubigerstellung nach Eintritt der Insolvenzreife erlangt haben, ist die Situation anders, als sie eben bei rechtzeitiger Antragstellung i.d.R. gar keinen Schaden erlitten hätten. Sie können daher nicht nur den Quotenschaden, sondern zumindest das **negative Interesse** (sog. Kontrahierungsschaden) ersetzt verlangen.[27] Dies gilt zumindest für die Gläubiger vertraglicher Ansprüche. Für Gläubiger deliktischer Ansprüche verbleibt es beim Ersatz des Quotenschadens.[28]

Verfügt der Geschäftsführer über (Sonder-) Wissen, das ihn befähigt, die 　32 drohende Zahlungsunfähigkeit zu erkennen, gelingt ihm die Exkulpation hingegen nicht, weder nach Satz 2 noch nach Satz 3.

§ 65 GmbHG　　　Anmeldung und Eintragung der Auflösung

(1) ¹Die Auflösung der Gesellschaft ist zur Eintragung in das Handelsregister anzumelden. ²Dies gilt nicht in den Fällen der Eröffnung oder der Ablehnung der Eröffnung des Insolvenzverfahrens und der gerichtlichen Feststellung eines Mangels des Gesellschaftsvertrags. ³In diesen Fällen hat das Gericht die Auflösung und ihren Grund von Amts wegen einzutragen. ⁴Im Falle der Löschung der Gesellschaft (§ 60 Abs. 1 Nr. 7) entfällt die Eintragung der Löschung.

(2) ¹Die Auflösung ist von den Liquidatoren zu drei verschiedenen Malen in den Gesellschaftsblättern bekanntzumachen. ²Durch die Bekanntmachung sind zugleich die Gläubiger der Gesellschaft aufzufordern, sich bei derselben zu melden.

27　Allgemeine Meinung: vgl. nur BGH, 07.07.2003 – II ZR 241/01, NZG 2003, 923; BGH, 25.07.2005 – II ZR 390/03, NZG 2005, 886.

28　Roth/Altmeppen, GmbHG, § 64 Rn. 71; offen gelassen: BGH, 07.07.2003 – II ZR 214/02, NZG 2003, 923.

I.   Einführung

1   Die Vorschrift regelt Anmeldungs- und Bekanntmachungspflichten von Geschäftsführern und Liquidatoren im Zusammenhang mit der Auflösung der GmbH.

> *Beispiel:*
>
> *Der Antrag auf Eröffnung des Insolvenzverfahrens wird mangels Masse rechtskräftig abgelehnt. Auch wenn die Masse für die Eröffnung eines Insolvenzverfahrens nicht ausreicht, ist verwertbares, wenn auch bescheidenes Restvermögen der GmbH vorhanden. Die Auflösung der GmbH ist auch hier zum Handelsregister anzumelden. Ferner ist ein Gläubigeraufruf nach § 65 Abs. 2 GmbHG durchzuführen. Anschließend muss ein Liquidationsverfahren nach den §§ 66 ff. GmbHG stattfinden.*

2   In § 65 Abs. 1 Satz 2 wurden durch das MoMiG die Wörter „oder der Nichteinhaltung der Verpflichtungen nach § 19 Abs. 4" gestrichen. Es handelt sich um eine Folgeänderung zur Neufassung § 19 Abs. 4.

II.   Anmeldepflicht (Abs. 1)

3   Anzumelden ist die Auflösung der GmbH.

Formulierungsbeispiel:

> Die Gesellschaft ist aufgelöst.

Anmeldepflichtig sind die Geschäftsführer bzw. Liquidatoren. Eine Anmeldung ist ausnahmsweise entbehrlich in den Fällen des § 60 Abs. 1 Nr. 4 bis 6 (Insolvenz, Ablehnung der Insolvenzeröffnung, Auflösung wegen Feststellen von Satzungsmängeln durch das Registergericht), weil hier die Auflösung durch das Registergericht bereits von Amts wegen anzumelden ist (Abs. 1 Satz 3). Obsolet ist eine Anmeldung ferner in den Fällen des § 60 Abs. 1 Nr. 7 (Löschung wegen Vermögenslosigkeit), weil hier Auflösung (ausnahmsweise) mit der Löschung zusammenfällt (Abs. 1 Satz 4).

III.   Wirkung der Registereintragung

4   Die Eintragung der Auflösung der GmbH wirkt grds. **deklaratorisch**, d.h. die Auflösung ist auch ohne Eintragung wirksam.[1] Eine Ausnahme gilt, wenn die Auflösung der GmbH durch Satzungsänderung erfolgt, weil diese gem. § 54 Abs. 3 erst mit der Eintragung wirksam wird.

---

[1]   Allgemeine Meinung: vgl. nur BGH, 23.11.1998 – II ZR 70/97, NJW 1999, 1481, 1483; K. Schmidt in Scholz, GmbHG, § 65 Rn. 1.

Die Auflösung ist nicht gleichbedeutend mit der Beendigung der GmbH.[2] Beendet ist die Existenz der GmbH vielmehr erst mit Eintritt der Vermögenslosigkeit **und** Löschung im Handelsregister (sog. **Lehre vom Doppeltatbestand**[3]) nach § 74 Abs. 1 GmbHG oder § 141a FGG (vgl. § 74 Rn. 12). Auch die Löschung der Gesellschaft im Handelsregister ohne gleichzeitige Vermögenslosigkeit führt folgerichtig nicht zur Beendigung der Gesellschaft.

5

Stellt sich nach Löschung heraus, dass die GmbH noch verwertbares Vermögen besitzt, hat eine **Nachtragsliquidation** stattzufinden (§ 66 Abs. 5).

6

IV. Bekanntmachung und Gläubigeraufruf (Abs. 2)

1. Bekanntmachung

Zu unterscheiden sind **zwei verschiedene Bekanntmachungen** im Zusammenhang mit der Auflösung der GmbH:

7

1. die Bekanntmachung der Eintragung der Auflösung, die durch das Registergericht erfolgt und

2. die 3-malige Bekanntmachung der Auflösung verbunden mit dem Aufruf an die Gläubiger der Gesellschaft, die von den Liquidatoren zu veranlassen ist.

2. Gläubigeraufruf

Die Auflösung der GmbH und die damit verbundene Aufforderung an die Gläubiger der Gesellschaft, sich bei dieser zu melden, sind mindestens **drei verschiedene Male** in den Bekanntmachungsblättern der Gesellschaft zu veröffentlichen. Die rechtliche Bedeutung des Gläubigeraufrufs liegt v.a. darin, dass nach § 73 Abs. 1 mit der Verteilung des Vermögens der abgewickelten GmbH frühestens ein Jahr nach der letzten Veröffentlichung der Bekanntmachung begonnen werden darf (vgl. § 73 Rn. 13). Bekanntmachungspflichtig sind die Liquidatoren.

8

Hinweis:

Die Bekanntmachung hat regelmäßig folgenden Inhalt:

„Die X-GmbH ist aufgelöst. Die Gläubiger der Gesellschaft werden gemäß § 65 Abs. 2 GmbHG aufgefordert, sich bei dieser zu melden. X-GmbH i.L.

Gez. Liquidatoren."

---

2 Burger in Bormann/Kauka/Ockelmann, Hdb. GmbH-Recht, Kap. 11 Rn. 12.
3 Schulze-Osterloh in Baumbach/Hueck, GmbHG, § 60 Rn. 6; OLG Stuttgart, 30.09.1998 – 20 U 21/98, NZG 1999, 31, 32; a.A. BGH, 29.09.1967 – V ZR 40/66, BGHZ 48, 303, 307 = NJW 1968, 297.

9   Der Gläubigeraufruf ist bei offensichtlicher völliger Vermögenslosigkeit der GmbH ausnahmsweise entbehrlich.[4] Der unterlassene Gläubigeraufruf kann Schadensersatzpflichten der Liquidatoren nach § 43 Abs. 2 begründen.[5]

V.   Stille Liquidation

10 Von „stiller Liquidation" wird gesprochen, wenn die GmbH ohne formelle Auflösung der Gesellschaft und Anmeldung der Auflösung ihre werbende (d.h. aktive, marktbezogene) Geschäftstätigkeit tatsächlich einstellt.[6] Die Abwicklung, insbes. die Berichtigung der Verbindlichkeiten, Rechnungslegung etc. erfolgt durch die Geschäftsführer und kann zur Entstehung einer sog. **Mantel-GmbH** führen.[7] Die Gesellschaft entfaltet keine werbende Tätigkeit und ist nahezu vermögenslos, wird aber zum Zweck der möglichen Reaktivierung und/oder Veräußerung nach außen aufrechterhalten.

VI.   Prozessuales

11 Die Erfüllung der Anmeldepflicht nach Abs. 1, nicht aber die Durchführung des Gläubigeraufrufs nach Abs. 2 kann vom Registergericht notfalls durch Festsetzung von Zwangsgeld nach § 14 HGB erzwungen werden. Adressaten der Zwangsgeldfestsetzung sind die Geschäftsführer persönlich.[8]

12 Fassen die Gesellschafter einen Fortsetzungsbeschluss, ist dieser nur dann zur Eintragung beim Handelsregister anzumelden, wenn sich aus dem Handelsregister aufgrund vorheriger Auflösungseintragung oder aus anderen Gründen (z.B. eingetragene zeitliche Beschränkung) die Auflösung der Gesellschaft ergibt.[9]

---

4   OLG Hamm, 11.11.1986 – 15 W 70/86, NJW-RR 1987, 348, 349.

5   Lutter/Kleindiek in Lutter/Hommelhoff, GmbHG, § 65 Rn. 9.

6   Rasner in Rowedder/Schmidt-Leithoff, GmbHG, § 60 Rn. 6; Burger in Bormann/Kauka/Ockelmann, Hdb. GmbH-Recht, Kap. 11 Rn. 15 ff.

7   Herrschende Meinung: vgl. BGH, 16.03.1992 – II ZB 17/91, NJW 1992, 1824; BayObLG, 24.03.1999 – 3 Z BR 295/98, DStR 1999, 1036.

8   BayObLG, 03.07.1986 – BReg 3 Z 72/86, NJW-RR 1986, 1480.

9   Ensthaler/Zech in Achilles/Ensthaler/Schmidt, GmbHG, § 65 Rn. 11; a.A. K. Schmidt in Scholz, GmbHG, § 65 Rn. 4.

§ 66 GmbHG   Liquidatoren

(1) In den Fällen der Auflösung außer dem Fall des Insolvenzverfahrens erfolgt die Liquidation durch die Geschäftsführer, wenn nicht dieselbe durch den Gesellschaftsvertrag oder durch Beschluss der Gesellschafter anderen Personen übertragen wird.

(2) Auf Antrag von Gesellschaftern, deren Geschäftsanteile zusammen mindestens dem zehnten Teil des Stammkapitals entsprechen, kann aus wichtigen Gründen die Bestellung von Liquidatoren durch das Gericht (§ 7 Abs. 1) erfolgen.

(3) [1]Die Abberufung von Liquidatoren kann durch das Gericht unter derselben Voraussetzung wie die Bestellung stattfinden. [2]Liquidatoren, welche nicht vom Gericht ernannt sind, können auch durch Beschluss der Gesellschafter vor Ablauf des Zeitraums, für welchen sie bestellt sind, abberufen werden.

(4) Für die Auswahl der Liquidatoren findet § 6 Abs. 2 Satz 2 und 3 entsprechende Anwendung.

(5) [1]Ist die Gesellschaft durch Löschung wegen Vermögenslosigkeit aufgelöst, so findet eine Liquidation nur statt, wenn sich nach der Löschung herausstellt, dass Vermögen vorhanden ist, das der Verteilung unterliegt. [2]Die Liquidatoren sind auf Antrag eines Beteiligten durch das Gericht zu ernennen.

I.   Einführung

1   Die Vorschrift regelt **zentrale Verfahrensfragen der Liquidation** einer GmbH, insbes. hinsichtlich der Bestellung und Abberufung von Liquidatoren sowie deren Eignung für dieses Amt. Der zum 01.01.1999 eingefügte Abs. 5 betrifft einen Sonderfall der Nachtragsliquidation bei vorheriger Löschung wegen Vermögenslosigkeit und entspricht inhaltlich dem aufgehobenen § 2 Abs 3 LöschG a.F.

2   Die §§ 66 ff. gelten grds. auch für die **Vor-GmbH**. Die vom BGH[1] früher vertretene gegenteilige Auffassung wird inzwischen allgemein als überholt angesehen.[2] Der Geschäftsführer der Vor-GmbH ist daher nach Abs. 1 auch deren geborener Liquidator. Ferner können die Liquidatoren nach Abs. 2 durch das Registergericht bestellt werden.[3] Nicht auf die Vor-GmbH anwendbar ist jedoch insbes. Abs. 5, weil die dort geregelte Nachtragsliquidation die Löschung und damit denknotwendig die vorherige Eintragung der GmbH voraussetzt.[4]

3   Die Liquidation der GmbH & Co. KG erfolgt gem. § 161 Abs. 2 HGB grds. nach den §§ 145 ff. HGB. Nach § 146 Abs. 1 HGB sind alle Gesellschafter der KG – auch die Kommanditisten – als Liquidatoren berufen. Zumindest für die körperschaftlich verfasste **GmbH & Co. KG** ist aber davon auszugehen, dass der Komplementär-GmbH aufgrund stillschweigender Vereinbarung der Gesellschafter automatisch die Stellung des alleinigen Liquidators zufällt, denn dadurch wird die Kontinuität der Verwaltung vor und nach der Auflösung der Gesellschaft gewahrt.[5]

II.   Bestellung der Liquidatoren durch das Gesetz (Abs. 1)

4   **Geschäftsführer** der GmbH sind nach Abs. 1 kraft Gesetzes „**geborene**" **Liquidatoren** ihrer Gesellschaft, soweit Liquidatoren nicht durch den Gesellschaftsvertrag oder durch Gesellschafterbeschluss bestellt wurden bzw. werden. Geschäftsführer sind zur Übernahme der Aufgabe des Liqui-

---

1   BGH, 09.03.1981 – II ZR 54/80, BGHZ 86, 122, 127 = NJW 1983, 876; vgl. aber BGH, 28.11.1997 – V ZR 176/96, NJW 1998, 1079, 1080.

2   Allgemeine Meinung: vgl. nur Nerlich in Michalski, GmbHG, § 66 Rn. 5 m.w.N.; in diesem Sinne jetzt auch BGH, 31.03. 2008 – II ZR 308/06, NZG 2008, 466.

3   Lutter/Kleindiek in Lutter/Hommelhoff, GmbHG, § 66 Rn. 5.

4   Herrschende Meinung: vgl. Nerlich in Michalski, GmbHG, § 66 Rn. 85.

5   Roth/Altmeppen, GmbHG, § 66 Rn. 55 m.w.N.

dators nicht nur berechtigt, sondern aufgrund ihrer Organstellung auch verpflichtet.[6] Weigert sich ein Geschäftsführer, das Amt des Liquidators zu übernehmen, kann er sich daher nach § 43 Abs. 2 schadensersatzpflichtig machen.[7] Allerdings kann ein Liquidator – wie ein Geschäftsführer – sein Amt ggf. niederlegen und benötigt dafür noch nicht einmal einen wichtigen Grund (dazu § 66 Rn. 23).

III. Bestellung der Liquidatoren durch Satzung oder Gesellschafterbeschluss (Abs. 1)

Durch die Satzung der GmbH können bestimmte oder zumindest bestimmbare (Beispiel: „der jeweilige Präsident der Steuerberaterkammer") Personen zu Liquidatoren bestellt werden (Abs. 1). 5

Praxistipp:

Wegen der sonst entstehenden Unsicherheiten sollte die Satzung die Liquidatoren entweder eindeutig bestimmen oder aber die Bestellung einem Gesellschafterbeschluss überlassen.

Liquidatoren können ferner durch Beschluss der Gesellschafter bestellt werden. Soweit die Satzung keine abweichende Regelung enthält, genügt dafür die einfache Mehrheit der Stimmen nach § 47 Abs. 1. 6

Praxistipp:

Die Möglichkeit zur Bestellung der Liquidatoren durch Beschluss der Gesellschafter besteht selbst dann, wenn die Satzung der GmbH bereits eine Bestimmung über die Liquidatoren i.S.v. Abs. 1 enthält. Für den Beschluss genügt die einfache Mehrheit, auch wenn dabei zugleich ein durch die Satzung bestellter Liquidator abberufen wird.[8] Diese Befugnis folgt daraus, dass die Gesellschafter nach Abs. 3 Satz 2 Liquidatoren, soweit sie nicht gerichtlich bestellt wurden, jederzeit wieder abberufen können.

---

6 Herrschende Meinung: vgl. Burger in Bormann/Kauka/Ockelmann, Hdb. GmbH-Recht, Kap. 11 Rn. 132.

7 Lutter/Kleindiek in Lutter/Hommelhoff, GmbHG, § 66 Rn. 2.

8 Nach Lutter/Kleindiek in Lutter/Hommelhoff, GmbHG, § 66 Rn. 4, ist zusätzlich ein wichtiger Grund erforderlich, wenn einem Gesellschafter durch die Satzung ein gesellschaftsvertragliches Sonderrecht auf die Liquidatorenstellung eingeräumt wurde.

7 Durch die Satzung oder durch Beschluss „gekorene" Liquidatoren sind zur Übernahme des Amtes nur dann verpflichtet, wenn sie sich vorher dazu bereit erklärt haben. Lehnt ein durch Satzung oder Beschluss gekorener Liquidator die Übernahme des Amtes ab oder legt sein Amt später nieder, fällt die Aufgabe nicht automatisch an die Geschäftsführer als geborene Liquidatoren zurück.[9] Vielmehr muss ggf. ein Liquidator nach Abs. 2 durch das Registergericht bestellt werden, sofern die Gesellschafter nicht durch Beschluss rechtzeitig andere Liquidatoren ernennen.

8 Eine Mindestzahl von Liquidatoren schreibt das Gesetz nicht vor. Ein Liquidator reicht in der Praxis zumeist völlig aus. Für der Mitbestimmung unterliegende Gesellschaften sind aber mindestens zwei Liquidatoren erforderlich, weil auch im Abwicklungsstadium ein Arbeitsdirektor (§ 33 MitbestG; § 13 MontanMitbestG) vorhanden sein muss.[10]

9 **Muster: Gesellschafterbeschluss über die Bestellung und Abberufung eines Liquidators**

> Niederschrift über die Gesellschafterversammlung der .....-GmbH vom .....
>
> Wir sind die alleinigen Gesellschafter der .....-GmbH. Wir treten hiermit unter Verzicht auf Formen und Fristen der Einberufung zu einer Gesellschafterversammlung dieser Gesellschaft zusammen und beschließen einstimmig:
>
> Der Liquidator Herr ..... wird aus wichtigem Grund abberufen. Zum neuen Liquidator wird Herr ..... bestellt. Er vertritt die Gesellschaft allein, solange er einziger Liquidator ist. Sind mehrere Liquidatoren bestellt, so vertreten sie gemeinschaftlich.
>
> Ort, Datum, Unterschriften

IV. Bestellung der Liquidatoren durch das Gericht

1. Bestellung nach § 66 Abs. 2

10 Bei Vorliegen eines wichtigen Grundes können Liquidatoren nach Abs. 2 vom Registergericht bestellt werden.

---

9   LG Frankenthal, 18.12.1995 – 1 T 552/95, GmbHR 1996, 131; Roth/Altmeppen, GmbHG, § 66 Rn. 23.

10   Herrschende Meinung: vgl. Roth/Altmeppen, GmbHG, § 66 Rn. 11.

Beispiel für Notbestellung:

Der oder die Geschäftsführer haben ihr Amt bereits vor oder mit der Auflösung der Gesellschaft niedergelegt. Die Satzung trifft keine diesbezügliche Regelung und die Gesellschafter fassen keinen Beschluss zur Bestellung eines Liquidators.

Die Notbestellung analog §§ 29, 48 BGB kann – anders als die Bestellung der Liquidatoren nach Abs. 2 – nicht nur von einer qualifizierten Gesellschafterminderheit **beantragt** werden, sondern auch von Gläubigern, Gesellschaftern mit weniger als 10 % Anteilsbesitz, Arbeitnehmern, Sozialversicherungsträgern etc. Bei der GmbH & Co. KG kann der Antrag auf Notbestellung auch von einem Kommanditisten gestellt werden.[20]   17

Das Gericht entscheidet über den Antrag durch Beschluss. Die Gesellschafter sind vorher zu hören. **Rechtsmittel** gegen die Entscheidung des Gerichts ist nach h.M. die einfache unbefristete Beschwerde nach § 19 Abs. 1 FGG.[21]   18
Die Notbestellung nach den §§ 29, 48 BGB analog endet automatisch, wenn Liquidatoren in ausreichender Zahl entweder nach Abs. 1 durch die Gesellschafter oder auf entsprechenden Antrag nach Abs. 2 durch das Gericht bestellt werden.[22]

V.   Abberufung von Liquidatoren und Amtsniederlegung

1.   Abberufung (Abs. 3)

Liquidatoren, die nicht nach Abs. 2 oder analog den §§ 29, 48 BGB durch das Gericht bestellt wurden, können von der Gesellschafterversammlung jederzeit und auch ohne wichtigen Grund durch Beschluss mit einfacher Mehrheit (§ 47 Abs. 1) wieder abberufen werden, vgl. Abs. 3. Der abzuberufende Liquidator darf dabei nach allgemeinen Stimmrechtsgrundsätzen mit abstimmen, wenn er zugleich Gesellschafter ist, nicht aber, wenn es sich um eine Abberufung aus wichtigem Grund handelt.[23]   19

Ferner kann das Registergericht auf Antrag einer qualifizierten Gesellschafterminderheit jeden Liquidator – auch einen gerichtlich bestellten – jederzeit aus wichtigem Grund abberufen, vgl. Abs. 3. Die Abberufung ist das   20

20   Herrschende Meinung: vgl. BayObLG, 02.06.1976 – BReg 2 Z 84/75, BB 1976, 998; Noack/Schulze-Osterloh in Baumbach/Hueck, GmbHG, § 66 Rn. 32.
21   Herrschende Meinung: vgl. KG Berlin, 04.04.2000 – 1 W 3052/99, GmbHR 2000, 660 m.w.N.
22   Herrschende Meinung: vgl. BayObLG 1987, 306; Lutter/Kleindiek in Lutter/Hommelhoff, GmbHG, § 66 Rn. 7.
23   Allgemeine Meinung: vgl. nur BGH, 21.04.1969 – II ZR 200/67, NJW 1969, 1483; Noack/Schulze-Osterloh in Baumbach/Hueck, GmbHG, § 66 Rn. 24.

Spiegelbild der außerordentlichen Bestellung nach Abs. 2, sodass die dort dargestellten Grundsätze entsprechend anzuwenden sind.[24] Entscheidungsmaßstab ist auch hier das Interesse der Beteiligten an einer ordnungsgemäßen Liquidation der Gesellschaft.

Beispiele für einen wichtigen Grund zur Abberufung:

- *Verletzung von gesetzlichen Rechnungslegungspflichten durch Liquidator,[25]*
- *nachhaltige Zerstrittenheit der Liquidatoren,[26]*
- *Zerstörung des Vertrauens der Minderheitsgesellschafter,[27]*
- *offensichtliche Unfähigkeit für das Liquidatorenamt,[28]*
- *Verfolgung eigener Interessen.[29]*

21   Durch die Abberufung als Organ wird das Anstellungsverhältnis des Liquidators nicht berührt.[30] Es muss ggf. nach den allgemeinen Vorschriften (§§ 622, 626, 627 BGB) gekündigt werden. Die Abberufung durch das Gericht ist regelmäßig ein wichtiger Grund, um den Anstellungsvertrag auch fristlos zu kündigen (§ 626 BGB), und zwar für beide Seiten.[31] Bei einem wirtschaftlich unabhängigen Liquidator kann das Anstellungsverhältnis ggf. auch nach § 627 BGB fristlos gekündigt werden.[32] Ein Gesellschafterbeschluss über die Abberufung des Liquidators kann im Einzelfall zugleich die konkludente Kündigung des Anstellungsverhältnisses beinhalten.[33]

22   Eine **einstweilige Verfügung** nach § 940 ZPO mit dem Ziel, einen Liquidator endgültig abzuberufen, ist nicht zulässig, wohl aber eine vorläufige Suspendierung.[34]

---

24   Nerlich in Michalski, GmbHG, § 66 Rn. 67.

25   OLG Düsseldorf, 19.09.2001 – 3 Wx 41/01, NZG 2002, 90.

26   OLG Frankfurt a.M., 17.11.2005 – 20 W 388/05, GmbHR 2006, 493.

27   OLG Düsseldorf, 19.09.2001 – 3 Wx 41/01, NZG 2002, 90.

28   OLG Köln, 06.01 2003 – 2 Wx 39/02, NZG 2003, 340.

29   KG Berlin, 30.08.2005 – 1 W 25/04, FGPrax 2006, 28 = NZG 2005, 934.

30   Allgemeine Meinung: vgl. nur Noack/Schulze-Osterloh in Baumbach/Hueck, GmbHG, § 66 Rn. 25.

31   Herrschende Meinung: vgl. Noack/Schulze-Osterloh in Baumbach/Hueck, GmbHG, § 66 Rn. 25, 28.

32   Vgl. Lutter/Kleindiek in Lutter/Hommelhoff, GmbHG, § 66 Rn. 12.

33   KG Berlin, 26.11.1997 – 23 U 5873/95, GmbHR 1998, 1039 f.

34   Allgemeine Meinung: vgl. nur Nerlich in Michalski, GmbHG, § 66 Rn. 70.

2. Amtsniederlegung

Liquidatoren können ihr Amt auch von sich aus niederlegen. Ein wichtiger 23
Grund für die **Amtsniederlegung** ist dabei nicht erforderlich.[35] Erklärungsgegner für die Amtsniederlegung ist bei einem nach Abs. 1 bestellten
Liquidator die GmbH, vertreten durch ihre Organe (also die übrigen Liquidatoren), und – falls solche nicht vorhanden sind – die Gesellschafter.[36] Es
genügt, dass die Amtsniederlegung gegenüber einem (anderen) Gesellschafter erklärt wird, denn der Grundsatz, dass eine Willenserklärung mit Wirksamkeit gegenüber einem Gesamtvertreter abgegeben werden kann, findet
auch auf die Rechtsverhältnisse Anwendung, in denen die GmbH nach § 46
Nr. 5 GmbHG gemeinsam durch ihre Gesellschafter vertreten wird.[37] Im
Fall der Einmann-GmbH erfolgt die Erklärung der Amtsniederlegung gegenüber dem Registergericht, weil andere Erklärungsgegner ohnehin nicht in
Betracht kommen.[38] Ähnlich haben auch gerichtlich bestellte Liquidatoren
die Amtsniederlegung gegenüber dem Registergericht zu erklären.[39] Von
einem Teil der Literatur wird stattdessen aber eine Erklärung ggü. den
Gesellschaftern verlangt.[40]

> **Praxistipp:**
>
> Der gerichtlich bestellte alleinige Liquidator will sein Amt wegen anhal-
> tenden Streitigkeiten mit den Gesellschaftern niederlegen. Zumindest für
> gerichtlich bestellte Liquidatoren empfiehlt es sich mangels gefestigter
> Rechtsprechung, die Amtsniederlegung ggü. dem Registergericht und
> parallel gegenüber mindestens einem Gesellschafter zu erklären.[41]

---

35   Allgemeine Meinung: vgl. nur BGH, 08.02.1993 – II ZR 62/92, GmbHR
      1993, 508; Rasner in Rowedder/Fuhrmann/Koppensteiner, GmbHG, § 66
      Rn. 30.

36   Allgemeine Meinung: vgl. nur Roth/Altmeppen, GmbHG, § 66 Rn. 52.

37   BGH, 17.09.2001 – II ZR 378/99, NZG 2002, 43, 44; LG Memmingen,
      31.03.2004 – 2H T 334/04, NZG 2004, 828.

38   Herrschende Meinung: vgl. BayObLG, 13.01.1994 – 3Z BR 311/93, NJW-RR
      1994, 617; Roth/Altmeppen, GmbHG, § 66 Rn. 52.

39   Herrschende Meinung: vgl. Lutter/Kleindiek in Lutter/Hommelhoff, GmbHG,
      § 66 Rn. 10.

40   Rasner in Rowedder/Fuhrmann/Koppensteiner, GmbHG, § 66 Rn. 30.

41   BGH, 17.09.2001 – II ZR 378/99 NZG 2002, 43, 44; LG Memmingen,
      31.03.2004 – 2H T 334/04, NZG 2004, 828.

24 Bei einer Amtsniederlegung zur Unzeit kommen Schadensersatzansprüche der GmbH gegen den ehemaligen Liquidator analog § 43 Abs. 2 oder wegen Verletzung seines Dienstvertrages in Betracht.[42]

VI. Ausschluss vom Amt des Liquidators (Abs. 4)

25 Die Fähigkeit, Liquidator zu sein, besitzt grds. jede unbeschränkt geschäftsfähige, natürliche Person. Als Liquidatoren ausgeschlossen sind gem. Abs. 4 aber Personen, die nach § 6 Abs. 2 Satz 2 und 3 auch nicht zum Geschäftsführer bestellt werden dürfen, weil sie z.B. wegen einer Straftat nach den §§ 283 bis 283d StGB oder wegen Kreditbetruges verurteilt wurden. Liegt ein Bestellungshindernis vor, ist die Bestellung zum Liquidator gem. § 134 BGB unwirksam; tritt während der Amtszeit solcher Grund ein, endet das Amt ohne Weiteres.[43]

26 Auch juristische Personen und Personenhandelsgesellschaften können grds. als Liquidatoren bestellt werden.[44] Dies folgt daraus, dass Abs. 4 den § 6 Abs. 2 Satz 1 nicht zitiert. Die Satzung der GmbH kann zusätzliche und für die Gesellschafter bei einem Beschluss nach Abs. 1 auch bindende Bestimmungen über die Qualifikation von Liquidatoren enthalten. Im Fall einer gerichtlichen Bestellung des Liquidators nach Abs. 2 oder den §§ 29, 48 BGB ist das Registergericht an derartige Satzungsregeln aber nicht gebunden.[45]

VII. Nachtragsliquidation (Abs. 5)

1. Anwendungsbereich

27 Abs. 5 regelt seinem Wortlaut nach einen besonderen Fall der Nachtragsliquidation, der systematisch nicht richtig in den Zusammenhang des § 66 Abs. 1 bis 4 GmbHG hineinpasst: Wird **nach Löschung** einer vermeintlich vermögenslosen GmbH gem. § 141a Abs 1 FGG doch noch **verwertbares (Aktiv-) Vermögen** entdeckt, so hat eine Nachtragsliquidation stattzufinden. Die bereits gelöschte GmbH ist von Amts wegen als Gesellschaft in

---

42 Nerlich in Michalski, GmbHG, § 66 Rn. 81.

43 BayObLG, 13.07.1989 – BReg 3 Z 35/89, NJW-RR 1990, 52, 53; h.M.: vgl. Noack/Schulze-Osterloh in Baumbach/Hueck, GmbHG, § 66 Rn. 5.

44 Herrschende Meinung: vgl. Nerlich in Michalski, GmbHG, § 66 Rn. 17 f.; Burger in Bormann/Kauka/Ockelmann, Hdb. GmbH-Recht, Kap. 11 Rn. 138.

45 Allgemeine Meinung: vgl. nur Hohner in Hachenburg, GmbHG, § 66 Rn. 5.

Liquidation wieder in das Handelsregister einzutragen.[46] Hierin zeigt sich (erneut), dass die Beendigung der GmbH ein zweiaktiger Tatbestand ist, der Löschung **und** tatsächliche Vermögenslosigkeit voraussetzt,[47] dazu § 74 Rn. 12. Es spielt für die Anwendung des § 66 Abs. 5 GmbHG i.Ü. keine Rolle, ob der Löschung wegen Vermögenslosigkeit bereits ein Liquidationsverfahren vorausging oder nicht. Teilweise wird die Auffassung vertreten, die nachträgliche Liquidation nach § 66 Abs 5 GmbHG unterscheide sich von anderen Fällen der Nachtragsliquidation gerade dadurch, dass ihr noch keine Liquidation vorausging.[48] Das wird zwar typischerweise so sein, ist aber nicht zwingend. Oft ist nach Abweisung eines Insolvenzantrages mangels Masse eine Abwicklung notwendig, weil die GmbH zwar nicht genügend Mittel für die Durchführung eines Insolvenzverfahren besitzt, aber keineswegs vermögenslos ist.

Die Notwendigkeit einer **Nachtragsliquidation** kann sich auch außerhalb des in § 66 Abs. 5 GmbHG geregelten (Sonder-) Falles ergeben: Eine Nachtragsliquidation ist bspw. dann notwendig, wenn die GmbH gem. § 74 Abs. 1 GmbHG gelöscht wurde, nachdem die Liquidatoren den Schluss der Liquidation zum Handelsregister angemeldet hatten und nachträglich noch weitere Vermögenswerte der GmbH entdeckt werden. Anders als bei der Löschung nach § 141 a FGG ging hier bereits eine Liquidation voraus.   28

Praxisbeispiel:

Nach Schlussanmeldung und Löschung der GmbH gem. § 74 GmbHG meldet sich ein Gläubiger mit der Behauptung, der Liquidator habe seine berechtigte Forderung zu Unrecht übergangen. Aus diesem Vortrag kann ein Schadensersatzanspruch der GmbH gegen den (ehemaligen) Liquidator nach den §§ 73 Abs. 3, 43 Abs. 2 GmbHG resultieren.[49] Der Gläubiger kann beim Registergericht die Bestellung eines Nachtragsliquidators beantragen, muss dazu aber den Anspruch der GmbH gegen ihren ehemaligen Liquidator glaubhaft machen und einen Vorschuss für die voraussichtlichen Kosten der Nachtragsliquidation entrichten.[50]

---

46   Herrschende Meinung: vgl. Noack/Schulze-Osterloh in Baumbach/Hueck, GmbHG, § 66 Rn. 38; Burger in Bormann/Kauka/Ockelmann, Hdb. GmbH-Recht, Kap. 11 Rn. 175.

47   Nerlich in Michalski, GmbHG, § 66 Rn. 87.

48   Vgl. aber Nerlich in Michalski, GmbHG, § 66 Rn. 85.

49   BGH, 23.02.1970 – II ZB 5/69, NJW 1970, 1044.

50   OLG Frankfurt a.M., 27.06. 2005 – 20 W 458/04, GmbHR 2005, 1137; Roth/Altmeppen, GmbHG, § 66 Rn. 23 und § 74 Rn. 23.

29 Auch ohne dass noch Vermögen aufgefunden wird, kann sich die **Notwendigkeit weiterer Abwicklungsmaßnahmen** für eine bereits gelöschte GmbH ergeben.

> *Beispiele:*
>
> - *Ausstellung von Arbeitsbescheinigungen, Arbeitszeugnissen,[51]*
> - *Teilnahme an einem schwebenden Verwaltungs- oder Besteuerungsverfahren,[52]*

In diesem Fall kann dass Registergericht eine Nachtragsliquidation analog § 273 Abs. 4 AktG anordnen, auch wenn kein Vermögen vorhanden ist.[53] Die Anordnung einer Liquidation nach § 66 Abs 5 GmbHG geht der analog § 273 Abs. 4 AktG als speziellere Regelung vor.[54]

> *Praxisbeispiel:*
>
> *Der ehemalige Geschäftsführer einer aufgelösten und bereits gelöschten GmbH macht einen Anspruch auf Erteilung eines Arbeitszeugnisses gegen die Gesellschaft geltend. Auch wenn keinerlei Vermögen der Gesellschaft mehr vorhanden ist, kann für diese Abwicklungsmaßnahme analog § 273 Abs. 4 AktG ein Notliquidator bestellt werden.[55] Allerdings wird beim Antragsteller ein Vorschuss für die Kosten der Nachtragsliquidation zu erheben sein.[56]*

2. Bestellung der Nachtragsliquidatoren

30 Die Bestellung der Liquidatoren muss in allen Fällen der Nachtragsliquidation **durch das Registergericht** erfolgen, (vgl. Abs. 5 Satz 2). Geborene Liquidatoren (also die ehemaligen Geschäftsführer) gibt es nach Löschung der GmbH ohnehin nicht mehr. Auch das Amt der früheren Liquidatoren lebt

---

51 KG Berlin, 09.01.2001 – 1 W 2002/00 GmbHR 2001, 252.

52 OLG München, 07.05.2008 – 31 Wx 28/08, GmbHR 2008, 821; OLG Stuttgart, 07.12.1994 – 8 W 311/93, NJW-RR 1995, 805.

53 Allgemeine Meinung: vgl. nur BGH, 10.10.1988 – II ZR 92/88, NJW 1989, 220; BAG, 19.09.2007 – 3 AZB 11/07, NZG 2008, 270; BayObLG, 21.07.2004 – 3Z BR 130/04, NZG 2004, 1164; OLG Stuttgart, 07.12.1994 – 8 W 311/93, NJW-RR 1995, 805; Nerlich in Michalski, GmbHG, § 66 Rn. 91 ff.

54 Herrschende Meinung: vgl. BayObLG, 02.02.1984 – BReg 3 Z 192/83 BB 1984, 446, 447; Noack/Schulze-Osterloh in Baumbach/Hueck, GmbHG, § 66 Rn. 37.

55 KG Berlin, 09.01.2001 – 1 W 2002/00, GmbHR 2001, 252.

56 KG Berlin, 09.01.2001 – 1 W 2002/00, GmbHR 2001, 252; OLG Stuttgart, 07.12.1994 – 8 W 311/93, NJW-RR 1995, 805 = GmbHR 1995, 595.

im Fall einer Nachtragsliquidation nicht automatisch wieder auf.[57] Selbstverständlich können die ursprünglichen Liquidatoren auch zu Nachtragsliquidatoren bestellt werden (und in vielen Fällen ist dies auch allein sachgerecht).[58] Die Gesellschafter können Nachtragsliquidatoren weder durch die Satzung noch durch Beschluss bestimmen.[59] Dass eine Abberufung gerichtlich bestellter Nachtragsliquidatoren durch die Gesellschafterversammlung erst recht nicht in Betracht kommt, kann unmittelbar § 66 Abs. 3 entnommen werden.

Der **Antrag** auf Bestellung nachträglicher Liquidatoren kann von jedem   31 gestellt werden, der ein rechtliches Interesse an der Durchführung der Nachtragsliquidation hat (Gesellschafter, Gläubiger, ehemalige Geschäftsführer oder Liquidatoren, Steuerbehörden etc.).[60] Die Voraussetzungen der Nachtragsliquidation sind dabei aber **glaubhaft** zu machen, bloße Vermutungen über angeblich noch vorhandenes Vermögen der Gesellschaft reichen nicht aus.[61] Greifbare Anhaltspunkte für noch nicht verteilte Vermögenswerte können aber genügen.[62] Die aufgefundenen Vermögenswerte müssen die Kosten der Nachtragsliquidation übersteigen.[63] Von dem Antragsteller ist ein angemessener Vorschuss über die **Kosten der Nachtragsliquidation** zu erheben.[64]

Gegen die Ablehnung des Antrags und gegen die Bestellung der Nachtrags-   32 liquidatoren nach § 66 Abs. 5 oder analog § 273 Abs. 4 AktG ist nach h.M. in entsprechender Anwendung des § 273 Abs. 5 AktG das **Rechtsmittel** der

---

57   Allgemeine Meinung: vgl. nur BGH, 18.04.1985 – IX ZR 75/84, NJW 1985, 2479, 2480; OLG Stuttgart, 07.12.1994 – 8 W 311/93, NJW-RR 1995, 805, 806.

58   Meister/Klöcker in MüVertragsHdb. GesellschaftsR, Form. IV. 113 Anm. 6.

59   Allgemeine Meinung: vgl. nur Roth/Altmeppen, GmbHG, § 74 Rn. 29.

60   Nerlich in Michalski, GmbHG, § 66 Rn. 96.

61   OLG Frankfurt a.M., 27.06.2005 – 20 W 458/04, GmbHR 2005, 1137; KG Berlin, 13.02.2007 – 1 W 272/06, FGPrax 2007, 185; Roth/Altmeppen, GmbHG, § 66 Rn. 23 und § 74 Rn. 23.

62   OLG Celle, 02.12.1996 – 9 W 159/96, GmbHR 1997, 752.

63   Roth/Altmeppen, GmbHG, § 74 Rn. 23.

64   OLG Stuttgart, 07.12.1994 – 8 W 311/93, NJW-RR 1995, 805, 806 m.w.N.; Nerlich in Michalski, GmbHG, § 74 Rn. 51.

fristgebundenen sofortigen Beschwerde gem. § 22 Abs. 1 FGG gegeben.[65] Beschwerdebefugt soll nach h.M. aber nur die gelöschte GmbH sein, nicht hingegen deren Gesellschafter, ehemalige Geschäftsführer oder Liquidatoren.[66] Dies vermag schon deswegen nicht zu überzeugen, weil die Gesellschaft mangels Vertreter regelmäßig handlungsunfähig sein wird.[67] Die Beschwerdebefugnis ist zumindest für die Gesellschafter zu bejahen, da sie in ihrem Mitgliedschaftsrecht betroffen sind. Auch ein gerichtlich bestellter Nachtragsliquidator ist jedenfalls dann beschwerdebefugt, wenn das Gericht von einer Verpflichtung zur Amtsübernahme ausgeht.[68]

3. Durchführung der Nachtragsliquidation

33   Im Übrigen erfolgt die Nachtragsliquidation nach Abs. 5 aufgrund der allgemeinen Vorschriften der §§ 65 ff. Die bereits gelöschte GmbH ist von Amts wegen als Gesellschaft in Liquidation wieder in das Handelsregister einzutragen.[69] Gleiches gilt für die Liquidatoren. Ging der Löschung der GmbH eine Liquidation voraus, müssen die bei der ersten Liquidation durchgeführten gesetzlichen Maßnahmen (Eröffnungsbilanz nach § 71 Abs. 1, Gläubigeraufgebot nach § 65 Abs. 2 etc.) nicht erneut durchgeführt werden, denn die Nachtragsliquidation ist „nur" eine Fortsetzung der ersten Liquidation.[70] Schlussrechung und Schlussbilanz sind aber auch hier obligatorisch.[71] Ob die Gesellschafter i.R.d. Nachtragsliquidation auch noch die **Fortsetzung der gelöschten GmbH** beschließen können, ist umstritten,[72]

---

65   OLG Schleswig, 23.12.1999 – 2 W 136/99; NJW-RR 2000, 769; OLG Köln, 06.01.2003 – 2 Wx 39/0, GmbHR 2003, 360; OLG München, 07.05.2008 – 31 Wx 28/08, GmbHR 2008, 821; Lutter/Kleindiek in Lutter/Hommelhoff, GmbHG, § 66 Rn. 21; a.A. OLG München, 26.07.2005 – 31 Wx 38/05, NZG 2005, 897; OLG Köln, 01.08.2007 – 2 Wx 33/07, FGPrax 2007, 281; Roth/Altmeppen, GmbHG, § 74 Rn. 34.

66   KG Berlin, 10.11.1981 – 1 W 5031/80, ZIP 1982, 59; OLG Köln, 06.10.1982 – 2 Wx 27/82, DB 1983, 100; Noack/Schulze-Osterloh in Baumbach/Hueck, GmbHG, § 66 Rn. 39.

67   Vgl. BGH, 18.04.1985 – IX ZR 75/84, NJW 1985, 2479, 2480.

68   OLG München, 07.05.2008 – 31 Wx 28/08, GmbHR 2008, 821.

69   Herrschende Meinung: vgl. Noack/Schulze-Osterloh in Baumbach/Hueck, GmbHG, § 66 Rn. 38.

70   Herrschende Meinung: vgl. Lutter/Kleindiek in Lutter/Hommelhoff, GmbHG, § 75 Rn. 22; Roth/Altmeppen, GmbHG, § 74 Rn. 36.

71   Nerlich in Michalski, GmbHG, § 74 Rn. 56.

72   Herrschende Meinung bejahend, vgl. Nerlich in Michalski, GmbHG, § 66 Rn. 106; a.A. Ulmer in Hachenburg, GmbHG, § 60 Rn. 109.

richtiger Ansicht nach aber zu verneinen: Die Löschung wegen Vermögenslosigkeit bewirkt eine Zäsur und die Nachtragsliquidation dient nur dem Zweck, die Restabwicklung der Gesellschaft vorzunehmen.[73]

Muster: Antrag auf gerichtliche Bestellung eines Liquidators nach § 66 Abs. 5 GmbHG 34

An das Amtsgericht

– Registergericht –

HRB .....

.....-GmbH

Der Antragsteller ist mit einem Anteil am Stammkapital von ..... €
Gesellschafter der .....-GmbH. Hierzu wird auf die letzte vor Löschung
der GmbH beim Handelsregister eingereichte Gesellschafterliste vom
..... verwiesen.

Die .....-GmbH ist am ..... wegen Vermögenslosigkeit gem. § 141a FGG
im Handelsregister gelöscht worden. Inzwischen hat sich jedoch
gezeigt, dass entgegen den damaligen Annahmen noch wesentliches
Vermögen der Gesellschaft vorhanden ist, weil ..... .

Zur Glaubhaftmachung wird verwiesen auf ..... .

Es wird beantragt, Herrn ..... gem. §§ 66 Abs 5 GmbHG zum Liquidator der X-GmbH zu bestellen. Herr ..... hat sich zur Übernahme des
Amtes bereit erklärt. Er hat auf eine Vergütung verzichtet. Der frühere
Geschäftsführer Z hat erklärt, dass er als Liquidator nicht zur Verfügung steht, weil er zwischenzeitlich ein neues Anstellungsverhältnis
eingegangen ist.

Ort, Datum, Unterschriften

§ 67 GmbHG   Anmeldung der Liquidatoren

**(1) Die ersten Liquidatoren sowie ihre Vertretungsbefugnis sind durch
die Geschäftsführer, jeder Wechsel der Liquidatoren und jede Änderung ihrer Vertretungsbefugnis sind durch die Liquidatoren zur Eintragung in das Handelsregister anzumelden.**

---

73   Mittlerweile wohl h.M.: vgl. Lutter/Kleindiek in Lutter/Hommelhoff, GmbHG,
      § 60 Rn. 32.

(2) Der Anmeldung sind die Urkunden über die Bestellung der Liquidatoren oder über die Änderung in den Personen derselben in Urschrift
oder öffentlich beglaubigter Abschrift beizufügen.

(3) [1]In der Anmeldung haben die Liquidatoren zu versichern, dass
keine Umstände vorliegen, die ihrer Bestellung nach § 66 Abs. 4 entgegenstehen, und dass sie über ihre unbeschränkte Auskunftspflicht
gegenüber dem Gericht belehrt worden sind. [2]§ 8 Abs. 3 Satz 2 ist
anzuwenden.

(4) Die Eintragung der gerichtlichen Ernennung oder Abberufung der
Liquidatoren geschieht von Amts wegen.

I.   Einführung

1   Die Liquidatoren sind die organschaftlichen Vertreter der in Abwicklung
befindlichen GmbH. Die Vorschrift regelt die Anmeldung und Eintragung
der Liquidatoren sowie Einzelheiten des Eintragungsverfahrens. Der durch
das Gesetz über das elektronische Handelsregister und Genossenschaftsregister sowie das Unternehmensregister (EHUG) vom 10.11.2006[1] auf-
gehobene frühere Abs. 5 der Vorschrift regelte die Verpflichtung der
Geschäftsführer, ihre Unterschrift zur Aufbewahrung beim Registergericht
in öffentlich beglaubigter Form zu zeichnen. Aufgrund der Aufgabe des
Erfordernisses einer Unterschriftsprobe in § 14 HGB konnte als Folgeänderung auch diese Regelung entfallen.[2]

II.   Anmeldepflicht der Liquidatoren (Abs. 1)

2   Die (ersten) Liquidatoren sowie Art und Umfang ihrer Vertretungsmacht sind
zum Handelsregister anzumelden. Die Anmeldepflicht besteht auch, wenn der
oder die Geschäftsführer ihre Stellung als „geborene" Liquidatoren nach § 66

---

1   BGBl. I 2006, S. 2553.

2   Zu den Gründen RegE EHUG, BT-Drucks. 16/960 v. 15.03.2006, S. 116, 168.

Abs. 1 kraft Gesetzes „automatisch" erlangen. Abs. 1 ist jedoch entgegen seinem etwas unklaren Wortlaut nicht dahin zu verstehen, dass die (letzten) Geschäftsführer auch dann anmeldepflichtig sind, wenn sie nicht die Liquidatoren der GmbH werden, weil sie z.B. ihr Amt mit der Auflösung der Gesellschaft niedergelegt haben. In diesem Fall sind vielmehr die von den Gesellschaftern oder vom Registergericht bestellten Liquidatoren anmeldepflichtig.[3] Anmeldepflicht besteht auch dann, wenn die Abwicklung nach Ablehnung eines Insolvenzantrages mangels Masse (§ 60 Abs. 1 Nr. 5) erfolgt.[4]

Praxisbeispiel:

Bei einer GmbH wird der Antrag auf Eröffnung eines Insolvenzverfahrens mangels Masse abgelehnt. Mit Rechtskraft dieses Beschlusses ist die Gesellschaft nach § 60 Abs. Nr. 5 aufgelöst, aber keineswegs beendet. Die Löschung der aufgelösten GmbH wegen Vermögenslosigkeit nach § 141a FGG erfolgt nicht sofort und zwingend. Soweit noch Vermögen der GmbH vorhanden ist, mag es auch für ein Insolvenzverfahren nicht genügen, hat eine Liquidation stattzufinden und es sind die Anmeldepflichten nach § 67 zu erfüllen.[5]

Neben der Person der Liquidatoren ist deren **Vertretungsmacht** anzumelden und einzutragen. Dazu gehört auch eine evtl. **Befreiung vom Verbot des Selbstkontrahierens**.[6] Wird nur ein einziger Liquidator mit Alleinvertretungsbefugnis angemeldet, wird von der h.M. dennoch die Eintragung der **abstrakten Vertretungsbefugnis** für den Fall verlangt, dass später ein zusätzlicher Liquidator bestellt werden sollte (vgl. Muster § 67 Rn. 11).[7] 3

In gleicher Weise anmeldepflichtig wie die ursprüngliche Vertretungsbefugnis sind ferner alle **Änderungen** in der Person der Liquidatoren oder ihrer Vertretungsmacht (vgl. Abs. 1). Dies betrifft insbes. die Abberufung bzw. Ernennung von Liquidatoren durch Gesellschafterbeschluss nach § 66 Abs 1 sowie den Fall der Amtsniederlegung von Liquidatoren. Ein Liquidator, der sein Amt niedergelegt hat, kann diese Änderung nicht mehr anmel- 4

---

3   Herrschende Meinung: vgl. OLG Oldenburg, 13.07.2004 – 3 W 42/04, GmbHR 2005, 367; Lutter/Kleindiek in Lutter/Hommelhoff, GmbHG, § 66 Rn. 2.

4   Herrschende Meinung: vgl. BayObLG, 30.06.1987 – BReg 3 Z 75/87, NJW-RR 1988, 98; Roth/Altmeppen, GmbHG, § 67 Rn. 7.

5   Vgl. BayObLG, 30.06.1987 – BReg 3 Z 75/87, NJW-RR 1988, 908.

6   Schulze-Osterloh in Baumbach/Hueck, GmbHG, § 67 Rn. 3.

7   Herrschende Meinung: vgl. BGH, 07.05.2007 – II ZB 21/06, NZG 2007, 595; Lutter/Kleindiek in Lutter/Hommelhoff, GmbHG, § 67 Rn. 9; Burger in Bormann/Kauka/Ockelmann, Hdb. GmbH-Recht, Kap. 11 Rn. 144.

den, die Verpflichtung dazu trifft aber seinen Nachfolger im Amt des Liquidators. Das Registergericht kann die Anmeldung ggf. nach § 14 HGB durch die Festsetzung von Zwangsgeld erzwingen.[8]

5   Die **Anmeldepflicht entfällt** gem. Abs. 4 ausnahmsweise, wenn die Bestellung oder Abberufung der Liquidatoren nach § 66 Abs. 2 oder Abs. 5 unmittelbar durch das Gericht erfolgt. Hier erfolgt auch die Eintragung der Liquidatoren von Amts wegen (dazu § 67 Rn. 9).

6   Die Anmeldung der Liquidatoren kann ggf. mit der Anmeldung des Wegfalls der Vertretungsbefugnis von Geschäftsführern, die nicht Liquidatoren werden, verbunden werden.[9] In der Anmeldung der ersten Liquidatoren liegt zugleich die Erklärung, dass die Vertretungsbefugnis der bisherigen Geschäftsführer erloschen ist, sodass eine gesonderte Anmeldung dieser Tatsache obsolet ist.[10]

III.   Einzelheiten des Eintragungsverfahrens

1.   Form der Anmeldung und beizufügende Unterlagen (Abs. 2)

7   Die Anmeldung ist gem. § 12 Abs. 1 HGB in **öffentlich beglaubigter Form** i.S.d. § 129 BGB einzureichen. Der Anmeldung sind gem. Abs. 2 die Urkunden über die Bestellung der Liquidatoren in Urschrift oder beglaubigter Abschrift beizufügen, vgl. § 12 Abs. 1 HGB, § 129 BGB. Für die Urschrift, z.B. bei einem Gesellschafterbeschluss über die Bestellung oder Abberufung eines Liquidators, genügt die Schriftform, Abschriften hingegen müssen öffentlich beglaubigt sein.[11] Es ist zulässig, auf Schriftstücke Bezug zu nehmen, die dem Registergericht bereits vorliegen. Der alleinige Geschäftsführer, der nach § 66 Abs. 1 kraft Gesetzes zum geborenen und alleinigen Liquidator der GmbH wird, kann auf seine Bestellung und Eintragung als Geschäftsführer Bezug nehmen und braucht diese deshalb nicht erneut in öffentlich beglaubigter Form vorzulegen.[12] Für den Inhalt der Eintragung gilt § 43 Nr 4 HRV: Liquidatoren sind mit Vornamen, Familiennamen, Geburtsdatum und Wohnort einzutragen. Der Zeitpunkt der Bestellung oder Abberufung wird nicht eingetragen.[13]

---

8   Hohner in Hachenburg, GmbHG, § 67 Rn. 10.

9   Burger in Bormann/Kauka/Ockelmann, Hdb. GmbH-Recht, Kap. 11 Rn. 13.

10   BayObLG, 31.03.1994 – 3 Z BR 8/94, GmbHR 1994, 480, 481; Roth/Altmeppen, GmbHG, § 67 Rn. 4; a.A. OLG Köln, 25.04.1985 – 2 Wx 9/84, GmbHR 1985, 23.

11   Hohner in Hachenburg, GmbHG, § 67 Rn. 12.

12   Nerlich in Michalski, GmbHG, § 67 Rn. 13.

13   Nerlich in Michalski, GmbHG, § 67 Rn. 8.

2. Versicherung der Bestellungsvoraussetzungen (Abs. 3)

Ferner sind die allgemeinen Bestellungsvoraussetzungen für Geschäftsfüh- 8
rer nach den §§ 66 Abs. 4 und 6 Abs. 2 gem. Abs. 3 zu versichern. Diese
Verpflichtung zu dieser Versicherung gilt auch für Liquidatoren, die bereits
zuvor Geschäftsführer waren und in dieser Eigenschaft die entsprechende
Versicherung bereits abgegeben haben.[14] Die Versicherung ist von sämtlichen Liquidatoren abzugeben. Eine Versicherung durch Bevollmächtigte ist
unzulässig, da es sich um eine strafbewehrte Erklärung handelt (vgl. § 78).[15]
Nicht zur Abgabe der Versicherung verpflichtet sind gerichtlich bestellte
Liquidatoren, weil das Registergericht bereits bei ihrer Bestellung die entsprechenden Voraussetzungen zu überprüfen hat. Abs. 3 Satz 2 stellt unter
Verweisung auf § 8 Abs. 3 Satz 2 klar, dass die Belehrung über die unbeschränkte Auskunftpflicht (vgl. § 53 BZRG) bezüglich der Bestellungshindernisse des § 6 Abs. 2 auch durch einen Notar erfolgen kann.

3. Eintragung der Liquidatoren von Amts wegen (Abs. 4)

Soweit die Liquidatoren durch das Registergericht ernannt oder abberufen 9
werden (insbes. nach § 66 Abs. 2 oder auch 5), erfolgt die Eintragung gem.
Abs. 4 von Amts wegen. Bei gerichtlicher Ernennung von Liquidatoren
erfolgt auch die Eintragung der jeweiligen Vertretungsbefugnis von Amts
wegen.

Muster der Anmeldung eines ehemaligen Geschäftsführers als alleiniger 10
Liquidator

An das Amtsgericht

– Registergericht –

HRB .....

.....-GmbH

Zum Handelsregister der ..... -GmbH überreiche ich als deren Liquidator eine beglaubigte Abschrift des Gesellschafterbeschlusses vom .....
über die Auflösung der Gesellschaft und melde zur Eintragung an:

Die Gesellschaft ist aufgelöst. Ich wurde zum Liquidator bestellt. Ich
vertrete die Gesellschaft allein, solange ich einziger Liquidator bin. Bei
Vorhandensein mehrerer Liquidatoren vertreten diese gemeinsam.

---

14 Herrschende Meinung: vgl. BayObLG, WM 1982, 1292; Noack/Schulze-
    Osterloh in Baumbach/Hueck, GmbHG, § 67 Rn. 11.

15 Allgemeine Meinung: vgl. nur Roth/Altmeppen, GmbHG, § 78 Rn. 5.

Ich versichere, dass keine Umstände vorliegen, die meiner Bestellung nach § 6 Abs. 2 Satz 2 und 3 entgegenstehen, und dass ich über meine unbeschränkte Auskunftspflicht gegenüber dem Gericht nach § 51 Abs. 2 des Gesetzes über das Zentralregister und das Erziehungsregister von dem beurkundenden Notar belehrt wurde. Ich bin weder wegen einer oder mehrerer vorsätzlich begangener Straftaten nach den §§ 265b, 266 oder § 266a des Strafgesetzbuchs (Kreditbetrug, Untreue, Vorenthalten und Veruntreuen von Arbeitsentgelt) zu einer Freiheitsstrafe von mindestens einem Jahr, der Insolvenzverschleppung, nach den §§ 283 bis 283d des Strafgesetzbuchs (Bankrott, Verletzung der Buchführungspflicht, Gläubigerbegünstigung, Schuldnerbegünstigung), der falschen Angaben nach § 82 des Gesetzes betreffend die Gesellschaften mit beschränkter Haftung oder § 399 des Aktiengesetzes, der unrichtigen Darstellung nach § 400 des Aktiengesetzes, § 331 des Handelsgesetzbuchs, § 313 des Umwandlungsgesetzes oder § 17 des Publizitätsgesetzes oder im Ausland wegen einer mit den genannten Taten vergleichbaren Straftat verurteilt worden, noch ist mir durch gerichtliches Urteil oder vollziehbare Entscheidung einer Verwaltungsbehörde die Ausübung eines Berufs, Berufszweiges, Gewerbes oder Gewerbezweiges untersagt worden.[16]

Ort, Datum, Unterschriften

§ 68 GmbHG   Zeichnung der Liquidatoren

(1) ¹Die Liquidatoren haben in der bei ihrer Bestellung bestimmten Form ihre Willenserklärungen kundzugeben und für die Gesellschaft zu zeichnen. ²Ist nichts darüber bestimmt, so muss die Erklärung und Zeichnung durch sämtliche Liquidatoren erfolgen.

(2) Die Zeichnungen geschehen in der Weise, dass die Liquidatoren der bisherigen, nunmehr als Liquidationsfirma zu bezeichnenden Firma ihre Namensunterschrift beifügen.

---

16   Die Versicherung entspricht dem neuen Muster nach Anlage 2 zu § 7 GmbHG.

I. Einführung

Entgegen ihrem etwas missglückten Wortlaut betrifft die Vorschrift nicht nur Form-, sondern auch Sachfragen der aufgelösten Gesellschaft: Sie regelt die Vertretungsbefugnis der Liquidatoren nach außen, nämlich die Frage, ob mehrere Liquidatoren von Gesetzes wegen Einzel- oder Gesamtvertretungsmacht haben. Der materielle (inhaltliche) Umfang der Vertretungsmacht der Liquidatoren ergibt sich indes nicht aus § 68, sondern aus den §§ 70, 71.[1] Abs. 2 verlangt für die Zeit der Liquidation ferner die Ergänzung der Firma durch einen erklärenden Zusatz.

II. Vertretungsbefugnis der Liquidatoren (Abs. 1)

1. Gesetzliche Regelung: Gesamtvertretungsmacht

Nach Abs. 1 Satz 2, der nahezu wortgleich an § 35 Abs. 2 anknüpft, besteht automatisch Gesamtvertretungsmacht, soweit mehrere Liquidatoren bestellt sind. Die Gesellschafter können die Vertretungsbefugnis der Liquidatoren jedoch bereits bei der Bestellung oder auch noch später abweichend von Abs. 1 regeln, insbes. Einzelvertretung und auch gemischte Gesamtvertretung mit Prokuristen[2] für die Liquidatoren vorsehen. Für den entsprechenden Beschluss der Gesellschafter genügt grds. die einfache Mehrheit nach § 47 Abs. 1.[3] Dies folgt bereits ummittelbar aus dem Wortlaut des Abs. 1 („... in der bei ihrer Bestellung bestimmten Form ...") i.V.m. § 66 Abs. 1. Ob die einfache Mehrheit auch dann ausreicht, wenn die Satzung abweichende Regelungen über die Vertretungsbefugnis enthält, ist umstritten:

Praxisbeispiel:

In der Satzung einer GmbH ist vorgesehen, dass Liquidatoren generell Einzelvertretungsmacht besitzen. Die Gesellschafter ernennen durch Beschluss einen zusätzlichen Liquidator und bestimmen dabei ausdrücklich, dass beide Liquidatoren nur noch gemeinschaftlich zur Vertretung der Gesellschaft berechtigt sein sollen, ohne dabei aber die Voraussetzungen einer Satzungsänderung (3/4-Mehrheit und notarielle Beurkundung, § 53 Abs. 2) einzuhalten. Nach h.M. ist der Gesellschafterbeschluss wirksam, obwohl die Satzungsregelung über die Vertretungsmacht der Liquidatoren de facto außer Kraft gesetzt wird.[4] Dieser Ansicht ist

---

1   Noack/Schulze-Osterloh in Baumbach/Hueck, GmbHG, § 68 Rn. 1.

2   Zu den hierbei geltenden Einschränkungen Nerlich in Michalski, GmbHG, § 68 Rn. 12.

3   Herrschende Meinung: vgl. Lutter/Kleindiek in Lutter/Hommelhoff, GmbHG, § 68 Rn. 2.; a.A. Roth/Altmeppen, GmbHG, § 68 Rn. 12.

4   Lutter/Kleindiek in Lutter/Hommelhoff, GmbHG, § 68 Rn. 2; a.A. Nerlich in Michalski, GmbHG, § 68 Rn. 9.

jedoch nicht zu folgen, denn Satzungsänderungen bedürfen auch in der aufgelösten GmbH grundsätzlich einer qualifizierten Mehrheit nach § 53 Abs. 2 GmbHG.

3 Für die Wirksamkeit von Willenserklärungen, die der GmbH gegenüber abzugeben sind (sog. **passive Stellvertretung**), gilt § 35 Abs. 2 Satz 2 entsprechend: Der Zugang der Willenserklärung gegenüber einem der vertretungsberechtigten Liquidatoren genügt also.[5]

4 Ist nach Wegfall von Mitliquidatoren nur noch ein einziger Liquidator vorhanden, so verwandelt sich dessen gesetzliche Gesamtvertretungsmacht gem. Abs. 1 nicht automatisch in Einzelvertretungsmacht.[6] Vielmehr müssen die Gesellschafter entscheiden, ob sie einen weiteren Liquidator bestellen oder die Vertretungsregelung für den verbleibenden Liquidator ändern wollen. Die in Abwicklung befindliche GmbH ist sonst nicht wirksam vertreten.

2. Satzungsregelungen

5 War die Vertretungsmacht der (bisherigen) Geschäftsführer abweichend von § 35 Abs. 2 geregelt, war bspw. in der Satzung **Einzelvertretung** vorgesehen, gilt diese Regelung nicht ohne Weiteres für Liquidatoren.[7] Angesichts der unterschiedlichen Aufgaben von Geschäftsführern und Liquidatoren kann nämlich nicht davon ausgegangen werden, dass die Gesellschafter diese Kompetenzen auch einem gem. § 66 Abs. 2 vom Registergericht bestellten Liquidator einräumen wollten.[8] Der Umfang der Vertretungsmacht gerichtlich bestellter Liquidatoren wird vielmehr ausschließlich vom Registergericht bestimmt.[9] Gleiches dürfte auch für Liquidatoren gelten, die von der Satzung oder der Gesellschafterversammlung nach § 66 Abs. 1 bestellt werden. Hier haben es die Gesellschafter in der Hand, bei der Bestellung der Liquidatoren oder auch noch später eine von der gesetzlichen Gesamtvertretungsmacht nach § 68 Abs. 1 abweichende Regelung der Vertretung zu treffen. Werden aber die bisherigen Geschäftsführer nach § 66

---

5 Allgemeine Meinung: vgl. nur Noack/Schulze-Osterloh in Baumbach/Hueck, GmbHG, § 68 Rn. 3.

6 Allgemeine Meinung: vgl. nur BGH, 08.02.1993 – II ZR 62/92, NJW 1993, 1654; Noack/Schulze-Osterloh in Baumbach/Hueck, GmbHG, § 68 Rn. 2.

7 BayObLG, 24.10.1996 – 3 Z BR 262/96, DNotZ 1998, 843, 844 = GmbHR 1997, 176; OLG Zweibrücken, 19.06.1998 – 3 W 90/98, GmbHR 1999, 237; OLG Rostock, 06.10.2003 – 3 U 188/03, NZG 2004, 288; OLG Düsseldorf, 09.12.1988 – 16 U 52/88, NJW-RR 1990, 52; Lutter/Kleindiek in Lutter/Hommelhoff, GmbHG, § 68 Rn. 2.

8 Vgl. Lutter/Kleindiek in Lutter/Hommelhoff, GmbHG, § 68 Rn. 3.

9 Noack/Schulze-Osterloh in Baumbach/Hueck, GmbHG, § 68 Rn. 9.

Abs. 1 automatisch zu „geborenen" Liquidatoren, spricht der Gedanke der **Amtskontinuität** ausnahmsweise für eine automatische Weitergeltung der bisherigen Einzelvertretungsmacht.[10]

> *Praxisbeispiel:*
>
> *In einer GmbH haben die beiden Geschäftsführer laut Satzung Einzelvertretungs-macht. Wird die Gesellschaft aufgelöst und die beiden bisherigen Geschäftsführer werden nach § 66 Abs. 1 kraft Gesetzes zu „geborenen" Liquidatoren, besitzen sie nach der hier vertretenen Auffassung weiterhin Einzelvertretungsmacht, nach der Gegenansicht nur noch Gesamtvertretungsbefugnis.*

Ähnlich umstritten ist die Frage, ob die einem Geschäftsführer erteilte Befrei- 6 ung vom **Verbot des Selbstkontrahierens** gem. § 181 BGB auch für die Liquidation gilt. Die wohl h.M. verneint dies grds., und zwar unabhängig davon, ob es sich um geborene oder gekorene Liquidatoren, ehemalige Geschäftsführer oder Dritte handelt.[11] Teilweise wird aber auch nach der Art der Befreiung (durch Satzungsregelung bzw. durch Gesellschafterbeschluss) differenziert.[12] Wegen der besonderen Gefahrenlage des § 181 BGB gerade bei der Ver-mögensverteilung in der Liquidation der Gesellschaft, ist eine Weitergeltung der Befreiung allenfalls für den Ausnahmefall des Gesellschafter-Geschäfts-führers der Einmann-GmbH anzunehmen, i.Ü. aber abzulehnen.[13]

Praxistipp:

Wegen der dargestellten Unsicherheiten empfiehlt es sich, die Wei-tergeltung von Vertretungsregelungen während der Liquidation aus-drücklich in der Satzung zu regeln.

---

10   Noack/Schulze-Osterloh in Baumbach/Hueck, GmbHG, § 68 Rn. 4; Nerlich in Michalski, GmbHG, § 68 Rn. 10; Roth/Altmeppen, GmbHG, § 68 Rn. 12; a.A. OLG Karlsruhe, 09.10.2007 – 8 U 63/07, NZG 2008, 236; Lutter/Klein-diek in Lutter/Hommelhoff, GmbHG, § 68 Rn. 2.

11   OLG Rostock, 06.10.2003 – 3 U 188/03, NJW-RR 2004, 1109; OLG Zweibrü-cken, 19.06.1998 – 3 W 90/98, GmbHR 1999, 237; OLG Hamm, 02.01.1997 – 15 W 195/96, GmbHR 1997, 553; BayObLG, 19.10.1995 – 3 Z BR 218/95, GmbHR 1996, 56, 57; OLG Düsseldorf, 09.12.1988 – 16 U 52/88, NJW-RR 1990, 52; Lutter/Kleindiek in Lutter/Hommelhoff, GmbHG, § 68 Rn. 2.

12   BFH, 12.07.2001 – VII R 19/00 und VII R 20/00, DStRE 2001, 1369, 1374; dazu eingehend Wälzholz, GmbHR 2002, 305.

13   Vgl. Noack/Schulze-Osterloh in Baumbach/Hueck, GmbHG, § 68 Rn. 4. Hier muss die Befreiung nach h.M. aber ohnehin bereits in der Satzung erfolgen, vgl. Zöllner/Noack in Baumbach/Hueck, GmbHG, § 35 Rn. 140.

Beispiel:

Ein Beschluss über die Befreiung eines Geschäftsführers vom Verbot des Selbstkontrahierens nach § 181 BGB sollte zu Beginn der Liquidation sicherheitshalber ausdrücklich wiederholt werden.

3. Umfang der Vertretungsmacht

7 Die **Vertretungsmacht der Liquidatoren** ist i.Ü. nach außen **unbeschränkt und auch nicht beschränkbar** i.S.d. für die werbende GmbH geltenden Vorschrift des § 37 Abs. 2 (Näheres § 70 Rn. 21 ff.). Insbesondere ist die Vertretungsmacht nicht auf den Liquidationszweck beschränkt, deckt also auch Geschäfte ab, die nicht ausschließlich oder unmittelbar der Abwicklung dienen.[14]

8 **Formulierungsbeispiel: Satzungsregelung über die Vertretungsmacht der Liquidatoren**

> „Die für Geschäftsführer geltenden Bestimmungen gelten auch für Liquidatoren der Gesellschaft."

9 Ggf. kann auch noch zwischen Gesellschaftern als Liquidatoren und Dritten differenziert werden:

> „Die für Geschäftsführer geltenden Bestimmungen gelten auch für Liquidatoren, soweit diese Gesellschafter sind, nicht aber für Dritte."[15]

10 Die Vertretungsbefugnis kann aber auch speziell für die Liquidation abweichend von den Regelungen für die werbende GmbH bestimmt werden:

> „In der Liquidation wird die Gesellschaft durch je zwei Liquidatoren oder einen Liquidator und einen Prokuristen vertreten."

III. Zeichnung und Firma (Abs. 2)

11 Abs. 2 ist als Ergänzung zu § 35 Abs. 3 zu verstehen. Die Zeichnung für die aufgelöste GmbH muss im Interesse des Rechtsverkehrs durch einen erklärenden, eindeutigen **Zusatz über die Liquidation** ergänzt werden. Möglich sind insbes. die Zusätze: „in Liquidation", „i.L." und „in Abwicklung". Die

---

14 Herrschende Meinung: vgl. Lutter/Kleindiek in Lutter/Hommelhoff, GmbHG, § 68 Rn. 5.

15 Vgl. Wälzholz, GmbHR 2002, 305, 309.

aus Sicht des Verkehrs mehrdeutige Abkürzung „i.A." für „in Abwicklung" (die ja auch „im Auftrag", „im Aufbau" oder anderes bedeuten kann) ist nicht ausreichend.[16] Die Beifügung eines erklärenden Zusatzes nach Abs. 2 ist keine Firmen- und auch keine Satzungsänderung, bedarf also auch nicht eines entsprechenden Gesellschafterbeschlusses. Sie ist i.Ü. nicht nur von den Liquidatoren, sondern von allen Personen, die im Namen der aufgelösten Gesellschaft Erklärungen abgeben, zu verwenden.

Ein Verstoß gegen Abs. 2 lässt die Wirksamkeit der für die aufgelöste Gesellschaft abgegebenen Willenserklärungen unberührt. Bei Zeichnung ohne klarstellenden Zusatz kann ein Vertragspartner, der von der Abwicklung nichts wusste, den Vertrag aber nach § 119 Abs. 1 BGB (und im Einzelfall auch nach § 123 Abs 1 BGB) **anfechten**, wenn er ihn in Kenntnis dieser Tatsache nicht geschlossen hätte.[17] Ferner kommt eine **Eigenhaftung der Liquidatoren** oder anderer handelnder Personen aus § 311 Abs. 3 BGB und auch § 823 Abs. 2 BGB i.V.m. § 68 Abs. 2 in Betracht, weil Abs. 2 Schutzgesetz im Sinne dieser Vorschrift ist.[18]

12

§ 69 GmbHG　　Rechtsverhältnisse von Gesellschaft und Gesellschaftern

(1) Bis zur Beendigung der Liquidation kommen ungeachtet der Auflösung der Gesellschaft in bezug auf die Rechtsverhältnisse derselben und der Gesellschafter die Vorschriften des zweiten und dritten Abschnitts zur Anwendung, soweit sich aus den Bestimmungen des gegenwärtigen Abschnitts und aus dem Wesen der Liquidation nicht ein anderes ergibt.

(2) Der Gerichtsstand, welchen die Gesellschaft zur Zeit ihrer Auflösung hatte, bleibt bis zur vollzogenen Verteilung des Vermögens bestehen.

16　Roth/Altmeppen, GmbHG, § 68 Rn. 14; anders aber die h.M.: vgl. Hohner in Hachenburg, GmbHG, § 68 Rn. 15; Lutter/Kleindiek in Lutter/Hommelhoff, GmbHG, § 68 Rn. 6.

17　Noack/Schulze-Osterloh in Baumbach/Hueck, GmbHG, § 68 Rn. 16.

18　OLG Frankfurt a.M., 18.03.1998 – 13 U 280/96, NJW-RR 1998, 1246; 18.09.1991 – 21 U 10/90; NJW 1981, 3286; Noack/Schulze-Osterloh in Baumbach/Hueck, GmbHG, § 68 Rn. 19; Nerlich in Michalski, GmbHG, § 68 Rn. 21; a.A. Lutter/Kleindiek in Lutter/Hommelhoff, GmbHG, § 68 Rn. 6; Hohner in Hachenburg, GmbHG, § 68 Rn. 16. Auch eine Vertrauenshaftung der GmbH selbst ist möglich, vgl. Roth/Altmeppen, GmbHG, § 68 Rn. 17.

I.   Einführung

1   Zwischen der werbenden (also aktiven und ihren ursprünglichen Gesellschaftszweck verfolgenden) und der aufgelösten GmbH besteht **rechtliche Identität** und damit auch Kontinuität der Rechtsverhältnisse: Die Gesellschaft behält also Rechtsfähigkeit, Parteifähigkeit, Deliktsfähigkeit, Grundbuchfähigkeit etc., auch die Satzung bleibt gültig, die Vertretungsbefugnisse von Mitarbeitern gelten weiter. Allerdings ändert die Gesellschaft mit der Auflösung ihren Zweck: Er ist in Zukunft nur noch auf die ordnungsgemäße Durchführung der Liquidation gerichtet.[1] **Abs. 1** enthält den **Grundsatz**, dass die **Vorschriften des GmbHG** über die werbende Gesellschaft **auch für die Abwicklung** der Gesellschaft **bis zur Beendigung** gelten.

2   Die Anwendung des GmbH-Gesetzes auf die Gesellschaft in Liquidation steht aber unter einem **doppelten Vorbehalt:**[2]

1. Im 5. Abschnitt des GmbH-Gesetzes darf nicht ausdrücklich etwas anderes vorgeschrieben sein.

2. Die Vorschriften für die werbende GmbH gelten für die Gesellschaft in Abwicklung ausnahmsweise dann nicht, wenn sich aus dem Wesen der Abwicklung etwas anderes ergibt.

3   **Abs. 1** ist insgesamt wenig glücklich formuliert. Der ausdrücklich nur auf den 2. und 3. Abschnitt des GmbH-Gesetzes verweisende Wortlaut ist einerseits **zu eng**, weil im Einzelfall durchaus auch Vorschriften des 1. und 6. Abschnitts auf die Gesellschaft in Abwicklung Anwendung finden können (vgl. § 69 Rn. 8). Er ist andererseits aber auch **zu weit**, weil der auf Liquidation gerichtete Zweck im Einzelfall der Anwendung von Vorschriften des 2. und 3. Abschnitts entgegenstehen kann. Die wesentlichen Zusammenhänge zwischen werbender Gesellschaft und Gesellschaft in Abwick-

---

1   Roth/Altmeppen, GmbHG, § 69 Rn. 3.

2   Hohner in Hachenburg, GmbHG, § 69 Rn. 4.

lung werden in der **Parallelvorschrift** des **§ 264 Abs. 3 AktG** jedenfalls wesentlich klarer zum Ausdruck gebracht:[3] *„Soweit sich aus diesem Unterabschnitt oder aus dem Zweck der Abwicklung nichts anderes ergibt, sind auf die Gesellschaft bis zum Schluss der Abwicklung die Vorschriften weiterhin anzuwenden, die für nicht aufgelöste Gesellschaften gelten."*

II. Anwendbare und nicht anwendbare Vorschriften des GmbH-Rechts

1. Vorschriften des 1. Abschnitts

Aus dem Wortlaut des Abs. 1 lässt sich entnehmen, dass die Vorschriften   4
des 1. Abschnitts – also die §§ 1 bis 11 – für die Gesellschaft in Auflösung
grds. nicht gelten sollen, denn sie werden nicht als anwendbar erwähnt.
Dennoch gibt es auch hier eine Reihe von Ausnahmen.

Beispiele:

- *Zu den auf die Gesellschaft in Liquidation anwendbaren Regelungen des Rechts der werbenden GmbH gehört insbes. die **Treuepflicht** der Gesellschafter.[4] Sie erfährt aber durch den nunmehr auf Abwicklung gerichteten Zweck der GmbH eine inhaltliche Veränderung.[5] Beispielsweise ist es den Gesellschaftern i.d.R. nicht mehr verwehrt, Geschäftschancen der Gesellschaft selbst wahrzunehmen.[6]*

- *Eine Anwendung i.R.d. Liquidation wird von der h.M. ferner bejaht für die §§ 4, 4a, 6 Abs. 2.[7] Auch Ansprüche aus den §§ 9, 9a können noch in der Abwicklung geltend gemacht werden.[8]*

2. Vorschriften des 2. und 3. Abschnitts

Die Vorschriften des 2. und 3. Abschnitts sind nach Abs. 1 auf die aufgelöste   5
GmbH grds. anwendbar, soweit nicht der geänderte Zweck der Gesellschaft
oder die Vorschriften über deren Liquidation Abweichungen erfordern. Die
Nichtanwendung ist hier also die Ausnahme.

---

3   Lutter/Kleindiek in Lutter/Hommelhoff, GmbHG, § 69 Rn. 3.

4   Zur Treuepflicht bei der GmbH: Heckschen in Wachter, FA Handels- und GesellschaftsR, Teil 2, 2. Kap. Rn. 216 ff.

5   Hohner in Hachenburg, GmbHG, § 69 Rn. 7; Nerlich in Michalski, GmbHG, § 69 Rn. 6.

6   Hohner in Hachenburg, GmbHG, § 69 Rn. 7.

7   Näheres Nerlich in Michalski, GmbHG, § 69 Rn. 4 ff.

8   Nerlich in Michalski, GmbHG, § 69 Rn. 16.

Beispiele:

- *Nicht anwendbar ist insbs. § 29, denn eine Gewinnverteilung wird in der aufgelösten GmbH durch die Sondervorschriften der §§ 72, 73 ausgeschlossen.[9] Bis zur Befriedigung bzw. Sicherstellung der Gläubiger und zum Ablauf des Sperrjahres herrscht eine absolute **Auszahlungssperre** (dazu § 73 Rn.2).*

- *Auch ein entgeltlicher Erwerb (Einziehung) von Geschäftsanteilen nach den §§ 33, 34 würde gegen die Auszahlungssperre des § 73 verstoßen und ist daher nicht zulässig.[10]*

- *Ein Insolvenzverwalter darf ausstehende Stammeinlagen von den Gesellschaftern nur noch in dem Umfang einfordern, wie er sie zur Befriedigung von Gläubigern tatsächlich benötigt.[11] Zur Berücksichtigung ausstehender Einlagen bei der Schlussverteilung s. § 72 Rn.4.*

3. Vorschriften des 4. Abschnitts

6   Die Vorschriften des 4. Abschnitts werden in Abs. 1 nicht ausdrücklich für anwendbar erklärt. Sie gelten aber dennoch in vielen Fällen auch in der Liquidation.[12]

Beispiele:

- *Eine **Satzungsänderung** nach § 53 ist auch im Abwicklungsstadium noch möglich, soweit sie mit dem auf Abwicklung ausgerichteten, geänderten Gesellschaftszweck der GmbH vereinbar ist.[13]*

- *Firmenänderung, Änderung des Unternehmensgegenstandes und auch Sitzverlegung bleiben möglich.[14]*

- *Selbst eine Kapitalerhöhung ist nicht ausgeschlossen, soweit sie dem Liquidationszweck dient.[15]*

- *Eine Treuepflicht der Gesellschafter zur Mitwirkung bei einer Satzungsänderung kann in der aufgelösten GmbH jedoch wegen des auf Abwicklung aus-*

---

9   Hohner in Hachenburg, GmbHG, § 69 Rn. 24.

10   Lutter/Kleindiek in Lutter/Hommelhoff, GmbHG, § 69 Rn. 9.

11   OLG Hamm, 15.11.2005 – 27 U 88/05, NJOZ 2006, 920 = MDR 2006, 695.

12   Nerlich in Michalski, GmbHG, § 69 Rn. 54; Hohner in Hachenburg, GmbHG, § 69 Rn. 58; Burger in Bormann/Kauka/Ockelmann, Hdb. GmbH-Recht, Kap. 11 Rn. 114.

13   BayObLG, 12.01.1995 – Z BR 314/94, NJW-RR 1996, 417; BayObLG, 22.05.1987, NJW-RR 1987, 1175, 1178; Hohner in Hachenburg, GmbHG, § 69 Rn. 59; Roth/Altmeppen, GmbHG, § 69 Rn. 9.

14   Roth/Altmeppen, GmbHG, § 69 Rn. 12.

15   Hohner in Hachenburg, GmbHG, § 69 Rn. 61; differenzierend nach dem Zweck der Kapitalerhöhung Nerlich in Michalski, GmbHG, § 69 Rn. 57.

gerichteten Gesellschaftszwecks nur noch in seltenen Ausnahmefällen ange-nommen werden.[16]

4.   Vorschriften des 5. Abschnitts

Diese Vorschriften treffen Spezialregelungen für die Auflösung und Nich-   7
tigkeit der GmbH und sind daher anwendbar.

5.   Vorschriften des 6. Abschnitts

In einigen Vorschriften des 6. Abschnitts sind die Liquidatoren in allen   8
wichtigen Fällen ausdrücklich als Normadressaten genannt, so insbes. in den
§§ 78, 79, 82 Abs. 1 Nr. 5, Abs. 2 Nr. 2, 85.

III.   Anwendung auf die Vor-GmbH

Die Vor-GmbH ist nach inzwischen allg. Ansicht ein Rechtsgebilde eigener   9
Art, auf das weitgehend GmbH-Recht anzuwenden ist, soweit es nicht
gerade die Eintragung voraussetzt.[17] Die Abwicklung der Vor-GmbH erfolgt
deshalb grds. nach den Liquidationsbestimmungen des GmbH-Rechts – also
den §§ 66 ff.[18] Nicht anwendbar sind jedoch insbes. die §§ 75 bis 77, weil
sie die Eintragung der Gesellschaft voraussetzen. Eine Abwicklung nach den
§§ 730 ff. BGB, wie sie von der früher h.M. generell für die Vorgesellschaft
befürwortet wurde,[19] kommt heute insbes. dann noch in Betracht, wenn die
Gesellschaft nach Rücknahme des Eintragungsantrags nicht liquidiert wurde, sondern ihre Geschäftstätigkeit fortgesetzt hat (sog. unechte Vorgesellschaft).[20]

---

16   Roth/Altmeppen, GmbHG, § 69 Rn. 13.

17   Vgl. nur Hueck/Fastrich in Baumbach/Hueck, GmbHG, § 11 Rn. 6 ff.

18   BGH, 31.03. 2008 – II ZR 308/06, NZG 2008, 466; BGH, 28.11.1997 – V ZR
      178-96, NJW 1998, 1079, 1080; Roth/Altmeppen, GmbHG, § 66 Rn. 2; Lut-
      ter/Kleindiek in Lutter/Hommelhoff, GmbHG, § 66 Rn. 5; Noack/Schulze-
      Osterloh in Baumbach/Hueck, GmbHG, § 66 Rn. 3; Hohner in Hachenburg,
      GmbHG, § 66 Rn. 4; Einzelheiten zur Abwicklung der Vor-GmbH bei Heck-
      schen in Wachter, FA Handels- und GesellschaftsR, Teil 2, 2. Kap. Rn. 399 ff.

19   Vgl. nur BGH, 24.10.1968 – II ZR 216/66, BGHZ 51, 30, 34 = NJW 1969, 509;
      OLG Dresden, 14.07.1998 – 3 W 804/98, GmbHR 1998, 1182.

20   BGH, 28.11.1997 – V ZR 178-96, NJW 1998, 1079, 1080; ausführlich zur
      sog. unechten Vorgesellschaft Roth/Altmeppen, GmbHG, § 11 Rn. 58.

IV.   Wettbewerbsverbot der Liquidatoren

10   Eine praktisch wichtige Frage ist, ob Liquidatoren einem gesetzlichen **Wettbewerbsverbot** unterliegen. Dagegen spricht bereits ein Vergleich mit der Parallelvorschrift des § 268 Abs. 3 AktG, der die als Liquidatoren berufenen Vorstandsmitglieder einer AG ausdrücklich vom gesetzlichen Wettbewerbsverbot des § 88 AktG freistellt. Da im Recht der GmbH ein ausdrückliches gesetzliches Wettbewerbsverbot aber ohnehin nicht existiert und dieses deshalb im Einzelfall aus der Organstellung bzw. der Treuepflicht des Geschäftsführers abgeleitet werden muss,[21] unterliegen die Liquidatoren der GmbH unter Berücksichtigung der durch die Liquidation geänderten Interessenlage keinem generellen Wettbewerbsverbot.[22]

11   Auch ein dem früheren **GmbH-Geschäftsführer auferlegtes** vertragliches Wettbewerbsverbot kann auf den Liquidator und die aufgelöste GmbH *nicht* ohne Weiteres übertragen werden. Dafür sind die Interessenlagen von Geschäftsführern und Liquidatoren bzw. werbender und aufgelöster GmbH zu **unterschiedlich.**[23] Allerdings darf eine eventuelle Konkurrenztätigkeit von Liquidatoren auch nicht zu einer Gefährdung des Liquidationszwecks führen.[24]

> **Praxistipp:**
>
> Für gerichtlich bestellte oder durch Gesellschafterbeschluss „gekorene" Liquidatoren empfiehlt es sich, die Übernahme des Amtes von einer Befreiung vom Wettbewerbsverbot abhängig zu machen, auch wenn diese nur klarstellenden Charakter hat.

V.   Prozessuales (Abs. 2)

12   Der Gerichtsstand der Gesellschaft bleibt bis zur vollzogenen Verteilung des Vermögens gem. Abs. 2 derselbe wie bei der werbenden GmbH. Diese Vorschrift kommt auch dann zur Anwendung, wenn die Gesellschaft während der Liquidation zulässigerweise ihren Sitz verlegt. § 69 Abs 2 schafft in diesem Fall einen zusätzlichen Gerichtsstand, der auch zur Anwendung kommt, wenn sich nach Auflösung der Gesellschaft der Ort der Verwaltung

---

21   Zum Wettbewerbsverbot des GmbH-Geschäftsführers Heckschen in Wachter, FA Handels- und GesellschaftsR, Teil 2, 2. Kap. Rn. 188 ff.

22   Nerlich in Michalski, GmbHG, § 69 Rn. 8; Hohner in Hachenburg, GmbHG, § 69 Rn. 8.

23   Hohner in Hachenburg, GmbHG, § 69 Rn. 8; vgl. Hüffer, AktG, § 268 Rn. 7.

24   Hohner in Hachenburg, GmbHG, § 69 Rn. 8.

nicht mehr feststellen lässt.[25] Dies ist v.a. für die Zwangsvollstreckung nach den §§ 828 ff. ZPO und für die öffentliche Zustellung gem. § 203 ZPO von praktischer Bedeutung.[26] Der i.R.d. Gesetzes zur Modernisierung des GmbH-Rechts und zur Bekämpfung von Missbräuchen (**MoMiG**) **neu eingefügte § 15a HGB** und der **geänderte § 185 Nr. 2 ZPO** verfolgen eine ähnliche Zielsetzung im Zusammenhang mit rechtsmissbräuchlichen Firmenbestattungen.[27]

Die Auflösung der GmbH hat **keine Unterbrechungswirkung für laufende**   13 **Prozesse** der Gesellschaft zur Folge.[28] Die Parteifähigkeit der Gesellschaft bleibt auch nach der Auflösung bis zur Vollbeendigung und Löschung der GmbH bestehen.[29] Zur Frage der Parteifähigkeit nach Löschung s. § 74 Rn. 17.

§ 70 GmbHG   Aufgaben der Liquidatoren

[1]Die Liquidatoren haben die laufenden Geschäfte zu beendigen, die Verpflichtungen der aufgelösten Gesellschaft zu erfüllen, die Forderungen derselben einzuziehen und das Vermögen der Gesellschaft in Geld umzusetzen; sie haben die Gesellschaft gerichtlich und außergerichtlich zu vertreten. [2]Zur Beendigung schwebender Geschäfte können die Liquidatoren auch neue Geschäfte eingehen.

---

25   Nerlich in Michalski, GmbHG, § 69 Rn. 62.

26   Nerlich in Michalski, GmbHG, § 69 Rn. 62.

27   Begr. zu Art. 3 Nr. 8 und Art. 8 im RegE MoMiG. Zur Problematik sog. Firmenbestattungen allgemein s. Heckschen in Wachter, FA Handels- und GesellschaftsR, Teil 2, 2. Kap. Rn. 412 ff.

28   Lutter/Kleindiek in Lutter/Hommelhoff, GmbHG, § 69 Rn. 1; Roth/Altmeppen, GmbHG, § 65 Rn. 14.

29   Allgemeine Meinung: vgl. nur Roth/Altmeppen, GmbHG, § 65 Rn. 14.

I.   Einführung

1   Die Vorschrift regelt den **Aufgabenkreis der Liquidatoren**, und zwar in erster Linie die **Geschäftsführungsbefugnis im Innenverhältnis**. Soweit Satz 1 auch die Vertretung der Gesellschaft nennt, bestehen inhaltliche Überschneidungen mit § 68 Abs. 1, der die Vertretungsbefugnis bei Vorhandensein mehrerer Liquidatoren regelt (vgl. § 68 Rn. 1 ff.). Satz 2 betrifft die Befugnis der Liquidatoren zur Eingehung neuer Geschäfte.

II.   Geschäftsführungsbefugnis der Liquidatoren

1.   Liquidatoren als Organe der aufgelösten GmbH, Übertragbarkeit der Aufgaben

2   Die Liquidatoren sind die gesetzlichen Organe der Gesellschaft in Liquidation und als solche zur Geschäftsführung und Vertretung der Gesellschaft berufen. Die Liquidatoren können die Aufgabe der Liquidation nicht im Ganzen auf Dritte übertragen, sie können sich aber der Hilfe von Angestellten und sonstigen Beauftragten bedienen und diesen auch weitreichende Vollmachten erteilen.[1] Auch die Bestellung neuer Prokuristen kann noch i.R.d. Abwicklung der Gesellschaft erfolgen.[2]

2.   Liquidationszweck und Liquidationskonzept

3   Inhaltlich hat sich die Geschäftsführung der Liquidatoren am Liquidationszweck der aufgelösten GmbH zu orientieren, nämlich an der Beendigung der Gesellschaft. Erste Aufgabe der Liquidatoren ist es daher, sich durch einen Vermögensstatus einen Überblick über die Situation der GmbH zu verschaffen und ein tragfähiges **Liquidationskonzept** für die Abwicklung der Gesellschaft zu erstellen.[3] Das Liquidationskonzept umfasst sämtliche Maß-

---

1   Herrschende Meinung: vgl. Lutter/Kleindiek in Lutter/Hommelhoff, GmbHG, § 70 Rn. 3; Hohner in Hachenburg, GmbHG, § 70 Rn. 2.

2   Allgemeine Meinung: vgl. nur Nerlich in Michalski, GmbHG, § 70 Rn. 4.

3   Lutter/Kleindiek in Lutter/Hommelhoff, GmbHG, § 70 Rn. 4; Roth/Altmeppen, GmbHG, § 70 Rn. 7; Nerlich in Michalski, GmbHG, § 71 Rn. 44.

nahmen, die bis zur Vollbeendigung der Gesellschaft erforderlich sind. Das Liquidationsziel kann durch die Veräußerung des Unternehmens der Gesellschaft als Ganzes erreicht werden. Häufiger besteht das Liquidationskonzept aber darin, die unternehmerische Tätigkeit schrittweise einzustellen, Forderungen einzuziehen, Verbindlichkeiten zu erfüllen, Vermögensgegenstände einzeln zu veräußern etc. bis zum Schluss der Liquidation nach § 74 oder bis die Vollbeendigung der GmbH durch Vermögenslosigkeit und Löschung im Handelsregister gem. § 141 a FGG erreicht ist.[4]

Auch in der Liquidation bleibt die Gesellschafterversammlung oberstes 4 Organ der Gesellschaft. Die Liquidatoren sind nach den §§ 37 Abs 1, 46 Nr. 6 i.V.m. § 69 verpflichtet, **Weisungen der Gesellschafterversammlung** zu beachten, soweit diese nicht dem Gesetz oder der Satzung widersprechen.[5] Ferner sind die Liquidatoren bei ihrer Geschäftsführung an den **Liquidationszweck** gebunden, wie sich dem Wortlaut von Satz 2 entnehmen lässt.[6] Maßnahmen, die einer zügigen Abwicklung der GmbH widersprechen, bedürfen daher zutreffender Ansicht nach der Zustimmung der Gesellschafter mit einer 3/4-Mehrheit nach § 53 Abs. 2.[7]

III. Einzelne Aufgaben der Liquidatoren
1. Beendigung laufender Geschäfte

Die Beendigung laufender Geschäfte umfasst die gesamte, durch den Liqui- 5 dationszweck gedeckte Geschäftstätigkeit der aufgelösten Gesellschaft.[8]

Beispiele:

- *Kündigung von Arbeitnehmern, Mietverhältnissen oder Lizenzvereinbarungen etc.,*
- *Annahme von bestellten Warenlieferungen,*
- *Abwicklung von begonnenen Projekten,*
- *Auslieferung von bestellten Waren,*
- *Fertigstellung von Halbfertigerzeugnissen,*
- *Nachbestellung von Ersatzteilen,*

---

4   Lutter/Kleindiek in Lutter/Hommelhoff, GmbHG, § 70 Rn. 4.

5   Allgemeine Meinung: vgl. nur Roth/Altmeppen, GmbHG, § 70 Rn. 3.

6   Nerlich in Michalski, GmbHG, § 70 Rn. 12.

7   Herrschende Meinung vgl. nur Roth/Altmeppen, GmbHG, § 70 Rn. 8; Nerlich in Michalski, GmbHG, § 70 Rn. 15; Lutter/Kleindiek in Lutter/Hommelhoff, GmbHG, § 70 Rn. 7.

8   Nerlich in Michalski, GmbHG, § 70 Rn. 15; Burger in Bormann/Kauka/Ockelmann, Hdb. GmbH-Recht, Kap. 11 Rn. 149.

- *Abwicklung von Gewährleistungsansprüchen,*
- *Fortführung von Rechtsstreitigkeiten,*
- *Erstellung von Steuererklärungen,*
- *Bezahlung von Strom-, Gas-, Wasserlieferungen etc.*

2. Erfüllung der Verpflichtungen der aufgelösten Gesellschaft

6 Die Erfüllung der Verpflichtungen der aufgelösten GmbH ist nach Satz 1 und auch nach § 73 Abs. 1 und 2 unabdingbare Voraussetzung für die spätere **Vermögensverteilung** und von daher **vordringliche Aufgabe der Liquidatoren**. Die Art und Weise, wie die Liquidatoren diese Verpflichtung zu erfüllen haben, nämlich durch Tilgung oder Sicherheitsleistung, ergibt sich im Einzelnen aus § 73 (dazu § 73 Rn. 3 ff.).

7 Eine bestimmte **Rangordnung unter den Gläubigern** ist – anders als in der Insolvenz – grds. nicht vorgeschrieben.[9] Die Liquidatoren können sich daher nach h.M. bei der Reihenfolge der Befriedigung der Gläubiger in erster Linie am Liquidationszweck orientieren und zunächst diejenigen Ansprüche erfüllen, die der beschleunigten Abwicklung bzw. Vollbeendigung der Gesellschaft dienen. Das sind bspw. die Ansprüche von weiter beschäftigten Mitarbeitern, Dienstleistern, Beratern, Liquidatoren, Lieferanten etc., die an der Liquidation der Gesellschaft mitwirken. Ebenso dürfen andere Zweckmäßigkeitsgesichtspunkte (z.B. Alter der Forderungen, Höhe, Bedeutung für die weitere Abwicklung etc.) berücksichtigt werden.[10] Auch wenn die Liquidatoren zur Gleichbehandlung der Gläubiger grds. nicht verpflichtet sind, ist eine willkürliche Bevorzugung einzelner Gläubiger im Hinblick auf die §§ 138, 826 BGB, 283c StGB dennoch gefährlich.[11] Ferner sollten die Liquidatoren einen Gesellschafterbeschluss über die Verwendung der vorhandenen Mittel herbeiführen, um sich im Innenverhältnis der Gesellschafter abzusichern.[12]

---

9   Herrschende Meinung: vgl. BGH, 18.11.1969 – II ZR 83/68, BGHZ 53, 71, 74 = NJW 1970, 469; Roth/Altmeppen, GmbHG, § 70 Rn. 14; Noack/Schulze-Osterloh in Baumbach/Hueck, GmbHG, § 70 Rn. 5; Rasner in Rowedder/Fuhrmann/Koppensteiner, GmbHG, § 73 Rn. 11; Hohner in Hachenburg, GmbHG, § 70 Rn. 15; Nerlich in Michalski, GmbHG, § 73 Rn. 18; Lutter/Kleindiek in Lutter/Hommelhoff, GmbHG, § 73 Rn. 8; Schmidt in Scholz, GmbHG, § 70 Rn 10; Burger in Bormann/Kauka/Ockelmann, Hdb. GmbH-Recht, Kap. 11 Rn. 152.

10   Nerlich in Michalski, GmbHG, § 73 Rn. 18.

11   Bedenken auch bei Lutter/Kleindiek in Lutter/Hommelhoff, GmbHG, § 73 Rn. 8.

12   Nerlich in Michalski, GmbHG, § 73 Rn. 18.

Ganz besondere Vorsicht ist bei **steuerlichen Verpflichtungen** der Gesell- 8
schaft geboten.

> **Praxistipp:**
>
> Hier droht eine **persönliche Haftung der Liquidatoren** nach
> §§ 34, 69 AO, Näheres § 70 Rn. 16 ff.

Soweit die Liquidatoren erkennen, dass das vorhandene Vermögen nicht zur 9
Befriedigung sämtlicher Gläubiger ausreicht, sind sie in jeder Phase der
Abwicklung verpflichtet, unverzüglich **Insolvenzantrag** zu stellen, vgl.
§ 15a Abs. 1 InsO (§ 64 Abs. 1 a.F.).

Die dargestellten Grundsätze zur (fehlenden) Rangordnung der Gläubiger 10
finden nach h.M. auch auf die sog. **masselose Liquidation** Anwendung –
also die Abwicklung einer GmbH, nachdem ein Insolvenzantrag mangels
Masse abgelehnt wurde (§§ 26 InsO, 60 Abs. 1 Nr. 5).[13] Nach Ablehnung
eines Insolvenzantrages mangels Masse erfolgt in der Praxis durchaus nicht
immer die sofortige Löschung der Gesellschaft nach § 141a FGG. Oft verfügt
die Gesellschaft zwar nicht über genügend finanzielle Mittel für ein Insolvenzverfahren, ist aber keineswegs völlig vermögenslos. Dann ist die Gesellschaft
bis zur Löschungsreife gem. § 141a FGG nach den Vorschriften der §§ 66 ff.
zu liquidieren.[14] Da es in der Literatur gewichtige Stimmen gibt, die jedenfalls
für die masselose Liquidation nach Abweisung eines Insolvenzantrages die
entsprechende Anwendung des insolvenzrechtlichen Gleichbehandlungsgrundsatzes („par condicio creditorum") grds. befürworten,[15] sollten die Gründe für
die Berücksichtigung bzw. Nichtberücksichtigung bestimmter Gläubigerforderungen hier auf jeden Fall nachvollziehbar und sorgfältig dokumentiert werden.
Am sichersten ist es aber naturgemäß, tatsächlich die Gläubiger anteilmäßig zu
befriedigen.

Praxisbeispiel:

Der Antrag auf Eröffnung des Insolvenzverfahrens über das Vermögen einer
GmbH wird vom Insolvenzgericht mangels Masse abgewiesen. Der bisherige
Geschäftsführer wird nach § 66 Abs. 1 Liquidator. Die GmbH hat nach Entrich-

---

13   Noack/Schulze-Osterloh in Baumbach/Hueck, GmbHG, § 70 Rn. 5; Hohner in
      Hachenburg, GmbHG, § 70 Rn. 11; Roth/Altmeppen, GmbHG, § 70 Rn. 15;
      Rasner in Rowedder/Fuhrmann/Koppensteiner, GmbHG, § 70 Rn. 11; Nerlich
      in Michalski, GmbHG, § 60 Rn. 249, § 70 Rn. 23.

14   Nerlich in Michalski, GmbHG, § 60 Rn. 247 ff.; Roth/Altmeppen, GmbHG,
      § 60 Rn. 25.

15   Schmidt in Scholz, GmbHG, § 70 Rn 10, § 60 Rn. 28, 30, § 73 Rn. 9; Lutter/
      Kleindiek in Lutter/Hommelhoff, GmbHG, § 70 Rn. 8.

tung der Vergütung des vorläufigen Insolvenzverwalters und anderer Kosten liquide Mittel i.H.v. 10.000 €, denen aber Verbindlichkeiten i.H.v. mehr als 500.000 € gegenüber stehen. Der Liquidator handelt hier kaum pflichtwidrig, wenn er vorhandene geringe Mittel primär dazu verwendet, um einen Steuerberater mit der Aufstellung der Liquidationseröffnungsbilanz und der übrigen Abschlüsse sowie der laufenden Buchhaltung zu beauftragen, anstatt alle Gläubiger anteilsmäßig mit verschwindend geringen Beträgen zu bedienen.

3. Einziehung von Forderungen

11 Mit den einzuziehenden Forderungen sind nicht nur Geldforderungen gemeint, sondern sämtliche Ansprüche, die der GmbH zustehen. Ferner gehören zu den einzuziehenden Forderungen auch solche gegen Gesellschafter, und zwar sowohl aus allgemeinen Rechtsgeschäften (z.B. Kauf- oder Mietverträgen mit der GmbH) als auch aus gesellschaftsrechtlichen Tatbeständen.

Beispiele:

* *Einforderung von noch ausstehenden Stammeinlagen,*
* *Erstattung eines von der GmbH zu Unrecht zurückbezahlten eigenkapitalersetzenden Gesellschafterdarlehens nach den §§ 31 Abs. 1, 32b GmbHG a.F.,*
* *Ersatzansprüche gegen Geschäftsführer-Gesellschafter, z.B. aus den §§ 43 Abs. 2, 73 Abs. 3 GmbHG.*

12 Die Klagebefugnisse der Gesellschafter im Wege der sog. **actio pro socio** bleiben durch die Liquidation unberührt, d.h. Gesellschafter können derartige Ansprüche auch während der Abwicklung notfalls im eigenen Namen auf Leistung an die GmbH gerichtlich geltend machen.[16]

4. Versilberung des Vermögens

13 Die Umsetzung des Vermögens der Gesellschaft in Geld („Versilberung") ist nur insoweit zwingend, als dies zur Erfüllung ihrer Verbindlichkeiten erforderlich ist, da die Gesellschafter übereinstimmend auch eine **Realteilung** des Gesellschaftsvermögens festlegen können, § 72 GmbHG Rn. 7. Die Veräußerung von Vermögensgegenständen der GmbH an ihre Gesellschafter ist grds. möglich, darf aber weder die Interessen der Gläubiger beeinträchtigen noch den Grundsatz der Gleichbehandlung der Gesellschafter verletzten.[17] Auch die Veräußerung des Unternehmens im Ganzen ist von

---

16   BGH, 29.11.2004 – II ZR 14/03, NZG 2005, 216.
17   Lutter/Kleindiek in Lutter/Hommelhoff, GmbHG, § 70 Rn. 8.

den Befugnissen der Liquidatoren grds. umfasst und stellt häufig die einzig sinnvolle Möglichkeit dar, den Unternehmenswert zu realisieren.[18]

5. Vermögensverwaltung

Zu den selbstverständlichen, wenn auch in § 70 nicht ausdrücklich genann- 14 ten Aufgaben der Liquidatoren gehört auch die ordnungsgemäße **Verwaltung des Gesellschaftsvermögens**, z.B. die gewinnbringende Anlage von Barmitteln, Erhalt und Pflege von Anlagevermögen etc.[19] Ebenfalls in § 70 nicht erwähnt sind die **Rechnungslegungspflichten** der Liquidatoren, deren Einzelheiten sich aus § 71 ergeben, dazu § 71 Rn. 2 ff.

6. Eingehung neuer Geschäfte (Satz 2)

Die Formulierung des Gesetzgebers in § 70 Satz 2, wonach die Liquidatoren 15 neue Geschäfte nur „zur Beendigung schwebender Geschäfte" eingehen dürfen, wird allgemein als zu eng empfunden.[20] Soweit dies zur Erreichung des Liquidationszwecks sachdienlich ist, dürfen die Liquidatoren auch neue Geschäfte eingehen.

Beispiele:

- *Die Liquidatoren dürfen begonnene Projekte zu Ende führen, wenn die GmbH dadurch entsprechende Forderungen gegen Dritte erlangt, und hierzu Waren bestellen, Dienstleistungen abnehmen und im Ausnahmefall sogar neue Mitarbeiter (i.d.R. befristet) einstellen.*

- *Die Liquidatoren dürfen einen langfristigen Mietvertrag über die dauerhafte Einlagerung der Akten und Unterlagen der Gesellschaft schließen oder die Buchhaltung des Unternehmens während der Liquidation einem Steuerberater übertragen.*

7. Steuerliche Aufgaben der Liquidatoren

Die Liquidatoren haben nach § 34 AO (wie zuvor die Geschäftsführer) die 16 steuerlichen Verpflichtungen der Gesellschaft zu erfüllen.[21] Dies umfasst nicht nur die Bezahlung von Steuerschulden, sondern auch die Abgabe der

---

18 Näheres Rasner in Rowedder/Fuhrmann/Koppensteiner, GmbHG, § 70 Rn. 16 ff.

19 Allgemeine Meinung: vgl. nur Nerlich in Michalski, GmbHG, § 70 Rn. 32.

20 Allgemeine Meinung: vgl. nur Nerlich in Michalski, GmbHG, § 70 Rn. 33; Hohner in Hachenburg, GmbHG, § 70 Rn. 22.

21 Dazu eingehend Leibner/Pump, GmbHR 2003, 996 ff. mit zahlreichen nützlichen Checklisten und Formulierungsvorschlägen. Einzelheiten zur Liquidationsbesteuerung der GmbH bei Burger in Bormann/Kauka/Ockelmann, Hdb. GmbH-Recht, Kap. 11 Rn. 204 ff.

erforderlichen Steuererklärungen einschließlich der dazu notwendigen Vorbereitungsmaßnahmen und Verpflichtungen. Die gesellschaftsrechtliche Pflicht, eine Liquidationseröffnungsbilanz und andere Rechenwerke für die GmbH in Abwicklung aufzustellen, wird über § 140 AO auch zur steuerlichen Verpflichtung.[22] Soweit Ansprüche aus dem Steuerschuldverhältnis infolge vorsätzlicher oder grob fahrlässiger Verletzung der ihnen auferlegten Pflichten nicht oder nicht rechtzeitig festgesetzt oder erfüllt werden, haften die Liquidatoren dafür nach § 69 AO persönlich.

17   Nach der Rechtsprechung einiger Finanzgerichte soll ein Liquidator sogar verpflichtet sein, notfalls private finanzielle Mittel einzusetzen, um die erforderlichen Steuererklärungen für die Gesellschaft abgeben zu können.[23] Damit wird indes die Trennung zwischen Privat- und Gesellschaftssphäre unzulässig aufgehoben. Betroffene werden gezwungen, notfalls ihr Amt als Liquidator niederzulegen,[24] um dieser öffentlich-rechtlichen Verantwortlichkeit zu entgehen, was weder im Interesse der GmbH in Abwicklung, der Gläubiger, Gesellschafter und sonstiger Beteiligter liegen kann, noch volkswirtschaftlich sonderlich sinnvoll ist. Der Einsatz privater Mittel zur Erstellung von Steuererklärungen für die Gesellschaft kann daher von einem Liquidator nicht verlangt werden.[25]

18   Nach ständiger Rechtsprechung der Finanzgerichte sind Geschäftsführer und Liquidatoren ferner verpflichtet, den Fiskus zumindest im gleichen Verhältnis zu berücksichtigen wie andere Gläubiger (sog. **Grundsatz der anteiligen Tilgung** oder Befriedigung),[26] Liquidatoren dürfen Steuerforderungen also nicht schlechter behandeln als die der privaten Gläubiger. Verletzen Liquidatoren schuldhaft diese Pflicht, haften sie nach § 69 AO persönlich. Auch wenn diese Auffassung rechtlich kaum begründbar und

22   Leibner/Pump, GmbHR 2003, 996, 998.

23   FG Baden-Württemberg, 19.01.2001 – 10 K 12/98, EFG 2001, 542, GmbHR 2001, 741; Schulze-Osterloh in Baumbach/Hueck, GmbHG, § 71 Rn. 11; Nerlich in Michalski, GmbHG, § 71 Rn. 22.

24   So in der Tat Schulze-Osterloh in Baumbach/Hueck, GmbHG, § 71 Rn. 11; zu Recht krit. Roth/Altmeppen, GmbHG, § 71 Rn. 1.

25   So im Ergebnis auch Roth/Altmeppen, GmbHG, § 71 Rn. 1.

26   BFH, 01.08.2000 – VII R 110/99 DStR 2000, 1954; BFH, 21.06.1994 – VII R 34/92, BStBl. II 1995, S. 230; BFH, 26.08.1992 – VII R 50/91, BStBl. II 1993, S. 8, 9; BFH, 05.03.1991 – VII R 93/88 BStBl. II 1991, S. 678, 680; Intermann in Pahlke/König, AO, § 69 Rn. 35; Leibner/Pump, GmbHR 2003, 996, 998.

schon gar nicht haltbar ist,[27] führt sie im Ergebnis dazu, dass eine bevorzugte Berichtigung von Steuerschulden der Gesellschaft in der Praxis oft zweckmäßig ist. Die von der Finanzrechtsprechung geforderte anteilige Berücksichtigung des Fiskus lässt sich i.Ü. nur dann umsetzen, wenn die Liquidatoren einen Vermögensstatuts und ein Liquidationskonzept erstellt haben, dazu § 70 Rn. 3. Ferner gehört es zu den Pflichten von Geschäftsführern und Liquidatoren, dafür Sorge zu tragen, dass Steuerschulden, deren künftiges Entstehen vorhersehbar ist (Beispiel: von der GmbH im Rahmen der Abwicklung in Rechnung gestellte USt), aus den vorhandenen Mitteln getilgt werden können.[28]

8. Sonstige Aufgaben der Liquidatoren

§ 70 GmbHG enthält keine abschließende Aufzählung der Aufgaben der Liquidatoren. Weitere wichtige Aufgaben und Pflichten ergeben sich bspw. aus den §§ 71 (Aufstellung der Liquidationseröffnungsbilanz und anderer Rechenwerke), § 72 (Vermögensverteilung), § 74 (Anmeldung des Liquidationsschlusses, Aufbewahrung der Bücher und Schriften).   19

Checkliste: Die wichtigsten Aufgaben der Liquidatoren im Überblick   20

> *(Aufzählung nicht abschließend)*
>
> ☐ Anmeldung der Auflösung und Gläubigeraufruf gem. § 65 (s. dort Rn. 7 ff.), ggf. verbunden mit der
>
> ☐ Anmeldung der Liquidatoren und ihrer Vertretungsbefugnis (dazu § 67 Rn. 2 ff.)
>
> ☐ Aufstellung eines Liquidationskonzepts und eines Liquidationsstatus (dazu § 70 Rn. 3)
>
> ☐ Aufstellung aller erforderlichen Rechenwerke (dazu § 71 Rn. 2 ff.)
>   – letzter Jahresabschluss der werbenden GmbH
>
>   – Liquidationseröffnungsbilanz mit erläuterndem Bericht
>
>   – Jahresabschlüsse während Liquidation (jeweils inklusive Lageberichte)
>
>   – Liquidationsschlussbilanz
>
>   – Schlussrechnung der Liquidatoren

---

27   Zu Recht krit. Roth/Altmeppen, GmbHG, § 70 Rn. 15; Hohner in Hachenburg, GmbHG, § 70 Rn. 28.

28   BFH, 21.06.1994 – VII R 34/92, BStBl. II 1995, S. 230; FG Nürnberg, 15.07.1999 – II 6/99, DStRE 2001, 1247.

☐ Erfüllung der steuerlichen Verpflichtungen der Gesellschaft, Abgabe der erforderlichen Steuererklärungen (dazu § 70 Rn. 16 ff.)

☐ Tilgung oder Sicherstellung der Verbindlichkeiten der GmbH (dazu § 70 Rn. 6 ff. und § 73 Rn. 3 ff.)

☐ Einziehung der Forderungen der Gesellschaft (dazu § 70 Rn. 11)

☐ Versilberung des Vermögens (dazu § 70 Rn. 13)

☐ Beachtung des Sperrjahres (dazu § 73 Rn. 1 ff.)

☐ Vornahme der Vermögensverteilung (dazu § 72 Rn. 2 ff.)

☐ Gewerbe-Abmeldung gem. §§ 14, 55c GewO

☐ Sicherung der Aufbewahrung der Bücher und Schriften der Gesellschaft (dazu § 74 Rn. 14 ff.)

☐ Anmeldung der Beendigung der Liquidation (dazu § 74 Rn. 9 ff.)

IV. Vertretung der Gesellschaft in der Liquidation

21 Nach Satz 1 gehört es zu den Aufgaben der Liquidatoren, die „Gesellschaft gerichtlich und außergerichtlich zu vertreten". Hier gibt es scheinbare Überschneidungen mit § 68 Abs. 1, der sich ebenfalls mit der Vertretungsmacht der Liquidatoren befasst. In § 68 geht es aber bei näherer Betrachtung nur um die Vertretungsbefugnis, wenn mehrere Liquidatoren vorhanden sind – also um die Frage, ob Einzel- oder Gesamtvertretungsbefugnis gegeben ist. In § 70 wiederum wird die gerichtliche und außergerichtliche Vertretung als selbstverständliche Aufgabe der Liquidatoren lediglich genannt, jedoch nicht näher definiert. Die Vertretungsmacht der Liquidatoren ergibt sich somit aus den allgemeinen Vorschriften, nämlich den §§ 35 ff. i.V.m. § 69: Die Vertretungsmacht der Liquidatoren im Außenverhältnis ist somit im Ergebnis ebenso **unbeschränkt und auch unbeschränkbar** wie die der Geschäftsführer der werbenden GmbH.[29] Dies wird durch § 71 Abs. 4 und die darin enthaltene ausdrückliche (eigentlich überflüssige) Verweisung auf § 37 nur nochmals verdeutlicht.

22 Die Vertretungsmacht der Liquidatoren im Außenverhältnis wird – entgegen einer früher h.M. – auch durch den **Liquidationszweck** nicht eingeschränkt. Die Eingehung neuer Geschäfte, die dem Liquidationszweck nicht

---

29 Heute h.M. vgl. Hohner in Hachenburg, GmbHG, § 70 Rn. 25; Lutter/Kleindiek in Lutter/Hommelhoff, GmbHG, § 70 Rn. 2.

mehr dienen, mag zwar pflichtwidrig sein, ändert aber nichts an deren Wirksamkeit.[30] Im Innenverhältnis kommt bei Maßnahmen, die vom Liquidationszweck nicht gedeckt sind, gleichwohl ein Schadensersatzanspruch der GmbH gegen die Liquidatoren nach § 43 Abs. 2 (der in § 71 Abs. 4 nochmals ausdrücklich für anwendbar erklärt wird, obwohl er bereits über § 69 gilt) in Betracht.

Die unbeschränkte und unbeschränkbare Vertretungsmacht der Liquidatoren wird ferner durch die allgemeinen Grundsätze über den Missbrauch der Vertretungsmacht begrenzt.[31]

Praxisbeispiel:

Ein Liquidator, der durch die Satzung vom Verbot des Selbstkontrahierens gem. § 181 BGB befreit wurde, missbraucht seine Vertretungsmacht, um pflichtwidrig Vermögensgegenstände der GmbH weit unter Wert an sich selbst und seine Familienangehörigen zu versilbern. Diese Handlungsweise ist als offensichtlicher Missbrauch nicht von der Vertretungsmacht gedeckt.[32]

V. Das Dienstverhältnis des Liquidators

Die schuldrechtlichen Beziehungen des Liquidators zur aufgelösten GmbH beruhen ebenso wie beim Geschäftsführer auf einem **Anstellungsvertrag**. Geschäftsführer als „geborene" Liquidatoren setzen ihr bisheriges Dienstverhältnis zur GmbH fort und behalten damit grds. auch ihre bisherigen vertraglichen Vergütungsansprüche.[33] Wird ein Liquidator nach Abs. 1 durch Gesellschafterbeschluss oder Satzung bestellt oder nach Abs. 2 vom Gericht ernannt, kommt dadurch noch kein Anstellungsvertrag zustande.[34] Der „gekorene" Liquidator kann die Annahme des Amtes aber an den Abschluss eines angemessenen Anstellungsvertrages mit der Gesellschaft knüpfen. Auch die Bestellung durch das Gericht begründet keine Verpflichtung zur Übernahme des Amtes.[35]

23

---

30 Herrschende Meinung: vgl. Lutter/Kleindiek in Lutter/Hommelhoff, GmbHG, § 70 Rn. 2; Roth/Altmeppen, GmbHG, § 70 Rn. 24.

31 OLG Hamburg, 05.06.1992 – 11 W 30/92, GmbHG 1992, 609; Nerlich in Michalski, GmbHG, § 70 Rn. 40; Burger in Bormann/Kauka/Ockelmann, Hdb. GmbH-Recht, Kap. 11 Rn. 148.

32 Vgl. den Fall OLG Hamburg, 05.06.1992 – 11 W 30/92, GmbHR 1992, 609.

33 Herrschende Meinung vgl. Nerlich in Michalski, GmbHG, § 66 Rn. 73.

34 Noack/Schulze-Osterloh in Baumbach/Hueck, GmbHG, § 66 Rn. 23.

35 KG Berlin, 04.04.2000 – 1 W 3052/99, GmbHR 2000, 660, 661; Rasner in Rowedder/Fuhrmann/Koppensteiner, GmbHG, § 66 Rn. 23.

24 Abschluss und Kündigung des Anstellungsvertrages fallen bei der aufgelösten wie bei der werbenden Gesellschaft in die Kompetenz der Gesellschafterversammlung. Kommt eine Einigung über den Anstellungsvertrag nicht zustande, hat der Liquidator einen gesetzlichen Anspruch auf angemessene Vergütung gem. § 612 BGB, wenn er das Amt annimmt. Bei gerichtlich bestellten Liquidatoren kann die Höhe der Vergütung analog § 265 Abs. 4 Satz 2 AktG vom Registergericht festgesetzt werden, wenn eine Einigung zwischen Gesellschafterversammlung und Liquidator nicht zustande kommt.[36]

> **Praxistipp:**
>
> Der Antrag auf Festsetzung des Honorars analog § 265 Abs. 4 AktG kann bereits mit dem Antrag auf Bestellung eines Liquidators durch das Registergericht verbunden werden.

VI. Haftung des Liquidators

25 Ein Sonderfall der Haftung des Liquidators, nämlich die verbotswidrige Verteilung des Gesellschaftsvermögens, ist in § 73 Abs. 3 speziell geregelt, dazu eingehend § 73 Rn. 15. Im Übrigen folgt aus den §§ 69, 71 Abs. 4, dass Liquidatoren für pflichtwidrige Maßnahmen nach den gleichen Grundsätzen, insbes. nach den § 43 Abs. 1 bis 3, haften wie Geschäftsführer der werbenden GmbH, dazu eingehend § 43 Rn. 3 ff. Sie haben bei der Abwicklung der Gesellschaft die Sorgfalt eines ordentlichen und gewissenhaften Liquidators anzuwenden.[37] Zur Geltendmachung von Ersatzansprüchen der Gesellschaft gegen den Liquidator ist ein Beschluss der Gesellschafterversammlung nach § 46 Nr. 8 erforderlich.[38] Diese beschließt nach § 46 Nr. 5 auch über die Entlastung des Liquidators (Zur Entlastung beim Geschäftsführer s. § 46 Rn. 53 ff.).

---

36   Roth/Altmeppen, GmbHG, § 66 Rn. 42; Nerlich in Michalski, GmbHG, § 66 Rn. 76 m.w.N.

37   Lutter/Kleindiek in Lutter/Hommelhoff, GmbHG, § 70 Rn. 17.

38   BGH, 20.11.1958 – II ZR 17/57, BGHZ 28, 355, 357; zur Haftung des Liquidators für persönliche Ansprüche der Gesellschafter, BGH, 23.06.1969 – II ZR 272/67, NJW 1969, 1712.

§ 71 GmbHG   Eröffnungsbilanz; Rechte und Pflichten

(1) **Die Liquidatoren haben für den Beginn der Liquidation eine Bilanz (Eröffnungsbilanz) und einen die Eröffnungsbilanz erläuternden Bericht sowie für den Schluss eines jeden Jahres einen Jahresabschluss und einen Lagebericht aufzustellen.**

(2) **¹Die Gesellschafter beschließen über die Feststellung der Eröffnungsbilanz und des Jahresabschlusses sowie über die Entlastung der Liquidatoren. ²Auf die Eröffnungsbilanz und den erläuternden Bericht sind die Vorschriften über den Jahresabschluss entsprechend anzuwenden. ³Vermögensgegenstände des Anlagevermögens sind jedoch wie Umlaufvermögen zu bewerten, soweit ihre Veräußerung innerhalb eines übersehbaren Zeitraums beabsichtigt ist oder diese Vermögensgegenstände nicht mehr dem Geschäftsbetrieb dienen; dies gilt auch für den Jahresabschluss.**

(3) **Das Gericht kann von der Prüfung des Jahresabschlusses und des Lageberichts durch einen Abschlussprüfer befreien, wenn die Verhältnisse der Gesellschaft so überschaubar sind, dass eine Prüfung im Interesse der Gläubiger und der Gesellschafter nicht geboten erscheint. Gegen die Entscheidung ist die sofortige Beschwerde zulässig.**

(4) **Im übrigen haben sie die aus §§ 37, 41, § 43 Abs. 1, 2 und 4, § 49 Abs. 1 und 2, § 64 sich ergebenden Rechte und Pflichten der Geschäftsführer.**

(5) **Auf den Geschäftsbriefen ist anzugeben, dass sich die Gesellschaft in Liquidation befindet; im Übrigen gilt § 35a entsprechend.**

I.   Einführung

1   Die Vorschrift regelt zentrale Rechte und Pflichten der Liquidatoren aus unterschiedlichen Bereichen. In den Abs. 1 bis 3 werden zunächst die **Rechnungslegungspflichten der Liquidatoren** in der aufgelösten GmbH präzisiert. Die in Abs. 4 enthaltene Aufzählung einzelner allgemeiner Rechte und Pflichten der Liquidatoren ist weitgehend redundant mit § 69 Abs. 1 GmbHG und daher im Grunde überflüssig. Der durch das MoMiG geänderte und an § 35a angepasste Abs. 5 betrifft notwendige Angaben auf den Geschäftsbriefen der aufgelösten Gesellschaft und hat mit den Rechten und Pflichten der Liquidatoren allenfalls mittelbar zu tun.

II.   Rechnungslegung in der GmbH nach Auflösung (Abs. 1 bis 3)

1.   Letzter Jahresabschluss der werbenden Gesellschaft

2   Für die aufgelöste GmbH ist ein Jahresabschluss für das Geschäftsjahr bis zum Tage der Auflösung zu erstellen, denn die Auflösung bewirkt eine Zäsur. Das laufende (Rumpf-) Geschäftsjahr endet mit dem Auflösungszeitpunkt und es beginnt mit der Liquidation ein neuer Rechnungslegungszeitraum.[1] Diese **Schlussbilanz** wird in vielen Fällen mit der Liquidationseröffnungsbilanz (dazu § 71 Rn. 3) der Gesellschaft in Abwicklung identisch sein.[2] Der letzte Jahresabschluss der werbenden GmbH unterliegt ggf. nach den allgemeinen Regeln der Abschlussprüfung und Offenlegung.[3]

2.   Pflicht zur Erstellung einer Liquidationseröffnungsbilanz

3   Die Liquidatoren sind gem. Abs. 1 Satz 1 verpflichtet, eine **Liquidationseröffnungsbilanz** aufzustellen, um den Vermögensstatus der Gesellschaft zu Beginn der Abwicklung zu dokumentieren. Zusätzlich haben sie einen die Eröffnungsbilanz **erläuternden Bericht** aufzustellen, der sich gem. Abs. 2 Satz 2 der Vorschrift inhaltlich an den §§ 264, 284 ff. HGB orientieren muss.[4] Maßgeblicher Bilanzstichtag ist der Tag der Auflösung der Gesell-

---

1   BayObLG, 14.01.1994 – 3 Z BR 307/93, GmbHR 1994, 331, 332; Roth/Altmeppen, GmbHG, § 71 Rn. 8; Burger in Bormann/Kauka/Ockelmann, Hdb. GmbH-Recht, Kap. 11 Rn. 180.

2   So zutreffend BayObLG, 14.01.1994 – 3 Z BR 307/93, GmbHR 1994, 331, 332; Lutter/Kleindiek in Lutter/Hommelhoff, GmbHG, § 70 Rn. 8; a.M. Nerlich in Michalski, GmbHG, § 71 Rn. 20.

3   Noack/Schulze-Osterloh in Baumbach/Hueck, GmbHG, § 71 Rn. 4.

4   Näheres Burger in Bormann/Kauka/Ockelmann, Hdb. GmbH-Recht, Kap. 11 Rn. 196.

schaft. Bei Auflösung durch Gesellschafterbeschluss, ist der Tag des Beschlusses, nicht die Eintragung der Auflösung im Handelsregister maßgeblich.[5] Bei Ablehnung der Eröffnung des Insolvenzverfahrens mangels Masse kommt es auf die Rechtskraft dieser Entscheidung an (vgl. §§ 34 Abs. 1 InsO, §§ 567 ff. ZPO).

Die **Frist** für die Aufstellung beträgt nach § 264 Abs. 1 Satz 2 HGB grds.   4
drei Monate. Für kleine Kapitalgesellschaften i.S.d. § 267 Abs. 1 HGB verlängert sich die Frist zutreffender Ansicht nach auf sechs Monate, soweit dies einem ordnungsgemäßen Geschäftsgang entspricht.[6]

3. Laufende Liquidationsrechnungslegung

Die gesetzlichen Rechnungslegungspflichten der werbenden GmbH gelten   5
nach Abs. 1 grds. auch für die Gesellschaft in Abwicklung. Es sind daher auch für die GmbH in Liquidation **reguläre Jahresabschlüsse** zu erstellen. Stichtag ist dabei der Ablauf eines Kalenderjahrs, beginnend mit dem Auflösungstag. Ferner ist nach Abs. 1 jeweils ein **Lagebericht** aufzustellen. Darin ist insbes. über den Stand der Liquidation und über den zu erwartenden Liquidationsüberschuss oder (wahrscheinlicher) Fehlbetrag zu berichten. Die Verpflichtung zur Erstellung eines Lageberichts gilt nach überwiegender Ansicht selbst dann, wenn die GmbH vor ihrer Auflösung nach § 264 Abs. 1 Satz 3 HGB als „kleine" Gesellschaft davon befreit war, auch wenn dies angesichts der regelmäßig knappen finanziellen Ressourcen aufgelöster Gesellschaften kaum praktikabel erscheint.[7]

4. Liquidationsschlussbilanz

Die Notwendigkeit, eine Liquidationsschlussbilanz aufzustellen, folgt mit-   6
telbar bereits aus Abs. 1. Sie ist zugleich der letzte Jahresabschluss der aufgelösten GmbH.[8]

---

5   Herrschende Meinung: vgl. Schulze-Osterloh in Baumbach/Hueck, GmbHG, § 71 Rn. 14.

6   Herrschende Meinung: vgl. Lutter/Kleindiek in Lutter/Hommelhoff, GmbHG, § 71 Rn. 6; Nerlich in Michalski, GmbHG, § 71 Rn. 25; a.A. Schulze-Osterloh in Baumbach/Hueck, GmbHG, § 71 Rn. 12; Burger in Bormann/Kauka/Ockelmann, Hdb. GmbH-Recht, Kap. 11 Rn. 186 empfehlen vorsichtshalber die Einhaltung der Dreimonatsfrist.

7   Schulze-Osterloh in Baumbach/Hueck, GmbHG, § 71 Rn. 27; offengelassen von OLG Düsseldorf, 19.09.2001 – 3 Wx 41/01, NZG 2002, 90.

8   Allgemeine Meinung: vgl. nur Lutter/Kleindiek in Lutter/Hommelhoff, GmbHG, § 70 Rn. 12.

5.   Schlussrechnung

7 Eine **interne Schlussrechnung** der Liquidatoren wird in § 74 Abs. 1
begrifflich vorausgesetzt. Sie kann mit der Liquidationsschlussbilanz identisch sein.[9] In dieser Schlussrechnung ist insbes. die Verwendung der
finanziellen Mittel der aufgelösten GmbH für Gesellschafter und Dritte
nachvollziehbar darzulegen.

6.   Vermögensstatus

8 Da es zu den primären Aufgaben der Liquidatoren gehört, ein tragfähiges
Liquidationskonzept zu entwickeln (vgl. § 70 Rn. 3), ist es regelmäßig
erforderlich, zusätzlich zu den bereits genannten Rechenwerken einen **Vermögensstatus** der GmbH unter Zugrundelegung von Liquidationswerten
aufzustellen. Für diesen Vermögensstatus, der nur der **internen** Information
dient, gelten die Rechnungslegungsvorschriften das HGB nicht, vielmehr ist
allein der Liquidationszweck entscheidend. Nur auf diese Weise können die
Liquidatoren frühzeitig feststellen, ob die Liquidation voraussichtlich der
Modellvorstellung des Gesetzgebers entsprechend durch eine Schlussverteilung gem. § 72 beendet werden kann oder ob die aufgelöste GmbH überschuldet ist und ggf. für sie nach **§ 15 a Abs. 1 InsO** (früher: § 64 Abs. 1)
Insolvenz angemeldet werden muss. Der auf diese Weise ermittelte Vermögensstatus ist von den Liquidatoren während der Liquidation ständig zu
aktualisieren, denn die Notwendigkeit eines Insolvenzantrages kann sich
auch noch zu einem späteren Zeitpunkt ergeben.[10]

7.   Bewertungsgrundsätze

9 Nach Abs. 2 Satz 3 ist in der Liquidationseröffnungsbilanz und in den
regelmäßigen Jahresabschlüssen der aufgelösten Gesellschafter grds. von
Fortführungswerten auszugehen (sog. going-concern-Prinzip, vgl. § 252
Abs. 1 Nr. 2 HGB).[11] Eine Neubewertung aller Aktiva und Passiva der
aufgelösten GmbH findet also (zunächst!) nicht statt. Vermögensgegen-
stände des Anlagevermögens sind aber gem. Abs. 2 Satz 3 dann wie
Umlaufvermögen zu bewerten, wenn sie innerhalb eines überschaubaren
Zeitraums veräußert werden sollen oder nicht mehr dem Geschäftsbetrieb

---

9   Roth/Altmeppen, GmbHG, § 71 Rn. 34.

10   Rasner in Rowedder/Fuhrmann/Koppensteiner, GmbHG, § 71 Rn. 22; Lutter/
     Kleindiek in Lutter/Hommelhoff, GmbHG, § 71 Rn. 11.

11   Allgemeine Meinung: vgl. nur KG Berlin, 17.04.2001 – 14 U 380/99, NZG
     2001, 845, 846; Lutter/Kleindiek in Lutter/Hommelhoff, GmbHG, § 71 Rn. 2.

dienen. Beides ist aber in der Liquidation sehr häufig der Fall. Die Bewertungsunterschiede sind daher in der Praxis nicht so groß, wie in der Kommentarliteratur teilweise angenommen wird.

8. Gliederung

Die Liquidationseröffnungsbilanz, die Liquidations-Jahresabschlüsse und die Schlussbilanz sind nach den allgemeinen Vorschriften (§§ 266, 275 HGB) zu gliedern. Umstritten ist dabei der richtige Ausweis des Eigenkapitals. Teilweise wird vorgeschlagen, das Eigenkapital nicht mehr nach § 266 Abs. 3 A. HGB zu untergliedern, sondern in einer einheitlichen Position auszuweisen.[12] Es ist aber kein sinnvoller Grund erkennbar, um den wichtigen Grundsatz der Bilanzkontinuität in derartiger Weise zu durchbrechen.[13]

10

9. Befreiung von Prüfungspflichten (Abs. 3)

Von einer gesetzlich, insbes. gem. § 316 HGB bestehenden Prüfungspflicht kann die aufgelöste Gesellschaft durch das Registergericht nach Abs. 3 auf Antrag für die Dauer der Abwicklung befreit werden. Voraussetzung dafür sind „überschaubare Verhältnisse" der Gesellschaft in Abwicklung. Überschaubare Verhältnisse können insbes. bei mittelgroßen Gesellschaften angenommen werden, bei denen aufgrund ihres liquidationsbedingt geringeren Geschäftsumfanges eine Prüfungspflicht sinnlos wäre. Eine Befreiung von der Prüfungspflicht für Jahresabschlüsse *vor* Auflösung der Gesellschaft kann aber nicht auf § 71 Abs. 3 gestützt werden.[14] Diese Abschlüsse unterliegen in jedem Fall noch der gesetzlichen Prüfungspflicht, auch wenn sie erst während der Liquidation erstellt werden. Auch eine GmbH & Co. KG kann entsprechend § 71 Abs. 3 GmbHG, § 270 Abs. 3 AktG von der Prüfungspflicht befreit werden.[15]

11

10. Aufstellung und Feststellung der Jahresabschlüsse

Die Aufstellung der erwähnten Rechenwerke ist **Aufgabe der Liquidatoren**, vgl. Abs. 1. Auch der letzte Abschluss der werbenden GmbH (dazu § 71 Rn. 2) ist bereits von den Liquidatoren zu erstellen, denn die Geschäftsführer haben mit der Auflösung der GmbH ihr Amt verloren. Die **Fest-**

12

---

12   Schulze-Osterloh in Baumbach/Hueck, GmbHG, § 71 Rn. 18.

13   Nerlich in Michalski, GmbHG, § 71 Rn. 54; Hohner in Hachenburg, GmbHG, § 71 Rn. 22.

14   OLG München, 10.08.2005 – 31 Wx 61/05, FGPrax 2005, 271.

15   OLG München, 09.01.2008 – 31 Wx 66/07, NZG 2008, 229.

stellung der Liquidationseröffnungsbilanz und der übrigen Jahresabschlüsse obliegt auch in der aufgelösten GmbH der Gesellschafterversammlung (vgl. § 46 Nr. 1), wie Abs. 2 Satz 1 ausdrücklich klarstellt.[16]

11. Rechtsfolgen bei Verletzung von Rechnungslegungspflichten

13 Die Gesellschafter können die Liquidatoren von den dargestellten Rechnungslegungspflichten nicht befreien.[17] Eine erhebliche Verletzung von Rechnungslegungspflichten während der Liquidation ist ein wichtiger Grund für die **Abberufung des Liquidators** nach § 66 Abs. 3 GmbHG.[18] Ferner kommt ggf. ein Ersatzanspruch der Gesellschaft gem. § 43 Abs. 2 GmbHG in Betracht. Unter den Voraussetzungen der §§ 283 Abs. 1 Nr. 7, Abs. 6, 283a, 283b Abs. 1 Nr. 3, Abs. 3 StGB ist die Verletzung von Rechnungslegungspflichten durch die Liquidatoren mit Strafe bedroht.

14 **Checkliste: Von den Liquidatoren aufzustellende Rechenwerke in zeitlicher Reihenfolge:**[19]

☑

- ☐ Liquidationseröffnungsbilanz (kann ggf. mit der Schlussbilanz der aufgelösten GmbH identisch sein) einschließlich erläuterndem Bericht, § 71 Rn. 3 f.

- ☐ Letzter Jahresabschluss der werbenden GmbH bis zur Auflösung (ggf. Rumpfgeschäftsjahr), § 71 Rn. 2

- ☐ Vermögensstatus (intern, ggf. verbunden mit Liquidationskonzept), § 71 Rn. 8

- ☐ Liquidationsjahresabschluss bzw. Jahresabschlüsse einschließlich Lageberichte, § 71 Rn. 5

- ☐ aktualisierter Vermögensstatus (intern, laufend falls erforderlich), § 71 Rn. 8

- ☐ Liquidationsschlussbilanz, § 71 Rn. 6

- ☐ Schlussrechnung der Liquidatoren (intern), § 71 Rn. 7

---

16   Zur Anfechtung des Feststellungsbeschlusses: KG Berlin, 17.04.2001 – 14 U 380/99, NZG 2001, 845.

17   OLG Stuttgart, 07.12.1994 – 8 W 311/93, NJW-RR 1995, 805; Nerlich in Michalski, GmbHG, § 71 Rn. 22.

18   OLG Stuttgart, 07.12.1994 – 8 W 311/93, NJW-RR 1995, 805; OLG Düsseldorf, 19.09.2001 – 3 Wx 41/01, NZG 2002, 90, LNRO 2001, 17236.

19   Vgl. Rasner in Rowedder/Fuhrmann/Koppensteiner, GmbHG, § 71 Rn. 6.

III. Rechte und Pflichten der Liquidatoren (Abs. 4)

Die Verweisungsvorschrift in Abs. 4 ist im Hinblick auf § 69 Abs. 1 über- 15
flüssig und unvollständig: Beispielsweise ist der von Abs. 4 nicht ausdrücklich erwähnte § 43 Abs. 3 auch in der Liquidation anwendbar, was durch
§ 73 Abs. 3 ausdrücklich klargestellt wird. Dass die Liquidatoren für
Pflichtverletzungen nach den allgemeinen Vorschriften, insbes. nach § 43
Abs. 1 und 2, haften, folgt schon aus § 69, wird aber durch Abs. 4 nochmals
ausdrücklich klargestellt. Einzelheiten zur Haftung des Liquidators, § 70
Rn. 25.

IV. Angaben auf Geschäftsbriefen (Abs. 5)

Die Vorschrift ordnet die entsprechende Anwendung der Bestimmung des 16
§ 35a GmbHG für die werbende (also aktive und ihren ursprünglichen
Gesellschaftszweck verfolgende) GmbH an. Zusätzlich wird die Kennzeichnung als Abwicklungsgesellschaft verlangt (vgl. § 68 Rn. 9). Die Vorschrift
wurde durch das MoMiG an § 35a angepasst. Die dort geforderten Angaben
auf den Geschäftsbriefen bzgl. der Geschäftsführer gelten i.R.d. § 71 nunmehr entsprechend für die Angaben bzgl. der Liquidatoren.[20]

V. Steuerrechtliche Pflichten der Liquidatoren

Nach § 34 Abs. 1 AO haben Liquidatoren als gesetzliche Vertreter der 17
aufgelösten GmbH deren steuerliche Pflichten zu erfüllen, wozu insbes. die
Abgabe der Steuererklärungen der Gesellschaft und die Entrichtung laufender Steuern gehört.[21] Die handelsrechtliche Pflicht, die oben genannten
Rechenwerke (Liquidationseröffnungsbilanz etc.) aufzustellen, wird über
§ 140 AO zur steuerlichen Verpflichtung.[22] Dies ist deswegen problematisch, weil bei Verletzung dieser Pflichten eine persönliche Verantwortlichkeit der Liquidatoren nach § 69 AO in Betracht kommt, ausführlich dazu
§ 70 Rn. 16 ff.

---

20 Zu den Pflichtangaben inländischer Zweigniederlassungen ausländischer
   Gesellschaften Bormann/Kauka/Ockelmann, Hdb. GmbH-Recht, Kap. 11
   Rn. 113.

21 FG Nürnberg, 15.07.1999 – II – 6/99, DStRE 2001, 1247; Einzelheiten zur
   Liquidationsbesteuerung der GmbH bei Burger in Bormann/Kauka/Ockel-
   mann, Hdb. GmbH-Recht, Kap. 11 Rn. 204 ff.

22 Leibner/Pump, GmbHR 2003, 996, 998.

VI. Prozessuales

18 Über den **Antrag** auf Befreiung von bestehenden Prüfungspflichten gem. Abs. 3 entscheidet das zuständige Registergericht auf Antrag der GmbH, vertreten durch die Liquidatoren. Gegen die Ablehnung des Antrags findet nach Abs. 3 Satz 2 die **sofortige Beschwerde** statt. Beschwerdeberechtigt ist in diesem Fall die GmbH. Wird dem Antrag stattgegeben, sind Gesellschafter und Gläubiger beschwerdebefugt, da ihre rechtlichen Interessen verletzt sein können.[23]

19 Gem. § 71 Abs. 2 Satz 1 gefasste Beschlüsse der Gesellschafterversammlung über die Feststellung der Eröffnungsbilanz, von Jahresabschlüssen und Entlastung der Liquidatoren, können von den Gesellschaftern der GmbH auch wegen inhaltlicher Mängel mit der **Anfechtungsklage** analog § 243 AktG angegriffen werden. Eine dem § 257 Abs. 1 AktG entsprechende Bestimmung, die eine Anfechtung wegen inhaltlicher Mängel ausschließt, fehlt im GmbHG. Auch eine analoge Anwendung des § 257 Abs. 1 AktG kommt nach überwiegender Ansicht nicht in Betracht.[24]

> **Praxistipp:**
>
> Oft scheitert die Aufstellung der gesetzlich geforderten Rechenwerke und Steuererklärungen an fehlenden finanziellen Mitteln der GmbH in Abwicklung. Dies gilt naturgemäß besonders in der sog. masselosen Liquidation (also nach Abweisung eines Insolvenzantrags mangels Masse, dazu § 70 Rn. 10). Im Hinblick auf die Strafvorschriften der §§ 283 Abs. 1 Nr. 7, 283b Abs. 1 Nr. 3, Abs. 3 StGB und die dargestellte (§ 70 Rn. 16 ff.) Rechtsprechung der Finanzgerichte[25] ist dies mit erheblichen persönlichen Risiken für Liquidatoren verbunden. Liquidatoren sollten daher die Erstellung der gesetzlichen Rechenwerke und die Erfüllung der steuerlichen Pflichten der Gesellschaft als

---

23   Rasner in Rowedder/Fuhrmann/Koppensteiner, GmbHG, § 71 Rn. 29; enger (keine Beschwerdebefugnis der Gläubiger) Roth/Altmeppen, GmbHG, § 71 Rn. 37.

24   KG Berlin, 17.04.2001 – 14 U 380/99, NZG 2001, 845, 846; OLG Brandenburg, 30.04.1997 – 7 U 174/96, GmbHR 1997, 796; Roth/Altmeppen, GmbHG, § 42a Rn. 35.

25   FG Baden-Württemberg, 19.01.2001 – 10 K 12/98, EFG 2001, 542; Schulze-Osterloh in Baumbach/Hueck, GmbHG, § 71 Rn. 11; Nerlich in Michalski, GmbHG, § 71 Rn. 22.

Aufgabe mit absoluter Priorität betrachten. Sie sollten dies ferner nachweisbar dokumentieren oder notfalls, wie von der h.M. gefordert, ihr Amt rechtzeitig niederlegen um einer persönlichen Haftung und strafrechtlichen Konsequenzen zu entgehen.[26]

§72 GmbHG   Vermögensverteilung

[1]Das Vermögen der Gesellschaft wird unter die Gesellschafter nach Verhältnis ihrer Geschäftsanteile verteilt. [2]Durch den Gesellschaftsvertrag kann ein anderes Verhältnis für die Verteilung bestimmt werden.

I.   Einführung

Die Vorschrift regelt die **Schlussverteilung** des Vermögens einer aufgelös-   1
ten GmbH. Vor einer Schlussverteilung müssen aber zunächst die Voraussetzungen des § 73 erfüllt, also alle Verbindlichkeiten der GmbH befriedigt bzw. sichergestellt und das Sperrjahr abgelaufen sein. Die Vorschrift ist daher systematisch etwas unglücklich eingeordnet (sie müsste eigentlich nach § 73 und nicht davor stehen).[1] Da die Auflösung einer GmbH häufig mit ihrer Vermögenslosigkeit einhergeht, findet die vom Gesetzgeber vorgesehene Schlussverteilung in der Praxis nur selten statt.

II.   Verteilung und Verteilungsmaßstab

1.   Verteilung überschüssiger Vermögenswerte

Eine Verteilung findet nur statt, wenn nach Berichtigung bzw. Sicherstel-   2
lung aller Verbindlichkeiten einschließlich evtl. Forderungen von Gesellschaftern (dazu ausführlich § 73 Rn. 8 ff.) gegen die Gesellschaft überhaupt

---

26   Schulze-Osterloh in Baumbach/Hueck, GmbHG, § 71 Rn. 11; Nerlich in Michalski, GmbHG, § 71 Rn. 22.

1   So zutreffend Lutter/Kleindiek in Lutter/Hommelhoff, GmbHG, § 72 Rn. 1.

noch Vermögenswerte übrig bleiben. Dass eine Verteilung von Verbindlichkeiten der Gesellschaft nicht vorgesehen ist, folgt schon aus der Rechtsnatur der GmbH.[2]

2.   Bestimmung der Verteilungsmasse

3   Zur Bestimmung der zur Verfügung stehenden Verteilungsmasse haben die Liquidatoren ggf. vorab eine **Rücklage** für künftig zu erwartende Verbindlichkeiten der Gesellschaft (mögliche Steuernachzahlungen, Verbindlichkeiten aus der Abwicklung, Kosten für die Aufbewahrung der Bücher und Unterlagen der Gesellschaft etc.) zu bilden.[3] Eventuelle Ansprüche der Gesellschafter gegen die GmbH sind bereits vor der Schlussverteilung zu berücksichtigen.

> *Beispiele:*
> * *Lieferung von Waren an die Gesellschaft,*
> * *Rückgabe von der Gesellschaft überlassenen Gegenständen,*
> * *Vergütungsansprüche als Geschäftsführer.*

3.   Verteilungsverfahren

4   Das Vermögen der GmbH wird grds. nach dem **Verhältnis der Nennbeträge der Gesellschaftsanteile** zueinander verteilt (vgl. Satz 1). **Eigene Geschäftsanteile der GmbH** bleiben dabei unberücksichtigt, sie erhöhen also die Anteile der (übrigen) Gesellschafter.[4] Die Verteilung erfolgt unabhängig davon, inwieweit die Stammeinlagen der Gesellschafter tatsächlich erbracht sind.[5] Eventuellen Ungerechtigkeiten, die daraus entstehen, kann über eine entsprechende Anwendung der aktienrechtlichen Vorschrift des § 271 Abs. 3 AktG abgeholfen werden.[6]

5   Ein besonderer **Verteilungsbeschluss** der Gesellschafter ist nicht erforderlich, der Anspruch der Gesellschafter auf Auskehrung des Restvermögens entsteht vielmehr ipso jure.[7] Inhaltlich ist der Anspruch grds. ein Geldanspruch, das Gesellschaftsvermögen ist also vorher zu versilbern (vgl. § 70 Rn. 13). In der Satzung kann auch eine Verteilung des Gesellschaftsver-

---

2   Nerlich in Michalski, GmbHG, § 72 Rn. 5.

3   Lutter/Kleindiek in Lutter/Hommelhoff, GmbHG, § 72 Rn. 4.

4   Schulze-Osterloh in Baumbach/Hueck, GmbHG, § 72 Rn. 5.

5   Herrschende Meinung: vgl. Noack/Schulze-Osterloh in Baumbach/Hueck, GmbHG, § 72 Rn. 4 f.

6   Einzelheiten bei Nerlich in Michalski, GmbHG, § 72 Rn. 21.

7   Allgemeine Meinung: vgl. nur Lutter/Kleindiek in Lutter/Hommelhoff, GmbHG, § 72 Rn. 1.

mögens in Natur vorgesehen werden (vgl. Satz 2). Durch Mehrheitsbeschluss der Gesellschafter kann eine **Realteilung** hingegen **nicht** herbeigeführt werden (Näheres § 72 Rn. 6).[8]

III. Abweichende Satzungsregelungen und Beschlüsse

Entsprechend Satz 2 der Vorschrift kann durch die Satzung eine andere 6
Schlussverteilung bestimmt, insbes. ein anderer Verteilungsmaßstab oder
eine Verteilung des Gesellschaftsvermögens in Natur vorgesehen werden.
Eine vom Gesetz abweichende Regelung kann auch noch während der
Liquidation getroffen werden, bedarf aber nach überwiegender Ansicht der
Zustimmung sämtlicher Gesellschafter, auch eine satzungsändernde
Mehrheit genügt nicht.[9]

Praxisbeispiel:

*Weil wesentliche Teile des Gesellschaftsvermögens derzeit gar nicht oder nur weit
unter Wert versilbert werden können, beschließen die Gesellschafter mit 3/4-Mehr-
heit eine Teilung in Natur und ordnen jedem Gesellschafter unter Anrechnung auf
seinen Anteil am Liquidationserlös bestimmte Gegenstände aus dem Gesellschaftsvermögen zu. Da die Teilhabe am Liquidationserlös zum unentziehbaren Kernbereich der Mitgliedschaftsrechte[10] jedes Gesellschafters gehört, reicht eine einfache oder auch eine satzungsändernde Mehrheit (§ 53 Abs. 2) für diesen
Beschluss nicht aus. Es ist vielmehr die Zustimmung aller betroffenen Gesellschafter erforderlich.*

Im Ausnahmefall kann die Weigerung eines Gesellschafters, einer wirt- 7
schaftlich sinnvollen Realteilung zuzustimmen, treuwidrig und daher unbeachtlich sein.[11] Auf eine förmliche Änderung des Gesellschaftsvertrages mit
notarieller Beurkundung (§ 53 Abs. 2) und Eintragung in das Handelsregister (§ 54) kann bei einstimmigem Beschluss über die Schlussverteilung
verzichtet werden, da wegen der Abwicklung der Gesellschaft eine Wirkung
in der Zukunft nicht mehr in Betracht kommt.[12]

---

8   Allgemeine Meinung: vgl. nur Hohner in Hachenburg, GmbHG, § 72 Rn. 16 f.

9   Allgemeine Meinung: vgl. nur Schulze-Osterloh in Baumbach/Hueck,
    GmbHG, § 72 Rn. 12; Rasner in Rowedder/Fuhrmann/Koppensteiner,
    GmbHG, § 72 Rn. 2 und 8; Nerlich in Michalski, GmbHG, § 72 Rn. 26.

10 Dazu Hueck/Fastrich in Baumbach/Hueck, GmbHG, § 14 Rn. 13 ff.; Löffler,
    NJW 1989, 2656.

11 Nerlich in Michalski, GmbHG, § 72 Rn. 15.

12 Herrschende Meinung: vgl. Schulze-Osterloh in Baumbach/Hueck, GmbHG,
    § 72 Rn. 2 m.w.N.

IV. Verjährung und Fälligkeit

8 Die **Verjährung** des Anspruchs auf Teilhabe am Liquidationserlös richtet sich nach den allgemeinen Vorschriften und beträgt somit nach § 195 BGB drei Jahre.[13] Der Beginn der Verjährung richtet sich nach § 199 BGB. **Fälligkeit** des Anspruchs tritt erst ein, wenn alle Voraussetzungen des § 73 (einschließlich des Sperrjahres) erfüllt sind – also nicht bereits mit der Auflösung der GmbH.[14] Der Gesellschaftsvertrag kann die Verjährung abweichend regeln oder auch eine Ausschlussfrist vorsehen. Soll eine derartige Regelung durch Satzungsänderung getroffen werden, bedarf sie aber der Zustimmung aller Gesellschafter (vgl. § 53 Abs. 3).[15]

V. Prozessuales

9 Da ein besonderer Verteilungsbeschluss i.d.R. nicht erforderlich ist, kann ein i.R.d. Verteilung zu Unrecht übergangener Gesellschafter ohne vorherige Beschlussanfechtung Zahlungsansprüche gegen die Gesellschaft geltend machen und umgekehrt auch direkt aus § 812 BGB in Anspruch genommen werden, wenn er mehr erhalten hat, als ihm zusteht (zu Mängeln der Verteilung § 73 Rn. 15 ff.). Ist nach Abschluss der Liquidation kein Vermögen der Gesellschaft mehr vorhanden, bestehen aufgrund der gesellschaftsrechtlichen Treuepflicht Ausgleichsansprüche auch direkt unter den Gesellschaftern.[16] Liegt (ausnahmsweise) ein Verteilungsbeschluss der Gesellschafter vor, muss aber dieser zunächst wirksam angefochten werden. Anfechtungs- und Zahlungsklage können dabei ggf. miteinander verbunden werden.[17]

§ 73 GmbHG   Sperrjahr

(1) Die Verteilung darf nicht vor Tilgung oder Sicherstellung der Schulden der Gesellschaft und nicht vor Ablauf eines Jahres seit dem Tage vorgenommen werden, an welchem die Aufforderung an die Gläubiger (§ 65 Abs. 2) in den öffentlichen Blättern zum dritten Male erfolgt ist.

(2) [1]Meldet sich ein bekannter Gläubiger nicht, so ist der geschuldete Betrag, wenn die Berechtigung zur Hinterlegung vorhanden ist, für den

---

13   Allgemeine Meinung: vgl. nur Altmeppen in Roth/Altmeppen, GmbHG, § 72 Rn. 3.

14   Noack/Schulze-Osterloh in Baumbach/Hueck, GmbHG, § 72 Rn. 2.

15   Roth/Altmeppen, GmbHG, § 72 Rn. 4.

16   Roth/Altmeppen, GmbHG, § 72 Rn. 12.

17   Hohner in Hachenburg, GmbHG, § 72 Rn. 25.

Gläubiger zu hinterlegen. ²Ist die Berichtigung einer Verbindlichkeit zur Zeit nicht ausführbar oder ist eine Verbindlichkeit streitig, so darf die Verteilung des Vermögens nur erfolgen, wenn dem Gläubiger Sicherheit geleistet ist.

(3) ¹Liquidatoren, welche diesen Vorschriften zuwiderhandeln, sind zum Ersatz der verteilten Beträge solidarisch verpflichtet. ²Auf den Ersatzanspruch finden die Bestimmungen in § 43 Abs. 3 und 4 entsprechende Anwendung.

I. Einführung

Die Vorschrift regelt zwingende Voraussetzungen der nach § 72 vorzuneh- **1** menden Schlussverteilung des Vermögens der aufgelösten GmbH (und müsste deshalb systematisch vor dieser Norm stehen). § 73 soll die vorrangige Befriedigung bzw. Sicherstellung der Gläubiger gewährleisten, die mit der Vollbeendigung der GmbH ihren Schuldner verlieren. Die Schlussverteilung darf demnach erst vorgenommen werden, wenn das sog. **Sperrjahr** abgelaufen ist und die bekannten Verbindlichkeiten geprüft und getilgt oder sichergestellt wurden.

II. Absolute Ausschüttungssperre (Abs. 1)

Abs. 1 enthält eine **Sperre für sämtliche Leistungen oder Zahlungen** an **2** die Gesellschafter der aufgelösten GmbH: In der Liquidation sind Ausschüttungen an die Gesellschafter erst nach

- Tilgung oder Sicherstellung der Schulden der Gesellschaft (dazu § 73 Rn. 3 ff.) und

- Ablauf eines Sperrjahres nach dem Gläubigeraufruf (vgl. § 65 Abs. 2) zulässig (dazu § 73 Rn. 13).

Die GmbH darf also auch bei noch so üppigen Rücklagen in der Liquidation keine Ausschüttungen an ihre Gesellschafter vornehmen, bevor die genannten Voraussetzungen erfüllt sind.[1] § 73 ist **zwingend**, die Zustimmung der bekannten Gläubiger entbindet nicht vom Zahlungsverbot.[2] Das Zahlungsverbot darf auch nicht durch eine Darlehensgewährung, durch „Abschlagszahlungen" oder andere ähnliche Leistungen an Gesellschafter umgangen werden.[3] Die Leistungssperre nach Abs. 1 gilt allerdings nicht für „reguläre" Gläubigeransprüche der Gesellschafter, bei der diese der GmbH wie fremde Dritte gegenüber stehen (§ 73 Rn. 8).

III. Befriedigung oder Sicherstellung der Gläubiger

1. Anmeldung und Prüfung der Gläubigerforderungen

3 Die Liquidatoren haben zunächst die Ansprüche aller bekannten Gläubiger zu prüfen und festzustellen. Der nach § 65 Abs. 2 durchzuführende **3-malige Aufruf** gibt den Gläubigern der Gesellschaft die Möglichkeit, ihre Forderungen rechtzeitig anzumelden. Zur Feststellung der Gläubigerforderungen müssen die Liquidatoren zumindest die Buchhaltung und die zugänglichen Geschäftsunterlagen der Gesellschaft heranziehen. Nach h.M. sind die Sorgfaltsanforderungen an die Liquidatoren dabei nicht zu niedrig anzusetzen.[4] Für pflichtwidrig nicht berücksichtigte Forderungen haften die Liquidatoren nach § 73 Abs. 3 persönlich (§ 73 Rn. 15 ff.).

2. Ansprüche bekannter Gläubiger

a) Berechtigte Ansprüche bekannter Gläubiger, die sich gemeldet haben

4 Ansprüche von bekannten Gläubigern sind zu erfüllen, soweit sie berechtigt und fällig sind (vgl. § 70 Satz 1). **Bekannte Gläubiger** sind dabei nicht nur diejenigen, die sich aufgrund der Aufforderung nach § 65 Abs. 2 Satz 1 bei der

---

1   Lutter/Kleindiek in Lutter/Hommelhoff, GmbHG, § 73 Rn. 1.

2   Allgemeine Meinung: vgl. nur OLG Rostock, 11.04.1996 – 1 U 265/94; Noack/Schulze-Osterloh in Baumbach/Hueck, GmbHG, § 73 Rn. 2.

3   Herrschende Meinung: vgl. Lutter/Kleindiek in Lutter/Hommelhoff, GmbHG, § 73 Rn. 2.

4   Was immer das auch heißen mag, so aber Nerlich in Michalski, GmbHG, § 73 Rn. 15; Hohner in Hachenburg, GmbHG, § 73 Rn. 10.

Gesellschaft gemeldet haben, sondern alle Gläubiger, deren Ansprüche den Liquidatoren nach Rechtsgrund, Inhalt, Höhe etc. aus den Unterlagen der Gesellschaft oder auch aufgrund eigener Nachforschungen bekannt sind.[5]

b) Berechtigte Ansprüche bekannter Gläubiger, die sich nicht gemeldet haben (Abs. 2 Satz 1)

In keinem Fall dürfen derartige Ansprüche einfach übergangen werden, weil 5 der Gläubiger sich nicht bei der Gesellschaft gemeldet hat. Vielmehr kann der geschuldete Betrag für ihn hinterlegt werden (vgl. Abs. 2 Satz 1). Der Wortlaut von Abs. 2 Satz 1 („... ist ... zu hinterlegen.") ist dabei zumindest missverständlich, denn die Hinterlegung ist nur zulässig, wenn die allgemeinen Voraussetzungen der **Hinterlegung nach § 372 BGB** überhaupt gegeben sind und es besteht auch keine gesetzliche Verpflichtung zur Hinterlegung.[6] Vielmehr können die Liquidatoren berechtigte Ansprüche von bekannten Gläubigern, die sich nicht gemeldet haben, nach ihrer Wahl entweder durch Hinterlegung (soweit nach § 372 BGB zulässig) oder durch Sicherheitsleistung nach Abs. 2 Satz 2 bedienen.

c) Umstrittene, unklare und derzeit nicht ausführbare Ansprüche bekannter Gläubiger (Abs. 2 Satz 2)

Bei str. Verbindlichkeiten oder solchen, deren Berichtigung zurzeit nicht 6 ausführbar ist (z.B. weil sich der Gläubiger im Annahmeverzug befindet), ist Sicherheit zu leisten. Vorher darf die Verteilung des Vermögens der Gesellschaft nach Abs. 2 Satz 2 nicht erfolgen. Die Sicherheitsleistung erfolgt grds. nach § 232 BGB, ist aber nicht auf die dort vorgesehenen Arten der Sicherheit beschränkt. Die Sicherheitsleistung kann also auch durch Bankbürgschaft erfolgen.[7] Ein Anspruch der Gläubiger auf Sicherheitsleistung besteht aber nicht.[8] Die Liquidatoren können also alternativ die Vermögensverteilung bis zur (notfalls gerichtlichen) Klärung der str. Verbindlichkeiten aufschieben.

---

5   Lutter/Kleindiek in Lutter/Hommelhoff, GmbHG, § 73 Rn. 5.

6   Hohner in Hachenburg, GmbHG, § 73 Rn. 19 f.; Nerlich in Michalski, GmbHG, § 73 Rn. 21 ff.

7   Herrschende Meinung: vgl. Roth/Altmeppen, GmbHG, § 73 Rn. 6.

8   Herrschende Meinung: vgl. Lutter/Kleindiek in Lutter/Hommelhoff, GmbHG, § 73 Rn. 4; Rasner in Rowedder/Fuhrmann/Koppensteiner, GmbHG, § 73 Rn. 17.

3.   Unbekannte Ansprüche

7   Dass zum Zeitpunkt der Verteilung noch unbekannte Ansprüche von den Liquidatoren gar nicht erfüllt werden können, liegt in der Natur der Sache. Unbekannte Gläubiger, die ihre Ansprüche nicht angemeldet haben, verlieren mit vollständiger Verteilung des Gesellschaftsvermögens und Vollbeendigung der GmbH im Ergebnis ihre Rechte.[9] In Betracht kommen dann allenfalls noch Ersatzansprüche gegen Liquidatoren und Gesellschafter, insbes. soweit diese ihre Sorgfaltspflichten bei der Ermittlung von Verbindlichkeiten verletzt haben, dazu § 73 Rn. 15 ff. Zum (vorläufigen) Rechtsschutz der Gläubiger gegenüber vorzeitiger Vermögensverteilung, § 73 Rn. 21.

4.   Verbindlichkeiten gegenüber Gesellschaftern

8   Soweit es sich um Verbindlichkeiten aus sog. **Drittgeschäften** handelt, bei denen die Gesellschafter der GmbH wie fremde Dritte gegenüberstehen (z.B. reguläre Geschäftsführervergütung, Warenumsatzgeschäfte, Mietforderungen, Überlassung von Gegenständen etc.), stehen sie den übrigen Gläubigern gleich. Die Liquidatoren sind daher berechtigt, solche Forderungen der Gesellschafter wie Drittforderungen zu erfüllen. Auch Gewinnansprüche aus einem bereits vor der Auflösung gefassten Gewinnverwendungsbeschluss der Gesellschaft stehen einer normalen Gläubigerforderung gleich und können daher (unter Beachtung der §§ 30, 31) erfüllt werden.[10]

9   **Eigenkapitalersetzende Gesellschafterdarlehen** i.S.d. **§ 32a GmbHG a.F.** unterlagen **vor Inkrafttreten des MoMiG** der liquidationsspezifischen Leistungssperre nach Abs. 1, zusätzlich war aber auch noch die allgemeine Rückzahlungssperre nach den §§ 30 ff. zu beachten.[11] Durch das Gesetz zur Modernisierung des GmbH-Rechts und zur Bekämpfung von Missbräuchen (**MoMiG**) ist die Unterscheidung zwischen „kapitalersetzenden" und „normalen" Gesellschafterdarlehen beseitigt worden. Das generelle gesellschaftsrechtliche Rückzahlungsverbot für eigenkapitalersetzende Gesellschafterdarlehen ist entfallen.[12] Die Regelung der Gesellschafterdarlehen wurde stattdessen in das Insolvenzrecht verlagert. Nach **§ 39 Abs. 1 Nr. 5 InsO** ist nunmehr jedes Gesellschafterdarlehen – gleichgültig, ob nach

---

9   Allgemeine Meinung: vgl. nur Roth/Altmeppen, GmbHG, § 73 Rn. 33.

10   Nerlich in Michalski, GmbHG, § 73 Rn. 5.

11   Allgemeine Meinung: vgl. nur Rasner in Rowedder/Fuhrmann/Koppensteiner, GmbHG, § 73 Rn. 23.

12   Begr. zum RegE, S. 58, 96 und 129; vgl. dazu Kammeter/Geißelmeier, NZI 2007, 214, 218; Thiessen, DStR 2007, 202, 204 ff.

bisheriger Betrachtungsweise eigenkapitalersetzend oder nicht – in der Insolvenz nachrangig, soweit nicht die Ausnahmetatbestände für Sanierungsdarlehen oder geringfügig beteiligte Gesellschafter nach § 39 Abs. 4 und 5 InsO eingreifen. Gesellschafterdarlehen und Forderungen aus Rechtshandlungen, die einem solchen Darlehen wirtschaftlich entsprechen, unterliegen nach dem Inkrafttreten des MoMiG nicht mehr generell der Ausschüttungssperre nach § 73 Abs. 1, ihre Rückzahlung außerhalb der Insolvenz ist vielmehr zulässig.[13]

Hinweis:

Im Hinblick auf die durch § 39 Abs. 1 Nr. 5 InsO angeordnete generelle Nachrangigkeit von Gesellschafterdarlehen in der Insolvenz, darf eine Rückzahlung von Gesellschafterdarlehen in der Liquidation der GmbH grundsätzlich erst nach Befriedigung aller übrigen Gläubiger erfolgen. Ansonsten droht die Anfechtung nach den §§ 39 Abs. 1 Nr. 5, 135 InsO, § 6 AnfG, soweit nicht alle Gläubiger befriedigt werden können.

---

5. Rangordnung der Gläubiger, Überschuldung

Eine bestimmte **Rangordnung unter den Gläubigern** ist bei der Erfüllung der Gesellschaftsverbindlichkeiten i.R.d. Abwicklung anders als in der Insolvenz grds. nicht vorgeschrieben (Einzelheiten bei § 70 Rn. 7).[14]   10

Besondere Vorsicht ist aber bei Steuerschulden geboten, da Steueransprüche des Fiskus nach der Rechtsprechung der Finanzgerichte zumindest im gleichen Verhältnis berücksichtigt werden müssen wie die der übrigen Gläubiger (Näheres hierzu § 70 Rn. 16).   11

Hinweis:

Hier droht eine **persönliche Haftung der Liquidatoren** nach §§ 34, 69 AO (Näheres § 70 Rn. 16 ff.).

---

13 Burger in Bormann/Kauka/Ockelmann, Hdb. GmbH-Recht, Kap. 11 Rn. 153 f.
14 Herrschende Meinung: vgl. BGH, 18.11.1969 – II ZR 83/68, BGHZ 53, 71, 74 = NJW 1970, 469; Roth/Altmeppen, GmbHG, § 70 Rn. 14; Rasner in Rowedder/Fuhrmann/Koppensteiner, GmbHG, § 73 Rn. 11; Hohner in Hachenburg, GmbHG, § 70 Rn. 15; Nerlich in Michalski, GmbHG, § 73 Rn. 18; Lutter/Kleindiek in Lutter/Hommelhoff, GmbHG, § 73 Rn. 8; Burger in Bormann/Kauka/Ockelmann, Hdb. GmbH-Recht, Kap. 11 Rn. 152.

12   Soweit die Liquidatoren erkennen, dass das vorhandene Vermögen entgegen den ursprünglichen Annahmen nicht zur Befriedigung sämtlicher Gläubiger ausreicht, sind sie in jeder Phase der Abwicklung verpflichtet, unverzüglich **Insolvenzantrag** zu stellen (vgl. **§ 15a Abs. 1 InsO**; § 64 Abs. 2 GmbHG a.F.).

IV.   Ablauf des Sperrjahres

13   Die Sperrfrist nach Abs. 1 beginnt mit der Auflösung der Gesellschaft. Sie endet ein Jahr nach dem Tag, an welchem der Gläubigeraufruf nach § 65 Abs. 2 zum dritten Mal erschienen ist (vgl. § 65 Rn. 7 ff.). Hat die GmbH kein verteilungsfähiges Vermögen, verliert auch die Sperrfrist ihren Sinn, denn eine Vermögensverteilung an die Gesellschafter findet nicht statt. Die Löschung einer vollständig vermögenslosen GmbH im Handelsregister kann daher ausnahmsweise schon vor Ablauf der Jahresfrist erfolgen.[15] Das Sperrjahr enthält **keine Ausschlussfrist**. Gläubiger können ihre Ansprüche auch noch nach Ablauf der Jahresfrist geltend machen, solange die Gesellschaft noch nicht vollständig vermögenslos ist und im Handelsregister noch nicht gelöscht wurde.[16] Nach Vollbeendigung der GmbH bleiben nur noch Ersatzansprüche gegen Liquidatoren, Gesellschafter etc.

14   **Checkliste: Voraussetzungen der Schlussverteilung von Gesellschafts-vermögen**

☑

> ☐ Anmeldung und Gläubigeraufruf gem. § 65 GmbHG (dazu § 65 Rn. 3, 8 f.)
>
> ☐ Tilgung oder Sicherstellung aller Verbindlichkeiten der GmbH (dazu § 73 Rn. 3 ff. und § 70 Rn. 6 ff.)
>
> ☐ Ablauf des Sperrjahres nach § 73 Abs. 1 GmbHG (dazu § 73 Rn. 13)

V.   Rechtsfolgen eines Verstoßes gegen die Leistungssperre (Abs. 3)

1.   Haftung der Liquidatoren

15   Bei einem schuldhaften Verstoß gegen die Leistungssperre nach Abs. 1 haften die Liquidatoren nach Abs. 3 i.V.m. § 43 Abs. 3 und 4 GmbHG persönlich und gesamtschuldnerisch für die verbotswidrig verteilten Beträ-

---

15   OLG Köln, 05.11.2004 – 2 Wx 33/04, NZG 2005, 83; Hohner in Hachenburg, GmbHG, § 73 Rn. 7.

16   Allgemeine Meinung: vgl. nur Hohner in Hachenburg, GmbHG, § 73 Rn. 6.

ge. Inhaber dieses Schadensersatzanspruchs ist die GmbH, nicht etwa Gläubiger oder Gesellschafter.[17]

Die Geltendmachung bedarf nach § 46 Nr. 8 i.V.m. § 69 GmbHG grds. **16** eines **Gesellschafterbeschlusses**, denn die gesetzliche Kompetenzverteilung der Gesellschaft bleibt auch in der Liquidation erhalten.[18] Ein solcher Beschluss ist aber in der Insolvenz und auch in der sog. masselosen Liquidation nach Ablehnung eines Insolvenzantrages mangels Masse (dazu § 70 Rn. 10) ausnahmsweise entbehrlich.[19] Ein Verstoß gegen die Leistungssperre des Abs. 1 liegt auch dann vor, wenn eine berechtigte Gläubigerforderung übergangen wurde, weil die Liquidatoren ihre Sorgfaltspflichten bei der Ermittlung von Gläubigern und deren Forderungen verletzt haben (vgl. § 73 Rn. 3). Ansprüche gegen die Liquidatoren verjähren nach § 43 Abs. 4 in fünf Jahren, wobei die Verjährung mit dem Ende der Verteilung beginnt.[20]

Den Gläubigern steht nach inzwischen h.M. analog den §§ 268 Abs. 2, 93 **17** Abs. 5 AktG ein sog. **Verfolgungsrecht** zu (d.h. ein **Direktanspruch gegen die Liquidatoren**), wenn sie von der GmbH keine Befriedigung erlangen können.[21] Ferner können Gläubiger den Ersatzanspruch der GmbH nach § 73 Abs. 3 gegen die Liquidatoren notfalls pfänden und sich überweisen lassen, was allerdings einen Titel gegen die Gesellschaft voraussetzt.

Schließlich ist § 73 Abs. 1 nach inzwischen h.M. (auch) als Schutzgesetz **18** i.S.d. § 823 Abs. 2 BGB zugunsten der Gläubiger einzuordnen, sodass die Liquidatoren bei einem Verstoß gegen die Leistungssperre nach Abs. 1 auch nach diesen Vorschriften persönlich haften.[22]

---

17 Hohner in Hachenburg, GmbHG, § 73 Rn. 32.

18 Herrschende Meinung: vgl. BGH, 14.07.2004 – VII ZR 224/02, NJW-RR 2004, 1408, 1410; Hohner in Hachenburg, GmbHG, § 73 Rn. 33; a.A. Roth/Altmeppen, GmbHG, § 73 Rn. 20.

19 BGH, 14.07.2004 – VII ZR 224/02, NJW-RR 2004, 1408, 1410.

20 Rasner in Rowedder/Fuhrmann/Koppensteiner, GmbHG, § 73 Rn. 36.

21 Herrschende Meinung: vgl. Roth/Altmeppen, GmbHG, § 73 Rn. 21; Hohner in Hachenburg, GmbHG, § 73 Rn. 41; Lutter/Kleindiek in Lutter/Hommelhoff, GmbHG, § 73 Rn. 13; a.A. Rasner in Rowedder/Fuhrmann/Koppensteiner, GmbHG, § 73 Rn. 28.

22 Lutter/Kleindiek in Lutter/Hommelhoff, GmbHG, § 73 Rn. 14; Hohner in Hachenburg, GmbHG, § 73 Rn. 40.

Praxisbeispiel:

Nach Schlussanmeldung und Löschung der GmbH gem. § 74 GmbHG meldet sich ein Gläubiger, weil der Liquidator seine berechtigte Forderung schlicht übersehen hat. Daraus kann ein Schadensersatzanspruch der GmbH gegen den (ehemaligen) Liquidator nach § 73 Abs. 3 resultieren, den der Gläubiger entsprechend den §§ 268 Abs. 2, 93 Abs. 5 AktG selbst gegen den Liquidator geltend machen kann.[23] Ferner kommt ein Anspruch gegen den Liquidator persönlich auch nach § 823 Abs. 2 BGB i.V.m. § 73 Abs. 1 in Betracht. Der Gläubiger könnte ferner eine Nachtragsliquidation beantragen, was für ihn aber im Zweifel ungünstiger wäre. Zumindest müsste er dann die voraussichtlichen Kosten die Nachtragsliquidation vorschießen.[24]

2.   Haftung der Gesellschafter

19 Die **Leistungssperre** nach § 73 ist im Ergebnis ähnlich streng wie die des § 30, sie sieht aber keinen Erstattungsanspruch der Gesellschaft gegen die Gesellschafter als Empfänger verbotswidriger Zahlungen vor. Die Gesellschafter sind nach h.M. verpflichtet, die zu Unrecht erhaltenen Zahlungen analog § 31 Abs. 1 wieder an die Gesellschaft zu erstatten.[25] Auch Mitgesellschafter haften analog § 31 Abs. 3 subsidiär und können ggf. entsprechend § 31 Abs. 6 bei den Liquidatoren Regress nehmen. Der Erstattungsanspruch analog § 31 steht grds. der Gesellschaft zu. Ein Direktanspruch der Gläubiger gegen die Gesellschaft kommt nach h.M. (hier) nicht in Betracht.[26] Die Ansprüche der Gesellschaft gegen den Zahlungsempfänger verjähren entsprechend § 31 Abs. 5 grds. in zehn Jahren, die subsidiären Ansprüche gegen die Mitgesellschafter in fünf Jahren.[27]

3.   Rückgriff der Liquidatoren

20 Soweit die Liquidatoren nicht selbst die Empfänger verbotswidriger Zahlungen nach Abs. 1 sind, können sie analog § 426 Abs. 2 BGB i.V.m. § 31

---

23   BGH, 23.02.1970 – II ZB 5/69, NJW 1970, 1044.

24   OLG Frankfurt a.M., 27.06.2005 – 20 W 458/04, GmbHR 2005, 1137; Roth/Altmeppen, GmbHG, § 66 Rn. 23 und § 74 Rn. 23.

25   Herrschende Meinung: vgl. Roth/Altmeppen, GmbHG, § 73 Rn. 25; Lutter/Kleindiek in Lutter/Hommelhoff, GmbHG, § 73 Rn. 15; s.a. OLG Rostock, 11.04.1996 – 1 U 265/94, NJW-RR 1996, 1185 (Anspruch aus § 812 BGB).

26   Herrschende Meinung: vgl. Lutter/Kleindiek in Lutter/Hommelhoff, GmbHG, § 7 Rn. 16; Hohner in Hachenburg, GmbHG, § 73 Rn. 46; a.A. Roth/Altmeppen, GmbHG, § 73 Rn. 29.

27   Noack/Schulze-Osterloh in Baumbach/Hueck, GmbHG, § 73 Rn. 20.

Abs. 1 bei den begünstigten Gesellschaftern Rückgriff nehmen, wenn sie gem. § 73 Abs. 3 von der Gesellschaft oder den Gläubigern auf Schadensersatz in Anspruch genommen werden.[28]

> *Praxisbeispiel:*
>
> *Wenn im vorangegangenen Fall der Liquidator nicht Gesellschafter war, kann er bei den Gesellschaftern Rückgriff nehmen, die durch die Nichtberücksichtigung der Gläubigerforderung begünstigt wurden.*

VI. Prozessuales

Bei begründeter Besorgnis, dass die Schlussverteilung durch die Liquidatoren entgegen § 73 vorgenommen wird, können Gläubiger zur Sicherung ihrer Ansprüche gegen die GmbH einen dinglichen Arrest nach den §§ 916 ff. ZPO beantragen. Auch eine **einstweilige Verfügung** von Gesellschaftern und Gläubigern gegen die GmbH auf Unterlassung einer beabsichtigten gesetzwidrigen Vermögensverteilung wird von der h.M. für zulässig gehalten.[29]   21

§ 74 GmbHG Schluss der Liquidation

(1) ¹Ist die Liquidation beendet und die Schlussrechnung gelegt, so haben die Liquidatoren den Schluss der Liquidation zur Eintragung in das Handelsregister anzumelden. ²Die Gesellschaft ist zu löschen.

(2) ¹Nach Beendigung der Liquidation sind die Bücher und Schriften der Gesellschaft für die Dauer von zehn Jahren einem der Gesellschafter oder einem Dritten in Verwahrung zu geben. ²Der Gesellschafter oder der Dritte wird in Ermangelung einer Bestimmung des Gesellschaftsvertrags oder eines Beschlusses der Gesellschafter durch das Gericht (§ 7 Abs. 1) bestimmt.

(3) ¹Die Gesellschafter und deren Rechtsnachfolger sind zur Einsicht der Bücher und Schriften berechtigt. ²Gläubiger der Gesellschaft können von dem Gericht (§ 7 Abs. 1) zur Einsicht ermächtigt werden.

---

28 Noack/Schulze-Osterloh in Baumbach/Hueck, GmbHG, § 73 Rn. 24; Hohner in Hachenburg, GmbHG, § 73 Rn. 48.

29 Herrschende Meinung: vgl. Lutter/Kleindiek in Lutter/Hommelhoff, GmbHG, § 73 Rn. 10; a.A. OLG Düsseldorf, 18.05.2005 – 15 U 202/04, NZG 2005, 633.

I. Einführung

1   Die Vorschrift regelt die Beendigung der Liquidation und die Löschung der GmbH sowie die Verwahrung der Gesellschaftsunterlagen und die Einsichtsbefugnisse der Gesellschafter und Dritter. § 74 ist erkennbar auf die praktisch vergleichsweise seltene freiwillige Liquidation einer GmbH zugeschnitten, bei der alle Gläubigeransprüche und Rechnungslegungspflichten tatsächlich erfüllt werden können und dennoch ein an die Gesellschafter zu verteilender Liquidationsüberschuss übrig bleibt.

II. Schlussanmeldung (Abs. 1)

1. Beendigung der Liquidation

2   Die Anmeldung des Erlöschens der Gesellschaft nach Abs. 1 verlangt Beendigung der Liquidation und die Erteilung der Schlussrechnung durch die Liquidatoren. **Beendet** ist die Liquidation im strengen Sinne erst dann, wenn alle nach den §§ 70 bis 73 notwendigen Abwicklungsmaßnahmen erledigt sind und das Vermögen der Gesellschaft vollständig verteilt ist. Halten die Liquidatoren noch finanzielle Mittel zurück, z.B. um noch Steuerschulden oder Kosten (Ausnahme: Kosten der Löschung der GmbH) begleichen zu können, hindert dies die Beendigung und die Anmeldung des Erlöschens.[1]

---

1   Noack/Schulze-Osterloh in Baumbach/Hueck, GmbHG, § 74 Rn. 2.

2.   Schlussrechnung und Schlussentlastung

Nach § 71 Abs. 1 haben die Liquidatoren ohnehin eine Liquidationsschluss-   3
bilanz zu erstellen, dazu § 71 Rn. 6. Sie ist zugleich der letzte Jahresabschluss der aufgelösten GmbH.[2] Diese Liquidationsschlussbilanz kann
mit der nach Abs. 1 zu erstellenden (internen) Schlussrechnung identisch
sein.[3] In der Schlussrechnung ist v.a. die tatsächliche Verwendung der
finanziellen Mittel der aufgelösten GmbH für Gesellschafter und Dritte
nachvollziehbar darzulegen.[4] Auch eine **Schlussentlastung** der Liquidatoren durch die Gesellschafterversammlung nach den §§ 71 Abs. 2 Satz 1, 46
Nr. 5, 60 ist möglich, die Liquidatoren haben darauf aber (wie Geschäftsführer auch) keinen Anspruch.[5]

3.   Anmeldung und Prüfung durch das Registergericht

Die Anmeldung erfolgt durch die Liquidatoren in vertretungsberechtigter   4
Zahl. Für die Anmeldung ist nach § 12 Abs. 1 HGB öffentliche Beglaubigung i.S.d. § 129 BGB erforderlich.

Muster: Schlussanmeldung   5

An das Amtsgericht

– Registergericht –

HRB .....

.....-GmbH

In meiner Eigenschaft als alleiniger Liquidator der .....-GmbH melde
ich zur Eintragung in das Handelsregister an:

Die Liquidation ist beendet. Die Gesellschaft und ihre Firma sind
erloschen.

Die Bücher und Schriften hat der Gesellschafter Herr ..... zur Verwahrung übernommen.

Ort, Datum, Unterschriften

---

2   Allgemeine Meinung: vgl. nur Lutter/Kleindiek in Lutter/Hommelhoff,
     GmbHG, § 70 Rn. 12.

3   Herrschende Meinung: vgl. Roth/Altmeppen, GmbHG, § 71 Rn. 34.

4   Einzelheiten Nerlich in Michalski, GmbHG, § 74 Rn. Rn. 9; Lutter/Kleindiek
     in Lutter/Hommelhoff, GmbHG, § 74 Rn. 8; Burger in Bormann/Kauka/
     Ockelmann, Hdb. GmbH-Recht, Kap. 11 Rn. 156 ff.

5   Herrschende Meinung: vgl. Roth/Altmeppen, GmbHG, § 74 Rn. 11.

> **Praxistipp:**
>
> Es empfiehlt sich, die Voraussetzungen der Löschung nach § 74 Abs. 1 in oder mit der Anmeldung kurz darzulegen.[6]

6   Im Allgemeinen genügt die entsprechende Versicherung des Liquidators, ggf. mit näheren Erläuterungen. Bei begründeten Zweifeln kann das Registergericht i.R.d. § 12 FGG weitere Nachforschungen anstellen.[7]

7   Eine besondere Anmeldung der **Beendigung des Liquidatorenamtes** ist nicht erforderlich, dieses endet ohne Weiteres mit Eintragung der Löschung der Gesellschaft.[8]

8   Das Registergericht darf die Löschung der Gesellschaft nicht von der Erfüllung der Aufbewahrungspflichten nach Abs. 2 abhängig machen (dazu § 74 Rn. 14).[9] Erfolgt die Löschung der GmbH wegen Vermögenslosigkeit nach § 141a FGG von Amts wegen, liegt die Aufbewahrung sowieso mehr oder weniger im Belieben der Liquidatoren. Unter diesen Umständen ist es schon ein erheblicher Fortschritt, dass Bücher und Schriften der GmbH bei geordneter Liquidation überhaupt aufbewahrt werden. Auch die Festsetzung eines Zwangsgelds zur Durchsetzung der Aufbewahrung ist unzulässig.[10]

> **Praxistipp:**
>
> Dennoch empfiehlt es sich, dem Registergericht die Regelung der Aufbewahrung mit der Schlussanmeldung darzulegen.

4.   Löschung und Schlussanmeldung nach Abs. 1 bei der vermögenslosen GmbH

a)   Löschung nach § 141a FGG

9   Ist die GmbH bereits bei ihrer Auflösung **vermögenslos** oder wird sie es im Lauf der Liquidation, kann sie auch nach § 141a Abs. 1 FGG gelöscht werden. Ein Antragsrecht steht insoweit aber nur der Steuerbehörde zu (vgl.

---

6   Vgl. Meister/Klöcker in MüVertragsHdb. Gesellschaftsrecht, Muster IV. 110.

7   OLG Köln, 05.11.2004 – 2 Wx 33/04, NZG 2005, 83, OLG Hamm, 08.05.2001 – 15 W 43/01; NJW-RR 2002, 324.

8   Allgemeine Meinung: vgl. nur OLG Hamm, 03.07.1997 – 22 U 02/96, NJW-RR 1998, 470.

9   Herrschende Meinung: vgl. Noack/Schulze-Osterloh in Baumbach/Hueck, GmbHG, § 74 Rn. 5.

10 Roth/Altmeppen, GmbHG, § 74 Rn. 14.

§ 141a Abs. 1 FGG), ansonsten erfolgt die Löschung durch das Registergericht **von Amts wegen**. Das Registergericht ist im Rahmen seiner Amtsermittlungspflicht gehalten, entsprechenden Hinweisen Dritter nachzugehen. Liquidatoren, Gesellschafter etc. können daher die Amtslöschung beim Registergericht anregen, das jedoch auch bei gegebener Vermögenslosigkeit der GmbH ein relativ weites Ermessen hat und im Interesse einzelner Beteiligter von der Löschung absehen kann.[11] Die Löschungsabsicht wird den gesetzlichen Vertretern der GmbH nach § 141a Abs. 2 FGG förmlich durch Zustellung bekannt gegeben. Die GmbH, vertreten durch Geschäftsführer oder Liquidatoren, hat ein Widerspruchsrecht. Ebenso Gesellschafter, Gläubiger und andere Dritte (z.B. die Finanzverwaltung), soweit sie ein Interesse am Unterlassen der Löschung haben. Die angemessene Widerspruchsfrist beträgt mindestens einen Monat.[12] Gegen die Entscheidung des Registergerichts ist die sofortige Beschwerde nach den §§ 141a Abs. 2 Satz 3, 141 Abs. 3, 22 Abs. 1 FGG gegeben.

§ 141a FGG

(1) Eine Aktiengesellschaft, Kommanditgesellschaft auf Aktien oder eine Gesellschaft mit beschränkter Haftung, die kein Vermögen besitzt, kann von Amts wegen oder auf Antrag auch der Steuerbehörde gelöscht werden. Sie ist von Amts wegen zu löschen, wenn das Insolvenzverfahren über das Vermögen der Gesellschaft durchgeführt worden ist und keine Anhaltspunkte dafür vorliegen, daß die Gesellschaft noch Vermögen besitzt. Vor der Löschung sind die in § 126 bezeichneten Organe zu hören.

(2) Das Gericht hat die Absicht der Löschung den gesetzlichen Vertretern der Gesellschaft, soweit solche vorhanden sind und ihre Person und ihr inländischer Aufenthalt bekannt ist, nach den für die Zustellung von Amts wegen geltenden Vorschriften der Zivilprozeßordnung bekanntzumachen und ihnen zugleich eine angemessene Frist zur Geltendmachung des Widerspruchs zu bestimmen. Das Gericht kann anordnen, auch wenn eine Pflicht zur Bekanntmachung und Fristbestimmung nach Satz 1 nicht besteht, daß die Bekanntmachung und die Bestimmung der Frist durch Bekanntmachung in dem für die Bekanntmachung der Eintragungen in das Handelsregister bestimmten elektronischen Informations- und Kommunikationssystem nach § 10 des Handelsgesetzbuchs erfolgt; in diesem Fall ist jeder zur Erhebung des Widerspruchs berechtigt, der an der Unterlassung der Löschung ein berechtigtes Interesse hat. Die Vorschriften des § 141 Abs. 3 und 4 gelten entsprechend.

(3) Die Absätze 1 und 2 finden entsprechende Anwendung auf offene Handelsgesellschaften und Kommanditgesellschaften, bei denen kein persönlich haftender

---

11 Roth/Altmeppen, GmbHG, § 75 Rn. 59.

12 Nerlich in Michalski, GmbHG, § 60 Rn. 300; Roth/Altmeppen, GmbHG, § 75 Rn. 63 plädiert sogar für mindestens drei Monate.

Gesellschafter eine natürliche Person ist. Eine solche Gesellschaft kann jedoch nur gelöscht werden, wenn die zur Vermögenslosigkeit geforderten Voraussetzungen sowohl bei der Gesellschaft als auch bei den persönlich haftenden Gesellschaftern vorliegen. Die Sätze 1 und 2 gelten nicht, wenn zu den persönlich haftenden Gesellschaftern eine andere offene Handelsgesellschaft oder Kommanditgesellschaft gehört, bei der ein persönlich haftender Gesellschafter eine natürliche Person ist.

b)   Löschung nach § 74 Abs. 1

10 Zutreffender Ansicht nach kann auch in den Fällen der Vermögenslosigkeit die Beendigung der Liquidation gem. § 74 Abs. 1 durch die Liquidatoren beim Handelsregister anmeldet werden, obwohl ihr (mangels Masse) keine Vermögensverteilung nach § 73 vorausging.[13] Liquidatoren können also die Löschung aktiv herbeiführen, ohne auf ein Tätigwerden des Registergerichts von Amts wegen angewiesen zu sein. Auf die Einhaltung des Sperrjahres nach § 73 Abs. 1 kann verzichtet werden, wenn kein verteilungsfähiges Aktivvermögen (mehr) vorhanden ist.[14]

11 **Checkliste: Beendigung der Liquidation**[15]

☑

> ☐ Verteilbares Vermögen der Gesellschaft ist nicht mehr vorhanden (auch keine laufenden Prozesse mit evtl. Kostenerstattungsansprüchen!)
>
> ☐ Sonstige Abwicklungsmaßnahmen nicht erforderlich (keine laufenden Verwaltungsverfahren, formale Rechtspositionen, nicht ausgestellte Arbeitsbescheinigungen etc.)
>
> ☐ Erstellung aller notwendigen Rechenwerke einschließlich der Schlussrechnung der Liquidatoren
>
> ☐ Erfüllung aller steuerlichen Verpflichtungen der Gesellschaft[16]
>
> ☐ Ablauf des Sperrjahres (bei bereits anfänglicher Vermögenslosigkeit im Ausnahmefall verzichtbar)
>
> ☐ Löschung nach Anmeldung oder von Amts wegen

---

13   OLG Köln, 05.11.2004 – 2 Wx 33/04, NZG 2005, 83.

14   Herrschende Meinung: vgl. OLG Köln, 05.11.2004 – 2 Wx 33/04, NZG 2005, 83; Hohner in Hachenburg, GmbHG, § 73 Rn. 7.

15   Vgl. Wellensiek/Schluck-Amend in MAH-GmbHR, § 24 Rn. 130.

16   Häufig machen die Registergerichte die Löschung von der Zustimmung der Finanzbehörden abhängig.

III. Folgen der Löschung
1. Löschung und Beendigung

Wird eine vermögenslose Gesellschaft nach Abs. 1 (oder nach § 141a FGG) 12
im Handelsregister gelöscht, endet damit ihre Existenz. Sie verliert damit
ihre Rechts- und Parteifähigkeit. Die Beendigung der GmbH ist nach h.M.
ein **Doppeltatbestand**, der

- die Löschung im Handelsregister und

- die Vermögenslosigkeit voraussetzt.[17]

Stellt sich heraus, dass die Gesellschaft doch noch über (bisher nicht
bekanntes) Vermögen verfügt, ist eine **Nachtragsliquidation** durchzuführen
(dazu § 66 Rn. 27). Die Existenz der Gesellschaft wurde in diesem Fall
durch die Löschung nicht beendet, weil ein Element des Doppeltat-
bestands – nämlich die Vermögenslosigkeit – tatsächlich nicht erfüllt war.

2. Fortsetzung der Gesellschaft nach Beendigung bzw. Löschung

Während eine Fortsetzung der aufgelösten Gesellschaft durch entsprechen- 13
den Beschluss der Gesellschafter in vielen Fällen noch in Betracht kommt
(dazu § 60 Rn. 15, ist eine Fortsetzung der bereits beendeten Gesellschaft
grds. ausgeschlossen. Dabei bildet nach h.M. nicht die Löschung, sondern
bereits die nach § 73 Abs. 1 vorzunehmende Vermögensverteilung die
entscheidende Zäsur: Ab diesem Zeitpunkt ist ein Fortsetzungsbeschluss
der Gesellschafter nicht mehr zulässig.[18] Hier bleibt den fortsetzungswil-
ligen Gesellschaftern nur die Neugründung. Zur Nachtragsliquidation, falls
später doch noch weiteres Vermögen der Gesellschaft entdeckt wird (§ 66
Rn. 27 ff.).

IV. Aufbewahrung der Bücher und Schriften (Abs. 2)

Bücher und Schriften der GmbH sind nach Abs. 2 **zehn Jahre** aufzubewah- 14
ren. Welche Unterlagen aufzubewahren sind, sagt die Vorschrift nicht. Von
der Verwahrungspflicht nach Abs. 2 erfasst werden zumindest die nach den
§§ 257 HGB; § 147 AO aufzubewahrenden Unterlagen, soweit die jeweilige
Aufbewahrungsfrist nicht bereits abgelaufen war.

---

17   Zur Lehre vom Doppeltatbestand vgl. nur Nerlich in Michalski, GmbHG, § 74
     Rn. 31, Lutter/Kleindiek in Lutter/Hommelhoff, GmbHG, § 74 Rn. 6 jeweils
     m.w.N.
18   Herrschende Meinung: vgl. Lutter/Kleindiek in Lutter/Hommelhoff, GmbHG,
     § 74 Rn. 23 und § 60 Rn. 32; Rasner in Rowedder/Fuhrmann/Koppensteiner,
     GmbHG, § 60 Rn. 66; a.A. Roth/Altmeppen, GmbHG, § 60 Rn. 14.

Praxistipp:

Es empfiehlt sich, den Begriff der „Unterlagen" großzügig zu bestimmen.

Beispiele:

- *Eröffnungsbilanzen, Handelsbücher, Jahresabschlüsse, Inventare, Lageberichte, Handelsbriefe, Buchungsbelege, Sozialversicherungsnachweise etc.*

- *Verwahrer kann ein Gesellschafter oder ein vertrauenswürdiger Dritter sein. In Betracht kommen also bspw.: Steuerberater, Wirtschaftsprüfer, Insolvenzverwerter, kommerzielle Akteneinlagerungen etc.*

15   Die Entscheidung über die Verwahrung erfolgt in der Satzung oder aber durch Beschluss der Gesellschafter, ersatzweise auf Antrag der Liquidatoren auch durch das Registergericht (Abs. 2 Satz 2).

V.   Einsicht durch Gesellschafter, Gläubiger etc. (Abs. 3)

16   Die Aufbewahrung der Unterlagen macht nur im Zusammenhang mit dem Einsichtsrecht nach Abs. 3 der Vorschrift Sinn. Gesellschaftern steht das Einsichtsrecht ohne Weiteres, Gläubigern nach entsprechender gerichtlicher Anordnung zu. Voraussetzung ist, dass der Gläubiger ein berechtigtes Interesse an der Einsicht schlüssig darlegt. Ehemalige Geschäftsführer und Liquidatoren werden von der Vorschrift nicht erwähnt. Auch ihnen ist aber anlog § 810 BGB ein Einsichtsrecht zuzubilligen.[19]

VI.   Prozessuales

17   Die Auflösung der GmbH hat **keine Unterbrechungswirkung für laufende Prozesse** der Gesellschaft zur Folge.[20] Die Parteifähigkeit der Gesellschaft bleibt auch nach der Auflösung bis zur Vollbeendigung und Löschung der GmbH bestehen.[21] Die Parteifähigkeit der GmbH kann trotz Löschung weiter gegeben sein, wenn die Gesellschaft noch Vermögen hat, z.B. Kostenerstattungsansprüche aus einem bereits anhängigen Prozess.[22] Der mit der Löschung der GmbH normalerweise einhergehende Wegfall der Parteifähigkeit führt nach § 246 Abs 1 ZPO dann nicht zu einer Unter-

---

19   Roth/Altmeppen, GmbHG, § 74 Rn. 18.

20   Lutter/Kleindiek in Lutter/Hommelhoff, GmbHG, § 69 Rn. 1; Roth/Altmeppen, GmbHG, § 65 Rn. 14.

21   Allgemeine Meinung: vgl. nur Roth/Altmeppen, GmbHG, § 65 Rn. 14.

22   Herrschende Meinung: vgl. OLG Koblenz, 09.03.2007 – 8 U 228/06, DStR 2007, 801; 01.04.2004 – 1 U 463/97, NZG 1998, 637.

brechung eines Verfahrens, wenn zum Zeitpunkt der Löschung ein Prozessbevollmächtigter für die Gesellschaft bestellt war.[23] Die Vollmacht des bereits bestellten Prozessbevollmächtigten besteht nach § 86 ZPO fort.[24] Ggf. kann aber eine Nachtragsliquidation erforderlich sein (dazu § 66 Rn. 27). Geht es nur um die Beendigung eines anhängigen Verfahrens kann die Bestellung eines Prozesspflegers nach § 57 ZPO die einfachere Möglichkeit sein.[25]

Praxisbeispiel:

Eine GmbH macht in einem Aktivprozess Schadensersatzansprüche gegen eine Gesellschafterin geltend. Die Gesellschaft wurde bereits vor Klageerhebung gem. § 141a FGG wegen Vermögenslosigkeit im Handelsregister gelöscht. Die Vollmacht des Prozessbevollmächtigten der GmbH wurde ebenfalls noch vor deren Löschung von der damaligen Geschäftsführerin wirksam unterzeichnet. Die Löschung der Gesellschaft hat auf die Wirksamkeit der Vollmacht keinen Einfluss, die GmbH ist daher in diesem Verfahren noch als prozessfähig anzusehen. Auch die Bestellung eines Nachtragsliquidators ist (vorläufig) nicht notwendig, denn die GmbH kann nach § 86 ZPO durch ihren Prozessbevollmächtigten vertreten werden.[26] Sollte die gelöschte GmbH aber in diesem Verfahren obsiegen, ist eine Nachtragsliquidation nicht mehr zu vermeiden.

§ 75 GmbHG   Nichtigkeitsklage

(1) Enthält der Gesellschaftsvertrag keine Bestimmungen über die Höhe des Stammkapitals oder über den Gegenstand des Unternehmens oder sind die Bestimmungen des Gesellschaftsvertrags über den Gegenstand des Unternehmens nichtig, so kann jeder Gesellschafter, jeder Geschäftsführer und, wenn ein Aufsichtsrat bestellt ist, jedes Mitglied des Aufsichtsrats im Wege der Klage beantragen, dass die Gesellschaft für nichtig erklärt werde.

(2) Die Vorschriften der §§ 246 bis 248 des Aktiengesetzbuches finden entsprechende Anwendung.

---

23   Allgemeine Meinung: vgl. nur BGH, 18.01.1994 – XI ZR 95/93, NJW-RR 1994, 542; Roth/Altmeppen, GmbHG, § 65 Rn. 29.

24   Herrschende Meinung: vgl. BayObLG, 21.07.2004 – 3Z BR 130/04, NZG 2004, 1164, 1165; Roth/Altmeppen, GmbHG, § 75 Rn. 29.

25   BAG, 19.09.2007 – 3 AZB 11/07, NZG 2008, 270; OLG Köln, 27.07.2005 – 19 W 32/05, OLGR Köln 2005, 684.

26   BayObLG, 21.07.2004 – 3Z BR 130/04, NZG 2004, 1164, 1165.

I.   Einführung

1   Auch erhebliche Mängel der Satzung führen bei der GmbH nicht ohne Weiteres zur Nichtigkeit der Gesellschaft. Die einmal eingetragene GmbH genießt vielmehr einen **besonderen Bestandsschutz**. Nur besonders gravierende Mängel können im Wege der Nichtigkeitsklage nach dieser Vorschrift geltend gemacht werden und führen dann nach § 77 zur Auflösung und zur Liquidation der GmbH. Die in der Vorschrift aufgeführten Gründe für eine Nichtigkeitsklage sind **abschließend**. Die praktische Bedeutung der §§ 75 bis 77 ist gering. Zum einen sind schwere Mängel der Satzung wegen der Notwendigkeit notarieller Beurkundung (§ 2 GmbHG) und der daraus resultierenden Filterfunktion bisher relativ selten. Zum anderen besteht bei den zur Nichtigkeitsklage berechtigenden Mängeln auch die Möglichkeit der Amtslöschung nach den §§ 144 FGG, die für Löschungsinteressierte nicht unerhebliche **Kostenvorteile** hat.

II.   Nichtigkeitsgründe (Abs. 1)

1.   Fehlen von Bestimmungen über Höhe des Stammkapitals

2   Nur das gänzliche Fehlen einer Bestimmung über die Höhe des Stammkapitals ist ein Nichtigkeitsgrund. Ein zu niedriges Stammkapital (§ 5 Abs. 1) kann allenfalls nach § 144a FGG geltend gemacht werden.[1]

2.   Fehlen einer Bestimmung über den Unternehmensgegenstand

3   Das völlige Fehlen einer Bestimmung über den Unternehmensgegenstand stellt einen Nichtigkeitsgrund dar, ist aber praktisch fast ebenso wenig denkbar wie das Fehlen einer Bestimmung über die Höhe des Stammkapitals.

---

1   Herrschende Meinung: vgl. Lutter/Kleindiek in Lutter/Hommelhoff, GmbHG, § 75 Rn. 3.

3. Nichtigkeit der Bestimmung über den Unternehmensgegenstand

Nichtig ist der Unternehmensgegenstand insbes., wenn er gegen eine **gesetzliches Verbot** (§ 134 BGB) oder gegen die **guten Sitten** (§ 138 BGB) verstößt.   4

Beispiel:

Unternehmensgegenstand „Drogenhandel".

Das **Fehlen einer notwendigen staatlichen Genehmigung** für den Unternehmensgegenstand (bspw. für den Betrieb von Bankgeschäften nach den §§ 1, 32 KWG) ist hingegen *kein* Nichtigkeitsgrund für eine Klage nach § 75.[2]   5

Auch ein nur zum Schein vereinbarter Unternehmensgegenstand ist nach § 117 BGB nichtig. Dies betrifft insbes. die sog. **verdeckte Mantelgründung**, bei der von den Gesellschaftern ein nicht ernstlich gewollter Unternehmensgegenstand angegeben wird, um die Eintragung der GmbH zu erreichen.[3] Bei der unbedenklichen offenen Mantelgründung wird als Unternehmensgegenstand wahrheitsgemäß nur die „Verwaltung eigenen Vermögens" angegeben, sodass kein Nichtigkeitsgrund nach § 75 gegeben ist.[4]   6

Entfernt sich der **tatsächliche Unternehmensgegenstand** im Laufe der Zeit weit vom vereinbarten Gegenstand des Unternehmens, der aber zunächst ernsthaft betrieben wurde, ist dies zutreffender Ansicht nach kein Nichtigkeitsgrund, auch für eine analog Anwendung des § 75 ist kein sinnvolles Bedürfnis erkennbar.[5]   7

Beispiel:

Bei einer GmbH hat sich der tatsächliche Unternehmensgegenstand („Errichtung und Veräußerung von Wohnraum") im Laufe der Zeit sehr weit vom gesellschaftsvertraglich festgelegten („Hausverwaltung") entfernt. Ein „lästiger" Gesellschafter will deshalb Nichtigkeitsklage erheben. Da der vereinbarte Unternehmensgegenstand ursprünglich ernsthaft gewollt war, liegt kein Scheingeschäft nach § 117 BGB und

---

2   Allgemeine Meinung: vgl. nur Nerlich in Michalski, GmbHG, § 75 Rn. 8. Nach § 43 Abs. 1 KWG darf eine Eintragung im Handelsregister ohne Nachweis der Genehmigung ohnehin nicht vorgenommen werden.

3   Allgemeine Meinung: vgl. nur BGH, 16.03.1992 – II ZB 17/91, NJW 1992, 1824, 1825; Lutter/Kleindiek in Lutter/Hommelhoff, GmbHG, § 75 Rn. 3.

4   Herrschende Meinung: vgl. Hohner in Hachenburg, GmbHG, § 75 Rn. 18 m.w.N.

5   Roth/Altmeppen, GmbHG, § 75 Rn. 12; Zimmermann in Rowedder/Fuhrmann/Koppensteiner, GmbHG, § 75 Rn. 19; a.A. Schulze-Osterloh in Baumbach/Hueck, GmbHG, § 75 Rn. 12; Lutter/Kleindiek in Lutter/Hommelhoff, GmbHG, § 75 Rn. 3.

damit auch kein Nichtigkeitsgrund vor. Im Einzelfall kann darin jedoch ein wichtiger Grund für eine Auflösungsklage nach § 61 liegen (s. dort Rn. 3 ff.).

III.   Weitere Mängel der Satzung

8   Andere Satzungsmängel als die genannten können mit der Nichtigkeitsklage nach § 75 nicht geltend gemacht werden.[6] Sie können aber ggf. im Verfahren nach den §§ 144a, 144b FGG zur Feststellung des Satzungsmangels durch das Registergericht und damit ebenfalls zur Auflösung der GmbH führen (§ 60 Abs. 1 Nr. 6).

IV.   Prozessuales

9   Abs. 2 in der seit 01.04.2005 geltenden Fassung verweist auf die §§ 246 bis 248 AktG, die das gerichtliche Verfahren bei der Anfechtungsklage gegen Beschlüsse der Hauptversammlung regeln. Die **Monatsfrist** nach § 246 Abs. 1 AktG braucht für die Nichtigkeitsklage nach h.M. aber dennoch nicht eingehalten zu werden, weil sie in den §§ 272, 273 HGB a.F., auf die sich die Verweisung ursprünglich bezog, nicht enthalten war.[7] Auch die dreijährige Frist nach § 275 Abs. 3 Satz 1 AktG kann nicht entsprechend herangezogen werden.[8] Es kommt aber eine Verwirkung des Klagerechts nach allgemeinen Grundsätzen in Betracht.[9]

10   Die Nichtigkeitsklage nach dieser Vorschrift ist eine **Gestaltungsklage**.[10] Die Nichtigkeit der GmbH kann nur im Wege der Klage, nicht als Einrede in einem Passivprozess geltend gemacht werden.[11] Der Klageantrag lautet:

11   **Formulierungsbeispiel: Klageantrag der Nichtigkeitsklage**

> Die im Handelsregister des Amtsgerichts ..... unter HRB ..... eingetragene .....- GmbH (Beklagte) wird für nichtig erklärt.[12]

---

6   Allgemeine Meinung: vgl. nur KG Berlin, 14.11.2000 – 1 W 6828/99, OLG-NL 2001, 16; Lutter/Kleindiek in Lutter/Hommelhoff, GmbHG, § 75 Rn. 4.

7   Allgemeine Meinung: vgl. nur Heyder in Michalski, GmbHG, § 75 Rn. 13; Roth/Altmeppen, GmbHG, § 75 Rn. 24.

8   Roth/Altmeppen, GmbHG, § 75 Rn. 24; vgl. aber Burger in Bormann/Kauka/Ockelmann, Hdb. GmbH-Recht, Kap. 11 Rn. 61.

9   Allgemeine Meinung: vgl. nur Roth/Altmeppen, GmbHG, § 74 Rn. 24.

10   Allgemeine Meinung: vgl. nur Roth/Altmeppen, GmbHG, § 75 Rn. 19.

11   Lutter/Kleindiek in Lutter/Hommelhoff, GmbHG, § 75 Rn. 2.

12   Vgl. Lutter/Kleindiek in Lutter/Hommelhoff, GmbHG, § 75 Rn. 5.

Aktivlegitimiert ist nur der in Abs. 1 genannte Personenkreis: Gesellschaf- **12**
ter, Geschäftsführer, Aufsichtsräte. Richtige Beklagte ist die für nichtig zu
erklärende GmbH selbst, vertreten durch Geschäftsführer und ggf. (soweit
vorhanden) Aufsichtsrat, §§ 75 Abs. 2 GmbHG, 246 Abs. 2 AktG. Nichtigkeitsklage und Amtslöschungsverfahren nach § 144 FGG können **parallel**
betrieben werden, bis eine rechtskräftige Entscheidung in einem der beiden
Verfahrenswege ergangen ist.[13] Zuständig für die Nichtigkeitsklage ist nach
Abs. 2 i.V.m. § 246 Abs. 3 AktG das LG, Kammer für Handelssachen, das
Amtslöschungsverfahren ist hingegen beim Registergericht angesiedelt.[14]

Ein **stattgebendes Urteil** bewirkt nach § 77 Abs. 1 nicht etwa die Nichtig- **13**
keit, sondern „nur" die Auflösung der GmbH, die anschließend nach den
allgemeinen Vorschriften – also den §§ 65 ff. – zu liquidieren ist.[15] Gleiches gilt, wenn das Registergericht im Amtslöschungsverfahren nach § 144
FGG die Auflösung der GmbH verfügt.

> *§ 142 FGG*
>
> *(1)* [1] *Ist eine Eintragung in das Handelsregister bewirkt, obgleich sie wegen*
> *Mangels einer wesentlichen Voraussetzung unzulässig war, so kann das Register-*
> *gericht sie von Amts wegen löschen.* [2] *Die Löschung geschieht durch Eintragung*
> *eines Vermerkes.*
>
> *2) Das Gericht hat den Beteiligten von der beabsichtigten Löschung zu benach-*
> *richtigen und ihm zugleich eine angemessene Frist zur Geltendmachung eines*
> *Widerspruchs zu bestimmen.*
>
> *3) Auf das weitere Verfahren finden die Vorschriften des § 141 Abs. 3, 4 Anwen-*
> *dung.*
>
> *§ 144 FGG*
>
> *(1) Eine in das Handelsregister eingetragene Aktiengesellschaft oder Kommandit-*
> *gesellschaft auf Aktien kann nach den §§ 142, 143 als nichtig gelöscht werden,*
> *wenn die Voraussetzungen vorliegen, unter denen nach den §§ 275, 276 des*
> *Aktiengesetzes die Klage auf Nichtigerklärung erhoben werden kann. Das gleiche*
> *gilt für eine in das Handelsregister eingetragene Gesellschaft mit beschränkter*
> *Haftung, wenn die Voraussetzungen vorliegen, unter denen nach den §§ 75, 76 des*
> *Gesetzes, betreffend die Gesellschaften mit beschränkter Haftung, die Nichtig-*
> *keitsklage erhoben werden kann.*
>
> *(2) Ein in das Handelsregister eingetragener Beschluss der Hauptversammlung*
> *oder Versammlung der Gesellschafter einer der im Absatz 1 bezeichneten Gesell-*
> *schaften kann gemäß den Vorschriften der §§ 142, 143 als nichtig gelöscht*

---

13   Näheres zum Amtslöschungsverfahren Burger in Bormann/Kauka/Ockelmann,
      Hdb. GmbH-Recht, Kap. 11 Rn. 63 und 80 ff.
14   Dazu Roth/Altmeppen, GmbHG, § 75 Rn. 31 ff.
15   Allgemeine Meinung: vgl. nur Heyder in Michalski, GmbHG, § 75 Rn. 24.

werden, wenn er durch seinen Inhalt zwingende Vorschriften des Gesetzes verletzt und seine Beseitigung im öffentlichen Interesse erforderlich erscheint.

(3) In den Fällen der Absätze 1, 2 soll die nach § 142 Abs. 2 zu bestimmende Frist mindestens drei Monate betragen.

§ 76 GmbHG   Heilung von Mängeln durch Gesellschafterbeschluss

Ein Mangel, der die Bestimmungen über den Gegenstand des Unternehmens betrifft, kann durch einstimmigen Beschluss der Gesellschafter geheilt werden.

I.   Einführung

1   Die Vorschrift enthält eine spezielle Heilungsmöglichkeit durch einstimmigen Gesellschafterbeschluss für bestimmte Nichtigkeitsgründe des § 75.

II.   Heilungsmöglichkeiten

2   Über den Wortlaut der Vorschrift hinaus besteht die Heilungsmöglichkeit zutreffender Ansicht nach auch dann, wenn die Höhe des Stammkapitals nicht bestimmt wurde.[1] Die Nichterwähnung dieses Mangels ist sinnwidrig. Die wohl h.M. hält allerdings nur Mängel, die den Unternehmensgegenstand betreffen, für heilbar.[2]

III.   Heilungsbeschluss

3   Die Heilung hat stets durch **einstimmigen Beschluss aller Gesellschafter** zu erfolgen, auch wenn für Satzungsänderungen i.Ü. nach § 53 Abs. 2 eine 3/4-Mehrheit ausreichend wäre.[3] Gesellschafter, die an der Beschlussfassung nicht teilgenommen haben, können der Heilung aber noch **nachträglich** zustimmen.[4] Eine Verpflichtung des Gesellschafters, der Heilung durch

---

1   Lutter/Kleindiek in Lutter/Hommelhoff, GmbHG, § 76 Rn. 1.

2   Noack/Schulze-Osterloh in Baumbach/Hueck, GmbHG, § 76 Rn. 3 m.w.N.

3   Allgemeine Meinung: vgl. nur Hohner in Hachenburg, GmbHG, § 76 Rn. 5.

4   Allgemeine Meinung: vgl. nur Hohner in Hachenburg, GmbHG, § 76 Rn. 7.

Beschluss zuzustimmen, kann sich im **Ausnahmefall** aus der Treuepflicht der Gesellschafter ergeben.[5] Dies ist insbes. anzunehmen, wenn ein Gesellschafter den Mangel selbst herbeigeführt hat.[6]

Da der Heilungsbeschluss in jedem Fall eine **Satzungsänderung** beinhaltet, bedarf er nach § 53 Abs. 2 grds. der **notariellen Beurkundung**.[7] Inhaltlich muss der Heilungsbeschluss den zur Nichtigkeit führenden Mangel beseitigen – also z.B. den nur zum Schein vereinbarten Unternehmensgegenstand durch den wahrheitsgemäßen ersetzen oder das durch einen Schreibfehler irrtümlich nicht festgelegte Stammkapital beziffern.   4

Die Heilung ist an **keine bestimmte Frist** gebunden und auch noch nach dem Nichtigkeitsurteil gemäß § 75 bis zur Beendigung der Liquidation und Löschung der Gesellschaft möglich.   5

IV. Eintritt der Heilungswirkung

Die Heilung tritt nach § 54 Abs. 3 erst mit Eintragung der Satzungsänderung im Handelsregister ein.   6

V. Prozessuales

Durch den Heilungsbeschluss wird der zur Nichtigkeit führende Mangel **ex nunc** beseitigt. Ein evtl. laufendes Amtslöschungsverfahren ist daher ohne Weiteres einzustellen. Wurde bereits Nichtigkeitsklage nach § 75 erhoben, so tritt insoweit Erledigung der Hauptsache ein.[8] Wird der Heilungsbeschluss erst nach Rechtskraft eines der Nichtigkeitsklage stattgebenden Urteils gefasst, hat er de facto die Wirkung eines Fortsetzungsbeschlusses (dazu § 60 Rn. 15).[9]   7

---

5   Allgemeine Meinung: vgl. nur Noack/Schulze-Osterloh in Baumbach/Hueck, GmbHG, § 76 Rn. 8.

6   Heyder in Michalski, GmbHG, § 76 Rn. 6.

7   In den Ausnahmefällen des § 53 Abs. 2 Satz 2 GmbHG kann die notarielle Beurkundung ersetzt werden.

8   Allgemeine Meinung: vgl. nur Hohner in Hachenburg, GmbHG, § 76 Rn. 11.

9   Allgemeine Meinung: vgl. nur Noack/Schulze-Osterloh in Baumbach/Hueck, GmbHG, § 76 Rn. 13.

§ 77 GmbHG   Wirkung der Nichtigkeit

(1) Ist die Nichtigkeit einer Gesellschaft in das Handelsregister eingetragen, so finden zum Zwecke der Abwicklung ihrer Verhältnisse die für den Fall der Auflösung geltenden Vorschriften entsprechende Anwendung.

(2) Die Wirksamkeit der im Namen der Gesellschaft mit Dritten vorgenommenen Rechtsgeschäfte wird durch die Nichtigkeit nicht berührt.

(3) Die Gesellschafter haben die versprochenen Einzahlungen zu leisten, soweit es zur Erfüllung der eingegangenen Verbindlichkeiten erforderlich ist.

I.   Einführung

1   Die Vorschrift regelnd klarstellend die **Konsequenzen der Nichtigkeitsklage** nach § 75. Eine erfolgreiche Nichtigkeitsklage hat, anders als die Bezeichnung vermuten lässt, keineswegs die Nichtigkeit der GmbH zur Folge. Vielmehr gilt die Gesellschaft nach Abs. 1 lediglich als aufgelöst, und es hat eine Liquidation in **entsprechender Anwendung der §§ 65 ff.** stattzufinden. Die Abs. 2 und 3 bringen Selbstverständlichkeiten zum Ausdruck und sind daher im Grunde überflüssig.

II.   Konsequenzen der erfolgreichen Nichtigkeitsklage

1.   Liquidation der GmbH

2   Eine erfolgreiche Nichtigkeitsklage führt **nicht** zur **Nichtigkeit** der GmbH, sondern die Gesellschaft gilt gem. Abs. 1 mit Rechtskraft des Urteils als **aufgelöst** und es hat eine Liquidation in entsprechender Anwendung der §§ 65 ff. stattzufinden. Die durch Nichtigkeitsklage aufgelöste GmbH bleibt also rechts- und parteifähig.

2. Eintragung der Nichtigkeit (Abs. 1)

Die Eintragung der Nichtigkeit bzw. Auflösung hat **von Amts wegen** zu   3
erfolgen, sobald das rechtskräftige Nichtigkeitsurteil (formlos) dem Registergericht vorgelegt wird. Eine Anmeldung der Auflösung durch die Liquidatoren nach § 65 ist daher entbehrlich.[1]

3. Wirksamkeit von Geschäften mit Dritten (Abs. 2)

Rechtsgeschäfte mit Dritten bleiben nach Abs. 2 auch bei erfolgreicher   4
Nichtigkeitsklage wirksam. Letztlich folgt dies bereits aus Abs. 1. Die
Nichtigkeitsklage wirkt in keinem Fall ex tunc. Dies gilt auch im Innen-
verhältnis. Die gefassten Gesellschafterbeschlüsse und die Bestellung der
Gesellschaftsorgane (Geschäftsführer, Aufsichtsrat) bleiben wirksam.[2]

4. Pflicht zur Erbringung der Einlagen seitens der Gesellschafter (Abs. 3)

Dass die Gesellschafter ausstehende Einlagen zu leisten haben, soweit dies   5
zur Befriedigung der Gläubiger erforderlich ist, wie von Abs. 3 der Vorschrift gefordert wird, ist ein allgemeiner Grundsatz des Liquidationsrechts,
der nicht nur im Fall der erfolgreichen Nichtigkeitsklage gilt. Die Regelung
in Abs. 3 ist daher im Grunde obsolet.

---

1   Allgemeine Meinung: vgl. nur Hohner in Hachenburg, GmbHG, § 77 Rn. 3.
2   Allgemeine Meinung: vgl. nur Roth/Altmeppen, GmbHG, § 77 Rn. 4; Hohner
     in Hachenburg, GmbHG, § 77 Rn. 5.

Sechster Abschnitt. Schlussbestimmungen

§ 78 GmbHG   Anmeldungspflichtige

Die in diesem Gesetz vorgesehenen Anmeldungen zum Handelsregister sind durch die Geschäftsführer oder die Liquidatoren, die in § 7 Abs. 1, § 57 Abs. 1, § 57i Abs. 1, § 58 Abs. 1 Nr. 3 vorgesehenen Anmeldungen sind durch sämtliche Geschäftsführer zu bewirken.

I.   Einführung

1   § 78 bestimmt, wer für Anmeldungen zum Handelsregister nach dem GmbHG zuständig ist. Dies sind im Regelfall die Geschäftsführer oder – nach Auflösung der Gesellschaft – die Liquidatoren der GmbH in vertretungsberechtigter Zahl bzw. Zusammensetzung. Davon abweichend sind die Anmeldungen betreffend § 7 (Gründung), § 57 Abs. 1 (Kapitalerhöhung), § 57i Abs. 1 (Kapitalerhöhung aus Gesellschaftsmitteln), § 58 Abs. 1 Nr. 3 (Kapitalherabsetzung) von sämtlichen Geschäftsführern bzw. Liquidatoren zu bewirken.

II.   Anwendungsbereich

2   Die Regelung gilt für die nach dem GmbHG vorzunehmenden Anmeldungen. Darüber hinaus finden sich für die GmbH auch in anderen Gesetzen – eigenständige – Regelungen über die Anmeldung zum Handelsregister, insbes. nach dem Umwandlungsgesetz, z.B. §§ 16, 38, 52, 129, 137, 176, 198, 222, 235, 246, 254 und 278 UmwG. Soweit nach der Literatur die

Anwendbarkeit des § 78 auch auf Anmeldungen nach dem HGB (§ 53 HGB) bzw. auf Anmeldungen nach Spezialgesetzen, die die Angelegenheit der GmbH betreffen, ausgedehnt werden soll[1], geschieht dies ohne Begründung. Eine Stütze im Wortlaut des § 78 findet sich hierfür nicht.

Unternehmensverträge sind von den Geschäftsführern der beherrschten 3 GmbH (d.h. der GmbH, deren Leitung einem anderen Unternehmen unterstellt ist, vgl. § 291 AktG) zur Eintragung anzumelden. Ob für die Anmeldung dieser Unternehmensverträge ins Handelsregister die §§ 293, 294 AktG oder die §§ 53, 54 GmbHG entsprechend anzuwenden sind, ist umstritten. Entscheidet man sich in dieser Frage wie der BGH[2] für die zweite Möglichkeit, ist § 78 (direkt) anwendbar. Die Anmeldungspflicht zur Eintragung ins Handelsregister besteht allerdings in jedem Fall. Wenn man die §§ 53, 54 nicht für anwendbar hält, folgt sie aus § 294 AktG.[3]

III. Bewirkung der Anmeldung durch die Geschäftsführer oder Liquidatoren

Die Anmeldungspflicht trifft die Geschäftsführer, nach Auflösung der 4 GmbH ihre Liquidatoren. Sie haben die Anmeldung gem. § 78, 1. Alt. im Regelfall in vertretungsberechtigter Zusammensetzung zu bewirken.

1. Mitwirkung eines Prokuristen

Bei der Anmeldung ist die Mitwirkung von Prokuristen in den Fällen 5 satzungsgemäßer unechter Gesamtvertretung zulässig. Die Prokuristen selbst trifft jedoch keine Anmeldpflicht. Ihnen ggü. scheidet die Durchsetzung mittels Zwangsgeldes (s. hierzu Rn. 15) aus.[4]

2. Keine Anmeldeverpflichtung bei Eintragungen von Amts wegen

Keine Anmeldeverpflichtung der Organwalter besteht in den Fällen, in 6 denen die Eintragung von Amts wegen erfolgt (§§ 65 Abs. 1 Sätze 2 bis 4, 67 Abs. 4). Eine Anmeldeberechtigung besteht jedoch.

---

1 Ulmer in Hachenburg, GmbHG, § 78 Rn. 1: Anwendbarkeit von § 78 GmbHG auch auf Anmeldungen nach dem HGB (h.M.); zur Anwendbarkeit von § 78 GmbHG auch auf Anmeldungen nach anderen (Spezial-) Gesetzen s.a. Winter in Scholz, GmbHG, § 78 Rn. 2.

2 BGH, 24.10.1988 – II ZB 7/88, BGHZ 105, 324, 338 ff. = NJW 1989, 295.

3 Schulze-Osterloh/Servatius in Baumbach/Hueck, GmbHG, § 78 Rn. 1.

4 Heyder in Michalski, GmbHG, § 78 Rn. 19.

3. Wegfall der Anmeldebefugnis und -verpflichtung nach Ausscheiden des Organwalters

7   Die Anmeldebefugnis und -verpflichtung der Geschäftsführer bzw. der Liquidatoren besteht nur, solange diese noch im Amt sind.[5] Nach Ausscheiden können sie daher keine Anmeldungen mehr bewirken, auch nicht die bzgl. ihres eigenen Ausscheidens,[6] und zwar selbst dann nicht, wenn der Betreffende der letzte verbleibende Geschäftsführer oder Liquidator ist.[7] Im Bedarfsfall kann das Erlöschen des Amtes (z.B. bei Amtsniederlegung oder Abberufung) daher auf ein zukünftiges Datum erklärt werden (z.B. kalendermäßig bestimmt oder auf den Zeitpunkt der Löschung der Gesellschaft im Handelsregister), sodass der betreffende Geschäftsführer oder Liquidator bei der Anmeldung noch im Amt ist und z.B. sein eigenes Ausscheiden zum Handelsregister anmelden kann. Andernfalls muss für die Anmeldung die Bestellung eines Notgeschäftsführers beantragt werden.

4. Vertretung

8   Sofern nicht die Mitwirkung aller Geschäftsführer bzw. Liquidatoren erforderlich ist (§ 78, 2. Alt. GmbHG, s.u. Rn. 11 ff.),[8] können sich die Anmeldepflichtigen grds. durch Bevollmächtigte vertreten lassen.[9] Voraussetzung ist eine öffentlich beglaubigte (§ 12 Abs. 1 Satz 2 HGB) Vollmacht zu der betreffenden Anmeldung. Prokura und Handlungsvollmacht genügen als solche nicht. Z.T. wird vertreten, eine Generalvollmacht (besonders weitreichende Form der Vollmacht nach §§ 164 ff. BGB, durch die jedoch eine organschaftliche Vertretungsmacht nicht übertragen werden kann) reiche aus.[10] Höchstpersönliche Erklärungen und Versicherungen (vgl. §§ 39 Abs. 3 und 67 Abs. 3, jeweils i.V.m. § 82 Abs. 1 Nr. 5) sind auch bei

---

5   BayObLG, 10.07.1981 – 1 Z 44/81, BB 1982, 199; OLG Zweibrücken, 30.06.1998 – 3 W 130/98, GmbHR 1999, 479.

6   Schulze-Osterloh/Servatius in Baumbach/Hueck, GmbHG, § 78 Rn. 2 (allg. M.).

7   Kleindiek in Lutter/Hommelhoff, GmbHG, § 78 Rn. 1; a.A.: Roth/Altmeppen, GmbHG, § 78 Rn. 7; LG Berlin, 22.07.1992 – 98 T 25/92, ZIP 1993, 197 f.

8   Allgemeine Meinung: vgl. nur Heyder in Michalski, GmbHG, § 78 Rn. 21: Grundsätzliche Unzulässigkeit der Vertretung im Rahmen von § 78, 2. Alt. GmbHG.

9   Schulze-Osterloh/Servatius in Baumbach/Hueck, GmbHG, § 78 Rn. 4.

10   Herrschende Meinung: vgl. BGH, 12.12.1960 – II ZR 255/59, BGHZ 34, 27, 30 = WM 1961, 80; Zimmermann in Rowedder, GmbHG, § 78 Rn. 15; a.A.: LG Frankfurt a.M., 16.03.1972 – 3/6 T 8/72, BB 1972, 512; Ulmer in Hachenburg, GmbHG, § 78 Rn. 20.

Eintragung das Handelsregister nicht unrichtig, eine erzwingbare öffentlich-rechtliche Anmeldeverpflichtung der organschaftlichen Vertreter besteht nicht.[18]

VII. Verpflichtungen des einzelnen Geschäftsführers bzw. Liquidators gegenüber der Gesellschaft

Unabhängig von einer etwaigen öffentlich-rechtlichen Anmeldeverpflich-   17
tung ist jeder einzelne Geschäftsführer bzw. Liquidator kraft seines Amtes
der Gesellschaft gegenüber zur Anmeldung verpflichtet und haftet dieser
gegenüber für Schäden durch schuldhafte Verletzung der Anmeldepflicht
(§§ 43 Abs. 2, 71 Abs. 4 GmbHG). Die Gesellschaft vertreten durch die
Gesellschafter (§ 46 Nr. 8 GmbHG) kann darüber hinaus die Mitwirkung an
der Anmeldung einklagen. Soweit keine Versicherung oder Wissenserklä-
rung erforderlich ist, richtet sich die Vollstreckung nach § 894 ZPO,
andernfalls („höchstpersönliche Anmeldeerklärungen"; vgl. §§ 8 Abs. 2
und 3, 39 Abs. 3, 57 Abs. 2, 57i Abs. 1 Satz 2, 58 Abs. 1 Nr. 4, 67 Abs. 3
GmbHG) nach § 888 Abs. 1 ZPO.

Umstritten ist, ob und inwieweit bei der Durchsetzung der Anmeldung § 16   18
HGB angewendet werden kann, sodass bei mehreren zuständigen Organwaltern die fehlende Mitwirkung eines von ihnen durch Vorlage eines
entsprechenden von der Gesellschaft gegen ihn erwirkten Urteils ersetzt
werden kann. Die h.M. geht von einer Anwendbarkeit von § 16 HGB nur
bei nicht höchstpersönlichen Anmeldeerklärungen aus.[19] Für eine Anwendbarkeit von § 16 HGB auch bei höchstpersönlichen Anmeldeerklärungen
spricht aber, dass hierdurch eine rasche Eintragung ermöglicht wird, wenn
das Prozessgericht die Voraussetzungen für die Eintragungen feststellt und
die Weigerung eines von mehreren Anmeldepflichtigen für unbegründet
erachtet. Höchstpersönliche Versicherungen oder Wissenserklärungen des
Nichtmitwirkungswilligen werden hierdurch nicht ersetzt; die Eintragung
erfolgt vielmehr nach § 16 HGB ohne diese höchstpersönlichen Erklärungen.[20]

---

18   Allgemeine Meinung: vgl. nur BGH, 24.10.1988 – II ZB 7/88, BGHZ
105, 324, 341 = NJW 1989, 295.

19   Schulze-Osterloh/Servatius in Baumbach/Hueck, GmbHG, § 78 Rn. 11; a.A.:
Hüffer in Staub, HGB, § 16 Rn. 11, 16: Generelle Unanwendbarkeit von § 16
HGB bei von der Gesellschaft erwirkten Urteilen zur Anmeldeverpflichtung
von Organwaltern; Roth/Altmeppen, GmbHG, § 78 Rn. 13, 14: Anwendbarkeit von § 16 HGB auch bei höchstpersönlichen Anmeldeerklärungen.

20   Vgl. Roth/Altmeppen, GmbHG, § 78 Rn. 13, 14; Schulze-Osterloh/Servatius
in Baumbach/Hueck, GmbHG, § 78 Rn. 11.

VIII. Prozessuales

19 Rechtsmittel gegen eine Zwischenverfügung des Registergerichts wegen Zweifeln am Vorliegen der Eintragungsvoraussetzungen oder wegen behebbarer Mängel der Anmeldung sowie gegen die Ablehnung der Eintragung sind die Beschwerde (§ 19 FGG) sowie ggf. die weitere Beschwerde (§ 27 FGG). Beschwerdebefugt ist bzgl. der Anmeldung der Gründung (§ 7 Abs. 1 GmbHG) die Vorgesellschaft,[21] i.Ü. die GmbH selbst, nicht die Organwalter, da die Anmeldung im Namen der Gesellschaft erfolgt.

20 Anmeldungen sind bei dem Amtsgericht zu bewirken, in dessen Bezirk die GmbH ihren Sitz hat (§ 8 HGB; § 125 FGG), Anmeldungen betreffend eine inländische Zweigniederlassung einer Auslands-GmbH bei dem AG, in dessen Bezirk die Niederlassung besteht (§§ 13d Abs. 1, 13e Abs. 5 HGB).

§ 79 GmbHG   Zwangsgelder

(1) Geschäftsführer oder Liquidatoren, die §§ 35a, 71 Abs. 5 nicht befolgen, sind hierzu vom Registergericht durch Festsetzung von Zwangsgeld anzuhalten; § 14 des Handelsgesetzbuchs bleibt unberührt. Das einzelne Zwangsgeld darf den Betrag von fünftausend Euro nicht übersteigen.

(2) In Ansehung der in §§ 7, 54, 57 Abs. 1, § 58 Abs. 1 Nr. 3 bezeichneten Anmeldungen zum Handelsregister findet, soweit es sich um die Anmeldung zum Handelsregister des Sitzes der Gesellschaft handelt, eine Festsetzung von Zwangsgeld nach § 14 des Handelsgesetzbuchs nicht statt.

---

21 OLG Hamm, 05.05.2001 – 15 W 21/01, BB 2001, 1756; BGH, 16.03.1992 – II ZB 17/91, BGHZ 117, 323, 325 ff. = NJW 1992, 1824.

I. Einführung

§ 79 regelt die **Durchsetzung bestimmter öffentlich-rechtlicher Pflichten** 1
der Geschäftsführer bzw. Liquidatoren einer GmbH. Hierzu schafft sie in
Abs. 1 Satz 1, 1. Halbs. die Grundlage für eine Zwangsgeldfestsetzung bei
Verstößen gegen §§ 35a, 71 Abs. 5 (Pflichtangaben zu Gesellschafts-
umständen auf Geschäftsbriefen) und stellt in Abs. 1 Satz 1, 2. Halbs. klar,
dass die Zwangsgeldnorm des § 14 HGB auch für die GmbH gilt. Von einer
Zwangsgeldfestsetzung ausgenommen sind Anmeldungen, bei denen die
Eintragung konstitutive Wirkung hat (s.u. Rn. 10).

II. Anwendungsbereich

Neben den Pflichtangaben für Geschäftsbriefe der GmbH gilt die Vorschrift 2
grds. für alle für die GmbH vorzunehmenden Anmeldungen, Unterschrifts-
zeichnungen und zum Register einzureichenden Schriftstücke. Vergleichbare gesonderte Regelungen finden sich für Aktiengesellschaften und
Umwandlungsfälle in § 407 AktG und § 316 UmwG. Ebenfalls speziell –
und deutlich strenger – geregelt ist die Sanktionierung von Verstößen gegen
Rechnungslegungspflichten wie die Pflichten zur Offenlegung des Jahresabschlusses und anderer Rechnungslegungsunterlagen (§§ 325, 325a i.V.m.
335 HGB).

III. Festsetzung von Zwangsgeld (Abs. 1)

1. Adressaten

Das Zwangsgeld kann nur gegen im Amt befindliche Geschäftsführer bzw. 3
Liquidatoren angedroht und festgesetzt werden, nicht gegenüber der GmbH
selbst oder ihren Gesellschaftern.[1] Das Zwangsgeld kann auch nicht gegenüber rechtsgeschäftlichen Vertretern wie Prokuristen oder sonstigen Bevollmächtigten angedroht und festgesetzt werden, da diese nicht selbst zur
Anmeldung gesetzlich verpflichtet sind.[2] Für Zweigniederlassungen ausländischer GmbH sind in den Fällen des § 13e Abs. 3, 4 HGB (Änderung in der
Person oder Vertretungsbefugnis der ständigen Vertreter, Anmeldepflichten
bei Insolvenz- oder ähnlichen Verfahren) auch die ständigen Vertreter der
deutschen Zweigniederlassung mögliche Adressaten eines Zwangsgeldes.
Im Übrigen hat sich auch bei Auslandsgesellschaften mit inländischer
Zweigniederlassung ein Zwangsgeld gegen deren Geschäftsführer oder
Liquidatoren bzw. diesen gleichzustellenden Personen zu richten. Nach
h.M. soll die Festsetzung eines Zwangsgeldes nicht möglich sein, wenn

---

1   Winter in Scholz, GmbHG, § 79 Rn. 18.
2   BayObLG, 14.04.1982 – 3 Z 20/82, BB 1982, 1075.

diese sich nicht im Inland aufhalten.[3] Dagegen spricht, dass das Zwangsgeldverfahren keinen Strafcharakter hat, der eine besondere territoriale
Beschränkung nach sich ziehen müsste. Es ist ein reines Beugungsmittel.

2. Zwangsgeldfestsetzung bei Verstoß gegen §§ 35a, 71 Abs. 5 GmbHG (Abs. 1 Satz 1 Halbs. 1)

4 Ein Zwangsgeldverfahren gegen die Geschäftsführer und Liquidatoren setzt
nicht voraus, dass sie selbst schuldhaft die Unterlassung der nach §§ 35a, 71
Abs. 5 vorgeschriebenen Pflichtangaben auf Geschäftsbriefen der Gesellschaft verursacht haben. Sie haben vielmehr die Pflicht, aktiv dafür zu
sorgen, dass die notwendigen – richtigen – Angaben auf den Geschäftsbriefen enthalten sind. Wird eine Vielzahl von nicht ordnungsgemäßen
Geschäftsbriefen in den Verkehr gebracht, kann eine Vervielfachung des
Zwangsgeldes nach den Grundsätzen des Fortsetzungszusammenhangs ausgeschlossen sein.[4]

3. Festsetzung in Verbindung mit § 14 HGB (Abs. 1 Satz 1 Halbs. 2)

5 Nach Abs. 1 Satz 1, 2. Halbs. i.V.m. § 14 HGB hat das Registergericht die
Bewirkung der vorgeschriebenen Anmeldungen oder Einreichungen von
Dokumenten zum Handelsregister durch Festsetzung von Zwangsgeld
durchzusetzen. Hiervon ausgenommen sind die in Abs. 2 aufgezählten Fälle
konstitutiv wirkender Eintragungen (s.u. Rn. 10).

6 **Übersicht: Zwangsgeldbewährte Anmeldungen**

- Errichtung/Aufhebung einer Zweigniederlassung gem. § 13 Abs. 1 Satz 1, Abs. 3 HGB
- Erteilung/Erlöschen einer Prokura gem. § 53 HGB
- Änderungen in der Person oder Vertretungsbefugnis der Geschäfts-führer gem. § 39 Abs. 1 GmbHG[5]
- Auflösung der GmbH gem. § 65 Abs. 1 Satz 1 (Ausnahmen: bei Satzungsänderung s.u. Rn. 10 und in den Fällen des § 65 Abs. 1 Satz 2)

---

3   Herrschende Meinung: vgl. Winter in Scholz, GmbHG, § 79 Rn. 19a; a.A. Hüffer in Staub, HGB, § 13b Rn. 22.

4   BGH, 10.12.1992 – I ZR 186/90, BGHZ 121, 13, 18 f. = NJW 1993, 721; Roth/Altmeppen, GmbHG, § 79 Rn. 2.

5   Zöllner/Noack in Baumbach/Hueck, GmbHG, § 39 Rn. 2.

Gegen die Androhung des Zwangsgelds ist die Beschwerde unzulässig, 12
§ 132 Abs. 2 FGG. Gegen den Beschluss über die Zwangsgeldfestsetzung
oder Verwerfung des Einspruchs kann innerhalb von zwei Wochen sofortige
Beschwerde eingelegt werden (§§ 139, 22 Abs. 1 FGG). Beschwerdeberechtigt ist jeweils nur der betroffene Geschäftsführer/Liquidator.

§ 80 GmbHG [weggefallen]

Die Vorschrift ist durch § 25 EGAktG v. 30.01.1937 – RGBl. I S. 166 1
aufgehoben worden.

§ 81 GmbHG [weggefallen]

Die Vorschrift ist durch § 25 EGAktG vom 30.01.1937 – RGBl. I S. 166 1
aufgehoben worden.

§ 81a GmbHG [weggefallen]

Die Vorschrift ist durch Art. 51 des Ersten Gesetzes zur Reform des Straf- 1
rechts vom 25.06.1969 (1. StrRG) – BGBl. I S. 645 – mit Rechtskraftwirkung zum 30.04.1970 außer Kraft getreten.

§ 81a GmbHG a.F. vom 31.12.1963 lautete wie folgt:

> ### § 81a GmbHG – Rechtsfolgen bei Handeln zum Nachteil der Gesellschaft
>
> *(1) Wer als Geschäftsführer, Liquidator oder Mitglied eines Aufsichtsrats oder*
> *eines ähnlichen Organs einer Gesellschaft mit beschränkter Haftung vorsätzlich*
> *zum Nachteil der Gesellschaft handelt, wird mit Gefängnis und mit Geldstrafe*
> *bestraft. Daneben kann auf Verlust der bürgerlichen Ehrenrechte erkannt werden.*
>
> *(2) In besonders schweren Fällen tritt an die Stelle der Gefängnisstrafe Zuchthaus*
> *bis zu zehn Jahren. Ein besonders schwerer Fall liegt insbesondere dann vor, wenn*
> *die Tat das Wohl des Volkes geschädigt oder einen anderen besonders großen*
> *Schaden zur Folge gehabt oder der Täter besonders arglistig gehandelt hat.*

§ 82 GmbHG   Falsche Angaben

**(1) Mit Freiheitsstrafe bis zu drei Jahren oder mit Geldstrafe wird
bestraft, wer**

**1. als Gesellschafter oder als Geschäftsführer zum Zweck der Eintra-
gung der Gesellschaft über die Übernahme der Geschäftsanteile, die**

Leistung der Einlagen, die Verwendung eingezahlter Beträge, über Sondervorteile, Gründungsaufwand und Sacheinlagen,

2. als Gesellschafter im Sachgründungsbericht,

3. als Geschäftsführer zum Zweck der Eintragung einer Erhöhung des Stammkapitals über die Zeichnung oder Einbringung des neuen Kapitals oder über Sacheinlagen,

4. als Geschäftsführer in der in § 57i Abs. 1 Satz 2 vorgeschriebenen Erklärung oder

5. als Geschäftsführer einer Gesellschaft mit beschränkter Haftung oder als Geschäftsleiter einer ausländischen juristischen Person in der nach § 8 Abs. 3 Satz 1 oder § 39 Abs. 3 Satz 1 abzugebenden Versicherung oder als Liquidator in der nach § 67 Abs. 3 Satz 1 abzugebenden Versicherung falsche Angaben macht.

(2) Ebenso wird bestraft, wer

1. als Geschäftsführer zum Zweck der Herabsetzung des Stammkapitals über die Befriedigung oder Sicherstellung der Gläubiger eine unwahre Versicherung abgibt oder

2. als Geschäftsführer, Liquidator, Mitglied eines Aufsichtsrats oder ähnlichen Organs in einer öffentlichen Mitteilung die Vermögenslage der Gesellschaft unwahr darstellt oder verschleiert, wenn die Tat nicht in § 331 Nr. 1 oder Nr. 1a des Handelsgesetzbuchs mit Strafe bedroht ist.

I.   Einführung

Die Norm stellt bestimmte **falsche Angaben, Versicherungen sowie**   1
unwahre Darstellungen und Verschleierungen in öffentlichen Mittei-
lungen über gesellschaftsrechtlich relevante Umstände und Vorgänge unter
Strafe. Die Erfüllung der einzelnen Tatbestände erfordert fast ausschließlich
ein positives Tun. Soweit eine Strafbarkeit dadurch gegeben ist, dass der
Täter falsche Angaben macht, falsche Versicherungen abgibt oder die
Vermögenslage der Gesellschaft „unwahr darstellt oder verschleiert", ist
zwar stets auch an das Unterlassen der Angabe der vollständigen und
„wahren" Tatsachen zu denken, doch wird in der Regel die positive falsche
oder unwahre Verlautbarung im Vordergrund stehen und den Schwerpunkt
des strafrechtlich relevanten Verhaltens bilden.

> **Hinweis:**
>
> Zu beachten ist hinsichtlich der Strafbarkeit weiter zurück liegender
> Vorgänge, dass die Norm seit der Novelle von 1980 verschiedene
> Veränderungen erfahren hat, zuletzt durch das Bilanzrechtreformge-
> setz vom 04.12.2004 (BGBl. I, S. 3166).

§ 82 GmbHG ist durch das MoMiG nur in Nr. 1 und 5 von Abs. 1 geändert   2
worden. In Nr. 5 war im Regierungsentwurf zunächst nur der „Geschäftsleiter einer inländischen oder ausländischen juristischen Person" aufgeführt
worden. Die jetzige Fassung geht auf eine Anregung des Bundesrats zurück,
der den Begriff „Geschäftsleiter" nicht für die GmbH angewendet wissen
wollte.

II.   Deliktscharakter und Normzweck

In der Strafnorm wird zum Teil ein schlichtes **Tätigkeitsdelikt** gesehen, das   3
weder eines Täuschungserfolges noch eines Vermögensschadens bedarf.[1]
Nach wohl h.M. sind alle Straftatbestände der Norm (auch) als **abstrakte**
Gefährdungsdelikte zu werten, wobei weder eine konkrete Gefährdung
noch ein Schaden erforderlich sind.[2]

Die Strafnormen sollen zunächst die Verpflichtung zur Einhaltung der   4
Normen verstärken und absichern, welche die Anmeldungen zum Handelsregister und deren notwendigen Inhalt betreffen. Das sind außer den in der

---

1   Dannecker in Michalski, GmbHG, § 82 Rn. 14; Roth/Altmeppen, GmbHG,
     § 82 Rn. 2; Tiedemann in Scholz, GmbHG, § 82 Rn. 14, 15.

2   BGH, 29.09.2004 – 5 StR 357/04 m.w.N., wistra 2005, 68; Lutter/Kleindiek
     in Lutter/Hommelhoff, GmbHG, § 82 Rn. 1.

Vorschrift angegebenen Normen des GmbHG vor allem die §§ 5 bis 8 sowie 57 und 58. Daneben werden öffentliche unwahre Darstellungen der Vermögenslage der Gesellschaft oder deren Verschleierung unter Strafe gestellt. Normzweck ist damit, dass die gegenüber dem Handelsregister und auch die gegenüber der Öffentlichkeit über relevante Tatsachen abgegebenen Erklärungen und Versicherungen richtig und vollständig sind. Zumindest mittelbar werden dadurch die Vermögensinteressen der gegenwärtigen und künftigen Gläubiger der Gesellschaft und auch künftiger Gesellschafter geschützt. Die Strafnorm ist in allen Tatbeständen mit Ausnahme wohl von Abs. 1 Nr. 5 **Schutznorm i.S.d. § 823 Abs. 2 BGB**.[3]

5   Die **Eintragung der GmbH ist nicht Tatbestandsvoraussetzung**. Falsche Erklärungen und Versicherungen können auch vor Eintragung abgegeben werden, wie schon insbesondere aus dem Wortlaut von Abs. 1 Nr. 1 („zum Zwecke der Eintragung") hervorgeht.

III.   Täterschaft

6   Alle Tatbestände stellen **echte Sonderdelikte** dar. Nur die in der Norm genannten Personen sind taugliche Täter. Unumstritten ist, dass auch der **fehlerhaft bestellte Geschäftsführer** Täter sein kann, da er ja sein Amt tatsächlich ausübt. Das Strafrecht setzt keinen zivilrechtlich gültigen Organisationsakt voraus, sondern es knüpft an die tatsächliche Übernahme der Organwalterpflichten an.[4]

IV.   Sonderproblem „faktischer" Geschäftsführer

7   Umstritten ist, ob auch der so genannte **„faktische" Geschäftsführer** Täter sein kann. Es sprechen gute Gründe dafür, dies im Grundsatz zu bejahen: Wer die Geschäfte der Gesellschaft mit Einverständnis der Gesellschafter oder mit deren Duldung führt, ohne förmlich von ihnen als Geschäftsführer bestellt zu sein, den bestellten Geschäftsführer praktisch von der Geschäftsführung ausschließt und damit innerhalb der Geschäftsführung eine „über-

---

3   Vgl. BGH, 21.10.2002 – II ZR 118/02, GmbHR 2003, 39; Lutter/Kleindiek in Lutter/Hommelhoff, GmbHG, § 82 Rn. 27; Roth/Altmeppen, GmbHG, § 82 Rn. 3; Schaal in Rowedder, GmbHG, § 82 Rn. 1; Tiedemann in Scholz, GmbHG, § 82 Rn. 11 ff.; Schulze-Osterloh in Baumbach/Hueck, GmbHG, § 82 Rn. 9; Kohlmann in Hachenburg, GmbHG, § 82 Rn. 11.

4   Lutter/Kleindiek in Lutter/Hommelhoff, GmbHG, § 82 Rn. 2; Roth/Altmeppen, GmbHG, § 82 Rn. 15; Schaal in Rowedder, GmbHG, § 82 Rn. 13; Schmidt/Uhlenbruck, Die GmbH in Krise, Sanierung und Insolvenz, Rn. 733 m.w.N.

ragende Stellung" einnimmt, ist wie ein bestellter Geschäftsführer zu behandeln.[5] Der BGH[6] hat speziell zu § 82 GmbHG mit ausführlichen Hinweisen auf die vorangegangene Rechtssprechung und auf die bis dahin bekannte Literatur ausgeführt, *die faktische Betrachtungsweise des Tatbestandsmerkmals als „Geschäftsführer" sei auf die Auslegung des § 82 Abs. 1 Nr. 1 und Nr. 3 GmbHG zu übertragen. Täter sei nicht nur der formelle, sondern auch der faktische Geschäftsführer. Diese Auslegung ergebe sich aus dem Sinn und Zweck des § 82 Abs. 1 Nr. 1 und Nr. 3 GmbHG, da diese Straftatbestände in gleicher Weise wie die §§ 64 Abs. 1, 84 Abs. 2 Nr. 2 GmbHG darauf abzielten, die Allgemeinheit vor einer kriminellen Handhabung der Geschäftsführung einer GmbH zu schützen; auch hier gelte, dass derjenige, der die faktische Geschäftsführung innehabe und die Führung der Geschäfte bestimme, auch die Pflichten erfüllen müsse, die den Geschäftsführer träfen, und dass er bei deren Verletzung die strafrechtlichen Folgen zu tragen habe, die das Gesetz an eine solche Pflichtverletzung durch den Geschäftsführer knüpfe.[7]* Man wird der Gegenansicht im Wesentlichen entgegenhalten können, dass wohl in aller Regel eine konkludent erklärte Bestellung zum Geschäftsführer vorliegen wird, so dass er auch insoweit tauglicher Adressat der Strafnorm ist. Der Bestellungsakt nach §§ 6 Abs. 3, 46 Nr. 5 ist gerade kein formalisierter. Es heißt in § 46 Nr. 5 insoweit nur, dass die Bestellung der Geschäftsführer den Gesellschaftern obliegt. Das schließt nicht aus, dass diese Bestellung einzelner oder weiterer Geschäftsführer auch konkludent erfolgen kann.[8]

---

5   Herrschende Meinung: vgl. BGH, 10.05.2000 – 3 StR 101/00, BGHSt 46, 62 = NJW 2000, 2285; grundlegend Karsten Schmidt in Festschrift für Rebmann 1989, S. 419 ff.; Schmidt/Uhlenbruck, Die GmbH in Krise, Sanierung und Insolvenz, Rn. 733 m.w.N.

6   BGH, 10.05.2000 – 3 StR 101/00, BGHSt 46, 62 = NJW 2000, 2285.

7   Für die Einzelheiten sei auf diese lesenswerte Entscheidung auf beiliegender CD verwiesen (vgl. auch BGHR GmbHG – Geschäftsführer 1; BGH, 22.05.2001 – 5 StR 75/01, wistra 2001, 338 f., 463 bis 464; Schaal in Rowedder, GmbHG, § 82 Rn. 13 (Gesamtbetrachtung); Borchardt in Hmb-Komm. § 84 GmbHG Rn. 5 und 26; differenzierend Dannecker in Michalski, GmbHG, § 82 Rn. 41; Lutter/Kleindiek in Lutter/Hommelhoff, GmbHG, § 84 Rn. 4 für den fehlerhaft bestellten Geschäftsführer; a.A.: unter Hinweis auf das Analogieverbot Roth/Altmeppen, GmbHG, § 84 Rn. 8 m.w.N. und Lutter/Kleindiek in Lutter/Hommelhoff, GmbHG, § 84 Rn. 5.

8   Vgl. hierzu Ockelmann/Pieperjohanns/Hölck in Bormann/Kauka/Ockelmann, Hdb. GmbH-Recht, Kap. 7 Rn. 199 ff.; Ockelmann, ebenda, Kap. 10 Rn. 235.

8   Allerdings tritt die Problematik nicht auf, soweit es um die Angaben gegenüber
     dem Handelsregister im Fall des Abs. 1 Nr. 1 geht, wenn der anmeldende
     „faktische" Geschäftsführer zugleich auch Gesellschafter ist. Denn nach dieser
     Norm ist der Gesellschafter ebenfalls tauglicher Täter. Im Fall des Abs. 1 Nr. 2
     kann nur der Gesellschafter Täter sein. Im Übrigen wird beim ersten Ein-
     tragungsantrag zunächst nur der in der Satzung bestimmte Geschäftsführer zu
     Angaben und Versicherungen vom Registerrichter zugelassen werden. Zu
     späteren Erklärungen und Versicherungen wird ebenfalls nur der Geschäfts-
     führer zugelassen werden, der schon eingetragen ist oder der eine förmliche
     Bestellung durch Gesellschafterbeschluss nachweisen kann. Das Problem stellt
     sich damit insoweit nur, wenn der „faktische" Geschäftsführer den bestellten
     Geschäftsführer zwingt, die Anmeldungen mit falschen Angaben zu unter-
     zeichnen und beim Registergericht einzureichen.[9]

> **Praxistipp:**
>
> Im Übrigen wird das Problem in der Praxis weitgehend nur im Bereich
> der Fälle des Abs. 2 Nr. 2 auftreten. Hier ist durchaus denkbar, dass der
> nicht förmlich bestellte „faktische" Geschäftsführer sich selbst auch in
> öffentlichen Mitteilungen als Geschäftsführer geriert und die Ver-
> mögenslage der Gesellschaft unwahr darstellt oder verschleiert.

V.   Teilnahme

9   Die Teilnahme durch **Anstiftung und Beihilfe** richtet sich nach den Vor-
     schriften des Allgemeinen Teils des StGB, wobei insbesondere die Straf-
     rahmenverschiebung nach §§ 28 Abs. 1, 49 Abs. 1 StGB zu beachten ist.
     Die höchstzulässige Freiheitsstrafe beträgt somit nur $^3/_4$ von drei Jahren
     Freiheitsstrafe und somit 27 Monate Freiheitsstrafe. Anweisungen von
     Gesellschaftern an Geschäftsführer zur Abgabe falscher Erklärungen oder
     falscher Versicherungen stellen bei Vorliegen des entsprechenden (doppel-
     ten) Anstiftervorsatzes eine strafbare Anstiftung dar.[10] Beihilfe ist, bei
     Vorliegen des entsprechenden Vorsatzes, durch Mitwirkung und Unterstüt-
     zung bei der Vorbereitung und bei der Ausführung denkbar.

---

9   So geschehen in dem vom BGH, 10.05.2000 – 3 StR 101/00, BGHSt 46, 62 =
     NJW 2000, 2285 entschiedenen Fall; in einem Beschl. v. 14.08.1991 – 3 StR
     159/91 hatte der BGH noch die interne Einwirkung auf den satzungsmäßigen
     Geschäftsführer als nicht genügend angesehen.

10   BGH, 10.05.2000 – 3 StR 101/00, BGHSt 46, 62 = NJW 2000, 2285; Lutter/
     Kleindiek in Lutter/Hommelhoff, GmbHG, § 82 Rn. 5; Roth/Altmeppen,
     GmbHG, § 82 Rn. 2.

VI.   Versuch und Vollendung

Für die Vollendung ist in allen Fällen des § 82 Abs. 1 und bei Abs. 2 Nr. 1   10
notwendig, dass die falschen Angaben oder die unwahren Versicherungen
dem zuständigen Registergericht zugegangen sind. Bei Abs. 2 Nr. 2 muss
die öffentliche Mitteilung erfolgt sein. Da nur Vergehenstatbestände vorliegen, ist der Versuch gem. § 23 Abs. 1 StGB nicht strafbar; es fehlt in der
Norm an der ausdrücklichen Bestimmung einer Versuchsstrafbarkeit.

VII.   Die einzelnen Tathandlungen bei § 82 GmbHG

1.   Gründungsschwindel/Gründungstäuschung (Abs. 1 Nr. 1)

Die Tathandlung nach Abs. 1 Nr. 1 wird als Gründungsschwindel[11] oder als   11
Gründungstäuschung[12] bezeichnet. Hier geht es um die **falschen Angaben
zur Ersteintragung der GmbH** ins Handelsregister. Strafbewehrt sind hier
falsche Angaben hinsichtlich der Übernahme der Stammeinlagen und hinsichtlich der Leistung der Geld- und Sacheinlagen. Als Einzahlung gelten,
wie schon vom Reichsgericht entschieden, nur „Zahlungen in bar sowie
solche Leistungen, die barem Gelde völlig gleichwertig sind, die sich also
jeden Augenblick mit zweifelloser Sicherheit in bares Geld umsetzen lassen
und über die die Gesellschaft jederzeit frei verfügen kann".[13] Nach § 8
Abs. 2 ist in der Anmeldung die Versicherung abzugeben, dass die in § 7
Abs. 2 und 3 bezeichneten Leistungen auf die Geschäftsanteile bewirkt sind
und dass der Gegenstand der Leistungen sich endgültig in der freien Verfügung der Geschäftsführer befindet. Die strafrechtlichen Probleme ergeben
sich in vielfältiger Weise daraus, dass damit etwas versichert werden muss,
was vielfach erst durch Subsumtion vorliegender Tatsachen ermittelt werden
muss.

Beispiel:[14]

*Im zu Gunde liegenden Cash-Pool-Fall fällt auf, dass nicht nur die Rechtsabtei-
lung eines betroffenen Unternehmens, sondern auch das Landgericht Zwickau kein
verbotenes Hin- und Herzahlen gesehen hat, wohl aber haben OLG und BGH einen
Verstoß gegen die Kapitalaufbringungsvorschriften festgestellt und damit die*

---

11   Roth/Altmeppen, GmbHG, § 82 Rn. 5.

12   Lutter/Kleindiek in Lutter/Hommelhoff, GmbHG, § 82 Rn. 8.

13   RGSt 36, 185; 65, 178; 73, 232.

14   BGH, 16. 01.2006 – II ZR 76/04, ZIP 2006, 665.

> *Versicherung, die Einlagen befänden sich endgültig in der freien Verfügung der Gesellschaft, als falsch bewertet.[15]*

12   Nach dem RegE zum MoMiG sollte § 8 Abs. 2 Satz 2 durch folgende Sätze ersetzt werden:

> *„Die vor Einlage getroffene Vereinbarung einer Leistung an den Gesellschafter, die wirtschaftlich einer Einlagenrückgewähr entspricht und die nicht bereits als verdeckte Sacheinlage nach § 19 Abs. 4 zu beurteilen ist, steht der Erfüllung der Einlagenschuld nicht entgegen, wenn sie durch einen vollwertigen Gegenleistungs- oder Rückgewähranspruch gedeckt ist. Das Gericht kann bei erheblichen Zweifeln an der Richtigkeit der Versicherung Nachweise (unter anderem Einzahlungsbelege) verlangen."*

13   Von diesen beiden Sätzen ist nur der letzte in die Gesetzesfassung übernommen worden. Dafür ist aber dem § 19 ein Abs. 5 mit folgendem Wortlaut beigefügt worden:

> *„Ist vor der Einlage eine Leistung an den Gesellschafter vereinbart worden, die wirtschaftlich einer Rückzahlung der Einlage entspricht und die nicht als verdeckte Sacheinlage im Sinne von Absatz 4 zu beurteilen ist, so befreit dies den Gesellschafter von seiner Einlageverpflichtung nur dann, wenn die Leistung durch einen vollwertigen Rückgewähranspruch gedeckt ist, der jederzeit fällig ist oder durch fristlose Kündigung durch die Gesellschaft fällig werden kann. Eine solche Leistung oder die Vereinbarung einer solchen Leistung ist in der Anmeldung nach § 8 anzugeben."*

14   Bisher herrschte in Rechtsprechung und Literatur weitgehend Übereinstimmung darüber, dass ein verbotenes Hin- und Herzahlen vorliege, welches keine wirksame Einlageleistung darstelle, wenn der Gesellschafter z.B. eine Bareinlage sofort wieder als Darlehen von der Gesellschaft zurück erhalte, auch wenn der Rückzahlungsanspruch als gesichert anzusehen sei.[16] Werde das Darlehen tatsächlich zurückgezahlt, werde die Einlageforderung aber erfüllt.[17] Duch die Neufassung des § 19 Abs. 5 tritt hier eine wesentliche

---

15   Vgl. zu dieser Problematik auch Bormann/Ulrichs, Der Entwurf des MoMiG zur Regelung des Hin- und Herzahlens – ein Fremdkörper im GmbHG, GmbHR 2008, 119; Gesell, Verdeckte Sacheinlage & Co im Lichte des MoMiG – Das Hin- und Herzahlen de lege lata und de lege ferenda, BB 2007, 2241; Kallmeyer, Kapitalaufbringung und Kapitalerhaltung nach dem MoMiG: Änderungen für die Beratungspraxis, DB 2007, 2755.

16   Vgl. zuletzt BGH, 15.01.1990 – II ZR 164/88, BGHZ 110, 47, 60 = NJW 1990, 982; BGH, 10.12.2007 – II ZR 76/04, NJW 2006, 1736.

17   Heilungsfolge – vgl. zuletzt BGH, 09.01.2006 – II ZR 72/05, NJW 2006, 906 und BGH, 12.06.2006 – II ZR 334/04, ZIP 2006, 1633.

Änderung ein, wobei es in der Sache nicht von Bedeutung ist, dass die Neuregelung nicht in den § 8, sondern in § 19 aufgenommen worden ist.[18]

---

18   Die Begründung des RegE enthält hierzu folgende Anmerkungen: *„Der neu gefasste § 8 Abs. 2 Satz 2 regelt die von der Rechtsprechung entwickelte Fallgruppe des sog „Hin- und Herzahlens", bei der die Einlageleistung aufgrund einer vorherigen Absprache wieder an den Gesellschafter zurückfließen soll. Ausdrücklich ausgeklammert werden dabei Fallgestaltungen, die zwar auch als Einlagenrückgewähr gewertet werden könnten, zugleich aber die Kriterien einer verdeckten Sacheinlage erfüllen, da für sie in § 19 Abs. 4 künftig eine Sonderregelung getroffen wird. § 8 Abs. 2 Satz 2 in der vorgesehenen Neufassung erlangt damit z.B. in den Fällen Bedeutung, in denen die Gesellschaft dem Gesellschafter aufgrund einer Absprache eine Geldeinlage im Wege eines Neudarlehens direkt wieder auszahlen soll. Diese Fallkonstellation kann insbesondere auch bei der Kapitalaufbringung im Cash-Pool auftreten, wenn die Einlage in Folge der Einzahlung auf das in den Cash-Pool einbezogene Konto im Ergebnis wieder an den Inferenten zurückfließt und dies nicht im Sinne einer verdeckten Sacheinlage zu einer Tilgung bereits bestehender Darlehensverbindlichkeiten der Gesellschaft gegenüber dem Inferenten führt. Die Rechtsprechung nimmt in entsprechenden Fallgestaltungen einen Verstoß gegen die Kapitalaufbringungsvorschriften an, da es infolge des vereinbarten Mittelrückflusses an den Gesellschafter insbesondere an der erforderlichen Leistung zur endgültigen freien Verfügung der Geschäftsführer fehle. Im Fall der Rückgewähr der Einlage als Darlehen wird dabei eine „Heilung" im Sinne einer nachträglichen Erfüllung der Einlageschuld angenommen, wenn der Gesellschafter das Darlehen wieder an die Gesellschaft zurückzahlt. Da dies in der Praxis zu Rechtsunsicherheiten und Einschränkungen in der wirtschaftlichen Betätigung der Gesellschaft führt, sollen die für den Bereich der Kapitalerhaltung (§ 30) in Bezug auf Rechtsgeschäfte der Gesellschaft mit den Gesellschaftern vorgesehenen Erleichterungen ausdrücklich auch auf den Bereich der Kapitalaufbringung übertragen werden. Die bisherige Heilungsrechtsprechung bleibt davon unberührt: Ist es also zu einer Darlehensgewährung gekommen, die nicht den Voraussetzungen des § 8 Abs. 2 Satz 2 entsprach, so kann dann, wenn das Darlehen gleichwohl zurückgezahlt wird, Erfüllung der Einlagenschuld auch künftig angenommen werden. Die vorgeschlagene Neuregelung führt ebenso wie im Bereich der Kapitalerhaltung eine bilanzielle Betrachtungsweise ein. Der Gedanke der bilanziellen Betrachtungsweise zieht sich damit als roter Faden durch die Neuregelungen zum Haftkapitalsystem. Danach führt eine Verwendungsabrede, die wirtschaftlich als eine Rückgewähr der Einlage an den Gesellschafter zu werten ist, nicht zu einem Verstoß gegen die Voraussetzungen einer ordnungsgemäßen Einlagenbewirkung, sofern die Leistung durch einen vollwertigen Rückzahlungs- oder Gegenleistungsanspruch gegen den Gesellschafter gedeckt ist. Sind die Voraussetzungen des § 8 Abs. 2 Satz 2 erfüllt, kann eine ordnungsgemäße Kapitalaufbringung selbstverständlich auch nicht mehr unter Berufung auf § 19 Abs. 2 Satz 1 abgelehnt werden."*

15   Eine Verwendungsabrede, die wirtschaftlich als eine Rückgewähr der Einlage an den schuldenden Gesellschafter anzusehen ist, bedeutet nunmehr keinen Verstoß gegen die Voraussetzungen einer ordnungsgemäßen Einlagenleistung, wenn die Leistung durch einen vollwertigen Rückzahlungs- oder Gegenleistungsanspruch gegen den Gesellschafter gedeckt ist.[19]

16   Das sog. „Vorzeigegeld" wird weiterhin keine Erfüllungswirkung haben können, es sei denn, es wird als Darlehen zurückgegeben, bei dem der Rückzahlungsanspruch der Gesellschaft als vollwertig und gesichert anzusehen ist. Scheinzahlungen aller Art sind nach wie vor nicht geeignet, den Anspruch der Gesellschaft auf Einzahlung der Kapitaleinlage zu erfüllen. So liegt keine Erfüllung vor, wenn die Gesellschaft die Einzahlung aus eigenen Mittel bewirkt. Das gilt auch, wenn sich die Gesellschaft bei einem Bankdarlehen an den Gesellschafter, das die Einzahlung ermöglichen soll, gegenüber der Bank neben dem Schuldner zur Rückzahlung verpflichtet. Auch dann steht ihr die Einlage nicht zur freien Verfügung zu, da sie aus der Mitverpflichtung ebenfalls der Bank gegenüber einer Rückzahlungspflicht ausgesetzt ist. Dieselben Überlegungen gelten hinsichtlich verdeckter oder verschleierter Sacheinlagen.[20]

2.   Sachgründungstäuschung/Sachgründungsschwindel (Abs. 1 Nr. 2)

17   Die in Abs. 1 Nr. 2 normierte Strafbarkeit betrifft die Sachgründungstäuschung[21] oder den Sachgründungsschwindel.[22] Hier geht es um falsche Angaben im Sachgründungsbericht. Bei der Sachgründung müssen nach § 5 Abs. 4 der Gegenstand der Sacheinlage und der Nennbetrag des Geschäftsanteils, auf den sich die Sacheinlage bezieht, im Gesellschaftsvertrag festgesetzt werden. Die Gesellschafter haben in einem Sachgründungsbericht die für die Angemessenheit der Leistungen für Sacheinlagen wesentlichen Umstände darzulegen. Nach § 7 Abs. 3 sind die Sacheinlagen vor der Anmeldung zur Eintragung in das Handelsregister so an die Gesellschaft zu bewirken, dass sie endgültig zur freien Verfügung der Geschäftsführer stehen. Der Anmeldung müssen dann nach § 8 Abs. 1 Nr. 5 Unterlagen darüber, dass der Wert der Sacheinlagen den Nennbetrag der dafür

---

19   Vgl. Bormann in Bormann/Kauka/Ockelmann Hdb. GmbH-Recht, Kap. 4 Rn. 35 ff., 61 ff. und 70 ff. sowie Hollstein in Bormann/Kauka/Ockelmann Hdb. GmbH-Recht, Kap. 5 Rn. 108 ff.

20   Vgl. dazu Bormann in Bormann/Kauka/Ockelmann, Hdb. GmbH-Recht, Kap. 4 Rn. 33 ff. und 70 ff.

21   Lutter/Kleindiek in Lutter/Hommelhoff, GmbHG, § 82 Rn. 15.

22   Roth/Altmeppen, GmbHG, § 84 Rn. 17.

übernommenen Geschäftsanteile erreicht, beigefügt sein. Die §§ 9 und 9a regeln die zivilrechtlichen Folgen bei zu geringer Sacheinlage und bei falschen Angaben. Die strafrechtliche Sanktion für falsche Angaben der Gesellschafter im Sachprüfungsbericht ergibt sich aus § 82 Abs. 1 Nr. 2. Insoweit kommen auch nur sie als Täter in Betracht, wobei auch hier Vorsatz erforderlich ist. Die Strafbarkeit des Geschäftsführers, der einen als falsch erkannten Sachprüfungsbericht mit der Anmeldung an das Registergericht weiterleitet, ergibt sich dagegen aus § 82 Abs. 1 Nr. 1[23].

3. Kapitalerhöhungstäuschung/Kapitalerhöhungsschwindel (Abs. 1 Nr. 3)

Bei Abs. 1 Nr. 3 wird die unter Strafe gestellte Handlung allgemein als Kapitalerhöhungsschwindel oder als Kapitalerhöhungstäuschung bezeichnet. Der Tatbestand weist Parallelen zu Nr. 1 auf. Insbesondere ist auch hier anzugeben, ob die Mittel endgültig zur freien Verfügung des Geschäftsführers stehen. Hierzu hat der BGH sinngemäß ausgeführt:[24]

18

> *„Die Angabe des Geschäftsführers einer GmbH gegenüber dem Registergericht darüber, dass der im Rahmen einer Kapitalerhöhung zu erbringende Leistungsgegenstand sich endgültig in der freien Verfügung der Geschäftsführer befinde, betrifft alleine die Erfüllungswirkung der fraglichen Leistung, sagt jedoch nicht darüber aus, dass die Einlage auch bei der Registeranmeldung noch unverändert im Gesellschaftsvermögen vorhanden ist. Ob die vor dem Registergericht abgegebene Erklärung falsch war, beurteilt sich allein danach, ob die mit der Stammkapitalerhöhung eingegangene Einzahlungsverpflichtung (§§ 7 Abs. 2, 19 GmbHG) erfüllt worden ist. Eine Erfüllungswirkung wäre dann zu verneinen gewesen, wenn Rechtsvorschriften, insbesondere des GmbH-Gesetzes, entgegengestanden hätten (BGHZ 113, 335, 339 ff). Zweckbindungen von Stammkapitaleinlagen, die die Ablösung von Forderungen Dritter zum Gegenstand haben, stehen der Erfüllungswirkung nicht entgegen. Die Grenze liegt erst dort, wo eingezahlte Mittel unmittelbar oder mittelbar einem Einleger selbst wieder zufließen sollen (BGH aaO., S. 345; BGH NJW 1991, 226, 227)."*

Auch hier ist die geänderte Fassung des § 19 Abs. 5 zu beachten, wonach ein Rückfluss an den Einleger unschädlich ist, wenn die Erfüllung der Einlageschuld durch einen vollwertigen Gegenleistungs- oder Rückgewähranspruch gedeckt ist.

---

23 Vgl. zur Sachgründung allgemein Bormann in Bormann/Kauka/Ockelmann, Hdb. GmbH-Recht, Kap. 4 Rn. 145 bis 155, 256 ff.

24 BGH, 30.11.1995 – 1 StR 358/95, NStZ 1996, 238; vgl. zur Kapitalerhöhung allgemein Bormann in Bormann/Kauka/Ockelmann, Hdb. GmbH-Recht, Kap. 4 Rn. 304 ff.

4.   **Falschangabe bei Kapitalerhöhung aus Gesellschaftsmitteln (Abs. 1 Nr. 4)**

19   Eine besondere Form des Vergehens nach Nr. 3 wird in Nr. 4 normiert. Die Norm will hier strafrechtlich **falsche Angaben bei Anmeldung einer Kapitalerhöhung aus eigenen Mitteln der Gesellschaft** sanktionieren. In § 57c ist geregelt, dass das Stammkapital auch durch Umwandlung von Rücklagen in Stammkapital erhöht werden kann (Kapitalerhöhung aus Gesellschaftsmitteln). Die Erhöhung des Stammkapitals kann erst beschlossen werden, nachdem der Jahresabschluss für das letzte vor der Beschlussfassung über die Kapitalerhöhung abgelaufene Geschäftsjahr (letzter Jahresabschluss) festgestellt und über die Ergebnisverwendung Beschluss gefasst worden ist. Nach § 57i Abs. 1 Satz 2 haben die Anmeldenden dem Registergericht gegenüber zu erklären, dass nach ihrer Kenntnis seit dem Stichtag der zugrunde gelegten Bilanz bis zum Tag der Anmeldung keine Vermögensminderung eingetreten ist, die der Kapitalerhöhung entgegenstünde, wenn sie am Tag der Anmeldung beschlossen worden wäre. Damit soll verhindert werden, dass eine Kapitalerhöhung aus eigenen Mitteln der Gesellschaft ohne entsprechend tatsächlich vorhandene Rücklagen im Handelsregister eingetragen wird, was zu einer erheblichen Täuschung des Rechtsverkehrs bei Geschäften mit der Gesellschaft führen könnte.[25]

20   Tathandlung ist hier die Erklärung, dass nach Kenntnis des Erklärenden keine Vermögensminderungen eingetreten sind, dass die relevante Rücklage i.S.v. § 57d also noch vollständig vorhanden ist. Eine fahrlässige Unkenntnis etwa durch das Unterlassen gebotener Nachforschungen reicht nicht aus, da nach der Norm „Kenntnis" vorliegen muss.

5.   **Eignungstäuschung/Eignungsschwindel (Abs. 1 Nr. 5)**

21   Durch Nr. 5 wird schließlich der Eignungsschwindel[26] oder die Eignungstäuschung[27] unter Strafe gestellt. Die Norm korrespondiert einmal mit § 8 Abs. 3 Satz 1 und mit § 39 Abs. 3 Satz 1, wonach die Geschäftsführer der GmbH und die Geschäftsleiter einer ausländischen juristischen Person zu

---

25   Vgl. zur Anmeldung der Kapitalerhöhung Bormann in Bormann/Kauka/Ockelmann, Hdb. GmbH-Recht, Kap. 4 Rn. 354 ff.

26   Roth/Altmeppen, GmbHG, § 82 Rn. 21.

27   Lutter/Kleindiek in Lutter/Hommelhoff, GmbHG, § 82 Rn. 17.

versichern haben, dass keine Umstände vorliegen, die ihrer Bestellung entgegenstehen.[28] Das Unterlassen dieser Versicherung ist nicht strafbar, wohl aber sind dies lückenhafte Angaben.[29]

> **Praxistipp:**
>
> Nach § 13g Abs. 2 HGB ist künftig auch in der Anmeldung der inländischen Zweigniederlassung einer ausländischen Gesellschaft mit beschränkter Haftung eine Versicherung nach § 8 Abs. 3 über das Nichtvorliegen von Bestellungshindernissen abzugeben; Entsprechendes gilt in Bezug auf spätere Anmeldungen für die Versicherung nach § 39 Abs. 3. In Folge dieser Änderungen wird auch die Strafbarkeit nach § 82 Abs. 1 Nr. 5 auf falsche Angaben in entsprechenden Versicherungen ausgedehnt.

Die Norm verweist zudem auf § 67 Abs. 3 Satz 1, nach der die Liquidatoren zu   22
versichern haben, dass keine Umstände nach § 66 Abs. 4 vorliegen, die ihrer Bestellung entgegenstehen. Die Strafnorm bekräftigt diese Verpflichtungen und kriminalisiert Verstöße durch falsche Angaben der Betroffenen gegen diese Verpflichtungsnormen. Nur die genannten Personen können Täter sein.

6. Kapitalherabsetzungstäuschung/Kapitalherabsetzungsschwindel (Abs. 2 Nr. 1)

In § 82 Abs. 2 wird unter Nr. 1 die **unwahre Versicherung**, die der   23
Geschäftsführer **zum Zweck der Kapitalherabsetzung** über die Befriedigung oder Sicherstellung der Gläubiger abgibt, unter Strafe gestellt. Es handelt sich hier um eine Schutznorm nach § 823 Abs. 2 BGB für die betroffenen Gläubiger. Tauglicher Täter ist nur der Geschäftsführer. Diese Kapitalherabsetzungstäuschung[30] oder dieser Kapitalherabsetzungsschwindel[31] besteht darin, dass die vom Geschäftsführer nach § 58 Ab. 1 Nr. 4 geforderte Versicherung unwahr ist. Für die ordnungsgemäße Kapitalherabsetzung und für die Anmeldung zur Eintragung hat der Geschäftsführer zu versichern, dass die Gläubiger, welche sich bei der Gesellschaft gemeldet und der Herabsetzung nicht zugestimmt haben, befriedigt oder sichergestellt sind. Unwahr ist die Versicherung auch dann, wenn sie unvollständig ist

---

28   Vgl. Ockelmann/Pieperjohanns/Hölck in Bormann/Kauka/Ockelmann, Hdb. GmbH-Recht, Kap. 7 Rn. 21.

29   Tiedemann in Scholz, GmbHG, § 85 Rn. 127; Schulze-Osterloh in Baumbach/Hueck, GmbHG, § 82 Rn. 50.

30   Lutter/Kleindiek in Lutter/Hommelhoff, GmbHG, § 82 Rn. 18.

31   Roth/Altmeppen, GmbHG, § 82 Rn. 25.

oder verschweigt, dass der Kreis der betroffenen Gläubiger noch nicht endgültig bestimmt ist.[32]

24   Problematisch ist, ob und wie mit einer von der Gesellschaft bestrittenen Forderung umgegangen werden muss. Das Anknüpfen an die irrige Annahme des Nichtbestehens einer objektiv doch bestehenden Forderung[33] erscheint fragwürdig, weil das „objektive" Bestehen letztlich nur durch ein die Forderung bestätigendes und rechtskräftiges Urteil festgestellt werden kann. Gibt der Geschäftsführer Forderung und Gläubiger mit dem Bemerken an, die Forderung sei nicht erfüllt und auch nicht abgesichert worden, weil die Gesellschaft das Bestehen der Forderung leugne, wird das Registergericht die Eintragungsentscheidung nach § 127 FGG aussetzen.[34] Man wird dem Geschäftsführer bei dem Verschweigen einer solchen Forderung aber letztlich nur dann einen strafrechtlich begründeten Vorwurf machen können, wenn er positiv weiß, dass die Forderung besteht und zu unrecht von der Gesellschaft bestritten wird, oder wenn die Voraussetzungen des Eventualvorsatzes (dolus eventualis) bei ihm vorliegen.[35]

7.   Geschäftslagetäuschung (Abs. 2 Nr. 2)

25   In § 82 Abs. 2 Nr. 2 wird die **Täuschung über die wahre Vermögenslage** der Gesellschaft in einer öffentlichen Mitteilung für strafbar erklärt. Täter bei dieser Geschäftslagetäuschung [36] können nur Geschäftsführer, Liquidatoren sowie Mitglieder eines Aufsichtsrats oder ähnlichen Organs sein, worunter auch Mitglieder von Beiräten oder Verwaltungsräten fallen.[37] Geschützt werden gegenwärtige und künftige Gläubiger der Gesellschaft, künftige Gesellschafter und wohl auch die betroffene Allgemeinheit.[38]

---

32   Schulze-Osterloh in Baumbach/Hueck, GmbHG, § 82 Rn. 61; Lutter/Kleindiek in Lutter/Hommelhoff, GmbHG, § 82 Rn. 18; Roth/Altmeppen, GmbHG, § 82 Rn. 26; vgl. zur vereinfachten Kapitalherabsetzung gem. §§ 58a GmbHG Ockelmann in Bormann/Kauka/Ockelmann, Hdb. GmbH-Recht, Kap. 10 Rn. 28.

33   Tiedemann in Scholz, GmbHG, § 82 Rn. 132, 133; Lutter/Kleindiek in Lutter/ Hommelhoff, GmbHG, § 82 Rn. 18.

34   Schulze-Osterloh in Baumbach/Hueck, GmbHG, § 82 Rn. 62.

35   Vgl. zu dieser Vorsatzform Wessels/Beulke, Strafrecht AT, Rn. 214 bis 230.

36   Lutter/Kleindiek in Lutter/Hommelhoff, GmbHG, § 82 Rn. 19.

37   Lutter/Kleindiek in Lutter/Hommelhoff, GmbHG, § 82 Rn. 19; Dannecker in Michalski, GmbHG, § 82 Rn. 228 ff.; Roth/Altmeppen, GmbHG, § 82 Rn. 30; Schulze-Osterloh in Baumbach/Hueck, GmbHG, § 82 Rn. 77 ff.

38   Lutter/Kleindiek in Lutter/Hommelhoff, GmbHG, § 82 Rn. 27; Roth/Altmeppen, GmbHG, § 82 Rn. 33.

Das Merkmal „**Vermögenslage**" ist sehr weit gefasst und umfasst Aktiv- 26
und Passivpositionen der Bilanz und auch sonstige den Wert eines Unternehmens bestimmende Faktoren wie stille Reserven sowie Umsatz und
Kostenfaktoren.

Tathandlungen sind die **unwahre Darstellung und die Verschleierung in** 27
öffentlichen Mitteilungen. Dazu gehört jede Art von Täuschung. Für die
Verschleierung genügt die Feststellung, dass die Erkenntnis der wahren
Vermögenslage erschwert wird. Allerdings werden sich nur wenige Angaben eindeutig als falsch oder richtig bewerten lassen. Es besteht eine
Grauzone bei Angaben, die auf Erwartungen, (Fehl-) Bewertungen und
(Fehl-) Einschätzungen beruhen. Ob man dem Täter den Einwand abschnei-
den darf, seine Darstellung sei zwar „geschickt", aber nicht „unwahr",[39]
erscheint zweifelhaft.[40] Man wird nur bei einer Gesamtbetrachtung aller
Erklärungen und deren Vergleich mit der zu ermittelnden wahren Geschäftslage objektiv feststellen können, ob die Darstellung unwahr ist oder jedenfalls die wahre Geschäftslage verschleiert. Im subjektiven Bereich muss dem
Täter Vorsatz, der auch in Form des Eventualvorsatzes gegeben sein kann,
nachgewiesen werden.

Die **Mitteilung muss schließlich öffentlich erfolgen**, wodurch rein private 28
Äußerungen ausscheiden. Öffentlich ist eine Mitteilung nur, wenn sie an
einen unbegrenzten Empfängerkreis adressiert oder diesem zugänglich ist.
Damit sind außer den publizierten Erklärungen auch solche erfasst, die zu
Registerakten genommen werden und damit der öffentlichen Einsicht
zugänglich sind.[41] Fehlt der Erklärung eine solche Zweckrichtung und dringt
sie nur deshalb nach außen, weil z.B. ein Mitarbeiter ein internes Papier an
ein Presseorgan veräußert, liegt keine öffentliche Mitteilung im Sinne dieser
Norm vor.[42]

Die Tat gem. § 82 Abs. 2 Nr. 2 ist nach dessen 2. Halbs. gegenüber der Tat 29
nach § 331 Nr. 1 oder 1a HGB subsidiär.

---

39   Tiedemann in Scholz, GmbHG, § 82 Rn. 156.
40   Vgl. auch Lutter/Kleindiek in Lutter/Hommelhoff, GmbHG, § 82 Rn. 25.
41   Roth/Altmeppen, GmbHG, § 82 Rn. 32; Lutter/Kleindiek in Lutter/Hommel-
      hoff, GmbHG, § 82 Rn. 32.
42   Dannecker in Michalski, GmbHG, § 82 Rn. 236; Lutter/Kleindiek in Lutter/
      Hommelhoff, GmbHG, § 82 Rn. 21; Roth/Altmeppen, GmbHG, § 82 Rn. 33;
      Tiedemann in Scholz, GmbHG, § 82 Rn. 141; Schulze-Osterloh, GmbHG,
      § 82 Rn. 72.

VIII. Subjektiver Tatbestand

30 In allen beschriebenen Fällen ist zumindest **bedingter Vorsatz** erforderlich, wobei für dessen Feststellung zivilrechtliche Vermutungen oder Beweiserleichterungen nicht herangezogen werden dürfen.[43]

IX. Rechtswidrigkeit und Schuld

31 Rechtswidrigkeit und Schuld bestimmen sich nach den allgemeinen strafrechtlichen Regeln.[44]

32 Geschäftsführer und Geschäftsleiter mögen zwar zivilrechtlich Weisungen der Gesellschafter unterliegen, entsprechende Anweisungen von Gesellschaftern zur Abgabe falscher Erklärungen oder falscher Versicherungen sind jedoch **weder tatbestandsausschließend noch rechtfertigend**, stellen vielmehr bei Vorliegen des entsprechenden (doppelten) Anstiftervorsatzes eine strafbare Anstiftung dar.[45]

§ 83 GmbHG [weggefallen]

1 Die Vorschrift ist durch Art. 150 Abs. 2 Nr. 7 des Einführungsgesetzes zum Gesetz über Ordnungswidrigkeiten vom 24.05.1968 (EGOWiG) – BGBl. I S. 503 mit Rechtskraftwirkung zum 01.10.1968 außer Kraft getreten.

§ 83 GmbHG a.F. vom 31.12.1963 lautete wie folgt:

> *§ 83 GmbHG – Strafvorschriften*
>
> *Die Strafvorschriften der §§ 239 bis 241 der Konkursordnung finden gegen die Geschäftsführer einer Gesellschaft mit beschränkter Haftung, welche ihre Zahlungen eingestellt hat oder über deren Vermögen das Konkursverfahren eröffnet worden ist Anwendung, wenn sie in dieser Eigenschaft die mit Strafe bedrohten Handlungen begangen haben.*

---

43 Herrschende Meinung: vgl. Lutter/Kleindiek in Lutter/Hommelhoff, GmbHG, § 82 Rn. 10 m.w.N.

44 Dazu näher Tiedemann in Scholz, GmbHG, § 82 Rn. 164 bis 182.

45 BGH, 10.05.2000 – 3 StR 101/00, BGHSt 46, 62 = ZIP 2000, 1390; Lutter/Kleindiek in Lutter/Hommelhoff, GmbHG, § 82 Rn. 5; Roth/Altmeppen, GmbHG, § 82 Rn. 2; vgl. zum Weisungsrecht gegenüber dem Geschäftsführer einer GmbH Ockelmann/Pieperjohanns/Hölck in Bormann/Kauka/Ockelmann, Hdb. GmbH-Recht, Kap. 7 Rn. 133; Koch, in Bormann/Kauka/Ockelmann Hdb. GmbH-Recht, Kap. 6 Rn. 67, 68.

§ 84 GmbHG   Verletzung der Verlustanzeigepflicht

(1) Mit Freiheitsstrafe bis zu drei Jahren oder mit Geldstrafe wird bestraft, wer es als Geschäftsführer unterlässt, den Gesellschaftern einen Verlust in Höhe der Hälfte des Stammkapitals anzuzeigen.

(2) Handelt der Täter fahrlässig, so ist die Strafe Freiheitsstrafe bis zu einem Jahr oder Geldstrafe.

I.   Einführung

Schon aus dem Wortlaut des § 84 Abs. 1 ergibt sich, dass es sich hier um ein **Unterlassungsdelikt** handelt. Denkbar ist allerdings auch, dass die Unterlassung der Anzeige einhergeht mit einer Handlung durch positives Tun. Wer als Geschäftsführer den Gesellschaftern vorspiegelt, die Geschäftsentwicklung sei gut, obwohl inzwischen die nach der Norm relevanten Verluste eingetreten sind, unterlässt es zugleich, den inzwischen eingetretenen Verlust anzuzeigen. Die Strafbarkeit beginnt somit grundsätzlich mit dem Eintritt des Verlustes und dem darauf folgenden Unterlassen, diesen den Gesellschaftern nach Erlangen der Kenntnis oder bei Beginn der fahrlässigen Unkenntnis anzuzeigen. Gerät die Gesellschaft später immer stärker in die Krise, kann zu diesem Delikt eine Insolvenzstraftat hinzutreten. 1

Die Strafnorm korrespondiert mit der Gebotsnorm in § 49 Abs. 3, die den Geschäftsführer verpflichtet, die Gesellschafterversammlung unverzüglich zu berufen, wenn aus der Jahresbilanz oder aus einer im Laufe des Geschäftsjahres aufgestellten Bilanz sich ergibt, dass die Hälfte des Stammkapitals verloren ist. Die Gebotsnorm wird ergänzt durch § 41, der dem Geschäftsführer die Verpflichtung auferlegt, für die Buchführung zu sorgen, 2 und durch § 43 Abs. 1, wonach der Geschäftsführer mit der Sorgfalt eines ordentlichen Kaufmanns zu handeln hat.[1]

II.   Änderungen durch das MoMiG

3   Die Strafnorm des früheren Abs. 1 Nr. 2 GmbHG, durch die der unterlassene Antrag auf Eröffnung des Insolvenzverfahrens durch den Geschäftsführer und durch den Liquidator unter Strafe gestellt worden war, ist durch das MoMiG gestrichen worden. Die vergleichbare Strafnorm in dem früheren § 401 Abs. 1 Nr. 2 AktG ist ebenfalls durch das MoMiG gestrichen worden. Die Pflicht, die Eröffnung des Insolvenzverfahrens zu beantragen, und die Strafbarkeit bei einem Verstoß gegen diese Pflicht bei juristischen Personen und bei bestimmten Gesellschaften ohne Rechtspersönlichkeit sind jetzt in dem durch das **MoMiG neu eingefügten § 15a InsO** geregelt worden.

III.   Deliktscharakter und Normzweck

4   Die hier behandelte Strafnorm und die oben genannten Gebotsnormen ergänzen einander. Sie haben die gemeinsame Zielrichtung, möglichst frühzeitig eine Schieflage der Gesellschaft nicht nur zu erkennen, sondern auch den Gesellschaftern die Kenntnis von der wahren wirtschaftlichen Situation der Gesellschaft zu verschaffen. Nur so können sie rechtzeitig in die Lage versetzt werden, interne oder externe Sanierungsmaßnahmen zu prüfen und durchzuführen, um ein weiteres Abdriften der Gesellschaft in die Krise zu verhindern[2] oder um bei Aussichtslosigkeit von Sanierungsmaßnahmen den erforderlichen Antrag auf Eröffnung des Insolvenzverfahrens zu stellen. Die Strafnorm bekräftigt die durch die Gebotsnormen auferlegten Verpflichtungen und kriminalisiert den Verstoß gegen die Anzeigepflicht, wodurch zugleich ein Schutz des Rechtsverkehrs erreicht wird.

5   Die Norm stellt auch nach h.M. ein **abstraktes Gefährdungsdelikt** dar, so dass der Nachweis einer konkreten Gläubigergefährdung nicht zu fordern ist.[3] In der strafrechtlichen Praxis ist diese Strafnorm bisher jedoch nur von untergeordneter Bedeutung gewesen.[4]

---

1   Vgl. Lutter/Kleindiek in Lutter/Hommelhoff, GmbHG, § 84 Rn. 1; Tiedemann in Scholz, GmbHG, § 84 Rn. 101; vgl. zu den Einberufungs- und Auskunftspflichten des Geschäftsführers einer GmbH Ockelmann/Pieperjohanns/Hölck in Bormann/Kauka/Ockelmann, Hdb. GmbH-Recht, Kap. 7 Rn. 145.

2   Schmidt/Uhlenbruck, Die GmbH in Krise, Sanierung und Insolvenz, § 84 Rn. 715.

3   Borchardt in Hmb-Komm, § 84 GmbHG Rn. 2 m.w.N.; Lutter/Kleindiek in Lutter/Hommelhoff, GmbHG, § 84 Rn. 1.

4   Borchardt in Hmb-Komm, § 84 GmbHG Rn. 1.

IV. Täterschaft

1. Geschäftsführer

Die Norm ist auch als **Sonderdelikt** anzusehen, da nach dem eindeutigen 6
Gesetzeswortlaut **Täter nur der Geschäftsführer** der GmbH sein kann.
Tauglicher Täter ist der formell als solcher bestellte Geschäftsführer der
GmbH, auch wenn er nur als bloßer „Strohmann" eingesetzt ist.

Sind mehrere Geschäftsführer vorhanden, ist jeder grds. zur Verlustanzeige 7
verpflichtet, sobald er die entsprechende positive Kenntnis von dem Verlust
erlangt hat. Der an eine Pflichtwidrigkeit anknüpfende Fahrlässigkeitsvor-
wurf kann jedoch möglicherweise dann nicht erhoben werden, wenn ein
Geschäftsführer allein mit Sonderaufgaben betraut ist und sich nach der
internen Geschäftsverteilung nicht um die Kapitalausstattung der Gesellschaft zu kümmern hat.[5] Das ändert jedoch nichts an der grds. bestehenden
Anzeigepflicht, sondern ist allein für die Feststellung des subjektiven Tat-
bestandes von Bedeutung. Auch das Bestehen einer Gesamtvertretung
beseitigt die Verpflichtung des einzelnen Geschäftsführers zur Verlustanzeige nicht.

Wer nicht mehr Geschäftsführer ist, ist auch nicht mehr zur Verlustanzeige 8
verpflichtet, es sei denn, er legt sein Amt in Kenntnis der Krise nieder, ohne
dafür zu sorgen, dass ein Nachfolger insoweit tätig wird.[6]

Gesellschafter selbst können nicht Täter sein, wenn sie nicht als Geschäfts- 9
führer bestellt oder als „faktische" Geschäftsführer anzusehen sind, zum
„faktischen" Geschäftsführer s.u.

2. Sonderproblem „faktischer" Geschäftsführer

Allerdings wird auch der sog. **„faktische Geschäftsführer" tauglicher** 10
Täter sein können. Wer die Geschäfte der Gesellschaft mit Einverständnis
der Gesellschafter oder mit deren Duldung führt, ohne förmlich von ihnen
als Geschäftsführer bestellt zu sein, den bestellten Geschäftsführer praktisch
von der Geschäftsführung ausschließt und damit innerhalb der Geschäftsführung eine „überragende Stellung" einnimmt, ist wie ein bestellter
Geschäftsführer zu behandeln.[7] Der BGH[8] hat zu dieser Frage für § 84
ausgeführt, *nach gefestigter Rechtsprechung, die vor allem zur Verletzung*

---

5   Borchardt in Hmb-Komm, § 84 GmbHG Rn. 7.

6   BGH, 14.12.1951 – 2 StR 368/51, BGHSt 2, 53; Roth/Altmeppen, GmbHG,
     § 84 Rn. 3; Borchardt in Hmb-Komm, § 84 GmbHG Rn. 8.

7   Herrschende Meinung: vgl. BGH, 10.05.2000 – 3 StR 101/00, BGHSt
     46, 62 = NJW 2000, 2285.

8   BGH, 10.05.2000 – 3 StR 101/00, BGHSt 46, 62 = NJW 2000, 2285.

*der **Insolvenzantragspflicht gemäß §§ 64 Abs. 1, 84 Abs. 2 Nr. 2 GmbHG** sowie zu anderen Strafvorschriften ergangen sei, die mit der Zahlungsunfähigkeit oder Überschuldung einer GmbH im Zusammenhang stünden, sei als Geschäftsführer nicht nur der formell zum Geschäftsführer Berufene anzusehen, sondern auch derjenige, der die Geschäftsführung mit Einverständnis der Gesellschafter ohne förmliche Bestellung faktisch übernommen und ausgeübt habe. Dieser Begriff des faktischen Geschäftsführers, der in der zivilrechtlichen Rechtsprechung des Bundesgerichtshofs entsprechend verwandt werde, sei erfüllt, wenn sowohl betriebsintern als auch nach außen alle Dispositionen weitgehend von dem faktischen Geschäftsführer ausgingen und er im übrigen auf sämtliche Geschäftsvorgänge bestimmenden Einfluss nehme. Die Unternehmensführung dürfe nicht einseitig angemaßt worden sein, sondern müsse mit dem Einverständnis der Gesellschafter, das als eine konkludente Bestellung zu werten sei, erfolgt sein. Weitere Voraussetzung für einen faktischen Geschäftsführer sei, dass er gegenüber dem formellen Geschäftsführer die überragende Stellung in der Gesellschaft mit beschränkter Haftung einnehme oder zumindest das deutliche Übergewicht habe. Da der Zweck der Vorschrift, die Allgemeinheit vor einer kriminellen Handhabung der Geschäftsführung einer GmbH zu schützen und die Wirtschaftskriminalität in diesem Bereich wirksam zu bekämpfen, **im Wortlaut der §§ 64 Abs. 1, 84 Abs. 2 Nr. 2 GmbHG** auch hinreichend zum Ausdruck komme, bestünden gegen die faktische Betrachtungsweise dieses Tatbestandsmerkmals auch keine verfassungsrechtlichen Bedenken. Sie verstoße weder gegen das Analogieverbot noch gegen den Grundsatz der Tatbestandsbestimmtheit des Art. 103 Abs. 2 GG.* [9]

Der zweite Zivilsenat des BGH hat den Ausführungen dieses zitierten Urteils ausdrücklich beigepflichtet. [10]

---

9   Für die Einzelheiten wird auf die Begründung des Urteils verwiesen.

10   BGH, 27.06.2005 – II ZR 113/03, ZIP 2005, 1414, vgl. auch BGHR GmbHG – Geschäftsführer 1; BGH, 22.05.2001 – 5 StR 75/01, wistra 2001, 338 – 339, 463 – 464; Schaal in Rowedder, GmbHG, § 82 Rn. 26; Schmidt/ Uhlenbruck, Die GmbH in Krise, Sanierung und Insolvenz, Rn. 733; Borchardt in Hmb-Komm InsolvenzR, § 84 GmbHG Rn. 5 und 26; Lutter/Kleindiek in Lutter/Hommelhoff, GmbHG, § 84 Rn. 4 für den fehlerhaft bestellten Geschäftsführer; a.A. unter Hinweis auf das Analogieverbot Roth/Altmeppen, GmbHG, § 84 Rn. 8 m.w.N. und Lutter/Kleindiek in Lutter/Hommelhoff, GmbHG, § 84 Rn. 5; vgl. zum Problem des faktischen Geschäftsführers auch Ockelmann in Bormann/Kauka/Ockelmann, Hdb. GmbH-Recht, Kap. 10 Rn. 235 sowie Ockelmann/Pieperjohanns/Hölck, ebenda, Kap. 7 Rn. 199 ff.

V.   Unterlassene Verlustanzeige

1.   Anzeigepflicht

Die Anzeigepflicht entsteht, sobald der Verlust in Höhe der Hälfte des   11
Stammkapitals objektiv eingetreten ist. Die **Kenntnis des Geschäftsführers**
von diesem Verlusteintritt ist nicht für das Vorliegen dieses objektiven
Tatbestandsmerkmals von Bedeutung, sondern nur für den Vorsatz. Die
Pflicht zur Einberufung der Gesellschafterversammlung nach § 49
Abs. 3 knüpft an das den Verlust ausweisende Ergebnis der Jahresbilanz
oder einer im Laufe des Geschäftsjahres aufgestellten Bilanz an. Dass eine
solche Jahresbilanz oder Zwischenbilanz tatsächlich aufgestellt worden ist,
stellt jedoch kein Tatbestandsmerkmal der Strafnorm dar.[11] Das Wissen um
den eingetretenen Verlust muss nicht unbedingt auf einer solchen Bilanz
beruhen, sondern kann auch auf andere Weise begründet werden.[12] In der
Strafnorm selbst ist nur davon die Rede, dass der Geschäftsführer „einen
Verlust" anzuzeigen hat. So sprach auch § 64 Abs. 1 GmbHG a.F. nur vom
„Eintritt der Zahlungsunfähigkeit" und davon, dass sich „eine Überschuldung der Gesellschaft ergibt". Nach § 64 folgt die Ersatzpflicht nun für
„nach Eintritt der Zahlungsunfähigkeit der Gesellschaft oder nach Feststellung ihrer Überschuldung" geleistete Zahlungen. Auch der neu eingeführte § 15a InsO stellt allein auf den „Eintritt der Zahlungsunfähigkeit oder
Überschuldung" ab, nicht aber auf eine Jahres- oder Zwischenbilanz. Das
Fehlen einer solchen formellen Bilanz mag ein Problem für die Feststellung
des subjektiven Tatbestands darstellen. Es ist nämlich eine Frage der tat-
richterlichen Würdigung, ob ohne eine formelle Bilanz die Kenntnis oder
fahrlässige Nichtkenntnis des Geschäftsführers von dem relevanten Verlust
festgestellt werden kann. Fällt aber bei einer nur knapp ausgeglichenen
Jahresbilanz alsbald ein Schuldner wegen Insolvenz mit einer Forderung in
Höhe des Stammkapitals aus, bedarf es für die Erkenntnis, dass damit ein
relevanter Verlust eingetreten ist, nicht der vorhergehenden formellen
Bilanzerstellung.[13]

---

11   Roth/Altmeppen, GmbHG, § 84 Rn. 14, irreführend dazu Rn. 12.

12   Herrschende Meinung: vgl. Lutter/Kleindiek in Lutter/Hommelhoff, GmbHG,
      § 84 Rn. 6; a.A. wohl Tiedemann in Scholz, GmbHG, § 84 Rn. 57 und
      Schmidt/Uhlenbruck, Die GmbH in Krise, Sanierung und Insolvenz, Rn. 715.

13   Lutter/Kleindiek in Lutter/Hommelhoff, GmbHG, § 84 Rn. 6.

2.   Verzicht

12   Die **Anzeigepflicht entfällt nicht durch einen Verzicht der Gesellschaf-ter**. Weder durch Satzung noch durch späeren Gesellschafterbeschluss kann auf die gesetzlich verpflichtend vorgeschriebene Mitteilungspflicht verzichtet werden.[14] Ein bekundetes „Desinteresse" der Gesellschafter an einer Verlustanzeige durch den Geschäftsführer als tatbestandsausschließend anzusehen, ist mit der Schutzfunktion der Strafnorm gegenüber der Gesellschaft selbst wie auch gegenüber betroffenen Gläubigern nicht zu vereinbaren. Gerade die weitere Eindämmung des Missbrauchs der Gesellschaftsform GmbH ist zudem auch ein Ziel des MoMiG.

3.   Frist

13   Die Strafnorm setzt **keine Frist für die Anzeige**. Es fehlt die Passage „ohne schuldhaftes Zögern, spätestens aber drei Wochen nach Eintritt" wie in dem neuen § 15a InsO oder in § 64 Abs. 1 GmbHG a.F., vielmehr setzt die Strafbarkeit nach dem Wortlaut der Strafnorm objektiv bei Verlusteintritt ein. Das bedeutet, dass sofort bei Kenntnis oder in dem Zeitpunkt, in dem die Kenntnis bei pflichtgemäßem Handeln hätte erlangt werden können, der Verlust anzuzeigen ist. Nur wenn man § 49 Abs. 3 GmbHG ergänzend hinzuzieht, wird man ein Handeln „ohne schuldhaftes Zögern" für ausreichend ansehen können.[15]

4.   Form

14   Die Form der Verlustanzeige ist nicht vorgeschrieben. Es werden sowohl – bspw. – die briefliche Anzeige an alle Gesellschafter wie auch die in § 49 Abs. 3 GmbHG beschriebene Einberufung der Gesellschafterversammlung mit dem entsprechenden Tagesordnungspunkt in Betracht kommen, um die Anzeigeverpflichtung zu erfüllen.

VI.   Subjektiver Tatbestand

15   Der subjektive Tatbestand erfordert **Vorsatz**, der auch in Form des Eventualvorsatzes vorliegen kann.[16]

---

14   Lutter/Kleindiek in Lutter/Hommelhoff, GmbHG, § 84 Rn. 6; einschränkend Roth/Altmeppen, GmbHG, § 84 Rn. 16.

15   So Roth/Altmeppen a.a.O. § 84 Rn. 13, und Lutter/Kleindiek a.a.O. § 84 Rn. 6.

16   Vgl. zu den Vorsatzformen Wessels/Beulke, Strafrecht AT, § 7.

Nach § 84 Abs. 2 wird auch bestraft, wer fahrlässig handelt. **Fahrlässigkeit** 16
setzt eine vorwerfbare Pflichtwidrigkeit voraus.[17] Als pflichtwidrig wird man
es ansehen müssen, wenn der Geschäftsführer aus Nachlässigkeit oder weil er
notwendige Kontrolleinrichtungen nicht geschaffen hat, wichtige Indikatoren
für den Verlusteintritt nicht bemerkt oder nicht genügend beachtet.

Eine **Unkenntnis** von der Anzeigepflicht wird man in der Regel als unbe- 17
achtlichen **Verbotsirrtum** nach § 17 StGB ansehen müssen.

VII.   Rechtswidrigkeit und Schuld

Rechtswidrigkeit und Schuld richten sich nach den allgemeinen strafrecht- 18
lichen Regeln (vgl. dazu § 82 Rn. 32, 33).

VIII.   Strafrahmen und Verjährung

Der vorsätzlich handelnde Täter kann mit Freiheitsstrafe bis zu drei Jahren 19
oder mit Geldstrafe bestraft werden. Die Fahrlässigkeitstat ist mit Freiheitsstrafe bis zu einem Jahr oder mit Geldstrafe bedroht.

IX.   Teilnehmer

Anstiftung und Beihilfe sind auch durch Personen möglich, die nicht die 20
Tätereigenschaft „Geschäftsführer" besitzen (vgl. dazu § 82 Rn. 9). Als
Anstifter und Gehilfe werden zumeist Berater des Geschäftsführers oder
der Gesellschaft in Betracht kommen.

Die Strafverfolgungsverjährung nach § 78 Abs. 3 Nr. 4 und 5 StGB tritt für 21
die Vorsatztat nach fünf Jahren und für die Fahrlässigkeitstat nach drei
Jahren ein. Die Frist beginnt erst, wenn die Pflicht des Geschäftsführers
erlischt, das Insolvenzverfahren zu beantragen.[18]

§ 85 GmbHG   Verletzung der Geheimhaltungspflicht

**(1) Mit Freiheitsstrafe bis zu einem Jahr oder mit Geldstrafe wird
bestraft, wer ein Geheimnis der Gesellschaft, namentlich ein Betriebs-
oder Geschäftsgeheimnis, das ihm in seiner Eigenschaft als Geschäftsführer, Mitglied des Aufsichtsrats oder Liquidator bekanntgeworden
ist, unbefugt offenbart.**

**(2) ¹Handelt der Täter gegen Entgelt oder in der Absicht, sich oder
einen anderen zu bereichern oder einen anderen zu schädigen, so ist die
Strafe Freiheitsstrafe bis zu zwei Jahren oder Geldstrafe. ²Ebenso wird**

---

17   Vgl. Wessels/Beulke, Strafrecht AT, § 15.

18   BGH, 04.04.1979 – 3 StR 488/78, BGHSt 28, 380 = NJW 1980, 406.

**bestraft, wer ein Geheimnis der in Absatz 1 bezeichneten Art, nament-
lich ein Betriebs- oder Geschäftsgeheimnis, das ihm unter den Voraussetzungen des Absatzes 1 bekanntgeworden ist, unbefugt verwertet.**

**(3) ¹Die Tat wird nur auf Antrag der Gesellschaft verfolgt. ²Hat ein
Geschäftsführer oder ein Liquidator die Tat begangen, so sind der
Aufsichtsrat und, wenn kein Aufsichtsrat vorhanden ist, von den Gesellschaftern bestellte besondere Vertreter antragsberechtigt. ³Hat ein Mitglied des Aufsichtsrats die Tat begangen, so sind die Geschäftsführer
oder die Liquidatoren antragsberechtigt.**

I.   Einführung

1   Die Vorschrift stellt die unbefugte **Offenbarung von Gesellschaftsgeheim-
nissen** unter Strafe und war erst durch die GmbH-Novelle 1980 neu eingefügt und nahezu wortgleich aus § 404 AktG übernommen worden.

II.   Deliktscharakter und Normzweck

2   Sowohl **§ 85 GmbHG** wie auch **§ 404 AktG** sollen die materiellen und
immateriellen **Interessen an der Geheimhaltung** insbes. **der Betriebs- und
Geschäftsgeheimnisse** bei der GmbH und der Aktiengesellschaft schützen.
Auch **§ 17 UWG** normiert die Strafbarkeit für den Verrat von Geschäfts-
oder Betriebsgeheimnissen, wobei nach **§ 20 UWG** auch schon das Ver-
leiten und Erbieten bestraft werden soll. Durch § 38 WpHG ist die unbefugte
Verwertung von Insider-Informationen mit Strafe bedroht. Für die Angehörigen freier Berufe werden Verletzungen der beruflichen Schweigepflicht
durch **§ 203 Abs. 1 StGB** unter Strafe gestellt, während Abs. 2 für Amts-
träger nach **§ 11 Abs. 1 Nr. 2 StGB**, die sich außerdem nach **§ 353b Abs. 1
StGB** wegen Verletzung von dienstlichen Geheimnissen strafbar machen
können, und für sonstige Personengruppen gilt. (**§ 204 StGB** betrifft die
Verwertung fremder Geheimnisse). Durch **§ 353b Abs. 2 StGB** wird der

Täterkreis dabei noch erweitert. Durch **§ 355 StGB** wird die Verletzung des Steuergeheimnisses mit Strafe bedroht. Weitere Geheimhaltungsbereiche betrifft **§ 353d StGB** (Mitteilungen über Gerichtsverhandlungen).

Im Bereich des **Wirtschaftsrechts** sollen die Normen vor allem der **Wirt-** 3 **schaftsspionage und anderen Formen der Unternehmensschädigungen durch Geheimnisverrat** entgegenwirken, wobei die Schäden der Wirtschaft durch Geheimnisverrat und Wirtschaftsspionage auf viele Milliarden Euro pro Jahr geschätzt werden.[1]

Zur Einordnung der Norm als schlichtes **Tätigkeitsdelikt** und als **Gefähr-** 4 **dungsdelikt** sowie zur Eigenschaft als **Schutznorm** i.S.d. § 823 Abs. 2 BGB kann auf die entsprechenden Ausführungen oben (vgl. § 82 Rn. 3 f. und § 84 Rn. 4 f.) verwiesen werden.

III. Täterschaft

1. Geschäftsführer, Liquidator, Aufsichtsratsmitglied

Die Norm stellt auch ein **echtes Sonderdelikt** dar. Täter können nur die im 5 Abs. 1 genannten Personen sein. Dazu zählen der Geschäftsführer, der Liquidator und das Mitglied des Aufsichtsrats. Da die Norm lediglich darauf abstellt, dass dem Täter in seiner beschriebenen Eigenschaft das Geheimnis „bekanntgeworden ist", entfällt die Strafbarkeit nicht, wenn er bei Verletzung der Geheimhaltungspflicht bereits aus dem Amt geschieden ist.

Anders als im § 82 Abs. 2 Nr. 2 ist neben dem Mitglied eines Aufsichtsrats 6 nicht auch der eines „ähnlichen Organs" genannt. Einen Aufsichtsrat muss eine GmbH aber nur in gesetzlich bestimmten Fällen haben, z.B. nach § 3 KAGG (Seriositätsgarantie) oder – wegen einer mitbestimmungsrechtlichen Zielsetzung – nach dem BetrVG, dem MitBestG, dem MontanMitbestG oder dem MitBestErgG. Sonst hat die GmbH nur dann einen Aufsichtsrat, wenn dies in der Satzung so bestimmt ist, wobei die Benennung z.B. als „Beirat" unschädlich ist. Die Mitglieder dieser durch Gesetz oder Satzung bestehenden Aufsichtsräte sind demnach als taugliche Täter anzusehen.

2. Sonderproblem Mitglieder eines „faktischen" Aufsichtsrats als Täter

Ob man auch dann, wenn ein Aufsichtsrat weder durch Gesetz noch durch 7 Satzung bestimmt worden ist, sich jedoch als solcher etabliert hat und in vollem Umfang Aufsichtsratsfunktionen wahrnimmt, dessen Mitglieder

---

1 Vgl. „zur quantitativen Bedeutung der Wirtschaftskriminalität" Richter in Müller-Gugenberger/Bieneck, Wirtschaftsstrafrecht, § 7 Rn. 22 ff.

ebenfalls als taugliche Täter ansehen kann, erscheint zweifelhaft.[2] Einerseits sind die Gesellschafter selbst nicht in der Norm genannt, scheiden also einzeln oder auch in Gruppen als taugliche Täter aus. Andererseits kann aber auch die Satzung durch qualifizierten Mehrheitsbeschluss der Gesellschafter gem. § 53 geändert werden. Wird durch einen solchen Gesellschafterbeschluss nachträglich die Bildung eines Aufsichtsrats beschlossen und durchgeführt, ist dieser wirksam gegründet worden. Ob ein ohne notarielle Bekundung und möglicherweise auch ohne die qualifizierte Mehrheit nach § 53 beschlossener und in Vollzug gesetzter Aufsichtsrat deren Mitglieder zu tauglichen Tätern des § 85 machen kann, begegnet im Hinblick auf das Analogieverbot jedoch gewissen Bedenken. Eine Entscheidung des BGH dazu ist bisher nicht bekannt. Auch hier ist wieder davon auszugehen, dass das Strafrecht keinen zivilrechtlich gültigen Organisationsakt voraussetzt, sondern an die tatsächliche Übernahme der Organwalterpflichten anknüpft. Wenn also eine Gruppe von Gesellschaftern tatsächlich und mit Duldung aller Gesellschafter sich als Aufsichtsrat etabliert und erkennbar auch Aufsichtsratsfunktionen wahrnimmt, dann müssen sich die Mitglieder dieses Gremiums auch wie Aufsichtsratsmitglieder behandeln lassen. In diesem Sinne ist es wohl zu verstehen, wenn Lutter/Kleindiek von einem „echten freiwilligen" Aufsichtsrat sprechen.[3] Etwas anderes gilt dann, wenn es sich bei dem Gremium nur um einen bloßen Beirat handelt, der lediglich beratende Funktionen ausübt.

8   In diesem Sinne ist auch eine Entscheidung des OLG Hamm[4] zu verstehen, das in einem Haftprüfungsbeschluss ausgeführt hat, eine Anwendung des § 331 HGB auf einen bloßen Beirat, der gesetzlich nicht geregelt sei, würde gegen das strafrechtliche Analogieverbot verstoßen, es sei denn, es handele sich bei dem Beirat in Wirklichkeit um einen bloß anders benannten Aufsichtsrat i.S.d. § 52 GmbHG.

IV.   Unbefugte Geheimnisoffenbarung gem. Abs. 1

9   Tathandlung des Abs. 1 ist das unbefugte Offenbaren eines Gesellschaftsgeheimnisses. Gesellschaftsgeheimnisse sind vor allem Angelegenheiten, die zum Schutz der Gesellschaft im Interesse ihrer Wettbewerbsfähigkeit und ihres Ansehens sowohl in den beteiligten Wirtschaftskreisen wie auch in der Öffentlichkeit Außenstehenden nicht bekannt werden sollen. Dazu zählen der

---

2   Bejahend Roth/Altmeppen, GmbHG, § 85 Rn. 2; unklar Lutter/Kleindiek in Lutter/Hommelhoff, GmbHG, § 85 Rn. 2, wo von einem „echten" freiwilligen Aufsichtsrat die Rede ist.

3   Lutter/Kleindiek in Lutter/Hommelhoff, GmbHG, § 85 Rn. 2.

4   OLG Hamm, 20.12.2007 – 3 WS 676/07, NJW-Spezial 2008, 120.

gesamte Bereich und vor allem Einzelheiten der Unternehmensphilosophie wie z.B. strategische Zielsetzungen, taktische Maßnahmen, Erweiterungs- oder Konsolidierungspläne, Marketingstrategien, Produktionsüberlegungen, Zusammenlegung oder Abtrennung von Betriebsteilen usw., aber auch andere das Unternehmen betreffende Wirtschaftsdaten wie Umsatz, Rendite, Kreditvolumen, Kundenkarteien, Dateien, Programme, Personaldaten usw., schließlich aber auch interne Vorgänge wie Beratungen und Planungen.

Um nicht uferlos sämtliche Daten und Vorgänge bei der GmbH diesem strikten Geheimnisschutz unterfallen zu lassen, ist zunächst eine objektive Einschränkung geboten. Es muss ein sachlich begründetes Interesse an der Geheimhaltung bestehen, das vorliegt, wenn durch die unbefugte Mitteilung der Gesellschaft ein Schaden zugefügt wird oder zugefügt zu werden droht, wenn die Wettbewerbsfähigkeit bedroht wird, oder wenn die Mitteilung zu einer Minderung des Ansehens der Gesellschaft oder des Vertrauens zu ihr führen kann.[5] **10**

Bei der Offenbarung von Tatsachen und Vorgängen, die sich für Außenstehende bereits aus der Teilnahme der GmbH am Marktgeschehen und im Geschäftsverkehr ergibt, fehlt es wohl schon am Tatbestand der Offenbarung eines Geheimnisses. Möglich ist in Einzelfällen sicherlich auch die Annahme eines den Tatbestand ausschließenden Einverständnisses der Gesellschaft.[6] **11**

Daneben wird man wohl auch eine **subjektive Einschränkung** vornehmen müssen.[7] Wenn alle Gesellschafter durch entsprechenden Gesellschafterbeschluss mit der Offenbarung einverstanden sind, entfällt die strafbewehrte Geheimhaltungspflicht. Ob es darüber hinaus stets eines Geheimhaltungswillens der Gesellschaft bedarf, ist umstritten.[8] Die wohl h.M. bejaht dies.[9] Dieser Meinung ist zu folgen, weil ohne einen Geheimhaltungswillen des Rechtsträgers kaum von einem Geheimhaltungsinteresse ausgegangen werden kann. **12**

---

5 Vgl. Lutter/Kleindiek in Lutter/Hommelhoff, GmbHG, § 85 Rn. 3; Roth/Altmeppen, GmbHG, § 85 Rn. 5; Tiedemann in Scholz, GmbHG, § 85 Rn. 12.

6 Siehe Tiedemann in Scholz, GmbHG, § 85 Rn. 20.

7 Vgl. Lutter/Kleindiek in Lutter/Hommelhoff, GmbHG, § 85 Rn. 4.

8 Vgl. die Zusammenstellung der Meinungen bei Roth/Altmeppen, GmbHG, § 85 Rn. 7.

9 Vgl. Schaal in Rowedder, GmbHG, § 85 Rn. 10; Tiedemann in Scholz, GmbHG, § 85 Rn. 7 ff. m.w.N.

Hinweis:

Doch ist zu beachten, dass ein solcher Geheimhaltungswille auch ohne ausdrückliche Bekundung der Repräsentanten der Gesellschaft angenommen werden muss, wenn die Geheimhaltung objektiv im Interesse der Gesellschaft liegt.

---

13   Umstritten ist auch, ob es ausreicht, wenn der Geschäftsführer ausdrücklich oder konkludent eine Einwilligung zur Offenbarung erklärt, oder ob zusätzlich ein ausdrücklich oder konkludent gefasster Gesellschafterbeschluss vorliegen muss. Mit Recht verlangt hier die h.M.,[10] dass die Entscheidung über den Offenbarungswillen im Rahmen der Sorgfalt eines ordentlichen Geschäftsmanns oder eines ordentlichen Aufsichtsratsmitglieds getroffen wird, und dass andernfalls die Erklärung des Offenbarungswillens durch den Geschäftsführer unbeachtlich ist. Entscheidend ist somit allein, ob die Offenbarung aus Sicht des Geschäftsinteresses vertretbar ist.[11]

14   Als **Offenbaren** ist jede Mitteilung an jemanden zu verstehen, der das Geheimnis noch nicht kennt und auch keinen Rechtsanspruch darauf hat, dass es ihm offenbart wird. Eine „unbefugte" Offenbarung liegt nicht vor, wenn es schon tatbestandlich an einem „Geheimnis" fehlt oder aber Rechtfertigungsgründe eingreifen. Nach dem BGH soll es z.B. keine unbefugte Offenbarung darstellen, wenn der Geschäftsführer seine Gehaltsforderung abtritt.[12] Im Übrigen ist die Rechtsfrage, ob es schon am gesetzlichen Tatbestand fehlt oder aber eine rechtfertigende Einwilligung anzunehmen ist, eng verknüpft mit der oben dargestellten Problematik der subjektiven Einschränkung der Geheimhaltungspflicht. Demgemäß werden auch hier unterschiedliche Auffassungen vertreten. Wird ein wirksamer Offenbarungswille für die Gesellschaft geäußert, was zumindest bei entsprechendem einstimmigen Gesellschafterbeschluss gegeben ist, fehlt es schon auf der Tatbestandsebene an einer unbefugten Offenbarung. Dasselbe gilt, wenn ein Organwalter nach sorgfältiger Abwägung der Gesellschaftsinteressen einen die Gesellschaft bindenden

---

10   Vgl. statt aller Schulze-Osterloh in Baumbach/Hueck, GmbHG § 85 Rn. 11.

11   Vgl. Dannecker in Michalski, GmbHG, § 85 Rn. 36; differenzierend mit ausführlicher Begründung Roth/Altmeppen, GmbHG, § 85 Rn. 11 und Lutter/ Kleindiek in Lutter/Hommelhoff, GmbHG, § 85 Rn. 3.

12   BGH, 20.05.1996 – II ZR 190/95, NJW 1996, 2576.

Offenbarungswillen geäußert hat.[13] Die Rechtswidrigkeit kann i.Ü. durch anerkannte Rechtfertigungsgründe ausgeschlossen sein, wobei insbes. bei Interessenkollisionen die Wahrnehmung berechtigter Interessen zu nennen ist (§§ 34, 193 StGB).

V. Die Qualifizierung nach Abs. 2 Satz 1

Die Offenbarung ist in drei Fällen qualifiziert: 15

• Der Täter handelt gegen Entgelt

• Der Täter handelt in Bereicherungsabsicht

• Der Täter handelt in Schädigungsabsicht

Entgelt ist nach § 11 Abs. 1 Nr. 9 StGB jede in einem Vermögensvorteil 16 stehende Gegenleistung. Es muss vorab oder zeitgleich mit der Tat eine Entgeltvereinbarung getroffen worden sein, weil sonst kein Handeln „gegen Entgelt" vorliegt.

Bereicherungsabsicht liegt vor, wenn die Handlung des Täters darauf 17 abzielt, einen rechtswidrigen Vermögensvorteil für sich zu erlangen.

Die **Schädigungsabsicht** setzt voraus, dass der Täter der Gesellschaft mit 18 seiner Handlung einen Schaden zufügen will, worunter auch eine beabsichtigte Ruf- oder Kreditschädigung fällt.

Während das Grunddelikt mit Freiheitsstrafe bis zu **einem Jahr** oder mit 19 Geldstrafe bedroht ist, erhöht sich die Strafdrohung bei der Qualifizierung neben der Geldstrafe auf Freiheitsstrafe bis zu **zwei Jahre**.

VI. Strafbarkeit der Verwertung nach Abs. 2 Satz 2

Nach Abs. 2 Satz 2 ist ebenso die Verwertung strafbar. Diese stellt sich als das 20 wirtschaftliche Ausnutzen des Geheimnisverrats zum Zweck der Gewinnerzielung dar. Gewinneintritt und Schaden sind nicht Voraussetzung. Das unbefugte Verwerten setzt aber das unbefugte Offenbaren voraus. Fehlt es daran, weil der objektive Tatbestand nicht erfüllt ist, oder weil Rechtfertigungsgründe eingreifen, liegt auch keine unbefugte Verwertung vor.

VII. Antragsdelikt gem. Abs. 3

Nach Abs. 3 handelt es sich hier um ein Antragsdelikt. Strafverfolgung tritt 21 nur auf Antrag der Gesellschaft ein. Antragsberechtigt sind allein die in der Norm Genannten. Es muss also nicht auf die allgemeine Regelung in § 77

---

13 Vgl. Schulze-Osterloh in Baumbach/Hueck, GmbHG, § 85 Rn. 11 und 20; Lutter/Kleindiek in Lutter/Hommelhoff, GmbHG, § 85 Rn. 4 und 7; Roth/ Altmeppen, GmbHG, § 85 Rn. 13 und 14.

Abs. 1 StGB und auch nicht auf § 14 StGB zurückgegriffen werden. Das nach § 35 GmbHG vertretungsberechtigte Organ der GmbH, nämlich der Geschäftsführer, ist nur antragsberechtigt, wenn ein Mitglied des Aufsichtsrats die Tat begangen hat. Befindet sich die GmbH in Liquidation tritt an die Stelle des Geschäftsführers der Liquidator. Haben der Geschäftsführer oder der Liquidator die Tat begangen, ist der Aufsichtsrat antragsberechtigt. Dieser kann ein Mitglied ermächtigen, den Antrag zu stellen. Ist ein Aufsichtsrat nicht vorhanden, müssen die Gesellschafter einen oder mehrere besondere Vertreter bestellen,

22 Nach § 77b Abs. 1 StGB beträgt die Antragsfrist drei Monate. Sie beginnt nach Abs. 2 dieser Norm mit der Kenntnis der Antragsberechtigten.

VIII. Subjektiver Tatbestand, Rechtswidrigkeit, Schuld

23 Für den subjektiven Tatbestand und für die Teilnahme sowie für die Rechtswidrigkeit und die Schuld gelten auch hier die allgemeinen Regeln. Insoweit kann auf die vorangegangenen Ausführungen (vgl. 23.10.2008 § 82 Rn. 9, 31, 32 und § 84 Rn. 15 – 18, 21) verwiesen werden.

§ 86 GmbHG [weggefallen]

1 Die §§ 86 und 87 GmbHG wurden durch das Gesetz zur Modernisierung des GmbH-Rechts und zur Bekämpfung von Missbräuchen (MoMiG) v. 23.10.2008 aufgehoben. Der bisherige Wortlaut wird weitgehend in das neu geschaffene Einführungsgesetz zum Gesetz betreffend die Gesellschaften mit beschränkter Haftung (EGGmbHG) überführt. Die vorgenommenen geringfügigen Änderungen (vgl. § 1 EGGmbHG Rn. 1 ff.) beruhen auf Anpassungen an die neue Rechtslage.

2 Die Vorschrift des § 86 GmbHG a.F. lautete wie folgt:

> #### § 86 GmbHG – Beibehaltung und Umstellung des Stammkapitals
>
> *(1) Gesellschaften, die vor dem 1. Januar 1999 in das Handelsregister eingetragen worden sind, dürfen ihr auf Deutsche Mark lautendes Stammkapital beibehalten; entsprechendes gilt für Gesellschaften, die vor dem 1. Januar 1999 zur Eintragung in das Handelsregister angemeldet, aber erst danach bis zum 31. Dezember 2001 eingetragen werden. Für Mindestbetrag und Teilbarkeit von Kapital, Einlagen und Geschäftsanteilen sowie für den Umfang des Stimmrechts bleiben bis zu einer Kapitaländerung nach Satz 4 die bis dahin gültigen Beträge weiter maßgeblich. Dies gilt auch, wenn die Gesellschaft ihr Kapital auf Euro umgestellt hat; das Verhältnis der mit den Geschäftsanteilen verbundenen Rechte zueinander wird durch Umrechnung zwischen Deutscher Mark und Euro nicht berührt. Eine Änderung des Stammkapitals darf nach dem 31. Dezember 2001 nur eingetragen werden, wenn das Kapital auf Euro umgestellt und die in Euro*

berechneten Nennbeträge der Geschäftsanteile auf einen durch zehn teilbaren Betrag, mindestens jedoch auf fünfzig Euro gestellt werden.

(2) Bei Gesellschaften, die zwischen dem 1. Januar 1999 und dem 31. Dezember 2001 zum Handelsregister angemeldet und in das Register eingetragen werden, dürfen Stammkapital und Stammeinlagen auch auf Deutsche Mark lauten. Für Mindestbetrag und Teilbarkeit von Kapital, Einlagen und Geschäftsanteilen sowie für den Umfang des Stimmrechts gelten die zu dem vom Rat der Europäischen Union gemäß Artikel 109l Abs. 4 Satz 1 des EG-Vertrages unwiderruflich festgelegten Umrechnungskurs in Deutsche Mark umzurechnenden Beträge des Gesetzes in der ab dem 1. Januar 1999 geltenden Fassung.

(3) Die Umstellung des Stammkapitals und der Geschäftsanteile sowie weiterer satzungsmäßiger Betragsangaben auf Euro zu dem gemäß Artikel 109l Abs. 4 Satz 1 des EG-Vertrages unwiderruflich festgelegten Umrechnungskurs erfolgt durch Beschluss der Gesellschafter mit einfacher Stimmenmehrheit nach § 47; § 53 Abs. 2 Satz 1 findet keine Anwendung. Auf die Anmeldung und Eintragung der Umstellung in das Handelsregister ist § 54 Abs. 1 Satz 2 nicht anzuwenden. Werden mit der Umstellung weitere Maßnahmen verbunden, insbesondere das Kapital verändert, bleiben die hierfür geltenden Vorschriften unberührt; auf eine Herabsetzung des Stammkapitals, mit der die Nennbeträge der Geschäftsanteile auf einen Betrag nach Absatz 1 Satz 4 gestellt werden, findet jedoch § 58 Abs. 1 keine Anwendung, wenn zugleich eine Erhöhung des Stammkapitals gegen Bareinlagen beschlossen und diese in voller Höhe vor der Anmeldung zum Handelsregister geleistet werden.

§ 87 GmbHG [weggefallen]

Die Vorschrift wurde durch das MoMiG in § 2 EGGmbHG überführt. Die vorgenommenen geringfügigen Änderungen (vgl. § 2 EGGmbHG Rn. 1) beruhen auf Anpassungen an die neue Rechtslage.

1

§ 87 GmbHG a.F. lautete wie folgt:

2

§ 87 GmbHG – Anwendung des § 42a

§ 42a Abs. 4 in der Fassung des Artikels 3 Abs. 3 des Transparenz- und Publizitätsgesetzes vom 19. Juli 2002 (BGBl. I S. 2681) ist erstmals auf den Konzernabschluss und den Konzernlagebericht für das nach dem 31. Dezember 2001 beginnende Geschäftsjahr anzuwenden.

B. Einführungsgesetz zum Gesetz betreffend die Gesellschaften mit beschränkter Haftung (EGGmbHG)

Das EGGmbHG ist als Artikel 2 des Gesetzes zur Modernisierung des GmbH-Rechts und zur Bekämpfung von Missbräuchen vom 23.10.2008 (BGBl. I, S. 2026, 2031) am 01.11.2008 in Kraft getreten.

§ 1 EGGmbHG Umstellung auf Euro

(1) ¹Gesellschaften, die vor dem 1. Januar 1999 in das Handelsregister eingetragen worden sind, dürfen ihr auf Deutsche Mark lautendes Stammkapital beibehalten; Entsprechendes gilt für Gesellschaften, die vor dem 1. Januar 1999 zur Eintragung in das Handelsregister angemeldet und bis zum 31. Dezember 2001 eingetragen worden sind. ²Für Mindestbetrag und Teilbarkeit von Kapital, Einlagen und Geschäftsanteilen sowie für den Umfang des Stimmrechts bleiben bis zu einer Kapitaländerung nach Satz 4 die bis dahin gültigen Beträge weiter maßgeblich. ³Dies gilt auch, wenn die Gesellschaft ihr Kapital auf Euro umgestellt hat; das Verhältnis der mit den Geschäftsanteilen verbundenen Rechte zueinander wird durch Umrechnung zwischen Deutscher Mark und Euro nicht berührt. ⁴Eine Änderung des Stammkapitals darf nach dem 31. Dezember 2001 nur eingetragen werden, wenn das Kapital auf Euro umgestellt wird.

(2) ¹Bei Gesellschaften, die zwischen dem 1. Januar 1999 und dem 31. Dezember 2001 zum Handelsregister angemeldet und in das Register eingetragen worden sind, dürfen Stammkapital und Stammeinlagen auch auf Deutsche Mark lauten. ²Für Mindestbetrag und Teilbarkeit von Kapital, Einlagen und Geschäftsanteilen sowie für den Umfang des Stimmrechts gelten die zu dem vom Rat der Europäischen Union nach Artikel 123 Abs. 4 Satz 1 des Vertrages zur Gründung der Europäischen Gemeinschaft unwiderruflich festgelegten Umrechnungskurs in Deutsche Mark umzurechnenden Beträge des Gesetzes in der ab dem 1. Januar 1999 geltenden Fassung.

(3) ¹Die Umstellung des Stammkapitals und der Geschäftsanteile sowie weiterer satzungsmäßiger Betragsangaben auf Euro zu dem nach Artikel 123 Abs. 4 Satz 1 des Vertrages zur Gründung der Europäischen Gemeinschaft unwiderruflich festgelegten Umrechnungskurs erfolgt durch Beschluss der Gesellschafter mit einfacher Stimmenmehrheit nach § 47 des Gesetzes betreffend die Gesellschaften mit beschränkter Haftung; § 53 Abs. 2 Satz 1 des Gesetzes betreffend die Gesellschaften

mit beschränkter Haftung ist nicht anzuwenden. [2]Auf die Anmeldung und Eintragung der Umstellung in das Handelsregister ist § 54 Abs. 1 Satz 2 und Abs. 2 Satz 2 des Gesetzes betreffend die Gesellschaften mit beschränkter Haftung nicht anzuwenden. [3]Werden mit der Umstellung weitere Maßnahmen verbunden, insbesondere das Kapital verändert, bleiben die hierfür geltenden Vorschriften unberührt; auf eine Herabsetzung des Stammkapitals, mit der die Nennbeträge der Geschäftsanteile auf einen Betrag nach Absatz 1 Satz 4 gestellt werden, ist jedoch § 58 Abs. 1 des Gesetzes betreffend die Gesellschaften mit beschränkter Haftung nicht anzuwenden, wenn zugleich eine Erhöhung des Stammkapitals gegen Bareinlagen beschlossen und diese in voller Höhe vor der Anmeldung zum Handelsregister geleistet werden.

I. Einführung

1   Die **vormals im GmbHG** enthaltene **Übergangsregelungen** sind mit der Neufassung des Gesetzes aus Gründen der Übersichtlichkeit ausgegliedert und in ein **eigenes Einführungsgesetz** eingefügt worden. § 1 EGGmbHG entspricht im Wesentlichen der Regelung in § 86 GmbHG a.F. Die in Abs. 1 vorgenommene Veränderung beruht darauf, dass durch die Neufassung des Gesetzes die ursprünglichen Regelungen zum **Stammkapital** (§ 5 GmbHG) geändert wurden und insofern eine Anpassung an die neue Rechtslage notwendig wurde.[1]

2   Die durch die Einführung des Euro als Gemeinschaftswährung notwendig gewordene Vorschrift regelt die **Umstellung des Gesellschaftsvermögens von DM auf Euro**. Abs. 1 und 2 betreffen vor und während des Übergangszeitraumes gegründete Gesellschaften, während Abs. 3 die Art und Weise der Umstellung regelt.

II. Altgesellschaften

3   Vor dem 01.01.1999 eingetragene und vor dem 01.01.1999 angemeldete und bis zum 31.12.2001 eingetragene Gesellschaften (sog. Altgesellschaften) können gem. Abs. 1 ihr auf DM lautendes **Stammkapital** unverändert fortführen, sofern sie ihr Stammkapital nicht verändern. Für Mindestbetrag

---

1   RegE MoMiG, Stand Mai 2007, Begründung Besonderer Teil, S. 110.

und Teilbarkeit von Kapital, Einlagen und Geschäftsanteilen sowie für den Umfang des Stimmrechts bleiben die bis dahin gültigen Beträge weiter maßgeblich.

Bei einer Veränderung des Stammkapitals wird eine Umstellung auf Euro 4 gemäß Abs. 1 Satz 4 notwendig. Der **Umrechnungskurs** beträgt 1.95583 DM pro Euro. Frühere mit der Umrechnung verbundene Probleme hinsichtlich der Mindestbeträge und der Teilbarkeit dürften mit der Neufassung des § 5 GmbHG entfallen, da der Nennbetrag jedes Geschäftsanteils nur auf volle Euro lauten muss (§ 5 Rn. 7). Bei unrunden Beträgen dürften Auf- und Abrundungen auf Cent – Beträge zulässig sein.[2]

Altgesellschaften können ihr DM-Kapital freiwillig sofort auf Euro umstel- 5 len. Dazu ist gem. Abs. 3 Satz 1 ein mit einfacher Mehrheit zu fassender Beschluss der Gesellschafter erforderlich. Werden mit der Umstellung weitere Maßnahmen verbunden, insbes. das Kapital verändert, bleiben die hierfür geltenden Vorschriften unberührt.

III. Neugesellschaften

Nach dem 01.01.1999 angemeldete und noch vor dem 31.12.2001 einge- 6 tragene Gesellschaften können **Stammkapital und Stammeinlagen** auch in DM benennen. Die Beträge müssen jedoch auf der Grundlage des Umrechnungskurses den Anforderungen an eine Gründung in Euro entsprechen.

Gesellschaften, die nach dem 31.12.2001 eingetragen wurden, müssen die sich auf den Euro beziehenden rechtlichen Voraussetzungen erfüllen.

IV. Umstellung des Stammkapitals und der Geschäftsanteile

Nach Abs. 3 erfolgt die Umstellung im Normalfall durch einen Beschluss 7 der Gesellschafter mit einfacher Stimmenmehrheit. Soll nicht nur von DM auf Euro umgestellt werden, sondern das Stammkapital verändert werden, so sind die einschlägigen Regelungen zu beachten. **Kapitalerhöhungen** sind unter den Voraussetzungen der §§ 55 ff. GmbHG möglich. Für **Kapitalherabsetzungen** gelten die §§ 58 ff. GmbHG. Erfolgt die Kapitalherabsetzung, um bei der Umstellung volle Euro-Beträge zu erhalten, sieht Abs. 3 letzter Halbsatz eine Vereinfachung vor. Die Voraussetzungen des § 58 Abs. 1 sind dann nicht zu erfüllen, wenn zugleich eine Erhöhung des Stammkapitals gegen Bareinlagen beschlossen wird und diese in voller Höhe vor der Anmeldung zum Handelsregister geleistet werden.

---

2 Roth/Altmeppen, GmbHG, § 86 Rn. 8.

§ 2 EGGmbHG   Übergangsvorschriften zum Transparenz- und
Publizitätsgesetz

**§ 42a Abs. 4 des Gesetzes betreffend die Gesellschaften mit beschränk-
ter Haftung in der Fassung des Artikels 3 Abs. 3 des Tranzparenz- und
Publizitätsgesetzes vom 19. Juli 2002 (BGBl. I S. 2681) ist erstmals auf
den Konzernabschluss und den Konzernlagebericht für das nach dem
31. Dezember 2001 beginnende Geschäftsjahr anzuwenden.**

Rn.

1   Die Vorschrift entspricht § 87 GmbHG a.F. Sie enthält eine **Übergangsregelung** für solche Gesellschaften, die gem. §§ 290 ff. HGB zur Aufstellung eines **Konzernabschlusses** und eines **Konzernlageberichts** verpflichtet sind. Danach musste erstmals für das nach dem 31.12.2001 beginnende
Geschäftsjahr und seitdem § 42a Abs. 4 GmbHG zur Feststellung des
Jahresabschlusses und zur Ergebnisverwendung, angewendet werden, dazu
s. § 42a GmbHG Rn. 11.

§ 3 EGGmbHG   Übergangsvorschriften zum Gesetz zur
Modernisierung des GmbH – Rechts und zur
Bekämpfung von Missbräuchen

**(1) Die Pflicht, die inländische Geschäftsanschrift bei dem Gericht nach
§ 8 des Gesetzes betreffend die Gesellschaften mit beschränkter Haftung in der ab dem Inkrafttreten des Gesetzes vom 23. Oktober 2008
(BGBl. I S. 2026) am 1. November 2008 geltenden Fassung zur Eintragung anzumelden, gilt auch für Gesellschaften, die zu diesem Zeitpunkt bereits in das Handelsregister eingetragen sind, es sei denn, die
inländische Geschäftsanschrift ist dem Gericht bereits nach § 24 Abs. 2
der Handelsregisterverordnung mitgeteilt worden und hat sich
anschließend nicht geändert. In diesen Fällen ist die inländische
Geschäftsanschrift mit der ersten die eingetragene Gesellschaft betreffenden Anmeldung zum Handelsregister ab dem 1. November 2008
spätestens aber bis zum 31. Oktober 2009 anzumelden. Wenn bis zum
31. Oktober 2009 keine inländische Geschäftsanschrift zur Eintragung
in das Handelsregister angemeldet worden ist, trägt das Gericht von
Amts wegen und ohne Überprüfung kostenfrei die ihm nach § 24 Abs. 2
der Handelsregisterverordnung bekannte inländische Anschrift als
Geschäftsanschrift in das Handelsregister ein; in diesem Fall gilt die
mitgeteilte Anschrift zudem unabhängig von dem Zeitpunkt ihrer tat-**

sächlichen Eintragung ab dem 31. Oktober 2009 als eingetragene inländische Geschäftsanschrift der Gesellschaft, wenn sie im elektronischen Informations- und Kommunikationssystem nach § 9 Abs. 1 des Handelsgesetzbuches abrufbar ist. Ist dem Gericht keine Mitteilung im Sinne des § 24 Abs. 2 der Handelsregisterverordnung gemacht worden, ist ihm aber in sonstiger Weise eine inländische Geschäftsanschrift bekannt geworden, so gilt Satz 3 mit der Maßgabe, dass diese Anschrift einzutragen ist, wenn sie im elektronischen Informations- und Kommunikationssystem nach § 9 Abs. 1 des Handelsgesetzbuches abrufbar ist. Dasselbe gilt, wenn eine in sonstiger Weise bekanntgewordene inländische Anschrift von einer früher nach § 24 Abs. 2 der Handelsregisterverordnung mitgeteilten Anschrift abweicht. Eintragungen nach den Sätzen 3 bis 5 werden abweichend von § 10 des Handelsgesetzbuches nicht bekannt gemacht.

(2) § 6 Abs. 2 Satz 2 Nr. 3 Buchstabe a, c, d und e des Gesetzes betreffend die Gesellschaften mit beschränkter Haftung in der ab dem 1. November 2008 geltenden Fassung ist auf Personen, die vor dem 1. November 2008 zum Geschäftsführer bestellt worden sind, nicht anzuwenden, wenn die Verurteilung vor dem 1. November 2008 rechtskräftig geworden ist. Entsprechendes gilt für § 6 Abs. 2 Satz 3 des Gesetzes betreffend die Gesellschaften mit beschränkter Haftung in der ab dem 1. November 2008 geltenden Fassung, soweit die Verurteilung wegen einer Tat erfolgte, die den Straftaten im Sinne des Satzes 1 vergleichbar ist.

(3) Bei Gesellschaften, die vor dem 1. November 2008 gegründet worden sind, findet § 16 Abs. 3 des Gesetzes betreffend die Gesellschaften mit beschränkter Haftung in der ab dem 1. November 2008 geltenden Fassung für den Fall, dass die Unrichtigkeit in der Gesellschafterliste bereits vor dem 1. November 2008 vorhanden und dem Berechtigten zuzurechnen ist, hinsichtlich des betreffenden Geschäftsanteils frühestens auf Rechtsgeschäfte nach dem 1. Mai 2009 Anwendung. Ist die Unrichtigkeit dem Berechtigten nicht zuzurechnen, so ist abweichend von dem 1. Mai 2009 der 1. November 2011 maßgebend.

(4) § 19 Abs. 4 und 5 des Gesetzes betreffend die Gesellschaften mit beschränkter Haftung in der ab dem 1. November 2008 geltenden Fassung gilt auch für Einlagenleistungen, die vor diesem Zeitpunkt bewirkt worden sind, soweit sie nach der vor dem 1. November 2008 geltenden Rechtslage wegen der Vereinbarung einer Einlagenrückgewähr oder wegen einer verdeckten Sacheinlage keine Erfüllung der Einlagenverpflichtung bewirkt haben. Dies gilt nicht, soweit über die

aus der Unwirksamkeit folgenden Ansprüche zwischen der Gesellschaft und dem Gesellschafter bereits vor dem 1. November 2008 ein rechtskräftiges Urteil ergangen oder eine wirksame Vereinbarung zwischen der Gesellschaft und dem Gesellschafter getroffen worden ist; in diesem Fall beurteilt sich die Rechtslage nach den bis zum 1. November 2008 geltenden Vorschriften.

I. Einführung

1 Die Vorschrift enthält sämtliche **Übergangsregelungen**, die aufgrund der **Änderungen des GmbHG** erforderlich geworden sind.

II. Anmeldung inländischer Geschäftsanschrift (Abs. 1)

2 Die Vorschrift regelt, bis zu welchem Termin die bereits eingetragenen Gesellschaften ihrer Pflicht, eine inländische Geschäftsanschrift zur **Eintragung ins Handelsregister** anzumelden, nachkommen müssen. Die Frist bis zum 31.10.2009 erscheint angemessen, da sie einerseits eine übermäßige Belastung der Register als auch der mittelständischen Wirtschaft vermeidet und andererseits die beabsichtigte Verbesserung des Gläubigerschutzes durch eine schnelle Eintragung innerhalb der Frist noch gewährleistet.[1]

3 Erfolgt keine Anmeldung zur Eintragung innerhalb der Frist, werden die den Registergerichten bekannten Anschriften ohne Prüfung automatisch durch technische Umschreibung als Eintragung behandelt. Da sich am Inhalt nichts geändert hat, findet eine besondere Bekanntgabe der Eintragung nicht statt.

III. Vertrauensschutz (Abs. 2)

4 Verurteilungen nach den in § 6 Abs. 2 Satz 2 Nr. 3 Buchst. a), c), d) und e) GmbHG genannten Straftaten sowie nach hiermit vergleichbaren Straftaten führen nicht zum Verlust der Befähigung, Geschäftsführer einer GmbH sein zu können, wenn die Verurteilungen bereits vor dem Inkrafttreten des neuen GmbHG rechtskräftig geworden sind. Durch diese Regelung wird dem Gebot des Vertrauensschutzes Rechnung getragen, indem an rechtskräftige

---

1   RegE MoMiG, Stand Mai 2007, Begründung Besonderer Teil, S. 110; Anpassung der Frist im Laufe des Gesetzgebungsverfahrens erfolgt.

Verurteilungen keine neuen, vom Angeklagten zum Zeitpunkt der Rechtskraft des Urteils nicht absehbare Rechtsfolgen geknüpft werden.[2]

IV.   Gutgläubiger Erwerb (Abs. 3)

Die Vorschrift regelt den Beginn der in § 16 Abs. 3 GmbHG enthaltenen   5 Dreijahresfrist, wenn die Gesellschaft vor dem 1. November 2008 gegründet wurde. Damit soll Altgesellschaften ein allmähliches Hineinwachsen in die Möglichkeit des gutgläubigen Erwerbs nach § 16 GmbHG ermöglicht werden, ohne sie mit Verwaltungsaufwand zu belasten und ohne unangemessene Härten aufgrund nachlässiger Führung der Gesellschafterlisten in der Vergangenheit eintreten zu lassen.[3]

V.   Stammeinlage (Abs. 4)

§ 19 Abs. 4 und 5 GmbHG enthalten Regelungen zur Erfüllung der Einlage-   6 schuld. Als Übergangsregelung bestimmt Abs. 4 den zeitlichen Anwendungsbereich dieser Vorschriften.[4]

Danach ist die Neuregelung auch auf solche Fälle anwendbar, in denen Einlagenleistungen vor Inkrafttreten der Neuregelung bewirkt worden sind und wegen der zu diesem Zeitpunkt geltenden Rechtslage keine Erfüllung der Einlagenverpflichtung bewirkt haben. Damit sind solche Leistungen erfasst, denen eine Vereinbarung einer Leistung an den Gesellschafter vorausging, die bei wirtschaftlicher Betrachtung eine verdeckte Sacheinlage bzw. eine Einlagenrückgewähr darstellen. Unter den Voraussetzungen des § 19 Abs. 5 sind Leistungen, die wirtschaftlich einer Rückzahlung der Einlage entsprechen und die nicht als verdeckte Sacheinlage im Sinne von § 19 Abs. 4 zu beurteilen sind, als Erfüllung der Einlageschuld anzusehen, wenn die Leistung durch einen vollwertigen Rückgewähranspruch gedeckt ist, vgl. § 19 Abs. 5. Dies gilt jedoch nicht, soweit über die aus der Unwirksamkeit folgenden Ansprüche zwischen Gesellschaft und Gesellschafter bereits vor Inkrafttreten der Neuregelung ein rechtskräftiges Urteil ergangen ist oder sich Gesellschaft und Gesellschafter bzgl. der Ansprüche wirksam geeinigt haben. In diesen Fällen bleibt es bei der Altregelung.

---

2   RegE MoMiG, Stand Mai 2007, Begründung Besonderer Teil, S. 111.

3   RegE MoMiG, Stand Mai 2007, Begründung Besonderer Teil, S. 111.

4   RegE MoMiG, Stand Mai 2007, Begründung Besonderer Teil, S. 111.

C. Handelsgesetzbuch (HGB)

In der im Bundesgesetzblatt Teil III, Gliederungsnummer 4100-1, veröffentlichten bereinigten Fassung, zuletzt geändert durch Artikel 3 des Gesetzes zur Modernisierung des GmbH-Rechts und zur Bekämpfung von Missbräuchen vom 23.10.2008 (BGBl. I, S. 2026).

Erstes Buch. Handelsstand

Erster Abschnitt. Kaufleute

§ 1 HGB   [Kaufmann und Handelsgewerbe]

(1) Kaufmann im Sinne dieses Gesetzbuchs ist, wer ein Handelsgewerbe betreibt.

(2) Handelsgewerbe ist jeder Gewerbebetrieb, es sei denn, dass das Unternehmen nach Art oder Umfang einen in kaufmännischer Weise eingerichteten Geschäftsbetrieb nicht erfordert.

I.   Allgemeines

1   Der **Kaufmann** ist traditionell der Prototyp des Unternehmers. Der Kauf-
    mannsbegriff ist der zentrale Anknüpfungspunkt für das Handelsrecht als
    Sonderprivatrecht der Kaufleute. Die Qualifikation als Kaufmann führt in
    vielen Fällen zu einem geringeren Schutzniveau bzw. zu einem erweiterten
    Pflichtenkreis.[1]

2   Das am 01.07.1998 in Kraft getretene Handelsrechtreformgesetzt[2] hat den
    Kaufmannsbegriff neu definiert. Die frühere Unterscheidung zwischen
    Musskaufmann (§ 1 HGB a.F.) und Sollkaufmann (§ 2 HGB a.F.) gibt es
    nicht mehr. Der Katalog der sog. Grundhandelsgewerbe in § 1 Abs. 1 HGB
    a.F. wurde abgeschafft. Die Unterscheidung zwischen Minderkaufmann in
    § 4 HGB a.F. und Vollkaufmann und Verweisung des Kleingewerbebetrei-
    benden ins allgemeine Zivilrecht ist grds. entfallen. Der Begriff des Kann-
    kaufmanns ist verallgemeinert worden (§ 2). Die Personenhandelsgesell-
    schaften sind für fast alle unternehmerischen Betätigungen geöffnet worden,
    wodurch insbes. der moderne Dienstleistungsverkehr von vornherein mit-
    erfasst wird.

3   Nach wie vor gilt jedoch die Bestimmung der Kaufmannseigenschaft ent-
    weder nach materiellen Kriterien oder nach formellen Kriterien. Das bedeu-
    tet, dass Kaufmann ist,

    • wer im Handelsregister eingetragen ist (**Kaufmann kraft Eintragung,
      §§ 6, 2, 3**) oder

    • wer ein Handelsgewerbe betreibt (**Kaufmann kraft Handelsgewerbe,
      § 1 Abs. 2**), also ein Unternehmen, das eine kaufmännische Einrichtung
      erfordert.

4   Die Handelsgesellschaften, so auch die GmbH sind sog. **Formkaufleute**
    (§§ 6 Abs. 1 HGB, 13 Abs. 3 GmbHG). Die sog. **Kannkaufleute** sind nach
    § 3 Unternehmen der Land- und Forstwirtschaft, gleichgültig, ob es sich um
    einen Hauptbetrieb oder um einen Nebenbetrieb handelt. Auch wenn dieser
    Wirtschaftsbereich grds. vom Handelsrecht ausgenommen ist, gilt für einen
    landwirtschaftlichen oder forstwirtschaftlichen Unternehmer Handelsrecht,
    wenn er eine entsprechende Eintragung im Handelsregister erwirkt hat.

---

1   Zum Beispiel: Gültigkeit mündlicher Bürgschaften (§§ 350, 343 HGB), Ver-
    bindlichkeit von Vertragstrafeversprechen (§ 348 HGB), Zulässigkeit von
    Gerichtsstandvereinbarungen (§ 38 Abs. 1 ZPO) usw.

2   Gesetz zur Neuregelung des Kaufmann- und Fimenrechtes und zur Änderung
    anderer Handels- und Gesellschaftsrechtlicher Vorschriften, BGBl. I 1998
    1474 ff.

Übersicht zum Kaufmannsbegriff

Regelung und Kaufmannsart	Voraus- setzungen	Rechtsfolge	Handels- register
§ 1 HGB (Istkaufmann)	- Betrieb eines Gewerbes - Erforderlichkeit kaufm. Einrichtung nach Art und Umfang	Anwendbarkeit des gesamten HandelsR	Anmeldung: obligatorisch Wirkung: deklaratorisch
§ 2 HGB (Kannkaufmann)	- Betrieb eines Gewerbes - kaufm. Einrichtung nach Art oder Umfang nicht erforderlich - Eintragung der Firma im HR	Anwendbarkeit des gesamten HandelsR	Anmeldung: fakultativ Wirkung: konstitutiv
§ 3 HGB (uneigentlicher Kannkaufmann)	- Land- oder forstwirtschaftliches Hauptgewerbe - Erforderlichkeit kaufm. Einrichtung - Eintragung der Firma des Haupt- und/oder Nebengewerbes im HR	Anwendbarkeit des gesamten HandelsR	Anmeldung: fakultativ Wirkung: konstitutiv
§ 5 HGB (Fiktivkaufmann)	- Betrieb eines Gewerbes - Eintragung der Firma im HR - Berufung auf die Eintragung	Anwendbarkeit des gesamten HandelsR, aber nur im Geschäfts- und Prozessverkehr	Anmeldung: nicht erforderlich Wirkung: konstitutiv

Übersicht zum Kaufmannsbegriff

Regelung und Kaufmannsart	Voraus- setzungen	Rechtsfolge	Handels- register
§ 6 HGB (Formkauf- mann)	- Handelsgesell- schaft (oHG, KG, GmbH, AG, KGaA) - Genossenschaft	Anwendbarkeit des gesamten HandelsR	Anmeldung: obligatorisch Wirkung: konstitutiv
Kaufmann kraft Rechtsschein	- Grds.: lex spe- cialis - Rechtsschein bezüglich Kauf- mannseigen- schaft - Zurechenbar- keit - Gutgläubigkeit des Dritten - Kausale Ver- trauensbestäti- gung - Privatrecht- licher Geschäfts- verkehr	Scheinkaufmann ist kein Kauf- mann, muss sich aber ggü. Dritten in gewisser Hin- sicht als ein sol- cher behandeln lassen	

II. Betreiben eines Handelsgewerbes

5 Unabhängig von jeder Eintragung im Handelsregister ist Kaufmann, wer ein Handelsgewerbe betreibt.

6 Der durch die Reform von 1998 neu gefasste § 1 Abs. 2 verzichtet dabei auf den Katalog des sog. Grundhandelsgewerbes und bestimmt als Handels- gewerbe **alle Gewerbebetriebe**, die nach Art und Umfang einen in kauf- männischer Weise eingerichteten Geschäftsbetrieb erfordern. Dabei gilt die Vermutung für die Erforderlichkeit einer kaufmännischen Einrichtung. Voraussetzung ist somit, dass die ausgeübte Tätigkeit überhaupt ein Gewerbe darstellt, dieses Gewerbe als Handelsgewerbe zu betrachten ist und dass das Handelsgewerbe betrieben wird.

1.　Gewerbebegriff

Auch wenn es einen einheitlichen Gewerbebegriff nicht gibt,[3] lässt sich der 　7
handelsrechtliche Gewerbebegriff (in Abgrenzung zum öffentlichen oder
steuerrechtlichen Gewerbebegriff) doch wie folgt definieren: **Gewerbe** ist
jede selbstständige und berufsmäßige, aber nicht künstlerische, wissenschaftliche oder freiberufliche Tätigkeit, die von der Absicht dauernder
Gewinnerzielung getragen wird und auf dem Markt erkennbar nach außen
hervortritt.[4] Zu den einzelnen Kriterien:

a)　Selbstständige Tätigkeit

Die selbstständige Tätigkeit wird dadurch erkennbar, dass ein Unternehmer- 　8
risiko übernommen wird und das derjenige, der die Tätigkeit ausführt, in der
Gestaltung frei ist.

Erforderlich ist weiter eine persönliche Unabhängigkeit, d.h. die grund- 　9
sätzliche Freiheit von örtlichen, zeitlichen und inhaltlichen Weisungen. Das
bedeutet, es muss eine eigenständige Organisation des Geschäftsbetriebs
bestehen. Die Tätigkeit darf nicht in einen Betrieb eingegliedert sein und es
muss ein eigenständiges Auftreten am Markt zur Ausnutzung unternehmeri-
scher Chancen gegeben sein.

b)　Erkennbarkeit nach außen

Die Geschäftspartner müssen die Gewerbetätigkeit erkennen können. Eine 　10
bloße innere Absicht des Betreibers reicht nicht aus

c)　Planmäßigkeit und Ausrichtung auf Dauer

Die Tätigkeit muss von vornherein auf eine Vielzahl von Geschäften aus- 　11
gerichtet sein und eine Berufsmäßigkeit erkennen lassen. Nicht erforderlich
ist eine lang andauernde ununterbrochene Tätigkeit.

d)　Gewinnerzielungsabsicht

Die Tätigkeit muss darauf gerichtet sein, einen den Aufwand übersteigenden 　12
Ertrag (gleich Gewinn) zu erwirtschaften.

3　EntwBegr zum HRfG 24, Rn 17.

4　So Emmerich in Heymann, HGB, § 1 Rn 5; K. Schmidt in MüKo-HGB, § 1
　　Rn 118; Röhricht in Röhricht/Graf v. Westphalen, HGB, § 1 Rn 23 f.; das
　　häufig zusätzlich genannte Merkmal, dass die Tätigkeit weder gesetzes- noch
　　sittenwidrig sein darf, ist als Definitionsmerkmal nicht aussagekräftig (vgl. § 7
　　HGB).

e)   Keine freiberufliche Tätigkeit

13   Freie Berufe einschließlich künstlerische und wissenschaftliche Tätigkeit fallen nicht unter den Gewerbebegriff. Eine Sonderstellung nehmen die sog. ideellen Kapitalgesellschaften ein. Hier handelt es sich um sog. Formkaufleute (§ 6).

f)   Einordnung der GmbH

14   Die **GmbH** ist gem. § 6 **Formkaufmann.** Es ist insoweit für ihre Kaufmannseigenschaften *unerheblich*, ob sie ein Gewerbe betreibt.

Zu beachten ist, dass nicht die handelnden Organe Kaufleute sind, sondern die juristischen Personen als solche.

15   Der **Geschäftsführer** einer GmbH ist, selbst wenn er eine entsprechende Ausbildung hat und sich als Kaufmann bezeichnet, **kein** Kaufmann i.S.d. HGB. Als Organ der juristischen Person ist er aber für die Einhaltung der Pflichten verantwortlich, die die juristische Person als Kaufmann treffen.[5]

16   Von der Vor-GmbH streng zu unterscheiden ist die Vorgründungsgesellschaft.

17   Die **Vorgründungsgesellschaft** ist ein vorbereitender Zusammenschluss der Gesellschafter mit dem Ziel zur Gründung zusammenzuwirken. Sie hat keine Kaufmannseigenschaft.

18   Mit Abschluss des Gesellschaftsvertrages entsteht die **Vor-GmbH**. Sie besteht bis zur Eintragung und ist notwendige Vorstufe zu der mit der Eintragung entstehenden GmbH. Da der Unternehmensträger erst mit der Eintragung in das Handelregister entsteht, wird er auch erst zu diesem Zeitpunkt Kaufmann.[6]

19   Checkliste: Wann liegt ein Gewerbe vor?

☑

> ☐ Die Tätigkeit muss nach außen hin in Erscheinung treten.
>
> ☐ Es muss eine rechtliche nicht notwendigerweise wirtschaftliche Selbstständigkeit vorliegen.
>
> ☐ Es muss sich um eine planmäßig auf gewisse Dauer angelegte Tätigkeit handeln
>
> ☐ Nach h.M. ist eine Gewinnerzielungsabsicht erforderlich.[7]

---

5   Dazu z.B. BGH, 12.05.1986 – II ZR 225/85, ZIP 1986, 1457.

6   BGH, 07.07.1960 – VIII ZR 215/59, BGHZ 33, 321, 324 = NJW 1961, 725; Schmidt, ZIP 1997, 909, 914; BGH, 10.05.1979 – VII ZR 97/78, BGHZ 74, 273, 276.

7   OLG Hamm, 21.06.1993 – 15 W 75/93, ZIP 1993, 1310.

2. Handelsgewerbe

Ein Handelsgewerbe ist ein Gewerbebetrieb, der nach Art und Umfang eine   20
kaufmännische Einrichtung erfordert oder unter der Firma des Betreibers im
Handelsregister eingetragen ist.

Das Unternehmen muss demnach einen in kaufmännischer Weise einge-   21
richteten Gewerbebetrieb erfordern.[8] **Anhaltspunkte** für das Vorliegen
eines kaufmännischen Gewerbebetriebes richten sich nach Art und Umfang
des Geschäftsbetriebes, insbes. nach

* der Vielfalt des Geschäftsgegenstandes,
* dem Schwierigkeitsgrad der Geschäftsvorgänge,
* der Inanspruchnahme von Kredit- und Teilzahlungen,
* der Teilnahme am Wechsel- und Scheckverkehr,
* der Bilanzierung,
* dem Umfang der Geschäftskorrespondenz,
* Umsatz, Anlage- und Kapitalvermögen,
* Anzahl der Betriebsstätten,
* Anzahl der Beschäftigten,
* Lohnsumme,
* Geschäftsablauf entscheidend für Einordnung als kaufmännischen
  Gewerbebetrieb.

Nach **Abs. 2 Halbs. 1** gilt die (widerlegbare) **Vermutung**, dass jeder   22
Gewerbebetrieb ein Handelsgewerbe ist.

3. Kleingewerbe

Kleingewerbetreibende i.S.d. Abs. 2 (z.B. ein Zeitungskiosk) können sich in   23
das Handelsregister eintragen und damit freiwillig Kaufleute werden.

Kleinhandelsgewerbetreibende haben neben dieser **Eintragungsoption** auch   24
die Möglichkeit, die Eintragung wieder zu löschen (**Löschungsoption**).

Kleingewerbetreibende, die nicht in das Handelsregister eingetragen sind,   25
unterfallen grds. nicht dem HGB, sondern werden wie Privatleute behandelt.[9] Das bedeutet im Einzelnen, dass Kleingewerbetreibende nicht verpflichtet sind (und auch nicht berechtigt), eine kaufmännische Firma anzu-

---

8   BayObLG, 13.11.1984 – BReg. 3Z 60/83; BReg. 3Z 119/83, NJW 1985, 982,
    983; OLG Celle, 16.11.1962 – 9 WX 8/62, NJW 1963, 540.

9   Beachte: §§ 84 Abs. 4, 93 Abs. 3, 383 Abs. 3, 407 Abs. 3 Satz 2, § 453 Abs. 3
    Satz 2, § 467 Abs. 3 Satz 2.

nehmen. Ihr Geschäft müssen sie immer unter ihrem bürgerlichen Namen führen. Sie können keine Prokura oder Handlungsvollmacht erteilen. Sie brauchen keine Handelsbücher zu führen und entsprechend auch kein Inventar und keine Bilanz aufstellen.

4. Betreiben eines Handelsgewerbes, Beginn und Ende der Kaufmannseigenschaft

26   Wenn ein Handelsgewerbe vorliegt, ist derjenige **Kaufmann**, der es betreibt. Keine Kaufleute sind Personen, die Geschäfte in fremdem Namen oder als Verwalter fremden Vermögens abschließen. So sind weder die Geschäftsführer noch die Gesellschafter einer GmbH Kaufleute, sondern allein die **GmbH** als juristische Person.[10]

27   Die Vorgesellschaften (Rn. 16 ff.) können nach §§ 1, 105 Abs. 1 Kaufleute sein.[11]

Beispiele:

- *Anmietung von Geschäftsräumen,*
- *Einstellung von Personal,*
- *Eröffnung eines Bankkontos,*
- *Abschluss eines Unternehmenskaufvertrages.*

28   Die Kaufmannseigenschaft **beginnt** mit dem Beginn des Betreibens des Handelsgewerbes. Die Planung einschließlich der Gründung einer Handelsgesellschaft durch den Gesellschaftsvertrag ist noch kein Beginn. Entscheidend ist die Aufnahme von Vorbereitungsgeschäften im Außenverhältnis oder eine entsprechende Mitteilung an Dritte.

29   Die Kaufmannseigenschaft **erlischt** durch Betriebsaufgabe oder durch die Umstellung auf eine Tätigkeit, die kein Gewerbe ist.[12] Bei einer Eintragung im Handelsregister endet die Kaufmannseigenschaft ebenfalls mit Ende der Gewerbetätigkeit.[13]

III. Prozessuales

30   Die freiwillige Gerichtsbarkeit spielt in Handelssachen eine maßgebliche Rolle. Das betrifft insbes. Angelegenheiten des Handelsregisters und der Firma. Bei den Zivilgerichten sind sog. **Kammern für Handelssachen** eingerichtet. Die Kammer für Handelssachen ist *ausschließlich* für Rechtsstreitigkeiten gegen eingetragene Kaufleute zuständig.

---

10   BGH, 28.01.1993 – IX ZR 259/91, BGHZ 121, 224, 228 = NJW 1993, 1126.

11   K. Schmidt, GesellschaftsR, § 10 II 2 b, S. 296.

12   BGH, 26.09.1996 – III ZR 30/95, NJW 1996, 3217.

13   BGH, 19.05.1960 – II ZR 72/59, BGHZ 307, 312 = WM 1960, 764.

Die **Darlegungs- und Beweislast** für das Vorliegen eines Handelsgewerbes, insbes. in Abgrenzung zum Kleingewerbe, liegt bei demjenigen, der sich auf das Vorliegen eines Gewerbes beruft. Bei fehlender Eintragung trägt demnach der Unternehmer die Darlegungs- und Beweislast dafür, dass *kein* Handelsgewerbe, sondern ein Kleingewerbe vorliegt. 31

§ 2 HGB   [Handelsgewerbe kraft Eintragung]

[1]Ein gewerbliches Unternehmen, dessen Gewerbebetrieb nicht schon nach § 1 Abs. 2 Handelsgewerbe ist, gilt als Handelsgewerbe im Sinne dieses Gesetzbuchs, wenn die Firma des Unternehmens in das Handelsregister eingetragen ist. [2]Der Unternehmer ist berechtigt, aber nicht verpflichtet, die Eintragung nach den für die Eintragung kaufmännischer Firmen geltenden Vorschriften herbeizuführen. [3]Ist die Eintragung erfolgt, so findet eine Löschung der Firma auch auf Antrag des Unternehmers statt, sofern nicht die Voraussetzung des § 1 Abs. 2 eingetreten ist.

I.   Einführung

Die Vorschrift ergänzt § 1. Jedes im Handelsregister eingetragene Unternehmen gilt als Handelsgewerbe, auch wenn es sich um ein Kleingewerbe handelt, das nach Art und Umfang keinen kaufmännischen Gewerbebetrieb i.S.v. § 1 Abs. 2 erfordert. Die Eintragung kann unter den genannten Voraussetzungen freiwillig erfolgen. Sie hat in jedem Fall konstitutive Wirkung, sodass der Gewerbetreibende erst mit der erfolgten Eintragung Kaufmann ist. 1

Die **GmbH** ist immer Handelsgesellschaft (§§ 1, 13 Abs. 3 GmbHG, § 6 HGB) und somit (**Form- Kaufmann**). Dabei ist insbes. zu beachten, dass eine GmbH nicht unbedingt auf den Betrieb eines Handelsgewerbes gerichtet sein muss. Ausreichend ist die Verfolgung irgendeines, gesetzlich zulässigen Zwecks.[1] 2

---

1   Fastrich in Baumbach/Hueck, GmbHG, § 1 Rn 6.

Beispiele:

Erwerbswirtschaftliche Zwecke, hierzu gehört nun auch die früher unzulässige Rechtsanwalts-GmbH.[2] Betrieb eines Krankenhauses.[3] Ideelle Zwecke[4] können sportliche, wissenschaftliche, künstlerische, politische, karitative u.a. Zwecke sein.

II.   Kaufmann nach Eintragung (Satz 1)

3   Die Eintragung in das Handelsregister ist **konstitutiv**. Maßgeblicher Zeitpunkt ist derjenige der Eintragung, nicht dagegen die Anmeldung oder Bekanntmachung. Die Eintragung nach Abs. 1 erfolgt auf freiwilligen Antrag hin (§ 5).[5] Dieser ist aber i.d.R. in der Anmeldung zum Handelsregister zu sehen. Mit der Löschung aus dem Handelsregister verliert der eingetragene Kleingewerbetreibende die Kaufmannseigenschaft wieder. Dabei ist es unerheblich, ob er selbst den Antrag auf Löschung aus dem Handelsregister gestellt hat oder nicht.

III.   Kannkaufmann (Satz 2)

4   Der gewerbliche Unternehmer, dessen Gewerbebetrieb nicht schon unter § 1 Abs. 2 fällt, ist nach Satz 2 berechtigt, nicht aber verpflichtet, die Eintragung nach den für die Eintragung von kaufmännischen Firmen geltenden Vorschriften herbeizuführen. Der Antrag erfolgt durch **Anmeldung der gewählten Firma**.[6]

IV.   Herabsinken auf Kleingewerbe

5   Auch wenn sein Gewerbebetrieb die Voraussetzungen nach § 1 Abs. 2 nicht mehr erfüllt, hat der Eingetragene das Recht, als Kaufmann im Handelsregister eingetragen zu bleiben. Er muss dieses Ansinnen durch materiellrechtlichen Antrag zum Ausdruck bringen.[7] Wenn er diesen Antrag nicht stellt, wird das Registergericht das **Löschungsverfahren** einleiten.

V.   Löschung der Firma auf Antrag (Satz 3)

6   Wenn die Eintragung erfolgt ist, wird die Firma auf Antrag des eingetragenen Kaufmanns wieder gelöscht. Voraussetzung ist, dass der Kaufmann

---

2   LG Köln, 22.09.05 – 33 0 87/05, AnwBl. 2005, 788, 789, vgl. § 59c ff. BRAO.

3   BayOLG, 07.06.2000 – 3 Z BR 26/00, NZG 2000, 987.

4   Allgemein hierzu Winkler NJW 1970, 449.

5   Lieb, NJW 1999, 36.

6   Lieb, NJW 1999, 36; Röhricht in Röhricht/Graf von Westphalen, HGB, § 2 Rn. 26; K. Schmidt, ZHR 163 (1999), 92.

7   Lieb, NJW 1999, 36; Röhricht in Röhricht/Graf von Westphalen, HGB, § 3 Rn. 20.

nicht zwischenzeitlich Ist-Kaufmann nach § 1 Abs. 2 geworden ist. Das bedeutet, dass der Kleingewerbetreibende, der nur kraft Eintragung zum Kaufmann geworden ist, auch wieder eine Löschungsoption hat, wenn er sich z.B. den Anforderungen der Vorschriften des HGB nicht mehr gewachsen fühlt. Die Löschung wirkt ex nunc, das heißt, zuvor als Kaufmann begründete Rechte und Pflichten bleiben unberührt.

VI. Nachfolge

Derjenige, der das eingetragene kleingewerbliche Unternehmen erwirbt, tritt 7 ohne Weiteres an die Stelle seines Vorgängers und wird Kaufmann. Wenn er ohne Firma erwirbt, wird er erst dann Kaufmann, wenn seine eigene Firma eingetragen ist. Der Vorgänger verliert seine Kaufmanneigenschaft mit seinem **Ausscheiden**. Wenn das Handelsregister noch den Vorgänger ausweist, dann ist es unrichtig. Wenn der Vorgänger noch nicht eingetragen war, hat der Rechtsnachfolger die Eintragungsoption nach Satz 2, anderenfalls hat er wie der Vorgänger die Löschungsoption nach Satz 3.

VII. Prozessuales

Die **Prüfung der Eintragung** erfolgt durch das **Registergericht**. Das 8 Registergericht prüft, ob ein Gewerbe vorliegt und die Firma zulässig ist. Dagegen prüft es *nicht* die Art und den Umfang des Unternehmens und die Erforderlichkeit einer kaufmännischen Einrichtung.

§ 3 HGB   [Sonderregelung für Land- und Forstwirte]

(1) Auf den Betrieb der Land- und Forstwirtschaft finden die Vorschriften des § 1 keine Anwendung.

(2) Für ein land- oder forstwirtschaftliches Unternehmen, das nach Art und Umfang einen in kaufmännischer Weise eingerichteten Geschäftsbetrieb erfordert, gilt § 2 mit der Maßgabe, dass nach Eintragung in das Handelsregister eine Löschung der Firma nur nach den allgemeinen Vorschriften stattfindet, welche für die Löschung kaufmännischer Firmen gelten.

(3) Ist mit dem Betrieb der Land- oder Forstwirtschaft ein Unternehmen verbunden, das nur ein Nebengewerbe des land- oder forstwirtschaftlichen Unternehmens darstellt, so finden auf das im Nebengewerbe betriebene Unternehmen die Vorschriften der Absätze 1 und 2 entsprechende Anwendung.

I.   Einführung

1   Zweck der Norm ist es, Land- und Forstwirte vor den Anforderungen des Kaufmannsrechts zu schützen. Traditionell nehmen land- und forstwirtschaftliche Unternehmen eine Sonderrolle ein, sie sind aus dem Bereich des Handelsrechts weitgehend ausgenommen. Sie betreiben zwar ein Gewerbe, doch ist dieses i.d.R. kein Handelsgewerbe. Nicht ausgeschlossen ist hingegen die Anwendung des § 2 auf Land- und Forstwirte, sodass sie sich freiwillig in das Handelsregister eintragen lassen können, wenn ihr Unternehmen nach Art und Umfang einen in kaufmännischer Weise eingerichteten Gewerbebetrieb erfordert.

2   Bei Vorliegen einer **GmbH** ist immer – auch bei Betrieb eines land- oder forstwirtschaftlichen Betriebs die Kaufmannseigenschaft gegeben (Formkaufmann gem. § 13 Abs. 3 GmbHG, § 6 HGB). Bedeutsam ist die Vorschrift daher **nur für die Vorgründungsgesellschaft und die Vor-GmbH**.[1]

3   **Checkliste: Voraussetzungen für Kaufmannseigenschaft von Land- und Forstwirten**

> ☐ landwirtschaftliches oder forstwirtschaftliches Unternehmen
>
> ☐ ein in kaufmännischer Weise eingerichteter Geschäftsbetrieb ist nach Art und Umfang erforderlich
>
> ☐ Eintragung in das Handelsregister

II.   Land- und Forstwirte (Abs. 1)

1.   Landwirtschaftliche Tätigkeit

4   Landwirtschaftliche Tätigkeit setzt voraus, dass der Grund und Boden mit dem Ziel genutzt wird, pflanzliche und tierische Rohstoffe zu erzeugen und zu verwerten.

---

1   BGH 07.07.1960 – VIII ZR 215/59, NJW 1961, 725.

Beispiele:

Ackerbau, Gemüseanbau, Obstanbau, Viehzucht, Erzeugung und Weiterverarbeitung tierischer Produkte wie Fleisch, Milch, Eier in eigener Bodenausnutzung.

Dabei spielt es keine Rolle, ob es sich um eigenes Land oder um Pacht 5 handelt. Gärtnereien und Baumschulen fallen unter den Begriff der Landwirtschaft wenn Bodennutzung vorliegt, also selbstgezogene Pflanzen verkauft werden.

Nicht unter den Begriff der landwirtschaftlichen Tätigkeit fallen Tätigkei- 6 ten, bei denen hauptsächlich gekauftes Futter und fremde Erzeugnisse verarbeitet werden. Beispiele hierfür sind: große Geflügelfarm auf kleinstem Grund und Boden, weil die Bodennutzung nicht im Vordergrund steht. Ebenso nicht unter den Begriff der Landwirtschaft fallen: Fischerei, Fisch-, Hunde- oder Vogelzucht, weil keine Bodennutzung erfolgt. Kies-, Torf- oder Mineraliengewinnung fallen nicht unter den Begriff der Landwirtschaft, weil keine pflanzlichen oder tierischen Rohstoffe verwandt werden.

2. Forstwirtschaft

Unter Forstwirtschaft versteht man die wirtschaftliche Nutzung von Wäldern 7 durch planmäßiges Auf- und Abforsten. Ob diese Nutzung als Pächter, Eigentümer oder Nießbraucher betrieben wird, ist unerheblich. Die Tätigkeit ist i.d.R. auf Holzgewinnung gerichtet.

3. Gemischte Betriebe

Umfasst dasselbe Unternehmen mehrere Betriebe, die z.T. landwirtschaftli- 8 che bzw. forstwirtschaftliche Tätigkeiten betreffen und z.T. Betriebe anderer Art sind, kommt es darauf an, was für das Unternehmen prägend ist. Bei überwiegendem Eigenanbau wird i.d.R. § 3 vorliegen, bei überwiegendem Handel mit fremden Erzeugnissen wird § 1 Abs. 2 Satz 2 unmittelbar anzuwenden sein. Entscheidend ist dabei der Charakter der Tätigkeit, nicht ihr Umfang.

III. Kannkaufmann (Abs. 2)

§ 1 findet auf land- und forstwirtschaftliche Unternehmen keine Anwen- 9 dung. Diese sind also niemals Handelsgewerbe; der Land-/Forstwirt ist niemals Ist-Kaufmann. § 2 gilt für land-/forstwirtschaftliche Unternehmen, die nach Art und Umfang einen in kaufmännischer Weise eingerichteten Gewerbebetrieb erfordern. Die großen land- und forstwirtschaftlichen Unternehmen können durch Eintragung zum Handelgewerbe werden, müssen es aber nicht. Sie haben freies Wahlrecht. Zu beachten ist, dass sie nur eine Eintragungsoption, keine Löschungsoption haben (anders als Kleingewerbetreibende, s. § 1 Rn. 23 ff.). Ist das Unternehmen im Handelsregister eingetragen, gilt es als Handelsgewerbe. Der Land- oder Forstwirt ist dann Kaufmann.

> **Hinweis:**
>
> Der Rechtsnachfolger (Erwerber, Pächter, Erbe, Nießbraucher) ist grds. an die Wahl seines Vorgängers gebunden. Er übernimmt den land- oder forstwirtschaftlichen Betrieb, den er zusammen mit der alten Firma fortführt, i.d.R. so, wie ihn sein Vorgänger geführt hat. Er hat wie sein Vorgänger nur noch die Löschungsoption nach § 2.

IV.   Nebengewerbe (Abs. 3)

10   Ein Nebengewerbe ist ein selbstständiges Unternehmen neben dem land- oder forstwirtschaftlichen Unternehmen. Das heißt, es handelt sich um mehrere Unternehmen. Beide Unternehmen müssen derart miteinander verbunden sein, dass das Nebengewerbe von dem Hauptgewerbe abhängig ist. Haupt- und Nebengewerbe müssen von demselben Unternehmer geführt werden. Erforderlich ist eine **innere Verbundenheit** zwischen dem land-/forstwirtschaftlichen Unternehmen sowie dem Nebengewerbe und eine Abhängigkeit des Nebengewerbes vom Hauptgewerbe. Haupt- und Nebengewerbe müssen einen **identischen Inhaber** haben.

11   Der Verweis auf Abs. 1 hat zur Folge, dass ein Land- und Forstwirt niemals wegen des Nebengewerbes kraft Gesetzes Istkaufmann ist, weil die Vorschrift des § 1 auf ihn keine Anwendung findet.

[§ 4 HGB weggefallen]

1   Diese Vorschrift ist aufgrund Artikel 3 des Gesetzes zur Neuregelung des Kaufmanns- und Firmenrechts und zur Änderung anderer handels- und gesellschaftsrechtlicher Vorschriften v. 22.06.1998 (HRefG) – BGBl. I S. 1474 – mit Rechtskraftwirkung zum 01.07.1998 aufgehoben worden.

§ 5 HGB   [Fiktivkaufmann]

Ist eine Firma im Handelsregister eingetragen, so kann gegenüber demjenigen, welcher sich auf die Eintragung beruft, nicht geltend gemacht werden, dass das unter der Firma betriebene Gewerbe kein Handelsgewerbe sei.

I. Einführung

Die Norm greift dann ein, wenn der Unternehmer nicht schon nach den §§ 1 bis 3 Kaufmann ist. § 5 erfasst nur solche Unternehmen, die einen Gewerbebetrieb betreiben. Die Vorschrift hat *keine* Bedeutung für die **GmbH**, die durch Eintragung in das Handelregister **Formkaufmann** ist, auch wenn sie kein Handelsgewerbe betreibt (zum Entstehungsprozess der GmbH s. § 1 Rn. 16 ff.). Die nachfolgende Darstellung wird daher auf Grundlagen beschränkt.   1

II. Voraussetzungen

1. Eintragung

Die **Firma** (Einzelkaufmann, OHG, KG) muss im Handelsregister eingetragen sein. Entscheidend ist alleine die Tatsache der Eintragung, nicht aber etwa der Umstand, dass die Eintragung zu Unrecht erfolgt ist. Die Vorschrift ist nicht anzuwenden, wenn ein Kleingewerbe (dann greift § 2 Abs. 1) oder ein freier Beruf ausgeübt wird.[1]   2

2. Gewerbebetrieb

Die Vorschrift setzt einen Gewerbebetrieb voraus und die Firma des Unternehmens muss im Handelsregister eingetragen sein.   3

III. Reichweite der Regelung

1. Wirkung für und gegen alle

Der eingetragene gesetzliche Einzelunternehmer ist Kaufmann, die eingetragene Gesellschaft ist Handelsgesellschaft.   4

Die Vorschrift gilt für und gegen alle (Wirkung **inter omnes**). Sie gilt auch zugunsten des Eingetragenen gegen Dritte, ferner zugunsten eines Gesellschafters gegen seine Mitgesellschafter. Auf Gut- oder Bösgläubigkeit   5

---

[1]   BGH, 19.05.1960 – II ZR 72/59, BGHZ 32, 207, 313; Röhricht in Röhricht/ Graf v. Westphalen, HGB, § 5 Rn. 3; Lieb in MüKo-HGB, § 5 HGB Rn. 4.

kommt es dabei nicht an. Der Dritte muss sich auch nicht eigens auf die Wirkung berufen. Die Beteiligten können sich aber auch darauf verständigen, dass der Eingetragene nicht als Kaufmann zu betrachten ist. Die Vorschrift ist insoweit also nicht zwingend.

2.   Bindung des Registergerichts

6   Durch die Vorschrift wird das Registergericht nicht daran gehindert, unrichtige Eintragungen zu berichtigen.

3.   Zeitliche Reichweite

7   Die Vorschrift gilt für alle Rechtsverhältnisse, die begründet werden, während die unrichtige Eintragung besteht. Eintragung und Löschung wirken nur **ex nunc**.

IV.   Rechtsscheinhaftung

8   Derjenige, der durch Erklärungen oder sonstige für die Allgemeinheit erkennbare Handlungen den Anschein erweckt hat, Kaufmann zu sein, muss gutgläubigen Dritten gegenüber für dieses Verhalten einstehen, d.h. wer wie ein Kaufmann auftritt, muss sich auch wie ein Kaufmann behandeln lassen.[2]

1.   Rechtsscheingrundlage

9   Rechtsscheingrundlage kann ein wie auch immer gestalteter **Vertrauenstatbestand** sein, der **ausdrücklich oder konkludent**, in Worten oder Taten, begründet wird. Die Kaufmannseigenschaft oder das Bestehen einer Handelsgesellschaft kann also

- durch Äußerungen kaufmännischer Art,
- durch die Bezeichnung als „Kaufmann",
- durch eine Firmenführung[3] oder
- durch Eröffnung und Unterhaltung eines kaufmännischen Geschäftsbetriebs,[4]
- durch Erteilung einer Prokura oder Handelsvollmacht

vorgetäuscht werden. Die Lehre von der Rechtsscheinhaftung hat erhebliche Bedeutung im gesamten Handelsrecht. Die Eigenschaft als Kaufmann oder

---

2   Allgemein zur Rechtsscheinhaftung s. BGH, 27.05.2008 – XI ZR 149/07, WM 2008, 1266; für die GmbH s. BGH, 05.02.2007 – II ZR 84/05, NJW 2007, 908.

3   BGH, 05.02.2007 – II ZR 84/05, NJW 2007, 1529; LG Wuppertal, 20.04.2001 – 1 O 256/00, NZG 2002, 297.

4   BGH, 24.06.1991 – II ZR 293/90 = NJW 1991, 2627; OLG Hamm, 09.11.1990 – 26 U 250/89.

das Bestehen eines Handelsgeschäfts kann auch durch Anzeigen unter Bezeichnung als Kaufmann, Firmenführung vorgetäuscht werden.

2. Zurechenbarkeit des Rechtsscheins

Wenn der Rechtsschein zunächst entstanden ist, wie z.B. durch Behauptung eines Dritten, ohne dass der Kaufmann einen entsprechenden Rechtsschein gesetzt hat, so ist der Rechtsschein nur dann zurechenbar, wenn derjenige, der als „Kaufmann" gilt, davon **nachträglich Kenntnis** erlangt bzw. bei pflichtgemäßer Sorgfalt hätte erkennen können und nicht für die Beseitigung des Rechtsscheins Sorge trägt.[5] Ein Verschulden ist nicht erforderlich. Der **Dritte** muss **gutgläubig** sein und im Vertrauen auf den Rechtsschein gehandelt haben. — 10

3. Schutzbedürftigkeit

Der Dritte muss gutgläubig sein und im Vertrauen auf den Rechtsschein gehandelt haben. Der Rechtsschein wirkt nur zugunsten eines gutgläubigen Dritten. Dabei schadet Kenntnis oder (einfache) fahrlässige Unkenntnis der wahren Sachlage.[6] — 11

4. Wirkung des Rechtsscheins

Derjenige, der den Anschein erweckt, Kaufmann zu sein, muss sich gutgläubigen Dritten gegenüber auch so behandeln lassen, als ob er Kaufmann sei. — 12

Fraglich ist dabei aber, ob alle Regelungen des HGB auf den Scheinkaufmann anwendbar sind. Nach einer Auffassung soll das Handelsrecht nur eingeschränkt auf den Scheinkaufmann anwendbar sein.[7] Rechtsfolgen, die sich aus zwingendem Recht ergeben, könnten nicht durch einen bloßen Rechtsschein zu Lasten desjenigen gehen, den das zwingende Recht schützen wolle. Die h.M. unterstellt den Scheinkaufmann vollumfänglich dem HGB.[8] Denn die Reichweite des Rechtsscheins ist aus Sicht des gutgläubigen Dritten zu bestimmen. — 13

---

5   BGH, 05.02.2007 – II ZR 84/05, NJW 2007, 1529.

6   Lieb in MüKo-HGB, § 15 Rn. 82.

7   Brüggemann in Staub, HGB, Anh. § 5 Rn. 45; Nickel, JA 1980, 566, 576.

8   Lieb in MüKo-HGB, § 15 Rn. 90; OLG Frankfurt a.M. 30.09.1974 – 5 W 13/74, WM 1974, 1085.

VI.   Prozessuales

14 Die Vorschrift ist nicht generell analog auf Freiberufler und Kleingewerbetreibende anwendbar.[9] Die Vorschrift ist bei entsprechendem Vortrag im Prozess **von Amts wegen** zu berücksichtigen. Es handelt sich also nicht um eine Einwendung im technischen Sinn.

15 Der Scheinkaufmann des § 5 kann nicht einwenden, das Gewerbe verlange keine kaufmännische Einrichtung und sei somit kein Handelsgewerbe, oder er sei ohne Anmeldung (§§ 29, 106) oder ohne Antrag (§§ 2 Satz 2, 3 Abs. 2 und 3, 105 Abs. 2 Satz 2, 161) eingetragen worden. Sonstige Einwendungen werden durch die Vorschrift nicht ausgeschlossen. So kann etwa gegen die Eintragung angeführt werden, dass es dem Eingetragenen an der Geschäftsfähigkeit mangele und das Geschäft deshalb nichtig sei.

§ 6 HGB   [Formkaufmann]

(1) Die in Betreff der Kaufleute gegebenen Vorschriften finden auch auf die Handelsgesellschaften Anwendung.

(2) Die Rechte und Pflichten eines Vereins, dem das Gesetz ohne Rücksicht auf den Gegenstand des Unternehmens die Eigenschaft eines Kaufmanns beilegt, bleiben unberührt, auch wenn die Voraussetzungen des § 1 Abs. 2 nicht vorliegen.

I.   Einführung

1 Das Kaufmannsrecht des HGB findet gem. Abs. 1 auf die **Handelsgesellschaften** Anwendung. Handelsgesellschaften sind Gesellschaften, die als solche im Handelsregister eingetragen sind. Bei den Handelsgesellschaften wird zwischen **Personenhandelsgesellschaften** (oHG, KG, GmbH & Co. KG) und **Kapitalgesellschaften** (AG, AGaA, GmbH, eWIV) unterschieden. Keine Handelsgesellschaften sind die GbR, der Verein, die Stiftung, die Stille Gesellschaft, die eingetragene Genossenschaft sowie Körperschaften des öffentlichen Rechts.

---

9   BGH, 17.11.1960 – VII ZR 115/59, BGHZ 33, 313, 316 = WM 1960, 1351; Pfeiffer, Hdb. Handelsgeschäfte, § 1 Rn. 133; Lieb in MüKo-HGB, § 5 HGB Rn. 5.